СОВРЕМЕННЫЕ СОЕДИНЕННЫЕ ШТАТЫ АМЕРИКИ

Энциклопедический справочник

Москва
Издательство
политической
литературы
1988

ББК   66.3 (7США)
       С56

С $\frac{0804000000-197}{079(02)-88}$ 183—88

ISBN 5—250—00124—6

© ПОЛИТИЗДАТ, 1988

ОТ РЕДАКЦИОННОЙ КОЛЛЕГИИ

Предлагаемый вниманию читателей энциклопедический справочник «Современные Соединенные Штаты Америки» является коллективным трудом ведущих советских ученых-международников и специалистов в различных областях политики, экономики и культуры США. Авторы отдали предпочтение обзорному характеру изложения всей имеющейся на сегодняшний день информации о жизни современного американского общества. Для облегчения поиска необходимой читателю информации по конкретной теме или проблеме издание снабжено подробным указателем. В справочник включены таблицы важнейших дат в истории США и важнейших событий в истории советско-американских отношений. Издание содержит основные биографические сведения о тех известных политических и общественных деятелях, деятелях науки и культуры, которые вносят особенно заметный вклад в жизнь современного американского общества и информация о которых отсутствует или недостаточно полна в других справочных изданиях. Все приводимые в настоящем справочнике фактические данные и цифры основаны на американских источниках последних лет.

ОБЩИЕ СВЕДЕНИЯ

Соединенные Штаты Америки — государство в Западном полушарии, занимающее свыше трети континента Северная Америка. Площадь — около 9,4 млн км^2. Население — 243,9 млн чел. (1987)*.

Территория и границы

По занимаемой территории США стоят на четвертом месте в мире (после СССР, Канады, КНР). С 1959 г. территория США состоит из трех несмежных частей, различных по размерам, географическому положению, природным условиям, уровню развития и населенности:

1) Собственно территория США (по границам до 1959 г.) находится между 24°30′—49°23′ северной широты и 66°57′—124°45′ западной долготы. Протяженность с востока на запад — 4662 км, с юга на север — 4583 км; площадь — 7,83 млн км^2, население — 237 млн чел. (1985). Граничит на севере с Канадой, на юго-западе — с Мексикой, омывается с юга водами Мексиканского залива, с востока — Атлантическим океаном, с запада — Тихим океаном.

2) Аляска с многочисленными островами, расположенная на северо-западе Северной Америки, занимает 16% всей территории страны; площадь — 1,53 млн км^2, население — 521 тыс. чел. (1985). Аляска граничит с Канадой, омывается водами Северного Ледовитого и Тихого океанов.

3) Гавайи (24 острова в Тихом океане) занимают менее 0,2% всей территории страны; площадь — 16,8 тыс. км^2, население — 1054 тыс. чел. (1985).

Административно-территориальное деление

США — федеративная республика. В административном отношении территория страны делится на 50 штатов и федеральный округ Колумбия.

Первоначально в состав федерации входило 13 штатов: Нью-Гэмпшир, Массачусетс, Род-Айленд, Коннектикут, Нью-Йорк, Нью-Джерси, Пенсильвания, Делавэр, Мэриленд, Виргиния, Северная Каролина, Южная Каролина, Джорджия. Последними территориями, получившими статус штата в 1959 г., были Аляска и Гавайи.

Официальная статистика США группирует штаты в 9 регионов: Новая Англия (Мэн, Нью-Гэмпшир, Вермонт, Массачусетс, Род-Айленд, Коннектикут); Средне-Атланти-

---

* В соответствии с конституцией США официальные переписи населения США проводятся раз в 10 лет в основном с целью определения представительских квот в палате представителей конгресса США. Первая официальная перепись была проведена в 1790 г. В 1902 г. было образовано в качестве федерального правительственного агентства Бюро переписей. В ходе последней официальной переписи 1980 г. подробный опросный лист заполнялся каждой шестой американской семьей (около 17% населения США). До очередной официальной переписи населения США, которая будет проведена в 1990 г., американская статистика пользуется данными, ежегодно корректируемыми Бюро переписей.

ческие штаты (Нью-Йорк, Нью-Джерси, Пенсильвания); Северо-Восточный Центр (Огайо, Индиана, Иллинойс, Мичиган, Висконсин); Северо-Западный Центр (Миннесота, Айова, Миссури, Северная Дакота, Южная Дакота, Небраска, Канзас); Южно-Атлантические штаты (Делавэр, Мэриленд, федеральный округ Колумбия, Виргиния, Западная Виргиния, Северная Каролина, Южная Каролина, Джорджия, Флорида); Юго-Восточный Центр (Кентукки, Теннесси, Алабама, Миссисипи); Юго-Западный Центр (Арканзас, Луизиана, Оклахома, Техас); Горные штаты (Монтана, Айдахо, Вайоминг, Колорадо, Нью-Мексико, Аризона, Юта, Невада); Тихоокеанские штаты (Вашингтон, Орегон, Калифорния, Аляска, Гавайи).

Каждый штат подразделяется на округа (всего 3041), которые традиционно называются графствами (в штате Луизиана — приходами). Сами округа делятся на муниципалитеты (всего 19 078) и тауншипы (всего 16 734). Первые осуществляют местное самоуправление в городах, вторые — в сельской местности (в Новой Англии обе единицы называются тауны).

Столица

Город Вашингтон — столица США — расположен на Атлантическом побережье у нижнего течения реки Потомак при впадении в нее реки Анакостия, на стыке двух главных районов страны — Севера и Юга. Административно Вашингтон выделен в особый федеральный округ Колумбия. Площадь — 178 км². Население в пределах федерального округа — 626 тыс. чел. (1985). Основан в 1791 г. Столицей Вашингтон стал 1 декабря 1800 г., после того как в него из Филадельфии были переведены конгресс и основные правительственные учреждения. Назван в честь первого президента США — Джорджа Вашингтона.

Рельеф

Бо́льшую часть территории страны на востоке и в центральных районах занимают равнины и невысокие горы. На востоке расположены Аппалачские горы (высшая точка — г. Митчелл, 2037 м). На севере они выходят к Атлантическому океану, на юге отделены от него Приатлантической низменностью. К западу от Аппалачских гор находятся Центральные равнины (высота 200—500 м), Великие равнины (предгорное плато Кордильер высотой от 500 м на востоке до 1600 м на западе) и к юго-западу Примексиканская низменность (высота до 150 м). В районе озера Верхнее на территорию США заходит Лаврентийская возвышенность, расположенная в основном в Канаде.

Западную часть страны (включая Аляску) занимают высокие хребты (высота до 3000—5000 м), плоскогорья и плато Кордильер. На Аляске хребты (Брукса, Алеутский, Аляскинский и плоскогорье Юкон) вытянуты с запада на восток. В северной части их окаймляет Арктическая низменность. На Аляске находится наиболее высокая вершина США и всей Северной Америки — г. Мак-Кинли (6194 м). На основной территории страны горные цепи ориентированы с севера на юг. В систему Кордильер входят Колумбийское плато, нагорье Большой Бассейн, плато Колорадо. Плато и плоскогорья ограничивают на западе вулканические Каскадные горы, хребет Сьерра-Невада (высшая точка — г. Уитни, 4418 м), западнее переходящие в полосу долин — Уилламеттскую, Большую Калифорнийскую и Нижнекалифорнийскую. Восточную окраину пояса Кордильер образуют хребты Скалистых гор (высшая точка — г. Элберт, 4399 м). На побережье Тихого океана расположены Береговые хребты (высота до 2400 м).

Гавайские острова представляют собой ряд вулканов. Высота Мауна-

Кеа, самого крупного потухшего вулкана,— 4205 м. Кратер самого крупного действующего вулкана Мауна-Лоа находится на высоте 4170 м.

Климат

На территории США расположены практически все климатические зоны. Характерными типами климата являются: тропический (Гавайи); умеренный и субтропический морской (побережье Тихого океана); континентально-морской (побережье Атлантического океана); континентальный (Внутренние равнины, плоскогорье Юкон); резко континентальный (внутренние плато и плоскогорья Кордильер); арктический (северная часть Аляски); субарктический (центральная и южная часть Аляски).

Средняя температура июля +14...+22 С на западном побережье, +16...+26°С — на восточном, на юге пояса внутренних плато и плоскогорий до +32°С. Средняя температура января от —24,8° С на Аляске и —18°С на севере Центральных равнин до +12°С на юго-западе США и до +20°С на полуострове Флорида. Средняя температура января на Гавайских островах +22°С, июля +27°С. Наиболее низкие температуры наблюдались на плоскогорье Юкон (—64°С); наиболее высокие (+56,7°С — самая высокая температура в Западном полушарии) — в Долине Смерти.

Осадков выпадает на востоке и в приморской полосе на северо-западе 1000—2000 мм в год, на Центральных равнинах — 600—900 мм, на Великих равнинах — 400—600 мм, на внутренних плоскогорьях и плато — до 400 мм (в пустыне Мохаве — менее 100 мм); годовые осадки на Гавайях — до 12 500 мм, на юго-востоке Аляски и на западе штата Вашингтон — 3000—4000 мм.

Внутренние воды

Водные объекты распределены по территории США неравномерно, на преобладающей части страны развита густая и полноводная речная сеть, однако встречаются площади, лишенные или почти лишенные рек и озер. Крупнейшей рекой США, бассейн которой занимает 40% всей территории страны, является Миссисипи (длина 3950 км) с притоками. Основные из них Миссури (длина 4740 км), Арканзас (2410 км), Ред-Ривер (2050 км). Другие крупные реки США: Юкон (3700 км), Рио-Гранде (2870 км), Колорадо (2740 км), Колумбия (2250 км), Святого Лаврентия (1200 км).

Самые крупные озера страны — Великие озера (общая площадь — 245,2 тыс. км^2, общий объем — 22,7 тыс. км^3), являющиеся крупнейшим в мире скоплением пресных вод: Верхнее, Мичиган, Гурон, Эри, Онтарио. Более половины площади Великих озер принадлежит США, остальное — Канаде. В понижениях нагорья Большой Бассейн расположены бессточные соленые озера (Большое Соленое озеро и др.). Во Флориде многочисленны карстовые и лагунные озера.

Общая длина внутренних водных путей превышает 40 тыс. км. Особо важное значение имеют Великие озера, связанные каналами с Атлантическим океаном (через реку Гудзон) и с бассейном реки Миссисипи. Глубоководный путь по реке Святого Лаврентия сделал Великие озера доступными для крупных морских судов. Важнейшим речным путем является Миссисипи с ее притоками. Создана система Береговых каналов, связавших в нижнем течении основные реки, впадающие в Атлантический океан и Мексиканский залив. По ним речные суда могут проходить вдоль побережья, не выходя в открытое море.

Полезные ископаемые

На территории США насчитывается более 100 видов полезных ископаемых. Месторождения нефти и газа (Мексиканский залив, Кордильерский пояс, Аляска), каменного угля (Иллинойсский и Питтсбургский бассейны, Предаппалачский прогиб), железа (район озера Верхнее, плато Колорадо), урана (плато Колорадо, восточная часть Скалистых гор), меди (Бингем), ртути (Нью-Альмаден), свинцово-цинковые месторождения (Миссисипская долина).

США далеко не одинаково обеспечены различными видами полезных ископаемых. Собственными ресурсами они удовлетворяют свои потребности в каменном угле, меди, свинце, фосфатах, молибдене и некоторых др. видах сырьевых материалов. Нефть, уголь, природный газ, уран составляют (по стоимости) около 89% всего объема продукции добывающей промышленности США. На железную руду и медь приходится три четверти стоимости всех добываемых в США металлов. Остальные виды металлов добываются в США в ограниченных размерах. Вместе с тем США, по существу, не располагают на своей территории многими важными видами промышленного сырья, такими, как хром, марганец, вольфрам, кобальт, алмазы. За счет импорта ныне удовлетворяется более 50% потребностей экономики страны в минеральном сырье. По некоторым видам сырья, таким, как хром, марганец, слюда, стронций и ряд других, США целиком или в значительной мере зависят от ввоза.

Растительность

В своем первоначальном виде растительность сохранилась лишь в горных районах. Для северо-востока страны и района Великих озер характерно сочетание хвойно-широколиственных лесов (сосна, ель, пихта, сахарный клен, липа, ясень) с лугами и пашнями; для юга (нижний пояс Аппалачских гор) — широколиственные леса (дуб, клен, тюльпанное дерево, платан). Высокотравная растительность прерий на Центральных равнинах не сохранилась. Для Великих равнин характерны сухие степи из низких злаков, для южной их части — растительность саванн (низкорослые деревья, кустарники). Степная растительность встречается также в отдельных районах Кордильер. Большой Бассейн имеет характерную растительность пустынь и полупустынь (полынь, лебеда, кустарники). В Кордильерах преобладают хвойные леса, во внутренних плато Кордильер распространены крупные кактусы, агава, юкка. В лесах Тихоокеанского побережья произрастает туя, ситхинская ель, псевдотсуга. В Калифорнии встречаются два вида секвойи: вечнозеленая и гигантская (мамонтово дерево). Расположенные на юго-западе страны пустыни Мохаве и Хила имеют крайне скудную растительность. На Приатлантической низменности у берегов Мексиканского залива встречаются субтропические леса. На юге Флориды можно встретить тропические виды растительности (пальмы, фикусы, дынное дерево). На Аляске преобладает тундровая растительность и хвойное редколесье. Наветренные склоны гор на Гавайских островах покрыты влажно-тропическими лесами, на сухих юго-западных склонах гор — растительность саванн и редколесье. Прибрежные низменности и низкие склоны гор заняты под плантации сахарного тростника, ананасов, бананов и др. тропических культур.

Животный мир

В зоне смешанных лесов обитают бурый медведь, рысь, росомаха. В Аппалачских горах — виргинский олень, красная рысь. На юго-востоке страны встречаются аллигатор, кайманова черепаха, пекари, опоссум; из птиц — фламинго, пеликан, колибри. В небольших количествах сохранились бизоны (только в заповедниках), вилорогая антилопа, койот, лисица прерий, гремучая змея. Для полупустынь и пустынь характерны различные грызуны и пресмыкающиеся. На склонах Кордильер обитают снежный козел, толсторогий баран, медведь гризли. На юге встречаются ягуар, броненосец.

Для Аляски характерны животные тайги и тундры: северный олень (карибу), тундровый волк, песец, белый медведь, американский соболь, горностай. На Алеутских островах обитает калан (морской бобр). В прибрежных водах Атлантического океана большое промысловое значение имеют треска, сельдь, в Тихом океане — лососевые, палтус, тунец, крабы, креветки и др.

Животный мир Гавайских островов богат птицами и насекомыми.

Охраняемые территории

К охраняемым территориям относятся национальные парки, исторические и военные парки, парки-монументы, кладбища, парки штатов, заказники дикой фауны и др. Они расположены на землях, принадлежащих федеральному правительству, властям штатов, графств, общественным организациям и частным лицам. Контроль над большинством охраняемых территорий осуществляет Служба национальных парков министерства внутренних дел США. Под охраной федеральных властей находятся 45 национальных парков, 47 национальных памятников, 3 национальных заповедника, а также другие исторические и рекреационные территории. Существует более 400 резерватов для охраны фауны (25 млн га), более 4000 резерватов и парков штатов. Наиболее крупными и известными национальными парками США являются Йеллоустонский, Йосемитский, Секвойя, Глейшер, Большой Каньон.

Владения

США принадлежит ряд территорий в Карибском море и Тихом океане.

Пуэрто-Рико (Содружество Пуэрто-Рико) — страна в Вест-Индии, расположена на острове Пуэрто-Рико и на небольших островах Вьекес,

Кулебра, Мона и др. С севера омывается водами Атлантического океана, с юга — Карибского моря. Площадь — 8,9 тыс. км^2, население — 3,28 млн чел. (1985). Административный центр — Сан-Хуан. Официальные языки — английский и испанский.

В 1898 г. в результате испано-американской войны остров был захвачен США и превращен в колонию. С 1952 г., согласно конституции, навязанной Соединенными Штатами, Пуэрто-Рико было провозглашено «свободно присоединившимся» к США государством. Новый юридический статус, по существу, лишь закреплял колониальное положение Пуэрто-Рико. Высшая законодательная власть принадлежит конгрессу США, где Пуэрто-Рико с 1970 г. имеет своего представителя (без права голоса). Законодательную власть в рамках статуса Пуэрто-Рико осуществляет двухпалатное Законодательное собрание (сенат и палата представителей), исполнительную — губернатор, возглавляющий Консультативный совет.

В 1986 г. вопрос о Пуэрто-Рико рассматривался в Комитете ООН по деколонизации. Комитет вновь подтвердил неотъемлемое право народа Пуэрто-Рико на самоопределение и независимость, призвал США передать всю полноту власти народу Пуэрто-Рико.

В Пуэрто-Рико расположены 13 американских военных баз, склады ядерного оружия.

Виргинские острова — группа небольших островов в Карибском море, самые крупные из которых Сент-Томас, Сент-Джон и Санта-Крус. Владение Великобритании и США. Острова, принадлежащие Соединенным Штатам, имеют площадь 352 км^2, население — 111 тыс. чел. (1985). Административный центр — Шарлотта-Амалия. Официальный язык — английский.

В 1917 г. США купили эти острова у Дании за 25 млн дол. Позже США создали на островах военно-морскую базу. На Виргинские острова распространяются положения принятой ООН Декларации о предоставлении независимости колониальным странам и народам. Комитет ООН по деколонизации в 1981 г. подтвердил неотъемлемое право народа Виргинских островов на самоопределение и независимость.

Общий надзор над островами осуществляется министерством внутренних дел США. С 1972 г. в палату представителей конгресса США избирается один представитель (без права голоса). Имеется однопалатное Законодательное собрание в составе 15 сенаторов. Исполнительная власть осуществляется губернатором, который с 1970 г. избирается населением островов.

Гуам — остров в западной части Тихого океана, самый крупный в группе Марианских островов, площадь — 549 км², население — 124 тыс. чел. (1985). Административный центр — Аганья. Официальный язык — английский.

В 1898 г. в результате испано-американской войны перешел во владение США. После второй мировой войны стал одной из самых крупных тихоокеанских военных баз США. В течение длительного времени вся полнота власти на острове находилась в руках губернатора, назначавшегося президентом США. С 1950 г. Гуаму конгрессом США предоставлено право на местное самоуправление, жители острова объявлены гражданами США, но без права участия в национальных выборах. Законодательный орган — конгресс Гуама. С 1970 г. губернатор выбирается населением острова. Он назначает с согласия законодательного органа руководителей 15 исполнительных департаментов, образующих правительство. Гуам имеет в палате представителей конгресса США одного представителя (без права голоса).

Восточное Самоа — группа островов в восточной части архипелага Самоа в Тихом океане, самый крупный — остров Тутуила (137 км²). Общая площадь — 197 км², население — 36 тыс. чел. (1985). Административный центр — Паго-Паго (остров Тутуила). Официальный язык — английский.

С 1899 г. восточная часть островов Самоа перешла во владение США. В течение более чем 50 лет острова находились под контролем военно-морских властей США. В Паго-Паго была создана крупная военно-морская база. На островах развернулось движение за самоуправление. В 1951 г. управление Восточным Самоа перешло к министерству внутренних дел США. В 1960 г. была принята конституция, в соответствии с ней действует законодательный двухпалатный орган, права которого крайне ограничены. Исполнительная власть до 1976 г. осуществлялась губернатором, назначавшимся министром внутренних дел США. С 1976 г. губернатор избирается жителями островов.

США владеют также рядом небольших островов в Тихом океане, самыми крупными из которых являются:

Уэйк, площадь — 8 км², население — 1600 чел. (1983); владение США с 1899 г.; военная база США.

Мидуэй, площадь — 5 км², население — 2,2 тыс. чел. (1983); владение США с 1867 г.; военно-морская база США.

Атолл Джонстон, площадь — 2,6 км², население — 300 чел. (1980); владение США с 1858 г.; военная база США.

Тихоокеанские острова (Микронезия)

С 1947 г. под управлением США находится подопечная территория ООН, расположенная в западной части Тихого океана к северу от экватора,— Тихоокеанские острова (Микронезия), в состав которых входят Каролинские, Марианские и Маршалловы острова. Они включают в себя более 2 тыс. атоллов и островов, общая площадь которых составляет 1,8 тыс. км², население — около 140 тыс. чел. (1985). Административный центр — Колониа (остров Понапе). Официальный язык — английский.

На Тихоокеанских островах размещены военные и военно-морские объекты и базы США, создаются крупные военные порты, аэродромы для стратегической авиации, склады военных материалов. На ряде атоллов Микронезии проводились испытания атомных и водородных бомб, а атолл Кваджалейн ныне используется для испытаний американских межконтинентальных баллистических ракет.

Стремясь сохранить за собой контроль над Микронезией, срок которого истекал в начале 80-х годов, американские власти расчленили ее на части и навязали этим частям полуколониальный статус.

Политика США в отношении островов Микронезии идет вразрез с принципами и положениями Устава ООН, согласно которому вопрос о политическом статусе островов может быть решен только Советом Безопасности ООН.

Государственный флаг

Полотнище флага состоит из 13 чередующихся красных и белых горизонтальных полос (7 красных и 6 белых), означающих 13 штатов, объединившихся в 1776 г. в единое государство. В левом верхнем углу флага расположен синий прямоугольник с белыми пятиконечными звездами, количество которых соответствует числу штатов, входящих в федерацию. На первом официальном государственном флаге, принятом в 1777 г., было изображено 13 звезд, в настоящее время — 50. Пятидесятая звезда была внесена на флаг в июне 1960 г., в связи с получением Гавайями статуса штата. По замыслу создателей флага, красный цвет символизирует доблесть и смелость, белый — чистоту и непорочность, синий — стойкость и

справедливость. По легенде, первый флаг с изображением полос и звезд был сшит Бетси Росс в 1776 г. по просьбе Дж. Вашингтона.

Государственный герб

Представляет собой изображение орла с распростертыми крыльями, в лапах которого оливковая ветвь и 13 стрел. На груди орла — щит, повторяющий цвета государственного флага, в клюве орел держит ленту с надписью: «E pluribus unum» («Едины в многообразии»). Над головой орла — розетка с 13 (по количеству первых штатов) пятиконечными звездами. Выполнен по проектам Дж. Прествича и У. Бартона; утвержден 20 июня 1782 г.

Государственный гимн

Носит название «Звездное знамя». Стихи Фрэнсиса Скотта Ки, написанные в 1814 г., были положены на мелодию существовавшего ранее музыкального произведения «Анакреон в раю». «Звездное знамя» стало официальным гимном США 3 марта 1931 г.

Национальные праздники

В США отмечается более 50 знаменательных дат исторического и религиозного характера. Общенациональные (федеральные) праздники:

1 января — Новый год;
22 февраля — День рождения Джорджа Вашингтона;
4 июля — День независимости;
11 ноября – День ветеранов (День примирения);
25 декабря — Рождество.

Общенациональными (федеральными) праздниками также являются День труда, отмечаемый в первый понедельник сентября, и День благодарения, отмечаемый в четвертый четверг ноября.

Все другие праздники не являются, по существу, общенациональными, поскольку соблюдаются не всеми штатами.

НАСЕЛЕНИЕ *

Свыше 80% населения США составляют англоязычные американцы, в большинстве своем потомки эмигрантов из стран Европейского континента и негров-рабов, вывезенных в XVII—XVIII вв. из Африки.

Расово-этнический состав. Согласно данным официальной переписи населения США, в 1980 г. население страны достигало 226,5 млн чел.**, в т. ч.: белых — 194,7 млн, черных — 26,7 млн, индейцев, эскимосов, алеутов — 1,4 млн, лиц других этнических групп — около 4 млн чел. Испаноязычных американцев, среди которых встречаются представители различных расово-этнических групп, насчитывалось 14,6 млн. (Заметное увеличение численности коренного населения США — индейцев, эскимосов, алеутов по сравнению с данными переписи 1970 г., когда их количество определялось в 827 тыс. чел., объясняется более полным охватом ранее обойденных переписью представителей индейского населения.)

Половая и возрастная структура. Женщины составляют 51,4% населения страны, мужчины — 48,6%.

По данным 1986 г., из общей численности населения США, составлявшей 241,5 млн чел.**: до 5 лет — 18,2 млн чел. (7,6% общего населения страны), в т. ч. белых 14,7 млн, черных 2,7 млн, др. расовых групп 0,8 млн; 5—14 лет — 34,0 млн чел. (14,2%), в т. ч. белых 27,4 млн, черных 5,3 млн, др. расовых групп 1,3 млн; 15—44 года — 115,0 млн чел. (47,6%), в т. ч. белых 96,7 млн, черных 14,4 млн, др. расовых групп 3,9 млн; 45—64 года — 45,1 млн чел. (18,6%), в т. ч. белых 39,3 млн, черных 4,5 млн, др. расовых групп 1,3 млн; 65 лет и старше — 29,2 млн чел. (12,0%), в т. ч. белых 26,3 млн, черных 2,4 млн, др. расовых групп 0,5 млн.

Семейное положение. Из 173,7 млн американцев от 18 лет и старше (1986) одиноких насчитывалось 37,6 млн, разведенных — 13,5 млн. Общее количество отдельных хозяйств, включающих как семьи, так и одиночек, составляло 89,5 млн (1987). По данным 1986 г., в стране насчитывалось 31 670 тыс. семей с детьми до 18 лет.

Социальный состав. Свыше 90% экономически активного населения США работает по найму. Доля буржуазии в экономически активном населении страны составляет 3%. Наиболее богатые американцы с ежегодным доходом в размере 100 тыс. дол. и выше составляли в 1980 г. 0,25% всего населения страны. В 1981 г. в США насчитывалось 638 тыс. миллионеров (в 1962 г.— 67 тыс.; при этом следует учитывать, что доллар 80-х годов составляет по покупательной способности лишь около 30% от доллара 60-х годов).

---

* Часть данных основана на результатах официальной переписи населения США 1980 г. В тех случаях, когда приводимые сведения основываются на более поздних подсчетах, ежегодно публикуемых Бюро переписей, в тексте даются ссылки на год публикации этих данных.

** Без учета военнослужащих и др. граждан США за пределами территории 50 штатов страны.

Число американцев, живущих ниже официальной «черты бедности», составляло в 1986 г. около 32,5 млн чел. (13,5% всего населения США), причем среди черного населения страны бедняки составляли 31,1%, среди испаноязычного — 27,3%.

Уровень образования. В 1986 г. среднее образование имели 38,4% населения страны в возрасте 25 лет и старше, в т. ч. 39% белого, 35,6% черного и 28,4% испаноязычного населения. Образование в объеме колледжа (4 и более лет) имели 19,4% населения страны в возрасте 25 лет и старше (в т. ч. 20,1% белого, 10,9% черного и 8,4% испаноязычного населения). Среднее образование имели 34,9% мужчин и 41,6% женщин. Образование в объеме колледжа (4 и более лет) имели 23,2% мужчин и 16,1% женщин.

Прирост и динамика численности населения. В 1983—1986 гг. в США рождалось в среднем 15,5 ребенка на 1000 чел. в год, тогда как в 1960—1964 гг.— 22 ребенка. По оценкам 1983 г., на каждую американскую семью приходилось в среднем 1,88 ребенка. Согласно данным 1986 г., продолжительность жизни в стране равнялась в среднем 74,9 года, в т. ч. для белых мужчин — 71,3, для белых женщин — 78,3 года; для черных мужчин — 65,4, для черных женщин — 73,6 года.

Смертность в 1986 г. составляла в среднем 8,7% (9,4% среди мужчин, 8,1% среди женщин).

С 1983 г. и вплоть до 1986 г. ежегодный прирост населения США составлял в среднем 0,9%. В связи с падением рождаемости доля иммигрантов в общем приросте населения страны увеличилась.

Динамика численности населения США
(в тыс. чел.):

1790 г.— 3 929; 1800 г.— 5 308; 1850 г.— 23 191; 1900 г.— 76 094; 1910 г.— 92 407; 1920 г.— 106 461; 1930 г.— 123 077; 1940 г.— 132 457; 1950 г.— 152 271; 1960 г.— 180 671; 1970 г.— 205 052; 1980 г.— 226 545; 1987 г.— 243 915.

Иммиграция. Принятый в 1965 г. иммиграционный закон отменил ранее существовавшие иммиграционные квоты, облегчив условия въезда в США квалифицированным рабочим, специалистам и некоторым другим категориям иммигрантов. За 1970—1980 гг. в США иммигрировало 4,7 млн чел., что составило шестую часть общего прироста населения за десятилетие. За 1982—1986 гг. в США иммигрировало около 2,8 млн чел.

В период между двумя мировыми войнами в иммиграционном потоке преобладали выходцы из Канады и Латинской Америки (преимущественно из Мексики и Пуэрто-Рико); в послевоенные годы вновь увеличилось число иммигрантов из стран Европы. После 1965 г. заметно возросла доля иммигрантов из стран Азии и Карибского бассейна. В общей массе иммигрантов, въехавших в США в 1974—1979 гг. (в скобках для сравнения приводятся данные за 1961—1962 гг.), выходцы из стран Европы составили 18% (45%), из Канады и Мексики — 16% (29%), из Центральной Америки — 27% (9%), из Южной Америки — 6% (6%) и из стран Азии — 33% (8%).

В 1980 г. количество лиц, проживающих в США, но родившихся за границей, составляло свыше 14 млн, или 6,2% всего населения страны (в 1970 г.— 9,5 млн, или 4,6%).

География населения и внутренняя миграция. Значительная часть представителей расово-этнических групп населения проживает в местах их первоначального расселения: в Нью-Йорке, Сан-Франциско, Лос-Анджелесе и на побережье Великих озер — в Чикаго, Детройте, Милуоки, Кливленде и др. городах. После 1970 г. доля представителей этнических групп, остающихся в местах первоначального расселения, стала заметно снижаться. Так, доля выходцев из Мексики, избирающих в качестве постоянного местожительства штат Техас и др. пограничные с Мексикой штаты, понизилась с 87% в 1970 г. до 83% в 1980 г., а доля пуэрториканцев, оседающих в штате Нью-Йорк, снизилась с 64 до 49% соответственно.

Число американских городов с населением, превышающим 100 тыс. чел., в которых белое население составляет менее 50% жителей, увеличилось с 9 в 1970 г. до 25 в 1983 г. Внутренний миграционный процесс затронул и коренное население страны — индейцев, покидающих резервации и переселяющихся в города в поисках работы, а также черное население, на протяжении последних десятилетий оставляющее сельские районы южных штатов и оседающее в крупных промышленных городах Северо-Востока и Запада США, располагающих бо́льшими возможностями в найме рабочей силы.

Усилившийся в послевоенные годы процесс внутренней миграции явился причиной заметного изменения удельного веса отдельных районов страны в общей картине распределения населения США. За период 1963—1983 гг. удельный вес штатов Запада в общей численности населения страны возрос с 16,6 до 18,8%, штатов Юга — с 31,2 до 34,4%, в то время как удельный вес штатов Северо-Востока и Среднего Запада сократился соответственно с 24,3 до 21,1% и с 27,9 до 25,7%. С 1980 по 1985 г. увеличение населения за счет миграционного потока отмечено в штатах Аляска, Аризона, Невада, Флорида, Техас, Юта, Колорадо, Калифорния, Нью-Мексико. За тот же период заметно сократилось население штатов Мичиган, Айова, Западная Виргиния, Огайо, Пенсильвания и федерального округа Колумбия.

С 1970 г. первое место по численности населения занимает штат Калифорния — 26,9 млн чел. (1986), значительно обгоняя занимающий второе место штат Нью-Йорк —

17,9 млн чел. (1986). Последнее место по численности населения занимает штат Вайоминг — 507 тыс. чел. (1986).

Средняя плотность населения по США — 26,1 чел. на 1 км^2. Наиболее плотно заселена восточная часть страны, где в старых промышленных районах Новой Англии плотность населения достигает максимума, превышающего среднюю по стране цифру в 10—14 раз. Наивысшая плотность — 374 чел. на 1 км^2 — в штате Нью-Джерси. В горных штатах Кордильер плотность населения колеблется от 2 чел. на 1 км^2 (Вайоминг) до 12 чел. на 1 км^2 (Колорадо). На Тихоокеанском побережье плотность населения вновь высокая и достигает 64 чел. на 1 км^2 в Калифорнии. Наименьшая плотность населения — на Аляске (0,3 чел. на 1 км^2).

Урбанизация. 73,7% всего населения США проживает в городах, причем значительная часть американцев живет в крупных городах. Так, в городах с населением 1 млн чел. и выше проживает 7,7% населения страны, в городах с числом жителей от 500 тыс. до 1 млн — 4,8%.

Продолжается сокращение населения США, проживающего в сельской местности. Сельское население составляет 26,3% всего населения страны.

Статистика США выделяет 277 метрополитенских статистических ареалов (МСА) — территориально-статистических единиц, используемых для обозначения городских агломераций, включающих центральный город (не являющийся пригородом другого, более крупного города) с населением численностью более 50 тыс. чел. и его пригороды. В числе всех метрополитенских статистических ареалов насчитывается 37 городских агломераций с населением, превышающим 1 млн чел. (июль 1986 г.), в которых проживает около 50% населения США.

Темпы роста населения в центральных городах метрополитенских статистических ареалов уступают темпам роста населения в пригородных зонах городских агломераций. Население 50 крупнейших городов США составляло в 1980 г. 37,8 млн чел. (16,6% населения страны). В США насчитывается в общей сложности 182 города с населением, превышающим 100 тыс. чел. (1986).

Крупнейшие метрополитенские статистические ареалы и города США
(1986)

Метрополитенские статистические ареалы и их центральные города	Численность населения метрополитенского ареала в тыс. чел.	Численность населения центрального города в тыс. чел.
Нью-Йорк — Сев. Нью-Джерси — Лонг-Айленд	17 968	7 896
Лос-Анджелес — Анахайм — Риверсайд	13 075	2812
Чикаго — графство Гэри-Лейк	8116	3369
Сан-Франциско — Окленд — Сан-Хосе	5878	716
Филадельфия — Уилмингтон — Трентон	5833	1949
Детройт — Анн-Арбор	4601	1514
Бостон — Лоренс — Сейлем	4056	641
Даллас — Форт-Уэрт	3655	844
Хьюстон — Галвестон — Брэзориа	3634	1234
Вашингтон, округ Колумбия, включая пригородную зону	3563	757
Майами — Форт-Лодердейл	2912	335
Кливленд — Акрон — Лорейн	2766	751
Атланта	2561	495
Сент-Луис — Ист-Сент-Луис — Олтон	2438	622
Питтсбург — Бивер-Вэлли	2316	520
Миннеаполис — Сент-Пол	2295	434
Сиэтл — Такома	2285	531
Балтимор	2280	905
Сан-Диего	2201	697
Тампа — Сент-Питерсберг	1914	278
Финикс	1900	584
Денвер — Боулдер	1847	515
Цинциннати — Гамильтон	1690	454
Милуоки — Расин	1552	717
Канзас-Сити	1518	507
Портленд — Ванкувер	1364	380
Новый Орлеан	1334	593
Норфолк — Виргиния-Бич — Ньюпорт-Ньюс	1310	308
Колумбус	1299	540
Сакраменто	1291	257
Сан-Антонио	1276	654
Индианаполис	1213	737
Буффало — Ниагара-Фолс	1182	463
Провиденс — Потакет — Фолл-Ривер	1108	179
Шарлотт — Гастония — Рок-Хилл	1065	241
Хартфорд — Нью-Бритен — Миддлтаун	1044	158
Солт-Лейк-Сити — Огден	1041	176

ШТАТЫ *

АЙДАХО — штат в группе Горных штатов. Площадь — 216,4 тыс. км². Население (1985) — 1005 тыс. чел. (0,4%); средняя плотность — 4,6 чел. на 1 км². Городское население (1980) — 54,0%. В составе населения (1980): белые — 95,6%, черные — 0,3%; испаноязычное население — 37 тыс., американские индейцы — 10,5 тыс. чел. Экономически активное население — 471 тыс. чел., безработных — 7,9% (1985). Столица — Бойсе. Крупных городов нет. Статус штата с 1890 г.

Почти всю территорию занимают отроги Скалистых гор, особенно высокие в центральной части (высшая точка г. Бора-Пик — 3859 м); на юго-западе расположено плоскогорье, прорезанное глубокими каньонами реки Снейк и ее притоков (каньон Хеллс — глубочайший в Северной Америке). Климат континентальный, смягчаемый западными ветрами. Леса занимают 8,8 млн га; посевная площадь — 2,6 млн га.

Ведущие секторы экономики штата (по стоимости валового продукта в 1983 г., в %): торговля — 18, обрабатывающая промышленность 17, сфера услуг — 15, транспорт и связь — 11, сельское и лесное хозяйство — 4, горнодобывающая промышленность — 4.

---

* Процент в скобках означает долю соответствующего показателя от итога по США. Длина автомобильных дорог не включает длину городских автомагистралей. Важнейшие виды продукции обрабатывающей и горнодобывающей промышленности, а также основные сельскохозяйственные культуры приводятся в порядке убывания соответствующего стоимостного показателя.

Стоимость продукции обрабатывающей промышленности в 1984 г.— 2,6 млрд дол. (0,3%); важнейшие виды: пищевые продукты, продукты деревообработки, химикаты, ЭВМ, электронные компоненты, цветные металлы. Стоимость продукции горнодобывающей промышленности (1982) — 200 млн дол. (0,1%); важнейшие виды: серебро, фосфаты, золото, свинец. Установленная мощность электростанций общего пользования — 2,0 млн кВт (1985).

Стоимость товарной продукции сельского хозяйства в 1985 г.— 2,1 млрд дол. (1,5%); доля животноводства — 42%, растениеводства — 58%. Основные сельскохозяйственные культуры: картофель, сеяные травы, пшеница, ячмень. Развито отгонное пастбищное животноводство мясо-шерстного направления. Поголовье (тыс.): крупный рогатый скот — 1750 (в т. ч. дойные коровы — 174), овцы — 320 (1986), свиньи — 125 (1985). Развито птицеводство.

Длина автомобильных дорог — 107 тыс. км (1984).

АЙОВА — штат в группе штатов Северо-Западного Центра. Площадь — 145,8 тыс. км². Население (1985) — 2884 тыс. чел. (1,2%); средняя плотность — 19,8 чел. на 1 км². Городское население (1980) — 58,6%. В составе населения (1980): белые — 97,1%, черные — 1,4%; испаноязычное население — 26 тыс., американские индейцы — 5,5 тыс. чел. Экономически активное население — 1416 тыс. чел., безработных — 8,0%

(1985). Столица — Де-Мойн. Крупнейшие города штата (кроме столицы): Сидар-Рапидс, Давенпорт. Статус штата с 1846 г.

Штат расположен на низком (400—450 м над уровнем моря) равнинном водоразделе рек Миссисипи и Миссури. Климат умеренный континентальный, теплый. Леса занимают 0,6 млн га; посевная площадь — 10,7 млн га.

Ведущие секторы экономики штата (по стоимости валового продукта в 1983 г., в %): обрабатывающая промышленность — 22, торговля — 18, финансы — 16, сфера услуг — 13, сельское и лесное хозяйство — 6.

Стоимость продукции обрабатывающей промышленности в 1984 г.— 13,0 млрд дол. (1,3%); важнейшие виды: пищевые продукты (в т. ч. мука, мясо-молочные продукты), сельскохозяйственные и дорожно-строительные машины, средства связи, электронные компоненты, ЭВМ, химикаты (в т. ч. минеральные удобрения), шины, полиграфическая продукция, бытовые электроприборы, цемент. Стоимость продукции горнодобывающей промышленности (1982) — 104 млн дол. (0,1%); важнейшие виды: камень, песок, гравий. Установленная мощность электростанций общего пользования — 8,6 млн кВт (1985).

Стоимость товарной продукции сельского хозяйства в 1985 г.— 9,2 млрд дол. (6,5%); доля животноводства — 52%, растениеводства — 48%. Основные сельскохозяйственные культуры: кукуруза, соя, сеяные травы, овес. В животноводстве преобладает мясное направление. Поголовье (тыс.): крупный рогатый скот — 4950 (в т. ч. дойные коровы — 360), овцы — 350 (1986), свиньи — 13 500 (1985). Развито птицеводство.

Длина автомобильных дорог — 167 тыс. км (1984).

АЛАБАМА — штат в группе штатов Юго-Восточного Центра. Площадь — 133,9 тыс. км^2. Население (1985) — 4021 тыс. чел. (1,7%); средняя плотность — 30 чел. на 1 км^2. Городское население (1980) — 60,0%. В составе населения (1980): белые — 73,8%, черные — 25,6%; испаноязычное население — 33 тыс., американские индейцы — 7,6 тыс. чел. Экономически активное население — 1803 тыс. чел., безработных — 8,9% (1985). Столица — Монтгомери. Крупнейшие города штата: Бирмингем, Мобил, Хантсвилл. Статус штата с 1819 г.

Бóльшая часть территории расположена на Примексиканской низменности, на севере переходящей в холмистую равнину и отроги Аппалачских гор. Климат субтропический, умеренно влажный. Леса занимают 8,6 млн га; посевная площадь — 20,9 млн га.

Ведущие секторы экономики штата (по стоимости валового продукта в 1983 г., в %): обрабатывающая промышленность — 25, торговля — 17, государственный сектор *— 16, транспорт и связь — 10, сфера услуг — 10, сельское и лесное хозяйство, рыболовство — 2.

Стоимость продукции обрабатывающей промышленности в 1984 г.— 14,6 млрд дол. (1,5%); важнейшие виды: бумага, целлюлоза, продукты деревообработки, химикаты (в т. ч. химические волокна, пластмассы и синтетические смолы), шины, швейные изделия, ткани, сталь, прокат черных металлов, металлоизделия, пищевые продукты, электротехническое оборудование, промышленное оборудование, ракетная техника, суда. Стоимость продукции горнодобывающей промышленности (1982) — 2 млрд дол. (1,1%); важнейшие виды: уголь, нефть, природный газ. Установленная мощность электростанций общего пользования — 20,0 млн кВт (1985).

_____

* Американская статистика включает в «государственный сектор» ведомства, предприятия, учреждения государственных органов разного уровня (федеральных, штатов, местных).

Стоимость товарной продукции сельского хозяйства в 1985 г.— 2,1 млрд дол. (1,5%); доля животноводства — 63%, растениеводства — 37%. Основные сельскохозяйственные культуры: соя, арахис, кукуруза, сеяные травы. В животноводстве преобладает мясное направление. Поголовье (тыс.): крупный рогатый скот — 1910, свиньи — 440 (1983). Развито птицеводство; производство бройлеров — 562 млн шт. (1985). Улов рыбы и морепродуктов — 14 тыс. т (1985).

Длина автомобильных дорог — 118 тыс. км (1984). Крупнейший морской порт — Мобил.

АЛЯСКА — штат в группе Тихоокеанских штатов. Площадь — 1530,7 тыс. км^2. Население (1985) — 521 тыс. чел. (0,2%); средняя плотность — 0,3 чел. на 1 км^2. Городское население (1980) — 64,3%. В составе населения (1980): белые — 77,1%, черные — 3,5%; испаноязычное население — 10 тыс., алеуты, эскимосы — 64,1 тыс. чел. Экономически активное население — 253 тыс. чел., безработных — 9,7% (1985). Столица — Джуно. Крупных городов нет. Статус штата с 1959 г.

Штат расположен на крайнем северо-западе Северной Америки, отделен от Чукотского полуострова (СССР) узким Беринговым проливом. Аляска была открыта русскими землепроходцами в XVII—XVIII вв. и принадлежала России до 1867 г., когда США купили Аляску у царского правительства за 7,2 млн дол. Состоит из материковой части и большого числа островов (архипелаг Александра, Алеутские острова, острова Прибылова, остров Кадьяк и др.). Омывается Северным Ледовитым и Тихим океанами. На Тихоокеанском побережье — Аляскинский хребет (высшая точка г Мак Кинли — 6194 м). Внутренняя часть представляет собой плато высотой от 1200 м на востоке до 600 м на западе. К западу плато переходит в низменность, на севере окайм-

ляется хребтом Брукса, за которым расположена прибрежная Арктическая низменность. На Тихоокеанском побережье климат умеренный морской, влажный, относительно мягкий, в остальных районах — арктический и субарктический континентальный, сухой, с суровыми зимами. Леса занимают 48,2 млн га.

Ведущие секторы экономики штата (по стоимости валового продукта в 1983 г., в %): горнодобывающая промышленность — 35, транспорт и связь — 22, торговля — 7, сфера услуг — 6, обрабатывающая промышленность — 3, сельское и лесное хозяйство, рыболовство — 2.

Стоимость продукции обрабатывающей промышленности в 1984 г. — 650 млн дол. (0,1%); важнейшие виды: пищевые продукты (в т. ч. рыбные консервы), бумага и целлюлоза, продукты деревообработки, химикаты. Стоимость продукции горнодобывающей промышленности (1982) — 14,1 млрд дол. (7,6%); важнейшие виды: нефть, природный газ, песок, гравий. Установленная мощность электростанций общего пользования — 1,7 млн кВт (1985).

Стоимость товарной продукции сельского хозяйства в 1985 г.— 18 млн дол. (менее 0,1%); доля животноводства — 31%, растениеводства — 69%. Основные сельскохозяйственные культуры: ячмень, сеяные травы, картофель. В животноводстве преобладает молочное направление. Поголовье (тыс.): крупный рогатый скот — 10, овцы — 3, свиньи — 3, домашние олени — 25 (1983). Развито рыболовство (в т. ч. лососевые, сельдь, крабы) — улов 538 тыс. т (1985).

Длина автомобильных дорог — 16 тыс. км (1984). Крупнейший морской (нефтяной) порт — Валлиз, другие крупные порты: Анкоридж, Джуно, Ситка.

АРИЗОНА — штат в группе Горных штатов. Площадь — 295,3 тыс. км^2. Население (1985) — 3187 тыс. чел. (1,3%); средняя плотность —

10,8 чел. на 1 км². Городское население (1980) — 83,8%. В составе населения (1980): белые — 82,5%, черные — 2,8%; испаноязычное население — 441 тыс., американские индейцы — 152,7 тыс. чел. Экономически активное население — 1477 тыс. чел., безработных — 6,5% (1985). Столица — Финикс. Крупнейшие города штата (кроме столицы): Тусон, Меса, Темпе. Статус штата с 1912 г.

На севере штата — плато Колорадо (высота 1500—3000 м над уровнем моря), прорезанное глубокими каньонами рек (в т. ч. Большой Каньон реки Колорадо — национальный парк Большой Каньон). Юго-западную часть занимает пустыня Хила, юго-восточную — пустыня Сонора. Климат субтропический континентальный, сухой, зимы снежные, мягкие. Леса занимают 7,5 млн га; посевная площадь — 0,5 млн га. На Аризону приходится 38% всей площади индейских резерваций в США.

Ведущие секторы экономики штата (по стоимости валового продукта в 1983 г., в %): торговля — 17, обрабатывающая промышленность — 16, финансы — 16, сфера услуг — 15, горнодобывающая промышленность — 4, сельское и лесное хозяйство — 3.

Стоимость продукции обрабатывающей промышленности в 1984 г.— 8,3 млрд дол. (0,8%); важнейшие виды: электронные компоненты (в т. ч. полупроводники и полупроводниковые приборы), ЭВМ, средства связи, самолеты, ракетная и космическая техника, пищевые продукты, химикаты, металлоизделия, цемент. Стоимость продукции горнодобывающей промышленности (1982) — 748 млн дол. (0,4%); важнейшие виды: медь, молибден, песок. Установленная мощность электростанций общего пользования — 12,1 млн кВт (1985).

Стоимость товарной продукции сельского хозяйства в 1985 г.— 1,5 млрд дол. (1,1%); доля животноводства — 46%, растениеводства — 54%. Основные сельскохозяйственные культуры: хлопчатник, овощи (в т. ч. цветная капуста, салат), сеяные травы. Развито отгонное пастбищное животноводство мясо-шерстного направления. Поголовье (тыс.): крупный рогатый скот — 1050, овцы — 278 (1986), свиньи — 175 (1985).

Общая длина автомобильных дорог — 122 тыс. км.

АРКАНЗАС — штат в группе штатов Юго-Западного Центра. Площадь — 137,8 тыс. км². Население (1985) — 2359 тыс. чел. (1,0%); средняя плотность — 17,1 чел. на 1 км². Городское население (1980) — 51,6%. В составе населения (1980): белые — 82,7%, черные — 16,4%; испаноязычное население — 18 тыс., американские индейцы — 9,4 тыс. чел. Экономически активное население — 1051 тыс. чел., безработных — 8,7% (1985). Столица — Литл-Рок. Других крупных городов нет. Статус штата с 1836 г.

На востоке штата — низменность реки Миссисипи, на северо-западе низкие горы Уошито и холмистое плато Озарк (высотой 300—350 м над уровнем моря), разделенные долиной реки Арканзас. Климат субтропический, умеренно влажный. Леса занимают 7,4 млн га; посевная площадь — 3,3 млн га.

Ведущие секторы экономики штата (по стоимости валового продукта в 1983 г., в %): обрабатывающая промышленность — 26, торговля — 16, сфера услуг — 12, сельское и лесное хозяйство — 7.

Стоимость продукции обрабатывающей промышленности в 1984 г.— 9,0 млрд дол. (0,9%); важнейшие виды: пищевые продукты (в т. ч. мясные консервы), электротехническое оборудование (в т. ч. бытовые электроприборы), металлоизделия, цветные металлы, химикаты, продукты деревообработки, мебель, автомобильное оборудование, часы. Стоимость продукции горнодобывающей промышленности (1982) —

1 млрд дол. (0,5%); важнейшие виды: нефть, природный газ, бром. Установленная мощность электростанций общего пользования — 9,3 млн кВт (1985).

Стоимость товарной продукции сельского хозяйства в 1985 г.— 3,3 млрд дол. (2,3%); доля животноводства — 56%, растениеводства — 44%. Основные сельскохозяйственные культуры: соя, рис, пшеница, хлопчатник. В животноводстве преобладает мясное направление. Поголовье (тыс.): крупный рогатый скот — 1750, свиньи — 436 (1986). Развито птицеводство; производство бройлеров — 760 млн шт. (1985).

Длина автомобильных дорог — 112 тыс. км (1984).

ВАЙОМИНГ — штат в группе Горных штатов. Площадь — 253,3 тыс. км^2. Население (1985) — 509 тыс. чел. (0,2%); средняя плотность — 2 чел. на 1 км^2. Городское население (1980) — 62,7%. В составе населения (1980): белые — 94,9%, черные — 0,6%; испаноязычное население — 24 тыс., американские индейцы — 7,1 тыс. чел. Экономически активное население — 253 тыс. чел., безработных — 7,1% (1985). Столица — Шайенн. Крупных городов нет. Статус штата с 1890 г.

Западная часть штата занята Скалистыми горами (высшая точка г. Ганнет-Пик — 4202 м), переходящими на северо-востоке в плато Миссури (высота 1000—1600 м над уровнем моря). Климат резко континентальный. На территории Вайоминга расположена бо́льшая часть старейшего и самого крупного в США Йеллоустонского национального парка. Леса занимают 4,1 млн га; посевная площадь — 1,0 млн га.

Ведущие секторы экономики штата (по стоимости валового продукта в 1983 г., в %): горнодобывающая промышленность — 37, государственный сектор — 13, торговля — 12, сфера услуг — 8, обрабатывающая промышленность — 3, сельское и лесное хозяйство — 2.

Стоимость продукции обрабатывающей промышленности в 1984 г.— 498 млн дол. (менее 0,1%); важнейшие виды: нефтепродукты, химикаты, продукты деревообработки, стройматериалы. Стоимость продукции горнодобывающей промышленности (1982) — 6,9 млрд дол. (3,7%); важнейшие виды: нефть, уголь, природный газ. Установленная мощность электростанций общего пользования — 5,9 млн кВт (1985).

Стоимость товарной продукции сельского хозяйства в 1985 г.— 589 млн дол. (0,4%); доля животноводства — 81%, растениеводства — 19%. Основные сельскохозяйственные культуры: сеяные травы, ячмень, сахарная свекла, пшеница. Преобладает пастбищное животноводство мясо-шерстного направления. Поголовье (тыс.): крупный рогатый скот — 1325, овцы — 819 (1986), свиньи — 34 (1985).

Длина автомобильных дорог — 59 тыс. км (1984).

ВАШИНГТОН — штат в группе Тихоокеанских штатов. Площадь — 176,5 тыс. км^2. Население (1985) — 4409 тыс. чел. (1,8%); средняя плотность — 25 чел. на 1 км^2. Городское население (1980) — 73,5%. В составе населения (1980): белые — 91,5%, черные — 2,6%; испаноязычное население — 120 тыс., американские индейцы — 60,8 тыс. чел. Экономически активное население — 2105 тыс. чел., безработных 8,1% (1985). Столица — Олимпия. Крупнейшие города штата: Сиэтл, Спокан, Такома. Статус штата с 1889 г.

Расположен на северо-западе США, у залива Пьюджет-Саунд Тихого океана. С юга на север территория штата пересекается в центральной части высокими Каскадными горами (высшая точка вулкан Рейнир — 4392 м, национальный парк Маунт-Рейнир), вдоль побережья — Береговыми хребтами. На востоке — плоскогорье, прорезанное долинами рек Колумбия и Снейк.

Климат на западе — морской, влажный, на востоке — континентальный. Леса занимают 9,4 млн га; посевная площадь — 3,2 млн га.

Ведущие секторы экономики штата (по стоимости валового продукта в 1983 г., в %): обрабатывающая промышленность — 21, торговля — 18, государственный сектор — 16, финансы — 15, сфера услуг — 13, транспорт и связь — 10, сельское и лесное хозяйство, рыболовство — 1.

Стоимость продукции обрабатывающей промышленности в 1984 г.— 15,1 млрд дол. (1,5%); важнейшие виды: самолеты, авиационное оборудование, ракетная и космическая техника, цветные металлы, пищевые продукты (в т. ч. фруктовые и овощные консервы, замороженные и сушеные фрукты и овощи), продукты деревообработки, бумага, промышленное оборудование, приборы, суда, цемент. Стоимость продукции горнодобывающей промышленности (1982) — 162 млн дол. (0,1%); важнейшие виды: песок, гравий, камень. Установленная мощность электростанций общего пользования — 23,7 млн кВт (1985).

Стоимость товарной продукции сельского хозяйства в 1985 г.— 2,8 млрд дол. (2,0%); доля животноводства — 33%, растениеводства — 67%. Основные сельскохозяйственные культуры: пшеница, фрукты (в т. ч. яблоки, груши, сливы, вишни), виноград, картофель, сеяные травы. Животноводство смешанного направления. Поголовье (тыс.): крупный рогатый скот — 1460 (в т. ч. дойные коровы —223), овцы — 58 (1986), свиньи — 51 (1985). Развито птицеводство. Улов рыбы и морепродуктов — 76 тыс. т (1985).

Длина автомобильных дорог — 106 тыс. км (1984). Крупнейшие морские порты: Сиэтл, Такома, Ванкувер.

ВЕРМОНТ — штат в группе штатов Новой Англии. Площадь — 24,9 тыс. км². Население (1985) — 535 тыс. чел. (0,2%); средняя плотность — 21,5 чел. на 1 км². Городское население (1980) — 33,8%. В составе населения (1980): белые — 99,2%, черные — 0,2%; испаноязычное население — 3 тыс., американские индейцы — 1 тыс. чел. Экономически активное население — 277 тыс. чел., безработных — 4,8% (1985). Столица — Монтпилиер. Крупных городов нет. Статус штата с 1791 г.

Бо́льшая часть территории занята Аппалачскими горами (Грин-Маунтинс. высшая точка г. Мансфилд — 1338 м; горы Таконик). Равнинные участки в речных долинах и у озера Шамплейн. Климат умеренный, влажный. Леса занимают 1,8 млн га; посевная площадь — 0,3 млн га.

Ведущие секторы экономики штата (по стоимости валового продукта в 1982 г., в %): обрабатывающая промышленность — 27, торговля — 16, сфера услуг — 15, сельское и лесное хозяйство — 5.

Стоимость продукции обрабатывающей промышленности в 1984 г.— 2,1 млрд дол. (0,2%); важнейшие виды: электронные компоненты, ЭВМ, станки, металлоизделия, бумага, целлюлоза, полиграфическая продукция. Стоимость продукции горнодобывающей промышленности (1982) — 36 млн дол.; важнейшие виды: камень, песок, гравий, асбест. Установленная мощность электростанций общего пользования — 1,1 млн кВт (1985).

Стоимость товарной продукции сельского хозяйства в 1985 г.— 384 млн дол. (0,3%); доля животноводства — 92%, растениеводства — 8%. Основные сельскохозяйственные культуры: сеяные травы, фрукты (главным образом яблоки), картофель. В животноводстве преобладает молочное направление. Поголовье (тыс.): крупный рогатый скот — 339, овцы — 9, свиньи — 8 (1983). Развито птицеводство.

Длина автомобильных дорог — 21 тыс. км (1984).

ВИРГИНИЯ — штат в группе Южно-Атлантических штатов. Площадь — 105,6 тыс. км². Население (1985) — 5706 тыс. чел. (2,4%); средняя плотность — 54 чел. на 1 км². Городское население (1980) — 66,0%. В составе населения (1980): белые — 79,1%, черные — 18,9%; испаноязычное население — 80 тыс., американские индейцы — 9,5 тыс. чел. Экономически активное население — 2872 тыс. чел., безработных — 5,6% (1985). Столица — Ричмонд. Крупнейшие города штата (кроме столицы): Виргиния-Бич, Норфолк, Ньюпорт-Ньюс, Хэмптон. Входил в состав первых 13 штатов; статус штата с 1788 г.

Западная часть Виргинии занята Аппалачскими горами (высшая точка г. Роджерс — 1743 м), восточнее которых лежит невысокое (300—400 м над уровнем моря) холмистое плато Пидмонт. Восточная часть штата представляет собой заболоченную береговую низменность. Климат умеренный, влажный, теплый. Леса занимают 6,6 млн га; посевная площадь — 1,4 млн га.

Ведущие секторы экономики штата (по стоимости валового продукта в 1982 г., в %): государственный сектор — 22, обрабатывающая промышленность — 17, сфера услуг — 16, торговля — 15, горнодобывающая промышленность — 3, сельское и лесное хозяйство, рыболовство — 1.

Стоимость продукции обрабатывающей промышленности в 1984 г.— 21,0 млрд дол. (2,1%); важнейшие виды: химикаты (в т. ч. химические волокна, минеральные удобрения), табачные изделия, пищевые продукты, средства связи, электронные компоненты, электротехническое оборудование, суда, ткани, бумага, полиграфическая продукция, автомобильное оборудование, промышленное оборудование, металлоизделия, продукты деревообработки, мебель, швейные изделия, шины, цемент. Стоимость продукции горнодобывающей промышленности (1982) — 1,5 млрд дол. (0,8%); важнейшие виды: уголь, камень, песок. Установленная мощность электростанций общего пользования — 13,6 млн кВт (1985).

Стоимость товарной продукции сельского хозяйства в 1985 г.— 1,6 млрд дол. (1,1%); доля животноводства — 62%, растениеводства — 38%. Основные сельскохозяйственные культуры: табак, сеяные травы, соя, кукуруза. Животноводство смешанного направления. Поголовье (тыс): крупный рогатый скот — 1840 (в т. ч. дойные коровы — 165), овцы — 154 (1986), свиньи — 400 (1985). Развито птицеводство; производство бройлеров — 154 млн шт. (1985). Улов рыбы и морепродуктов — 328 тыс. т (1985).

Длина автомобильных дорог — 84 тыс. км. (1984). Крупнейшие морские порты: Норфолк, Ньюпорт-Ньюс.

ВИСКОНСИН — штат в группе штатов Северо-Восточного Центра. Площадь — 145,4 тыс. км². Население (1985) — 4775 тыс. чел. (2,0%); средняя плотность — 32,8 чел. на 1 км². Городское население (1980) — 64,2%. В составе населения (1980): белые — 94,4%, черные — 3,9%; испаноязычное население — 63 тыс., американские индейцы — 29,5 тыс. чел. Экономически активное население — 2374 тыс. чел., безработных — 7,2% (1985). Столица — Мадисон. Крупнейший город штата — Милуоки. Статус штата с 1848 г.

Преобладает равнинная поверхность с большим количеством моренных гряд и озер в северной части и эрозионным холмистым рельефом на юго-востоке. Климат умеренный, влажный, с относительно холодной зимой. Леса занимают 6,0 млн га; посевная площадь — 4,6 млн га.

Ведущие секторы экономики штата (по стоимости валового продукта в 1982 г., в %): обрабатывающая промышленность — 31, финансы —

15, сфера услуг — 14, торговля — 13, горнодобывающая промышленность — 4, сельское и лесное хозяйство — 3.

Стоимость продукции обрабатывающей промышленности в 1984 г.— 27,2 млрд дол. (2,8%); важнейшие виды: промышленное оборудование (в т. ч. энергетическое), сельскохозяйственные и дорожно-строительные машины, станки, электротехническое оборудование (в т. ч. бытовые электроприборы), автомобили, пищевые продукты (в т. ч. мясо-молочные), бумага и целлюлоза, металлоизделия. Стоимость продукции горнодобывающей промышленности (1982) — 86 млн дол.; важнейшие виды: камень, песок, гравий, известняк. Установленная мощность электростанций общего пользования — 11,6 млн кВт (1985).

Стоимость товарной продукции сельского хозяйства в 1985 г.— 5,1 млрд дол. (3,6%); доля животноводства — 80%, растениеводства — 20%. Основные сельскохозяйственные культуры: сеяные травы, кукуруза, соя, картофель. В животноводстве преобладает молочное направление. Поголовье (тыс.): крупный рогатый скот — 4280 (в т. ч. дойные коровы — 1892), овцы — 75 (1986), свиньи —1250 (1985). Развито птицеводство.

Длина автомобильных дорог — 152 тыс. км (1984).

ГАВАЙИ — штат в группе Тихоокеанских штатов. Площадь — 16,8 тыс. км². Население (1985) — 1054 тыс. чел. (0,4%); средняя плотность — 62,7 чел. на 1 км². Городское население (1980) — 86,5%. В составе населения (1980): белые — 34,4%, черные — 1,8%; коренное население Гавайских островов и выходцы из других стран Океании и Азии — 61,2%; испаноязычное население — 71 тыс. чел. Экономически активное население — 481 тыс. чел., безработных — 5,6% (1985). Столица — Гонолулу. Других крупных городов нет. Статус штата с 1959 г.

Штат Гавайи занимает Гавайские острова — архипелаг в центральной части Тихого океана. Состоит из 24 вулканических и коралловых островов (наиболее значительные Гавайи, Мауи, Молокаи, Оаху). Высшая точка — потухший вулкан Мауна-Кеа (4205 м). На острове Гавайи — действующие вулканы Мауна-Лоа и Килауэа. Склоны гор полого спускаются к морю, образуя плодородные долины и прибрежные низменности. Климат тропический пассатный. Осадков до 12 500 мм в год. Леса занимают 0,8 млн га; посевная площадь — 0,1 млн га.

Ведущие секторы экономики штата (по стоимости валового продукта в 1983 г., в %): государственный сектор — 25, финансы — 19, торговля — 17, сфера услуг — 17, транспорт и связь — 11, обрабатывающая промышленность — 5, сельское и лесное хозяйство, рыболовство — 1.

Стоимость продукции обрабатывающей промышленности в 1984 г.— 1,0 млрд дол. (0,1%); важнейшие виды: пищевые продукты (в т. ч. фруктовые консервы), полиграфическая продукция, швейные и кожевенно-обувные изделия, бумага, металлоизделия, суда, цемент. Стоимость продукции горнодобывающей промышленности (1982) — 10 млн дол.; важнейшие виды: камень, песок, гравий. Установленная мощность электростанций общего пользования — 1,5 млн кВт (1985).

Стоимость товарной продукции сельского хозяйства в 1985 г.— 540 млн дол. (0,4%); доля животноводства — 15%, растениеводства — 85%. Основные сельскохозяйственные культуры: сахарный тростник, ананасы, овощи, кофе. Животноводство смешанного направления. Поголовье (тыс.): крупный рогатый скот — 230, свиньи — 49 (1983). Развито птицеводство. Улов рыбы и морепродуктов — 8 тыс. т (1985).

Длина автомобильных дорог — 4 тыс. км (1984). Военно-морская база Перл-Харбор (остров Оаху).

ДЕЛАВЭР — штат в группе Южно-Атлантических штатов. Площадь — 5,3 тыс. км². Население (1985) — 622 тыс. чел. (0,3%); средняя плотность — 117,4 чел. на 1 км². Городское население (1980) — 70,6%. В составе населения (1980): белые — 82,2%, черные — 16,2%; испаноязычное население — 10 тыс., американские индейцы — 1,3 тыс. чел. Экономически активное население — 315 тыс. чел., безработных — 5,3% (1985). Столица — Довер. Крупнейший город штата — Уилмингтон. Входил в состав первых 13 штатов; статус штата с 1787 г.

Расположен на северо-востоке полуострова Дельмарва, омываемого водами Чесапикского залива Атлантического океана. Рельеф низменный. Климат умеренный, влажный, теплый. Леса занимают 0,2 млн га; посевная площадь — 0,2 млн га.

Ведущие секторы экономики штата (по стоимости валового продукта в 1983 г., в %): обрабатывающая промышленность — 35, финансы — 15, торговля — 13, сфера услуг — 12, сельское и лесное хозяйство, рыболовство — 2.

Стоимость продукции обрабатывающей промышленности в 1984 г.— 2,9 млрд дол. (0,3%); важнейшие виды: химикаты, нефтепродукты, автомобили, вооружения, пищевые продукты, изделия из пластмасс, приборы, суда. Стоимость продукции горнодобывающей промышленности (1982) — 2 млн дол.; важнейшие виды: магний, песок, гравий, глина. Установленная мощность электростанций общего пользования — 1,9 млн кВт (1985).

Стоимость товарной продукции сельского хозяйства в 1985 г.— 490 млн дол. (0,3%); доля животноводства — 72%, растениеводства — 28%. Основные сельскохозяйственные культуры: соя, кукуруза, картофель, пшеница. Животноводство пригородного типа. Крупного рогатого скота — 30 тыс. голов (1983). Развито птицеводство; производство бройлеров — 196 млн шт. (1985). Развито рыболовство.

Длина автомобильных дорог — 6 тыс. км (1984). Крупнейший морской порт — Уилмингтон.

ДЖОРДЖИЯ — штат в группе Южно-Атлантических штатов. Площадь — 152,6 тыс. км². Население (1985) — 5976 тыс. чел. (2,5%); средняя плотность — 39,2 чел. на 1 км². Городское население (1980) — 62,4%. В составе населения (1980): белые — 72,2%, черные — 26,8%; испаноязычное население — 61 тыс., американские индейцы — 7,6 тыс. чел. Экономически активное население — 2865 тыс. чел., безработных — 6,5% (1985). Столица — Атланта. Крупнейшие города штата (кроме столицы): Колумбус, Саванна. Входил в состав первых 13 штатов; статус штата с 1788 г.

Бо́льшая часть территории штата — низменность, заболоченная в приморской части. На севере — отроги хребта Блу-Ридж Аппалачских гор (высота до 1500 м над уровнем моря). Климат субтропический, умеренно влажный. Леса занимают 10,2 млн га; посевная площадь — 2,7 млн га.

Ведущие секторы экономики штата (по стоимости валового продукта в 1982 г., в %): обрабатывающая промышленность — 20, торговля — 20, финансы — 15, сфера услуг — 13, транспорт и связь — 12, сельское и лесное хозяйство, рыболовство — 2.

Стоимость продукции обрабатывающей промышленности в 1984 г.— 25,0 млрд дол. (2,5%); важнейшие виды: ткани, пищевые продукты, швейные изделия, самолеты, химикаты, бумага, целлюлоза, автомобили, электротехническое оборудование, средства связи, продукты деревообработки, цемент. Стоимость продукции горнодобывающей промышленности (1982) — 430 млн дол. (0,2%); важнейшие виды: глина, камень, песок. Установленная мощность электростанций общего пользования — 18,7 млн кВт (1985).

Стоимость товарной продукции сельского хозяйства в 1985 г.— 3,3 млрд дол. (2,3%); доля животноводства — 52%, растениеводства — 48%. Основные сельскохозяйственные культуры: арахис, соя, кукуруза, табак, фрукты (в т. ч. персики). В животноводстве преобладает мясное направление. Поголовье (тыс.): крупный рогатый скот — 1700 (в т. ч. дойные коровы — 119) (1986), свиньи — 1150 (1985). Развито птицеводство; производство бройлеров — 677 млн шт. (1985). Улов рыбы и морепродуктов — 8 тыс. т (1985).

Длина автомобильных дорог — 139 тыс. км (1984). Крупнейший морской порт — Саванна.

ЗАПАДНАЯ ВИРГИНИЯ — штат в группе Южно-Атлантических штатов. Площадь — 62,8 тыс. км^2. Население (1985) — 1936 тыс. чел. (0,8%); средняя плотность — 30,8 чел. на 1 км^2. Городское население (1980) — 36,2%. В составе населения (1980): белые — 96,2%, черные — 3,3%; испаноязычное население — 13 тыс., американские индейцы — 1,6 тыс. чел. Экономически активное население — 765 тыс. чел., безработных — 13,0% (1985). Столица — Чарлстон. Крупнейшие города штата (кроме столицы): Хантингтон, Уилинг. Статус штата с 1863 г.

Поверхность гористая: на востоке расположены невысокие горы Аллеганы (высшая точка г. Спрус-Ноб — 1481 м), переходящие в постепенно понижающееся к западу Аппалачское плато, рассеченное узкими глубокими долинами притоков реки Огайо. Климат умеренный континентальный, влажный. Леса занимают 4,7 млн га; посевная площадь — 0,4 млн га.

Ведущие секторы экономики штата (по стоимости валового продукта в 1983 г., в %): горнодобывающая промышленность— 27, обрабатывающая промышленность — 16, торговля — 13, сфера услуг — 11, транспорт и связь — 11, сельское и лесное хозяйство — 1.

Стоимость продукции обрабатывающей промышленности в 1984 г.— 4,6 млрд дол. (0,5%); важнейшие виды: химикаты, сталь, стройматериалы, пищевые продукты, прокат цветных металлов, металлоизделия, промышленное оборудование. Стоимость продукции горнодобывающей промышленности (1982) — 4,8 млрд дол. (2,6%); важнейшие виды: уголь, природный газ, нефть. Установленная мощность электростанций общего пользования — 15,2 млн кВт (1985).

Стоимость товарной продукции сельского хозяйства в 1985 г.— 241 млн дол. (0,2%); доля животноводства — 80%, растениеводства — 20%. Основные сельскохозяйственные культуры: сеяные травы, фрукты (в т. ч. яблоки, персики), кукуруза, табак. Животноводство смешанного направления. Поголовье (тыс.): крупный рогатый скот — 590, овцы — 91, свиньи — 38 (1983). Развито птицеводство; производство бройлеров — 26 млн шт. (1985).

Длина автомобильных дорог — 51 тыс. км (1984). Крупнейший речной порт — Хантингтон.

ИЛЛИНОЙС — штат в группе штатов Северо-Восточного Центра. Площадь — 145,9 тыс. км^2. Население (1985) — 11 535 тыс. чел. (4,8%); средняя плотность — 79,1 чел. на 1 км^2. Городское население (1980) — 83,3%. В составе населения (1980): белые — 80,8%, черные — 14,7%; испаноязычное население — 636 тыс., американские индейцы — 16,3 тыс. чел. Экономически активное население — 5673 тыс. чел., безработных — 9,0% (1985). Столица — Спрингфилд. Крупнейшие города штата: Чикаго, Рокфорд, Пеория. Статус штата с 1818 г.

Расположен на Центральных равнинах, между озером Мичиган на севере и рекой Огайо на юге. Поверхность низменная. Климат умеренный континентальный. Леса занимают 1,5 млн га; посевная площадь — 10,0 млн га.

Ведущие секторы экономики штата (по стоимости валового продукта в 1983 г., в %): обрабатывающая промышленность — 24, финансы — 20, торговля — 17, сфера услуг — 15, сельское и лесное хозяйство —2.

Стоимость продукции обрабатывающей промышленности в 1984 г.— 55,2 млрд дол. (5,6%); важнейшие виды: промышленное оборудование (в т. ч. энергетическое), дорожно-строительные и сельскохозяйственные машины, сталь, прокат черных и цветных металлов, металлоизделия, станки и инструменты, средства связи (в т. ч. бытовая радиоэлектроника), электротехническое оборудование, химикаты, нефтепродукты, изделия из пластмасс, пищевые продукты (в т. ч. мука, кондитерские изделия, мясо-молочные продукты), полиграфическая продукция, автомобили, авиационное оборудование, локомотивы и вагоны, приборы, вооружения. Стоимость продукции горнодобывающей промышленности (1982) — 2,5 млрд дол. (1,4%); важнейшие виды: уголь, нефть, камень. Установленная мощность электростанций общего пользования — 32,7 млн кВт (1985).

Стоимость товарной продукции сельского хозяйства в 1985 г.— 7,8 млрд дол. (5,5%); доля животноводства — 27%, растениеводства — 73%. Основные сельскохозяйственные культуры: соя, кукуруза, пшеница, сеяные травы. Животноводство смешанного направления. Поголовье (тыс.): крупный рогатый скот — 2470 (в т. ч. дойные коровы — 230), овцы — 109 (1986), свиньи — 5400 (1985). Развито птицеводство.

Длина автомобильных дорог — 167 тыс. км (1984) Крупнейший озерный порт — Чикаго.

ИНДИАНА — штат в группе штатов Северо-Восточного Центра. Площадь — 93,7 тыс. км². Население (1985) — 5499 тыс. чел. (2,3%); средняя плотность — 58,7 чел. на 1 км². Городское население (1980) — 64,2%. В составе населения (1980): белые — 91,1%, черные — 7,6%; испаноязычное население — 87 тыс., американские индейцы — 7,8 тыс. чел. Экономически активное население — 2735 тыс. чел., безработных — 7,9% (1985). Столица — Индианаполис. Крупнейшие города штата (кроме столицы): Форт-Уэйн, Гэри, Эвансвилл, Саут-Бенд. Статус штата с 1816 г.

Поверхность Индианы — слабоволнистая равнина на севере, переходящая на юге в холмистые предгорья плато Камберленд, прорезанные долиной реки Огайо. На ледниковых суглинках — плодородные почвы, довольно сильно затронутые эрозией. Климат умеренный континентальный, мягкий. Леса занимают 1,6 млн га; посевная площадь — 5,6 млн га.

Ведущие секторы экономики штата (по стоимости валового продукта в 1983 г., в %): обрабатывающая промышленность — 34, торговля — 16, сфера услуг — 12, сельское и лесное хозяйство — 1.

Стоимость продукции обрабатывающей промышленности в 1984 г.— 33,8 млрд дол. (3,4%); важнейшие виды: сталь, прокат черных и цветных металлов, металлоизделия, автомобили, авиационное оборудование (в т. ч. двигатели), промышленное оборудование, станки, электротехническое оборудование (в т. ч. бытовые электроприборы), средства связи, электронные компоненты, химикаты, изделия из пластмасс, пищевые продукты. Стоимость продукции горнодобывающей промышленности (1982) — 786 млн дол. (0,4%); важнейшие виды: уголь, нефть, камень. Установленная мощность электростанций общего пользования — 21,3 млн кВт (1985).

Стоимость товарной продукции сельского хозяйства в 1985 г.— 4,6 млрд дол. (3,2%); доля животноводства — 38%, растениеводства — 62%. Основные сельскохозяйственные культуры: кукуруза, соя, пшеница, сеяные травы. Животноводство смешанного направления. Поголовье (тыс.): крупный рогатый скот — 1570 (в т. ч. дойные коровы — 205), овцы — 100 (1986), свиньи — 4150 (1985). Развито птицеводство.

Длина автомобильных дорог — 119 тыс. км (1984). Крупнейший озерный порт — Гэри.

КАЛИФОРНИЯ — штат в группе Тихоокеанских штатов. Площадь — 411,0 тыс. км^2. Население (1985) — 26 365 тыс. чел. (11,0%); средняя плотность — 64,1 чел. на 1 км^2. Городское население (1980) — 91,3%. В составе населения (1980): белые — 76,2%, черные — 7,7%, выходцы из стран Азии и Океании — 5,0%; испаноязычное население — 4544 тыс., американские индейцы — 201,4 тыс. чел. Экономически активное население — 12 937 тыс. чел., безработных — 7,2% (1985). Столица — Сакраменто. Крупнейшие города штата (кроме столицы): Лос-Анджелес, Сан-Диего, Сан-Франциско, Сан-Хосе. Статус штата с 1850 г.

Бо́льшая часть территории занята цепями Кордильер: Береговыми хребтами на западе и горами Сьерра-Невада на востоке (высшая точка г. Уитни — 4418 м). На севере и юге горы смыкаются; между ними расположена плодородная Большая Калифорнийская долина длиной около 800 км. На юго-востоке — пустынные плато и глубокие тектонические впадины. Климат на побережье средиземноморский, во внутренних районах жаркий и сухой. В Долине Смерти в пустыне Мохаве зарегистрирован абсолютный максимум температуры воздуха в Западном полушарии +56,7°C. На западных склонах Сьерра-Невады — национальные парки Йосемитский, Секвойя. Леса занимают 16,2 млн га; посевная площадь — 4,3 млн га.

Ведущие секторы экономики штата (по стоимости валового продукта в 1983 г., в %): обрабатывающая промышленность — 20, торговля —

17, сфера услуг — 17, финансы — 17, сельское и лесное хозяйство, рыболовство — 2.

Стоимость продукции обрабатывающей промышленности в 1984 г.— 108,4 млрд дол. (11,0%); важнейшие виды: электронные компоненты, ЭВМ, средства связи, ракетная и космическая техника, самолеты, вооружения, пищевые продукты (в т. ч. фруктовые и овощные консервы, замороженные и сушеные фрукты и овощи), вина, полиграфическая продукция, металлоизделия, приборы, автомобили, промышленное оборудование, суда, химикаты (в т. ч. минеральные удобрения), нефтепродукты, швейные изделия, изделия из пластмасс, мебель, продукты деревообработки, сталь, цемент. Стоимость продукции горнодобывающей промышленности (1982) — 11,8 млрд дол. (6,4%); важнейшие виды: нефть, природный газ, песок. Установленная мощность электростанций общего пользования — 45,1 млн кВт (1985).

Стоимость товарной продукции сельского хозяйства в 1985 г.— 14,0 млрд дол. (9,8%); доля животноводства — 30%, растениеводства — 70%. Основные сельскохозяйственные культуры: виноград, фрукты (в т. ч. цитрусовые — апельсины, грейпфруты, лимоны, мандарины, а также персики, сливы, груши), сеяные травы, хлопчатник, рис. Животноводство смешанного направления. Поголовье (тыс.): крупный рогатый скот — 5000 (в т. ч. дойные коровы — 1030), овцы — 1065 (1986), свиньи — 145 (1985). Развито птицеводство; производство бройлеров — 174 млн шт. (1985). Улов рыбы и морепродуктов — 165 тыс. т (1985).

Длина автомобильных дорог — 174 тыс. км (1984). Крупнейшие морские порты: Лонг-Бич, Лос-Анджелес, Сан-Франциско, Сан-Диего.

КАНЗАС — штат в группе штатов Северо-Западного Центра. Площадь — 213,1 тыс. км^2. Население (1985) — 2450 тыс. чел. (1,0%);

средняя плотность — 11,5 чел. на 1 км². Городское население (1980) — 66,7%. В составе населения (1980): белые — 91,7%, черные — 5,3%; испаноязычное население — 63 тыс., американские индейцы — 15,4 тыс. чел. Экономически активное население — 1244 тыс. чел., безработных — 5,0% (1985). Столица — Топика. Крупнейшие города штата: Канзас-Сити, Уичито. Статус штата с 1861 г.

Территория Канзаса — равнина, постепенно повышающаяся с востока на запад (с 250 м до 1200 м над уровнем моря). Однообразие рельефа нарушается всхолмленными участками и широкими долинами рек Арканзас, Канзас и их притоков. Климат умеренный континентальный, теплый. Характер выпадения осадков неустойчивый. Леса занимают 0,5 млн га; посевная площадь — 11,8 млн га.

Ведущие секторы экономики штата (по стоимости валового продукта в 1983 г., в %): обрабатывающая промышленность — 18, торговля — 17, сфера услуг — 13, транспорт и связь — 13, горнодобывающая промышленность — 6, сельское и лесное хозяйство — 2.

Стоимость продукции обрабатывающей промышленности в 1984 г.— 10,3 млрд дол. (1,0%); важнейшие виды: самолеты, автомобили, пищевые продукты (в т. ч. мука), полиграфическая продукция, химикаты (в т. ч. минеральные удобрения), нефтепродукты, сельскохозяйственные и дорожно-строительные машины, цемент. Стоимость продукции горнодобывающей промышленности (1982) — 3,2 млрд дол. (1,7%); важнейшие виды: нефть, природный газ, песок. Установленная мощность электростанций общего пользования — 10,5 млн кВт (1985)

Стоимость товарной продукции сельского хозяйства в 1985 г.— 5,7 млрд дол. (4,0%); доля животноводства — 57%, растениеводства — 43%. Основные сельскохозяйственные культуры: пшеница, сеяные травы, сорго, кукуруза. В животноводстве преобладает мясо-шерстное направление. Поголовье (тыс.): крупный рогатый скот — 5800 (в т. ч. дойные коровы — 115), овцы — 210 (1986), свиньи — 1520 (1985). Развито птицеводство.

Длина автомобильных дорог — 199 тыс. км (1984).

КЕНТУККИ — штат в группе штатов Юго-Восточного Центра. Площадь — 104,7 тыс. км². Население (1985) — 3726 тыс. чел. (1,6%); средняя плотность — 35,6 чел. на 1 км². Городское население (1980) — 50,9%. В составе населения (1980): белые — 92,3%, черные — 7,1%; испаноязычное население — 27 тыс., американские индейцы — 3,6 тыс. чел. Экономически активное население — 1695 тыс. чел., безработных — 9,5% (1985). Столица — Франкфорт. Крупнейшие города штата: Луисвилл, Лексингтон. Статус штата с 1792 г.

Бо́льшая часть штата Кентукки расположена на Аппалачском плато (высота 200—500 м над уровнем моря), по которому в глубоких долинах протекают реки Камберленд, Грин-Ривер, Кентукки. Распространены карстовые формы рельефа, в т. ч. крупнейшая в США Флинт-Мамонтова пещера. На юго-востоке штата — Аппалачские горы. Западная часть штата равнинная. Климат умеренный континентальный, мягкий. В горах — прохладное лето, зимой могут быть сильные морозы. Леса занимают 4,9 млн га; посевная площадь — 2,4 млн га.

Ведущие секторы экономики штата (по стоимости валового продукта в 1983 г., в %): обрабатывающая промышленность — 21, торговля — 15, сфера услуг — 12, горнодобывающая промышленность — 12, сельское и лесное хозяйство — 3.

Стоимость продукции обрабатывающей промышленности в 1984 г.— 14,9 млрд дол. (1,5%); важнейшие виды: химикаты, автомобили, промышленное оборудование, электротехническое оборудование (в т. ч.

бытовые электроприборы), пищевые продукты, табачные изделия, оргтехника, сталь, прокат черных металлов, металлоизделия, полиграфическая продукция, виски. Стоимость продукции горнодобывающей промышленности (1982) — 4,1 млрд дол. (2,2%); важнейшие виды: уголь, нефть, камень. Установленная мощность электростанций общего пользования — 16,8 млн кВт (1985).

Стоимость товарной продукции сельского хозяйства в 1985 г.— 2,9 млрд дол. (2,0%); доля животноводства — 47%, растениеводства — 53%. Основные сельскохозяйственные культуры: табак, сеяные травы, соя, кукуруза. В животноводстве преобладает мясное направление. Поголовье (тыс.): крупный рогатый скот — 2480 (в т. ч. дойные коровы — 234), овцы — 27 (1986), свиньи — 800 (1985). Развито птицеводство.

Длина автомобильных дорог — 100 тыс. км (1984).

КОЛОРАДО — штат в группе Горных штатов. Площадь — 269,6 тыс. км^2. Население (1985) — 3231 тыс. чел. (1,4%); средняя плотность — 12 чел. на 1 км^2. Городское население (1980) — 80,6%. В составе населения (1980): белые — 89,0%, черные — 3,5%; испаноязычное население — 340 тыс., американские индейцы — 18,1 тыс. чел. Экономически активное население — 1720 тыс. чел., безработных — 5,9% (1985). Столица — Денвер. Крупнейшие города (кроме столицы): Пуэбло, Боулдер. Статус штата с 1876 г.

Территория Колорадо пересекается в средней ее части с севера на юг Скалистыми горами (высшая точка г. Элберт — 4399 м). Западная часть штата расположена в зоне плато Колорадо, восточная — на плоскогорьях Великих равнин. Климат континентальный, засушливый. Леса занимают 9,0 млн га; посевная площадь — 4,3 млн га.

Ведущие секторы экономики штата (по стоимости валового продукта в 1983 г., в %): финансы — 17, торговля — 16, строительство — 14, сфера услуг — 13, транспорт и связь — 11, обрабатывающая промышленность — 10, сельское и лесное хозяйство — 1.

Стоимость продукции обрабатывающей промышленности в 1984 г.— 9,8 млрд дол. (1,0%); важнейшие виды: контрольно-измерительные и оптические приборы, средства связи, ЭВМ, электронные компоненты, ракетная техника, вооружения, промышленное оборудование, полиграфическая продукция, резинотехнические изделия, сталь, прокат черных металлов, медицинское оборудование и инструменты, пиво. Стоимость продукции горнодобывающей промышленности (1982) — 3,1 млрд дол. (1,7%); важнейшие виды: нефть, природный газ, уголь. Установленная мощность электростанций общего пользования — 7,3 млн кВт (1985).

Стоимость товарной продукции сельского хозяйства в 1985 г.— 3,2 млрд дол. (2,2%); доля животноводства — 64%, растениеводства — 36%. Основные сельскохозяйственные культуры: пшеница, сеяные травы, кукуруза, картофель. Преобладает пастбищное животноводство мясо-шерстного направления. Поголовье (тыс.): крупный рогатый скот — 2850, овцы — 600 (1986), свиньи — 225 (1985). Развито птицеводство.

Длина автомобильных дорог — 105 тыс. км (1984).

КОННЕКТИКУТ — штат в группе штатов Новой Англии. Площадь — 13,0 тыс. км^2. Население (1985) — 3174 тыс. чел. (1,3%); средняя плотность — 244,2 чел. на 1 км^2. Городское население (1980) — 78,8%. В составе населения (1980): белые — 90,1%, черные — 7,0%; испаноязычное население — 124 тыс., американские индейцы — 4,5 тыс. чел. Экономически активное население — 1711 тыс. чел., безработных — 5,0% (1985). Столица — Хартфорд. Крупнейшие города штата (кроме столицы): Бриджпорт, Нью-Хейвен, Уотербери. Входил в состав первых 13 штатов; статус штата с 1788 г.

Примыкает к проливу Лонг-Айленд Атлантического океана, расположен в пределах Приатлантической низменности и предгорий Аппалачей (наивысшая точка — 718 м над уровнем моря). Поверхность равнинно-холмистая. Климат умеренный, влажный. Леса занимают 0,8 млн га; посевная площадь — 0,1 млн га.

Ведущие секторы экономики штата (по стоимости валового продукта в 1983 г., в %): обрабатывающая промышленность — 28, финансы — 25, торговля — 15, сфера услуг — 14, сельское и лесное хозяйство —1.

Стоимость продукции обрабатывающей промышленности в 1984 г.— 19,8 млрд дол. (2,0%); важнейшие виды: авиационное оборудование (в т. ч. двигатели), электронные компоненты, ЭВМ, средства связи, электротехническое оборудование, станки, инструменты, металлоизделия, контрольно-измерительные и оптические приборы, вертолеты, атомные подводные лодки, вооружения, химикаты, медицинское оборудование и инструменты, часы, прокат цветных металлов, полиграфическая продукция. Стоимость продукции горнодобывающей промышленности (1982) — 47 млн дол.; важнейшие виды: камень, песок, гравий, полевой шпат. Установленная мощность электростанций общего пользования — 6,2 млн кВт (1985).

Стоимость товарной продукции сельского хозяйства в 1985 г.— 316 млн дол. (0,2%); доля животноводства — 65%, растениеводства — 35%. Основные сельскохозяйственные культуры: табак, сеяные травы, фрукты (главным образом яблоки), овощи. Животноводство пригородного типа. Поголовье (тыс.): крупный рогатый скот — 107, овцы —5, свиньи — 8 (1983). Развито птицеводство.

Длина автомобильных дорог — 14 тыс. км (1984). Крупнейшие морские порты: Нью-Хейвен, Бриджпорт, Нью-Лондон.

ЛУИЗИАНА — штат в составе штатов Юго-Западного Центра. Площадь — 123,7 тыс. км². Население (1985) — 4481 тыс. чел. (1,9%); средняя плотность — 36,2 чел. на 1 км². Городское население (1980) — 68,6%. В составе населения (1980): белые — 69,2%, черные — 29,4%; испаноязычное население — 99 тыс., американские индейцы — 12,1 тыс. чел. Экономически активное население — 1987 тыс. чел., безработных — 11,5% (1985). Столица — Батон-Руж. Крупнейшие города штата (кроме столицы): Новый Орлеан, Шривпорт. Статус штата с 1812 г.

Штат расположен на берегу Мексиканского залива. Значительная часть территории приходится на пойменную, сильно заболоченную низменность по берегам реки Миссисипи. Долина и быстро растущая дельта Миссисипи изобилуют протоками, рукавами и озерами. Река Миссисипи доступна для морских судов до г. Батон-Руж. Климат субтропический, влажный. Часты ураганы. Леса занимают 5,9 млн га; посевная площадь — 2,6 млн га.

Ведущие секторы экономики штата (по стоимости валового продукта в 1982 г., в %): горнодобывающая промышленность — 18, торговля — 15, обрабатывающая промышленность — 13, сфера услуг — 12, транспорт и связь — 11, сельское и лесное хозяйство, рыболовство — 2.

Стоимость продукции обрабатывающей промышленности в 1984 г.— 13,4 млрд дол. (1,4%); важнейшие виды: химикаты, нефтепродукты, пищевые продукты (в т. ч. переработка импортируемых тропических фруктов), суда и платформы для подводного бурения, ракетная техника, промышленное оборудование (в т. ч. нефтегазовое), металлоизделия, цветные металлы, бумага, средства связи. Стоимость продукции горнодобывающей промышленности (1982) — 33,1 млрд дол. (17,9%); важнейшие виды: природный газ, нефть, сера. Установленная мощность электростанций общего пользования — 18,4 млн кВт (1985).

Стоимость товарной продукции сельского хозяйства в 1985 г.— 1,5 млрд дол. (1,0%); доля животноводства — 34%, растениеводства — 66%. Основные сельскохозяйственные культуры: соя, рис, сахарный тростник, хлопчатник. В животноводстве преобладает мясное направление. Поголовье (тыс.): крупный рогатый скот — 1350 (в т. ч. дойные коровы — 102), овцы — 9, свиньи — 110 (1983). Развито птицеводство; производство бройлеров — 100 млн шт. (1985). Развито рыболовство и добыча морепродуктов (в т. ч. креветок, устриц, крабов) — улов 769 тыс. т (1985).

Длина автомобильных дорог — 74 тыс. км (1984). Крупнейшие морские порты: Новый Орлеан, Батон-Руж, Лейк-Чарльз.

МАССАЧУСЕТС — штат в группе штатов Новой Англии. Площадь — 21,5 тыс. км². Население (1985) — 5822 тыс. чел. (2,4%); средняя плотность — 270,8 чел. на 1 км². Городское население (1980) — 83,8%. В составе населения (1980): белые — 93,5%, черные — 3,9%; испаноязычное население — 141 тыс., американские индейцы — 7,7 тыс. чел. Экономически активное население — 3061 тыс. чел., безработных — 3,9% (1985). Столица — Бостон. Крупнейшие города штата (кроме столицы): Вустер, Спрингфилд, Нью-Бедфорд. Входил в состав первых 13 штатов; статус штата с 1788 г.

Расположен на берегу Атлантического океана. На востоке — Приатлантическая низменность, на западе — отроги Аппалачских гор (высшая точка г. Маунт-Грейлок — 1080 м), прорезанные рекой Коннектикут. Климат умеренный, влажный. Леса занимают 1,2 млн га; посевная площадь — 0,1 млн га.

Ведущие секторы экономики штата (по стоимости валового продукта в 1982 г., в %): обрабатывающая промышленность — 25, финансы — 19, сфера услуг — 18, торговля — 16, сельское и лесное хозяйство, рыболовство — 1.

Стоимость продукции обрабатывающей промышленности в 1984 г.— 31,5 млрд дол. (3,2%); важнейшие виды: ЭВМ, средства связи, электронные компоненты, приборы, авиационная и ракетная техника, промышленное оборудование, металлоизделия, станки и инструменты, электротехническое оборудование, полиграфическая продукция, химикаты, бумага, изделия из пластмасс, игрушки и спортивные товары, ювелирные изделия. Стоимость продукции горнодобывающей промышленности (1982) — 54 млн дол.; важнейшие виды: камень, песок, гравий, известняк. Установленная мощность электростанций общего пользования — 10,0 млн кВт (1985).

Стоимость товарной продукции сельского хозяйства в 1985 г.— 389 млн дол. (0,3%); доля животноводства — 32%, растениеводства — 68%. Основные сельскохозяйственные культуры: фрукты, сеяные травы, овощи, картофель. В животноводстве преобладает молочное направление. Поголовье (тыс.): крупный рогатый скот — 126, овцы — 8, свиньи — 50 (1983). Развито птицеводство. Улов рыбы и морепродуктов — 134 тыс. т (1985).

Длина автомобильных дорог — 21 тыс. км (1984). Крупнейший морской порт — Бостон.

МИННЕСОТА — штат в группе штатов Северо-Западного Центра. Площадь — 218,6 тыс. км². Население (1985) — 4193 тыс. чел. (1,8%); средняя плотность — 19,2 чел. на 1 км². Городское население (1980) — 66,9%. В составе населения (1980): белые — 96,6%, черные — 1,3%; испаноязычное население — 32 тыс., американские индейцы — 35 тыс. чел. Экономически активное население — 2234 тыс. чел., безработных — 6,0% (1985). Столица — Сент-Пол. Крупнейшие города штата (кроме столицы): Миннеаполис, Дулут. Статус штата с 1858 г.

Северная часть Миннесоты расположена на кристаллическом Лаврентийском щите, с выходами которого связаны скалистые гряды и глубокие озера. На северо-востоке примыкает к озеру Верхнее. Центральная и южная часть штата — плоская равнина, сложенная ледниковыми отложениями. Климат умеренный континентальный, влажный. Леса занимают 6,8 млн га; посевная площадь — 9,3 млн га.

Ведущие секторы экономики штата (по стоимости валового продукта в 1983 г., в %): обрабатывающая промышленность — 23, торговля — 18, финансы — 17, сфера услуг — 14, транспорт и связь — 10, сельское и лесное хозяйство — 3.

Стоимость продукции обрабатывающей промышленности в 1984 г.— 19,3 млрд дол. (2,0%); важнейшие виды: пищевые продукты (в т. ч. мясо-молочные), ЭВМ, средства связи, электронные компоненты, приборы, промышленное оборудование, вооружения, полиграфическая продукция, бумага, стройматериалы, химикаты, продукты деревообработки, металлоизделия, автомобильное оборудование. Стоимость продукции горнодобывающей промышленности (1982) — 599 млн дол. (0,3%); важнейшие виды: железная руда, песок, гравий, камень. Установленная мощность электростанций общего пользования — 8,5 млн кВт (1985).

Стоимость товарной продукции сельского хозяйства в 1985 г.— 6,5 млрд дол. (4,6%); доля животноводства — 52%, растениеводства — 48%. Основные сельскохозяйственные культуры: соя, кукуруза, сеяные травы, пшеница. Животноводство смешанного направления. Поголовье (тыс.): крупный рогатый скот — 3400 (в т. ч. дойные коровы — 940), овцы — 213 (1986), свиньи — 4100 (1985). Развито птицеводство.

Длина автомобильных дорог — 191 тыс. км (1984). Крупнейший озерный порт — Дулут.

МИССИСИПИ — штат в группе штатов Юго-Восточного Центра. Площадь — 123,5 тыс км^2. Население (1985) — 2613 тыс. чел. (1,1%); средняя плотность — 21,2 чел. на 1 км^2. Городское население (1980) — 47,3%. В составе населения (1980): белые — 64,1%, черные — 35,2%; испаноязычное население — 25 тыс., американские индейцы — 6,2 тыс. чел. Экономически активное население — 1121 тыс. чел., безработных — 10,3% (1985). Столица — Джэксон. Крупнейшие города штата (кроме столицы): Паскагула, Билокси. Статус штата с 1817 г.

Расположен на Примексиканской низменности, имеет выход к Мексиканскому заливу. Густая речная сеть, побережье заболочено. Западная граница проходит по реке Миссисипи. Климат субтропический, влажный. Часты ураганы. Леса занимают 6,8 млн га; посевная площадь — 3,0 млн га.

Ведущие секторы экономики штата (по стоимости валового продукта в 1983 г., в %): обрабатывающая промышленность — 24, торговля — 16, государственный сектор — 15, сфера услуг — 12, горнодобывающая промышленность — 4, сельское и лесное хозяйство, рыболовство — 3.

Стоимость продукции обрабатывающей промышленности в 1984 г.— 8,8 млрд дол. (0,9%); важнейшие виды: пищевые продукты, суда (в т. ч. военные), электротехническое оборудование, нефтепродукты, швейные изделия, химикаты, автомобильное оборудование, продукты деревообработки, бумага, мебель, металлоизделия. Стоимость продукции горнодобывающей промышленности (1982) — 1,8 млрд дол. (1,0%); важнейшие виды: нефть, природный газ, песок, гравий. Установленная мощность электростанций общего пользования — 7,1 млн кВт (1985).

Стоимость товарной продукции сельского хозяйства в 1985 г.— 2,1 млрд дол. (1,5%); доля животноводства — 47%, растениеводства — 53%. Основные сельскохозяйственные культуры: соя, хлопчатник, рис, пшеница. В животноводстве преобладает мясное направление. Поголовье (тыс): крупный рогатый скот — 1800, свиньи — 300 (1983). Развито птицеводство; производство бройлеров — 329 млн шт. (1985). Улов рыбы и морепродуктов — 214 тыс. т (1985).

Длина автомобильных дорог — 103 тыс. км (1984). Крупнейшие морские порты: Паскагула, Галфпорт.

МИССУРИ — штат в группе штатов Северо-Западного Центра. Площадь — 180 тыс. км^2. Население (1985) — 5029 тыс. чел. (2,1%); средняя плотность — 27,9 чел. на 1 км^2. Городское население (1980) — 68,1%. В составе населения (1980): белые — 88,4%, черные — 10,5%; испаноязычное население — 52 тыс., американские индейцы — 12,3 тыс. чел. Экономически активное население — 2472 тыс. чел., безработных — 6,4% (1985). Столица — Джефферсон-Сити. Крупнейшие города штата: Сент-Луис, Канзас-Сити, Спрингфилд. Статус штата с 1821 г.

Расположен на Центральных равнинах к западу от реки Миссисипи; в центральной части пересекается в широтном направлении рекой Миссури. Поверхность холмистая, более плоская на западе; в южной части расположено невысокое известняковое плато Озарк со значительной долей неудобных земель. Климат умеренный, относительно мягкий, хотя летом нередки засухи, а зимой заморозки. Леса занимают 5,2 млн га; посевная площадь — 6,1 млн га.

Ведущие секторы экономики штата (по стоимости валового продукта в 1983 г., в %): обрабатывающая промышленность — 22, торговля — 18, финансы — 16, сфера услуг — 15, транспорт и связь — 13, сельское и лесное хозяйство — 1.

Стоимость продукции обрабатывающей промышленности в 1984 г.— 23,5 млрд дол. (2,4%); важнейшие виды: самолеты, ракетная техника, вооружения, автомобили, промышленное оборудование, средства связи, электронные компоненты, электротехническое оборудование, пищевые продукты, химикаты, цветные металлы, цемент. Стоимость продукции горнодобывающей промышленности (1982) — 418 млн дол. (0,2%); важнейшие виды: свинец, песок, камень. Установленная мощность электростанций общего пользования — 16,6 млн кВт (1985).

Стоимость товарной продукции сельского хозяйства в 1985 г.— 3,7 млрд дол. (2,6%); доля животноводства — 53%, растениеводства — 47%. Основные сельскохозяйственные культуры: соя, сеяные травы, кукуруза, пшеница. Животноводство смешанного направления. Поголовье (тыс.): крупный рогатый скот — 4800 (в т. ч. дойные коровы — 235), овцы — 101 (1986), свиньи — 3050 (1985). Развито птицеводство.

Длина автомобильных дорог — 167 тыс. км (1984). Крупнейший речной порт — Сент-Луис.

МИЧИГАН — штат в группе штатов Северо-Восточного Центра. Площадь — 151,6 тыс. км^2. Население (1985) — 9088 тыс. чел. (3,8%); средняя плотность — 59,9 чел. на 1 км^2. Городское население (1980) — 70,7%. В составе населения (1980): белые — 85,0%, черные — 12,9%; испаноязычное население — 162 тыс., американские индейцы — 40 тыс. чел. Экономически активное население — 4352 тыс. чел., безработных — 9,9% (1985). Столица — Лансинг. Крупнейшие города штата: Детройт, Гранд-Рапидс, Флинт, Уоррен. Статус штата с 1837 г.

Мичиган состоит из двух частей: южной (Нижний полуостров между озерами Мичиган и Гурон) и северной (Верхний полуостров между

УСЛОВНЫЕ ОБОЗНАЧЕНИЯ

Населенные пункты

◉	ВАШИНГТОН	более 1 000 000 жителей
◎	Даллас	от 500 000 до 1 000 000 жителей
⊙	Канзас-Сити	от 100 000 до 500 000 жителей
○	Боулдер	менее 100 000 жителей

Подчерками названий выделены

——————— столицы государств

– – – – – – столицы штатов

Границы

–·–·–·–·–·– государственные

– – – – – – штатов

–ı–ı–ı–ı–ı– полярных владений СССР

⌑ заповедников и национальных парков

Пути сообщения

——————— Железные дороги

⚓ Морские порты

—●—————●— Нефтепроводы

—○————○——○— Газопроводы

Гидрография и рельеф

Озера пресные

Озера солёные

〜〜〜 Реки постоянные

〜 – 〜 – 〜 Реки пересыхающие

Болота

· 3175 Отметки высот над уровнем моря

г.Митчелл Орографические названия

Условные обозначения, помещенные в легендах отдельных
карт, в данную таблицу не включены

ФИЗИЧЕСКАЯ КАРТА

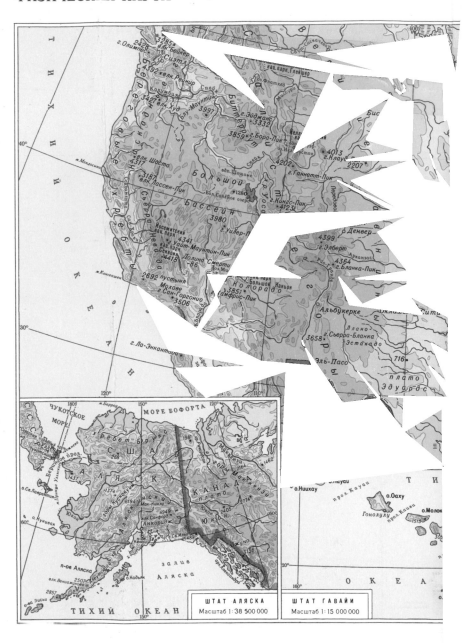

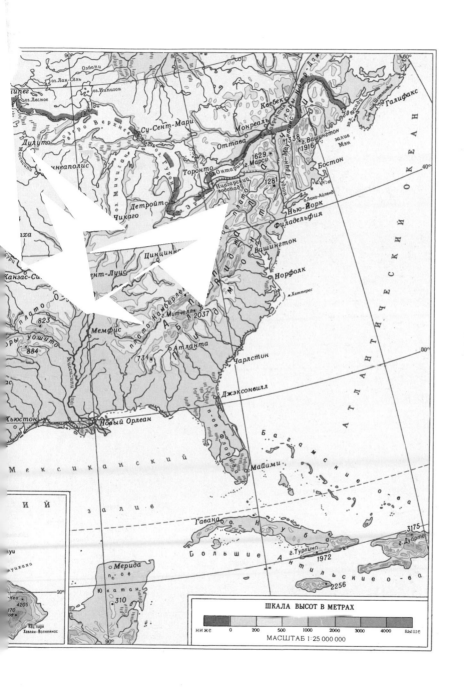

АДМИНИСТРАТИВНО-ТЕРРИТОРИАЛЬНОЕ ДЕЛЕНИЕ

Цифрами на карте обозначены штаты США:

1 Нью-Гэмпшир	4 Род-Айленд	7 Мэриленд	9 Федеральный округ Колумбия
2 Массачусетс	5 Пенсильвания	8 Делавэр	10 Западная Виргиния
3 Коннектикут	6 Нью-Джерси		

ШТАТ АЛЯСКА

ШТАТ ГАВАЙИ

озерами Мичиган и Верхнее), разделенных проливом Макино. Поверхность Нижнего полуострова — низменная, местами всхолмленная; Верхнего полуострова — ровная, заболоченная на востоке, с увеличением холмистости на запад. Климат умеренный, мягкий. Леса занимают 7,8 млн га; посевная площадь — 3,8 млн га.

Ведущие секторы экономики штата (по стоимости валового продукта в 1983 г., в %): обрабатывающая промышленность — 29, торговля — 16, сфера услуг — 15, сельское и лесное хозяйство — 2.

Стоимость продукции обрабатывающей промышленности в 1984 г.— 53,1 млрд дол. (5,4%); важнейшие виды: автомобили, автомобильное оборудование, станки, инструменты, металлоизделия, промышленное оборудование, сталь, прокат черных и цветных металлов, пищевые продукты, химикаты, изделия из пластмасс, мебель. Стоимость продукции горнодобывающей промышленности (1982) — 1,9 млрд дол. (1,0%); важнейшие виды: нефть, железная руда, природный газ. Установленная мощность электростанций общего пользования — 24,1 млн кВт (1985).

Стоимость товарной продукции сельского хозяйства в 1985 г.— 2,9 млрд дол. (2,0%); доля животноводства — 43%, растениеводства — 57%. Основные сельскохозяйственные культуры: кукуруза, сеяные травы, соя, фрукты (в т. ч. яблоки, вишни). Животноводство смешанного направления. Поголовье (тыс.): крупный рогатый скот — 1410 (в т. ч. дойные коровы — 397), овцы — 108 (1986), свиньи — 1190 (1985). Развито птицеводство.

Длина автомобильных дорог — 149 тыс. км (1984). Крупнейший озерный порт — Детройт.

МОНТАНА — штат в группе Горных штатов. Площадь — 380,8 тыс. км². Население (1985) — 826 тыс. чел. (0,3%); средняя плотность — 2,2 чел. на 1 км². Городское население (1980) — 52,9%. В составе населения (1980): белые — 94,0%, черные — 0,3%; испаноязычное население — 10 тыс., американские индейцы — 37,3 тыс. чел. Экономически активное население — 405 тыс. чел., безработных — 7,7% (1985). Столица — Хелена. Крупных городов нет. Статус штата с 1889 г.

Восточная часть штата расположена на Великих равнинах, постепенно повышающихся с востока на запад (с 500 м до 1500 м над уровнем моря). Западную часть штата занимают хребты Скалистых гор (высшая точка г. Гранит-Пик — 3917 м). Климат континентальный. Зима суровая, малоснежная, летом наблюдаются частые сильные засухи. В Скалистых горах — национальный парк Глейшер. Леса занимают 9,1 млн га; посевная площадь — 7,0 млн га.

Ведущие секторы экономики штата (по стоимости валового продукта в 1983 г., в %): торговля — 19, государственный сектор — 16, транспорт и связь — 15, сфера услуг — 13, обрабатывающая промышленность — 9, горнодобывающая промышленность — 9, сельское и лесное хозяйство — 2.

Стоимость продукции обрабатывающей промышленности в 1984 г.— 1,0 млрд дол. (0,1%); важнейшие виды: продукты деревообработки, пищевые продукты, цветные металлы, нефтепродукты. Стоимость продукции горнодобывающей промышленности (1982) — 1,7 млрд дол. (0,9%); важнейшие виды: нефть, уголь, природный газ. Установленная мощность электростанций общего пользования — 4,9 млн кВт (1985).

Стоимость товарной продукции сельского хозяйства в 1985 г.— 1,2 млрд дол. (0,8%); доля животноводства — 66%, растениеводства — 34%. Основные сельскохозяйственные культуры: пшеница, сеяные травы, ячмень, сахарная свекла. В животноводстве преобладает мясо-шерстное направление. Поголовье (тыс.): крупный рогатый скот — 2450, овцы — 423 (1986), свиньи — 135 (1985). Развито птицеводство.

Длина автомобильных дорог — 111 тыс. км (1984).

МЭН — штат в группе штатов Новой Англии. Площадь — 86,2 тыс. км². Население (1985) — 1164 тыс. чел. (0,5%); средняя плотность — 13,5 чел. на 1 км². Городское население (1980) — 47,5%. В составе населения (1980): белые — 98,7%, черные — 0,3%; испаноязычное население — 5 тыс., американские индейцы — 4,1 тыс. чел. Экономически активное население — 552 тыс. чел., безработных — 5,4% (1985). Столица — Огаста. Крупнейшие города штата: Портленд, Бангор, Льюистон. Статус штата с 1820 г.

Западная часть штата занята отрогами Аппалачских гор (высшая точка г. Катадин — 1606 м); юго-восточная низменная часть выходит к Атлантическому океану. Южный отрезок морского побережья — длинные песчаные пляжи, к северу оно сильно изрезано, богато островами и глубоко вдающимися бухтами. Климат на юге умеренный, мягкий, на севере более суровый. Много озер. Леса занимают 7,2 млн га; посевная площадь — 0,4 млн га.

Ведущие секторы экономики штата (по стоимости валового продукта в 1982 г., в %): обрабатывающая промышленность — 27, торговля — 17, государственный сектор — 15, сфера услуг — 14, сельское и лесное хозяйство, рыболовство — 2.

Стоимость продукции обрабатывающей промышленности в 1984 г. — 4,8 млрд дол. (0,5%); важнейшие виды: бумага, целлюлоза, продукты деревообработки, суда, кожевенно-обувные изделия, электронные компоненты, пищевые продукты, ткани, цемент. Стоимость продукции горнодобывающей промышленности (1982) — 5 млн дол.; важнейшие виды: песок, гравий, камень. Установленная мощность электростанций общего пользования — 2,4 млн кВт (1985).

Стоимость товарной продукции сельского хозяйства в 1985 г. — 378 млн дол. (0,3%); доля животноводства — 66%, растениеводства — 34%. Основные сельскохозяйственные культуры: картофель, сеяные травы, фрукты (главным образом яблоки), овес. В животноводстве преобладает молочное направление. Поголовье (тыс.): крупный рогатый скот — 141, овцы — 17, свиньи — 9 (1983). Развито птицеводство. Улов рыбы и морепродуктов — 79 тыс. т (1985).

Длина автомобильных дорог — 32 тыс. км (1984). Крупнейший морской порт — Портленд.

МЭРИЛЕНД — штат в группе Южно-Атлантических штатов. Площадь — 27,1 тыс. км². Население (1985) — 4392 тыс. чел. (1,8%); средняя плотность — 162,1 чел. на 1 км². Городское население (1980) — 80,3%. В составе населения (1980): белые — 74,9%, черные — 22,7%; испаноязычное население — 65 тыс., американские индейцы — 8 тыс. чел. Экономически активное население — 2253 тыс. чел., безработных — 4,6% (1985). Столица — Аннаполис. Крупнейший город штата — Балтимор. Входил в состав первых 13 штатов; статус штата с 1788 г.

Расположен на побережье глубоко врезанного в сушу Чесапикского залива Атлантического океана. Поверхность на востоке низменная, на западе — всхолмленная, переходящая в отроги хребта Блу-Ридж Аппалачских гор (высшая точка г. Бэкбоун — 1025 м). Климат умеренный, влажный. Леса занимают 1,1 млн га; посевная площадь — 0,7 млн га.

Ведущие секторы экономики штата (по стоимости валового продукта в 1983 г., в %): государственный сектор — 20, торговля — 19, сфера услуг — 18, финансы — 15, обрабатывающая промышленность — 13, сельское и лесное хозяйство, рыболовство — 1.

Стоимость продукции обрабатывающей промышленности в 1984 г.— 11,5 млрд дол. (1,2%); важнейшие виды: средства связи, ЭВМ, промышленное оборудование, сталь, прокат черных металлов, ракетная техника, автомобили, суда, пищевые продукты, химикаты, полиграфическая продукция, цемент. Стоимость продукции горнодобывающей промышленности (1982) — 167 млн дол. (0,1%); важнейшие виды: уголь, камень, песок. Установленная мощность электростанций общего пользования — 10,4 млн кВт (1985).

Стоимость товарной продукции сельского хозяйства в 1985 г.— 1,1 млрд дол. (0,8%); доля животноводства — 67%, растениеводства — 33%. Основные сельскохозяйственные культуры: кукуруза, соя, сеяные травы, табак. Животноводство смешанного направления. Поголовье (тыс.): крупный рогатый скот — 405, овцы — 19, свиньи — 200 (1983). Развито птицеводство; производство бройлеров — 272 млн шт. (1985). Улов рыбы и морепродуктов — 42 тыс. т (1985).

Длина автомобильных дорог — 28 тыс. км (1984). Крупнейший морской порт — Балтимор.

НЕБРАСКА — штат в группе штатов Северо-Западного Центра. Площадь — 200,4 тыс. км². Население (1985) — 1606 тыс. чел. (0,7%); средняя плотность — 8 чел. на 1 км². Городское население (1980) — 62,9%. В составе населения (1980): белые — 94,9%, черные — 3,1%; испаноязычное население — 28 тыс., американские индейцы — 9,2 тыс. чел. Экономически активное население — 813 тыс. чел., безработных — 5,5% (1985). Столица — Линкольн. Крупнейший город штата — Омаха. Статус штата с 1867 г.

Расположен на Великих равнинах к западу от реки Миссури. Поверхность штата равнинная, постепенно повышается к западу. В центральной части обширная область песчаных холмов. Климат умеренный, континентальный, с частыми и сильными засухами. Леса занимают 0,4 млн га; посевная площадь — 8,2 млн га.

Ведущие секторы экономики штата (по стоимости валового продукта в 1982 г., в %): финансы — 18, торговля — 17, обрабатывающая промышленность — 14, транспорт и связь — 12, сфера услуг — 11, сельское и лесное хозяйство — 11.

Стоимость продукции обрабатывающей промышленности в 1984 г.— 5,1 млрд дол. (0,5%); важнейшие виды: пищевые продукты (в т. ч. мясные консервы, мука), сельскохозяйственные машины, химикаты (в т. ч. минеральные удобрения), металлоизделия, медицинское оборудование и инструменты, электронные компоненты, средства связи, цемент. Стоимость продукции горнодобывающей промышленности (1982) — 246 млн дол. (0,1%); важнейшие виды: нефть, песок, гравий. Установленная мощность электростанций общего пользования — 6,0 млн кВт (1985).

Стоимость товарной продукции сельского хозяйства в 1985 г.— 7,2 млрд дол. (5,1%); доля животноводства — 57%, растениеводства — 43%. Основные сельскохозяйственные культуры: кукуруза, соя, сеяные травы, пшеница. В животноводстве преобладает мясное направление. Поголовье (тыс.): крупный рогатый скот — 5800 (в т. ч. дойные коровы — 112), овцы — 160 (1986), свиньи — 3900 (1985). Развито птицеводство.

Длина автомобильных дорог — 140 тыс. км (1984).

НЕВАДА — штат в группе Горных штатов. Площадь — 286,4 тыс. км². Население (1985) — 936 тыс. чел. (0,4%); средняя плотность — 3,3 чел. на 1 км². Городское население (1980) — 85,3%. В составе населения (1980): белые — 94,7%, черные — 0,6%; испаноязычное население — 54 тыс., американские индейцы — 13,3 тыс. чел. Экономически активное население —

509 тыс. чел., безработных — 8,0% (1985). Столица — Карсон-Сити. Крупнейшие города штата: Лас-Вегас, Рино. Статус штата с 1864 г.

Почти вся территория Невады расположена в пределах бессточного пустынного нагорья Большой Бассейн, короткие меридиональные хребты которого имеют высоту от 1000 до 2500 м над уровнем моря. На западной окраине — отроги хребта Сьерра-Невада, южные районы граничат с пустыней Мохаве. Климат умеренный, континентальный, сухой, в горах — более влажный. Леса занимают 3,1 млн га; посевная площадь — 0,3 млн га.

Ведущие секторы экономики штата (по стоимости валового продукта в 1983 г., в %): сфера услуг — 34, торговля — 12, транспорт и связь — 12, обрабатывающая промышленность — 5, горнодобывающая промышленность — 4, сельское и лесное хозяйство — 1.

Стоимость продукции обрабатывающей промышленности в 1984 г.— 909 млн дол. (0,1%); важнейшие виды: пищевые продукты, полиграфическая продукция, химикаты, электронные компоненты. Стоимость продукции горнодобывающей промышленности (1982) — 468 млн дол. (0,3%); важнейшие виды: золото, молибден, барит. Установленная мощность электростанций общего пользования — 5,6 млн кВт (1985).

Стоимость товарной продукции сельского хозяйства в 1985 г.— 222 млн дол. (0,2%); доля животноводства — 65%, растениеводства — 35%. Основные сельскохозяйственные культуры: сеяные травы, картофель, ячмень, пшеница. В животноводстве преобладает мясошерстное направление. Поголовье (тыс.): крупный рогатый скот — 650, овцы — 110, свиньи — 14 (1983).

Длина автомобильных дорог — 66 тыс. км (1984).

НЬЮ-ГЭМПШИР — штат в группе штатов Новой Англии. Площадь — 24,0 тыс. км². Население (1985) — 998 тыс. чел. (0,4%); средняя плотность — 41,6 чел. на 1 км². Городское население (1980) — 52,2%. В составе населения (1980): белые — 98,8%, черные — 0,4%; испаноязычное население — 6 тыс., американские индейцы — 1,4 тыс. чел. Экономически активное население — 537 тыс. чел., безработных — 3,9% (1985). Столица — Конкорд. Крупных городов нет. Входил в состав первых 13 штатов; статус штата с 1788 г.

Бо́льшая часть штата занята хребтами Аппалачей (Уайт-Маунтинс с вершиной Вашингтон — 1916 м). На юго-востоке расположена прибрежная низменность. Климат умеренный, влажный; в горах континентальность климата возрастает. Леса занимают 2,0 млн га; посевная площадь — 0,1 млн га.

Ведущие секторы экономики штата (по стоимости валового продукта в 1982 г., в %): обрабатывающая промышленность — 29, торговля — 17, финансы — 15, сфера услуг — 14, сельское и лесное хозяйство — 1.

Стоимость продукции обрабатывающей промышленности в 1984 г.— 4,8 млрд дол. (0,5%); важнейшие виды: ЭВМ, средства связи, электронные компоненты, приборы, бумага, целлюлоза, промышленное оборудование, металлоизделия. Стоимость продукции горнодобывающей промышленности (1982) — 17 млн дол.; важнейшие виды: песок, гравий, камень, глина. Установленная мощность электростанций общего пользования — 1,4 млн кВт (1985).

Стоимость товарной продукции сельского хозяйства в 1985 г.— 107 млн дол. (0,1%); доля животноводства — 66%, растениеводства — 34%. Основные сельскохозяйственные культуры: сеяные травы, фрукты (главным образом яблоки). В животноводстве преобладает молочное направление. Поголовье (тыс.): крупный рогатый скот — 70, овцы — 9, свиньи — 6 (1983). Развито птицеводство.

Длина автомобильных дорог — 19 тыс. км (1984). Крупнейший морской порт — Портсмут.

НЬЮ-ДЖЕРСИ — штат в группе Средне-Атлантических штатов. Площадь — 20,2 тыс. км^2. Население (1985) — 7562 тыс. чел. (3,2%); средняя плотность — 374,4 чел. на 1 км^2. Городское население (1980) — 89,0%. В составе населения (1980): белые — 83,2%, черные — 12,6%; испаноязычное население — 492 тыс., американские индейцы — 8,4 тыс. чел. Экономически активное население — 3853 тыс. чел., безработных — 5,7% (1985). Столица — Трентон. Крупнейшие города штата: Ньюарк, Джерси-Сити, Патерсон, Элизабет. Входил в состав первых 13 штатов; статус штата с 1787 г.

Расположен на Приатлантической низменности. На северо-востоке примыкает к устью реки Гудзон. На севере штата — предгорья Аппалачей (высшая точка 550 м над уровнем моря). Климат умеренный, влажный. Леса занимают 0,8 млн га; посевная площадь — 0,3 млн га.

Ведущие секторы экономики штата (по стоимости валового продукта в 1983 г., в %): обрабатывающая промышленность — 24, торговля — 18, сфера услуг — 16, финансы — 15, транспорт — 11, сельское и лесное хозяйство, рыболовство — 1.

Стоимость продукции обрабатывающей промышленности в 1984 г.— 36,5 млрд дол. (3,7%); важнейшие виды: химикаты, средства связи (в т. ч. бытовая радиоэлектроника), электронные компоненты, приборы, медицинское оборудование и инструменты, промышленное оборудование, оргтехника, пищевые продукты, металлоизделия, сталь, прокат черных и цветных металлов, нефтепродукты, автомобили. Стоимость продукции горнодобывающей промышленности (1982) — 120 млн дол. (0,1%); важнейшие виды: камень, песок, гравий, цинк. Установленная мощность электростанций общего пользования — 13,4 млн кВт (1985).

Стоимость товарной продукции сельского хозяйства в 1985 г.— 591 млн дол. (0,4%); доля животноводства — 24%, растениеводства — 76%. Основные сельскохозяйственные культуры: фрукты, овощи, сеяные травы, соя. Животноводство пригородного типа. Поголовье (тыс.): крупный рогатый скот — 95, овцы — 12, свиньи — 54 (1983). Развито птицеводство. Улов рыбы и морепродуктов — 49 тыс. т (1985).

Длина автомобильных дорог — 19 тыс. км (1984). Крупнейшие морские порты: Полсборо, Ньюарк.

НЬЮ-ЙОРК — штат в составе Средне-Атлантических штатов. Площадь — 127,2 тыс. км^2. Население (1985) — 17 783 тыс. чел. (7,5%); средняя плотность — 139,8 чел. на 1 км^2. Городское население (1980) — 84,6%. В составе населения (1980): белые — 79,5%, черные — 13,7%; испаноязычное население — 1659 тыс., американские индейцы — 39,6 тыс. чел. Экономически активное население — 8308 тыс. чел., безработных — 6,5% (1985). Столица — Олбани. Крупнейшие города штата: Нью-Йорк, Буффало, Рочестер, Сиракьюс. Входил в состав первых 13 штатов; статус штата с 1788 г.

Расположен между Атлантическим океаном и озерами Эри и Онтарио. Бóльшая часть штата занята отрогами Аппалачских гор, достигающими на северо-востоке, в горах Адирондак, высоты 1629 м (г. Марси). Вдоль озера Онтарио и на острове Лонг-Айленд — низменности. В устье реки Гудзон — остров Манхаттан, на котором расположены центральные кварталы г. Нью-Йорка. Климатические условия в разных частях штата отличаются разнообразием: на юго-востоке под влиянием Атлантики климат более мягкий, влажный; в горах континентальность возрастает. Леса занимают 7,0 млн га; посевная площадь — 2,4 млн га.

Ведущие секторы экономики штата (по стоимости валового продукта в 1983 г., в %): финансы — 30, обрабатывающая промышленность — 17, сфера услуг — 16, торговля — 14, сельское и лесное хозяйство, рыболовство — 1.

Стоимость продукции обрабатывающей промышленности в 1984 г.— 72,4 млрд дол. (7,4%); важнейшие виды: полиграфическая продукция, фото- и кинотехника, оптические и другие приборы, электронные компоненты, ЭВМ, средства связи, пищевые продукты, швейные изделия, самолеты, автомобили, химикаты (в т. ч. парфюмерно-косметические изделия, продукты тонкого органического синтеза), промышленное оборудование, станки, медицинское оборудование и инструменты, ювелирные изделия, игрушки, спортивные товары, цемент. Стоимость продукции горнодобывающей промышленности (1982) — 415 млн дол. (0,2%); важнейшие виды: камень, соль, песок. Установленная мощность электростанций общего пользования — 32,5 млн кВт (1985).

Стоимость товарной продукции сельского хозяйства в 1985 г.— 2,6 млрд дол. (1,8%); доля животноводства — 72%, растениеводства — 28%. Основные сельскохозяйственные культуры: сеяные травы, кукуруза, фрукты (в т. ч. яблоки, вишни), виноград, овощи. В животноводстве преобладает молочное направление. Поголовье (тыс.): крупный рогатый скот — 1970 (в т. ч. дойные коровы — 968), овцы — 55 (1986), свиньи — 110 (1985). Развито птицеводство. Улов рыбы и морепродуктов — 18 тыс. т (1985).

Длина автомобильных дорог — 117 тыс. км (1984). Крупнейший морской порт — Нью-Йорк; крупнейший озерный порт — Буффало.

НЬЮ-МЕКСИКО — штат в группе Горных штатов. Площадь — 314,9 тыс. км². Население (1985) — 1450 тыс. чел.(0,6%); средняя плотность — 4,6 чел. на 1 км². Городское население (1980) — 72,1%. В составе населения (1980): белые — 75,1%, черные — 1,8%; испано-язычное население — 477 тыс., американские индейцы — 106,1 тыс. чел. Экономически активное население — 646 тыс. чел., безработных — 8,8% (1985). Столица — Санта-Фе. Крупнейший город штата — Альбукерке. Статус штата с 1912 г.

Преобладает горный рельеф. В центральной части штата в меридиональном направлении протянулись хребты Скалистых гор, высотой до 4000 м. Восточную часть занимает плато Льяно-Эстакадо, западную — плато Колорадо. Климат континентальный, засушливый. На юго-востоке штата национальный парк Карлсбадские пещеры. Леса занимают 7,3 млн га; посевная площадь — 1,0 млн га.

Ведущие секторы экономики штата (по стоимости валового продукта в 1982 г., в %): государственный сектор — 20, торговля — 15, сфера услуг — 15, горнодобывающая промышленность — 14, транспорт и связь — 11, обрабатывающая промышленность — 7, сельское и лесное хозяйство — 1.

Стоимость продукции обрабатывающей промышленности в 1984 г.— 1,3 млрд дол. (0,1%); важнейшие виды: пищевые продукты, полиграфическая продукция, авиационное оборудование, электронные компоненты, продукты деревообработки, приборы, нефтепродукты. Стоимость продукции горнодобывающей промышленности (1982) — 7,1 млрд дол. (3,8%); важнейшие виды: природный газ, нефть, калийные соли. Установленная мощность электростанций общего пользования — 5,5 млн кВт (1985).

Стоимость товарной продукции сельского хозяйства в 1985 г.— 1,1 млрд дол. (0,8%); доля животноводства — 66%, растениеводства — 34%. Основные сельскохозяйственные культуры: сеяные травы, пшеница, овощи, хлопчатник. В животноводстве преобладает мясо-шерстное направление. Поголовье (тыс.): крупный рогатый скот — 1390, овцы — 525 (1986), свиньи — 30 (1985). Развито птицеводство.

Длина автомобильных дорог — 80 тыс. км (1984).

ОГАЙО — штат в группе штатов Северо-Восточного Центра. Площадь — 107,0 тыс. км^2. Население (1985) — 10 744 тыс. чел. (4,5%); средняя плотность — 100,4 чел. на 1 км^2. Городское население (1980) — 73,3%. В составе населения (1980): белые — 88,9%, черные — 10,0%; испаноязычное население — 120 тыс., американские индейцы — 12,2 тыс. чел. Экономически активное население — 5130 тыс. чел., безработных — 8,9% (1985). Столица — Колумбус. Крупнейшие города штата (кроме столицы): Кливленд, Цинциннати, Толидо, Акрон, Дейтон. Статус штата с 1803 г.

На востоке в пределах штата невысокое, расчлененное речными долинами Аппалачское плато (высота до 460 м над уровнем моря); западнее оно постепенно переходит в холмистые Центральные равнины. На севере территория штата примыкает к озеру Эри, южная граница проходит вдоль реки Огайо. Климат умеренный, влажный. Леса занимают 2,5 млн га; посевная площадь — 5,0 млн га.

Ведущие секторы экономики штата (по стоимости валового продукта в 1982 г., в %): обрабатывающая промышленность — 30, торговля — 16, сфера услуг — 13, сельское и лесное хозяйство — 2.

Стоимость продукции обрабатывающей промышленности в 1984 г.— 62,3 млрд дол. (6,4%); важнейшие виды: автомобили, автомобильное и авиационное оборудование, сталь, прокат черных металлов, металлоизделия, промышленное оборудование, станки, инструменты, электротехническое оборудование (в т. ч. бытовые электроприборы), локомотивы и вагоны, ракетная техника, вооружения, химикаты, изделия из пластмасс, нефтепродукты. Стоимость продукции горнодобывающей промышленности (1982) — 2,3 млрд дол. (1,3%); важнейшие виды: уголь, нефть, природный газ. Установленная мощность электростанций общего пользования — 27,3 млн кВт (1985).

Стоимость товарной продукции сельского хозяйства в 1985 г.— 3,9 млрд дол. (2,8%); доля животноводства — 38%, растениеводства — 62%. Основные сельскохозяйственные культуры: соя, кукуруза, сеяные травы, пшеница. Животноводство смешанного направления. Поголовье (тыс.): крупный рогатый скот — 1840 (в т. ч. дойные коровы — 390), овцы — 275 (1986), свиньи — 1980 (1985). Развито птицеводство.

Длина автомобильных дорог — 131 тыс. км (1984). Крупнейшие озерные и речные порты: Цинциннати, Толидо, Кливленд, Лорейн.

ОКЛАХОМА — штат в группе штатов Юго-Западного Центра. Площадь — 181,2 тыс. км^2. Население (1985) — 3301 тыс. чел. (1,4%); средняя плотность — 18,2 чел. на 1 км^2. Городское население (1980) — 67,3%. В составе населения (1980): белые — 85,9%, черные — 6,8%; испаноязычное население — 57 тыс., американские индейцы — 169,5 тыс. чел. Экономически активное население — 1573 тыс. чел., безработных — 7,1% (1985). Столица — Оклахома-Сити. Крупнейшим городом штата (кроме столицы) является Талса. Статус штата с 1907 г.

Преобладает равнинный рельеф с высотами 200—500 м над уровнем моря. Местами поднимаются отдельные небольшие возвышенности — на западе предгорья Скалистых гор, на юго-востоке горы Уошито и др. Климат субтропический континентальный, на западе засушливый. Леса занимают 3,4 млн га; посевная площадь — 4,7 млн га.

Ведущие секторы экономики штата (по стоимости валового продукта в 1983 г., в %): горнодобывающая промышленность — 20, торговля — 16, обрабатывающая промышленность — 13, сфера услуг — 11, сельское и лесное хозяйство — 1.

Стоимость продукции обрабатывающей промышленности в 1984 г.— 8,5 млрд дол. (0,9%); важнейшие виды: промышленное оборудование (в т. ч. нефтегазовое), автомобили, самолеты, металлоизделия, шины, химикаты, нефтепродукты, стройматериалы, ЭВМ. Стоимость продукции горнодобывающей промышленности (1982) — 13,3 млрд дол. (7,2%); важнейшие виды: природный газ, нефть, уголь. Установленная мощность электростанций общего пользования — 13,0 млн кВт (1985).

Стоимость товарной продукции сельского хозяйства в 1985 г.— 2,7 млрд дол. (1,9%); доля животноводства — 65%, растениеводства — 35%. Основные сельскохозяйственные культуры: пшеница, сеяные травы, арахис, хлопчатник. В животноводстве преобладает мясо-шерстное направление. Поголовье (тыс.): крупный рогатый скот — 5200 (в т. ч. дойные коровы — 113), овцы — 90 (1986), свиньи — 200 (1985). Развито птицеводство; производство бройлеров — 62 млн шт. (1985).

Длина автомобильных дорог — 158 тыс. км (1984).

ОРЕГОН — штат в группе Тихоокеанских штатов. Площадь — 251,4 тыс. км². Население (1985) — 2687 тыс. чел. (1,1%); средняя плотность — 10,7 чел. на 1 км². Городское население (1980) — 67,9%. В составе населения (1980): белые — 94,6%, черные — 1,4%; испаноязычное население — 66 тыс., американские индейцы — 27,3 тыс. чел. Экономически активное население — 1327 тыс. чел., безработных — 8,8% (1985). Столица — Сейлем. Крупнейшие города штата (кроме столицы): Портленд, Юджин. Статус штата с 1859 г.

Поверхность гористая. Западную часть штата занимают Береговые хребты и Каскадные горы (высшая точка вулкан Худ — 3427 м), между которыми расположена плодородная Уилламеттская долина; восточную часть — Колумбийское плато и нагорье Большой Бассейн. Климат на побережье Тихого океана мягкий, влажный, во внутренних районах — континентальный, засушливый. Леса занимают 12,1 млн га; посевная площадь — 1,8 млн га.

Ведущие секторы экономики штата (по стоимости валового продукта в 1983 г., в %): обрабатывающая промышленность — 21, торговля — 19, сфера услуг — 13, транспорт и связь — 10, сельское и лесное хозяйство, рыболовство — 6.

Стоимость продукции обрабатывающей промышленности в 1984 г.— 9,6 млрд дол. (1,0%); важнейшие виды: продукты деревообработки, бумага, целлюлоза, пищевые продукты (в т. ч. фруктовые и овощные консервы), приборы, ЭВМ, суда, цветные металлы, металлоизделия. Стоимость продукции горнодобывающей промышленности (1982) — 60 млн дол.; важнейшие виды: камень, песок, гравий, известняк. Установленная мощность электростанций общего пользования — 10,6 млн кВт (1985).

Стоимость товарной продукции сельского хозяйства в 1985 г.— 1,8 млрд дол. (1,3%); доля животноводства — 35%, растениеводства — 65%. Основные сельскохозяйственные культуры: пшеница, сеяные травы, фрукты (в т. ч. сливы, груши, вишни), овощи (в т. ч. лук, цветная капуста), земляника. В животноводстве преобладает мясо-шерстное направление. Поголовье (тыс.): крупный рогатый скот — 1575 (в т. ч. дойные коровы — 102), овцы — 430 (1986), свиньи — 85 (1985). Развито птицеводство. Улов рыбы и морепродуктов — 46 тыс. т (1985).

Длина автомобильных дорог — 204 тыс. км (1984). Крупнейший морской порт — Портленд.

ПЕНСИЛЬВАНИЯ — штат в группе Средне-Атлантических штатов. Площадь — 117,3 тыс. км². Население (1985) — 11 583 тыс. чел.

(5,0%); средняя плотность — 98,7 чел. на 1 км². Городское население (1980) — 69,3%. В составе населения (1980): белые — 89,8%, черные — 8,8%; испаноязычное население — 154 тыс., американские индейцы — 9,5 тыс. чел. Экономически активное население — 5519 тыс. чел., безработных — 8,0% (1985). Столица — Гаррисберг. Крупнейшие города штата: Филадельфия, Питтсбург, Эри, Аллентаун. Входил в состав первых 13 штатов; статус штата с 1787 г.

Бо́льшая часть Пенсильвании занята Аппалачскими горами (высшая точка г. Маунт-Дэвис — 980 м), состоящими из нескольких хребтов, разделенных продольными долинами. На западе они переходят в рассеченное реками Аппалачское плато, а на крайнем юго-востоке в пределы штата заходит Приатлантическая низменность. Климат умеренный континентальный. Леса занимают 6,8 млн га; посевная площадь — 2,4 млн га.

Ведущие секторы экономики штата (по стоимости валового продукта в 1983 г., в %): обрабатывающая промышленность — 27, торговля — 16, сфера услуг — 16, финансы — 15, сельское и лесное хозяйство — 1.

Стоимость продукции обрабатывающей промышленности в 1984 г.— 51,7 млрд дол. (5,3%); важнейшие виды: сталь, прокат черных металлов, металлоизделия, промышленное оборудование (в т. ч. энергетическое), электронные компоненты, автомобили, авиационная и ракетная техника, локомотивы и вагоны, станки, инструменты, приборы, химикаты (в т. ч. продукты тонкого органического синтеза, коксохимикаты), нефтепродукты, пищевые продукты, стройматериалы, изделия из пластмасс, полиграфическая продукция. Стоимость продукции горнодобывающей промышленности (1982) — 2,9 млрд дол. (1,6%); важнейшие виды: уголь, природный газ, камень. Установленная мощность электростанций общего пользования — 36,4 млн кВт (1985).

Стоимость товарной продукции сельского хозяйства в 1985 г.— 3,2 млрд дол. (2,2%); доля животноводства — 69%, растениеводства — 31%. Основные сельскохозяйственные культуры: кукуруза, сеяные травы, фрукты (главным образом яблоки), виноград, картофель. В животноводстве преобладает молочное направление. Поголовье (тыс.): крупный рогатый скот — 1960 (в т. ч. дойные коровы — 747), овцы — 93 (1986), свиньи — 780 (1985). Развито птицеводство; производство бройлеров — 95 млн шт. (1985).

Длина автомобильных дорог — 140 тыс. км (1984). Крупнейшие морские порты: Филадельфия, Маркус-Хук; крупнейший речной порт — Питтсбург.

РОД-АЙЛЕНД — штат в группе штатов Новой Англии. Площадь — 3,1 тыс. км². Население (1985) — 968 тыс. чел. (0,4%); средняя плотность — 312,3 чел. на 1 км². Городское население (1980) — 87,0%. В составе населения (1980): белые — 94,7%, черные — 3,0%; испаноязычное население — 20 тыс., американские индейцы — 2,9 тыс. чел. Экономически активное население — 500 тыс. чел., безработных — 4,9% (1985). Столица и крупнейший город штата — Провиденс. Входил в состав первых 13 штатов; статус штата с 1790 г.

Поверхность низменная на востоке, всхолмленная на западе. Примыкает к глубоко врезающемуся в сушу заливу Наррагансетт Атлантического океана. Климат умеренный, влажный. Леса занимают 0,2 млн га; посевная площадь незначительна.

Ведущие секторы экономики штата (по стоимости валового продукта в 1982 г., в %): обрабатывающая промышленность — 28, сфера услуг — 17, торговля — 16, финансы — 16, сельское и лесное хозяйство, рыболовство — 1.

Стоимость продукции обрабатывающей промышленности в 1984 г.—

4,2 млрд дол. (0,4%); важнейшие виды: ювелирные изделия, бижутерия, приборы, средства связи, электронные компоненты, металлоизделия, прокат цветных металлов, ткани, изделия из пластмасс, полиграфическая продукция, суда. Стоимость продукции горнодобывающей промышленности (1982) — 7 млн дол.; важнейшие виды: песок, гравий, камень. Установленная мощность электростанций общего пользования — 0,3 млн кВт (1985).

Стоимость товарной продукции сельского хозяйства в 1985 г.— 63 млн дол. (менее 0,1%); доля животноводства — 22%, растениеводства — 78%. Основные сельскохозяйственные культуры: картофель, сеяные травы, фрукты. Животноводство пригородного типа. Поголовье (тыс.): крупный рогатый скот — 10, овцы — 2, свиньи — 9 (1983). Развито птицеводство. Улов рыбы и морепродуктов — 47 тыс. т (1985).

Длина автомобильных дорог — 3 тыс. км (1984). Крупнейший морской порт — Провиденс.

СЕВЕРНАЯ ДАКОТА — штат в группе штатов Северо-Западного Центра. Площадь — 183,1 тыс. км^2. Население (1985) — 685 тыс. чел. (0,3%); средняя плотность — 3,7 чел. на 1 км^2. Городское население (1980) — 48,8%. В составе населения (1980): белые — 95,9%, черные — 0,5%; испаноязычное население — 4 тыс., американские индейцы — 20,2 тыс. чел. Экономически активное население — 336 тыс. чел., безработных — 5,9% (1985). Столица — Бисмарк. Крупных городов нет. Статус штата с 1889 г.

Поверхность большей частью равнинная, на западе холмистая, пересеченная глубокими речными долинами; покрыта ледниковыми отложениями, местами имеет типично моренный характер. Климат континентальный, к западу засушливый. Леса занимают 0,2 млн га; посевная площадь — 11,0 млн га.

Ведущие секторы экономики штата (по стоимости валового продукта в 1983 г., в %): торговля — 18, сфера услуг — 13, транспорт и связь — 12, сельское и лесное хозяйство — 10, горнодобывающая промышленность — 9, обрабатывающая промышленность — 5.

Стоимость продукции обрабатывающей промышленности в 1984 г.— 754 млн дол. (0,1%); важнейшие виды: пищевые продукты, сельскохозяйственные машины, нефтепродукты. Стоимость продукции горнодобывающей промышленности (1982) — 2 млрд дол. (1,1%); важнейшие виды: нефть, уголь, природный газ. Установленная мощность электростанций общего пользования — 4,6 млн кВт (1985).

Стоимость товарной продукции сельского хозяйства в 1985 г.— 2,7 млрд дол. (1,9%); доля животноводства — 25%, растениеводства — 75%. Основные сельскохозяйственные культуры: пшеница, подсолнечник, ячмень, сеяные травы. В животноводстве преобладает мясо-шерстное направление. Поголовье (тыс.): крупный рогатый скот — 2000, овцы — 180 (1986), свиньи — 285 (1985). Развито птицеводство.

Длина автомобильных дорог — 136 тыс. км (1984).

СЕВЕРНАЯ КАРОЛИНА — штат в группе Южно-Атлантических штатов. Площадь — 136,4 тыс. км^2. Население (1985) — 6255 тыс. чел. (2,6%); средняя плотность — 45,9 чел. на 1 км^2. Городское население (1980) — 48,0%. В составе населения (1980): белые — 75,8%, черные — 22,4%; испаноязычное население — 57 тыс., американские индейцы — 64,7 тыс. чел. Экономически активное население — 3106 тыс. чел., безработных — 5,4% (1985). Столица — Роли. Крупнейшие города штата (кроме столицы): Шарлотт, Гринсборо, Уинстон-Сейлем. Входил в состав первых 13 штатов; статус штата с 1789 г.

Заболоченная Приатлантическая низменность к западу сменяется холмистым плато Пидмонт (высота

400 м над уровнем моря), над которым возвышаются Аппалачские горы с вершиной Митчелл (2037 м) — высшей точкой Аппалачей. На Атлантическом побережье климат умеренный, теплый, влажный, на плато Пидмонт — субтропический, умеренно влажный, в горах — умеренный, с холодными зимами. Леса занимают 8,1 млн га; посевная площадь — 2,7 млн га.

Ведущие секторы экономики штата (по стоимости валового продукта в 1983 г., в %): обрабатывающая промышленность — 31, торговля — 17, сфера услуг — 11, транспорт и связь — 10, сельское и лесное хозяйство, рыболовство — 1.

Стоимость продукции обрабатывающей промышленности в 1984 г.— 36,7 млрд дол. (3,7%); важнейшие виды: ткани, табачные изделия, химикаты (в т. ч. химические волокна), средства связи, электронные компоненты, ЭВМ, мебель, бумага, целлюлоза, продукты деревообработки, пищевые продукты, шины, металлоизделия, автомобили, промышленное оборудование (в т. ч. текстильное). Стоимость продукции горнодобывающей промышленности (1982) — 198 млн дол. (0,1%); важнейшие виды: камень, фосфаты, литий. Установленная мощность электростанций общего пользования — 19,7 млн кВт (1985).

Стоимость товарной продукции сельского хозяйства в 1985 г.— 3,9 млрд дол. (2,8%); доля животноводства — 49%, растениеводства — 51%. Основные сельскохозяйственные культуры: табак, кукуруза, соя, арахис. В животноводстве преобладает мясное направление. Поголовье (тыс.): крупный рогатый скот — 1100 (в т. ч. дойные коровы — 127), овцы — 10 (1986), свиньи — 2350 (1985). Развито птицеводство; производство бройлеров — 447 млн шт. (1985). Улов рыбы и морепродуктов — 98 тыс. т (1985).

Длина автомобильных дорог — 121 тыс. км (1984). Крупнейший морской порт — Уилмингтон.

ТЕННЕССИ — штат в группе штатов Юго-Восточного Центра. Площадь — 109,2 тыс. км^2. Население (1985) — 4762 тыс. чел. (2,0%); средняя плотность — 43,6 чел. на 1 км^2. Городское население (1980) — 60,4%. В составе населения (1980): белые — 83,5%, черные — 15,8%; испаноязычное население — 34 тыс., американские индейцы — 5,1 тыс. чел. Экономически активное население — 2245 тыс. чел., безработных — 8,0% (1985). Столица — Нашвилл. Крупнейшие города штата (кроме столицы): Мемфис, Ноксвилл, Чаттануга. Статус штата с 1796 г.

Восточная часть штата занята Аппалачскими горами, узкие хребты высотой до 2000 м разделены продольными долинами. На западе расположена низменность между реками Теннесси и Миссисипи. Между горной и низменной западной частью лежит плато Камберленд. Климат умеренный, влажный на северо-востоке (в горах континентальный), субтропический на юге. Обилие порогов на реке Теннесси способствовало строительству каскада гидроэлектростанций. Леса занимают 5,3 млн га; посевная площадь — 2,3 млн га.

Ведущие секторы экономики штата (по стоимости валового продукта в 1983 г., в %): обрабатывающая промышленность — 27, торговля — 18, сфера услуг — 14, сельское и лесное хозяйство — 1.

Стоимость продукции обрабатывающей промышленности в 1984 г.— 22,0 млрд дол. (2,2%); важнейшие виды: химикаты (в т. ч. химические волокна, продукты электрохимии), пищевые продукты, промышленное оборудование, металлоизделия, электротехническое оборудование (в т. ч. бытовые электроприборы), автомобили, авиационное оборудование, швейные изделия, шины, средства связи (в т. ч. бытовая радиоэлектроника), бумага. Стоимость продукции горнодобывающей промышленности (1982) — 498 млн дол. (0,3%); важнейшие виды: уголь, камень, цинк. Установленная мощность электростанций общего пользования — 18,0 млн кВт (1985).

Стоимость товарной продукции сельского хозяйства в 1985 г.— 2,1 млрд дол. (1,4%); доля животноводства — 49%, растениеводства — 51%. Основные сельскохозяйственные культуры: соя, табак, кукуруза, сеяные травы. В животноводстве преобладает мясное направление. Поголовье (тыс.): крупный рогатый скот — 2500 (в т. ч. дойные коровы — 210), овцы — 10 (1986), свиньи — 950 (1985). Развито птицеводство; производство бройлеров — 80 млн шт. (1985).

Длина автомобильных дорог — 116 тыс. км (1984). Крупнейшие речные порты: Мемфис, Нашвилл, Чаттануга.

ТЕХАС — штат в группе штатов Юго-Западного Центра. Площадь — 691,0 тыс. км². Население (1985) — 16 370 тыс. чел. (6,9%); средняя плотность — 23,7 чел. на 1 км². Городское население (1980) — 79,6%. В составе населения (1980): белые — 78,7%, черные — 12,0%; испаноязычное население — 2986 тыс., американские индейцы — 40,1 тыс. чел. Экономически активное население — 8053 тыс. чел., безработных — 7,0% (1985). Столица — Остин. Крупнейшие города штата (кроме столицы): Хьюстон, Даллас, Сан-Антонио, Эль-Пасо, Форт-Уэрт. Статус штата с 1845 г.

Восточную часть Техаса занимает обширная Примексиканская низменность. Постепенно повышаясь к западу, она переходит в плато Эдуардс (высота до 850 м над уровнем моря) и Ллано-Эстакадо (до 1200 м). На крайнем западе — отроги Скалистых гор (высшая точка г. Гуадалупе-Пик — 2665 м). На юге штата река Рио-Гранде образует естественную границу США с Мексикой. Климат субтропический, на востоке влажный, теплый, к западу сухой. Леса занимают 9,4 млн га; посевная площадь — 13,5 млн га.

Ведущие секторы экономики штата (по стоимости валового продукта в 1983 г., в %): обрабатывающая промышленность — 16, торговля — 16, горнодобывающая промышленность — 16, финансы — 15, сфера услуг — 12, сельское и лесное хозяйство, рыболовство — 1.

Стоимость продукции обрабатывающей промышленности в 1984 г.— 55,6 млрд дол. (5,7%): важнейшие виды: химикаты, нефтепродукты, промышленное оборудование (в т. ч. нефтегазовое), пищевые продукты, самолеты, средства связи, электронные компоненты, ЭВМ, автомобили, сталь, прокат черных и цветных металлов, металлоизделия, полиграфическая продукция, суда, продукты деревообработки, цемент. Стоимость продукции горнодобывающей промышленности (1982) — 54,5 млрд дол. (29,3%); важнейшие виды: нефть, природный газ, песок. Установленная мощность электростанций общего пользования — 59,0 млн кВт (1985).

Стоимость товарной продукции сельского хозяйства в 1985 г.— 9,3 млрд дол. (6,5%); доля животноводства — 59%, растениеводства — 41%. Основные сельскохозяйственные культуры: хлопчатник, пшеница, сеяные травы, сорго. Преобладает пастбищное животноводство мясо-шерстного направления. Поголовье (тыс.): крупный рогатый скот — 13 600 (в т. ч. дойные коровы — 322), овцы — 1810 (1986), свиньи — 435 (1985). Развито птицеводство; производство бройлеров — 216 млн шт. (1985). Улов рыбы и морепродуктов — 47 тыс. т (1985).

Длина автомобильных дорог — 343 тыс. км (1984). Крупнейшие морские порты: Хьюстон, Корпус-Кристи, Техас-Сити, Бомонт, Порт-Артур, Фрипорт.

ФЛОРИДА — штат в группе Южно-Атлантических штатов. Площадь — 151,9 тыс. км². Население (1985) — 11 366 тыс. чел. (4,8%);

средняя плотность — 74,8 чел. на 1 км². Городское население (1980) — 84,3%. В составе населения (1980): белые — 84,0%, черные — 13,8%; испаноязычное население — 858 тыс., американские индейцы — 19,3 тыс. чел. Экономически активное население — 5338 тыс. чел., безработных — 6,0% (1985). Столица — Таллахасси. Крупнейшие города штата: Майами, Джэксонвилл, Тампа, Сент-Питерсберг. Статус штата с 1845 г.

Поверхность штата, расположенного на одноименном полуострове, низменная, с большим количеством озер и болот. На юге — болотистая местность Эверглейдс (площадь около 12 тыс. км²) с одноименным национальным парком. Климат на севере — субтропический, влажный, на юге — тропический, с жарким дождливым летом и теплой солнечной зимой. Леса занимают 6,9 млн га; посевная площадь — 1,4 млн га. Флорида — крупнейший курортный район США.

Ведущие секторы экономики штата (по стоимости валового продукта в 1983 г., в %): торговля — 20, финансы — 19, сфера услуг — 18, обрабатывающая промышленность — 12, транспорт и связь — 10, сельское и лесное хозяйство, рыболовство — 2.

Стоимость продукции обрабатывающей промышленности в 1984 г.— 22,5 млрд дол. (2,3%); важнейшие виды: средства связи, электронные компоненты, ракетная и космическая техника, авиационное оборудование, пищевые продукты (в т. ч. фруктовые и овощные консервы), полиграфическая продукция, химикаты (в т. ч. минеральные удобрения), промышленное оборудование, суда, металлоизделия. Стоимость продукции горнодобывающей промышленности (1982) — 1,9 млрд дол. (1,0%); важнейшие виды: нефть, фосфаты, камень. Установленная мощность электростанций общего пользования — 34,2 млн кВт (1985).

Стоимость товарной продукции сельского хозяйства в 1985 г.— 4,7 млрд дол. (3,3%); доля животноводства — 21%, растениеводства — 79%. Основные сельскохозяйственные культуры: фрукты (в т. ч. цитрусовые — апельсины, грейпфруты, мандарины), овощи (в т. ч. томаты, салат, сельдерей), сахарный тростник, соя. В животноводстве преобладает мясное направление. Поголовье (тыс.): крупный рогатый скот — 2120 (в т. ч. дойные коровы — 185) (1986), свиньи — 158 (1985). Развито птицеводство; производство бройлеров — 104 млн шт. (1985). Улов рыбы и морепродуктов — 30 тыс. т (1985).

Длина автомобильных дорог — 109 тыс. км (1984). Крупнейшие морские порты: Тампа, Джэксонвилл, Майами, Пенсакола.

ЮЖНАЯ ДАКОТА — штат в группе штатов Северо-Западного Центра. Площадь — 199,7 тыс. км². Население (1985) — 708 тыс. чел. (0,3%); средняя плотность — 3,5 чел. на 1 км². Городское население (1980) — 46,4%. В составе населения (1980): белые — 92,6%, черные — 0,3%; испаноязычное население — 4 тыс., американские индейцы — 45 тыс. чел. Экономически активное население — 347 тыс. чел., безработных — 5,1% (1985). Столица — Пирр. Крупных городов нет. Статус штата с 1889 г.

Западная часть штата, расположенная на Великих равнинах, местами сильно расчленена реками и оврагами; восточная часть более равнинная. Климат умеренный континентальный, на западе — более засушливый. Леса занимают 0,7 млн га; посевная площадь — 6,9 млн га.

Ведущие секторы экономики штата (по стоимости валового продукта в 1983 г., в %): торговля — 19, финансы — 15, государственный сектор — 15, сфера услуг — 14, обрабатывающая промышленность — 11, транспорт и связь — 10, сельское и лесное хозяйство — 8, горнодобывающая промышленность — 4.

Стоимость продукции обрабатывающей промышленности в 1984 г.— 1,3 млрд дол. (0,1%); важнейшие виды: пищевые продукты, сельскохозяйственные машины, стройматериалы. Стоимость продукции горнодобывающей промышленности (1982) — 116 млн дол. (0,1%); важнейшие виды: золото, песок, камень. Установленная мощность электростанций общего пользования — 2,5 млн кВт (1985).

Стоимость товарной продукции сельского хозяйства в 1985 г.— 3,0 млрд дол. (2,1%); доля животноводства — 64%, растениеводства — 36%. Основные сельскохозяйственные культуры: сеяные травы, пшеница, кукуруза, соя. В животноводстве преобладает мясо-шерстное направление. Поголовье (тыс.): крупный рогатый скот — 3600 (в т. ч. дойные коровы — 162), овцы — 540 (1986), свиньи — 1610 (1985). Развито птицеводство.

Длина автомобильных дорог — 115 тыс. км (1984).

ЮЖНАЯ КАРОЛИНА — штат в группе Южно-Атлантических штатов. Площадь — 80,6 тыс. км². Население (1985) — 3347 тыс. чел. (1,4%); средняя плотность — 41,5 чел. на 1 км². Городское население (1980) — 54,1%. В составе населения (1980): белые — 68,8%, черные — 30,4%; испаноязычное население — 33 тыс., американские индейцы — 5,8 тыс. чел. Экономически активное население — 1583 тыс. чел., безработных — 6,8% (1985). Столица — Колумбия. Крупнейшие города штата (кроме столицы): Гринвилл, Чарлстон, Спартанберг. Входил в состав первых 13 штатов; статус штата с 1788 г.

Бо́льшую часть территории занимает Приатлантическая низменность, во многих местах заболоченная. На северо-западе — плато Пидмонт и отроги Аппалачских гор (максимальная высота 1087 м над уровнем моря). Пересекая восточный край плато Пидмонт, реки образуют водопады. Климат субтропи-ческий: влажный на Атлантическом побережье и умеренно влажный на остальной территории. Леса занимают 5,0 млн га; посевная площадь — 1,4 млн га.

Ведущие секторы экономики штата (по стоимости валового продукта в 1983 г., в %): обрабатывающая промышленность — 30, государственный сектор — 17, торговля — 15, сфера услуг — 11, сельское и лесное хозяйство — 1.

Стоимость продукции обрабатывающей промышленности в 1984 г.— 15,2 млрд дол. (1,5%); важнейшие виды: ткани, химикаты (в т. ч. химические волокна), бумага, целлюлоза, швейные изделия, шины, изделия из пластмасс, металлоизделия, медицинское оборудование и инструменты, электронные компоненты, средства связи, цемент. Стоимость продукции горнодобывающей промышленности (1982) — 72 млн дол.; важнейшие виды: песок, камень, глина. Установленная мощность электростанций общего пользования — 15,1 млн кВт (1985).

Стоимость товарной продукции сельского хозяйства в 1985 г.— 1,0 млрд дол. (0,7%); доля животноводства — 40%, растениеводства — 60%. Основные сельскохозяйственные культуры: табак, соя, кукуруза, пшеница. В животноводстве преобладает мясное направление. Поголовье (тыс.): крупный рогатый скот — 660, свиньи — 510 (1983). Развито птицеводство; производство бройлеров — 60 млн шт. (1985).

Длина автомобильных дорог — 88 тыс. км (1984).

ЮТА — штат в группе Горных штатов. Площадь — 219,9 тыс. км². Население (1985) — 1645 тыс. чел. (0,7%); средняя плотность — 7,5 чел. на 1 км². Городское население (1980) — 84,4%. В составе населения (1980): белые — 94,7%, черные — 0,6%; испаноязычное население — 60 тыс., американские индейцы — 19,3 тыс. чел. Экономически активное население — 730 тыс. чел., безработных — 5,9% (1985).

Столица — Солт-Лейк-Сити. Крупнейшие города штата (кроме столицы): Прово, Огден. Статус штата с 1896 г.

Поверхность гористая. Высокие хребты Скалистых гор — Уосатч, Юинта (высшая точка г. Кингс-Пик — 4123 м) чередуются с пустынными плоскогорьями — Большой Бассейн, плато Колорадо. Климат континентальный, засушливый. На севере штата Большое Соленое озеро. Леса занимают 6,3 млн га; посевная площадь — 0,8 млн га.

Ведущие секторы экономики штата (по стоимости валового продукта в 1983 г., в %): торговля — 18, обрабатывающая промышленность — 17, государственный сектор — 17, сфера услуг — 13, транспорт и связь — 13, горнодобывающая промышленность — 3, сельское и лесное хозяйство — 1.

Стоимость продукции обрабатывающей промышленности в 1984 г.— 4,4 млрд дол. (0,4%); важнейшие виды: ракетная техника, ЭВМ, средства связи, медицинское оборудование и инструменты, сталь, прокат черных металлов, цветные металлы, пищевые продукты. Стоимость продукции горнодобывающей промышленности (1982) — 1,7 млрд дол. (0,7%); важнейшие виды: нефть, уголь, медь. Установленная мощность электростанций общего пользования составляет 3,0 млн кВт (1985).

Стоимость товарной продукции сельского хозяйства в 1985 г.— 548 млн дол. (0,4%); доля животноводства — 75%, растениеводства — 25%. Основные сельскохозяйственные культуры: сеяные травы, ячмень, пшеница, фрукты (в т. ч. яблоки, вишни). Развито отгонное пастбищное животноводство мясо-шерстного направления. Поголовье (тыс.): крупный рогатый скот — 790, овцы — 484 (1986), свиньи — 23 (1985). Развито птицеводство.

Длина автомобильных дорог — 70 тыс. км (1984).

ФЕДЕРАЛЬНЫЙ ОКРУГ КОЛУМБИЯ — место пребывания правительства США. Расположен на левом берегу реки Потомак между штатами Виргиния и Мэриленд, на территории Южно-Атлантических штатов. Выделен в 1791 г. из территории штата Мэриленд для будущей столицы США г. Вашингтона. С 1878 г. границы округа являются также муниципальными границами г. Вашингтона. Площадь — 178 км^2. Население (1985) — 626 тыс. чел. (0,3%). Средняя плотность — свыше 3500 чел. на 1 км^2. В составе населения (1980): белые — 27,0%, черные — 70,4%; испаноязычное население — 18 тыс., американские индейцы — 1,0 тыс. чел. Экономически активное население — 322 тыс. чел., безработных — 8,4% (1985).

Ведущие секторы экономики: государственный сектор, сфера услуг, торговля, финансы, обрабатывающая промышленность.

Стоимость продукции обрабатывающей промышленности в 1984 г.— 1,1 млрд дол. (0,1%); важнейшие виды: полиграфическая продукция, пищевые продукты. Установленная мощность электростанций общего пользования — 0,9 млн кВт (1985).

Округ находится под юрисдикцией конгресса США. В 1961 г. жителям округа впервые было предоставлено право голоса на выборах президента и вице-президента страны. Они получили 3 места в коллегии выборщиков и приняли участие в президентских выборах 1964 г. В 1974 г. утверждена хартия, предоставляющая вашингтонцам право выбора мэра и 13 членов городского совета. Округ отвоевал также право устанавливать свои налоги, однако конгресс сохранил за собой власть налагать вето на действия совета и утверждать годовой бюджет округа.

ПОЛИТИЧЕСКАЯ СИСТЕМА

КОНСТИТУЦИЯ США

Американская конституция была разработана и принята Конституционным конвентом в Филадельфии (май — сентябрь 1787 г.), в котором приняли участие 55 делегатов от 12 (из общего числа вошедших в состав США 13) штатов. Участников конвента принято именовать в США «отцами-основателями».

Формулируя положения конституции, «отцы-основатели» ставили перед собой три главные политические цели: остановить дальнейшее развитие революции, создать прочное государство на федеративной основе, надежно оградить и гарантировать частнособственнические права.

В текст конституции, утвержденный конвентом 17 сентября 1787 г., не были включены положения, гарантирующие политические, личные и процессуальные права граждан. Однако под давлением общественного мнения и демократически настроенных законодателей в штатах конгресс был вынужден в 1789 г. принять проект Билля о правах — первые 10 поправок к конституции, провозглашавших ряд политических, личных и процессуальных прав граждан.

Политико-правовые принципы

В фундамент конституционной системы американского государства положено три основных политико-правовых принципа — разделение властей, федерализм и судебный конституционный надзор.

Принцип разделения властей, реализуемый через систему «сдержек и противовесов», предполагает организационную независимость трех «ветвей» государственной власти — законодательной, исполнительной, судебной — и разграничение между ними соответствующих функций. На федеральном уровне три «ветви» власти представлены конгрессом, президентом и Верховным судом.

США являются президентской республикой. Ее особенности: сочетание полномочий главы государства и главы правительства в одном высшем должностном лице — президенте; внепарламентский метод избрания президента и формирования правительства (в США главы министерств назначаются президентом); отсутствие у президента права распускать высший законодательный орган, а у конгресса принимать вотум недоверия правительству; запрещение членам правительства быть депутатами конгресса и наоборот.

Принцип разделения властей предполагает и определенное взаимодействие, в результате которого не допускалось бы усиление одной «ветви» власти за счет другой. (Отсюда идея взаимоконтроля и уравновешивания властей, нашедшая воплощение в системе «сдержек и противовесов».) Так, конгресс, носитель законодательной власти, может отклонить законопроекты, представленные главой исполнительной власти — президентом. Президент утверждает законопроекты, принятые конгрессом, и вправе налагать вето на те из них, с которыми он не согласен. Многие полномочия президента реализуются лишь при одобрении сената (заключение международных договоров, например). Носитель судебной власти — Верховный суд США формируется совместно президентом и сенатом: первый назначает кандидатов, второй эти назначения утверждает. Верховный суд вправе окончательно признавать недействительными (как не соответствующие конституции) законы конгресса и акты исполнительной власти.

Взаимодействие и взаимовлияние трех «ветвей» власти преследуют цель обеспечения стабильности государственных институтов, незыблемости капиталистического строя и классового господства буржуазии. Характерной особенностью процесса развития системы разделения властей является неуклонное возрастание роли президентской власти как главного орудия диктатуры монополистического капитала.

Федерализм — конституционный принцип, предполагающий относительно жесткое разграничение сфер компетенции федеральных властей и властей штатов, при этом значительная часть прав «суверенных» штатов передана федеральному правительству. Считаясь суверенными государственными образованиями, штаты на самом деле не обладают всеми атрибутами суверенитета: они лишены внешнеполитических полномочий, ограничена их власть в финансовой сфере; ни один штат не вправе изменить у себя форму правления, закрепленную конституцией США; штаты не имеют права на сецессию — выход из федерации по собственному волеизъявлению. В круг полномочий штатов входит принятие собственных законов и конституций, регулирование торговли и экономики внутри штата, формирование учреждений государственной власти, охрана общественного порядка, установление принципов судоустройства и судопроизводства, проведение выборов в органы власти штатов и местные органы управления.

Конституция США юридически закрепила основы централизованной государственной машины, и тенденция к централизации власти является определяющей для американской буржуазной федерации.

Судебный конституционный надзор — третий принцип политической системы США — заключается в том, что суды имеют право признать не соответствующими конституции и тем самым недействительными законы конгресса и акты исполнительной власти. В случае, если суд объявляет какой-либо закон или акт противоречащим конституции, он автоматически теряет юридическую силу. Высшим органом конституционного надзора является Верховный суд США. Его решения по вопросам толкования конституции являются окончательными и обязательными для всех государственных органов.

Конституционный надзор превратился в мощное средство приспособления конституции к меняющимся политическим и социально-экономическим условиям капиталистического общества, в орудие, с помощью которого судебная власть может воздействовать на законодательные и исполнительные органы и политический процесс в целом.

Основной текст конституции

Конституция — небольшой по объему документ; ее основной текст состоит из преамбулы и семи статей.

Преамбула в декларативной форме излагает цели принятия документа — образовать «более совершенный Союз», гарантировать правосудие, свободу, внутреннее спокойствие, благоденствие и обеспечить «совместную оборону».

Статья I состоит из 10 разделов. В ней описаны полномочия, структура, порядок формирования и работы конгресса США.

1-й раздел устанавливает, что все законодательные полномочия, предусмотренные конституцией, предоставляются конгрессу, состоящему из сената и палаты представителей.

2-й раздел закрепляет срок полномочий палаты представителей, предписывает нормы и пропорциональность представительства населения в палате, определяет требования к кандидату в члены палаты.

В конце 2-го раздела указывается, что палата представителей имеет исключительное право возбуждать и м п и ч м е н т. (Это осуществляемая законодательным органом процедура привлечения к ответственности государственных должностных лиц, совершивших тяжкие преступления или проступки. Результатом ее может быть отстранение от должности виновного лица. Субъектами ответственности в порядке импичмента являются президент, вице-президент и все гражданские должностные лица Соединенных Штатов Америки, т. е. должностные лица федеральных органов власти. Исключаются из круга субъектов импичмента сенаторы и члены палаты представителей: дела об их правонарушениях и проступках подлежат рассмотрению соответствующей палатой конгресса.)

3-й раздел устанавливает норму представительства в сенате и срок полномочий сенаторов.

4-й раздел закрепляет за законодательными органами штатов право устанавливать время, место и порядок проведения выборов в сенат и палату представителей, сохранив за конгрессом возможность вносить свои изменения.

5-й раздел указывает, что каждая из палат конгресса вправе сама оценивать законность выборов ее членов, устанавливать внутренний регламент, вести журналы заседаний, применять дисциплинарные меры по отношению к депутатам.

6-й раздел устанавливает право членов конгресса получать вознаграждение за свою деятельность, выплачиваемое казначейством США. Закрепляется депутатская неприкосновенность законодателей — «привилегия свободы от ареста» во всех случаях, кроме совершения ими государственной измены, тяжкого преступления и нарушения общественного порядка. Однако, поскольку данные составы преступлений охватывают все виды уголовно наказуемых действий, положение о «привилегии свободы от ареста» утратило свое значение. Практически это означает, что в США члены высшего законодательного органа не пользуются депутатской неприкосновенностью и в случае совершения преступления могут быть подвергнуты аресту на общих основаниях.

В данном разделе закрепляется также иммунитет депутатов от какой-либо ответственности за выступления в конгрессе и устанавливается запрет на совмещение депутатского поста с должностью в государственном аппарате.

7-й раздел в общих чертах регламентирует законодательный процесс в конгрессе, определяя место и роль в этом процессе каждой из палат, конгресса в целом, а также президента.

8-й раздел содержит положения, которые в своей совокупности определяют сферу предметной законодательной компетенции конгресса. Заключительная часть раздела предусматривает право конгресса принимать любые законы, какие могут оказаться необходимыми для реализации его полномочий, а также полномочий, предоставленных конституцией правительству в целом, его отдельному ведомству или должностному лицу.

9-й раздел содержит ряд ограничений, возлагаемых на конгресс и федеральное правительство в целом.

10-й раздел содержит ограничения компетенции штатов. Они, в частности, не вправе заключать международные договоры, вступать в межгосударственные союзы, выпускать деньги, принимать законы с обратной силой или законы, нарушающие договорные обязательства. Без согласия конгресса штаты не могут содержать вооруженные силы в мирное время, вести военные действия самостоятельно, вступать в соглашения с другими штатами, устанавливать пошлины и сборы на ввоз или вывоз товаров.

Статья II, посвященная президентской власти, имеет четыре раздела.

1-й раздел устанавливает, что исполнительная власть предоставляется президенту Соединенных Штатов Америки. Определяются срок полномочий президента и вице-президента и порядок их избрания; указываются требования к кандидату в президенты, устанавливается порядок преемственности президентской должности. Раздел содержит положение о жаловании президента и завершается текстом присяги, которую президент приносит перед вступлением в должность.

2-й и 3-й разделы содержат перечень полномочий президента и устанавливают разграничение полномочий президента и конгресса в военной и внешнеполитической сферах, а также в области формирования правительственного аппарата. Указывается, что президент должен периодически предоставлять конгрессу информацию о положении в стране и может рекомендовать принятие необходимых, с его точки зрения, законов. Президент должен также принимать меры к тому, чтобы законы исполнялись надлежащим образом. Как глава правительства, он может требовать письменного мнения от глав министерств и ведомств по вопросам, касающимся сферы их компетенции.

4-й раздел устанавливает, что президент, вице-президент и все гражданские должностные лица правительства могут быть отстранены от должности после осуждения в порядке импичмента за государственную измену, взяточничество или иные серьезные преступления и проступки.

Статья III, состоящая из трех разделов, касается федеральной судебной власти.

1-й раздел устанавливает, что судебная власть Соединенных Штатов Америки предоставляется Верховному суду и нижестоящим федеральным судам, учреждаемым конгрессом. За судьями закрепляется фактически пожизненный срок пребывания в должности.

2-й раздел содержит перечень категорий дел, подсудных федеральным судам, и определяет компетенцию Верховного суда США. Раздел предписывает также рассмотрение дел о всех преступлениях (за исключением преследуемых в порядке импичмента) судом присяжных в том штате, где совершено преступление.

3-й раздел содержит описание признаков государственной измены как тягчайшего преступления и устанавливает условия осуждения за это преступление (показания не менее двух свидетелей или собственное признание) и пределы уголовной ответственности за его совершение.

Статья IV, состоящая из четырех разделов, регулирует некоторые аспекты взаимоотношений между штатами, а также между штатами и федеральным правительством.

1-й раздел закрепляет принцип взаимности в применении правовых актов и судебных решений одного штата государственными органами другого штата.

2-й раздел устанавливает равенство прав граждан различных штатов и обязательность выдачи преступников властям того штата, где было совершено преступление.

3-й раздел предписывает порядок и условия образования новых штатов и принятия их в Союз и закрепляет за конгрессом право распоряжаться территорией или иной собственностью США путем издания необходимых законов. (Под «территорией» понимаются владения США, которые не входят в состав ни одного из штатов; в собственности США находятся национальные парки, леса, общественные земли, гидротехнические сооружения, военные базы и другие объекты.)

4-й раздел гарантирует каждому штату «республиканскую форму правления» и закрепляет за федеральным правительством право защищать штаты от нападения извне и от внутренних беспорядков; фактически правительство наделяется карательными полномочиями по подавлению выступлений против существующего строя.

Статья V предписывает порядок принятия поправок к конституции и запрещает лишать тот или иной штат «равного с другими штатами голоса в сенате».

Статья VI провозглашает конституцию, федеральные законы и международные договоры США «верховным правом» страны; если конституция или закон какого-либо штата противоречат федеральным правовым установлениям, то должностные лица штата обязаны руководствоваться последними. Должностные лица государственного аппарата всех уровней обязаны при вступлении в должность давать присягу на верность конституции США; при этом запрещается проверка религиозности в качестве условия для занятия должности.

Статья VII установила, что для вступления конституции в силу необходима ее ратификация конвентами 9 из 13 образовавших Союз штатов.

Конституция вступила в силу 4 марта 1789 г.

Поправки к конституции

Конституцией предусматривается возможность ее дополнения и изменения путем внесения в нее поправок. Принятые соответствующим образом поправки становятся органической частью конституции. Процедура принятия поправок весьма громоздка: проект поправки должен быть одобрен двумя третями членов обеих палат конгресса или общенациональным конвентом, созванным по ходатайству законодательных собраний двух третей штатов, затем ратифицирован законодательными собраниями или конвентами трех четвертей штатов. К формальным изменениям конституции государство прибегало нечасто: за всю историю США было внесено около 5 тыс. проектов поправок, но только 26 прошли все необходимые стадии. К 1988 г. действует 25 поправок, т. к. поправка XVIII отменена принятием XXI поправки.

Первые 10 поправок к конституции — **Билль о правах** — были приняты единовременно. Проект Билля о правах был внесен в конгресс в 1789 г., ратифицирован необходимым числом штатов к 15 декабря 1791 г.

Поправка I декларирует политические свободы — слова, печати и собраний — в форме предписания, запрещающего конгрессу принимать какой-либо закон, который мог бы ограничить «свободу слова или печати либо право народа мирно собираться и обращаться к правительству с петициями». Поправка исключает возможность установления государственной религии и фактически закрепляет также свободу совести; ею устанавливается недопустимость законодательного запрета на «свободное исповедание» религии.

Поправка II закрепляет за гражданами право хранить и носить оружие, связывая это право с необходимостью иметь народное ополчение для защиты государства.

Поправка III запрещает постой солдат в частных домах без согласия владельца.

Поправка IV провозглашает право граждан на неприкосновенность личности, жилища, имущества, личных бумаг и документов; необоснованные аресты и обыски как нарушение этого права запрещаются; для производства ареста или обыска необходим ордер, выдаваемый при наличии достаточных оснований под присягой.

Поправка V устанавливает, что привлечение к уголовной ответственности за тяжкое преступление (исключая дела военнослужащих) должно осуществляться Большим жюри — расширенной коллегией присяжных; поправка содержит запреты на повторное уголовное преследование за одно и то же преступление, на принуждение человека к даче показаний против самого себя, на применение санкций против человека без «надлежащей правовой процедуры», на безвозмездное отчуждение частной собственности для общественного пользования.

Поправка VI закрепляет процессуальные права обвиняемого при уголовном преследовании: право на «скорый и публичный суд беспристрастных присяжных», право знакомиться с сущностью и основаниями обвинения, право на очную ставку со свидетелями обвинения, на вызов свидетелей со своей стороны и на помощь адвоката для своей защиты.

Поправка VII устанавливает, что при производстве по гражданским делам в федеральных судах стороны имеют право на рассмотрение дела судом присяжных.

Поправка VIII запрещает при уголовном преследовании лица требовать чрезмерные залоги, налагать чрезмерные штрафы, назначать «жестокие и необычные наказания».

Поправка IX устанавливает, что перечисление в конституции конкретных прав граждан не должно толковаться как отрицание иных, не упомянутых в ней прав народа.

Поправка X сохраняет за штатами все прямо не указанные в конституции полномочия, которые не отнесены к компетенции Союза.

Поправка XI (1795 г.) закрепляет иммунитет штата от судебного преследования частным лицом — гражданином другого штата либо гражданином или подданным иностранного государства.

Поправка XII (1804 г.) ввела новую, ныне действующую процедуру избрания президента и вице-президента — выборщики избирают их отдельно, тайным голосованием

(при прежнем порядке вице-президентом становился второй по числу голосов кандидат в президенты). Поправка установила также, что кандидат в вице-президенты должен отвечать тем же требованиям, что и кандидат в президенты.

Поправка XIII (1865 г.) отменила рабство и подневольное услужение, кроме тех случаев, когда последнее может быть назначено как уголовное наказание (лишение свободы с обязательным привлечением к труду).

Поправка XIV (1868 г.), принятая с целью закрепить результаты Гражданской войны, состоит из 5 разделов.

1-й раздел содержит четыре положения: определение американского гражданства, запрещение штатам ограничивать «привилегии и льготы» граждан США, применять санкции против человека без «надлежащей правовой процедуры», отказывать гражданам в «равной защите законов».

2-й раздел направлен на предупреждение дискриминации освобожденных рабов на выборах.

3-й раздел ограничивает право участников антиправительственных выступлений занимать должности в государственном аппарате и быть выборщиками президента.

4-й раздел урегулировал вопрос о выплате займов периода Гражданской войны.

5-й раздел наделил конгресс правом исполнять предписания поправки путем принятия необходимых законов.

Поправка XV (1870 г.) запрещает ограничивать право голоса граждан по признаку расы, цвета кожи либо в связи с прежним нахождением в рабстве.

Поправка XVI (1913 г.) закрепляет за конгрессом право устанавливать и взимать налоги с любых доходов.

Поправка XVII (1913 г.) отменила первоначальный порядок избрания сенаторов США (законодательными собраниями штатов) и предписала прямые выборы в сенат.

Поправка XVIII (1919 г.) ввела в стране «сухой закон».

Поправка XIX (1920 г.) запрещает ограничивать право голоса граждан по признаку пола.

Поправка XX (1933 г.) зафиксировала новые сроки вступления в должность президента и вице-президента (20 января следующего после выборов года)* и начала первой сессии вновь избранного конгресса (3 января следующего после выборов года), уполномочила конгресс принимать необходимые законы, определяющие порядок замещения президентской должности в случае, если кандидаты на посты президента и вице-президента не отвечают конституционным требованиям.

Поправка XXI (1933 г.) отменила «сухой закон», введенный поправкой XVIII.

Поправка XXII (1951 г.) ограничила время пребывания на посту президента двумя четырехлетними сроками.

Поправка XXIII (1961 г.) наделила жителей федерального округа Колумбия (места пребывания правительства США) правом участия в выборах президента.

Поправка XXIV (1964 г.) отменила налог на участие в федеральных выборах.

Поправка XXV (1967 г.) установила порядок преемственности поста президента и определила условия временного исполнения его обязанностей. В случае отстранения президента от должности, его смерти или отставки, а также временной неспо-

собности президента исполнять свои обязанности президентом становится вице-президент. Если пост вице-президента оказывается вакантным, президент назначает вице-президента, который утверждается в должности большинством голосов обеих палат конгресса.

Поправка XXVI (1971 г.) снизила возрастной избирательный ценз до 18 лет.

Американская конституция, оставаясь юридически стабильным документом, тем не менее постоянно изменяется фактически; ее реальное содержание определяется судебными толкованиями, законами конгресса, административными актами, политической практикой, исходя из определенных исторических условий и потребностей правящего капиталистического класса. Политическая система США реально складывалась, и ее составные части институционализировались помимо текста конституции. Из текста нельзя уяснить, например, структуру правительства США, какие министерства и ведомства его образуют. Исполнительное управление президента, кабинет министров, постоянные комитеты палат конгресса и другие государственные институты появились и функционируют не в силу прямых предписаний конституции, а в результате сложившейся практики. В конституции ничего не говорится о политических партиях, хотя они служат важнейшим инструментом формирования органов власти. В государственной практике правящие круги США часто действуют вопреки и в нарушение конституции.

КОНСТИТУЦИИ ШТАТОВ

Конституции штатов в основном имеют сходную структуру и, как правило, включают следующие разделы: преамбула, билль о правах, избирательное право и выборы, разделение властей, законодательная власть, исполнительная власть, судебная власть, налоги и финансы, милиция штата, местные органы власти, образование, благоустройст-

---

* До принятия этой поправки датой вступления в должность вновь избранных президента и вице-президента было 4 марта следующего после выборов года.

во, внесение поправок и порядок принятия новой конституции, порядок введения конституции в действие. Однако во многие из них, помимо указанных, включены статьи, касающиеся трудовых отношений, здравоохранения, сельского хозяйства, административно-территориального деления и т. д.

Центральное место в конституциях занимают вопросы формирования, сфер деятельности и форм взаимоотношений трех «ветвей» власти: законодательной, исполнительной и судебной.

Законодательная власть во всех штатах принадлежит законодательным собраниям (легислатурам) штатов. Конституция каждого штата устанавливает структуру законодательного органа штата, порядок его избрания, срок полномочий его членов, полномочия законодательного органа и процедуру их осуществления.

Исполнительная власть во всех штатах вверяется губернатору. Конституционные предписания устанавливают порядок выборов губернатора, круг и срок его полномочий. На него возлагается обязанность обеспечивать исполнение законов и осуществлять контроль за деятельностью административного аппарата. Одно из наиболее весомых полномочий губернатора — право вето в отношении законопроектов, принятых законодательными собраниями, предусмотренное конституциями всех штатов, кроме Северной Каролины. Более чем в 20 штатах губернаторы не могут переизбираться после одного или двух сроков пребывания на посту.

Третья «ветвь» власти — судебная. Роль судебных органов, как и на федеральном уровне, не ограничена рассмотрением конкретных дел. Суды, и прежде всего верховные суды штатов, толкуют конституционные нормы, осуществляя тем самым конституционный надзор в пределах штата.

Одна из характерных черт конституций штатов — чрезмерная детализация конституционных предписаний, в определенной степени объясняющаяся тем, что политические партии, монополистические группировки, религиозные и лоббистские организации добиваются закрепления в самих текстах конституций своих особых прав и привилегий. По сравнению с относительно краткой федеральной конституцией, содержащей 9 тыс. слов, конституции штатов, за немногими исключениями, многословны. Так, объем текста конституции штата Алабама 1901 г. превышает 129 тыс. слов, а конституции штата Нью-Йорк 1894 г. — 47 тыс. слов. Чрезмерная казуистичность конституционных норм ограничивает возможности текущего законодательства и влечет за собой необходимость постоянного пересмотра конституций.

В тексты ныне действующих конституций штатов, средний возраст которых составляет 82 года, внесено более 5 тыс. поправок. Столь высокая частота конституционного пересмотра в штатах во многом объясняется достаточно упрощенной процедурой принятия поправок. Проект поправки одобряется законодательными собраниями штатов. В отдельных штатах для одобрения поправки достаточно простого большинства голосов членов легислатуры, в других — трех пятых или двух третей голосов. В 14 штатах предусмотрено дополнительное требование повторного одобрения проекта поправки на следующей очередной сессии законодательного собрания. Во всех штатах, кроме Делавэра, одобренные поправки передаются для утверждения на референдум. Конституционные поправки могут выноситься на референдум и в порядке «прямой конституционной инициативы» избирателей, предусмотренной конституциями 17 штатов. Для этого необходимо составить петицию, под которой должны быть собраны подписи определенного числа избирателей, например, в Северной Дакоте — более 20 тыс., а в Арканзасе — не менее 15% избирателей.

Конституциями штатов предусмотрен также порядок принятия новых конституций. Вопрос о необходимости принятия новой конституции выносится на референдум легислатурой штата. Если это предложение будет одобрено, назначаются выборы членов конституционного конвента. Следующая стадия включает проведение выборов, созыв конституционного конвента (за всю историю американских штатов действовало более 230 конвентов), обсуждение и утверждение на его заседании проекта конституции. Послед-

няя стадия — вынесение проекта конституции на референдум. При положительном исходе голосования новая конституция вступает в силу.

В настоящее время перед многими штатами стоит задача проведения коренных конституционных реформ, принятия новых конституций, отвечающих современным требованиям. Из конституций 50 штатов три конституции датируются XVIII столетием: Массачусетса — 1780 г., Нью-Гэмпшира — 1784 г. и Вермонта — 1793 г., 29 конституций — XIX столетием и только 18 конституций — XX столетием. За 1960—1987 гг. новые конституции были приняты только в 10 штатах.

ЗАКОНОДАТЕЛЬНАЯ ВЛАСТЬ

Законодательная власть в Соединенных Штатах Америки осуществляется конгрессом США и законодательными собраниями (легислатурами) штатов.

Конгресс США

Состоит из двух палат — сената и палаты представителей. Заседания конгресса проходят в здании Капитолия, расположенного на холме в центре г. Вашингтона.

Палата представителей. Число ее членов зафиксировано в 1912 г. законом и с тех пор не изменялось — 435. В настоящее время каждый член палаты представляет около 500 тыс. избирателей. В соответствии с результатами переписи населения, проводимой каждые 10 лет, места в палате представителей перераспределяются между штатами. Право определять границы избирательных округов по выборам в палату представителей принадлежит законодательному собранию каждого штата. По конституции США каждый штат должен быть представлен в палате по крайней мере одним членом.

Члены палаты представителей избираются на двухлетний срок, исчисляемый с января следующего после выборов года. Следовательно, каждые два года состав палаты представителей обновляется, этим же интервалом измеряется срок полномочий всего конгресса каждого созыва (в 1987—1988 гг. работает конгресс 100-го созыва). Конгресс каждого созыва проводит две сессии, начинающиеся в январе и продолжающиеся с перерывами почти в течение всего года. По конституции президент имеет право созывать конгресс на чрезвычайную сессию.

Сенат. Каждый штат представлен в сенате двумя членами, т. е. в его состав входят 100 сенаторов. Каждый сенатор избирается в своем штате на шестилетний срок, начинающийся в январе следующего после выборов года. В отличие от палаты представителей каждые два года подлежит переизбранию лишь треть сенаторов, что обеспечивает определенную стабильность состава этой палаты и преемственность в ее деятельности. По традиции сенат занимает более привилегированное положение, чем палата представителей.

Состав и полномочия конгресса.
В конгрессе США представлены лишь буржуазные слои населения; в его составе нет не только ни одного промышленного или сельскохозяйственного рабочего, но и политических фракций, которые провозглашали бы своей целью борьбу за их интересы. Самые многочисленные группы в обеих палатах образуют юристы (в палате представителей — 184, в сенате — 62). В эту категорию статистика включает не только людей, занимающихся юридической практикой, но и владельцев крупных юридических фирм и тех, кто, получив юридическое образование, занялся бизнесом. Среди членов конгресса также довольно много людей, до избрания занимавших официальные посты на федеральном или местном уровнях, а также бывших судей, буржуазных журналистов и т. д. Более 37% палаты представителей конгресса 100-го созыва (162 чел.) составляют банкиры, предприниматели и крупные агробизнесмены; в сенате их 33% (33 чел.).

Черное население США, составляющее в настоящее время около 12% общей численности населения США, представлено в палате представителей всего лишь 23 конгрессменами (5,3%), а в сенате нет ни одного черного американца.

Женщин, составляющих большинство американских избирателей, в палате представителей всего 23, а в сенате — 2.

Конституционные полномочия конгресса весьма широки. Самое важное место среди них занимают прерогативы в финансовой области — то, что в США принято называть «властью кошелька». Конгресс устанавливает единообразные для всей территории страны налоги, пошлины, подати и акцизные сборы, утверждает федеральный бюджет и выделяет ассигнования на все без исключения государственные акции, занимает деньги в кредит и уплачивает долги от имени Соединенных Штатов, регулирует внешнюю торговлю и торговлю между штатами и т. д. «Власть кошелька» дает конгрессу мощные рычаги влияния на экономику и внутреннюю политику страны и является потенциально важным средством воздействия на внешнюю и военную политику. Конгресс может отказать президенту в выделении ассигнований для той или иной цели, сократить или увеличить их либо оговорить их использование выполнением определенных условий.

Конгрессу принадлежит важная функция контроля за деятельностью правительственных учреждений и ведомств. Такой контроль осуществляется путем проведения расследований по различным вопросам, проверки расходования бюджетных ассигнований, надзора за организацией и действиями правительственных учреждений. Большая роль в осуществлении этой функции принадлежит специализированным учреждениям конгресса, таким, как Главное контрольно-финансовое управление, Управление по оценке технологии и Бюджетное управление при конгрессе.

Конгресс имеет право объявлять войну, формировать вооруженные силы и выделять ассигнования на их содержание, издавать правила по управлению и организации сухопутных и морских сил. Эти полномочия дают конгрессу возможность оказывать влияние на формирование военного бюджета страны и организацию ее вооруженных сил.

Действенность права конгресса объявлять войну значительно ограничена тем, что президенту как главнокомандующему армией и флотом принадлежит право вести войну или отражать внезапное нападение, поэтому использование вооруженных сил фактически превратилось в прерогативу президентской власти. За всю свою историю США около 200 раз использовали вооруженные силы в различных конфликтах, но до настоящего времени конгресс лишь

5 раз воспользовался правом объявления войны: в 1812, 1846, 1898 гг. и в двух мировых войнах. При этом в четырех случаях конгресс лишь признавал фактическое состояние войны, в которую страна уже вступила.

Наряду с полномочиями, осуществляемыми совместно обеими палатами, существуют также такие, которые может осуществлять только одна из палат. По конституции все законопроекты о государственных доходах должны исходить от палаты представителей; сенат может предлагать к ним поправки и участвовать в их обсуждении. Это право предоставляет палате представителей определенные преимущества при рассмотрении финансовых вопросов. Палате принадлежит также право избрания президента США, если ни один из кандидатов не получит более половины голосов выборщиков (за всю историю США палата представителей воспользовалась этим правом лишь 2 раза — в 1801 и 1825 гг.).

Важнейшими полномочиями сената являются его участие в принятии Соединенными Штатами Америки международных обязательств в форме договоров и участие в назначении на высшие должности государственного аппарата. Президент имеет право ратифицировать заключенный им международный договор, только получив принятую двумя третями присутствующих сенаторов резолюцию одобрения договора, содержащую формулу «совета и согласия» сената. Сенат может одобрить или отвергнуть договор полностью или обусловить его принятие поправками, оговорками и т. д.

Исполнительной власти удается обходить конституционное требование о том, что заключение международных договоров возможно только с одобрения сената. Для этого используется форма международной договоренности, именуемая *исполнительным соглашением*. Оно заключается президентом или другими органами исполнительной власти с представителями иностранных правительств и не подлежит одобрению сенатом. Исполнительные соглашения либо представляются конгрессу в порядке информации, либо подлежат одобрению обеими палатами простым большинством после их заключения. В XX в. исполнительное соглашение как форма международной договоренности широко используется, и в настоящее время количество исполнительных соглашений в несколько раз превышает количество договоров, заключенных США. Исполнительные соглашения имеют такую же юридическую силу, как договоры.

Согласно закону от 1961 г., никакие обязательства от имени США, касающиеся разоружения, сокращения или ограничения вооруженных сил и вооружений, не могут быть приняты иначе, как либо в виде договора, утверждаемого двумя третями голосов в сенате, либо в виде соглашения, одобренного простым большинством обеих палат.

Прерогативой сената является контроль за назначениями должностных лиц правительства. Сенат утверждает назначения руководителей правительственных ведомств, дипломатических представителей, членов Верховного суда, федеральных судей, а также передвижения и продвижения высших чинов вооруженных сил и заграничной службы. Сенат редко оспаривает назначения президента на высшие правительственные должности; отклонение кандидатур в члены Верховного суда случается чаще. Не подлежат утверждению сенатом назначения на посты в аппарате Белого дома.

В случае, если ни один из кандидатов в вице-президенты не получит более половины голосов выборщиков, сенат осуществляет выборы вице-президента.

Конституция предоставляет конгрессу право отстранять от должности при осуждении в порядке импичмента гражданских должностных лиц, включая президента и вице-президента, если они будут признаны виновными в измене, взяточничестве или других серьезных преступлениях и проступках. При этом полномочия палат также разделены: только палата представителей имеет право возбуждать преследование в порядке импичмента и только сенат осуществляет в этом случае суд (для осуждения необходимо согласие двух третей присутствующих сенаторов). В случае признания привлеченного к ответственности лица виновным сенат может применить в отношении него единственную меру наказания — отстранение от занимаемой должности, после чего лицо, признанное виновным, может подлежать уголовной ответственности на общих основаниях.

Пять раз процедура импичмента возбуждалась против президентов: три предложения об импичменте президентов были отклонены палатой, в 1868 г. президент Э. Джонсон был оправдан сенатом, и в 1974 г. президент Р. Никсон ушел в отставку, после того как юридический комитет палаты представителей выдвинул против него обвинения в порядке импичмента.

Конгресс вправе принимать законы о предоставлении американского гражданства, о банкротстве, а также в сфере патентного и авторского права; учреждать федеральные суды и почтовые службы. Ему предоставлено право эмиссии денег и установления наказаний за их подделку, а также ряд других полномочий.

Комитеты конгресса. Важную роль в деятельности конгресса играют постоянные и специальные комитеты. Они создаются в обеих палатах, каждый комитет специализируется в конкретной области государственного управления. В сенате 16 постоянных и 4 специальных комитета. Постоянные комитеты: по сельскому хозяйству, пищевым продуктам и лесному хозяйству; по ассигнованиям; по делам вооруженных сил; по банковскому делу, жилищно-му строительству и проблемам городов; бюджетный; по торговле, науке и транспорту; по энергии и естественным ресурсам; по вопросам окружающей среды и общественных работ; финансовый; по иностранным делам; по правительственным вопросам; юридический; по труду и людским ресурсам; по регламенту и административным вопросам сената; по вопросам малого бизнеса; по делам ветеранов. Специальные: по разведке, по делам индейцев, по этике, по делам престарелых.

В палате представителей 22 постоянных и 5 специальных комитетов. Постоянные комитеты: по сельскому хозяйству; по ассигнованиям; по делам вооруженных сил; по банковскому делу, финансам и проблемам городов; бюджетный; по делам округа Колумбия; по образованию и труду; по энергии и торговле; по иностранным делам; по правительственным операциям; по административным вопросам палаты; по внутренним и островным делам; юридический; по торговому мореплаванию и рыболовству; по делам почтового ведомства и гражданской службы; по общественным работам и транспорту; комитет правил; по науке, космосу и технике; по вопросам малого бизнеса; по стандартам служебного поведения должностных лиц; по делам ветеранов; по доходам и расходам. Специальные: по разведке; по делам престарелых; по делам детей, молодежи и семей; по проблеме голода; по проблемам наркомании и контролю над наркотиками.

Главной задачей постоянного комитета является подготовка текстов законодательных актов по своим проблемам. Около 90% законопроектов и резолюций, подготовленных комитетами, одобряются обеими палатами, иногда с поправками. В компетенцию комитетов входит поддержание контактов с органами федерального правительства в своей области и осуществление надзора, проведение расследований деятельности этих органов, а также частных лиц и организаций, проведение слушаний по любым вопросам, затрагивающим сферу интересов комитета.

Председатели комитетов являются весьма влиятельными фигурами в конгрессе. Председатель руководит всей работой комитета — назначает заседания, определяет, какие законопроекты и когда будут рассматриваться, назначает проведение слушаний и формирует подкомитеты. Пост председателя комитета обычно занимает член конгресса, имеющий опыт работы и глубоко знающий проблемы в своей области.

Специальные комитеты учреждаются палатами для выполнения какой-то определенной цели, но на практике многие из них действуют в течение нескольких созывов конгресса и по своим полномочиям и методам работы фактически не отличаются от постоянных.

Существуют также объединенные комитеты обеих палат. В конгрессе 100-го созыва таких комитетов четыре — экономический, по налогообложению, по библиотеке конгресса и по изданиям. Их главная задача состоит в координации позиций обеих палат; подготовкой законопроектов они не занимаются.

Почти все постоянные комитеты создают подкомитеты, занимающиеся в рамках компетенции комитета более узким кругом проблем. Именно в подкомитете разрабатываются тексты законодательных актов, которые передаются на одобрение комитета и затем на рассмотрение палаты. Подкомитеты по своему составу немногочисленны; большая роль в их работе принадлежит председателю. В сенате конгресса 100-го созыва 60 подкомитетов, а в палате представителей — 82.

Подкомитеты являются теми органами конгресса, где теснее всего сотрудничают три стороны — занимающиеся проблемой законодатели, соответствующие ведомства федеральной бюрократии и лоббисты заинтересованных групп капитала. В таком по американской терминологии «железном треугольнике» самым большим весом и независимостью обладают представители капитала, и это неизбежно сказывается на сущности тех законопроектов, которые выходят из подкомитета.

Партийные фракции. В конгрессе США представлены только две крупнейшие буржуазные партии страны — Демократическая и Республиканская. В каждой из палат конгресса образуются партийные фракции обеих партий: фракция большинства, т. е. фракция партии, имеющей большее количество мест в данной палате, и фракция меньшинства. Периодически проводятся собрания фракции, на которых в основном рассматриваются организационные вопросы деятельности палат конгресса, выборы председателей комитетов, распределение мест в комитетах от партии и т. п. Обсуждаются также политические, экономические и социальные проблемы, которые стоят на повестке дня конгресса.

Партийные фракции обеих партий в своих действиях не зависят от национального руководства партии, а сами члены конгресса не связаны фракционной дисциплиной, т. е. не обязаны голосовать в соответствии с указаниями лидера фракции. Это объясняется тем, что в борьбе за переизбрание член конгресса зависит прежде всего от местной партийной организации своего округа или штата и финансирующих его на выборах местных капиталистов, и, следовательно, его позиция определяется политическими, экономическими и иными интересами этих кругов.

Партийные фракции каждой из палат выбирают лидера и его заместителя.

Лидер большинства в сенате является самой важной фигурой, влияющей на ход работы этой палаты. Он, в сущности, формулирует законодательную программу своей партии, определяет порядок работы сената, осуществляет связь с комитетами, принимает участие в распределении мест в комитетах между сенаторами. Совместно с своим заместителем лидер обеспечивает максимальную поддержку законодательным предложениям своей партии, используя личное влияние, оказывая сенаторам те или иные услуги, активно посредничая в достижении закулисных компромиссов.

Лидер большинства в палате представителей занимает в партийной иерархии второе место после спикера палаты.

Роль *лидеров меньшинства* как в сенате, так и в палате представителей сводится в основном к формулированию политики оппозиции и организации поддержки в ее пользу.

Руководство партийных фракций обеих палат служит связующим звеном между исполнительной властью и конгрессом. Президент часто консультируется с лидерами своей партии в конгрессе и время от времени с лидерами обеих партий совместно. Сотрудничество руководства партийных фракций ему необходимо, когда он стремится получить от конгресса поддержку своим инициативам.

Должностные лица конгресса. Каждая из палат имеет своих должностных лиц.

Спикер палаты представителей является одним из самых влиятельных деятелей конгресса. Кандидатура на пост спикера выдвигается фракцией большинства в палате и утверждается на заседании палаты. Спикер председательствует в палате и руководит фракцией большинства, определяет порядок рассмотрения законопроектов, направляет внесенные законопроекты в комитеты, выносит окончательное решение по всем процедурным вопросам. Ему же принадлежит право предоставлять или не предоставлять слово члену палаты. Учитывая его вес в конгрессе, президент и члены кабинета устанавливают со спикером деловые контакты и информируют его

о политических проблемах. Особенно велика роль спикера в отношениях с администрацией в те периоды, когда президент принадлежит к одной партии, а палату представителей контролирует другая.

Председателем сената является вице-президент; не будучи членом сената, он получает право голоса только в том случае, если при голосовании голоса сенаторов разделились поровну. Свои обязанности председателя сената вице-президент исполняет лишь время от времени, и потому фракция большинства выдвигает, а сенат избирает из числа своих старейших и уважаемых деятелей председателя pro tempore (временного председателя), который, выполняя эти функции, принимает участие в голосовании и подписывает одобренные сенатом законопроекты. Функции и объем полномочий председателя сената значительно уступают по важности функциям и объему полномочий спикера палаты представителей.

Формы законодательных предложений. В конгрессе существуют четыре формы законодательных предложений: законопроект, совместная резолюция, совпадающая резолюция и простая резолюция.

Законопроект приобретает силу закона после того, как он был принят в идентичной форме обеими палатами и подписан президентом.

Совместная резолюция принимается обеими палатами в идентичной форме, затем ее подписывает президент, и она становится законом. Таким образом, между законопроектом и совместной резолюцией принципиальной разницы нет.

Законопроект и совместная резолюция одобряются простым большинством голосов, кроме тех случаев, когда эти законодательные формы используются для принятия поправок к конституции,— для этого требуется большинство в две трети голосов.

Совпадающая резолюция принимается обеими палатами в идентичной форме, но ее не подписывает президент, и она не приобретает силы закона. Путем принятия совпадающей резолюции конгресс выражает свое мнение, провозглашает те или иные принципы и цели. Бюджетные резолюции конгресса по форме также являются совпадающими.

Простую резолюцию принимает одна из палат. Она не имеет силы закона и служит для принятия решения, действие которого распространяется только на данную палату или для выражения ее мнения.

Прохождение законодательных предложений в конгрессе. Право законодательной инициативы принадлежит каждому члену конгресса. Путь законопредложения в конгрессе весьма сложен. Законопроект вносится в каждой из палат; в зависимости от его содержания палаты направляют его в один или несколько постоянных комитетов, которые в свою очередь передают предложение на рассмотрение своих подкомитетов. Как правило, ни одна из палат не приступает к рассмотрению законопроекта по существу, пока не получит от комитета доклада, содержащего итоги его обсуждения в комитете и рекомендации.

После получения каждой из палат докладов от комитетов назначается рассмотрение законопроекта. В палате представителей он может быть предварительно рассмотрен *комитетом всей палаты*. Его образуют 100 или более присутствующих членов палаты, и председательствует в нем не спикер, а назначенный председатель. Рассмотрение законопроекта в комитете всей палаты позволяет значительно упростить процедуру работы палаты. В сенате *комитет всего сената* работает только при рассмотрении международных договоров. В ходе дебатов по законопроекту на заседании палат в его текст могут быть внесены поправки. В законодательном процессе обе палаты равноправны, поэтому, если одна из них не принимает законопроект, он считается отвергнутым. Если

законопроект принят обеими палатами, но в различающихся вариантах, для устранения различий создается *согласительный комитет*, в который каждая из палат назначает своих представителей. Работа согласительного комитета проходит за закрытыми дверями, по достигнутым соглашениям представители палат голосуют раздельно. Выработанный согласительным комитетом текст законопроекта снова ставится на голосование в каждой из палат. Он может быть только либо принят, либо отвергнут в целом; поправки в него не вносятся. Если на этом этапе законопроект отвергнут одной или обеими палатами, он может быть вновь направлен в согласительный комитет прежнего или нового состава. Если обе палаты одобряют предложенный текст законопроекта, согласительный комитет прекращает существование. Одобренный идентичный текст законопроекта подписывают спикер палаты представителей и председатель сената.

Принятый конгрессом законопроект поступает на подпись к президенту. Ему принадлежит право подписать или отклонить законопроект в течение 10 дней, за вычетом воскресных и праздничных. В случае несогласия с законопроектом президент возвращает его со своими возражениями в ту палату, откуда исходил законопроект. Это называется правом *президентского вето*. Конгресс может преодолеть вето президента. Для этого нужно повторное голосование по законопроекту в обеих палатах, в ходе которого он должен быть одобрен большинством в две трети голосов, после чего он становится законом без согласия президента. Если в течение 10 дней при продолжающейся сессии конгресса президент не предпримет в отношении законопроекта никаких действий, он обретает силу закона, как если бы он был подписан президентом. Однако, если предоставленный президенту десятидневный срок прерывается окончанием работы конгресса и законопроект президентом не подписан, он в силу не вступает. Это так называемое «карманное вето» президента. Конгресс не может преодолеть «карманное вето», так как никакой процедуры на этот случай не предусмотрено.

Законопроект становится законом в тот день, когда его подписал президент или обе палаты преодолели вето, либо дата вступления закона в силу может быть предусмотрена в самом законе.

Для того чтобы была осуществлена любая государственная акция, требующая расходов, необходимо одобрение конгрессом двух законопроектов: санкционирующего, который готовит функциональный постоянный комитет, и об ассигнованиях — с включением соответствующих сумм, который разрабатывает комитет по ассигнованиям. Комитеты по ассигнованиям в обеих палатах весьма влиятельны, поскольку объем выделяемых ассигнований целиком зависит от их решения.

Многоступенчатый процесс прохождения законопроекта в конгрессе предполагает, что законопроект должен быть одобрен на каждой из стадий. Непринятия решения на одной из них достаточно для того, чтобы его провалить. Этому же часто равносильно торможение прохождения законопроекта, поскольку в конгрессе действует принцип *дисконтинуитета*, заключающийся в том, что законопроект, внесенный на данной сессии конгресса, должен быть одобрен в течение работы конгресса данного созыва; рассмотрение законопроекта на следующую сессию не переносится. Единственное исключение из этого правила — международные договоры, переданные на рассмотрение сената: они не снимаются с рассмотрения до тех пор, пока сенат не примет по ним решения или президент не отзовет договор из сената.

Во время каждого созыва конгресса вносится большое количество законопроектов — около 20 тыс., принимается конгрессом лишь несколько сотен.

Законодательные собрания (легислатуры) штатов

Как и на федеральном уровне, в штатах отмечается значительное усиление исполнительной власти губернатора за счет прерогатив законодательных органов.

По своей структуре и методам работы законодательные собрания штатов во многом копируют конгресс. Во всех штатах, кроме Небраски, они состоят из двух палат: палаты представителей и сената. По своему численному составу законодательные собрания штатов существенно различаются — от нескольких сотен до нескольких десятков членов; причем число законодателей не зависит от населенности и размеров штатов. Сроки полномочий членов законодательных собраний в различных штатах различны: в 46 штатах члены палаты представителей избираются на два года; в четырех штатах — на четыре года; сенаторы в 38 штатах избираются на четыре года, в 12 штатах — на два года. Периодичность проведения сессий законодательных собраний также различна: в большинстве штатов сессии проводятся ежегодно, а в некоторых штатах — раз в два года. В отличие от конгресса США сессии законодательных собраний штатов проводятся в сравнительно короткие сроки — один или два месяца.

Как и в конгрессе, в законодательных собраниях штатов действует система комитетов; в некоторых штатах большую роль играют объединенные комитеты обеих палат. Характерной особенностью большинства законодательных собраний является доминирующая роль спикера палаты представителей, пользующегося огромным влиянием не только в рамках законодательного собрания, но и вообще в штате.

ИСПОЛНИТЕЛЬНАЯ ВЛАСТЬ *

Исполнительная власть в стране осуществляется президентом США, выполняющим возложенные на него конституцией полномочия с помощью разветвленного аппарата исполнительной власти. Только в штате 13 федеральных министерств (департаментов) США в 1986 г. насчитывалось 1 761 644 чел., а всего на федеральной службе в ведомствах исполнительной власти — 2 966 773 чел. На уровне штатов носителями исполнительной власти являются губернаторы, стоящие во главе административных органов своего штата. Многие функции исполнительной власти осуществляются органами самоуправления и управления на местах.

Президент США

Высшим в стране должностным лицом, совмещающим полномочия главы государства и главы правительства, является президент США. Он избирается на четыре года с возможностью переизбрания еще на один четырехлетний срок. Президентом США может быть гражданин США по рождению, не моложе 35 лет, проживший на территории США не менее 14 лет.

С 1800 г. официальной резиденцией президента является Белый дом, находящийся в столице США Вашингтоне.

Полномочия президента США очень широки. Как глава государства он является верховным главнокомандующим вооруженными силами США и верховным представителем США на международной арене. Президент с одобрения и согласия сената назначает федеральных судей, включая членов Верховного суда, послов и высших долж-

ностных лиц аппарата исполнительной власти, включая руководителей министерств и ведомств. Конституция предоставляет президенту право созыва чрезвычайных сессий конгресса и переноса очередных сессий, право отсрочки исполнения приговора и право помилования лиц, осужденных по федеральным законам. Не занимая какой-либо должности в партийном аппарате, президент считается лидером своей партии. При возникновении внутренних и внешних кризисных ситуаций (войны, крупные забастовки и пр.) президент может располагать чрезвычайными полномочиями.

Велика роль президента в законодательном процессе. Формулируя законодательную программу администрации в серии посланий конгрессу, президент является фактическим лидером законодательной политики. С одним из таких посланий конгрессу представляется проект бюджета, разрабатываемый экспертами Белого дома. Глава исполнительной власти обладает правом издания президентских приказов, фактически имеющих силу закона.

Вице-президент

Вместе с президентом на четырехлетний срок избирается вице-президент, причем президент и вице-президент не могут быть жителями одного штата.

По конституции полномочия вице-президента ограничиваются председательствованием в сенате. В случае, если голоса сенаторов разделяются поровну, голос вице-президента решает исход голосования.

Принятая в 1933 г. XX поправка к конституции США укрепила статус вице-президента, рассматривая его в качестве преемника главы исполнительной власти в случае смерти или недееспособности последнего.

---

* Руководящее звено исполнительной власти на федеральном уровне принято именовать в США администрацией. Это понятие часто связывается с пребыванием у власти конкретного президента и его политической партии.

Реальные функции вице-президента в правительстве определяются президентом в каждом отдельном случае.

Исполнительное управление президента

Не предусмотренным конституцией надведомственным органом при Белом доме, вызванным к жизни возросшими масштабами государственно-монополистического регулирования в эпоху империализма, является Исполнительное управление президента (ИУП). Основанное президентом Ф. Рузвельтом в 1939 г., ИУП способствовало укреплению президентской власти, создав мощный аппарат, координирующий и контролирующий важнейшие аспекты деятельности государства.

Аппарат ИУП достиг пиковой численности — 4742 чел. в 1970 г.; в последующие годы штат ИУП был сокращен до 1492 чел. (1986).

В структуре ИУП действуют следующие подразделения: Аппарат Белого дома (специальные помощники президента по различным вопросам), Административно-бюджетное управление, Экономический совет при президенте, Совет национальной безопасности, Управление по разработке политики, Управление по вопросам политики в области науки и техники, Совет по качеству окружающей среды, Управление представителя США на торговых переговорах, Отдел административной поддержки, Аппарат вице-президента.

Совет национальной безопасности (СНБ) — совещательный орган при президенте, занимающийся вопросами координации внутренней, внешней и военной политики. Председателем СНБ является президент США. Кроме него постоянными членами совета являются вице-президент, государственный секретарь и министр обороны. На правах советников в работе СНБ принимают участие директор Центральной разведки и председатель Комитета начальников штабов. Аппарат СНБ возглавляется помощником президента по вопросам национальной безопасности.

Управление по разработке политики — относительно небольшая группа помощников президента, один из которых выполняет функции начальника управления. Управление готовит рекомендации для президента США в области формулирования, координации и проведения экономической и внутренней политики, а также обеспечивает работу заседаний целевых советов кабинета министров.

Управление по вопросам политики в области науки и техники формируется в основном из представителей научной среды и возглавляется советником президента по науке. Управление разрабатывает рекомендации, касающиеся государственных программ научно-исследовательских и опытно-конструкторских работ (НИОКР), анализирует и прогнозирует влияние научно-технического прогресса на экономическую, внешнюю, военную политику, здравоохранение и состояние окружающей среды.

Управление представителя США на торговых переговорах возглавляется должностным лицом в ранге посла, подчиняющимся непосредственно президенту. На представителя США на торговых переговорах возложено общее руководство проведением международных многосторонних и двусторонних переговоров, касающихся торговли и товарных ресурсов, и формулирование внешнеторговой политики США. По занимаемой должности он является членом правления Экспортно-импортного банка США.

Кабинет министров

Как совещательный орган при президенте, созданный помимо конституции, функционирует кабинет министров. Уже первый президент

США Дж. Вашингтон ввел в практику неформальные заседания всех глав исполнительных департаментов (министерств) для обмена мнениями по интересующим президента вопросам. К 1793 г. эти совещания получили название заседаний кабинета.

В состав кабинета входят главы 12 федеральных министерств, именуемые в США секретарями, и генеральный атторней (глава министерства юстиции), однако президент может включать в кабинет и других должностных лиц. Члены кабинета обычно принадлежат к той же партии, что и президент. В заседаниях кабинета принимает участие вице-президент и могут приглашаться имеющие отношение к обсуждаемому вопросу представители исполнительного аппарата. Протоколы заседаний не ведутся. Регулярность заседаний и повестка дня кабинета зависят от президента. Им же назначается секретарь кабинета для подготовки и организации заседаний.

Как коллегиальный орган правительства кабинет большой роли не играет, что не исключает возможности существенного политического влияния отдельных министров.

В практике последних президентов США использовалась форма дробления кабинета на целевые межведомственные советы, что давало возможность обсуждать тот или иной круг вопросов без привлечения всех членов кабинета. Значительную роль в деятельности этих советов, в частности, играет Управление по разработке политики при Белом доме.

Система министерств и ведомств

Громоздкий и разветвленный бюрократический аппарат исполнительной власти помимо уже упоминавшегося ИУП включает систему министерств (федеральных департаментов) и других административных ведомств. Руководители министерств подчинены непосредственно президенту, назначаются им при согласии сената, но могут быть отстранены от должности президентом единолично. Распределение министерских портфелей — сложный политический процесс, в котором президенту приходится принимать во внимание интересы соперничающих монополистических группировок. Административные ведомства учреждаются по инициативе конгресса, конгресс же определяет круг их задач и полномочий. Поэтому в США такие административные ведомства называют независимыми агентствами. Руководители этих ведомств не могут быть уволены президентом по его усмотрению, но такое право может быть возложено на него конгрессом. Главы министерств и ведомств не могут быть членами конгресса. Однако конгресс вправе осуществлять контроль за деятельностью этих государственных учреждений, в частности заслушивать их руководителей на заседаниях комитетов.

Министерства. В настоящее время в структуре федерального исполнительного аппарата действуют следующие министерства:

Государственный департамент (основан в 1789 г.) — министерство иностранных дел США. Поскольку осуществление внешней политики по конституции — прерогатива президента, глава департамента (государственный секретарь) формально считается главным советником президента по внешнеполитическим вопросам. Государственный департамент представляет президенту рекомендации в области разработки и проведения внешней политики, ведет по его поручению международные переговоры, представляет США в международных организациях, организует работу дипломатической и консульской служб. Проводя в жизнь внешнеполитический курс, разработанный президентом и конгрессом, госдепартамент не ограничивается традиционной дипломатической деятельностью, активно вторгаясь в такие области, как военная и торгово-экономическая политика, разведывательная деятельность, внешнеполитическая пропаганда, энергетика, экология, сырьевые и продовольственные ресурсы и т. д.

Министерство обороны (образовано в 1947 г. в результате реорганизации военного министерства США, существовавшего с 1789 г.) ведает вопросами, имеющими отношение к вооруженным силам США, несет ответственность за их боевую готовность и материально-техническое обеспечение. К компетенции министерства относятся также вопросы организации управления вооруженными силами и планирования НИОКР в военной области.

Министр обороны назначается президентом с согласия сената из числа гражданских лиц и рассматривается как основной помощник главнокомандующего вооруженными силами США (президента США) по всем вопросам, входящим в компетенцию министерства.

Здание министерства расположено в предместье Вашингтона г. Арлингтоне. Неофициальное название министерства — Пентагон (пятиугольник) обязано своим происхождением архитектурной форме этого здания.

Структура министерства обороны включает три подчиненных ему **министерства видов вооруженных сил** — армии (сухопутных войск), ВВС и ВМС. В рамках соответствующего вида вооруженных сил они ведают теми же вопросами, что и министерство обороны. Министры видов вооруженных сил назначаются президентом из числа гражданских лиц, они не являются членами кабинета.

В структуру министерства обороны входит также **Комитет начальников штабов** (КНШ), состоящий из председателя, начальников штабов армии, ВВС и ВМС и командующего войсками морской пехоты. КНШ располагает обширным рабочим аппаратом, разрабатывающим стратегические и мобилизационные планы, основные программы строительства вооруженных сил и развития вооружений. Составными частями этого аппарата являются Объединенный штаб, Управление стратегического планирования и ресурсов, Объединенный штаб планирования использования космоса и др. органы. КНШ обеспечивает также участие военных представителей США в международных переговорах и — через систему специальных комитетов — военно-политическое сотрудничество с Канадой, Мексикой и странами Южной Америки.

Министерству обороны подчинен также ряд управлений (агентств) и высших военных учебных заведений. В числе агентств министерства обороны Управление перспективных исследований и разработок, занимающегося разработкой и внедрением принципиально новых систем оружия; Управление ядерных боеприпасов, обеспечивающее связь между министерством обороны и министерством энергетики в вопросах разработки и испытаний ядерного оружия и оценки последствий его возможного применения; Агентство национальной безопасности; Разведывательное управление; Управление оказания военной помощи; Картографическое управление; Управление тыла и др. Непосредственно министру обороны подчинена так называемая Организация по осуществлению СОИ, созданная в 1984 г.

Министерство обороны — крупнейший государственный заказчик вооружений. Являясь главным инструментом милитаристской внешней политики американского империализма, Пентагон выступает поставщиком как военно-политических и военно-стратегических доктрин и концепций, так и живой силы и военной техники для агрессивных войн США в различных районах земного шара.

Министерство финансов (образовано в 1789 г.) — главный орган в оперативном аппарате экономического регулирования на федеральном уровне, разрабатывает рекомендации в области экономической, финансовой, налоговой и кредитно-денежной политики государства; выступает как финансовый агент правительства; участвует в правоприменительной деятельности; осуществляет выпуск денежных знаков США. Министерство финансов делится на центральный аппарат и функциональные управления. Центральный аппарат разрабатывает мероприятия по налоговой политике, анализирует экономическую конъюнктуру, контролирует соблюдение законов при выполнении программ и мероприятий министерства, руководит его работой в целом. Функциональные управления — Служба внутренних доходов, Управление контролера денежного обращения, Таможенная служба, Управление производства денежных знаков, Контрольно-финансовая служба и др.— претворяют в жизнь программы, разработанные центральным аппаратом министерства и утвержденные президентом и конгрессом. Входящая в состав министерства Служба внутренних доходов — главное налоговое ведомство США. Она подчиняется непосредственно министру и насчитывает около 70 тыс. чел. Другое важное подразделение — Управление контролера денежного обращения осуществляет надзор за деятельностью коммерческих банков. В его составе 14 региональных отделений, возглавляемых управляющими национальных банков.

По традиции министерству подчинен ряд служб, не имеющих прямого отношения к финансам. В их числе Секретная служба, ведающая охраной президента США, Бюро по вопросам алкогольных напитков, та-

бачных изделий и огнестрельного оружия и др.

Министерство юстиции (основано в 1870 г.) — ведущее координирующее ведомство федерального правительства в сфере правоприменения. Возглавляется генеральным атторнеем США, должность которого была учреждена конгрессом в 1789 г.

Три основные функции министерства — консультирование президента и правительства по юридическим вопросам; представительство США в судах; обеспечение исполнения федеральных законов. Последняя функция осуществляется рядом подразделений министерства по соответствующим направлениям (по уголовным делам, гражданским делам, по делам о нарушениях конституционных прав и др.).

Уголовное преследование за нарушение федеральных законов и поддержание обвинения в федеральных судах осуществляется подчиненными министерству должностными лицами, именуемыми атторнеями США, каждый из которых выполняет эти задачи в пределах одного из 94 федеральных судебных округов.

Функция расследования по делам федеральной юрисдикции выполняется тремя подразделениями министерства — Службой иммиграции и натурализации, Администрацией по контролю за применением законов о наркотиках и Федеральным бюро расследований (ФБР). Последнее является также органом контрразведки и политического сыска. На министерство возложено также руководство системой федеральных тюрем.

Министерство внутренних дел (основано в 1849 г.) ведает вопросами землепользования, освоения природной среды и ее ресурсов. В структуре министерства этими вопросами занимаются такие подразделения, как Бюро по управлению земельными ресурсами, Бюро по вопросам негорючих ископаемых,

Служба рыбного и охотничьего хозяйства, Служба национальных парков, Служба рекреации и исторических памятников и др. В состав министерства входит также Геологическая служба США, занимающаяся выявлением земельных, водных, энергетических и минеральных ресурсов США, проведением соответствующих научных работ, составлением карт и т. д.

Кроме того, министерству поручена опека над индейскими резервациями и районами размещения коренного населения Аляски.

Министерство сельского хозяйства (образовано в 1862 г.) осуществляет государственное кредитование, страхование и консультирование фермерских хозяйств. Регулирует рынок сельскохозяйственных товаров путем планирования посевных площадей основных сельскохозяйственных культур, закупок, хранения и последующей реализации товарных излишков; способствует расширению внешних рынков сельхозпродукции. Министерство ведет самостоятельно и координирует научные исследования, планирование и прогнозирование в своей области, обеспечивает контроль за качеством сельхозпродуктов, поставляемых на внутренний рынок, проводит природоохранные мероприятия.

Министерство сельского хозяйства принимает также участие во внешнеполитической деятельности государства через осуществляемые им программы помощи иностранным государствам, используемые в целях экономического и политического давления на страны, которым эта помощь предоставляется.

Министерство торговли (образовано в 1913 г. в результате реорганизации министерства торговли и труда, созданного в 1903 г.) выполняет такие основные задачи, как обеспечение экономического развития страны, укрепление международных экономических позиций США, поощрение частных инвес-

тиций в новую технологию, содействие максимальному использованию научно-технических ресурсов. Министерство организует информационное обеспечение научно-технических исследований, руководит государственной патентной службой и службой стандартов и т. п. В состав министерства входит также Национальное управление по исследованию океана и атмосферы и Бюро переписей, на которое возложено проведение переписей населения США (каждые 10 лет), составление ежегодных оценок численности населения, анализ и публикация социально-экономической статистики.

Министерство труда (образовано в 1913 г. в результате реорганизации министерства торговли и труда) является основным инструментом государственно-монополистического социального маневрирования, осуществляет контроль за соблюдением трудового законодательства в целях подавления и предотвращения конфликтов в трудовых отношениях, а также координирует проведение программ подготовки и переподготовки рабочей силы. Особой функцией министерства является сбор и анализ статистики труда, включающей данные о занятости, безработице, заработной плате, ценах, производительности труда и пр. Эти данные министерство публикует в серии периодических бюллетеней.

Министерство здравоохранения и социальных служб (образовано в 1979 г. в результате разукрупнения министерства здравоохранения, образования и социального обеспечения, созданного в 1953 г.) объединяет большое количество управлений, служб и прочих структурных единиц, на которые возложено проведение таких социальных программ федерального правительства, как медицинские исследования, борьба с алкоголизмом и наркоманией, медицинское и социальное страхование, государственное вспомоществование и т. п.

Министерство образования (образовано в 1979 г. в результате разукрупнения министерства здравоохранения, образования и социального обеспечения) осуществляет и координирует федеральные программы содействия образованию.

Министерство разрабатывает программы федеральной помощи образованию, координирует исследовательские работы в области образования и содействует экспериментальному внедрению результатов исследований, предоставляя субсидии отдельным учебным заведениям.

Министерство жилищного строительства и городского развития (создано в 1965 г.) координирует программы в области жилищного строительства, оказывает содействие частному предпринимательству в развитии жилищного строительства, координирует деятельность федеральных ведомств по вопросам городского развития, предоставляет целевые займы и субсидии на аренду жилых помещений семьям с недостаточными доходами и т. п. Министерству поручено также проведение мероприятий против дискриминации при аренде и покупке жилья, мероприятий по борьбе с разрушением и упадком жилых районов и т. д.

Министерство транспорта (образовано в 1966 г.) имеет задачей разработку государственной политики по широкому кругу проблем транспорта, таких, в частности, как планирование, реконструкция и строительство шоссейных дорог, городской общественный транспорт, железные дороги, гражданская авиация, безопасность водных путей, портов, автомобильных дорог и трубопроводов.

Министерству транспорта в мирное время подчинена Береговая охрана США, входящая в состав ВМС.

Министерство энергетики (основано в 1977 г. как центральное регулирующее ведомство, которому были переданы соответствующие функции более 20 правительствен-

ных учреждений США). Министерству вменены в обязанность экономическое регулирование национальной энергетики, выработка научно-технической политики в этой области, определение системы приоритетов и разработок по конкретным направлениям энергетики. В компетенцию министерства входят осуществление ряда военных программ, включая разработку, производство и испытания ядерного оружия, а также определенные направления разведывательной деятельности.

Федеральные административные ведомства. К федеральному правительственному аппарату относятся административные ведомства (так называемые независимые агентства и государственные корпорации); они выполняют административные, исполнительные и нормотворческие функции, выходящие за пределы компетенции существующих министерств. Статус и полномочия административных ведомств определяются актами конгресса об их учреждении.

Некоторые из административных ведомств по организации и объему задач отличаются от министерств только тем, что их руководители не являются членами кабинета (Администрация общих служб, Управление по делам ветеранов и др.); еще одну разновидность ведомств составляют различного рода регулятивные агентства (Федеральная комиссия по связи, Комиссия по торговле между штатами и др.); к той же категории ведомств принадлежат государственно-капиталистические корпорации типа Управления по делам развития долины реки Теннесси.

В настоящее время функционирует около 60 такого рода ведомств, различных по своему назначению и по масштабам деятельности, в т. ч. Агентство по контролю над вооружениями и разоружению, Агентство по охране окружающей среды, Информационное агентство США (ЮСИА), Комиссия Панамского канала, Комиссия по гражданским правам, Комиссия по регулированию использования ядерной энергии, Национальное управление архивов и документации, Национальное управление по аэронавтике и исследованию космического пространства (НАСА), Национальный научный фонд, Почтовая служба США, Федеральная резервная система, Экспортно-импортный банк, Центральное разведывательное управление (ЦРУ) и др.

Органы государственного регулирования экономики

Федеральный аппарат экономического регулирования в США охватывает широкую сеть государственных органов с различным объемом полномочий, в т. ч. соответствующие подразделения Исполнительного управления президента, федеральные министерства, а также ряд административных ведомств (независимых агентств). Функции этих учреждений часто перекрещиваются и дублируются.

Участвующие в экономическом регулировании государственные органы можно разделить на две группы — ведомства, осуществляющие общее руководство и разработку государственной экономической политики, и ведомства, ответственные за конкретные направления государственно-монополистического регулирования. Некоторые ведомства участвуют в обеих формах регулирования. По сферам деятельности можно выделить такие направления, как внутри- и внешнеэкономическое регулирование, кредитно-денежное и налогово-бюджетное регулирование и т. д.

К ведущим регулирующим ведомствам в первую очередь относятся подразделения ИУП: Экономический совет при президенте (ЭС) и Административно-бюджетное управление (АБУ). Экономические вопросы, имеющие военно-стратегическое значение, обсуждаются на заседаниях Совета национальной безопасности. Из министерств наиболее важное место в экономическом регулировании принадлежит министерствам финансов, труда, торговли, сельского хозяйства, внутренних дел. В регулировании военно-экономической деятельности государства основную роль играет министерство обороны. Из независимых агентств можно выделить Федеральную резервную систему, выполняющую функции центрального банка США, Администрацию общих служб, Комиссию по торговле между штатами, Федеральную торговую комиссию, Управление по делам развития долины реки Теннесси и др.

Ведущая роль в разработке экономической политики и в координации соответствующей деятельности правительственных ведомств неизменно принадлежит двум старейшим рабочим органам ИУП — ЭС и АБУ.

Экономический совет при президенте (ЭС) был учрежден в 1946 г. в соответствии с законом о занятости и явился первым в американской истории органом государственно-монополистического регулирования экономики, функции которого распространяются на все отрасли хозяйства и экономические мероприятия государства. Главной целью создания ЭС было предотвращение социально-экономических потрясений, подобных кризису 1929—1933 гг. Основные, определенные законом задачи ЭС — сбор и анализ текущей экономической информации, разработка рекомендаций президенту США относительно экономической политики с целью поддержания максимального уровня производства и занятости, участие в подготовке соответствующих законодательных актов.

Одновременно с ЭС, дабы уравновесить его влияние, в конгрессе был создан объединенный экономический комитет палат конгресса, задачами которого являются рассмотрение ежегодных Экономических посланий президента, подготавливаемых ЭС, и разработка своих рекомендаций по основным положениям этих посланий.

ЭС, состоящий из председателя и двух членов, играет важную роль в разработке всех главных экономических решений президента и отдельных правительственных ведомств, способствуя концентрации усилий на решении острейших проблем. Председатель ЭС, являющийся одним из ведущих советников президента США, руководит или входит в состав ряда межведомственных экономических органов на высшем уровне. Во вспомогательном рабочем аппарате ЭС занято 20—25 высококвалифицированных специалистов. Привлекаются также консультанты из числа видных ученых.

ЭС подготавливает ежегодное Экономическое послание президента США, публикуемое в начале календарного года одновременно с Посланием о положении страны и Бюджетным посланием. В нем формулируются основные направления экономической политики администрации, ее итоги за минувший и перспективы на будущий год и последующий период. К Экономическому посланию прилагается подробно раскрывающий его положения доклад ЭС.

В 80-е годы роль ЭС снизилась и усилилась значимость *Административно-бюджетного управления* (АБУ), которое является органом практического управления и координации экономической и финансовой деятельности федеральных министерств и ведомств, а также контроля за их работой с административно-организационной точки зрения. АБУ осуществляет бюджетное регулирование экономики, разрабатывая ежегодные проекты федерального бюджета, контролируя исполнение бюджета, подготавливая мероприятия по повышению эффективности и совершенствованию деятельности правительственного аппарата. В функции АБУ входят также оценка эффективности федеральных программ, анализ организационной структуры и управленческих процессов в федеральном исполнительном аппарате, подготовка при необходимости рекомендаций по его реорганизации. АБУ состоит из бюджетного и административно-управленческого подразделений, общий штат которых составляет около 600 чел.

Основные установки и решения, принимаемые на высшем уровне, проводятся в жизнь исполнительным правительственным аппаратом — министерствами и административными ведомствами (независимыми агентствами). Из 13 федеральных министерств 9 принимают заметное участие в регулировании экономики, это прежде всего министерства финансов, труда, торговли, транспорта.

Целый ряд ведомств в США занимается регулированием военно-экономической деятельности: планированием военного производства, обеспечением министерства обороны необходимыми товарами и услугами. В ИУП эти вопросы входят в ведение СНБ, ЭС и АБУ, этими вопросами занимаются также министерство обороны, государственный департамент, Администрация общих служб (АОС) и др. ведомства. Центральное место в управлении военно-экономическим программированием и военным производством принадлежит министерству обороны и входящим в его состав министерствам отдельных видов вооруженных сил, через специальные подразделения которых на основе Федеральной контрактной системы осуществляется размещение конкретных заказов на продукцию военного назначения, контроль за их выполнением и т. д. В министерстве обороны имеется обширный контрольно-ревизорский аппарат. Значительная часть военных закупок осуществляется также через АОС.

Помимо АОС экономическим регулированием занимается ряд других независимых агентств. Важнейшим из них является Федеральная резервная система (ФРС), выполняющая функции центрального банка США. Значительную роль в банковской системе играет Федеральная корпорация страхования депозитов, страхующая вклады в банках на случай банкротства последних. Ряд независимых агентств занимается вопросами транспортного регулирования: Комиссия по торговле между штатами ведает различными видами наземного и водного транспорта, нефтепроводами и т. п., Федеральная комиссия по торговому флоту регулирует торговое и пассажирское судоходство во внутренних и заграничных перевозках, Управление гражданского воздухоплавания — гражданскую авиацию. Несколько независимых агентств занимается вопросами энергетики: это, например, Федеральная комиссия по регулированию энергетики (ныне включенная в состав министерства энергетики), Управление по делам развития долины реки Теннесси.

Система государственного регулирования экономики США за послевоенные годы значительно выросла, увеличились размеры регулирующего аппарата, расширились функции отдельных его подразделений. Вместе с тем органические слабости и противоречия хозяйственной системы США особенно отчетливо проявились в 80-х годах, когда активно предпринимавшиеся попытки совершенствования государственного механизма экономического регулирования, устранения излишних звеньев и повышения его эффективности, несмотря на некоторые частные успехи, в целом завершились неудачей.

Внешнеполитический механизм

Внешнеполитический механизм включает значительную часть государственного аппарата и конгресса, занимающуюся разработкой и осуществлением дипломатических, военных, экономических и идеологических акций на мировой арене.

Внешнеполитический механизм функционирует под непосредственным руководством президента и подчиненного ему ИУП.

Основным совещательным органом при президенте по вопросам внешней и военной политики является *Совет национальной безопасности* (СНБ), созданный по закону о национальной безопасности 1947 г. с поправками 1949 г. В СНБ входят четыре постоянных члена, включая президента, и два члена с совещательным голосом. Президент имеет право вводить в совет в качестве постоянных членов других высокопоставленных представителей администрации или же привлекать их к обсуждению отдельных вопросов.

Начиная с 60-х годов СНБ стал опираться на все более широкий аппарат, построенный как по географическому, так и функциональному принципу и возглавляемый помощником президента по вопросам национальной безопасности. При СНБ возникали и перестраивались различные межведомственные комитеты и подкомитеты. В 80-е годы при СНБ первоначально были созданы три Высшие межведомственные группы (ВМГ) — по внешней политике, по политике в области обороны и по политике в сфере разведки, возглавлявшиеся соответствующими членами совета. Позднее к ним была добавлена ВМГ по экономике и внешнеэкономической политике во главе с министром финансов. На более низком межведомственном уровне сохранилась система региональных функциональных групп.

При необходимости президент может также назначать своих личных представителей для ведения международных переговоров или создавать специальные комиссии для изучения внешнеполитических проблем.

Главную роль в проведении внешней политики играет государственный департамент. Он располагает разветвленной сетью зарубежных представительств — посольств и консульств в иностранных государствах, специальных миссий при международных организациях. Руководство ведомства состоит из государственного секретаря, его первого заместителя, заместителей по политическим делам, по экономическим делам, по помощи в целях безопасности, по науке и технике, по управлению, а также из помощников госсекретаря, ведающих различными региональными и функциональными направлениями. Среди руководимых ими звеньев особенно активны Управление по военно-политическим вопросам, Управление разведки и исследований и Совет по планированию политики. Отношениями с СССР и другими европейскими социалистическими странами ведает Управление по европейским делам с его Отделом по делам Советского Союза.

Отдельными, более узкими направлениями внешнеполитической деятельности занимается также ряд независимых агентств. К ним относятся Агентство по контролю над вооружениями и разоружению, ведающее подготовкой позиций к переговорам об ограничении и сокращении вооружений; Агентство по международному сотрудничеству в целях развития, занимающееся предоставлением экономической помощи иностранным государствам; «Корпус мира», направляющий американских добровольцев на работу в развивающиеся страны; Информационное агентство США и Совет международного радиовещания, осуществляющие пропагандистскую деятельность за границей.

Большое влияние на все аспекты внешней политики оказывают министерство обороны, министерства армии, военно-морских, военно-воздушных сил и Комитет начальников штабов. При посольствах и миссиях США работают аппараты военных, военно-воздушных и военно-морских атташе.

Важную роль в выработке внешнеэкономической политики играют министерства финансов, торговли, сельского хозяйства, труда, а также Федеральная резервная система, Экспортно-импортный банк и др. Каждое из этих ведомств обычно опирается на связанные с ними монополии и предпринимательские организации. Как показывает опыт последнего десятилетия, манипулируя учетными ставками и курсом доллара, внешнеэкономические учреждения США могут оказывать значительное влияние на мировую финансовую и внешнеторговую конъюнктуру в интересах транснациональных банков и промышленных корпораций США.

Конгресс США имеет возможность оказывать существенное влияние на решение многих вопросов внешней политики. Конгресс может выделять или не выделять средства на запрашиваемые президентом внешнеполитические или военные программы, принимать различные законы, регулирующие внешнюю торговлю США, устанавливать в политических или экономических целях экспортные или импортные ограничения. Примером тому могут служить различные дискриминационные меры в отношении ввоза на американский рынок товаров социалистических стран или вывоза в эти страны наукоемкой продукции. Особая функция возложена на сенат, обладающий правом ратифицировать или отклонять ратификацию международных договоров, заключенных президентом.

Возрастающую роль играет также Исследовательская служба конгресса, которая предоставляет аналитические и информационные материалы, необходимые для обсуждения различных аспектов проблем в обеих палатах конгресса, их комитетах и подкомитетах.

В процессе принятия внешнеполитических решений нередко сказывается соперничество различных внешнеполитических ведомств, представляющих несовпадающие интересы отдельных государственных или монополистических группировок.

К формированию внешней политики неофициально подключены сотни исследовательских центров, предпринимательских организаций и филантропических фондов. Свои собственные службы внешних сношений имеют и ведущие транснациональные банки и корпорации.

Разведывательное сообщество

Разведывательное сообщество — принятое в США официальное наименование совокупности ведомств, занимающихся разведкой и контрразведкой. Основы структуры сообщества были заложены законом о национальной безопасности 1947 г. В настоящее время в него включают: Центральное разведывательное управление США, Агентство национальной безопасности, Национальное бюро аэрокосмической разведки, Разведывательное управление министерства обороны, разведслужбы сухопутных сил, ВМС, ВВС, Управление разведки и исследований государственного департамента, Федеральное бюро расследований, разведподразделения министерств финансов, торговли, энергетики. Бюджет разведывательного сообщества неуклонно растет, особенно быстро в последнее время: с 10 млрд дол. в 1977 г. до 26 млрд дол. в 1986 г.

Основные направления практической деятельности разведывательного сообщества определяются президентом страны и Советом национальной безопасности (СНБ). Они утверждают все важнейшие тайные операции, проводимые спецслужбами, иногда выступают их инициаторами, следят за их реализацией.

Для непосредственного руководства и координации работы основных звеньев огромной разведывательно-бюрократической машины создано несколько надведомственных и межведомственных органов, важнейший из которых — Центральная разведка. Директором Центральной разведки является директор Центрального разведывательного управления. Он считается главным советником президента и СНБ по всем вопросам разведдеятельности и подрывных акций за рубежом. В функции директора входит подготовка на основе директив СНБ конкретных указаний разведывательным органам, руководство разработкой сводной программы их деятельности за рубежом, составление в соответствии с ней проекта бюджета сообщества в целом и распределение средств между его различными ведомствами. Аппарат директора Центральной разведки готовит важнейшие обобщенные разведданные для президента («национальные разведывательные оценки»). Для выполнения своих функций директор Центральной разведки использует два возглавляемых им органа — Совет по внешней разведке и Совет по рассмотрению национальной программы внешней разведки, в состав которых входят руководители ряда министерств и разведведомств или их заместители.

Кроме указанных выше руководящих и координирующих органов, действующих в рамках разведывательного сообщества, наблюдением за работой разведведомств занимаются два совещательных органа, учрежденных президентом:

1. *Консультативный совет по вопросам разведывательной деятельности при Белом доме* создан Д. Эйзенхауэром, упразднён Дж. Картером и восстановлен Р. Рейганом. В функции совета входит оценка качества развединформации, рассмотрение деятельности по ее сбору и анализу. Подчиняется непосредственно президенту, представляет ему

отчеты со своими оценками, выводами и предложениями. Совет — гражданское учреждение; в его состав входят известные политические и государственные деятели, не занимающие в период выполнения функций членов совета других официальных постов.

2. *Совет по надзору за разведкой* состоит из трех человек, назначаемых президентом. Он не играет никакой практической роли. Его задача — воздействовать на общественность, создавая видимость беспристрастного наблюдения за деятельностью разведорганов и соблюдением ими законности.

Деятельность разведывательного сообщества направлена прежде всего против СССР, других социалистических стран, а также государств социалистической ориентации, против международного коммунистического, рабочего и национально-освободительного движения и общедемократических движений социального протеста.

Каждое из входящих в разведывательное сообщество ведомств имеет свои специфические задачи, но при существующей структуре происходит некоторое дублирование в их работе.

Центральное разведывательное управление (ЦРУ) — главное разведывательное ведомство США — создано в 1947 г. В его штаб-квартире в Лэнгли, близ Вашингтона, работает около 20 тыс. сотрудников. Бюджет составляет примерно 6 млрд дол. в год. ЦРУ имеет резидентуры по всему миру. В состав ЦРУ входят четыре основных подразделения: директорат, ведающий обработкой и анализом разведывательной информации; директорат по сбору разведсведений и тайным операциям; директорат, занимающийся разработкой научно-технических средств разведдеятельности; директорат по административно - хозяйственным вопросам. Основные функции ЦРУ — осуществление глобального шпионажа, проведение тайных подрывных акций, официально именуемых «специальными операциями», направленных против сил социализма, демократии и социального прогресса, на оказание помощи антинародным проамериканским режимам в деле подавления политической оппозиции. За 40 лет ведомство провело тысячи секретных операций против правительств, общественно-политических движений, отдельных политических и государственных деятелей. ЦРУ выступает в роли организатора и вдохновителя реакционных государственных переворотов (в Иране, Гватемале, Бразилии, Чили, на Сейшельских островах и др.). Для достижения своих целей ЦРУ неоднократно прибегало к политическим убийствам. Ряд операций ЦРУ проводит совместно с другими ведомствами разведывательного сообщества, а также министерством обороны и государственным департаментом, широко прибегая к методам «психологической войны» и идеологическим диверсиям.

ЦРУ сегодня выступает в качестве орудия проведения политики государственного терроризма и экспорта контрреволюции, претворения в жизнь вашингтонской доктрины «неоглобализма».

Агентство национальной безопасности (АНБ) создано в 1952 г. на основе секретной директивы президента Трумэна, входит в состав министерства обороны, но является в значительной степени автономным. АНБ снабжает разведданными все сообщество.

По размерам бюджета и численности сотрудников АНБ является крупнейшим ведомством в разведывательном сообществе. В нем занято примерно 120 тыс. гражданских специалистов и военнослужащих; бюджет — свыше 10 млрд дол. в год.

На АНБ возложено несколько задач: перехват телефонных разговоров, передач по радио и телексу сообщений иностранных государств;

перехват радиолокационных электронных сигналов связи; раскрытие кодов и шифров, используемых иностранными государствами; обеспечение безопасности секретных каналов связи правительства США. АНБ выполняет и ряд других разведывательных задач.

Штаб-квартира АНБ в Форт-Миде (штат Мэриленд) представляет собой огромный комплекс, оснащенный самым современным электронным оборудованием. Кроме того, агентство имеет около 2 тыс. «постов прослушивания», расположенных в различных местах земного шара, в т. ч. в Пуэрто-Рико, Японии, ФРГ, Великобритании, на острове Диего-Гарсия, а также специально оборудованные корабли, самолеты и спутники. Непрерывный поток исходных данных, поступающих в компьютеры Форт-Мида, обрабатывается и изучается криптоаналитиками и др. специалистами.

Национальное бюро аэрокосмической разведки создано в 1960 г. после провала операции с засылкой в воздушное пространство СССР разведывательного самолета У-2. Бюро формально входит в состав министерства ВВС, но фактически является самостоятельным ведомством, обслуживает разведывательное сообщество в целом. Его главная функция — сбор разведывательных данных с помощью спутников целевого назначения. На деятельность бюро ассигнуется свыше 8 млрд дол. в год.

Разведывательное управление министерства обороны (РУМО) создано в 1961 г. Координирует работу разведслужб родов войск; является аналитическим центром министерства обороны; ведет сбор и обобщение данных о военном потенциале иностранных государств, прежде всего социалистических; обеспечивает министерство обороны информацией, необходимой для разработки стратегических планов и проведения отдельных военных операций против суверенных государств (во-

оруженные акции против Ливана и Ливии, оккупация Гренады). РУМО также руководит деятельностью военных атташе США за рубежом, участвует в подготовке важнейших документов разведывательного сообщества, направляемых политическому руководству США.

Управление разведки и исследований государственного департамента. В своем настоящем виде существует с 1946 г. Непосредственно руководит работой американских посольств, консульств и представительств по сбору разносторонней открытой информации о зарубежных странах. Управление готовит обобщающие материалы по вопросам международных отношений, о внешней политике иностранных государств, их экономике, внутреннем положении. Сотрудничает с ЦРУ в подготовке подрывных операций за рубежом, принимает активное участие в разработке внешнеполитической стратегии США, в подготовке аналитических материалов для президента и СНБ.

Федеральное бюро расследований (ФБР) — ведет свое происхождение от созданного в 1908 г. в министерстве юстиции Бюро расследований. Свое нынешнее название получило в 1935 г. Главное следственно-сыскное ведомство США. В нем занято около 20 тыс. чел., в т. ч. более 9 тыс. специальных агентов. Годовой бюджет — 1,2 млрд дол. ФБР имеет 59 отделений в крупных городах, 516 местных отделений и 16 постов связи за рубежом.

Будучи одним из подразделений министерства юстиции, ФБР пользуется значительной самостоятельностью. Осуществляет уголовный розыск по делам, отнесенным к компетенции федерального правительства, слежку за иностранными гражданами на территории США и политический надзор за американцами. В ведении ФБР находится крупнейший в стране центр регистрации преступлений и преступников.

Наряду с этим в его компьютеры заложены сведения о взглядах, высказываниях, общественно-политической деятельности, круге знакомств и связях десятков миллионов граждан США. Особенно полные досье собираются на прогрессивно мыслящих американцев, участников движений социального протеста. В 50—60-е годы ФБР в период обострения внутриполитической обстановки в стране осуществляло так называемую «контрразведывательную программу», представлявшую собой систему мер, направленных на дезорганизацию левых сил, антивоенного, негритянского, студенческого и др. массовых демократических движений. В период с 1956 по 1971 г. было проведено свыше 2 тыс. операций, включавших слежку, засылку провокаторов, распространение фальшивок и др. акции, нацеленные на разобщение и подрыв прогрессивных организаций. Эта противозаконная деятельность велась с ведома Белого дома.

Ставшие известными в середине 70-х годов многочисленные факты противозаконной деятельности американских спецслужб, особенно ЦРУ и ФБР, вынудили администрации Дж. Форда и Дж. Картера предпринять шаги против «злоупотреблений» в их деятельности. Директивы президента Форда (февраль 1976 г.) и президента Картера (январь 1978 г.) ввели некоторые ограничения на слежку за американцами, запретили участие спецслужб в организации политических убийств, установили процедуру контроля над ними. Однако с конца 70-х и особенно с начала 80-х годов введенные ограничения были либо формально отменены, либо фактически сведены на нет. Директива президента Рейгана (декабрь 1981 г.) и ряд директив СНБ предоставили спецслужбам свободу рук в проведении подрывных и террористических операций, осуществлении надзора за гражданами США. Впер-

вые ЦРУ официально получило право на ведение слежки на территории США.

Контроль конгресса над деятельностью разведывательного сообщества носит в значительной мере формально-процедурный характер. При утверждении бюджета сообщества большинство законодателей не ставят в известность, на какие цели будут израсходованы выделяемые конгрессом средства. Вопреки установленному порядку ЦРУ зачастую не информирует предварительно соответствующие комитеты конгресса о проведении важных тайных операций (например, о минировании никарагуанских портов).

Разведывательное сообщество — одно из важнейших звеньев в механизме исполнительной власти. Из политических соображений роль Белого дома в тайных операциях тщательно скрывается. Секретная директива СНБ (июнь 1948 г.) сформулировала принцип так называемого «правдоподобного отрицания», в соответствии с которым любая секретная акция ЦРУ должна планироваться и проводиться таким образом, чтобы в случае ее разоблачения правительство США могло бы «убедительно» отречься от своей ответственности за нее. Однако подобные меры предосторожности нередко оказываются неэффективными, в результате чего факты тесного сотрудничества Белого дома и ЦРУ при проведении внешнеполитических акций, нарушающих основные положения международного права, получают широкую огласку.

Губернаторы штатов

Исполнительная власть в штатах осуществляется губернаторами, избираемыми в 46 штатах на четыре года, в четырех штатах — Арканзасе, Вермонте, Нью-Гэмпшире и Род-Айленде — на два года. С поправкой на масштабы деятельности полномочия губернатора штата во многом повторяют прерогативы главы исполнительной власти США. Подобно президенту губернатор рекомендует легислатуре законодательную программу, пользуется правом вето, готовит проект бюджета штата, осуществляет общее руководство деятельностью исполнительных органов, пользуется правом созыва чрезвычайных сессий законодательного собрания и правом помилования лиц, осужденных за преступления по законам штата, является лидером своей партии в масштабах штата и главнокомандующим формированиями национальной гвардии штата. Губернатор представляет свой штат в отношениях с федеральным правительством и правительствами других штатов.

Если президент США назначает членов кабинета, то губернатор, как правило, имеет дело с руководителями исполнительных органов, которые избираются вместе с ним. К ним относятся государственный секретарь штата, генеральный атторней штата, казначей, уполномоченный по делам просвещения и др. высшие должностные лица.

В отличие от президента, который может наложить вето только на законопроект в целом, губернаторы большинства штатов пользуются правом выборочного вето, которое используется против отдельных статей законопроектов. Это право обеспечивает губернаторам большое влияние на распределение бюджетных средств.

Местное самоуправление

На заре американского государства, когда США были по преимуществу аграрной страной с преобладанием сельского населения, складывалось местное самоуправление. Для управления делами небольших поселков колонисты использовали известные им традиционные формы, вывезенные из Англии. Эти архаичные и чрезвычайно разнообразные формы организации местных органов власти сохранились до наших дней.

Местные органы создаются на основе законодательства штата и обладают правами, определенными этим законодательством. В то же время местной власти предоставляется право осуществлять свои определенные законом функции без формального контроля со стороны органов штата, на основе самоуправления. Бюджет местных органов складывается из местных налогов и целевых ассигнований штатов и федерального правительства.

Наиболее распространенной административной единицей, где выбираются органы самоуправления, является округ, традиционно называемый графством (в штате Луизиана — приходом). Обычно население избирает совет графства, а также ряд должностных лиц (казначея, шерифа, сборщика налогов и др.). Совет графства контролирует состояние местных дорог, содержание мест заключения, больниц и мест для отдыха. Под контролем штата графство несет ответственность за организацию выборов, переписей населения, сбор и обработку статистических данных по своей территории. Параллельно с советом графства могут действовать различные целевые комиссии (по вопросам здравоохранения, общественных сооружений и т. п.). Как правило, эти административные органы действуют независимо друг от друга и от совета, создавая организационную неразбериху.

В большинстве штатов города, находящиеся на территории графства, имеют собственные, независимые от графства органы самоуправления. Они еще более разнообразны по форме, чем аналогичные органы в графствах. В одних случаях избираются мэр и совет, члены которого становятся главами департаментов городского управления; в других — избирается муниципальная комиссия, которая может назначить мэра с ограниченными правами. Получила распространение и такая форма муниципального управления, при которой избранный населением совет нанимает управляющего для квалифицированного руководства городским хозяйством.

Особо сложная структура местного самоуправления существует в городских агломерациях, состоящих из города и тяготеющих к нему в социально-экономическом отношении близлежащих населенных пунктов. В пределах одной городской агломерации может действовать до 300—400 административно-политических подразделений, что в значительной мере затрудняет координацию их деятельности.

Одна из форм местного самоуправления организуется в пределах специальных округов, не совпадающих с границами графств, городов и других административных единиц. Специальные округа создаются в тех случаях, когда местные власти не обеспечивают административный надзор в той или иной области, представляющей интерес для населения. Типичной разновидностью специальных округов являются школьные округа, но специальные округа могут создаваться и в таких, например, целях, как борьба с москитами, освещение улиц и т. п. Население при этом избирает небольшой совет директоров, уполномоченный набирать необходимых специалистов.

СУДЕБНАЯ ВЛАСТЬ

Характерной особенностью судоустройства в США является отсутствие единой, общенациональной судебной системы; существуют организационно обособленные, параллельные судебные системы в каждом из штатов и федеральная судебная система.

Согласно статье III конституции, судебная власть Соединенных Штатов предоставляется Верховному суду США и нижестоящим федеральным судам, учреждаемым конгрессом. В силу X поправки к конституции каждый штат имеет право создавать собственные судебные органы. Федеральным судам, действующим на всей территории страны, подсудны дела, отнесенные к их компетенции конституцией США и федеральным законодательством. Судам каждого штата подсудны дела, отнесенные к их компетенции конституцией и законодательством соответствующего штата. Суды штатов организационно не связаны с федеральными судами: ни Верховный суд США, ни другие федеральные судебные органы никакого административного контроля над судами штатов не осуществляют.

Судоустройство на федеральном уровне

Федеральную судебную систему образуют четыре группы судов — окружные, специальные, апелляционные и специальные апелляционные — во главе с Верховным судом США.

Окружные суды США — федеральные суды общей юрисдикции; они по первой инстанции рассматривают все дела, основанные на федеральном законодательстве, кроме тех, которые отнесены к компетенции специальных федеральных судов. Каждый окружной суд США действует в пределах федерального судебного округа. Для обеспечения равномерности нагрузки этих судов территория страны разбита на округа с учетом населенности штатов; так, в густонаселенном штате может быть от двух до четырех округов, в малонаселенном — один. Всего в США 94 таких округа (1987). К окружным судам США приравнены и так называемые территориальные суды, учрежденные в Пуэрто-Рико, на острове Гуам, Виргинских и Марианских островах. Этим судам подсудны не только дела федеральной юрисдикции, но и дела, возникающие на основе местных нормативных актов.

Специальные суды первой инстанции — претензионный суд США (рассматривает денежно-имущественные претензии граждан к правительству США), суд США по делам внешней торговли (рассматривает споры, возникшие на основе федеральных законов об импортных торговых операциях и таможенных правил), налоговый суд США (разрешает конфликты, возникающие в связи с решениями федеральных налоговых ведомств).

К *специальным апелляционным судам* относятся апелляционный суд США по федеральному округу (рассматривает жалобы на решения претензионного суда, суда по делам внешней торговли и на решения некоторых федеральных административных ведомств) и временный чрезвычайный апелляционный суд (рассматривает жалобы на решения окружных судов США по делам, связанным с применением правовых актов о стабилизации экономики); решения этих двух судов обжалуются в Верховный суд.

Апелляционные жалобы по делам, рассмотренным в окружных судах США и налоговом суде США, а также жалобы на решения федеральных административных ведомств подаются в *апелляционные суды США;* они представляют собой промежуточную апелляционную инстанцию между федеральными судами первой инстанции и Верховным судом. Каждый апелляционный суд США действует в пределах апелляционного округа; эти округа создаются на региональной основе с учетом населенности штатов. Всего в США 12 таких округов (1987).

Возглавляет федеральную судебную систему *Верховный суд США* — высший орган в федеральной судебной иерархии, конечная апелляционная инстанция. В качестве суда первой инстанции он рассматривает узкую категорию дел — дела послов и иных официальных представителей иностранных государств, а также споры, в которых стороной выступает штат. Состав, структура и порядок работы Верховного суда не были определены конституцией США, ограничивающейся лишь упоминанием «Главного судьи» (председателя Верховного суда) и закрепляющей за президентом право «по совету и с согласия» сената назначать «судей Верховного суда».

Численность Верховного суда — девять человек (включая председателя) — была установлена конгрессом в 1869 г. Численный состав других федеральных судов устанавливается конгрессом в зависимости от объема работы конкретного суда, характера компетенции, населенности подведомственной территории и т. п. Члены федеральных судов назначаются президентом «по совету и с согласия» сената и остаются в должности, как говорится в конституции, пока они «ведут себя безупречно», т. е. практически пожизненно. Смещение федерального судьи с его должности возможно только в порядке импичмента.

Юрисдикция всех федеральных судов имеет ограниченный характер в том смысле, что эти суды принимают к производству дела, основанные лишь на федеральных законах, т. е. актах конгресса. Федеральным судам подсуден относительно узкий (по сравнению с судами штатов) круг дел. В уголовно-правовой сфере к ним относятся все «преступления против Соединенных Штатов», т. е. преследуемые по нормам федерального уголовного законодательства; и хотя в эту категорию входят многие тяжкие преступления (государственная измена, шпионаж, ограбление банка, похищение человека, угон самолета и т. п.), их удельный вес в общем объеме уголовно наказуемых деяний невысок; 99% всех уголовных дел в стране рассматриваются судами штатов. В гражданско-правовой сфере к исключительной юрисдикции федеральных судов относятся, например, иски, связанные с применением законов о судоходстве, о банкротстве, иски против правительства США или иски, в которых стороной выступает штат или иностранный дипломат, споры по поводу авторского и патентного права. По большинству гражданских дел, в которых сторонами выступают граждане различных штатов, юрисдикция федеральных судов и юрисдикция судов штатов имеет совпадающий характер, т. е. исковое производство по выбору сторон может быть возбуждено либо в окружном суде США, либо в суде того штата, на территории которого заседает данный федеральный окружной суд. Законом установлено, что федеральный суд принимает к производству только такие дела, по которым сумма исковых требований превышает 10 тыс. дол.; дела с меньшей суммой подлежат рассмотрению в судах штатов. Однако по обоюдному согласию стороны могут передать дело (даже с суммой исковых требований, превышающей 10 тыс. дол.) на рассмотрение суда штата.

Важнейшей особенностью судебной деятельности в США является право суда осуществлять конституционный надзор, т. е. надзор за соответствием актов законодательных или исполнительных органов положениям конституции.

В США существует автономная система военных судов. Им подсудны чисто воинские преступления, а также все иные уголовные правонарушения, совершенные военнослужащими во время прохождения ими действительной военной службы и исключительно при исполнении служебных обязанностей.

По первой инстанции дела военнослужащих рассматриваются дисциплинарными военными судами (дела о проступках и малозначительных преступлениях), специальными военными судами (преступления и проступки, за которые может быть назначено наказание в виде лишения свободы на срок до шести месяцев с обязательным привлечением к труду, полного разжалования или увольнения из вооруженных сил) и общими военными судами (все серьезные преступления, караемые лишением свободы или смертной казнью). Решения этих судов первой инстанции обжалуются в суды военного надзора, образуемые по одному на каждый вид вооруженных сил (армия, ВВС и ВМС). Конечной апелляционной инстанцией по делам военнослужащих является военно-апелляционный суд. Лишь в тех случаях, когда были грубо нарушены конституционные права военнослужащего и его дело поэтому представляет конституционный вопрос, Верховный суд США может принять такое дело к своему производству в качестве высшей апелляционной инстанции.

Судоустройство в штатах

Каждый штат в пределах своих границ может учреждать судебные органы, какие сочтет нужными, поэтому судоустройство в штатах различное. Однако существуют типичные черты судоустройства, общие для всех штатов. Так, в штатах имеется три группы судов: ограниченной и специальной юрисдикции, общей юрисдикции, апелляционной юрисдикции. Первые две группы — местные суды первой инстанции, рассматривающие дела по существу. Третья группа объединяет промежуточные апелляционные суды и верховные суды штатов.

Низшее звено судебной системы штата — местные суды ограниченной и специальной юрисдикции. Названия судов ограниченной юрисдикции самые различные — «мировые», «полицейские», «муниципальные». Объединяет их то, что они рассматривают гражданские дела по исковым требованиям, сумма которых невелика, и малозначительные уголовные дела. Производство в этих судах не протоколируется; их решения обжалуются в суд общей юрисдикции, который пересматривает дело заново и в полном объеме. К компетенции каждого из судов специальной юрисдикции отнесена конкретная категория дел. Существуют, например, суды по делам несовершеннолетних, суды по делам о семейных отношениях, суды по делам о завещаниях, суды по делам о нарушениях безопасности движения и др.

Местные суды общей юрисдикции также имеют различные наименования, например «высшие» или «окружные» суды. Это суды первой инстанции, рассматривающие дела по существу; они принимают к производству более сложные гражданские и уголовные дела по сравнению с теми, которые подсудны местным судам ограниченной юрисдикции, и заново рассматривают те дела, по которым решения этих судов были обжалованы.

Решения судов общей юрисдикции обжалуются в верховный суд штата либо в промежуточный апелляционный суд (в тех штатах, где они существуют). Это суды исключительно апелляционной юрисдикции. В тех штатах, где существует промежуточный апелляционный суд, жалобы на его решения принимаются верховным судом штата только по его усмотрению, при наличии серьезных оснований для пересмотра. Там, где нет промежуточной апелляционной инстанции, жалобы на решения судов общей юрисдикции подаются непосредственно в верховный суд штата, который по всем категориям дел является, по общему правилу, последней инстанцией. Однако если в деле, рассмотренном верховным судом штата, затрагиваются вопросы толкования конституции США, то решение по нему может быть обжаловано (как содержащее «федеральный вопрос») в федеральных судах.

В общем объеме американского права законодательство штатов охватывает более широкий по сравнению с федеральным законодательством круг вопросов. В области гражданско-правовых отношений суды отдельного штата рассматривают иски, основанные на законах как данного штата, так и др. штатов, а также некоторые категории исков, основанных на федеральных законах. Подавляющее большинство преступлений, совершаемых в стране, преследуется по уголовным законам штатов, и потому основной объем работы по рассмотрению уголовных дел ложится на местные суды в штатах.

В большинстве штатов должность судьи — выборная. Судьи избираются населением по партийным спискам.

ЛОББИЗМ

Лоббизм (от англ. lobby — кулуары) — специфический институт политической системы США, мощный механизм воздействия частных и общественных организаций («групп давления») на процесс принятия решений органами государственной власти по вопросам внутренней и внешней политики. Цели лоббизма состоят в том, чтобы добиваться от конгресса, Белого дома, министерств и ведомств, законодательных собраний и исполнительных органов штатов одобрения или отклонения тех или иных законодательных или административных актов.

Для реализации этих целей существует развитая материальная структура. Во-первых, практически все крупные корпорации, предпринимательские союзы, профессиональные ассоциации, общественные и различные специализированные организации, профсоюзы имеют в своем составе особые, занимающиеся только лоббистской деятельностью подразделения, насчитывающие (в зависимости от мощи организации) до нескольких десятков и даже сотен человек. Такое подразделение, если оно находится в столице США, часто именуется «вашингтонским представительством», а его руководитель считается главным лоббистом организации (подобные представительства имеются и в столицах штатов). Во-вторых, заинтересованные группы, особенно монополии, активно пользуются услугами наемных лоббистов, в роли которых чаще всего выступают влиятельные юридические, пропагандистские и консультативные (профессионально-лоббистские) фирмы или их ведущие сотрудники. Наконец, нередко создаются организации типа предпринимательских, профессиональных или общественных по членству и другим признакам, но целиком или преимущественно лоббистские по назначению.

Лоббисты могут отличаться друг от друга профессиональной принадлежностью (хотя в процентном отношении больше юристов), опытом практической работы и т. п., но наиболее преуспевающие из них обладают, как правило, солидным стажем работы в органах государственной власти. Среди лоббистов немало бывших советников Белого дома, министров, сенаторов, членов палаты представителей, еще больше руководителей министерских отделов и управлений, но особенно много чиновников из аппарата конгресса (в столицах штатов соответственно лоббистской деятельностью занимаются многие бывшие члены и служащие законодательных собраний, руководители и чиновники исполнительных органов штатов). Прежний опыт таких лоббистов оказывается неоценимым в их новой деятельности, поскольку они хорошо знакомы с процедурными тонкостями выработки и принятия решений, сохранили старые связи с теми, кто продолжает находиться на государственной службе. Уйдя в частный сектор, они работают в той же области, что и раньше, но уже не как государственные служащие и должностные лица, а как представители определенной заинтересованной группы. Такие люди высоко ценятся, к их услугам особенно охотно обращаются монополии.

Для достижения своих целей лоббисты и представляемые ими организации используют различные средства и методы: выступают на слушаниях в комитетах конгресса с изложением позиций заинтересованных сторон, предоставляют информацию по обсуждаемому вопросу с акцентом на ожидаемых последствиях принятого или отклоненного законопроекта, составляют и предлагают для внесения проекты законов, организуют пропагандистские кампании в пользу или против готовящегося решения и кампании «давления с мест» (потоки писем, телеграмм, телефонных звонков в адрес законодателей, личные визиты влиятельных местных избирателей к своим депутатам), финансируют избирательные кампании кандидатов в конгресс, предоставляют возможность нужным конгрессменам выступить с публичной лекцией и получить взамен щедрый гонорар, устраивают для должностных лиц органов государственной власти различного рода развлечения за счет заинтересованной организации, наконец, прибегают к прямому подкупу этих лиц.

Официальные требования к лоббистской деятельности состоят в том, что, согласно принятому в 1946 г. федеральному закону о регулировании лоббизма, лица или организации, выступающие в роли лоббистов, обязаны регистрироваться у клерка палаты представителей и секретаря сената и представлять им сведения о том, на кого они работают, каковы цели их клиентов и расходы на лоббистские мероприятия. Поскольку в этом законе есть лазейки, позволяющие уклоняться от регистрации, его не раз безуспешно пытались изменить или заменить новым.

Причина существования лоббизма кроется в регламентирующей деятельности буржуазного государства. Чем активнее его вмешательство в социально-экономические процессы, что особенно характерно для стадии государственно-монополистического капитализма, тем сильнее стремление различных групп общества воздействовать на поведение государства в свою пользу, т. е. тем больше испытывают они потребность в лоббизме. В настоящее время по сотням законопроектов, которые ежегодно рассматривает американский конгресс, постоянно и активно лоббируют сотни самых разных по составу, назначению, классовым и иным признакам неправительственных организаций. Только в Вашингтоне насчитывается около 15 тыс. лоббистов (причем это лишь конечные исполнители, на которых работают тысячи различных специалистов и функционеров), а на лоббизм здесь ежегодно расходуется около 1 млрд дол. и столько же — на обработку общественного мнения в пользу лоббистских мероприятий.

Классовая сущность лоббизма состоит в том, что, будучи институтом буржуазной демократии, он никогда не выходит из-под контроля буржуазной политической машины и, следовательно, никогда не обеспечивает превращение формально равных прав всех и любых организаций участвовать в лоббистской деятельности в фактическое равенство результатов. Лоббизм практикуют не только монополии, но и различные другие организации, в т. ч. прогрессивные, однако по любым показателям лоббистской деятельности господствующее положение занимает большой бизнес. Монополии используют лоббизм в конкурентной борьбе за выгодные правительственные заказы, за влияние в органах государственной власти, за перераспределение бюджета, в классовой борьбе против профсоюзов, а также против тех мероприятий буржуазного государства, которые не совпадают с интересами отдельных монополий, но которые в условиях обострения внутренних противоречий капитализма оно вынуждено проводить в интересах всего господствующего класса. Результативность лоббизма большого бизнеса несравненно выше, чем у других социальных групп, что объясняется широкими возможностями монополий, в том числе и финансовыми, влиять на органы государственной власти.

Своеобразной разновидностью лоббистской деятельности является иностранный лоббизм, суть которого заключается в том, что зарубежным правительствам и частным организациям официально разрешено при соблюдении соответствующих законов воздействовать недипломатическими методами на органы государственной власти США с целью добиться от них тех или иных решений. В роли лоббистов (или, как их в данном случае еще называют, «иностранных агентов») чаще всего выступают наиболее влиятельные американские юридические, пропагандистские и профессионально-лоббистские фирмы или их ведущие сотрудники. Современный иностранный лоббизм вошел в практику вскоре после окончания второй мировой войны, а его правовое признание фактически состоялось в 1966 г., когда конгресс одобрил соответствующие поправки к принятому еще в 1938 г. закону о регистрации иностранных агентов. Закон требует, чтобы лица и организации (как американские, так и иностранные), недипломатическим путем работающие в пользу иностранных нанимателей (правительств или частных организаций) и получающие от них за это плату, регистрировались в министерстве юстиции в качестве иностранных агентов и представляли туда отчеты о своей деятельности. Кроме того, если лоббист, работающий в пользу иностранного нанимателя, намерен воздействовать именно на конгресс, а не на органы исполнительной власти, он обязан регистрироваться, согласно федеральному закону о регулировании лоббизма 1946 г., и в конгрессе, и в министерстве юстиции. В настоящее время сотни правительственных и частных организаций из десятков стран обращаются за услугами к американским лоббистам. В общем объеме лоббистской деятельности наиболее типичным и доминирующим является представительство их конкретных торгово-экономических интересов. Вместе с тем иностранный лоббизм используется для выбивания американской военной, экономической и политической помощи реакционным режимам и изгнанным из своих стран различного рода контрреволюционным группировкам.

ПРАВОВАЯ СИСТЕМА

Правовая система США формировалась под воздействием английских правовых традиций и исторически является производной от английской правовой системы. В процессе эволюции американской системы в заимствованных из Англии правовых институтах происходили изменения, появлялись новые правовые институты, отличающие американское право от английского. Специфика американской правовой системы обусловлена федеральным устройством государства, наличием конституции США и конституций штатов, особенностями политического и социально-экономического развития США.

Источники права

Американская правовая система коренится в английской системе *общего (прецедентного) права,* т. е. права, создаваемого судами. Его основополагающим принципом является принцип следования судебному прецеденту — при разбирательстве дела суд должен следовать ранее установленным судебным решениям по аналогичным делам. Однако в США принцип следования прецеденту не считается судами абсолютным и судебная практика идет по пути гибкого применения этого принципа, приспосабливаясь на каждом историческом этапе развития страны к политическим и социально-экономическим потребностям правящих кругов США.

Свод норм, создаваемых судебными прецедентами, дополняется и развивается законодательством. Конгресс и законодательные органы штатов принимают нормативные акты по самому широкому кругу социально-экономических и политических вопросов. Правовые нормы, устанавливаемые законодательными органами, образуют *статутное право,* являющееся очень важным компонентом американского права. Тем не менее толкование законов и правил их применения определяется нормами общего права.

Большую и постоянно возрастающую роль в американском праве играет *административное нормотворчество* органов исполнительной власти, осуществляемое на основе полномочий, делегируемых им законодательными органами. Административные акты — приказы, правила, директивы, инструкции,— цель которых конкретизировать, детализировать законы, часто подменяют их, поскольку фактически имеют равную юридическую силу.

Обычай сыграл большую роль в становлении и развитии правовой системы США. Его влияние особенно заметно в сфере функционирования институтов государственной власти. Многие из них созданы и действуют не на основе норм общего или статутного права, а в силу сложившейся политической практики. Такие важные государственно-политические институты, как кабинет министров, постоянные комитеты палат конгресса, политические партии, не предусмотрены конституцией и не созданы законодательным путем.

Немаловажное место в американской правовой системе занимают некоторые институты *права справедливости*. Оно появилось в Англии как дополнение к общему праву — когда для разрешения спора не находилось необходимой нормы, можно было обращаться в особые «суды справедливости», облекавшие свои решения в форму приказов. В США такие суды существовали в отдельных штатах. По мере развития правовых систем штатов право справедливости утратило самостоятельное значение. Судебные же приказы, запрещающие или предписывающие какое-либо действие, сохранились и являются одной из важных форм реализации властных полномочий суда, судебного нормотворчества.

Таким образом, основными источниками американского права являются судебный прецедент, законодательство, административные нормы, обычай и право справедливости.

Принцип федерализма в правовой системе

Несмотря на общность источников права, общенациональной правовой системы в США нет: существует 50 правовых систем штатов и отдельно — федеральная правовая система.

Вместе с тем конституция США содержит положения, позволяющие до некоторой степени унифицировать законодательство и судебную практику штатов. В статье IV указывается, что в каждом штате должны оказывать «полное доверие и уважение» нормативным актам и судебным решениям всякого другого штата. Тем самым закреплен принцип взаимности в применении нормативных актов одного штата государственными органами другого. Причем этот принцип действует и «по вертикали»: федеральные суды также обязаны оказывать доверие и уважение нормативным актам и судебным решениям, принятым в штатах.

В принципе конгресс США располагает широкими возможностями унификации правовых систем штатов. В направлении унификации права действуют и другие организации — Американский институт права, Институт организации правосудия, Американская ассоциация юристов. Однако многие предлагаемые реформы в деле выработки единообразных норм для всех штатов наталкиваются на сопротивление местных и региональных политических группировок буржуазии, пытающихся оградить свои политические и экономические интересы. В результате в стране в целом наблюдается местнический подход к правоприменению и охране правопорядка.

Соотношение федерального права и правовых норм штатов определяется статьей VI конституции, установившей принцип верховенства федерального права (конституции, федеральных законов и международных договоров США) по отношению к нормативным актам штатов. Этот принцип предполагает, что все правовые установления штатов не должны противоречить федеральным нормам. В случае противоречия закона или конституции штата законам или конституции США судьи в штатах обязаны руководствоваться последними. Тем самым конституция США установила равнение правовых норм штатов на нормативные акты федерации.

Споры по поводу соответствия правовых норм штатов федеральным законам и конституции США разрешаются в судебном порядке, и соответствующие решения обжалуются вплоть до Верховного суда США как высшего органа конституционного надзора. Сами толкования законов и конституции в решениях Верховного суда являются частью федерального права и имеют обязательную силу для всех судов и иных государственных учреждений страны.

Отрасли права

Среди отраслей американского права центральное место занимают те, которые имеют отношение к правовому регулированию собственнических отношений и частного предпринимательства: договорное; торговое; финансовое; налоговое; авторское и патентное; деликтное право (гражданские правонарушения); право, регулирующее статус и деятельность корпораций; право, регулирующее порядок наследования и распоряжения собственностью; антитрестовское законодательство. Важное значение имеют такие отрасли права, как конституционное, международное, административное, трудовое, семейное, уголовное и уголовно-процессуальное, доказательственное, исправительное, гражданско-процессуальное, военное. Обострение социально-экономических проблем США повлекло за собой выделение и обособление в отрасли права сводов норм, касающихся правовых проблем неимущих, взаимоотношений домовладельцев и съемщиков жилой площади, правового статуса женщин, расово-этнических меньшинств, индейцев, прав потребителей.

Адвокатура

Громоздкость, сложность, казуистичность и неопределенность американского права, необходимость ориентироваться в огромной массе меняющихся судебных прецедентов предопределили особое положение и влиятельную роль в американском обществе практикующих юристов. Довольно распространенной в США является адвокатская профессия. Как вид частнопредпринима-

тельской деятельности она считается престижной и доходной. В середине 80-х годов в стране насчитывалось более 600 тыс. адвокатов. Для получения патента на занятие адвокатской практикой претенденту необходимо иметь диплом юриста и сдать экзамены для допуска в адвокатуру того штата, где он собирается практиковать. В большинстве штатов необходимым условием занятия адвокатской практикой является членство в ассоциации адвокатов штата. На общенациональном уровне адвокаты, юристы государственных учреждений, юристы-ученые объединены в добровольную профессиональную организацию — Американскую ассоциацию юристов (325 тыс. членов по состоянию на 1987 г.).

Несмотря на большое число юристов в США, доступность квалифицированной юридической помощи широким слоям населения остается одной из острых социальных проблем. Ставки адвокатских гонораров очень высоки. Наиболее опытные и профессионально подготовленные адвокаты предпочитают работать в юридических фирмах, обслуживающих корпорации, и не занимаются предоставлением услуг населению. К концу 60-х годов в стране под давлением общественности были приняты финансируемые государством программы юридической помощи малоимущим и беднякам на бесплатной или льготной основе. В 80-е годы правительство в рамках общей политики сокращения государственных расходов на социальные нужды взяло курс на свертывание программ бесплатной юридической помощи населению.

Правоприменяющие учреждения

Функция правоприменения в США возложена на государственные органы с соответствующими полномочиями в сфере правосудия и исполнения закона: суды, полицию, органы расследования, шерифские ведомства и ведомства государственного обвинения (атторнейские службы). В силу федерального устройства США система органов исполнения закона децентрализована: в большинстве штатов местные правоприменяющие учреждения не подчинены соответствующим учреждениям на уровне штата, а те в свою очередь независимы от федерального правительства и его правоприменяющих учреждений.

На федеральном уровне главным должностным лицом в сфере правоприменения считается генеральный атторней. Он возглавляет министерство юстиции США и руководит федеральными обвинителями в судебных округах — атторнеями США.

В составе федеральных министерств и ведомств действуют следственные органы — Федеральное бюро расследований, Администрация по контролю за применением законов о наркотиках и Служба иммиграции и натурализации в министерстве юстиции; следственными полномочиями наделены Секретная служба и Служба внутренних доходов (министерство финансов), а также другие подразделения федеральных учреждений.

На уровне штата действует несколько правоприменяющих учреждений. Главным должностным лицом в сфере правоприменения называют генерального атторнея штата; в большинстве штатов он лишь консультирует правительство штата и представляет его в судах; он не надзирает за полицией и не руководит местными обвинителями. Полиция штатного подчинения, как правило, занимается только обеспе-

чением безопасности движения, а компетенция следственных органов правительств штатов ограничена отдельными, конкретными правонарушениями, в частности делами о коррупции должностных лиц штата.

Основной объем работы по поддержанию общественного порядка, расследованию преступлений и организации уголовного преследования выполняется местными правоприменяющими учреждениями. Уголовное преследование осуществляется ведомствами государственного обвинения — службами окружных атторнеев в городах и графствах. Охрана общественного порядка и расследование преступлений возложены на полицейские управления в городах и шерифские управления в графствах. Всего в стране более 12 тыс. местных полицейских формирований. Федеральной полиции как органа охраны общественного порядка в США не существует.

Ни ведомства государственного обвинения, ни полиция, ни шерифские управления формально не связаны организационно. Окружные атторнеи, шерифы, а нередко и начальники полиции являются выборными должностными лицами, не имеющими над собой административного руководства; правовая система США не знает института прокурорского надзора за деятельностью органов расследования. В результате в сфере правоприменения наблюдается административная раздробленность. Стандарты обеспечения законности варьируются от штата к штату, от графства к графству в зависимости от местных влияний и состояния политического микроклимата в конкретном районе.

ИЗБИРАТЕЛЬНАЯ СИСТЕМА

Общие принципы

Конституция США содержит общие положения, касающиеся избирательного права.

Избранию подлежат президент и вице-президент США, обе палаты конгресса страны, органы власти в штатах, включая губернаторов, вице-губернаторов и членов законодательных собраний, советы графств, муниципальные советы, советы специальных округов и должностные лица органов штатов и на местном уровне, в т. ч. судьи, окружные атторнеи и представители правоприменяющих органов (шерифы, полицейские медицинские эксперты — коронеры и др.).

В США действует мажоритарная система относительного большинства, в соответствии с которой избранным считается тот, кто набрал больше голосов избирателей, чем каждый из его конкурентов в отдельности, даже если полученное им большинство не составило и 50% поданных голосов.

Основными законодательными актами, имеющими прямое или косвенное отношение к правовому регулированию выборов США, являются законы о гражданских правах 1957, 1960, 1964 и 1968 гг. и законы об избирательных правах 1965, 1970 и 1975 гг., а также XII, XV, XVII, XIX, XXIII, XXIV и XXVI поправки к конституции США, с принятием которых были расширены и гарантированы права черных, практически отменен ценз грамотности, резко сокращен ценз оседлости на федеральных выборах, понижен возрастной ценз.

Избирательным правом обладают граждане США обоего пола, достигшие 18-летнего возраста к дате регистрации избирателей и проживающие в конкретном штате или на территории конкретного избирательного участка в течение определенного времени (для президентских выборов — 30 дней, для всех других выборов, в зависимости от законов соответствующего штата,— от трех месяцев до года).

На день промежуточных выборов в конгресс США в ноябре 1986 г. в стране насчитывалось 180 млн зарегистрированных избирателей.

Проведение выборов на всех уровнях, включая федеральный, регулируется законами штатов при условии соблюдения национальных законодательных актов, касающихся борьбы с коррупцией, и обеспечения возможности присутствия на избирательных участках представителей федеральных органов власти с целью предотвращения злоупотреблений.

Президентские выборы

В соответствии с полномочиями, предусмотренными конституцией, конгресс США определил единый для всех штатов день выборов президента и вице-президента страны — первый вторник после первого понедельника ноября каждого високосного года, т. е. с периодичностью в четыре года.

Президентом США может быть избран гражданин Соединенных Штатов, родившийся в этой стране, проживший в ней не менее 14 лет и достигший к моменту избрания 35-летнего возраста. Те же требования предъявляются и к лицу, избираемому на пост вице-президента США. Конституция США не предусматривает высшего возрастного предела для лиц, избираемых на посты президента и вице-президента страны.

Президентским выборам в США предшествуют не предусмотренные конституцией *первичные выборы — праймериз,* проводимые более чем в 30 штатах с целью демонстрации относительной популярности кандидатов на пост президента и избрания делегатов на созываемые обычно в июле — августе года президентских выборов национальные съезды партий. Законодательством ряда штатов от избираемых таким образом делегатов съезда из числа видных политических и общественных деятелей, а также активистов партии требуется, чтобы они проголосовали на съезде за наиболее популярного в штате кандидата на пост президента (так называемого «любимого сына», как правило сенатора или конгрессмена от этого штата) лишь в первом туре голосования, после чего им предоставляется свобода выбора любого кандидата своей партии. Делегаты некоторых других штатов обязаны голосовать за кандидата, предпочитаемого большинством избирателей данного штата. Законодательство отдельных штатов не обязывает делегатов съезда голосовать за конкретного кандидата партии. Первичные выборы позволяют определить неофициальным путем круг кандидатов, пользующихся наибольшей популярностью у избирателей и, следовательно, являющихся наиболее перспективными кандидатами на пост президента США. Поскольку те штаты, в которых проводятся выборы, самые густонаселенные в стране, три четверти всех делегатов партийных съездов избираются в ходе таких выборов.

Правом выдвинуть свою кандидатуру пользуются кандидаты любой политической партии, набравшей в ходе первичных выборов требуемое законами каждого штата, где она выставляет своих кандидатов, количество подписей под своим избирательным списком. Однако возможность избрания на ответственные федеральные посты кандидата какой-либо партии, кроме Республиканской или Демократической, можно считать практически исключенной.

После завершения периода проведения первичных выборов, продолжающегося обычно с февраля по июнь года президентских выборов, созываются *национальные партийные съезды*, официально выдвигающие кандидата соответствующей партии на пост президента США и утверждающие предложенную им кандидатуру на пост вице-президента. В случае отсутствия у кандидата в президенты конкретного предложения кандидатуру на пост вице-президента выдвигает съезд. Решения национальных съездов партий принимаются открытым голосованием поштатно простым большинством голосов. Если ни один из претендентов на пост президента США не получает большинства голосов делегатов съезда, голосование проходит в несколько туров до победы одного из претендентов. Выдвинутые таким образом официальные кандидаты каждой из политических партий на посты президента и вице-президента США вступают в предвыборную борьбу.

Выборы президента и вице-президента являются косвенными: в день выборов американские избиратели голосуют не за президента и вице-президента, а за членов *коллегии выборщиков*. Кандидаты в члены коллегии выборщиков выдвигаются единым списком комитетами политических партий каждого из 50 штатов и округа Колумбия до дня президентских выборов. Комитет каждой из участвующих в выборах партий может выдвинуть в своем штате такое количество выборщиков, которое будет равно числу сенаторов и членов палаты представителей конгресса США, избранных от данного штата. Согласно XXIII поправки к конституции (1961), федеральный округ Колумбия, не имеющий своих представителей ни в одной из палат конгресса, имеет право избрать трех выборщиков. Таким образом, общее число членов коллегии выборщиков составляет 538 человек. В отличие от делегатов партийных съездов члены коллегии выборщиков не избираются из числа членов конгресса США или лиц, находящихся на государственной службе.

В день президентских выборов в соответствии с порядком голосования, предусматриваемым законами и традициями каждого из штатов, предварительно зарегистрировавшиеся избиратели данного штата голосуют по месту жительства за членов коллегии выборщиков от той или иной политической партии. В ряде штатов США в списках для голосования могут фигурировать фамилии не выборщиков, а кандидатов на пост президента и вице-президента от конкретной партии. Процедура голосования предусматривает возможность использования как избирательных бюллетеней, так и избирательных машин, в зависимости от степени технического оснащения конкретного избирательного участка.

Хотя, как правило, уже на следующий день после президентских выборов становятся известными имена победителей и они считаются избранными на посты президента и вице-президента США, косвенная система выборов этих должностных лиц предусматривает, что в первый понедельник после второй среды декабря того же года избранные месяцем раньше выборщики собираются соответственно в столицах своих штатов или в других специально определенных законодательными собраниями этих штатов городах и отдают свои голоса персонально за кандидата в президенты и кандидата в вице-президенты, получивших наибольшее число голосов рядовых избирателей в их штатах. Коллегия выборщиков никогда не собирается вместе в полном составе, члены ее голосуют в 51 коллегии по месту их пребывания.

Для того чтобы президент и вице-президент США считались официально избранными, требуется большинство голосов выборщиков. В противном случае вступает в силу предусмотренная XII поправкой к конституции США (1804) процедура, согласно которой решение вопроса о будущем президенте США передается в палату представителей, избирающую президента из числа трех кандидатов, получивших наибольшее количество голосов избирателей. При этом президентом избирается тот из трех кандидатов, который получит простое большинство голосов членов палаты представителей, где каждый штат будет располагать в этом случае лишь одним голосом, т. е. для победы кандидату достаточно будет получить 26 из 50 голосов. После решения вопроса об избрании президента США палата

представителей решает аналогичным образом и вопрос о вице-президенте.

Результаты голосования коллегии выборщиков подводятся и оглашаются в начале января года, следующего за годом выборов, на совместном заседании обеих палат конгресса США. Официально избранными новые президент и вице-президент считаются после формального оглашения результатов голосования в коллегии выборщиков на этом совместном заседании обеих палат конгресса США.

Отсчет срока пребывания президента на посту начинается 20 января года, следующего за годом выборов (по 1933 г. срок пребывания президента на посту исчислялся с 4 марта года, следующего за годом выборов). Согласно XXII поправке к конституции (1951), президент не может быть избран более чем на два четырехлетних срока. Если новый президент заступает в должность до окончания президентского срока своего предшественника в результате отставки или смерти последнего, то дослуживаемый срок считается за полный четырехлетний, если он превышает два года; в этом случае новый президент может быть избран вновь только на один четырехлетний срок.

Выборы в конгресс

Выборы членов обеих палат конгресса США, так же как и законодательных собраний штатов и всех должностных лиц на уровне штатов и местном уровне, являются прямыми.

Выборы в конгресс США проводятся также в первый вторник после первого понедельника ноября, но каждого четного года, т. е. с периодичностью в два года. В год, когда выборы в конгресс США совпадают с президентскими выборами, фамилии кандидатов политических партий в сенаторы США и в члены палаты представителей фигурируют в едином списке для голосования с фамилиями кандидатов соответствующей партии на посты президента и вице-президента США (или же с фамилиями выдвигаемых данной партией членов коллегии выборщиков). Выборы, не совпадающие с президентскими, именуются промежуточными.

Сенатором США может быть избран, согласно конституции США, гражданин Соединенных Штатов, достигший возраста 30 лет, являвшийся гражданином США в течение девяти лет и на момент избрания жителем того штата, в котором он выбирается. В состав сената США от каждого штата избираются два сенатора сроком на шесть лет. Избрание каждые два года трети общего числа сенаторов обеспечивает переизбрание всего состава сената раз в шесть лет.

Членом палаты представителей конгресса США может быть избран гражданин Соединенных Штатов, достигший возраста 25 лет, являвшийся на момент избрания гражданином США в течение семи лет и жителем того штата, в котором он выбирается. Конституцией США определялось, что число членов палаты представителей не должно превышать одного представителя на каждые 30 тыс. жителей штата, однако с ростом населения США и каждого штата в отдельности эта пропорция менялась. После переписи 1980 г. право избрания члена палаты представителей предоставлено избирательным округам с населением, превышающим 500 тыс. чел. Для членов палаты представителей установлен двухлетний срок полномочий.

Срок полномочий членов конгресса США исчисляется со дня начала сессии нового состава конгресса — 3 января следующего после выборов года.

Абсентеизм

Неявка зарегистрированных избирателей на избирательные участки для голосования (абсентеизм) является характерной чертой национальных выборов в США. В 1984 г. в голосовании приняло участие 89,3 млн чел. из 174 млн лиц, имеющих право голоса (51,3%). За президента США Р. Рейгана на выборах 1984 г. проголосовало 53,3 млн избирателей из 89,3 млн принявших участие в голосовании (59,7%). От общего числа лиц, имеющих право голоса, количество проголосовавших за Р. Рейгана в 1984 г. составило 30,6%.

Доля зарегистрированных избирателей, не принимающих участие в голосовании, намного выше в годы промежуточных выборов в конгресс: в 1986 г. в выборах приняло участие 37,3% зарегистрированных избирателей, в т. ч. всего 17% зарегистрированных избирателей моложе 30 лет.

БУРЖУАЗНЫЕ ПОЛИТИЧЕСКИЕ ПАРТИИ

Важнейшей особенностью политического строя США является двухпартийная система, при которой у власти попеременно находятся две буржуазные партии — Демократическая и Республиканская. Двухпартийная система в современном виде сложилась в середине XIX в. Существенная черта этой системы заключается в том, что обе партии действуют в тесном единстве, представляя собой инструмент сохранения политического господства монополистической буржуазии. Политическое господство двухпартийной системы обеспечивается поддержкой правящего класса, особенностями избирательной системы и государственного устройства, порядком финансирования выборов, силой традиции.

Демократическая партия США

Партия формировалась в русле идейно-политических традиций широкой коалиции демократического фермерства, городских низов и плантаторов Юга, сложившейся в конце XVIII в. в борьбе с торгово-промышленной буржуазией Северо-Востока. Организационно оформилась в ходе избирательной кампании 1828 г., в начале 30-х годов XIX в. получила свое нынешнее название.

Основы современной избирательной базы и политики демократов были заложены в годы «нового курса», когда благодаря активному внедрению государственно-монополистических методов регулирования и гибкой реформистской политике президента Ф. Рузвельта Демократическая партия сумела заручиться поддержкой организованного рабочего класса, негров, других расовых и этнических меньшинств, либеральной части буржуазии и интеллигенции. В результате демократы надолго стали самой влиятельной и массовой буржуазной партией США, способной к социальному маневрированию и государственному регулированию экономики. За период с 1933 по 1980 г. они 32 года владели Белым домом, 44 года контролировали обе палаты конгресса, прочно доминировали на уровне штатов и местных органов власти.

Со второй половины 60-х годов Демократическая партия вступила в период затяжного кризиса. Он был вызван вначале социальными потрясениями 60-х годов и агрессией США во Вьетнаме, когда вся страна была охвачена массовыми движениями протеста, а затем растущей неэффективностью социально-экономического регулирования, проводимого демократами. В условиях замедления темпов экономического роста, ослабления международных позиций США, снижения жизненного уровня трудящихся демокра-

там становилось все труднее проводить политику лавирования и уступок, не ущемляя при этом интересов монополий. Неспособность администрации Дж. Картера справиться с экономическими проблемами привела к резкому падению популярности Демократической партии среди избирателей. Отрицательно сказывались на избирательной базе партии и социально-структурные и демографические сдвиги последних лет — миграция населения из промышленных центров Северо-Востока и Среднего Запада в южные и западные районы страны, падение доли членов профсоюзов в общем числе занятых и др.

На выборах 1980 г. Демократическая партия потерпела серьезное поражение, потеряв Белый дом и — впервые за 26 лет — большинство в сенате. Выборы 1984 г. зафиксировали дальнейшее сужение социальной базы партии за счет отхода от нее средних и мелкобуржуазных слоев, а также растущей апатии малообеспеченных избирателей. Однако итоги промежуточных выборов 1986 г. показали, что демократы продолжают сохранять конкурентоспособность. После выборов они располагали 55 местами в сенате, 258 местами в палате представителей, 26 постами губернаторов и контролировали законодательные собрания в 27 штатах.

После поражения на президентских выборах 1984 г. Демократическая партия вступила на путь идейно-политической переориентации. В партии усилились правоцентристские тенденции. С середины 80-х годов в рядах демократов активизировались поиски новой долгосрочной программы, ориентированной на приспособление экономики США к условиям современного этапа НТР и сохранение определенного уровня социального регулирования. Была поставлена цель укрепить позиции партии в среде монополистической буржуазии и зажиточных слоев населения, не отталкивая при этом беднейшие слои.

Демократическая партия опирается на крайне разнородную избирательную коалицию. Ее поддерживают традиционные монополистические группировки Северо-Востока и Юга страны. Партия имеет широкие связи с профсоюзным руководством, научным миром и либеральной интеллигенцией. В конгрессе Демократическая партия в основном представлена умеренно-либеральными силами, связанными главным образом с промышленными районами Севера и консерваторами, опирающимися на южные штаты.

Демократическая партия не имеет формального членства; по опросам общественного мнения, в 1986 г. к демократам себя причисляли 38% избирателей. В организационном отношении Демократическая партия отличается децентрализованностью и аморфностью. Партийный механизм представляет собой объединение партийных организаций штатов, каждая из которых имеет свои избирательные ячейки во всех избирательных округах и участках. Внутрипартийная жизнь регулируется уставом, принятым в 1974 г. Высшим органом является национальный съезд, созываемый в год президентских выборов для выдвижения кандидатов в президенты и вице президенты, а также для утверждения предвыборной платформы партии. Текущее руководство осуществляет Национальный комитет, избираемый из представителей всех штатов и территорий страны.

Национальный комитет координирует деятельность партийных комитетов штатов, обеспечивает их связь с фракцией Демократической партии в конгрессе, ведет организационную и пропагандистскую работу среди избирателей, определяет процедуру отбора делегатов на партийные съезды, назначает сроки и место проведения съездов, проводит кампании по сбору финансовых средств, участвует в организации избирательных кампаний по выборам в конгресс, в законодательные собрания штатов и местные органы власти. С 1974 г. Национальный комитет организует и так называемые промежуточные партийные конференции, которые проводятся между съездами по четным годам для отработки политической платформы партии.

Официальным лидером партии считается президент (в период пребывания партии у власти) или кандидат в президенты, выдвинутый на последнем по счету партийном съезде. Эмблема Демократической партии — изображение осла.

Республиканская партия США

Основана в 1854 г. как союз крупных капиталистов Севера с фермерами, живущими за пределами южных штатов, мелкой и средней буржуазией небольших городов. При образовании Республиканской партии главной задачей была провозглашена борьба с рабством. В 1861 г. первым республиканским президентом стал А. Линкольн. Республиканская партия оставалась ведущим элементом двухпартийной системы до начала 30-х годов XX в. За период с 1860 по 1932 г. было избрано 11 президентов-республиканцев и только три президента-демократа.

В этот период идеология республиканцев основывалась на концепции «твердого индивидуализма», основополагающим тезисом которой было положение о саморегулирующемся характере капиталистической экономики, которая не требует целенаправленного государственного вмешательства.

Начиная с 30-х годов, Республиканская партия, в отличие от Демократической сохранившая характер консервативной, нацеленной на поддержание статус-кво политической силы, более откровенно отражала интересы монополистической буржуазии и зажиточных слоев в целом и медленнее приспосабливалась к реалиям государственно-монополистического капитализма. В результате ее социальная база значительно сузилась, и она превратилась в партию меньшинства. Недостаток массовой опоры Республиканская партия компенсировала поддержкой со стороны крупного капитала, которая обеспечивала более прочную, чем у демократов, финансовую базу и организационно-технический потенциал партийного аппарата.

Господствующей формой идеологии Республиканской партии в середине 50-х годов стал «новый республиканизм», основанный на признании активной роли государства в социально-экономической сфере. Вместе с тем ее правый фланг оставался на позициях реакционного индивидуализма.

С конца 60-х годов политическая стратегия руководства республиканцев была направлена на создание массовой избирательной базы в стране за счет привлечения на свою сторону тех групп избирателей, которые традиционно поддерживали демократов.

Во второй половине 70-х годов на фоне кризиса методов государственно-монополистического регулирования экономики и роста социальных проблем в США возросло влияние ультраконсервативных кругов. В этих условиях правое крыло республиканцев, выступившее в качестве наиболее рьяного защитника интересов монополий, захватило лидерство в партии. Политическая платформа правых предусматривала широкую перестройку системы государственно-монополистического регулирования в целях создания благоприятных условий для накопления капитала и радикального сокращения социальных программ, а в области внешней политики была выдвинута программа «возрождения сильной Америки».

Для правящей Республиканской партии в 80-х годах характерен крайне консервативный внутриполитический курс, направленный на перераспределение бюджетных ресурсов федерального правительства в целях увеличения доли, получаемой власть имущими, путем урезывания доли малоимущих слоев населения. В сфере международных отношений влиятельные силы в руководстве партии выступают за продолжение гонки вооружений, перенесение ее в космическое пространство.

После промежуточных выборов 1986 г. республиканцы располагали 45 местами в сенате, 177 местами в палате представителей, 24 постами губернаторов и контролировали законодательные собрания в девяти штатах.

Республиканская партия не имеет постоянного членства; по опросам общественного мнения, в 1986 г. к республиканцам себя причисляли 23% избирателей.

Организационная структура Республиканской партии представляет собой совокупность штатных, окружных, городских партийных организаций, обладающих высокой степенью автономности. Их главная задача — обеспечивать поддержку республиканским кандидатам со стороны избирателей.

Высший орган партии — национальный съезд, созываемый в год президентских выборов. Он утверждает предвыборную платформу партии, выдвигает кандидатов в президенты и вице-президенты. Руководящим органом партии, который занимается текущими вопросами, является Национальный комитет. В 1983 г. в целях усиления контроля президента над партийным аппаратом был учрежден пост генерального председателя Национального комитета. Республиканская партия раньше, чем Демократическая, начала применять и ныне широко использует новые методы ведения избирательной борьбы. При проведении избирательных кампаний широко применяются компьютерная техника, метод непосредственного обращения к избирателям по почте с целью вербовки сторонников и сбора денежных средств.

Эмблема Республиканской партии — изображение слона.

Другие буржуазные политические партии

Несмотря на политическую монополию двухпартийной системы, в США имеется целый ряд самостоятельных политических партий (наиболее крупные из которых иногда именуются «третьими» партиями). История США знает многие десятки независимых политических партий: от крупных, объединявших мощные социальные движения и сыгравших важную историческую роль, таких, как партия гринбекеров, популистов, социалистическая, прогрессистская, до мелких, ориентированных на отдельные проблемы — партии «сухого закона», вегетарианцев, прав штатов и т. п. Из ныне действующих партий, активно участвующих в президентских и местных выборах, следует выделить *Либертаристскую партию*, проповедующую полную отмену всякого государственного вмешательства в социально-экономическую сферу и отказ США от своих международных обязательств (основная опора — западные штаты страны); левопопулистскую *Партию граждан* во главе с Б. Коммонером, выступающую за усиление охраны окружающей среды, демократизацию управления экономикой, отказ от военного интервенционизма и гонки вооружений.

КОММУНИСТИЧЕСКАЯ ПАРТИЯ США

1 сентября 1919 г. в Чикаго были одновременно созданы две самостоятельные организации — Коммунистическая партия Америки и Коммунистическая рабочая партия Америки, в мае 1921 г. они слились в единую партию американских коммунистов, которая с 1930 г. стала называться Коммунистической партией США. Возникновение компартии стало закономерным результатом всего развития рабочего и социалистического движения США. С первых лет своего существования Компартия США последовательно и решительно боролась за коренные интересы и передовые идеалы рабочего класса и всех трудящихся, постоянно находилась в гуще классовых битв, борьбы за социальную справедливость, против расизма во всех его проявлениях, против засилья монополий, в защиту демократических прав и свобод. Важнейшую роль в период становления партии сыграли Ч. Рутенберг, Дж. Рид, А. Вагенкнехт. На дальнейших этапах исторический вклад в руководство деятельностью партии внесли У. З. Фостер, Дж. Форд, Ю. Деннис, Э. Флинн, Г. Холл, Б. Дэвис, Г. Уинстон и многие другие.

В ожесточенных классовых битвах, развернувшихся в США в период подъема рабочего движения после первой мировой войны, коммунисты выступили организаторами и активными участниками крупнейших забастовок сталелитейщиков, горняков, железнодорожников, текстильщиков, швейников, оказавших большое влияние на весь ход развития рабочего движения в стране.

Ответственным периодом стали для Компартии США 30-е годы. Мировой экономический кризис 1929—1933 гг., как никогда прежде, обострил классовое противоборство. В разгар кризиса коммунисты стали руководящей и организующей силой мощных выступлений безработных, охвативших всю страну. В ходе нараставших забастовочных боев они неизменно боролись за укрепление единства рабочего класса. В этот период партия внесла огромный вклад в создание массовых производственных профсоюзов, объединивших миллионы рабочих в ведущих отраслях промышленности и ставших основой всего организованного рабочего движения США. В ряды компартии влились тысячи рабочих, профсоюзных активистов, работников умственного труда самых различных категорий.

Активная борьба против расизма, расового и национального угнетения, принципиальная позиция в поддержку требований полного экономического, политического, социального и культурного равенства черного населения снискали Компартии США заслуженный авторитет в негритянском движении, привели к широкому сотрудничеству с его различными отрядами. В партию пришли многие активисты этого движения.

В чрезвычайно сложной международной обстановке 30-х годов, когда германский фашизм и японский милитаризм форсировали подготовку к мировой войне, американские коммунисты вели большую политическую работу, стремясь пробудить у широкой общественности понимание той угрозы, которую несет человечеству фашистская чума; разъясняли необходимость создания системы коллективной безопасности против фашистских агрессоров и объединения усилий в борьбе за мир с Советским Союзом. Борьба республиканской Испании за свободу стала близким делом и для американских коммунистов. Свыше 3 тыс. американцев сражалось в интернациональных частях, многие из них пали смертью храбрых на испанской земле.

В годы второй мировой войны Компартия США внесла важный вклад в развитие и укрепление сотрудничества между народами США и СССР в ходе совместной борьбы против фашизма. 15 тыс. коммунистов служило в вооруженных силах США, выполняя свой патриотический, антифашистский долг. В послевоенные годы она неизменно выступала против империалистических агрессивных устремлений реакционных сил, за прекращение «холодной войны», против гонки вооружений, за мир и безопасность народов.

На протяжении всей своей истории партии приходилось преодолевать огромные трудности, подвергаться постоянному давлению и жестоким преследованиям со стороны правящих кругов и реакционных сил. Особенно ожесточенным репрессиям компартия подвергалась в период маккартизма (в 50-х годах). Во второй половине 40-х годов против коммунистов активно применялся принятый в 1940 г. закон о регистрации иностранцев (закон Смита); в 1950 г. был принят закон о внутренней безопасности (закон Маккарэна — Вуда), обязавший компартию зарегистрироваться в качестве «подрывной» организации, а членов партии — в качестве «иностранных агентов»; в 1954 г.— закон о контроле над коммунистической деятельностью (закон Браунелла — Батлера), установивший ряд дополнительных ограничений деятельности компартии. Эти антиконституционные законы использовались реакцией для подавления гражданских свобод в стране, фактического запрещения деятельности компартии. С 1949 по 1956 г. против коммунистов было организовано 18 судебных процессов, более 150 руководящих деятелей компартии было арестовано и брошено в тюрьмы, где они провели долгие годы. Но реакции не удалось сломить партию.

На различных этапах своей деятельности коммунистам пришлось пережить несколько периодов тяжелой внутрипартийной борьбы против ревизионистов и ликвидаторов, пытавшихся увести их с пути борьбы за коренные интересы трудового народа. Особенно острый характер эта борьба носила в 1944—1945 гг. и в 1956—1957 гг. Партия дала решительный отпор оппортунистам. Однако удары реакции в 50-е годы нанесли существенный урон партии, ослабили ее влияние в профсоюзах, в различных массовых организациях и движениях.

XVII съезд Компартии США (1959) открыл новый этап в ее деятельности. Партия взяла курс на преодоление изоляции, на активизацию работы в массах, на повышение своей роли в борьбе рабочего класса, черного населения, в выступлениях молодежи за свои права, в растущем народном движении за мир, демократию и социальный прогресс. Генеральным секретарем Компартии США был избран Гэс Холл.

В 60-е годы в обстановке подъема массовых движений появились более благоприятные условия для деятельности партии. В результате активной борьбы Компартии США при поддержке демократических сил удалось добиться отмены целого ряда юридических ограничений ее деятельности. В 1966 г. впервые за долгое время партия смогла легально и открыто провести свой очередной, XVIII съезд. Важное значение этого съезда состоит в том, что на нем впервые за послевоенные годы был рассмотрен и одобрен проект новой программы партии, утвержденной затем после широкого обсуждения на XIX съезде в 1969 г. В этом документе был дан глубокий анализ нарастающего социально-политического кризиса империализма США, намечены перспективы борьбы за социальный прогресс, против господства монополистического капитала. В качестве стратегической была выдвинута цель создания коалиции всех демократических сил против власти монополий.

С 1968 г. компартия начинает принимать непосредственное участие в избирательных кампаниях, выдвигая своих кандидатов на президентских и на местных выборах. При этом ей приходится сталкиваться с жесткими антидемократическими законодательными ограничениями, вести настойчивую борьбу за само право на регистрацию своих кандидатов. С 1972 г. кандидатом Компартии США на всех президентских выборах выдвигался Г. Холл.

Участие в избирательных кампаниях дает компартии возможность для более широкого выхода на политическую арену, для активной пропаганды идей марксизма-ленинизма, позиций коммунистов по важнейшим вопросам современности, для борьбы против антикоммунизма и антисоветизма.

В ходе избирательной кампании 1984 г. было собрано более 500 тыс. подписей под петициями о регистрации кандидатов партии на посты президента и вице-президента — Г. Холла и А. Дэвис. (Такое же количество подписей было собрано и в 1980 г.) В этой работе приняли участие тысячи коммунистов, которые провели беседы, как минимум, с 5 млн чел. В итоге кандидаты партии были зарегистрированы в 22 штатах и округе Колумбия. В двух штатах (Калифорния и Массачусетс), где было собрано в общей сложности около 220 тыс. подписей, власти, используя всяческие уловки, отказались зарегистрировать кандидатов партии. Кроме того, 12 кандидатов партии баллотировались на различных местных выборах. В ходе избирательной кампании было распространено более 5 млн экз. предвыборных материалов партии.

В общей сложности на выборах 1984 г., включая местные, кандидаты партии собрали более 150 тыс. голосов, что является наивысшим результатом за весь послевоенный период. В 1980 г. за коммунистов голосовало 120 тыс. избирателей

Компартия США остается главным объектом политического давления и преследований со стороны реакционных кругов буржуазии, находится под постоянным обстрелом антикоммунистической пропаганды.

В новой программе Компартии США, опубликованной в 1982 г., подчеркивается: «Коммунистическая партия является партией нашего рабочего класса. Высший смысл ее существования заключается в защите и обеспечении интересов рабочего класса, как непосредственных, так и долгосрочных. Поэтому она — непримиримый противник системы капиталистической эксплуатации и всех ее уродливых проявлений.

Коммунистическая партия выступает в защиту демократических прав народа и стремится к их расширению. Она активно борется против всех форм расовой, национальной дискриминации и дискриминации по признаку пола, против неравенства и угнетения. Она добивается также удовлетворения конкретных интересов женщин, молодежи, пожилых граждан, угнетенных национальностей и всех, кто страдает от господства крупного бизнеса».

Активно выступая за непосредственные политические и экономические интересы трудового народа США, компартия не теряет из виду и социалистическую перспективу, рассматривая ее с учетом реальностей обстановки в США.

В Уставе Компартии США, утвержденном XXIII съездом (1983), говорится: «Наша партия борется за построение социалистического общества путем выражения воли большинства мирными средствами. Однако возможность реализации воли большинства мирными средствами будет зависеть от способности рабочих помешать правящему классу США использовать насилие для подавления воли народа».

Компартия США занимает принципиальную позицию в отношении внешнеполитического курса США, решительно выступает за прекращение «холодной войны» и гонки вооружений, за улучшение международной обстановки. Коммунисты призывают к развитию конструктивных отношений между США и СССР, к достижению прогресса на переговорах по вопросам разоружения.

Компартия США твердо придерживается принципов интернационализма, активно развивает связи с коммунистическими и рабочими партиями, обмениваясь информацией, участвуя в двусторонних и многосторонних встречах.

В последние годы перед коммунистическим движением в США встали многие новые задачи и проблемы. Происходят существенные сдвиги в социальной структуре буржуазного общества, в т. ч. и в составе рабочего класса. Противоречивое воздействие на материальное положение и сознание трудящихся оказывает научно-техническая революция. Меняются международные условия работы коммунистов. Компартия стремится совершенствовать стратегию и тактику, добиваться расширения своих связей с массами на платформе антимонополистических, антивоенных действий, стремится активнее отстаивать экономические интересы и политические права трудящихся, лучше учитывать расово-этническую специфику и конкретную историческую обстановку, интересы различных социальных групп и слоев населения.

XXIV съезд Компартии США (1987) уделил особое внимание задачам коммунистов по развитию единства действий всех народных сил, выступающих за общественный прогресс, обеспечение демократии, активизацию борьбы за прочный мир, во имя выживания человечества, за достижение советско-американских договоренностей, способствующих продвижению по пути к безъядерному, ненасильственному миру. Съездом была высоко оценена политика КПСС по революционному обновлению советского общества, полному раскрытию потенциала социализма.

Компартия США приветствовала итоги советско-американских встреч на высшем уровне, состоявшихся в 1985—1988 гг., заключение

Договора между СССР и США о ликвидации их ракет средней дальности и меньшей дальности.

Высший орган партии — национальный съезд. Съезд избирает Национальный комитет, Национальный совет и Национальную контрольную комиссию. Национальный комитет избирает Национальное бюро и Секретариат. Нацбюро руководит деятельностью партии в период между пленумами НК. Национальный председатель Коммунистической партии США — Гэс Холл (в 1988 г. пост Генерального секретаря был преобразован в пост Национального председателя).

Печатные органы — ежедневная газета «Пиплз дейли уорлд», теоретический журнал «Политикл афферс».

ПРОФСОЮЗНОЕ ДВИЖЕНИЕ

Первые профсоюзы были созданы в США в начале XIX в. Это были организации квалифицированных рабочих ремесленного типа — цеховые профсоюзы. Объединение шло строго по цехам в определенной местности. По мере того как экономическая и политическая борьба между трудом и капиталом приобретала все более острый характер, местные профсоюзные организации объединялись в национальные.

Развитие профсоюзного движения в США проходило и продолжает проходить в противоборстве двух тенденций — тенденции к превращению профсоюзов в сознательные организации классовой борьбы и тенденции к оппортунизму и соглашательству, классовому партнерству и сотрудничеству с буржуазией. Крупнейшими общенациональными организациями классовой борьбы американского пролетариата, существовавшими в конце XIX и начале XX в., были *Благородный орден рыцарей труда* и *Индустриальные рабочие мира*. Тенденцию к превращению профсоюзов в соглашательские организации экономической борьбы представляла *Американская федерация труда* (АФТ), созданная в 1886 г. как объединение цеховых профсоюзов. С образованием АФТ в профсоюзном движении утвердились идеология и практика «делового тред-юнионизма», в основе которого лежало заключение трудовых соглашений между цеховыми профсоюзами и предпринимателями за счет интересов тех групп рабочего класса, которые не входили в цеховые профсоюзы. Идеологическим кредо АФТ стал отказ от политической борьбы за улучшение положения всего рабочего класса.

Переломным моментом в развитии профсоюзного движения в США явились 30-е годы XX в. К этому времени структура американского рабочего класса существенно изменилась. Основной силой становятся массы полуквалифицированных и неквалифицированных промышленных рабочих. Тяжелейшие последствия самого разрушительного в истории капитализма мирового экономического кризиса 1929—1933 гг. вызвали рост классового сознания рабочих масс, привели к повышению уровня классовой борьбы в США.

Полуквалифицированные рабочие, перед которыми были закрыты двери цеховых профсоюзов «рабочей аристократии», стали создавать свои профсоюзы на чисто классовой, производственной основе. Массовые производственные профсоюзы, такие, как Объединенный профсоюз рабочих автомобильной, аэрокосмической промышленности и сельскохозяйственного машиностроения Америки, Объединенный профсоюз рабочих сталелитейной промышленности Америки, объединили в одной организации рабочих вне зависимости от различий в профессии и уровне квалификации. Тем самым был сделан исторический шаг на пути объединения всех групп рабочего класса США.

Общенациональной организацией производственных профсоюзов стал *Конгресс производственных профсоюзов* (КПП), созданный фактически в 1935 г. КПП объявил себя представителем «социального юнионизма», т. е. движения, которое ставит своей целью улучшение положения всех групп рабочего класса, и в первую очередь наиболее обездоленных, чтобы уменьшить социальное неравенство в обществе. Основным средством достижения этой цели «социальный юнионизм» провозглашал политическую борьбу за осуществление социальных реформ в интересах рабочего класса.

Массовая забастовочная и политическая борьба американских рабочих привела в 1935 г. к принятию закона Вагнера, по которому государство гарантировало право на организацию профсоюзов и заключение коллективных договоров. Активность производственных профсоюзов сделала возможным принятие законов об ограничении продолжительности рабочей недели, о минимуме заработной платы и о социальном обеспечении.

Послевоенная история профсоюзного движения в США проходила под знаком борьбы «делового тред-юнионизма» и «социального юнионизма». В первые послевоенные годы профсоюзы сравнительно легко получали уступки от монополий. Объяснялось это тем, что американские монополии занимали привилегированное положение в мировой капиталистической экономике и имели возможность «подкармливать» организованных рабочих за счет сверхприбылей. Это вело к снижению уровня классовой борьбы по сравнению с 30-ми годами; в профсоюзном движении вновь возобладал соглашательский «деловой тред-юнионизм».

КПП, созданный как альтернатива консервативной АФТ, также поддался соблазнам политики «классового партнерства» и присоединился к сторонникам «холодной войны», к антикоммунистической «охоте за ведьмами», изгнав из своих рядов руководителей и активистов, способствовавших превращению КПП в боевую классовую организацию.

В 40-е годы политическая активность профсоюзного движения, захлестнутого экономизмом «делового тред-юнионизма», резко снизилась. Это позволило монополистической буржуазии взять реванш за политические поражения 30-х годов.

В 1947 г. был принят закон Тафта — Хартли как «поправка» к закону Вагнера. Закон ограничил право на забастовку и организацию в профсоюзы. По его статье 14-Б законодательные органы штатов получили право принимать так называемые «законы о праве на работу», освобождающие вновь поступающих на предприятия рабочих от обязанности вступления в профсоюз. Закон Тафта — Хартли наложил запрет на забастовки солидарности, практику ответного бойкота и массовое пикетирование, а также запретил членам Коммунистической партии США занимать профсоюзные должности. В 1959 г. в развитие закона Тафта — Хартли был принят закон Лэндрама — Гриффина, усиливший вмешательство государства во внутренние дела профсоюзов. Эти законы стали политическими факторами усиления противодействия со стороны американской монополистической буржуазии организации рабочих в профсоюзы и ослабления социальной силы профсоюзного движения в послевоенный период.

Жизненная необходимость активизации сопротивления наступлению монополий заставила профсоюзное движение объединить свои силы. Два соперничавших профсоюзных объединения — цеховых профсоюзов (АФТ) и производственных профсоюзов (КПП) создали в 1955 г. единую организацию — *Американскую федерацию труда —*

Конгресс производственных проф-союзов (АФТ — КПП).

Первым президентом АФТ — КПП был избран Дж. Мини — представитель профсоюза водопроводчиков — наиболее консервативного цехового профсоюза. К руководству АФТ — КПП пришли представители старой «рабочей аристократии» и бюрократии, что в значительной степени предопределило консервативный и классово-коллаборационистский характер политики профсоюзной федерации.

АФТ — КПП — основная организация, представляющая общие интересы профсоюзного движения в государственных органах — конгрессе и федеральных ведомствах. Официально провозглашенные цели АФТ — КПП: законодательно защищать институт заключения коллективных договоров от его разрушения монополиями и государством, добиваться от государства проведения экономической и социальной политики, которая способствовала бы созданию экономики полной занятости и уменьшению социального неравенства в обществе. С момента своего создания АФТ — КПП выступает как главная социал-реформистская сила в стране. Все сколько-нибудь значительные государственные реформы, направленные на повышение уровня жизни рабочего класса и беднейших слоев населения США, были приняты под давлением этой профсоюзной федерации. В то же время АФТ — КПП отвергает идею классовой борьбы за изменение капиталистических общественных отношений.

После ухода Дж. Мини с поста президента АФТ — КПП (1979 г.) на этот пост был избран Л. Керклэнд. Он получил от своего предшественника тяжелое наследие. Профсоюзное движение в США было разобщено и численно сокращалось. Под давлением рядовых членов, а также руководителей прогрессивных профсоюзов Л. Керклэнд был вынужден пойти на существенные изменения в деятельности профсоюзной федерации. Руководство АФТ — КПП взяло курс на развитие практически разорванных в период правления Дж. Мини связей и контактов с массами рядовых членов профсоюзов.

В конце 1987 г. в АФТ — КПП были объединены 90 отраслевых и многоотраслевых профсоюзов, насчитывающих 14,4 млн членов. Крупнейшими профсоюзами АФТ — КПП являются Объединенный межнациональный профсоюз рабочих пищевой промышленности и розничной торговли (1,3 млн членов) и Американская федерация служащих учреждений штатов, графств и муниципалитетов (1,2 млн членов).

Центральный руководящий орган АФТ — КПП — Исполнительный комитет, принимающий решения по важнейшим вопросам внутренней и внешней политики федерации в период между ее съездами. Исполком состоит из 36 членов — руководителей крупнейших профсоюзов, входящих в АФТ — КПП, во главе с президентом федерации. Вторым после президента по положению должностным лицом является секретарь-казначей, осуществляющий руководство финансовой и идеологической деятельностью федерации.

Решением общих вопросов, касающихся положения различных профессионально - квалификационных групп организованных рабочих, в рамках федерации занимаются отделы аппарата АФТ — КПП. Фабрично-заводские рабочие бывших профсоюзов КПП находятся в ведении департамента производственных профсоюзов АФТ — КПП. Другие департаменты ведают деятельностью групп профсоюзов с определенным профессиональным составом в основных отраслях экономики. Наиболее влиятельным из них до 80-х годов был департамент профсоюзов рабочих строительных профессий. В 70-х годах в аппарате АФТ — КПП появились три новых отдела — профсоюзов государственных служащих, профсоюзов работников умственного труда (специалистов) и профсоюзов работников упаковочной промышленности и сферы услуг. Появление этих департаментов явилось свидетельством более широкого охвата профсоюзной организацией новых групп рабочего класса.

Черные рабочие 61 национального профсоюза в рамках АФТ — КПП объединяются организационно в Коалицию черных членов профсоюзов (создана в 1972 г.). Она ведет борьбу против дискриминации черных рабочих и добивается увеличения их представительства в руководящих органах АФТ — КПП.

Женщины — члены профсоюзов создали в 1974 г. свою коалицию в рамках АФТ — КПП. Эта коалиция ставит своей целью увеличить влияние женщин — рабочих и служащих на политику профсоюзного движения с целью добиться равной с мужчинами оплаты за равный труд.

В США наблюдается усиление тенденции к слиянию мелких профсоюзов с массовыми, способными противостоять растущей силе монополистического капитала. АФТ — КПП стимулирует слияние своих автономных национальных профсоюзов во все более крупные многоотраслевые рабочие организации для увеличения силы сопротивления наступлению гигантских транснациональных корпораций.

АФТ — КПП все больше использует объединенную силу входящих в нее профсоюзов для укрепления их позиций в экономической борьбе. Профсоюзная федерация отказывается от традиционного невмешательства в забастовочную борьбу, она организует финансовую поддержку бастующих членов отдельных профсоюзов, все чаще и решительнее выступая как последовательная антимонополистическая сила в стране.

Вместе с тем большинство входящих в АФТ — КПП профсоюзов, за исключением самых массовых и политизированных из них, продолжает считать основной сферой своей деятельности заключение коллективных договоров, а политическую борьбу рассматривает как вспомогательное средство в защите института заключения таких договоров.

Союз монополистического капитала с государством, особенно проявивший свою антирабочую направленность в 80-е годы, оказал большое влияние на развитие тред-юнионистского политического сознания в США и способствовал активизации деятельности в рамках АФТ — КПП Комитета политического просвещения. Наряду с выполнением своей основной функции, заключающейся в содействии развитию политического сознания в профсоюзах, он занимается регистрацией членов профсоюзов и их семей в качестве избирателей, информирует их о позициях кандидатов на различные выборные посты по вопросам, интересующим рабочее движение, обеспечивает сбор добровольных пожертвований членов профсоюзов на избирательные кампании.

В 80-е годы 90% всех средств, расходуемых АФТ — КПП на избирательные кампании, предоставлялось кандидатам Демократической партии, с которой профсоюзная федерация связана тесными узами с 60-х годов. Несмотря на сокращение в первой половине 80-х годов численности АФТ — КПП, поражение поддерживавшихся профсоюзной федерацией кандидатов на пост президента США в 1980 и 1984 гг. и ослабление ее позиций в Демократической партии, АФТ — КПП продолжает оставаться крупной политической силой в стране. В профсоюзах, входящих в федерацию, усиливаются позиции низовых руководителей и активистов, считающих, что наступило время порвать с двухпартийной политической системой и приступить к реализации идеи создания массовой партии рабочего класса, опирающейся на профсоюзы.

В 80-е годы в профсоюзном движении США растет влияние левых сил. По убеждению этих сил, самой серьезной преградой на пути развития успешной борьбы с союзом монополий и государства продолжают оставаться позиции правых лидеров АФТ — КПП по основным международным проблемам, находящие выражение в деятельности влиятельного международного отдела аппарата федерации, тесно связанного с ЦРУ.

Традиционная линия АФТ — КПП на создание проамериканской профсоюзной «империи» вызывает сильное недовольство в международном рабочем движении. Такие организации АФТ — КПП, как Американский институт свободного развития профсоюзов, Афро-американский профсоюзный центр, Азиатско-американский институт свободных профсоюзов, Институт свободных профсоюзов, создают в странах Латинской Америки, Африки, Азии так называемые «свободные профсоюзы», призванные выполнять функцию поддержки внешнеполитической экспансии американского империализма. Эти организации расходуют около 43 млн дол. в год на антикоммунистическую деятельность. Против этой враждебной делу развития международной солидарности рабочего класса деятельности все активнее выступают крупнейшие профсоюзные объединения, входящие в АФТ — КПП.

В середине 80-х годов впервые в своей истории АФТ — КПП прекратила безоговорочную поддержку увеличения военных расходов в США и стала выступать за договоренность с Советским Союзом о сбалансированном сокращении ядерных вооружений. АФТ — КПП поддержала Договор между СССР и США о ликвидации их ракет средней дальности и меньшей дальности. Последние съезды АФТ — КПП отмечены уменьшением антиком-

мунистических выпадов. Растущее число входящих в федерацию массовых профсоюзов выступает за установление отношений сотрудничества с советскими профсоюзами и поддерживает внешнеполитические инициативы СССР, направленные на прекращение гонки вооружений. Растет число профсоюзов, активно участвующих в борьбе против помощи со стороны США реакционным и расистским режимам.

В 80-е годы в стране насчитывалось 174 национальных и межнациональных профсоюза (к межнациональным профсоюзам в силу исторических традиций относятся профсоюзные организации, объединяющие трудящихся США и Канады), претендующих на представление социально-экономических интересов групп рабочих по отраслям промышленности. Эти профсоюзы имеют более 60 тыс. местных отделений на предприятиях. Кроме того, существует множество мелких организаций, разбросанных по всей стране и не учитываемых статистикой министерства труда. Подавляющее большинство профсоюзов входит в АФТ — КПП. Но существуют еще и *независимые профсоюзы,* не входящие в АФТ — КПП. В конце 1987 г. независимые профсоюзы объединяли лишь около 3 млн организованных рабочих.

Между профсоюзами АФТ — КПП и независимыми идет соперничество за переорганизацию уже организованных рабочих, осуществляется их «переманивание». Это наносит большой ущерб профсоюзному движению в США, раскалывает его. Рост потребности в укреплении единства рабочего движения в условиях наступления союза монополий и государства на завоевания рабочего класса привел к воссоединению с АФТ — КПП профсоюза водителей грузовых автомобилей, складских и подсобных рабочих (2 млн членов), исключенного в 1957 г. из профсоюзной федерации за противозаконную деятельность его коррумпированных руководителей. На XVII съезде АФТ — КПП (1987) этот профсоюз был вновь принят в ее члены.

Крупнейшим независимым профсоюзом является Национальная ассоциация работников просвещения (1,7 млн членов). Ассоциация объединяет учителей начальных и средних школ, а также профессорско-преподавательский состав колледжей и университетов, администраторов, директоров и ректоров, членов советов высших учебных заведений.

Независимыми профсоюзами являются также организации, исключенные из КПП в 1949 г. в разгар «холодной войны». Из числа этих профсоюзов, обвиненных в том, что они находились под влиянием Коммунистической партии США, позиции массовых рабочих организаций сохраняют и поныне Объединенный профсоюз рабочих электротехнической, машиностроительной и радиопромышленности (163 тыс. членов) и Межнациональный профсоюз портовых грузчиков и складских рабочих Западного побережья (60 тыс. членов).

К числу формально независимых относятся фиктивные профсоюзы, организуемые при содействии предпринимателей для того, чтобы препятствовать созданию рабочими своих классовых организаций. Такие профсоюзы называются компанейскими, т. к. они предназначены для предотвращения забастовок и сотрудничества с предпринимателями; они в основном существуют на предприятиях в южных штатах.

В США функционирует Национальная федерация независимых профсоюзов, объединяющая более 300 (в основном мелких) независимых профсоюзов. Она претендует на получение независимыми профсоюзами равного с профсоюзами АФТ — КПП статуса в государственных органах.

Во второй половине 80-х годов профсоюзами было охвачено 18,4% от общей численности занятой рабочей силы США (в 1970 г.— 24,7%). Большинство организованных рабочих (более половины) сосредоточено в штатах Северо-Востока и Среднего Запада. Южные и юго-западные штаты — антипрофсоюзные «заповедники». Так, в Южной Каролине в профсоюзах состоит не более 7% рабочих, в Техасе — 14%.

Традиционно в наибольшей степени в профсоюзы были организованы работники физического труда — «синие воротнички». К началу 80-х годов рабочие, занятые в отраслях обрабатывающей промышленности, составляли 37,3% от общего числа членов профсоюзов; доля рабочих, занятых в добывающей промышленности, на транспорте и в строительстве, составляла 46% всех членов профсоюзов.

Структурная перестройка экономики США, сопровождающаяся разрушением профсоюзов промышленных рабочих, ведет к уменьшению их доли в общем числе членов профсоюзов. Рост численности профсоюзов с конца 60-х годов шел в основном за счет организаций работников нефизического труда — «белых воротничков». На конец 1985 г. работники этой категории составляли 41% всех членов профсоюзов. Подавляющее их число — государственные служащие. Профсоюзы ставят перед собой задачу организовать работников, занятых в частном секторе — в оптовой и розничной торговле, банковском и страховом деле, в сфере услуг, т. е. в тех отраслях экономики, где сосредоточена основная масса наемной, в основном низкооплачиваемой рабочей силы. В этих отраслях профсоюзами охвачено всего 10% рабочей силы.

Хотя на современном этапе развития профсоюзного движения еще доминирует производственный тип организации, потребность в увеличении силы классовой солидарности заставляет профсоюзное движение дополнять организацию рабочих по отраслевому производственному признаку организацией по территориальному признаку. Рабочие отдельных регионов объединяются независимо от того, в какой отрасли они заняты, для борьбы с капиталом как таковым, а не с отдельными корпорациями.

В американских профсоюзах набирает силу движение рядовых членов за демократизацию внутрипрофсоюзной жизни. От руководства устраняется «старая гвардия», запятнавшая себя коррупцией и сделками с капиталом. Приходят новые руководители, выступающие за бескомпромиссное применение методов классовой борьбы и привлечение масс рядовых членов к выработке и осуществлению политики перехода от обороны к наступлению на транснациональные корпорации.

ОБЩЕСТВЕННО-ПОЛИТИЧЕСКИЕ ДВИЖЕНИЯ

Антивоенное движение

Особое значение приобрело в США в современных условиях антивоенное движение. Еще в XIX в. в стране существовали пацифистские общества, продолжавшие в своей деятельности антиколониальные и антирабовладельческие традиции. Первая мировая война дала им дополнительный стимул; именно тогда возник ряд организаций, которые участвуют в движении в защиту мира вплоть до наших дней. Годы, предшествовавшие второй мировой войне, были отмечены активизацией антивоенных сил, когда значительная их часть вышла за рамки буржуазного пацифизма и выступала не только за мир, но и против фашистской опасности.

Атомная бомбардировка Хиросимы и Нагасаки привлекла внимание определенной части американской общественности, и в первую очередь многих ученых и специалистов в области ядерной физики, к опасностям, связанным с использованием вновь открытого вида энергии в военных целях. Группа обеспокоенных последствиями своего открытия американских ученых создала в 1945 г. *Федерацию американских ученых* (первоначальное название — Федерация ученых-атомщиков). В настоящее время в ее рядах, которые пополнились учеными других специальностей, более 50 лауреатов Нобелевской премии.

Конец атомной монополии США развеял миф об американском научном и военном превосходстве и заставил многих по-иному взглянуть на военную опасность, ее характер и последствия. А очередной виток в гонке вооружений, начатый в конце 50-х годов военно-промышленным комплексом США, привел к активизации антивоенного движения. С требованием прекратить гонку вооружений, запретить ядерные испытания, положить конец милитаристской пропаганде выступили ряд либеральных общественных деятелей. В 1957 г. они создали авторитетную организацию — *СЕЙН: организация граждан за разумный мир* (до 1969 г. называлась Национальный комитет за разумную ядерную политику). Появился ряд новых антивоенных организаций, действовавших как на национальном, так и на местном уровне. Наиболее стабильными среди них оказались *«Совет за жизнеспособный мир»* (1962), *«Матери за мир»* (1967). В 1961 г. группа состоятельных домохозяек из Вашингтона обратилась к женщинам США с призывом «бросить кухни и работу, поднять жителей своих кварталов на действия против угрозы ядерной войны, против заражения молока, воды и воздуха ядерными осадками, против обмана, будто можно выжить в противоатомных убежищах, расположенных на задних дворах наших домов». На их призыв откликнулось более

100 тыс. женщин из 25 штатов, образовав одну из самых активных женских антивоенных организаций *«Женщины, боритесь за мир»* (1961).

Слабостью антивоенного движения на том этапе были антикоммунистические предрассудки большинства его участников, их предубежденность в отношении контактов с общественностью социалистических стран, с международными организациями сторонников мира. Хотя полностью эти предрассудки не изжиты до сих пор, их влияние на антивоенное движение в США в последующие десятилетия заметно уменьшилось.

Подлинно массовый характер антивоенное движение приобрело в середине 60-х годов, когда миллионы американцев, представлявших все социальные слои общества, включились в протест против агрессии США во Вьетнаме. Движение развивалось в неразрывной связи с общим ростом настроений социального протеста, с деятельностью молодежных, негритянских, женских организаций. Впервые в истории США антивоенное движение вышло за морально-этические рамки и стало политической силой.

Движение тех лет породило новые формы борьбы: так называемые «тич-ин», совмещавшие в себе черты учебного семинара и политического митинга; «антивоенные мораторий» (в ходе одного из них 15 октября 1969 г. около 2 млн чел. отказались от выполнения своих повседневных обязанностей в знак протеста против войны); межрелигиозные антивоенные церковные службы (13 ноября 1969 г. 150 священников различных вероисповеданий отслужили мессу мира у стен Пентагона); массовый возврат воинских наград (в апреле 1972 г. около 800 ветеранов бросили на ступени Капитолия награды, полученные за участие в «грязной войне»). Использовалась тактика массового гражданского неповиновения.

Принципиально новым моментом стало массовое антипризывное движение — тысячи молодых людей сжигали или возвращали призывные карточки, отказываясь от участия в агрессии, хотя им угрожало тюремное заключение на срок до 5 лет. Антивоенный протест распространился и на вооруженные силы. По официальным данным, за 1964—1978 гг. имело место 570 тыс. случаев отказов от службы в армии, более 250 тыс. солдат были разжалованы за дисциплинарные провинности, причем для многих из них это было формой выражения протеста против интервенции во Вьетнаме. Активизировался протест студенчества против системы подготовки офицеров резерва в высших учебных заведениях, а также против всех форм связей университетов с военно-промышленным комплексом.

Принципиальное значение имело участие в антивоенном движении значительной части организованных рабочих. Их включение в движение проходило замедленно и неравномерно вследствие недостаточной идейно-политической зрелости американского рабочего движения и особенно в результате шовинистической позиции профлидеров АФТ — КПП. Несмотря на участие ряда влиятельных профсоюзов в антивоенных демонстрациях, маршах, ни один из них не прибег к классовым методам борьбы, не было проведено ни одной забастовки под антивоенными лозунгами.

В 60-е годы появились сотни новых антивоенных организаций, которые объединялись в коалиции. Большинство из них распалось после окончания войны во Вьетнаме, но некоторые продолжают успешную деятельность в новых условиях. Это *«Обеспокоенные священнослужители и миряне»* (создана в 1966 г., первоначально называлась «Священнослужители и миряне, обеспокоенные войной во Вьетнаме»), *«Ветераны за мир»* (основана в 1966 г., до 1970 г. называлась «Ветераны за мир во Вьетнаме»), *«Бизнесмены за национальную безопасность»* (возникла в 1967 г. как Движение бизнесменов за мир во Вьетнаме). В 1969 г. образовался *Союз обеспокоенных ученых*, его основной задачей была борьба против распространения ядерного оружия и против планов создания системы противоракетной обороны.

Прекращение войны во Вьетнаме привело к спаду антивоенной активности: большинство участников сочло свою миссию выполненной, многие организации и коалиции объявили о самороспуске. Вместе с тем десятки организаций перестраивали работу, вели поиск новых лозунгов, укрепляли социальную базу на местном уровне. Во второй половине 70-х годов появились и новые организации и коалиции, многие из которых продолжили свою деятельность в 80-е годы: *Коалиция за новую внешнюю и военную политику* (1976), *«Мобилизация за сохранение жизни»* (1977), *«Работа и мир»*, *Совет мира США* (1979) и др. Их деятельность создала необходимые предпосылки для нового массового подъема антивоенного движения, начавшегося в начале 80-х годов в условиях наступления консервативных и правых сил. Подъем был порожден качественно новой ситуацией — широкие круги американской общественности осознали реальную опасность ядерной катастрофы. Именно этим был стимулирован антиядерный протест, который по числу участников значительно превзошел период вьетнамской войны.

В первой половине 80-х годов движение сплотилось вокруг лозунга о замораживании производства, испытаний и размещения ядерного оружия и средств его доставки. В ходе широкой кампании, развернувшейся в его поддержку, во всех 50 штатах страны возникли организации и группы, объединившиеся в *Кампанию за замораживание ядерных вооружений* (1981). В ее состав вошли практически все существующие антивоенные, антимилитаристские организации.

Принципиально новым моментом стало объединение в 1987 г. СЕЙН и Кампании за замораживание ядерных вооружений, создание организации, получившей название *СЕЙН/Фриз*. Это первый реальный шаг в преодолении организационной раздробленности и аморфности, которые всегда серьезно ослабляли антивоенное движение. Общие усилия объединенной организации, располагающей значительной финансовой базой, влиятельным лоббистским представительством в Вашингтоне и широкой сетью местных групп, действующих практически во всех штатах, открывают новые перспективы перед движением сторонников мира.

Наряду с традиционными участниками антивоенного движения в него включились новые круги — врачи, учителя, священнослужители. Американские медики, объединившиеся в 1961 г. в организацию *«Врачи за социальную ответственность»*, совместно с медиками других стран внесли весомый вклад в борьбу за мир. В мае 1983 г. пастырское послание католических епископов, поддержанное протестантскими церквами США, безоговорочно осудило не только применение ядерного оружия, но и планы такого применения, подвергло резкой критике доктрину «сдерживания» и призвало правительство США сделать первый шаг на пути к разоружению. Продолжает возрастать роль научной интеллигенции, которая вооружает антивоенное движение научно обоснованными сведениями о последствиях ядерной войны. Представители академического мира пытаются оказывать и прямое воздействие на процесс принятия политических решений, например, доказав теоретически и экспериментально возможность контроля за проведением ядерных испытаний или отказываясь участвовать в исследованиях, связанных с программой «стратегической оборонной инициативы» (СОИ). Растет число организаций, объединяющих в своих рядах молодых людей, их родителей и преподавателей, таких, как *«СТОП ядерной войне», Организация учеников и учителей за предотвращение ядерной войны.* Их значение определяется способностью формировать новое политическое мышление у следующего поколения американских граждан.

Постепенно расширяется участие бизнесменов в антивоенном движении. Филантропические фонды стали активнее финансировать начинания, направленные на улучшение взаимоотношений между США и СССР, проявляя интерес к поискам путей мирного решения внешнеполитических проблем.

Пока недостаточно активно участвуют в антивоенном движении рабочий класс США, расово-этнические меньшинства, хотя, как показывают опросы общественного мнения, антивоенные настроения среди них распространены так же широко, как и в др. слоях населения.

В 80-е годы происходит приток в ряды антивоенных организаций широких масс тех, кого в США принято называть средними слоями. Участие этих в большинстве своем умеренных и консервативных по взглядам людей обеспечивает движению небывалую массовость и размах, но одновременно служит причиной быстрых смен настроений, неустойчивости позиций, готовности верить обещаниям правительства и президента.

Особое место в антивоенном движении принадлежит представителям политической элиты, среди которых немало конгрессменов и сенаторов, а также лиц, занимавших высокие посты в администрации прошлых лет. Полностью оставаясь на позициях своего класса, они вместе с тем стремятся предотвратить ядерную катастрофу и одновременно облегчить для американской экономики бремя военных расходов.

Их роль в движении неоднозначна: с одной стороны, благодаря своему влиянию, связям со средствами массовой информации они служат своего рода передаточным звеном между антивоенно настроенными массами и правящими кругами, оказывая через конгресс и другие политические механизмы влияние на администрацию, но, с другой стороны, многие из них, боясь политической независимости антивоенных организаций, мешают им занять последовательную и решительную позицию, укрепляют антисоветские предрассудки.

В рядах антивоенного движения действуют и пацифистские организации. **Пацифистское движение** появилось в США в 20-х годах XIX в. На его формирование и деятельность оказала воздействие эмиграция из европейских стран меннонитов, квакеров и членов др. пацифистских церквей, спасавшихся от службы в армии. Среди первых известных пацифистских организаций — *Американское общество мира,* созданное в 1828 г. У. Лэддом.

К концу XIX в. пацифистские организации активизировались. В годы первой мировой войны и после нее возникли организации, действующие до настоящего времени. Квакерский *Комитет американских друзей на службе общества* (1917) наряду с деятельностью в защиту мира осуществляет ряд социальных программ помощи бедным и дискриминируемым как в США, так и в развивающихся странах; *«Братство примирения»* (1915) объединяет лиц различных вероисповеданий, связано с пацифистскими организациями всех действующих в США церквей; *Международная женская лига за мир и свободу* (1915) и *Лига противников войны* (1923) являются организациями нерелигиозных пацифистов.

Признавая, что господствующие в капиталистическом обществе законы противоречат их принципам, пацифисты вместе с тем отвергают классовую борьбу и предлагают взамен мирные, ненасильственные пути трансформации общества. В рядах пацифистов отсутствует единство взглядов на пути и методы достижения конечной цели — разоружения. Большинство выступает за многосторонние или двусторонние согласованные действия. Некоторые, например католическая организация *«Пакс Кристи»* (1973), считают допустимыми и односторонние меры.

Среди пацифистских организаций есть такие радикальные по характеру, как *Католическое рабочее движение* (1933), *Центр по изучению закона и пацифизма* (1978). Первая из них не ограничивается деятельностью в защиту мира, она выступает с откровенно антикапиталистических позиций, считая путем к радикальному обновлению общества децентрализацию анархистского типа (в частности, создание сельскохозяйственных коммун). Вторая координирует исследовательскую работу в области «сознательного протеста против участия в насилии» и оказывает юридическую помощь организациям и лицам, «приверженным ненасилию как образу жизни».

События послевоенных десятилетий — создание атомной бомбы, дальнейшее совершенствование ядерных вооружений и средств их доставки, сделавших территорию США уязвимой для ядерного удара, война во Вьетнаме и массовый протест против нее и т. п.— оказали воздействие на теорию и практику пацифизма. Появилось новое его направление — «ядерный» пацифизм. Его приверженцы не являются сторонниками ненасилия, некоторые даже не отвергают обычных вооружений. Но они выступают против любого применения ядерного оружия.

Многие из пацифистских организаций проводят различие между насилием, добровольно избираемым в качестве средства достижения цели (его пацифисты по-прежнему отвергают), и вынужденным использованием насильственных методов, имеющим, по их мнению, оправдание. Так, пацифисты США оказывали поддержку борьбе вьетнамского народа против американской агрессии. Они считают оправданной и поддерживают борьбу народа Намибии против апартеида, в т. ч. и с использованием тактики партизанской войны.

Деятельность пацифистов предполагает использование различных форм гражданского неповиновения — сидячих демонстраций, забастовок, бойкотов, пикетирования, отказа от сотрудничества с властями, полной или частичной неуплаты налогов, уклонения от службы в вооруженных силах и т. п. Особое место в их деятельности занимает организация акций неповиновения в местах проведения ядерных испытаний. Практикуют пацифисты и такие методы, как петиции, лоббистская деятельность, проведение маршей, демонстраций, митингов, распространение печатных материалов, ведение радио- и телепропаганды.

Пацифистские организации имеют широкие международные связи. Отношение их к СССР неоднозначно. При том, что многие из них заражены антисоветизмом и возлагают на СССР равную с США ответственность за гонку вооружений, в целом они высоко оценивают миролюбивые внешнеполитические инициативы СССР и широко их пропагандируют. Многие пацифистские организации поддерживают контакты с советскими общественными организациями. Комитет американских друзей на службе общества имеет связи с Советским Союзом еще с первых лет после Великой Октябрьской революции.

Движение в защиту гражданских прав и свобод

Демократические права и свободы, которыми пользуются сегодня американские трудящиеся, были завоеваны в упорной борьбе. Провозглашенные в первых 10 поправках к конституции США (Билле о правах) права и свободы распространялись лишь на белых мужчин — владельцев недвижимости. Принятые после Гражданской войны XIII, XIV и XV поправки к конституции (1865—1870 гг.), наделившие негров гражданскими правами, почти столетие оставались на бумаге. Понадобились десятилетия борьбы, чтобы добиться распространения избирательных прав на женщин. Лишь в 1924 г. законом конгресса были предоставлены права американских граждан индейцам. Однако соответствующие изменения в конституции штатов были внесены только после второй мировой войны.

Развернувшееся в середине 50-х годов движение за гражданские права черных американцев поставило своей главной задачей принятие федерального законодательства, которое объявило бы незаконной расовую сегрегацию и дискриминацию и предоставило бы черным равные юридические права с белыми. Во главе движения стояли руководители основных организаций черных американцев М. Л. Кинг, Р. Уилкинс, У. Янг, А. Ф. Рэндолф. Движение приобрело массовый характер, получило поддержку белых союзников, вынудило правящие круги пойти на серьезные уступки. Принятие в 1964 г. закона о гражданских правах, в 1965 г.— закона об избирательных правах и ряда судебных решений, декларировавших юридическое равноправие всех граждан США независимо от расы или пола, явилось значительным завоеванием движения за гражданские права. Оно заложило юридическую основу для дальнейшей борьбы за реальное воплощение гражданских прав.

Несмотря на наличие законодательных мер и судебных решений, закрепивших за всеми гражданами США равные права и свободы, американскому народу приходится вести упорную борьбу против попыток урезать конституционные права, против как открытых, так и искусно маскируемых нарушений формально провозглашенных прав и свобод.

Эта борьба протекает в сложных условиях. В 70—80-е годы движение за гражданские права отстаивает завоевания прошлых лет, борется против попыток реакции выхолостить законодательство по гражданским правам, всемерно ограничить возможности его применения, затруднить работу органов, призванных проводить его в жизнь. В 80-е годы при поддержке Белого дома в конгрессе США было развернуто наступление против таких основных завоеваний борьбы за гражданские права, как закон о гражданских правах 1964 г. и закон об избирательных правах 1965 г. Только объединенными усилиями организаций черных и испаноязычных американцев и либеральных сил в конгрессе в 1983 г. удалось наперекор оппозиции республиканской администрации добиться продления истекавшего в 1985 г. срока действия закона об избирательных правах, а в 1988 г.— принятия закона о восстановлении гражданских прав.

Значительно расширился круг вопросов, попадающих в сферу борьбы за гражданские права. В 70-е годы свои требования об обеспечении им особых прав выдвинули целый ряд расово-этнических групп, женщины, престарелые, инвалиды и др. Наполнилось новым содержанием и само понятие борьбы за гражданские права. Сегодня ее участники требуют не только принятия законодательных и судебных мер, направленных на ограждение прав отдельных групп, но реального наполнения декларативно провозглашенных прав. Причем борцы за гражданские права не ограничиваются лишь требованиями обеспечения конституционно закрепленных политических прав и свобод, а также гарантий правосудия. Они требуют обеспечения таких социально-экономических прав, как право на труд, образование, жилище, медицинскую помощь, обеспечение в старости и т. п. В США ни конституция, ни законодательство не содержат гарантий этих прав. Под давлением массовых выступлений конгресс США время от времени предпринимал попытки законодательного закрепления отдельных социально-экономических прав, но в условиях капиталистического государства такого рода законодательные акты оказываются малодейственными. Требования обеспечения социально-экономических прав наталкиваются на упорное сопротивление правящих кругов, обосновывающих отказ в этих правах отсутствием их гарантий в конституции.

Важным фронтом борьбы за гражданские права и свободы является борьба против активизировавшихся с 70-х годов усилий протащить репрессивное законодательство, против преследований руководителей прогрессивных организаций, активистов массовых движений, против расширяющегося вторжения государственных органов в частную жизнь граждан, усиления гонений на инакомыслящих, наступления реакции на такие права и свободы, вытекающие из положений I поправки к конституции США, как свобода слова, ассоциаций, собраний и демонстраций.

В 70—80-е годы правящие круги США, отказавшись от преследования участников массовых движений по скомпрометировавшим себя в годы маккартизма репрессивным законам, привлекают деятелей оппозиционных движений к уголовной ответственности по сфабрикованным обвинениям. В последние годы массовый характер приняло уголовное преследование участников антивоенных, антирасистских и других выступлений, активистов демократических организаций, представителей расовых меньшинств, занимающих выборные должности на различных уровнях, участников боевых выступлений профсоюзов.

Демократической общественности США приходится бороться против многочисленных нарушений прав американских граждан полицейскими органами, которые были документально засвидетельствованы специальными докладами, подготовленными в последнее десятилетие общественными организациями и видными юристами США, а также международными организациями юристов. В 70-е годы развернулась и борьба против тюремного произвола, бесчеловечных условий содержания во многих тюрьмах, проводящихся там чудовищных экспериментов на людях.

Борьба в защиту гражданских прав и свобод разнообразна по своим формам. Это и массовые кампании давления на конгресс США и законодательные органы штатов, и лоббирование, и судебная защита жертв дискриминации, и массовые кампании протеста против полицейских и судебных репрессий, и подготовка документированных докладов о положении в области прав человека в США, и обращение с петициями в ООН и другие международные организации, и использование средств массовой информации для разоблачения наступления властей на права американцев, их демократические завоевания.

В деятельности в защиту гражданских прав и свобод участвует широкий спектр организаций. В той или иной степени в нее втянуты все организации расовых и этнических меньшинств, организации женщин, престарелых и некоторых других групп населения, отстаивающих свои особые права, профсоюзы, антивоенные и другие массовые организации. Многими группами меньшинств были созданы специальные организации для осуществления судебной защиты их членов от дискриминации. Объединяющий около 500 организаций и группировок *Совет руководства по гражданским правам* (1950) ставит своей основной задачей защиту завоеваний меньшинств в сфере гражданских прав. Старейшей либеральной организацией, выступающей в защиту конституционных свобод американцев, является *Американский союз в защиту гражданских свобод* (1920), предоставляющий судебную защиту отдельным жертвам нарушения конституционных прав и свобод, ведущий исследовательскую и пропагандистскую работу. Деятельность *Национального комитета против репрессивного законодательства* (1960) направлена против репрессивных законов и вмешательства государственных органов в частную жизнь граждан. Объединяющая большое число организаций и группировок *Кампания за политические права* (1977) ставит своей задачей борьбу против незаконных действий и скрытых операций разведывательных органов как в США, так и за рубежом. *Фонд защиты политических прав* (1973) предоставляет юридическую защиту организациям левого спектра и их членам, подвергшимся полицейским и судебным преследованиям, слежке, ставшим жертвами увольнений по политическим мотивам, антипрофсоюзных репрессий. Юридическую помощь жертвам нарушения конституционных прав оказывает *Центр в защиту конституционных прав* (1966). В защиту свободы печати выступают *Национальная коалиция против цензуры* (1974), ведущая борьбу против запрета на книги в школах и библиотеках, против жестких цензурных ограничений, и *Фонд за свободу чтения* (1969), отстаивающий право библиотек на свободный выбор книг.

Важную роль в борьбе за гражданские права и свободы играет созданный в 1973 г. *Национальный союз борьбы против расистских и политических преследований*. Возглавляет его Ф. Чэпмен, среди руководителей — члены Компартии США А. Дэвис и Ш. Митчелл, негритянский священник Б. Чейвис. Союз ставит своей целью мобилизацию масс на борьбу против подавления прав человека в США, успешно сочетает массовые формы борьбы с деятельностью через суды. Направленная Союзом в 1978 г. петиция в ООН привлекла внимание международной общественности к многочисленным случаям нарушения прав человека в США. Особое внимание Союз уделяет деятельности в защиту политических заключенных. Развернутые им массовые кампании помогли вырвать из тюремных застенков осужденных по сфабрикованным обвинениям борцов против расизма — членов «уилмингтонской десятки», некоторых из участников выступления индейцев в Вундед-Ни, негритянского мэра городка Чула Э. Картана, активного участника борьбы против агрессии США во Вьетнаме, за нормализацию отношений между США и Вьетнамом Д. Чыонга и др. Среди жертв судебного произвола, за освобождение которых ведет борьбу Союз, мужественный индейский лидер Л. Пелтиер, один из лидеров партии «Черная пантера» Э. Прэтт и многие другие.

Размах ведущейся демократическими силами США борьбы в защиту гражданских прав и свобод ставит под сомнение притязания Вашингтона на роль всемирного поборника прав человека.

Движение за расовое равенство

Послевоенные десятилетия отмечены развитием и усилением сопротивления различных расовых и этнических групп расизму, дискриминации и сегрегации, всем формам расового неравноправия и угнетения. С середины 50-х годов в США развернулось мощное движение черного населения за формальное равноправие, против узаконенной сегрегации и дискриминации. Эта борьба, получившая поддержку миллионов белых американцев, способствовала активизации и других расовых и этнических групп. Особенность нынешней фазы борьбы за расовое равенство в США — участие в ней практически всех групп населения США, в той или иной степени страдающих от дискриминации, неравноправия и морального унижения, являющихся жертвами расистских предрассудков.

С принятием в середине 60-х годов под напором массовой борьбы законодательства о гражданских правах закончился этап, объективной задачей которого было предоставление расово-этническим меньшинствам формально-юридического равноправия. После этого на повестку дня встала задача достижения равенства в социально-экономической и политической сферах, преодоления расистской политики прошлого.

Борьба за социально-экономическое равенство наталкивается на значительно более упорное сопротивление правящих кругов, чем борьба за гражданские права. Условия, в которых приходится действовать борцам за расовое равенство, осложняются и ослаблением поддержки их требований со стороны части белых американцев, многие из которых расценили принятие законов о гражданских правах как решение расовой проблемы. Заметные изменения произошли в организационной структуре движений. В середине и второй половине 60-х годов ведущую роль в движениях черных и других цветных американцев играли организации леворадикального направления, большинство которых сошло с политической сцены. В изменившихся условиях 70—80-х годов наибольшее влияние приобрели умеренно-реформистские организации.

Крупнейшими организациями черных американцев являются *Национальная ассоциация содействия прогрессу цветного населения* (1909), насчитывающая около 500 тыс. членов, и *Национальная городская лига* (1910). Активизировала деятельность *Лига граждан лати-* *ноамериканского происхождения* (1929) — наиболее представительная организация американцев мексиканского происхождения. Борьбу индейцев за свои права возглавляет организация *Движение американских индейцев*, созданная в 1968 г. Активную роль играют организации, основанные на началах самопомощи. Наибольшим влиянием среди них пользуется организация *«Операция ПУШ»*, созданная в 1971 г. бывшим соратником М. Л. Кинга Дж. Джэксоном. Продолжают действовать появившиеся на рубеже 60—70-х годов во многих крупных профсоюзах фракции черных и испаноязычных рабочих. Расширились масштабы деятельности общенациональной организации *Коалиция черных членов профсоюзов* (1972). В 70-е годы активизировались попытки объединения усилий многочисленных организаций черных и испаноязычных американцев. В целях координации экономических ресурсов негритянской общины был создан *Национальный объединенный фонд черных* (1972). На базе проводившихся с 1976 г. ежегодных встреч руководителей крупнейших организаций черных американцев вырос *Форум негритянского руководства*. От имени всех испаноязычных американцев выступает *Национальный совет испаноязычных американцев* (1968), а координацией усилий основных организаций этой этнической группы занимается *Национальный совет испаноязычного руководства* (1975).

Центральное место в движениях меньшинств занимает борьба вокруг социально-экономических вопросов — против сокращения ассигнований на социальные нужды, против свертывания программ помощи малоимущим, против отказа властей продолжать меры по интеграции школьного образования, по двуязычному обучению.

Одним из основных путей решения социально-экономических проблем большинство лидеров движений меньшинств считают использование выборных учреждений, расширение политического представительства. Их цель — не только добиться избрания своих представителей, но и утвердить свое место в политическом процессе, заставить обе буржуазные партии — Республиканскую и Демократическую — считаться со своими требованиями. Результатом беспрецедентной избирательной активности черных американцев стал успех на первичных выборах 1984 и 1988 гг. популярного негритянского лидера Дж. Джэксона, выдвинувшего свою кандидатуру в президенты США. Программа последовательного сокращения военных ассигнований, оздоровления американской экономики, с которой выступил Дж. Джэксон, свидетельствует о возросшей политической зрелости черного населения страны.

Одна из особенностей движений меньшинств 70—80-х годов — рост активности на местах, совместные выступления в защиту социально-экономических требований жителей кварталов, городских районов. В этой деятельности широко участвуют представители различных расовых и этнических групп.

Продолжается традиционная борьба через суды против дискриминации, нарушения законодательства о гражданских правах. В 70-е годы борьба через суды стала важным участком движения индейцев. Опираясь на положения многочисленных договоров, некогда заключенных правительством США с индейскими племенами, последние начали обращаться в суды с исками о возвращении незаконно отторгнутых у них земель или выплате за них компенсации, о нарушении прав на охоту, рыбную ловлю, о незаконной добыче полезных ископаемых на индейских землях и т. п. Цель современного движения американских индейцев — добиться признания договоров с индейцами в качестве международно-правовых документов, сделать индейский вопрос объектом обсуждения на международных форумах, привлечь США к международному суду по обвинению в нарушении договоров с индейцами и в геноциде. Ведущую роль в этой борьбе играет созданный в 1974 г. *Международный совет по договорам с индейцами*.

С приходом к власти в 1981 г. республиканской администрации, которая пошла в наступление на завоевания минувших десятилетий, наблюдается рост массовых выступлений под социально-экономическими и антирасистскими лозунгами. Организации черных, испаноязычных американцев и индейцев приняли активное участие в многотысячной демонстрации в Вашингтоне в сентябре 1981 г., в марше на Вашингтон 27 августа 1983 г. под лозунгом «Мира, работы и свободы».

Деятельность организаций черных и испаноязычных американцев направлена не только против экономической политики администрации, но и против наращивания военных ассигнований, создания новых систем вооружений. Организации и лидеры меньшинств играют активную роль в движении против военной опасности, ядерной угрозы, за замораживание производства и испытания новых систем стратегического оружия. Меньшинства принимают участие практически во всех массовых выступлениях под антивоенными лозунгами, в работе антивоенных организаций и коалиций.

С начала 70-х годов многие расовые и этнические группы все более активно выступают по внешнеполитическим вопросам, пытаясь оказывать влияние на политику США в отношении ряда регионов. Основные организации черных американцев и их лидеры активно участвуют в разворачивающемся в последние годы широком движении за всеобъемлющие санкции против режима апартеида в ЮАР. Организации испаноязычных американцев особенно активны в выступлениях против помощи США сальвадорскому диктаторскому режиму, против вмешательства в дела Никарагуа.

Характерная особенность современного этапа борьбы за расовое равноправие — постепенное выдвижение на первый план общеклассовых проблем и задач, объективно объединяющих трудящихся, принадлежащих к различным расовым и этническим группам, стремление к совместным действиям с другими отрядами демократических сил.

Движение безработных

По инициативе Коммунистической партии США в разгар экономического кризиса 1929—1933 гг. возникло движение безработных. Основной причиной объединения безработных и координации их выступлений в тот период явились масштабы безработицы (более 17 млн чел. осенью 1932 г.) и полная социальная необеспеченность лиц, потерявших работу: до середины 30-х годов в США отсутствовала какая бы то ни было система социального страхования, материальной компенсации утраченных заработков.

Первые митинги и демонстрации безработных состоялись в ноябре 1929 г. в ряде крупнейших и наиболее пострадавших от кризиса индустриальных центров США — Детройте, Кливленде, Нью-Йорке. 6 марта 1930 г. была проведена первая общенациональная демонстрация безработных, в которой участвовало более миллиона человек. Летом 1930 г. для объединения деятельности многочисленных советов безработных на местах был создан *Национальный конгресс безработных*, избравший *Национальный совет безработных США*.

Движение безработных 30-х годов сыграло решающую роль в принятии администрацией Ф. Рузвельта таких социально значимых мер, как организация общественных работ и создание системы переподготовки рабочей силы, введение страхования по безработице и старости.

В 80-е годы, в разгар самого глубокого после 30-х годов экономического кризиса и наиболее высоких с тех пор уровней безработицы, в США вновь возникают организации безработных, проводятся митинги и демонстрации в защиту права на труд. В марте 1981 г. в Буффало (штат Нью-Йорк) был создан Национальный организационный комитет безработных по подготовке Похода за право на труд. В его работе приняли участие представители ряда профсоюзных, молодежных и женских организаций. Комитет сыграл активную роль в проведении 19 октября 1981 г. в Вашингтоне Дня солидарности — самой внушительной после 30-х годов демонстрации американских трудящихся.

2—3 июля 1983 г. в Чикаго состоялся национальный съезд безработных. На нем присутствовали около 500 делегатов, представлявших 115 различных общественных организаций и 32 профсоюза из 22 штатов и 81 крупного города. С учетом масштабов безработицы и наступления республиканской администрации на социальные завоевания рабочих участниками съезда было принято решение создать общенациональное движение безработных, которое вместе с профсоюзным движением, борцами за гражданские права, движением за мир и ядерное разоружение должно бороться за право на труд и социальную справедливость.

Коммунистическая партия США призвала своих членов активно содействовать организации центров безработных в крупных городах, поддерживать решения и принимать участие в демонстрациях, конгрессах и маршах безработных. Некоторое сокращение масштабов безработицы после 1984 г., вызванное началом экономического подъема, привело, как это не раз бывало в прошлом, к снижению активности движения безработных.

Женское движение

В середине XIX в. в США зародилось движение, которое ставило перед собой цель обеспечить женщинам избирательные права. Первоначальный текст конституции США не содержал никаких упоминаний о женщинах, но это не означало, что они обладают всей полнотой перечисленных в нем прав. Политические права, в частности право голоса, обуславливались рядом цензов — в первую очередь имущественными. Поскольку женщины не имели права самостоятельно распоряжаться собственностью, они автоматически лишались права голоса.

Началом движения женщин за равноправие принято считать первый съезд женщин, состоявшийся в г. Сенека-Фоллз (штат Нью-Йорк) в 1848 г. Его участники потребовали предоставления женщинам, наряду с правом голоса, и экономических прав, а также выступили в поддержку аболиционизма (общественное движение за отмену рабства в США). В 1878 г. конгрессу была представлена на рассмотрение поправка к конституции США, запрещавшая лишать избирательного права граждан на основании их половой принадлежности. Потребовалось более 40 лет упорной борьбы, чтобы конгресс в 1919 г. на специальной сессии одобрил эту поправку, и, после того как ее ратифицировали 36 штатов, она в августе 1920 г. стала частью конституции США.

В борьбе за предоставление женщинам права голоса участвовали преимущественно представительницы господствующего класса. Параллельно разворачивались выступления работающих по найму женщин за улучшение условий и оплаты труда. Среди организаторов профсоюзов, боровшихся одновременно против расизма и дискриминации женщин, особое место занимала негритянка Л. Парсонс. При поддержке созданного ею *Чикагского союза трудящихся женщин* она сумела добиться того, что профсоюзы стали принимать женщин в свои ряды.

Лишь в 60-е годы нашего столетия в результате подъема социального протеста был принят ряд законов, запрещавших дискриминацию — в т. ч. и по признаку пола — в образовании, профессиональной подготовке, оплате труда, продвижении по службе и т. д. Но их оказалось недостаточно для достижения истинного равенства. Эти годы были отмечены ростом активности и массовости женского движения. Число национальных организаций превысило 250. Их характеризовало отсутствие четкой организационной структуры, идейная аморфность, нестабильность, в целом присущие общественным организациям в США. Большинство организаций состоит из немногочисленного ядра активисток и более или менее широкого круга сочувствующих. По классовому характеру, социально-экономическим и политическим целям, формам деятельности, социальному составу они делятся на три основные категории: либерально-реформистские, радикально-экстремистские и рабочие.

Наиболее многочисленны и влиятельны организации либерально-реформистского направления, среди которых роль признанного лидера играет созданная в 1966 г. *Национальная организация женщин*. В начале 80-х годов она насчитывала более 250 тыс. членов, объединявшихся в 900 местных отделениях.

По требованиям и формам борьбы к ней близки *Лига борьбы за равноправие женщин* (1968), *Национальное политическое собрание женщин* (1971), *Женский союз действий* (1971).

Включились в борьбу за права женщин многие организации, давно существовавшие как своего рода клубы для женщин из привилегированных социальных групп: *Американская ассоциация женщин с университетским образованием* (1881), *Лига женщин-избирательниц* (1920), а также религиозные женские организации: *Ассоциация молодых христианок* (1855), *Объединение верующих женщин* (1941) и др.

Все они объединяют в основном женщин из имущих слоев. Задачу своей деятельности они видят в такой трансформации общества и существующих в нем межличностных отношений, которая сделала бы невозможной дискриминацию женщин. Ими выдвигаются лозунги равного представительства женщин в законодательных и исполнительных органах власти всех уровней, в политических организациях и их руководстве, ликвидации дискриминации женщин в области предпринимательской деятельности и т. п.— т. е. они требуют предоставления представительницам буржуазии тех же прав, какими пользуются мужчины их класса.

Присутствие в этих организациях представительниц трудовой интеллигенции — преподавателей университетов и колледжей, школьных учителей, служащих, творческих работников — объясняет выдвижение ими требований, важных для всех работающих женщин: равной оплаты труда, улучшения системы образования, медицинского обслуживания, введения оплачиваемых отпусков по беременности и родам, создания сети детских учреждений.

Выступая против дискриминации женщин, активистки женского движения резко критикуют многие стороны капиталистического общества, однако решение женского вопроса не связывается ими с задачами классовой борьбы, с социальным переустройством общества.

Представительницы другого направления — радикально-экстремистского,— несмотря на архиреволюционную фразеологию, во многом исходят из тех же посылок, что и представительницы либерального. И те, и другие подменяют реальные антагонизмы капиталистического общества надуманными противоречиями между «захватившими господство мужчинами-шовинистами» и «угнетенным классом женщин». Но в отличие от либеральных неофеминисток радикальные неофеминистки связывают решение женского вопроса с революционным преобразованием общества, которое понимают как некую «женскую революцию», призванную уничтожить мужские привилегии и социальные различия между полами. Марксистский подход к проблеме представляется им «упрощенным», а ликвидация капитализма и построение социалистического общества недостаточными для обретения женщинами «подлинной свободы».

Протест против буржуазной семьи радикальные неофеминистки довели до отрицания семьи и брака как «основного института патриархата», а некоторые — до отказа от материнства. Они пропагандируют отказ от семьи и организацию коммун, в которых видят прообраз новых общественных и межличностных отношений. В 60-е — начале 70 х годов большую известность приобрели коммуны «Красные чулки», «Хлеб и розы», «Коллектив им. Анны Луизы Стронг». К концу 70-х годов большинство этих коммун распалось, а их участницы примкнули к либеральным группам, в результате чего в их среде усилилось влияние экстремистского неофеминизма. Под его влиянием I национальная конференция женщин в Хьюстоне (1977 г.) наряду с резолюциями по действительно важным для женщин вопросам приняла заявление в поддержку лесбиянок и гомосексуалистов. Подобные шаги серьезно дискредитируют женское движение в целом и отталкивают от него часть общественности, в т. ч. и женской. Тем самым они играют на руку правым силам, наступление которых на демократические завоевания особенно усилилось в 80-е годы.

Экономическую эксплуатацию и расовое угнетение неофеминистки считают второстепенными по сравнению с дискриминацией по признаку пола. Отрывая женский вопрос от коренных социальных, экономических и политических проблем, неофеминистки дезориентируют трудящихся женщин, затемняют вопрос о действительных причинах их дискриминации, мешают сплочению трудящихся мужчин и женщин в общей борьбе.

Добиваясь улучшения положения женщин во всех сферах жизни, главной своей целью на нынешнем этапе все неофеминистки считают принятие поправки к конституции, провозглашающей равные права женщин. Впервые она была внесена в конгресс в 1923 г., но одобрена им лишь в 1972 г. В силу поправка так и не вступила, поскольку была ратифицирована лишь 35 штатами при необходимом минимуме в 38. Женские организации ведут борьбу за то, чтобы поправка вновь была одобрена конгрессом.

Создание в 70-е годы самостоятельных организаций трудящихся женщин ознаменовало выход женского движения на качественно более высокий уровень. Женщины-труженицы — один из отрядов рабочего движения, и их борьба за свои права представляет собой составную часть классовой борьбы. В то же время они заинтересованы и в удовлетворении тех общедемократических по характеру требований, которые выдвигают неофеминистки.

Включение трудящихся женщин — белых и представительниц расово-этнических групп — в женское движение шло довольно медленно, хотя их недовольство своим положением было широко распространенным явлением. В свою очередь, неофеминистские организации не предпринимают серьезных попыток наладить контакты с женщинами-работницами.

В середине 70-х годов на политическую арену вышли объединения трудящихся женщин: *Коалиция женщин — членов профсоюзов* (1974), «*Женщины за расовое и экономическое равенство*» (1975). Они ведут борьбу за вовлечение в профсоюзы работниц, за улучшение положения всех категорий трудящихся женщин, за обеспечение их занятости, за продвижение на руководящие должности в профсоюзах. Но они не ограничиваются защитой прав только женщин, а добиваются принятия законодательства, защищающего интересы всех рабочих, без различия пола, улучшения системы охраны труда, пенсионного обеспечения и т. п.

За последние годы возросла роль женщин в профсоюзном движении — они составили значительную часть новых членов профсоюзов, добились создания женских секций в большинстве профобъединений, избрания женщин на руководящие должности, в т. ч. в исполком АФТ—КПП. Но идеологически организации трудящихся женщин все еще остаются под сильным влиянием неофеминистской идеологии.

Коммунистическая партия США всегда уделяла серьезное внимание вопросу о положении женщин в обществе и отмечает, что в нынешних условиях женщины играют все бóльшую роль в различных массовых демократических движениях и особенно в борьбе за мир. Коммунисты справедливо указывают, что предлагаемые неофеминистками реформы недостаточны для достижения подлинного равенства женщин.

Движение молодежи и студентов

Идеологически неоднородное движение, включающее различные течения от консервативных и реакционных до леворадикальных и коммунистического. На политическую жизнь США оказывало и оказывает большое влияние его демократическое, прогрессивное крыло. Студенты и преподаватели университетов и колледжей активно участвовали в оппозиционных движениях во времена аболиционистов (30-е годы XIX в.) и Реконструкции Юга

(1865—1877), в период подъема антимонополистического движения популистов (конец XIX в.).

Начало организованного движения молодежи и студентов связано с ростом интереса к социалистическим идеям, в результате чего в 1905 г. возникло *Межуниверситетское социалистическое общество*. В 20—30-е годы нынешнего столетия заметный след в истории движения оставили организации *Национальный студенческий комитет за ограничение вооружений, Студенческая лига за индустриальную демократию*, левое крыло которой впоследствии образовало *Национальную студенческую лигу, Лига коммунистической молодежи* и др.

В 40—50-х годах, в условиях «холодной войны» и разгула маккартизма, наблюдался спад оппозиционных политических выступлений. Но в конце 50-х годов, когда вновь наметилось оживление демократических движений, молодежь включилась в борьбу против расовой дискриминации и гонки вооружений.

60-е годы, благодаря небывалому подъему движения молодежи и студентов, вошли в историю страны как «бурное», «критическое» десятилетие. Наиболее активно проявило себя демократическое, прогрессивное крыло движения, костяк которого составляли «новые левые» (лидеры Т. Хейден, М. Лернер и др.). Они выдвигали не только традиционно молодежные, но и общедемократические требования (предоставление гражданских прав черным американцам, прекращение войны во Вьетнаме и др.), выступили с критикой всех форм угнетения человека в капиталистическом обществе. Их борьба была направлена также против империалистической внешней политики Вашингтона, засилья военно-промышленного комплекса, против связей учебных заведений с военным бизнесом. Среди части «новых левых» получили распространение антипотребительские, антиутилитарные взгляды, что означало

отход от традиционных американских ценностей, отрицание буржуазной идеологии и морали. К концу 60-х годов движение приобрело массовый характер, превратилось в общественно-политическую силу, с которой вынуждены были считаться правящие круги.

В своей борьбе молодежь применяла такие формы и методы, как сидячие забастовки, диспуты, марши, митинги, захват студенческих городков-кампусов. Наиболее массовой и авторитетной была созданная в 1958 г. общенациональная организация «новых левых» *«Студенты — за демократическое общество»* (СДО). Большим влиянием также пользовались *Студенческий координационный комитет ненасильственных действий, Национальный мобилизационный комитет за окончание войны во Вьетнаме*. С середины 60-х годов на стороне СДО и других организаций «новых левых» включилась в борьбу *Национальная студенческая ассоциация* (1947), представляющая собой конфедерацию организаций студенческого самоуправления в колледжах и университетах (ныне называется *Студенческая ассоциация Соединенных Штатов*). Активно действовала организация *Национальное студенческое лобби* (1971). Участвовали в различных общедемократических движениях (женском, антивоенном, за гражданские права) др. молодежные и студенческие организации.

В начале 70-х годов политическая активность молодежи пошла на спад. Это объяснялось прекращением войны во Вьетнаме, принятием законов о гражданских правах, карательными мерами федеральных и местных властей, преследовавших активистов и использовавших оружие против участников выступлений, идейной слабостью движения, внутри которого действовали различные мелкобуржуазные группировки, в т. ч. троцкистского толка, влиянием «контркультуры».

В середине 70-х годов движение молодежи и студентов вступило в новую фазу. На первый план стали выдвигаться требования в основном социально-экономического характера: снизить плату за обучение, увеличить государственные расходы на социальные нужды и сократить затраты на военные программы. Молодежь проявляла большую активность в различных организациях по месту жительства, принимала участие в движении в защиту окружающей среды.

В 80-е годы произошли значительные перемены в умонастроениях и поведении молодежи. Студенты 80-х — дети студентов 60-х, но их ценностные ориентации существенно отличаются от родительских. Если, по данным социологических исследований, в 1966 г. только 44% опрошенных считали материальное благополучие главной жизненной целью, то в 1985 г. их число выросло до 71%. Если в 1967 г. 80% студентов ставили на первое место шкалы ценностей «обретение смысла жизни», то в 1985 г. этот показатель снизился до 43%. В 80-е годы молодежь больше стремится к «достижению авторитетного положения в обществе», нежели к «оказанию помощи другим», «взаимопониманию между расами», защите окружающей среды, участию в программах действий на местах. После прихода к власти республиканской администрации в стране резко активизировались правые и ультраправые группировки, и часть молодежи, не обладающая стойкими демократическими взглядами, оказалась на правом фланге политического спектра. Хотя число молодых людей, относящих себя к консерваторам, остается приблизительно таким же, как и 20 лет назад (15—20%), число относящих себя к либералам сократилось на две трети.

Вместе с тем в стране продолжают действовать отряды молодежи, поддерживающие либеральные программы, выступающие в защиту окружающей среды, против роста военных расходов, против угрозы всеобщей ядерной катастрофы, за разоружение, за взаимопонимание между народами. Те круги молодежи, которые были наиболее активными в различных экологических и местных организациях, влились в антивоенное движение. В 1985—1986 гг. студенты, преподаватели и ученые ряда колледжей и университетов (Сан-Францисского, Калифорнийского, Мичиганского, Массачусетского технологического института и др.) выступили против СОИ. В апреле 1985 г. студенты и преподаватели 62 колледжей и университетов США взяли обязательство не участвовать в научно-технических разработках в рамках СОИ.

Молодежь протестует против вмешательства США в дела Никарагуа и др. независимых государств. Для 80-х годов характерны бурные выступления против поддержки Вашингтоном режима апартеида в ЮАР. Они охватили большое число вузов, студенты которых требуют изъятия капиталовложений крупных и богатых университетов и колледжей из компаний, поддерживающих торгово-экономические отношения с ЮАР (к середине 1986 г. под нажимом студентов 110 университетов и колледжей изъяли 500 млн дол., вложенных в акции транснациональных корпораций, действующих в ЮАР).

Выступления молодежи против ядерной угрозы и против апартеида превратились в движение, приобретшее важное политическое и социальное звучание.

В 1983 г. в США была создана *Молодежная коммунистическая лига*, объединяющая в своих рядах молодых рабочих и безработную молодежь, учащихся средних школ и студентов колледжей. Многие ее члены — представители расово-этнических групп. Лига является общественной марксистско-ленинской организацией, выступающей в союзе с Коммунистической партией США.

Она ставит своей целью содействовать борьбе рабочего класса за мир и демократию, за построение социалистического общества в США. Члены Молодежной коммунистической лиги участвуют в борьбе против засилья монополий, безработицы, за создание широкого молодежного фронта, равенство всех членов общества, за сокращение военных расходов и прибылей корпораций, создание новых рабочих мест, осуществление социальных программ в интересах народа. Лига играет важную роль в антивоенном движении, активно участвует в кампаниях солидарности с народами Латинской Америки, Южной Африки, борется против антисоветизма и антикоммунизма.

Фермерское движение

Давние традиции имеет в США фермерское движение. Выступления фермеров приобрели широкий размах еще в 60-х — начале 70-х годов XVIII в.— накануне Войны за независимость, и вскоре после ее окончания переросли в восстание фермерской бедноты (1786—1787) под руководством Д. Шейса. Одним из основных требований восставших было равное распределение земель и богатства. В 70—90-х годах XIX в. фермеры составили основу антимонополистических движений — грейнджерского, гринбекерского, популистского и др. Мощный подъем фермерского движения отмечался в период экономического кризиса 1929—1933 гг., когда фермерские забастовки и выступления против принудительной продажи ферм за неуплату долгов охватили Средний Запад и др. районы страны.

С начала 80-х годов отмечается ухудшение положения американских фермеров, вызванное, в частности, изменением конъюнктуры на мировом рынке сельскохозяйственной продукции, сокращением сельскохозяйственного экспорта из США (с 44 млрд дол. в 1981 г. до 26 млрд дол. в 1986 г.) и увеличением импорта продукции сельского хозяйства в страну. Эти факторы в сочетании с ростом цен на закупаемую фермерами промышленную продукцию привели к значительному падению доходов фермерских хозяйств. Особую остроту приобрела проблема фермерской задолженности, которая резко возросла в 70-х — начале 80-х годов: ее общая сумма увеличилась с 53 млрд дол. в 1970 г. до 167 млрд дол. к 1987 г. В начале 80-х годов только на выплату процентов по задолженности фермеры тратили около 20 млрд дол. в год.

Увеличение разрыва между получаемыми фермерами доходами и их расходами на промышленную продукцию, включающую сельскохозяйственные машины и оборудование, удобрения и химикаты, растущая задолженность фермерских хозяйств и высокий процент выплат за получаемый кредит ведут к сокращению числа ферм. За 1982—1984 гг. количество фермерских хозяйств в США сократилось на 100 тыс. Согласно данным министерства сельского хозяйства США за 1985 г., 243 тыс. из 2,3 млн фермерских хозяйств США испытывали серьезные финансовые трудности, а еще 145 тыс. находились на грани разорения.

Эти условия стали причиной широко распространившегося недовольства в фермерской среде. Оно вылилось в такие действия, как выступления против участившихся случаев продажи ферм за долги, походы в Вашингтон и в столицы штатов с требованиями повышения закупочных цен на продукцию сельского хозяйства, снижения уровня процентных ставок на кредиты, введения моратория на принудительную продажу ферм. В 1985 г. подобные выступления прошли в штатах Айова, Иллинойс, Небраска, Северная Дакота и др. В феврале—марте 1985 г. в столицу США прибыли фермеры из многих штатов страны с целью добиться от федеральных властей предоставления срочной помощи фермерским хозяйствам в связи с обострением возникающих перед ними проблем. Участники массовой демонстрации фермеров, прошедшей по центральным улицам города, протестовали против политики вашингтонской администрации, направленной на сокращение государственной помощи фермерам, выступали за принятие срочных мер для облегчения бремени фермерской задолженности, за сокращение военных расходов.

Наиболее крупными фермерскими организациями являются Американская федерация фермерских бюро, «Нэшнл грейндж», Фермерский образовательный и кооперативный союз Америки. Это фермерские организации общего типа, уделяющие основное внимание проблемам рынков сбыта, сельскохозяйственных цен и кредита, создания сбытовых и потребительских кооперативов, страховых обществ, а также вопросам сельскохозяйственного законодательства.

Американская федерация фермерских бюро (АФФБ, основана в 1919 г.) — консервативная в политическом отношении организация, решающая роль в которой принадлежит крупным фермерам. По важнейшим вопросам внутренней политики позиции АФФБ совпадают с линией ведущих предпринимательских объединений монополистического капитала — Торговой палаты США и Национальной ассоциации промышленников. Характерным для АФФБ является антикоммунизм, враждебное отношение к профсоюзному движению. В программных документах АФФБ неизменно подчеркивается приверженность американской системе частного предпринимательства, принципам ограничения вмешательства государства в экономику. В подходе к проблемам сельскохозяйственной политики АФФБ исходит из концепции сельского хозяйства, ориентированного на рынок, когда уровень производства и сельскохозяйственных цен должен определяться спросом и предложением, а не решениями правительства.

АФФБ является сторонником расширения экспорта сельскохозяйственных товаров из США и выступает против принимаемых правительством мер по его ограничению. Организация считает, что эмбарго на экспорт того или иного вида сельскохозяйственной продукции может устанавливаться лишь по соображениям национальной безопасности и внешней политики и только с согласия конгресса США. В основе позиции АФФБ по вопросам внешней политики лежит утверждение, что мир может быть обеспечен лишь посредством силы. АФФБ выступает в пользу «сильной оборонной политики», в поддержку СОИ.

Организация *«Нэшнл грейндж»*, или «Орден покровителей земледелия» (основана в 1867 г.), возникла как масонское братство, но в первой половине 70-х годов XIX в. испытала сильное влияние массового антимонополистического движения, многие участники которого состояли членами этой организации. Подход «Нэшнл грейндж» к вопросам сельскохозяйственной политики диктуется интересами прежде всего средних и мелких фермеров. Исходя из утверждения, что сельскохозяйственная политика должна быть ориентирована на рынок, «Нэшнл грейндж» подчеркивает одновременно, что на экономику сельского хозяйства влияют внерыночные факторы, поэтому аграрная политика государства должна предоставлять фермерам «определенную меру финансовой защиты». Главной целью правительственной сельскохозяйственной политики называется помощь семейным фермам, т. е. владельцам средних ферм, для которых их хозяйство является единственным источником дохода. Организация поддерживает законодательные предложения, предусматривающие государственную помощь фермерам для облегчения проблемы задолженности, выступает за расширение экспорта сельскохозяйственной продукции из США.

Фермерский образовательный и кооперативный союз Америки (основан в 1902 г.), чаще называемый для краткости Национальный фермерский союз или просто Фермерский союз,— организация либерального толка, близкая к соответствующему крылу Демократической партии, сотрудничающая с профсоюзами. Руководящая роль в организации принадлежит среднему фермерству.

Фермерский союз свою главную задачу видит в защите интересов владельцев семейных ферм. Он отрицательно относится к изменениям в государственных сельскохозяйственных программах в направлении «ориентации на рынок», считая, что это ведет к дестабилизации сельскохозяйственной экономики, снижению доходов фермеров, сокращению экспортных возможностей. Одно из главных требований Фермерского союза сводится к тому, что сельскохозяйственные цены должны так устанавливаться государственными программами, чтобы покрывались издержки производства. Отмечая остроту проблемы фермерской задолженности, организация предлагает ряд мер, направленных на облегчение положения должников. Впредь, до принятия таких мер, Фермерский союз считает необходимым установить мораторий на принудительные продажи ферм за неуплату долгов.

Фермерский союз выступает за расширение экспорта сельскохозяйственной продукции и, соответственно, против правительственных мер по его ограничению. Проблему дефицита федерального бюджета Фермерский союз связывает прежде всего с ростом военных расходов и налоговыми льготами корпорациям.

В области внешней политики организация выступает за международное сотрудничество, в поддержку принципов ООН, против СОИ, за мораторий на разработку и производство ядерных вооружений.

В 1977 г. была создана новая фермерская организация — *Американское сельскохозяйственное движение*. Она выступает за установление справедливого соотношения между закупочными ценами на сельскохозяйственную продукцию и ценами на приобретаемые фермерами товары и услуги, а в области внешнеэкономической политики — за расширение экспорта и увеличение государственной помощи фермерам с тем, чтобы они могли успешно конкурировать на международных рынках.

Движение в защиту окружающей среды

Истоки этого движения уходят в эпоху раннего капитализма, когда во второй половине XIX — начале XX в. возникло движение «консервационистов», выступавших против коммерческой эксплуатации общественных земель и призывавших к сохранению (консервации) природы. Тогда это было малочисленное движение, оказывавшее незначительное воздействие на общественно-политическую жизнь.

Современное массовое экологическое движение, вобравшее в себя и старое «консервационистское» течение, родилось в конце 60 — начале 70-х годов, когда ухудшение качества окружающей среды вызвало активный интерес широкой общественности к обострявшимся вопросам природопользования и на экологическую проблематику переключились многие представители движения за гражданские права, молодежного и антивоенного движений 60-х годов. Расширению социальной базы движения способствовало и то, что в него включились также профсоюзные, женские и другие общественно-политические организации. Первое массовое выступление в защиту окружающей среды (в демонстрациях участвовало около 10 млн чел.), проведенное 22 апреля 1970 г. как празднование Дня земли, часто называют началом современного движения в защиту окружающей среды.

Это движение объединяет неоднородные по социально-классовому составу, целям и методам борьбы политические силы, что нередко порождает расхождения в позициях, разногласия в действиях и требованиях. Наиболее крупными, политически активными и влиятельными общенациональными организациями являются: из числа «старых», остающихся в значительной степени «консервационистскими» по характеру, но усиливших политическую деятельность, — *Сиерра-клаб* (1892), *Национальное общество имени Одюбона* (1905), *Ассоциация национальных парков и охраны природы* (1919), *Американская лига имени Исаака Уолтона* (1922), *Общество защиты дикой природы* (1935), *Национальная федерация защиты дикой фауны* (1936); и возникших в конце 60 — начале 70-х годов, преимущественно политических по целям и деятельности — *Фонд защиты окружающей среды* (1967), *«Друзья Земли»* (1969), *Совет защиты природных ресурсов* (1970), *«Действие в защиту природы»* (1970), *Лига избирателей — защитников природы* (1970), *Институт природоохранной политики* (1972). Социальный состав этих и им подобных организаций — это, главным образом, представители зажиточных, образованных городских средних слоев, либеральная интеллигенция.

Наибольших успехов экологическое движение добилось в 70-е годы. На протяжении всего десятилетия оно постоянно выступало как реальная сила, с которой считались конгресс и администрация и без участия которой практически не обходилось принятие сколько-нибудь важных решений в сфере экологической политики. Под давлением движения были одобрены законодательные акты, в совокупности составившие правовой механизм государственного регулирования природопользования и контроля качества окружающей среды. При этом существенно расширился круг вопросов, на которые обращало внимание экологическое движение, — от традиционных для «консервационистского» течения (сохранение нетронутых уголков природы, создание национальных парков и заповедных территорий, строительство ирригационных сооружений) до таких, как загрязнение воздушного и водного бассейнов, землепользование, энергетика, городская окружающая среда, применение пестицидов, экология рабочего места на промышленных предприятиях, борьба с вредными промышленными отходами и др.

На рубеже 80-х годов под давлением обострявшихся экономических проблем, кризиса традиционных методов государственного регулирования социально-экономических процессов и резко усилившегося наступления монополий, обвинявших защитников окружающей среды в том, что они мешают монополиям производительно работать, уже администрация Дж. Картера начала смягчать некоторые жесткие положения природоохранных установлений и сокращать ассигнования на экологические программы. Эта тенденция усилилась, когда в результате выборов 1980 г. движение потеряло многих своих сторонников в конгрессе, а в Белый дом пришла консервативная республиканская администрация, взявшая курс на еще более активное сворачивание указанных программ. В изменившейся обстановке движение ставило перед собой задачу отстоять завоевания 70-х годов, и сохранившаяся широкая поддержка его целей помогла ему успешно противостоять экологической политике республиканской администрации. Вместе с тем движение стало чаще идти на компромиссы.

Для достижения своих целей экологическое движение использует средства и методы из арсенала не только массовых движений (демонстрации, марши протеста, кампании по сбору подписей, манифестации), но и лекционно-просветительской (собрания, семинары, конференции, симпозиумы) и лоббистской деятельности (финансирование избирательных кампаний кандидатов в конгресс, выступления на слушаниях в комитетах конгресса, массовые кампании писем, телеграмм и телефонных звонков членам конгресса и т. д.). Кроме того, движение возбуждает судебные дела против монополий по конкретным фактам нарушения природоохранного законодательства и загрязнения среды обитания.

Экологическое движение поддерживает другие демократические движения — антивоенное, женское, за гражданские права, выступает в коалициях с профсоюзами, организациями фермеров, потребителей, престарелых.

Движение потребителей

Консьюмеризм (от англ. consumer — потребитель) — одна из традиционных форм демократического антимонополистического протеста в США. Его корни уходят в XIX в., в пору массовых организованных выступлений против засилья всемогущих железнодорожных компаний, устанавливавших непомерные поборы за перевозку пассажиров и грузов (1869—1887 гг.). В первые десятилетия XX в. борьба против злоупотреблений монополий на рынке потребительских товаров и услуг выливается в борьбу за принятие соответствующих законов и создание государственных органов по надзору за качеством и безопасностью товаров. Собственно история консьюмеризма началась в 1928 г., когда была создана первая экспертная организация *«Исследования для потребителей»*, которая проводила в независимых от монополий лабораториях проверку качества товаров и о результатах сообщала широкой общественности. В 1936 г. из нее выделился *Союз потребителей США*, и поныне являющийся самой крупной организацией «старого» консьюмеризма. Проверки качества товаров и услуг она дополняет широкими социологическими опросами самих покупателей. Результаты исследований публикуются в издаваемом Союзом потребителей ежемесячном журнале «Консьюмер рипортс» (каждый подписчик автоматически становится членом этой организации) и в ежегодном справочнике для покупателей, который призван служить путеводителем по рынку товаров и услуг. Пользуясь этими изданиями, потребитель может избежать случаев прямого обмана и приобрести относительно качественные недорогие изделия, узнать о порядке возмещения убытков, об ответственности фирмы и продавшего товар магазина и т. д.

Союз потребителей США и другие организации «старого» консьюмеризма ставят своей целью воспитание грамотного потребителя, поэтому экспертная и просветительская функции остаются их главным делом, в то время как выступления в защиту более широких общественных требований отодвигаются на второй план.

Принципиально иную позицию занимает «новый» консьюмеризм, возникновение которого в конце 60-х годов XX в. связано с именем известного «защитника потребителей», юриста и публициста Р. Нэйдера. Созданные им организации ставят на первое место политическую борьбу, выступают в защиту общественных интересов. Они поддерживают «своих» кандидатов на выборах в конгресс и местные органы власти, ведут активную лоббистскую деятельность, добиваясь принятия законов в пользу потребителей, публикуют разоблачительные материалы в печати, организуют демонстрации и пикеты, бойкоты товаров, возбуждают в судах иски против монополий, пытаются заставить правительство ограничить их всевластие, оказывают юридическую помощь малоимущим и неимущим потребителям.

Помимо созданных Нэйдером центральных организаций — *Центр по изучению ответственного применения закона* (1968), *Группа исследования общественных интересов* (1970), *«Гражданин-общественник»* (1971), *«Наблюдатель за деятельностью конгресса»* (1973) — действуют многочисленные группы на местах, особенно среди молодежи и студенчества, социально активной интеллигенции. Силой, объединяющей организации «старого» и «нового» консьюмеризма, выступает созданная в 1967 г. крупнейшая и одна из наиболее влиятельных в движении *Американская федерация потребителей.*

Движение потребителей участвует в демократической борьбе совместно с профсоюзами, объединениями престарелых и бедняков, молодежными, женскими, природоохранными организациями.

Движение престарелых

Составной частью общедемократического движения и формой социального протеста является в США движение престарелых. Оно нацелено на борьбу за экономические интересы, за социальные права пожилых американцев.

Характер движения престарелых 80-х годов формируется под воздействием двух важнейших факторов: кризисного состояния системы социального страхования в США и демографических сдвигов, в результате которых в начале 80-х годов впервые в истории США американцев в возрасте 65 лет и старше стало больше, чем молодых людей.

Главной своей целью движение престарелых на современном этапе считает сохранение завоеванных ранее социальных прав, и прежде всего права на социальное обеспечение по старости и права на медицинскую помощь. Движение выражает озабоченность усилением относительного социального неравенства в результате проводимой республиканской администрацией социальной политики. Сокращение ассигнований и замораживание выплат по социальным программам наиболее остро сказываются на жизненном уровне пожилых американцев. Движение престарелых отстаивает увеличение ассигнований на федеральном уровне и на уровне штатов на помощь престарелым, повышение пособий по социальному страхованию, снижение стоимости медицинского обслуживания и жилья для пожилых. В настоящее время пожилые американцы вынуждены покрывать около 50% расходов на медицинские услуги. В среднем 20% дохода пожилого американца 60 лет и старше идет только на медицинское обслуживание.

Под давлением движения престарелых, поддержку требованиям которого оказывают широкие демократические круги, включая профсоюзы, женские организации и другие общественные организации, республиканская администрация была вынуждена отказаться от ряда мер, направленных на резкое сокращение национальных социальных программ.

В 80-х годах в США насчитывается 35 общенациональных общественных организаций пожилых американцев, среди которых самыми крупными являются *Американская ассоциация пенсионеров* (1958), объединявшая в середине 80-х годов 14,5 млн членов, *Национальный совет пожилых граждан Америки* (1961) — около 4 млн, *Национальный альянс пожилых граждан* (1974) —свыше 800 тыс. Членами этих организаций являются представители деловых кругов, органов власти всех уровней, профсоюзные и религиозные деятели, врачи, преподаватели.

Пестрота социальной базы и специфические задачи, стоящие перед участниками движения престарелых, обусловливают идейно-политическую неоднородность движения, что облегчает контроль над ним со стороны ведущих политических партий, позволяет не допустить в самом движении радикальных социально-критических настроений.

Общественно-политическая деятельность общественных организаций пожилых выражается обычно в лоббировании законодательства на всех уровнях власти, в оказании давления на власти штатов с целью улучшения работы лечебных заведений, в проведении широких общенациональных кампаний, направленных на изменение подхода федерального правительства к решению проблем пожилых граждан. Как правило, лоббирование осуществляется в союзе с профсоюзами и городскими организациями. Традиционно организации престарелых пользуются заметным влиянием в конгрессе и обычно поддерживают демократов либерального толка.

Консервативные и праворадикальные движения

Важное место в политическом спектре американского общества занимают правые движения, имеющие глубокие исторические и идейные традиции. Эти движения представляют собой внутренне противоречивый конгломерат, включающий течения и направления как консервативного, так и праворадикального толка, выступающие против социально-реформистских тенденций и стремящиеся сохранить статус-кво или даже осуществить реакционные социальные преобразования. Их социальная база относительно неустойчива — ее составляют прежде всего те социальные слои, положению которых угрожают новые тенденции общественного развития, которые испытывают страх перед социальным прогрессом и склонны к консервативной реакции на все новое в общественном развитии. В современном американском обществе это прежде всего различные круги немонополистической буржуазии — крупной, средней и мелкой, некоторые группировки монополистического капитала. Праворадикальные движения опираются также и на социальный протест мелких предпринимателей и определенной части рабочих, которому правящие круги стремятся придать реакционную направленность.

Правые движения в американской политической жизни чаще всего носят либо внепартийный характер, либо рассредоточены на правых флангах двух основных партий — Республиканской и Демократической. Идеология американских консерваторов и правых радикалов имеет четко выраженную индивидуалистическую, частнопредпринимательскую основу, для нее характерны промилитаристская направленность, воинствующий национализм и шовинизм, морально-религиозный традиционализм, антидемократизм, антикоммунизм и часто расизм. Важную роль в формировании правых движений в США играют внешнеполитические факторы. Как правило, консерваторы и правые радикалы крайне болезненно, истерично реагируют на любые внешнеполитические проблемы, возникающие в процессе попыток практической реализации идеологии «американской исключительности», «явного предначертания» и т. п. Правые движения оказывают серьезное воздействие на внешнюю политику США.

Консерватизм занимает одно из центральных мест в правом движении. Истоки консервативной традиции в американском обществе восходят к добуржуазной, феодальной тенденции, завезенной в Новый Свет английскими лоялистами (т. е.

сторонниками английской короны) и претерпевшей на Американском континенте существенные внутренние метаморфозы. На этой основе, в первую очередь, оформилась политическая идеология южной плантаторско-рабовладельческой аристократии, выступавшей против буржуазно-рыночного, индустриального пути развития Севера и являвшейся консервативным элементом в системе складывающегося в Америке капиталистического уклада. Позднее, во второй половине XIX — начале XX в., элементы классического консерватизма были заимствованы теми группами буржуазных частных собственников, которые оказались неприспособленными к интенсивной индустриализации и монополизации капиталистического уклада в США и поэтому стали апеллировать к прошлому, к уже преодоленным этапам исторического развития. В общем русле этого консервативного движения выделялись различные течения — «новый гуманизм», «южные аграрии» и др. Наконец, начиная с 30—40-х годов XX в. в условиях специфической консервативной реакции на «новый курс» администрации Ф. Рузвельта со стороны преимущественно периферийных политических сил, у которых меры государственной централизации власти выбивали почву из-под ног и лишали привилегированного положения в своих регионах, на основе традиции классического консерватизма возникает так называемое *традиционалистское движение*, в тех или иных формах сохранившееся и по сей день. К идеологам традиционалистского консерватизма относятся Р. Керк, Э. Фогелин, Р. Уивер, П. Вирек, Л. Страусс, и др. Традиционалисты, требуя невмешательства государства в сферу рыночных отношений, в большей степени все же озабочены социальной и морально-религиозной проблематикой. Поэтому традиционализм — это не столько экономический, сколько социальный консерватизм, лозунгом которого является «закон и порядок».

Второе направление, по которому шло формирование иного типа консервативных движений в США, связано с внутренней эволюцией классического либерализма (восходящего к наследию английского философа Дж. Локка) в период перехода к государственно-монополистическому капитализму. В этих условиях классическая либеральная идея рыночного капитализма приобрела консервативную функцию, а на ее основе сформировался специфически американский тип «рыночного» консерватизма (У. Самнер, Э. Карнеги и др.). Важное место в нем заняли социал-дарвинистская идея «естественного капиталистического отбора» и требование «свободы» заключения трудовых контрактов, гарантировавшей крупным частным собственникам наиболее выгодные для них условия эксплуатации наемного труда без государственного вмешательства.

В 30-х годах в качестве реакции на реформы «нового курса» и на основе традиции «рыночного» консерватизма произошло формирование новой разновидности консервативного идейно-политического движения, получившего название *либертаризма* и отражавшего интересы достаточно широких кругов бизнеса. Это движение отвергало любые посягательства государства на традиционную суверенность бизнеса и сопротивлялось всякому расширению прав трудящихся как «коллективистской» и «социалистической» акции, подрывающей устои американского индивидуализма. Идеологами либертаризма в США считаются Ф. Хаек, Л. Мизес, Ф. Чодоров, Дж. Хосперс, М. Фридман, М. Ротбард и др. Для либертаризма больше, чем для традиционализма, характерны политико-организационные формы объединения, в частности в рамках Либертаристской партии, принадлежащей к числу «третьих» партий в США.

Либертаристы — прежде всего экономические консерваторы, они требуют резкого сокращения, а в тенденции вообще ликвидации государственного вмешательства в экономическую и социальную области; в своих крайних формах склоняются к «анархо-капитализму». Между традиционалистами и либертаристами существуют острые разногласия в связи с тем, что последние отвергают социальный и морально-религиозный авторитаризм традиционалистских консерваторов, хотя на практике и те и другие нередко выступают единым политическим блоком.

Наконец, третьим направлением, по которому шло формирование консервативных движений в США, явилась реакция на кризис в 70-х годах господствующих государственно-монополистических форм американского либерализма, его идеологии и социально-экономической политики. Одним из выражений этой реакции стало новое идейно-политическое течение, получившее название неоконсерватизма. Его сторонники, в отличие от традиционалистов и либертаристов, в принципе признают необходимость вмешательства государства в экономику и принятия им на себя целого ряда социальных функций, однако требуют ограничить и сократить это вмешательство и выполняемые государством функции, с одной стороны, и увеличить роль рыночных механизмов — с другой. К теоретикам неоконсерватизма относятся И. Кристол, Д. Белл, Э. Бэнфилд, Н. Глейзер, М. Дектер, С. Липсет, Д. Мойнихен, Н. Подгорец, С. Хантингтон и др. Первоначально неоконсерватизм заявил о себе как об интеллектуальном течении, однако вскоре ему удалось стать и влиятельной политической силой, поскольку он явился выразителем интересов тех, прежде всего средних, общественных слоев, которые к 60-м годам добились значительного повышения своего жизненного уровня, однако оказались

под угрозой утраты завоеванных привилегий и преимуществ, возникшей в условиях экономических трудностей 70-х годов и вследствие основных тенденций социальной политики либералов, осуществлявшейся, как считали консерваторы, не в интересах средней Америки. Важным фактором в распространении неоконсервативных настроений явилась и обывательская шовинистическая реакция на общее изменение положения США в мире и провалы американской внешней политики в 70-х годах.

Неоконсерватизм, как и либертаризм и традиционализм, явились важными факторами и составными компонентами так называемого *рейганизма*, сумевшего объединить в начале 80-х годов различные правоконсервативные движения в относительно единую и мощную политическую силу. При этом, помимо отмеченных выше трех основных разновидностей американского консерватизма, важное место в рейгановской коалиции заняли и праворадикальные движения.

Если истоки американского консерватизма восходят еще к колониальному прошлому, то правый радикализм в США четко заявляет о себе лишь к началу XX в., ко времени закладывания основ государственно-монополистического капитализма и началу первого этапа кризиса капитализма. Правый радикализм в США представляет собой прежде всего дальнейшую эволюцию консерватизма вправо, когда из охранителя статус-кво он становится носителем реакционного социального протеста, претендуя на роль защитника «среднего класса» и от коррумпированной олигархической верхушки монополистов и от «непроизводительных низов — бездельников». Для правых радикалов характерно образование полусектантских политических организаций с четкой иерархической структурой.

Одним из наиболее известных праворадикальных движений в США

является основанное в конце 50-х годов Р. Уэлчем Общество Джона Берча (названо по имени американского разведчика, погибшего в Китае в 1945 г., которого возвели в ранг первого героя «холодной войны»). Отличительная черта *берчизма* — известная «теория заговора» всемирного коммунизма и его пособников — международных банкиров и монополистов, злым умыслом которых объясняются все изменения в мире и в политической жизни США, в т. ч. усиление мощи государства и сужение сферы свободного предпринимательства. Берчизму свойственна идеализация свободного рынка, которому, как утверждается, угрожает государство, якобы попавшее в результате заговора в руки либералов, наживающихся за счет «среднего класса» производителей и с помощью несправедливого перераспределения доходов плодящих бездельников-люмпенов, существующих на средства социального обеспечения. Берчисты выступают категорически против социального обеспечения, против любых социальных реформ и уступок государства предъявляемым снизу требованиям. Берчизм в основном отражает сознание провинциальных предпринимателей, различных слоев немонополистической буржуазии, страшащихся дальнейшего возвышения государственно-монополистического капитализма.

В общем русле праворадикальных движений в США выделяются и различного рода *расистские организации,* в т. ч. заимствующие догмы фашизма. Расистские организации существовали на большом протяжении американской истории, оправдывая и реально осуществляя геноцид в отношении коренного индейского населения, рабовладение в США и сегрегацию негров. В XIX в. расизм в США начинает использоваться и в качестве средства борьбы с буржуазно-демократическими идеями и подъемом рабочего движения. Самая известная расист-

ская террористическая организация в США, существующая и по сей день,— Ку-клукс-клан (основана в 1865 г.), имеет свои ячейки во многих штатах.

Традиции фашизма, хотя и не смогли сколько-нибудь глубоко укорениться в американском обществе, тем не менее оказали влияние на некоторые праворадикальные расистские движения, подчас буквально заимствующие не только его догмы, но и организационные формы. Это такие организации, как Национал-социалистическая партия белого народа, «Лобби свободы», Национальный кружок рабочих комитетов и др. Многие из них имеют антисемитскую ориентацию.

Целый ряд праворадикальных движений в США выступает под лозунгами религиозного фундаментализма. Это такие, например, организации, как Американский совет христианских церквей (1941), «Христианский крестовый поход» (1948), «Христианский антикоммунистический крестовый поход» (1953) и др.

Другим важным направлением в русле праворадикальных движений в США является *правый популизм,* имеющий глубокие идейные и исторические традиции и выступавший в 60—70-х годах в первую очередь в форме движения Дж. Уоллеса (губернатора штата Алабама, кандидата в президенты США). Наибольшее распространение правый популизм получил среди определенных кругов белых рабочих, в основном средней и низкой квалификации. Правопопулистские идеологи (К. Филлипс и др.), отражая распространенные среди них настроения, обрушиваются с резкой критикой на «большое правительство», «большой бизнес», «большие профсоюзы» и «большие средства массовой информации», спекулируют на псевдодемократической, «народной» риторике. Умелая эксплуатация правопопулистских настроений явилась важным фактором в процессе мобилизации массовой поддержки «рейганизма», особенно в начале 80-х годов. Именно с «рейганизмом» оказался связанным качественно новый этап в развитии правых движений в США, характеризующийся в первую очередь их выходом на уровень правительственной политики и попытками претворить в практику свойственные им разнородные идеи и политические программы.

Помимо отмеченных выше консервативных и праворадикальных движений весьма важным фактором в так называемой консервативной волне 80-х годов, воплощением которой и явился «рейганизм», стала резкая активизация «новых правых», т. е. новых организаций и групп национального и регионального масштаба, выступающих по тем или иным политическим, социальным, экономическим и моральным вопросам с ультраправых позиций. В отличие от их предшественников, традиционных праворадикальных движений, «новым правым» удалось на определенное время стать влиятельной, хорошо организованной и щедро финансируемой политической силой, что в значительной мере было связано с использованием ими новых приемов политической предвыборной борьбы. В движении «новых правых» выделяются два основных течения. Во-первых, это ультраправые группы, которые занимаются политической мобилизацией, пропагандой и лоббированием и деятельность которых, в основном, сосредоточена на какой-либо одной политической, социальной или иной проблеме. Это такие организации, как Национальный комитет за ограничение налогов, Комитет граждан за право хранить и носить оружие (1971), Комитет политического действия свободного конгресса (с 1974 до 1985 г.— Комитет за выживание свободного конгресса), Национальный консервативный комитет политических действий (1974) и др. Во-вторых, это различные новые религиозные правофундаменталистские организации и группы, ставшие важным фактором в · сдвиге вправо в США в начале 80-х годов. Прежде всего речь идет о так называемых «христианских новых правых», активно использующих радио- и телепередачи для своих проповедей, таких, как Федерация свободы (с 1979 по 1986 г.— «Моральное большинство»), «Христианский голос» (1978) и др. «Новым правым» удалось достичь определенных политических успехов, в т. ч. добиться победы целого ряда правых кандидатов на выборах в конгресс и в местные органы власти в начале 80-х годов. Однако позднее их влияние стало уменьшаться. Тем не менее «новые правые» остаются важным фактором в современной политической жизни США и влиятельным компонентом современных правых движений.

РЕЛИГИЯ И ЦЕРКОВЬ

В США никогда не было государственной церкви. Религия, по конституции США, является частным делом граждан. Однако фактически этот принцип постоянно нарушается: правительство содержит капелланов в конгрессе, в армии, на флоте, в тюрьмах; церковная собственность не облагается налогом; президент принимает клятву на Библии; национальным девизом являются слова: «Мы полагаемся на бога».

Эти постоянные нарушения принципа отделения церкви от государства связаны с тем, что в США, в отличие от большинства стран Западной Европы, фактически отсутствует массовый атеизм. Опросы показывают, что 98% американцев постоянно отвечают «да» на вопрос: «Верите ли вы в бога?» Еженедельно церковь или синагогу посещает около 40% населения. Формально членами церковных общин являются 68% американцев, но отождествляют себя с тем или иным религиозным направлением 91%. Однако столь высокая институциональная религиозность американцев во многом носит формальный характер. Опросы показывают очень слабый уровень знаний о религии.

Для США характерна высокая степень религиозного плюрализма. И если в начальный период существования американского государства это был плюрализм различных направлений протестантизма, то сейчас, в результате иммиграции представителей самых разных религий со всех концов света и проповеднической деятельности различных миссионеров, в США представлены едва ли не все существующие религии. Всего в стране около 2 тыс. различных вероисповедных объединений.

Протестантизм продолжает быть основным религиозным направлением для США. Протестанты составляют 57% населения страны, в южных штатах их 74%, в среднезападных — 63%. Подавляющее большинство черных американцев (82%) — протестанты. Протестантизм делится на отдельные конфессиональные направления, к каждому из которых принадлежит ряд отдельных церквей. Основанием для их самостоятельности могут быть самые разные теологические, организационные, культово-обрядовые различия или различия в расовом и этническом составе паствы.

Самым крупным из направлений американского протестантизма (20% населения) является баптизм, особенно распространенный в южных штатах — как среди белых, так и среди черных южан. По численности приверженцев на втором месте после баптизма — методизм (9%). Баптистские и методистские церкви — демократические по социальному составу, в прошлом веке это основные религиозные направления американского фермерства. Лютеране (7% населения) —

в основном потомки немецких и скандинавских иммигрантов. Не столь многочисленны, но более элитарны по социальному составу старейшие направления американского протестантизма: епископальная церковь — 3% (американский вариант англиканства), пресвитериане — 2% (пресвитерианство — государственная церковь Шотландии), Объединенная церковь Христа — 2% (церковь, являющаяся непосредственной преемницей церквей «отцов-пилигриммов», основателей новоанглийских колоний в Америке), Христианская церковь — ученики Христа — 2%. Другие, более малочисленные направления протестантизма тем не менее играют значительную роль в американской религиозной жизни — квакеры, меннониты, пятидесятники и др.

Для американского протестантизма наряду с разделением по конфессиональным направлениям не менее важно деление на либеральные церкви, принимающие библейскую критику, и евангелические и фундаменталистские церкви, стоящие на позициях буквалистского подхода к Библии. Первые имеют своих приверженцев в более «высоких», вторые — в более «низких» социальных слоях. Основные либерально-протестантские церкви разных конфессиональных направлений вместе с рядом православных церквей входят в крупнейшее религиозное объединение США — Национальный совет церквей Христа.

Католицизм исповедуют 28% населения США. В основном это потомки иммигрантов из католических стран Европы, поселившиеся в северо-восточных штатах США (на северо-востоке 44% населения — католики). Католики — значительная часть рабочих крупных индустриальных центров. В последние годы в США усиливается иммиграция испаноязычных католиков из стран Латинской Америки.

Иудаизм исповедуют около 2% населения, сосредоточенного в основном в крупных городах, около половины — в Нью-Йорке. Особенностью американского иудаизма является преобладание неортодоксальных, модернистских форм иудаизма — «реформизма», «консерватизма» и «реконструкционизма». Из крупных религиозных общин иудаистская — сейчас самая богатая и образованная. Особенно высокий социальный состав характерен для неортодоксальных иудаистских объединений. Ортодоксы — более бедные и менее образованные.

Протестантизм, католицизм и иудаизм — три основных религиозных направления. Но заметную роль играет в США и *православие*. В США 26 отдельных независимых православных церквей, разделяющихся по этническому признаку, а также по тому, признают они или нет православные иерархии социалистических стран.

В США существует также ряд религиозных течений, возникших уже на американской почве и не могущих быть причисленными к какому-либо направлению христианства, например *мормоны*, составляющие большинство населения штата Юта.

В последние десятилетия в США усиленно проникают различные восточные религии. *Мусульманство* приносится иммигрантами и распространяется среди части черного населения США. Есть также иммигрантские общины различных направлений *буддизма, индуизма, сикхизма*. Буддистские и индуистские течения получили довольно значительное распространение в среде американской интеллигенции.

Политические позиции американских церквей — самые разнообразные. Тем не менее американское духовенство занимает более левые либеральные позиции, чем население в целом; Национальный совет церквей Христа фигурирует в числе организаций, стоящих на левом фланге американского политического спектра. Однако в конце 70 — начале 80-х годов происходит резкая политическая активизация протестантского фундаментализма, выступающего на политической арене США как крайне правая сила.

ЭКОНОМИКА

МЕСТО США В МИРОВОМ КАПИТАЛИСТИЧЕСКОМ ХОЗЯЙСТВЕ

США — единственная страна мира, чья экономика вышла из второй мировой войны значительно окрепшей. В первые послевоенные десятилетия лидирующее положение США в мировом капиталистическом хозяйстве было бесспорно. Война избавила эту страну от серьезных конкурентов, но ненадолго. Экономический подъем Западной Европы и промышленный рывок Японии существенно изменили это положение. Доля США в валовом внутреннем продукте (ВВП)* развитых капиталистических стран — членов Организации экономического сотрудничества и развития (ОЭСР) снизилась с 44% в 1960 г. до 27% в 1980 г., в промышленном производстве — с 35,4 до 32,9%. Заметно снизилась также доля США в мировом капиталистическом экспорте: с 18 до 12% за те же годы. Пришлось потесниться американским монополиям и в сфере экспорта капитала, еще в 1960 г. на них приходилось около 62% прямых зарубежных инвестиций основных стран-экспортеров, в 1970 г.— 66%, а в 1981 г. этот показатель составил всего 21%. Большинство ведущих капиталистических стран, отстававших по уровню производительности труда от США в 1950 г. в 2—5 раз, к началу 80-х годов уже почти ликвидировали этот разрыв. Важнейшим свидетельством усиления позиций американских конкурентов является рост их экс-

порта в США (доля иностранных поставщиков на внутреннем рынке США за последние полтора десятилетия выросла более чем в два раза и составляет в настоящее время в целом около 20%, а по таким видам продукции, как автомобили, станки, бытовая электроника,— значительно выше). Огромный пассив торгового и платежного баланса США стал в 80-е годы хроническим явлением: в 1986 г. торговый дефицит США превысил 150 млрд дол., а платежный — 140 млрд дол.

Угроза лидирующей роли США в мировом капиталистическом хозяйстве вызвала необходимость решительных мер: в США заметно возросли расходы на научно-исследовательские и опытно-конструкторские работы (НИОКР), ускорились и углубились процессы перестройки промышленности в пользу наукоемких отраслей, возникли и получили развитие новые методы стимулирования научно-технического прогресса. Несмотря на то что более трети всех расходов США на научные исследования идут в военную сферу, возможности их в развитии гражданских НИОКР остаются гораздо более значительными, чем у др. капиталистических стран.

В 80-х годах позиции США в капиталистическом мировом хозяйстве вновь несколько укрепились: в 1986 г. на долю США приходилось около 34% промышленного производства развитых капиталистических стран (по сравнению с 32% в 1970 г.) и 20% их внешнеторгового оборота (1970 г.— 18%).

---

* ВВП представляет собой валовой национальный продукт (ВНП) за вычетом сальдо некоторых внешнеэкономических операций.

Курс на органическую интеграцию американской экономики в мировое капиталистическое хозяйство приобретает для США все более важное значение. Сегодня на внешних рынках реализуется уже около 9% ВВП страны и почти 30% всех производимых в США материальных ценностей. Основу экспортной экспансии американских монополий составляют машины и оборудование (в первую очередь наукоемкая продукция) и продукция сельского хозяйства. На долю США приходится сейчас около 20% мирового капиталистического экспорта продукции наукоемких отраслей. Импортируя огромное количество электронных компонентов и бытовой электроники, США остаются лидером в мировом капиталистическом производстве и торговле промышленной электроникой. Более 80% установленного сегодня в Западной Европе информационного оборудования, включая ЭВМ, сделано американскими компаниями. Важнейшее значение для положения США в мировом хозяйстве имеет то, что на их долю приходится сегодня около половины мирового экспорта зерна. Вместе с тем в традиционных промышленных отраслях — сталелитейной промышленности, автомобилестроении, судостроении, производстве станков, легкой промышленности и производстве потребительских товаров длительного пользования — США проигрывают своим конкурентам не только из Западной Европы и Японии, но и из «новых индустриальных стран».

Все более важным фактором международной экономической жизни становятся американские транснациональные корпорации (ТНК) и их филиалы за границей. Заграничные предприятия американских ТНК обеспечивают производство товаров и услуг общей стоимостью около 1,5 трлн дол. в год, что соответствует почти 40% ВНП США.

Прибыли на прямые инвестиции за границей являются важным источником финансирования экономического развития США: они составляют до трети всего объема прибылей американских корпораций (1985). В индустриальных капиталистических странах, на долю которых приходится три четверти американских прямых инвестиций за границей, лишь около половины прибылей американских ТНК реинвестируется на месте, другая половина переводится в США. Еще более очевидна эксплуататорская сущность вывоза американского капитала в развивающиеся страны. Несмотря на то что в эти государства вложена лишь четверть прямых зарубежных американских инвестиций, на их долю приходится до половины всех переводимых из-за границы в США прибылей.

Примерно с начала 70-х годов в вывозе капитала из страны наметились существенные изменения. На первое место выходит экспорт капитала в ссудной форме. Займы американских частных банков и их заграничных филиалов составляют сегодня около 60% совокупного объема международного кредита. Опираясь на могущество своих банков, США смогли с наибольшей выгодой использовать общую тенденцию к повышению роли международного кредита в капиталистическом воспроизводстве. Доходы крупнейших американских банков от заграничных операций сегодня примерно равны их внутренним доходам и составляют одну из важнейших статей поступлений платежного баланса США. Вместе с тем международный кредит становится все более важным инструментом политического и экономического давления США на др. государства, прежде всего на развивающиеся страны, для которых сегодня задолженность иностранным (преимущественно американским) банкам стала экономической проблемой номер один.

В 80-х годах в мировом капиталистическом хозяйстве наметилась новая и далеко идущая тенденция: США с 1985 г. превратились в одного из крупнейших мировых должников. Стоимость американских активов за границей составила на конец 1985 г. 952 млрд дол., а активов иностранцев в США — 1,06 трлн дол. Это явление было порождено невиданным хроническим дефицитом государственного бюджета США и, соответственно, ростом государственного долга страны, в значительной мере финансируемого сегодня за счет притока иностранных средств. Дефицит федерального бюджета США (1986 фин. г. — более 220 млрд дол.), вызванный в первую очередь гигантским ростом военных расходов, превратился в глобальную проблему и стал еще одним из источников обострения современных международных противоречий капитализма. США поглощают сегодня уже около 9% сбережений всего капиталистического мира. Такое положение чревато новыми мировыми экономическими потрясениями: ни американская экономика, ни международные экономические отношения не могут бесконечно развиваться на столь нездоровой основе, когда весь капиталистический мир, включая нередко и самые слабые государства, по существу, финансирует самую богатую страну капитализма.

Растущее влияние американских монополий ощущается сегодня буквально во всех сферах и регионах мирового капиталистического хозяйства, но наиболее важные сдвиги происходят в следующих областях.

1. Материально-технические и, в особенности, финансовые ресурсы остального капиталистического мира стали одним из решающих факторов промышленного прогресса Соединенных Штатов. Вместе с тем массовый приток иностранного капитала в экономику США и постепенное превращение этой страны в крупнейшего международного должника углубляет антагонизм между своекорыстными интересами американского империализма и национальными интересами подавляющего большинства индустриальных капиталистических и развивающихся государств, для которых такая тенденция означает сужение собственных возможностей экономического и социального прогресса.

2. Опираясь на свою экономическую мощь, Соединенные Штаты все более настойчиво пытаются перестроить мировую торговую и валютно-финансовую систему на принципах, в наибольшей мере отвечающих стихии конкурентной борьбы, усиления сильных за счет гибели слабых, устранения различных защитных и регулирующих национальных мер. Подобный же подход характеризует и линию поведения США в отношении давно назревшей проблемы реформы мировой валютно-финансовой системы, в особенности таких важнейших ее аспектов, как необходимость перехода от «плавающих» к более или менее стабильным валютным курсам и поиск путей ликвидации кризиса задолженности развивающихся стран. И в том, и в другом случае США предлагают и дальше полагаться на действие рыночных сил, на данном этапе отвечающих прежде всего интересам американского империализма.

3. В последние годы США удалось несколько ослабить накал борьбы развивающихся стран за коренную перестройку международных экономических отношений. Важнейшую роль здесь сыграли коллективные усилия США и др. ведущих импортеров нефти из числа развитых капиталистических стран, предпринятые для подрыва позиций Организации стран — экспортеров нефти (ОПЕК). Цены на нефть резко упали. Движение за новый мировой экономический порядок лишилось действенного орудия экономического давления на индустриально развитые капиталистические страны.

4. Попытки США остановить наблюдавшееся в 70-е годы ухудшение своих позиций в мировом капиталистическом хозяйстве и обратить эту тенденцию вспять привели к новому обострению конкурентной борьбы между тремя центрами империализма — США, Западной Европой и Японией, в особенности по таким направлениям, как конкуренция на рынках наукоемкой продукции (а также в некоторых важных традиционных отраслях) и стремление отвоевать за счет соперников максимальные пространственные возможности для внешнеэкономической экспансии своих национальных монополий. Происходят новые смещения в соотношении сил между ведущими империалистическими державами. Наиболее важное значение сегодня в этом процессе имеет обостряющееся соперничество между США и Японией.

5. Несмотря на заверения американской администрации о своей приверженности рынку и рыночным силам, она не останавливается перед грубым политическим, административным вмешательством в рыночные процессы, в т. ч. и на международной арене. Особенно наглядно это выражается в стремлении вытеснить социалистические страны с основных мировых рынков, затормозить нормальное развитие взаимовыгодных экономических связей Восток — Запад. Одновременно все более очевидным становится стремление администрации США использовать политические рычаги для усиления позиций американского империализма в его борьбе со своими ведущими конкурентами — странами ЕЭС и Японией. К числу таких попыток следует отнести нашумевшую в первой половине 80-х годов кампанию против трансъевропейского газопровода, проект которого был принят заинтересованными западноевропейскими странами прежде всего по конкурентным соображениям; принятие в 1985 г. конгрессом США закона, в котором запретительным мерам в отношении американского экспорта высокотехнологичной продукции придается глобальный характер; небезуспешные попытки администрации США под предлогом «советской угрозы» использовать научно-технический потенциал Японии для своих военно-промышленных целей; наконец, широко разрекламированное предложение администрации Рейгана своим союзникам принять участие в реализации «стратегической оборонной инициативы» (СОИ) и тем самым поставить на службу США их национальные производственные и научно-технические возможности.

Политика США остается сегодня источником не только политической, но и экономической напряженности в мире. Она обостряет реально существующие и создает новые противоречия мирового хозяйства, подрывает его стабильность. Стратегия массированного нажима на всех — на социалистические страны, на развивающиеся государства, на своих собственных союзников из числа высокоразвитых стран капитализма — наиболее важная и наиболее характерная черта современной внешнеэкономической политики США.

ВАЛОВОЙ НАЦИОНАЛЬНЫЙ ПРОДУКТ (ВНП)

ВНП — основной среди публикуемых в США официальных народнохозяйственных показателей объема производства. В соответствии с принятой в США расширительной концепцией общественного производства ВНП включает не только продукцию сферы материального производства, но и нематериальные услуги образования, здравоохранения, науки, банков, страховых компаний, юридических контор, религиозных учреждений и государства. В советской экономической литературе по вопросу о границах сферы общественного производства высказываются разные точки зрения, в т. ч. и та, согласно которой важные в экономическом отношении услуги (в первую очередь такие, как наука, образование, здравоохранение) должны учитываться в обобщающих народнохозяйственных показателях наравне с материальной продукцией. Вместе с тем некоторые из производимых в США услуг имеют иную природу, и их учет в ВНП неоправдан. (Так, военный, полицейский, юридический и идеологический аппарат, а также церковь создают специфические услуги, направленные на сохранение капиталистической эксплуатации, укрепление власти буржуазии, и не имеют прямого отношения к процессам общественного воспроизводства в стране.)

ВНП исчисляется в Бюро экономического анализа (БЭА) министерства торговли США. Данные о ВНП публикуются как поквартально, так и в целом за год.

ВНП США исчисляется не изолированно, а в рамках системы национальных счетов, которая помимо счетов ВНП и национального дохода включает межотраслевой баланс продукта и капиталовложений, баланс финансовых потоков, баланс национального богатства и баланс трудовых ресурсов. Национальный доход США определяется буржуазной статистикой как сумма доходов всех владельцев, участвующих в производстве факторов (ресурсов), т. е. как сумма фонда заработной платы, прибылей владельцев капитала и ренты землевладельцев. Национальный доход меньше, чем ВНП, в основном на величину косвенных налогов и амортизационных отчислений со стоимости основного капитала.

В ВНП США учитываются лишь конечные товары и услуги, т. е. учету подлежит только такая продукция, которая либо навсегда покидает процесс производства, поступая в личное и общественное потребление, либо вновь возвращается в сферу производства, но уже не в виде предметов, а в качестве средств труда. При этом во избежание повторного счета промежуточная продукция (сырье, топливо, электроэнергия, материалы, полуфабрикаты), которая пошла на изготовление конечной продукции, как самостоятельный результат производства не учитывается.

ВНП включает в себя сальдо внешнеэкономических операций США с др. странами. Часть созданного в США продукта приходится на долю лиц, не являющихся жителями страны. В то же время на долю лиц, проживающих в США, приходится часть продукта, произведенного вне США. Для сведения баланса в ВНП учитывается вторая часть и не учитывается первая. Наряду с сальдо внешней торговли компонентом ВНП является величина чистого притока доходов, включающего прибыли, дивиденды и процент на вложенный за границей капитал, рентные платежи и др.

ВНП США публикуется в нескольких структурных разбивках. *ВНП по конечному использованию* включает данные по таким составляющим, как потребительские расходы населения на товары и услуги; валовые частные внутренние капиталовложения, в т. ч. капиталовложения в основные фонды и изменение товарно-материальных запасов; сальдо внешнеэкономических операций; государственные закупки товаров и услуг. *ВНП по отраслям происхождения* содержит данные об условно чистой продукции (стоимость, добавленная обработкой) в каждой из 15 укрупненных отраслей народного хозяйства. *ВНП по секторам экономики* подразделяется на продукт, созданный в частном секторе экономики, и продукцию государственного сектора. *ВНП по основным видам продукции* содержит четыре компонента — стоимость товаров длительного пользования, кратко-срочного пользования, нового строи-тельства и услуг.

Первоначально ВНП США рас-считывается в фактических, теку-щих ценах. Динамика этого показа-теля отражает не только изменения в объеме производства, но и рост цен, темпы которого в 70-х годах резко повысились. Для того чтобы иметь возможность судить о дина-мике производства в чистом виде, БЭА наряду с ВНП в текущих ценах исчисляет реальный ВНП, т. е. ВНП в постоянных ценах базисного года (каждые 10—15 лет БЭА переходит к новому базисному году. В 1986 г. на смену 1972 г. пришел в качестве базисного 1982 г.). ВНП в постоян-ных ценах растет гораздо медлен-нее, чем в текущих. Среднегодовой темп прироста реального ВНП в 1973—1985 гг. составил 2,8%, в то время как темп прироста ВНП в те-кущих ценах за те же годы равнялся 9,8%. Расхождение между этими показателями объясняется инфля-ционным ростом цен.

Т а б л и ц а 1

Валовой национальный продукт США
(млрд дол.)

Годы	В текущих ценах	В постоянных ценах 1982 г.
1970	982	2300
1975	1549	2630
1980	2632	3150
1985	4010	3608
1986	4235	3713
1987	4488	3820

Неблагоприятное воздействие на надежность исчисления ВНП (как в текущих, так и, особенно, в посто-янных ценах) оказывает тот факт, что в США отсутствует единая целе-направленная программа сбора и об-работки исходной статистической информации. За небольшими исклю-чениями статистика, собираемая различными учреждениями для соб-ственных нужд, не может быть использована в целях националь-ного счетоводства непосредственно. Как правило, она нуждается в слож-ной дополнительной переработке для устранения пробелов и несоот-ветствий между различными дан-ными.

В дополнение к исчисляемому в БЭА фактическому ВНП Экономи-ческий совет при президенте исчис-ляет так называемый потенциаль-ный ВНП — показатель потенциаль-ных производственных возможно-стей американской экономики. Он определяет тот гипотетический уро-вень производства, который был бы достигнут в том или ином году, если бы имеющиеся, но хронически недоиспользуемые трудовые ресур-сы оказались полностью занятыми. При этом «полной занятостью» бур-жуазными экономистами именуется такая ситуация на рынке труда, ког-да доля безработных составляет 4% или даже (в последнее время) 5% численности рабочей силы. Причи-ной публикации потенциального ВНП является потребность прави-тельства оценивать результаты соб-ственной внутриэкономической по-литики, степень ее эффективности или неэффективности.

Фактическая безработица в США, как правило, гораздо выше той, ко-торая фигурирует в определении так называемой «полной занятости», поэтому потенциальный ВНП ока-зывается значительно больше фак-тического, причем разрыв между ними неуклонно возрастает. Если в 1955 г. эти показатели практически совпадали, то на протяжении 1956—1965 гг. разрыв между ними состав-лял в среднем 31 млрд дол., в 1971 г.— 62 млрд, в кризисном 1974 г.— 102 млрд, в 1983 г.— 254 млрд дол.

РАЗВИТИЕ ПРОИЗВОДИТЕЛЬНЫХ СИЛ

В системе производительных сил общества главной является *рабочая сила*. К гражданской рабочей силе американская статистика относит всех занятых (исключая военнослужащих) и безработных. Занятыми считаются: лица, проработавшие какое-то время в течение опросной недели за плату или на собственных предприятиях, лица, проработавшие не менее 15 ч в неделю бесплатно на предприятиях, принадлежащих членам их семей, а также временно нетрудоспособные и находящиеся в отпусках. Всех занятых статистика США делит на работающих полную рабочую неделю и работающих неполную рабочую неделю. К первой категории относятся лица, проработавшие 35 ч и более в течение опросной недели. Ко второй — проработавшие от одного до 34 ч в неделю. Исходя из этого, в зависимости от целей анализа, исследователи применяют различные показатели занятости: общая численность занятых, численность занятых в пересчете на полный рабочий день, отработанные за определенный период человеко-часы. К безработным относят лиц, не работавших в течение опросной недели и предпринимавших попытки найти работу в течение четырех предшествующих недель. В категорию «рабочая сила» статистика США включает как трудящихся, так и представителей буржуазии, эксплуатирующих наемный труд. Наемные работники составляют более 90% всей рабочей силы.

Определенную часть рабочей силы составляют также так называемые «самостоятельные работники», являющиеся в массе своей мелкими предпринимателями, не использующими, как правило, наемный труд.

Общая численность рабочей силы в США — более 119 млн чел., включая военнослужащих (1986), в т. ч. численность гражданской рабочей силы — 117,8 млн чел. (44% — женщины). Более 111,3 млн чел. было занято в общественном производстве (около 19% всех занятых работали по графику неполной рабочей недели). Свыше 8 млн были безработными. До начала 80-х годов численность рабочей силы в США возрастала ускоренными темпами: в 50-е годы она увеличилась на 11,9%, в 60-е — на 18,9, в 70-е — на 26,6%. В 80-е годы темпы ее роста существенно замедлились: с 1980 по 1985 г. они составили менее 8%, что, в первую очередь, связано с сокращением уровня рождаемости.

В изменениях, происходящих в отраслевой структуре рабочей силы в последние десятилетия, прослеживаются две важнейшие тенденции: резкое сокращение численности занятых в сельском хозяйстве и существенное увеличение их в сфере нематериального производства и услуг в связи с ее расширением и превращением в ведущую сферу приложения общественного труда. Занятость в сельском хозяйстве, в частности, сократилась с 6,5 млн чел. в 1955 г. до 3,2 млн чел. в 1985 г. В сфере нематериального производства и услуг численность занятых возросла с 30,1 млн чел. в 1955 г. до 75,2 млн чел. в 1985 г.

В 70—80-х годах происходил также ускоренный рост занятости в наукоемких отраслях экономики (медико-биологическая промышленность, аэрокосмическая промышленность, производство вычислительной техники, средств связи, электронных компонентов). Занятость здесь растет в 2 раза быстрее, чем в промышленности в целом.

В профессионально-квалификационном составе рабочей силы США преобладающей категорией стали работники преимущественно умственного труда, или так называемые «белые воротнички». Они составили в 1985 г. 55% всей занятой рабочей силы. Сюда относятся инженеры, техники, ученые, административноуправленческий персонал, а также многочисленные группы конторских и торговых служащих. В массе своей это работники наемного труда.

Доля представителей рабочих профессий составила в 1985 г. около 28% рабочей силы. Еще одной укрупненной профессиональной категорией рабочей силы, выделяемой американской статистикой, являются так называемые работники обслуживания, к которым относят медицинский обслуживающий персонал, поваров, официантов, пожарников, работников домашнего хозяйства (прислуга), уборщиков и т. п. В 1985 г. они составили 13,5% рабочей силы страны. Численность работников сельского, лесного и рыбного хозяйства — около 3,5% рабочей силы.

Характерной чертой качественной эволюции современной рабочей силы в США является рост ее образовательного уровня. Только за период с 1970 по 1985 г. удельный вес лиц, получивших среднее образование, возрос в составе рабочей силы с 52,3 до 73,9%, а получивших законченное и незаконченное высшее образование — с 21,3 до 35,7%.

Неоднозначные сдвиги в квалификации рабочей силы вызывает научно-техническая революция (НТР). Особенно быстрыми темпами растет численность специалистов принципиально новых профессий, связанных с развитием научно-технического прогресса — аналитиков систем, специалистов в области генной инженерии, инженеров по электронно-вычислительной технике. В то же время внедрение ЭВМ и иной информационной техники сокращает потребность в ряде категорий высококвалифицированных конторских служащих и низшего управленческого персонала, занятых сбором, систематизацией и первичной обработкой экономической информации. Содержание труда и функции многих категорий конторских работников коренным образом меняются — они становятся операторами ЭВМ,

персональных компьютеров или терминальных устройств.

Меняются квалификационные требования и в рабочих профессиях. Непременным атрибутом рабочей квалификации нового типа является ее способность быстро адаптироваться к меняющейся технике, к новым формам организации труда и производства.

На изменения в профессионально-квалификационной структуре рабочей силы, обусловленные объективным ходом развития НТР, накладывают свой отпечаток условия капиталистической экономики США. Предприниматели пытаются снизить издержки на профессиональную подготовку, происходит искусственное сдерживание роста квалификации рабочего класса в условиях капитализма и соответственно — роста стоимости рабочей силы. Однако объективные требования НТР, борьба трудящихся приводит к общему росту квалификации рабочей силы.

Существенную роль в производительных силах играет *накопленный основной капитал*. Как др. производительные силы, он достигает весьма значительных размеров. За 1971—1985 гг. производственный основной капитал вырос в полтора раза и в неизменных ценах 1972 г. составил около 3 трлн дол. Средний возраст действующего основного капитала в 1985 г. равнялся примерно 10 годам, в т. ч. в промышленности — 8,5 годам. Его технологическая структура непрерывно совершенствуется: растет удельный вес активной части (оборудование). Характерной чертой 80-х годов является распространение производственной техники и технологии новых поколений, основанной на использовании микроэлектроники (промышленные роботы, станки с числовым программным управлением, гибкие автоматизированные системы и системы автоматизированного проектирования). Общий объем продаж автоматической техники с компьютерным управлением составил в США 5 млрд дол. в 1984 г. Однако использование накопленного основного производственного капитала (как и трудовых ресурсов) весьма неполное. Так, обрабатывающая промышленность недоиспользует от 15 до 30% созданных производственных мощностей. Тем не менее стремление капитализма к непрерывному накоплению обусловливает то, что только половина текущих капиталовложений направляется на модернизацию и обновление производственных фондов, а другая половина — на дальнейшее их увеличение. Это приводит к перенакоплению капитала, что, в свою очередь, делает выгодным вывоз капиталов за пределы страны.

В системе производительных сил в современных условиях возрастает роль *предметов труда* (сырья, полуфабрикатов, конструкционных материалов). В результате ускоренного использования достижений научно-технического прогресса в США в последние годы происходит коренное совершенствование традиционных и массовое внедрение новых методов физического и химического воздействия на структуру и свойства конструкционных материалов. Одним из важнейших путей повышения качества материалов и снижения их расхода на производство конечной продукции становится комплексное совершенствование всей цепи технологических процессов. Одновременно ведутся активная разработка и внедрение новых видов материалов с заданными свойствами и улучшенными характеристиками. В результате происходит значительное снижение энергоемкости процессов производства материалов и механизмов, а также энергозатрат при эксплуатации готовых конструкций.

К концу 70-х годов сдвиги в соотношении стоимости основных элементов производительных сил повлекли за собой изменение приоритетов в американской научно-технической и инвестиционной политике. Существенно возрос объем капитальных вложений в расширение энерго-сырьевой базы США, а также в создание новых технологических процессов обработки материалов и в перестройку производства, обеспечивающую максимальное сбережение сырья и топлива. С принятием в 1980 г. закона об исследованиях и разработках в области обеспечения сырьем и материалами, научно-исследовательским работам по материалам в США придается государственное значение.

В системе производительных сил все более важное значение приобретает *энергия*. США располагают достаточно большими запасами энергетических ресурсов. Тем не менее треть перерабатываемой нефти импортируется из других стран. Остальные ископаемые энергоносители поставляются собственной горнодобывающей промышленностью.

По потреблению энергии США превосходят все капиталистические страны. В начале 80-х годов США потребляли 2,4 млрд т условного топлива (все западноевропейские страны, вместе взятые,— 1,6 млрд т, Япония — 0,4 млрд т). Общая мощность энергетических установок в США превышает 1,7 млрд л. с. (не считая автомобильных моторов, суммарная мощность которых достигает 30 млрд л. с.). Электроэнергии вырабатывается около 2,6 трлн кВт · ч в год (в т. ч. на долю тепловых электростанций приходится 72%, на гидростанции — 14, на атомные — 13, на прочие — 1%).

Обладая огромными энергетическими мощностями, США оказались в состоянии расходовать энергию по нормам, недоступным для других стран капиталистического мира. В расчете на душу населения эта норма составляет в США около 10 т условного топлива, тогда как в ФРГ — 5 т, в Великобритании — 4,6 т, во Франции — 4 т, в Японии — 3,5 т. С обострением энергетической проблемы стало очевидным, что американские удельные расходы энергии экономически не оправданны. В перспективе значительную часть потребностей в энергии предполагается покрыть за счет снижения удельных расходов не менее чем на 2% в год. Обращает на себя внимание и то, что наряду с крупным энергетическим строительством предполагается развитие так называемой малой энергетики, которая путем использования нетрадиционных энергетических установок в местных условиях будет концентрировать рассеянную энергию, не находящую сейчас применения.

Особое значение в качестве производительной силы имеет в США на современном этапе развития вся сфера *научно-исследовательских и опытно-конструкторских работ (НИОКР)*. Как всякая производительная сила, она становится таковой только в процессе производственной деятельности. На базе соединения науки с производством создается единый научно-производственный процесс. Размер самого функционирующего капитала при этом не имеет принципиального значения, что дает возможность вырываться в лидеры по отдельным направлениям научно-технического прогресса (НТП) не только крупным корпорациям, но и небольшим фирмам.

В США нет особого механизма НТП, отличного от общехозяйственного капиталистического механизма. Главной движущей силой НТП при капитализме является конкуренция. Производители стремятся обогнать соперников по качественным и ценовым характеристикам выпускаемой продукции, ускорить сроки создания и внедрения новой техники и технологии. Капиталистическая конкуренция производит естественный отбор технических новшеств в соответствии с условиями спроса. При высокой насыщенности рынка товарами и услугами спрос индивидуализируется, становится все более избирательным. Производство, приспосабливаясь к спросу, становится более специализирован-

ным, что дает большой простор для появления все новых товаров и услуг, где используются достижения науки и техники.

В послевоенный период в США сложилась такая структура экономики, которая оказалась наилучшим образом приспособленной для условий НТП. В большинстве отраслей на одних рынках действуют обычно несколько крупных корпораций и десятки и даже сотни средних и мелких производителей. В такой ситуации, с одной стороны, сохраняются условия конкуренции, а с другой — основные конкуренты располагают значительными финансовыми и материальными ресурсами для осуществления своей инновационной деятельности. Развитый рынок ценных бумаг дает возможность быстрой аккумуляции средств и небольшим производителям, ориентированным на нововведения. Единая система высшего образования и фундаментальной науки, представленная университетами и колледжами, обеспечивает бесперебойный приток в экономику новых технических идей и квалифицированных специалистов.

Уже из числа обучающихся на последних курсах колледжей и университетов отбираются наиболее талантливые и инициативные студенты и ведется их подготовка к научной работе. В середине 80-х годов исследованиями и разработками в пересчете на полный рабочий день было занято 750 тыс. чел., фактически же численность занятых в сфере научных исследований вдвое больше. Преимущественно это люди, работающие по найму в крупных концернах и государственных лабораториях. В течение последних 15—20 лет активно развивается мелкое наукоемкое предпринимательство, которое на коммерческой основе (в т. ч. по заказам монополий и государства) решает частные задачи по созданию и внедрению в американскую экономику конкретных технологических новшеств. Однако решение фундаментальных научных проблем остается делом больших научных центров, способных не только собственными силами, но и путем кооперирования множества научных учреждений разрабатывать значительные научные темы. В целом в 1986 г. расходы на НИОКР в США составили около 118 млрд дол.

Важная роль в обеспечении поступательного развития НТП принадлежит материально-технической базе науки. Ежегодные частные и государственные капиталовложения в материально-техническое обеспечение сферы НИОКР в США составляют примерно 5 млрд дол., расходы на научное оборудование и материалы в промышленности — свыше 10 млрд дол. Научных приборов ежегодно выпускается на сумму около 7 млрд дол. Около 15% мощности парка больших и суперЭВМ страны сосредоточено в университетах. Всего в США насчитывается примерно 3 тыс. высших учебных заведений, в т. ч. около 100 первоклассных, так называемых исследовательских, университетов, где особенно высока техническая оснащенность исследований. Стоимость машин, оборудования и приборов, установленных в промышленных научно-исследовательских центрах и лабораториях, составляет около 6% основного капитала обрабатывающей промышленности, а средний возраст такого оборудования — около 3 лет (в университетах около 6 лет).

Буржуазное государство стимулирует НТП прежде всего путем проведения экономической политики, ориентированной на свободу предпринимательства. Вместе с тем государство стимулирует НТП, ассигнуя существенные средства на НИОКР в рамках своей научной политики. Распределение этих ассигнований опирается на систему контрактных отношений, договоров между заказчиками и подрядчиками, увязывающих в один узел исполнителей НИОКР и потребителей их результатов. 77% федеральных затрат на НИОКР в США оформляется через контрактные соглашения. В них четко предусматриваются сроки завершения работ, разделение труда между исполнителями, характер материального вознаграждения. Строго оговариваются взаимные обязательства и экономические санкции за их нарушение.

Но специфические функции государства налагают на НТП серьезный негативный отпечаток. Речь идет о милитаризации, которая наносит серьезный ущерб НТП и экономике страны. Во-первых, из бюджета НИОКР отвлекается огромная сумма, которая могла бы быть с большей отдачей использована в решении сугубо мирных экономических и научно-технических проблем. Во-вторых, в силу специфики требований к качеству продукции, которые предъявляет министерство обороны США к новейшим системам оружия, подчас не считаясь с оптимальными нормами издержек производства, результаты военных НИОКР во многих случаях противоречат объективным рыночным требованиям экономичности и рентабельности. В-третьих, создаются порой уникальные образцы военной техники, которые в силу своей сложности не могут быть применены даже в военных целях.

В то же время на базе военных исследований создается некоторая часть новейшей продукции общехозяйственного назначения. В этом случае государство, не экономя на расходах, фактически берет на себя риск создания принципиально новых технологий, хозяйственные перспективы которых не всегда бывают ясны. Такие нововведения, как компьютер, электронная микросхема, лазер, робот, станки с числовым программным управлением, многие виды новых конструкционных материалов, родились из научно-исследовательских проектов, прямо финансируемых министерством обороны США.

Способность экономики США постоянно генерировать технические нововведения является главной причиной существования так называемого технологического разрыва между США и другими капиталистическими странами. Условия прочих стран (например, Японии) могут быть лучше приспособлены для более полного раскрытия экономических возможностей отдельных технологий (например, роботов или микроэлектроники), но первенство США в создании новых технологий, масштабах их применения в экономике, по всей видимости, останется до конца века неоспоримым.

МОНОПОЛИСТИЧЕСКАЯ СТРУКТУРА ХОЗЯЙСТВА

В общей массе юридически независимых фирм (включая фермы), общее число которых в США превышает 15 млн, ключевые позиции в промышленности, кредитно-финансовой сфере и др. главных секторах экономики занимают крупные хозяйственные объединения, сосредоточившие в своих руках значительную часть общественного капитала, производства и реализации товаров и услуг. В 70—80-е годы в США продолжались присущие капитализму процессы концентрации и централизации производства и капитала, развивались формы и методы подчинения мелкого и среднего предпринимательства монополиям.

За 1974—1984 гг. доля крупнейших 100 корпораций (акционерных компаний) в активах обрабатывающей промышленности повысилась с 44,4 до 48,9%, 200 крупнейших — с 56,7 до 60,7%. Монополии с капиталом, превышающим 1 млрд дол., увеличили свой удельный вес в общих активах корпораций этого сектора экономики с 48,8% в 1970 г. до 67,9% в 1986 г., а в прибылях соответственно с 53,4 до 69,0%.

Особое место в структуре монополистического капитала США занимают нефтяные концерны, монополизировавшие большинство отраслей топливного комплекса страны. По величине оборота из 10 ведущих американских промышленных компаний в 1985 г. пять относились к этой отрасли. Стоимость продаж «Экссон» превышает ВНП многих стран мира. Суммарный оборот 20 американских нефтяных компаний соизмерим с доходной частью федерального бюджета США. Высока степень монополизации отраслей, связанных с добычей и переработкой минерального сырья. Четыре компании контролируют около 70% производства первичного алюминия, пять — около 80% выплавки черновой меди. Нефтяные и сырьевые компании являются интегрированными комплексами, занимающимися добычей полезных ископаемых, обогащением и переработкой, транспортировкой, производством готовой продукции.

Растущая милитаризация экономики США ведет к усилению позиций военно-промышленных концернов. Эти концерны имеют гарантированный рынок сбыта и получают, как правило, более высокую, чем в гражданских отраслях, прибыль. На производимые ими научно-исследовательские и опытно-конструкторские работы (НИОКР) приходится большая часть федеральных ассигнований на НИОКР. В военном бизнесе высока степень концентрации производства, удельный вес 100 крупнейших производителей вооружений в стоимости первичных государственных контрактов составляет 65—70%.

Подавляющая часть (свыше 99%) производства автомобилей в США сосредоточена в руках трех гигантов отрасли: «Дженерал моторс», «Форд», «Крайслер». В 1987 г. компания «Крайслер» поглотила последнего аутсайдера отрасли — «Американ моторс».

В структуре монополистического капитала происходит усиление позиций корпораций-мультимиллиардеров, повышается доля 100 ведущих монополий в показателях 500 крупнейших промышленных корпораций: только за 1981—1984 гг. их доля в объеме продаж возросла с 68,1 до 69,5%, в активах — с 65,7 до 69,9%, в прибылях — с 65,5 до 72,4%, в числе занятых — с 56,9 до 61,9%. Этому способствует и беспрецедентная по своим масштабам волна слияний и поглощений в США. Число приобретений компаний с активами более 100 млн дол. непрерывно увеличивается: в 1980 г. потеряли самостоятельность 94 такие фирмы, в 1981 г.— 113, в 1982 г.— 116, в 1983 г.— 138, в 1984 г.— 200, в 1985 г.— 270, в 1986 г.— 346. Особенно активно централизация капитала протекала в нефтяной промышленности. В 1984 г. «Шеврон» (в прошлом «Стандард ойл оф Калифорниа») поглотила одну из крупнейших нефтяных транснациональных монополий «Галф ойл». Стоимость этой рекордной по величине сделки составила 13,2 млрд дол. «Тексако» приобрела «Гетти ойл» за 10,1 млрд дол., англо-голландская монополия «Ройал датч-Шелл» купила американскую компанию «Шелл» за 5,2 млрд дол., «Оксидентал петролеум» — «Ситиз сервис» за 4,1 млрд дол. Ряд крупных нефтяных фирм был скуплен компаниями других отраслей промышленности. Лидер черной металлургии «Юнайтед Стейтс стил» поглотила «Маратон ойл» (6,6 млрд дол.) и «Тексас ойл энд гэс» (4,1 млрд дол.), химический концерн «Дюпон де Немур» приобрел «Коноко» (7,5 млрд дол.).

В последние годы имели место и крупнейшие по своим масштабам поглощения за пределами нефтяной промышленности. К их числу относятся приобретение за 6,3 млрд дол. компанией «Дженерал электрик» электротехнического концерна «Ар-Си-Эй», поглощение одной из ведущих компаний пищевой промышленности — «Дженерал фудс» крупнейшей табачной компанией «Филип Моррис» (5,6 млрд дол.), объединение еще двух монополий пищевой промышленности — «Рейнольдс» и «Набиско».

В послевоенный период быстрыми темпами развивалась межотраслевая экспансия крупных корпораций, создавались концерны, владеющие сотнями предприятий в нескольких, зачастую в десятках отраслей промышленности, транспорта, торговли, кредитно-финансовыми учреждениями, научно-исследовательскими лабораториями. Параллельно усиливалась интернационализация деятельности монополистического капитала. В результате господствующей формой современной промышленной монополии стал многоотраслевой транснациональный концерн, в сфере влияния которого находятся десятки тысяч формально независимых небольших компаний, обеспечивающих поставку узлов и деталей, оказывающих различные услуги (производственные, консультативные, юридические, рекламные и др.), а также реализующие готовую продукцию.

В послевоенный период происходила активная монополизация сферы внутренней торговли. Главным направлением усиления позиций монополистического капитала в розничной торговле стало создание фирм, владеющих сетью магазинов в разных частях страны. Число предприятий, принадлежащих крупнейшим фирмам, составляет сотни и даже тысячи. Так, «Дж. К. Пенни» принадлежит почти 4 тыс. магазинов, «Сейфуэй сторз» — 2,5 тыс. В 1984 г. торговый гигант «Сирс, Робэк» занимал восьмое место в списке крупнейших американских корпораций, активы компании превосходили активы таких гигантов индустрии, как «Дюпон де Немур» и «Дженерал электрик», вместе взятых.

Позиции крупнейших торговых фирм, входящих в «клуб миллиардеров», заметно усиливаются, темпы их роста опережают рост товарооборота розничной торговли в целом. С 1955 по 1986 г. доля 50 крупнейших фирм в общей стоимости продаж розничной торговли увеличилась с 13,9 до 30,5%. Выделяются 10 суперкомпаний, доля которых в 1986 г. в активах 50 крупнейших торговых фирм составляла 64,9%, в продажах — 55,3%, в числе занятых — 51,8%.

Важным направлением монополизации сферы обращения является создание промышленными компаниями собственной сбытовой сети. Значительная часть продукции реализуется по контрактам через специальные фирмы-дилеры. О масштабах таких операций свидетельствует то, что суммарный капитал «независимых» дилеров, обслуживающих исключительно «Дженерал моторс», равен половине активов этого промышленного гиганта.

Дилерские компании — лишь один из примеров использования монополиями мелкого и среднего бизнеса. Крупные фирмы связаны с тысячами и десятками тысяч мелких и средних фирм, поставляющих отдельные компоненты и оказывающих разнообразные услуги. Включение небольших компаний в орбиту крупных корпораций осуществляется путем установления различных финансовых, производственных, контрактных и научно-технических связей.

В последнее десятилетие широкое распространение получили «рисковые» фирмы — небольшие предприятия, ориентированные на разработку принципиально новой продукции. В целом доля мелких фирм в частных расходах на НИОКР составляет менее 5%, но им принадлежит около половины изобретений. Использование результатов деятельности мелкого исследовательского бизнеса стало важной составной частью научно-технической политики монополий.

Важной закономерностью развития современной капиталистической экономики является растущее значение мелкого и среднего бизнеса, в рамках которого в 1986 г. было произведено свыше 40% ВНП страны. Если в 50-х годах ежегодно создавалось менее 100 тыс. новых фирм, то в середине 80-х годов этот показатель возрос до 600—650 тыс. Около 10 тыс. компаний образуется в новых, наукоемких отраслях. Высокая результативность мелкого бизнеса в создании новой техники и технологии связана с гибкостью управления такими фирмами, быстротой принятия решений, концентрацией усилий на одном направлении, привлечением высококвалифицированных специалистов, финансовой поддержкой со стороны крупных компаний, рассчитывающих впоследствии воспользоваться достижениями небольших фирм.

Высокая степень концентрации капитала характерна для кредитно-финансовой сферы США. В середине 80-х годов в 50 банках было сосредоточено 35% активов и 32% депозитов всех банков. В то же время в стране насчитывалось почти 15 тыс. банков, сохранение формальной самостоятельности которых связано с законодательным ограничением возможности создания широкой сети банковских филиалов.

Истинные размеры могущества крупнейших банков много больше, чем следует из этих данных. Монополизация кредитно-финансового сектора происходит сложными и замаскированными путями. Широко практикуется система участия и корреспондентских связей, в результате чего происходит включение мелких и средних по размеру банков в сферу влияния крупных. Важнейшим направлением концентрации банковского дела стало создание холдинговых (держательских) компаний — акционерных обществ, владеющих пакетами акций одного или нескольких банков и имеющих право заниматься рядом финансовых операций, которые, согласно существующему законодательству, не могут осуществлять банки. С 1960 по 1986 г. холдинги увеличили свою долю в банковских активах с 11,1 до 91,1%. Ныне крупные банки США являются составной частью таких компаний: «Бэнк оф Америка» — дочерняя компания «Бэнк Америка корпорейшн», «Сити бэнк» — часть «Сити корпорейшн», «Морган гэрэнти траст» входит в «Дж. П. Морган энд компани». Холдинговая система открыла для банков широкие возможности централизации капитала, территориального расширения своих операций и установления контроля над другими видами кредитно-финансовых учреждений.

Наряду с коммерческими банками в кредитно-финансовой сфере США накопление капитала происходит в страховых, ссудо-сберегательных, кредитных союзах и др. организациях, суммарные активы которых почти вдвое превышают активы коммерческих банков.

До недавнего времени для кредитно-финансовых учреждений была характерна определенная специализация. В последнее десятилетие быстро развивается процесс универсализации деятельности этих предприятий. В 80-е годы государство разрешило коммерческим банкам заниматься в прошлом запрещенными для них операциями. Облегчилась возможность создания филиалов в разных частях страны, банкам фактически было предоставлено право участвовать в страховом и инвестиционном деле, в брокерских операциях. Началась волна слияний кредитно-финансовых учреждений. Слияния и поглощения в кредитно-финансовой сфере обеспечивают банкам позиции в области страхования и биржевых операций, в их собственности оказались десятки кредитно-сберегательных учреждений. «Бэнк Америка корпорейшн» поглотила крупнейшую в стране посредническую фирму «Чарльз Шваб», «Меллон бэнк» купил крупную филадельфийскую финансовую холдинговую компанию «Джирард». Одновременно страховые компании и пенсионные фонды активно вторгаются в традиционные сферы деятельности коммерческих банков.

В последние три десятилетия наблюдается тенденция к росту зависимости промышленных корпораций от внешних источников финансирования. Отношение их собственного капитала к заемному снизилось с 2:1 в первой половине 50-х годов до 3:2 в 80-е годы. В итоге в американской экономике возросла роль банковского звена финансового капитала.

В 70—80-е годы расширялась система взаимного участия, осуществляемая через владение ценными бумагами компаний. При этом наблюдались рост доли акций промышленных и торговых фирм, находящихся в распоряжении коммерческих банков и принадлежащих другим кредитно-финансовым учреждениям, и одновременное снижение размеров контрольных пакетов акций. В современных условиях контроль может быть обеспечен пакетом в 1—2% акций.

Одним из ведущих методов контроля финансового капитала над экономикой страны является система переплетающихся директоратов. По данным проведенного в начале 80-х годов обследования 130 крупных фирм, было зарегистрировано 530 прямых и 12 тыс. косвенных (т. е: через директорат третьей компании) связей.

Переплетению капиталов компаний разных секторов экономики способствует расширение практики совместного ведения расчетных операций и текущих счетов. Развитие электронно-вычислительной техники, создание крупных центров по сбору и обработке информации привело к сосредоточению финансово-расчетного обслуживания монополий в руках небольшой группы специализированных счетно-бухгалтерских фирм. Крупнейшая из них, «Прайс Уотерхаус», обслуживает ряд наиболее крупных промышленных корпораций, включая «Экссон» и «Шеврон», а также ведущие банки и страховые компании «Морган гэрэнти траст», «Кэмикл нэшнл», «Бэнкерс траст», «Нью-Йорк лайф иншуранс». В счетно-бухгалтерском деле чрезвычайно высока степень концентрации, восемь крупнейших фирм обслуживают свыше 90% всех корпораций, зарегистрированных на Нью-Йоркской фондовой бирже.

Высшей степенью монополизации являются финансовые группы, которые на базе кредитных связей, системы участия и личной унии включают в свой состав могущественные кредитно-финансовые учреждения и многоотраслевые торгово-промышленные концерны. В США насчитывается приблизительно 20 таких групп. Сохраняют свои позиции старые финансовые династии. Сейчас к группе Рокфеллеров относятся банки «Чейз Манхэттен» и «Кэмикл бэнк», ряд крупнейших нефтяных, химических и авиакосмических компаний. К группе Меллонов — финансовые комплексы «Меллон нэшнл корпорейшн», «Ферст Бостон корпорейшн» и промышленные монополии «Алкоа», «Вестингауз электрик». В послевоенный период усилились позиции региональных групп, в частности калифорнийской.

Границы современных финансовых групп условны. Многие компании одновременно контролируются разными финансовыми группами. Развиваются связи между группами, увеличивается значение личной унии. Так, ведущие банки-конкуренты связаны десятками косвенных директоратов и владеют крупными пакетами акций одних и тех же компаний. В ходе слияний и поглощений происходит изменение принадлежности компании к той или иной группе. Так, в орбиту калифорнийской группировки перешла «Галф ойл», в прошлом принадлежавшая к группе Меллонов. Одновременно развивается система совместного контроля ряда финансовых групп над крупнейшими концернами и кредитно-финансовыми учреждениями, что объективно ведет к появлению финансовых сверхгрупп.

Монополизация экономики и усиление господства финансового капитала не устраняют ни конкуренции на отраслевом и межотраслевом уровнях, ни острого соперничества между финансовыми группами. В современных условиях победа той или иной группировки финансового капитала в значительной мере определяется позициями в новейших отраслях промышленности, обеспечением контроля над ними, монополизацией результатов научно-технической революции.

Дальнейшая монополизация экономики, становление сверхгрупп финансового капитала ведет к усилению олигархических тенденций, сокращению рабочих мест на предприятиях крупнейших компаний, созданию новых рабочих мест в небольших фирмах, где ниже заработная плата, слабее позиции профсоюзов. В результате слияний и поглощений сокращается число рабочих мест. В ходе реорганизации после слияния компаний «Шеврон» и «Галф ойл» из ранее занятых 80 тыс. чел. 20 тыс. не нашли себе места в объединенной компании. За последние 10 лет втрое возросло число банкротств. Конкурентная борьба монополий ведет к свертыванию производства во многих базовых отраслях промышленности, к ослаблению позиций США в мировом капиталистическом производстве. Последнее в значительной степени вызывается переливом ресурсов в производство военной продукции.

ГОСУДАРСТВЕННО-МОНОПОЛИСТИЧЕСКОЕ РЕГУЛИРОВАНИЕ ЭКОНОМИКИ

Экономическая роль государства

Американское государство, используя имеющиеся в его распоряжении рычаги, осуществляет перераспределение материальных, финансовых и иных ресурсов страны, принимает меры по укреплению международных экономических позиций США и по расширению экспансии американских монополий. Обострение противоречий в экономике страны способствовало усилению экономической роли государства, что выразилось в развитии системы государственно-монополистического регулирования экономики. На протяжении ряда десятилетий формировались теоретические концепции и практические методы государственного регулирования экономики США, разросся и принял огромные размеры государственный механизм экономической политики.

В своей эволюции система государственно-монополистического регулирования в США превратилась в органический элемент воспроизводственного процесса. Она состоит из многих звеньев, включает в себя прежде всего регулирующий механизм федерального правительства, а также механизм штатов и местных органов власти, соединяет в себе государственный инструментарий экономического регулирования (федеральный бюджет, налоговая система, механизм кредитно-денежной политики Федеральной резервной системы) и аппарат административно-правового регулирования (регламентирования) деятельности различных отраслей экономики.

Сложившаяся в 60-е годы официальная доктрина «новой экономики» исходила из возможности с помощью государства избавить американскую экономику от кризисов и обеспечить ей процветание. Однако уже 70-е годы были отмечены резким нарастанием кризисных процессов в экономике США — усилением ее внутренней нестабильности, скачкообразным развитием инфляции,— перед лицом которых сложившаяся система государственно-монополистического регулирования оказалась несостоятельной.

Никогда ранее экономика США и экономическая политика государства не сталкивались со столь острыми дестабилизирующими процессами, выразившимися в соединении циклических и структурных кризисов, в стагфляции (одновременном падении темпов экономического роста и крутом усилении инфляции), в обострении международных экономических и валютно-финансовых проблем, проявившимися одновременно и в концентрированной форме на протяжении одного десятилетия.

Именно в этих условиях в начале 80-х годов появилась на свет программа «экономического возрождения Америки», явившаяся попыткой правящих кругов справиться с острыми проблемами в экономике и преодолеть кризис государственно-монополистического регулирования. Вопреки утверждениям о «радикальном ограничении» экономической роли государства речь шла, по существу, о перестройке государственной регулирующей политики с целью более эффективного использования государственных рычагов для усиления капиталистической конкуренции как «двигателя» экономики, для стимулирования процессов структурной перестройки экономики страны.

Экономическая политика администрации Рейгана, получившая название «рейганомика», включала в себя: курс на снижение ставок федеральных налогов и предоставление корпорациям крупных налоговых и других льгот, направленных на стимулирование капиталовложений, прежде всего в наукоемких отраслях промышленности; ограничение роста правительственных расходов на социальные нужды при одновременном наращивании военных расходов; ослабление государственной регламентации (дерегулирование) предпринимательской деятельности (сокращение правил, требований к производственной и рыночной деятельности, в т. ч. требований по охране окружающей среды, и т. д.); проведение курса кредитно-денежной политики, направленного на преодоление инфляции и осуществление установок экономической программы правительства.

Однако декларированные «рейганомикой» цели радикального повышения темпов экономического роста, наведения порядка в государственных финансах, избавления федерального бюджета от хронических дефицитов (после 1960 г. федеральный бюджет ни разу не сводился без дефицита) не были реализованы.

Одной из основных причин нагромождения бюджетных дефицитов и государственной задолженности явился проводившийся администрацией Рейгана курс на эскалацию военных расходов, которые выросли со 134 млрд дол. в 1980 фин. г. до 282 млрд дол. в 1987 фин. г. Закономерным следствием многолетнего отвлечения значительной части ресурсов страны в военную сферу является сокращение возможностей для гражданских капиталовложений и снижение темпов экономического роста. За истекший период 80-х годов темпы экономического роста в США были ниже, чем за предшествовавшие послевоенные десятилетия, дефициты федерального бюджета в 80-е годы выросли до астрономических масштабов, что наряду с ростом государственного долга (в 1986 фин. г. федеральный долг перешел за отметку в 2 трлн дол.) и внешней задолженности породило острейшие проблемы для экономики и финансовой системы страны, для экономической политики правительства.

Бюджетно-налоговое регулирование экономики

В послевоенный период одним из широко используемых инструментов государственно-монополистического регулирования экономики стал в США *государственный (федеральный) бюджет*. Бюджетно-налоговое регулирование применяется правительством прежде всего для сглаживания остроты кризисных явлений в экономике или для создания искусственных стимулов по поддержанию снижающихся темпов экономического роста. В настоящее время через бюджет перераспределяется около 25% ВНП страны.

Система государственных финансов США отражает трехступенчатую организацию государственной власти. Соответственно имеется и три уровня финансовой структуры: федеральный бюджет, бюджеты штатов и местных органов власти.

Проект федерального бюджета на очередной финансовый год (начинается 1 октября) составляется Административно-бюджетным управлением при участии всех федеральных министерств и ведомств и вносится президентом в начале календарного года в конгресс, где проект должен быть рассмотрен и утвержден до начала очередного финансового года. В целях экономического регулирования могут быть использованы как расходная, так и доходная части федерального бюджета. Расходная часть делится на 20 основных бюджетных категорий (статей), в т. ч. расходы на национальную оборону, на ведение международных дел, на сельское хозяйство, транспорт, развитие энергетики, здравоохранение, социальное страхование, на выплату процентов по государственному долгу и т. д. Общие федеральные расходы составили в 1987 фин. г.

Доходы и расходы федерального бюджета, 1978—1987 фин. гг.

(в текущих ценах, млрд дол.)

	Финансовые годы				
	1978	1980	1985	1986	1987
Поступления в федеральный бюджет, всего	399,6	517,1	734,1	769,1	854,1
в том числе:					
— индивидуальные подоходные налоги	181,0	244,1	334,5	349,0	392,6
— налоги на прибыли корпораций	60,0	64,6	61,3	63,1	83,9
— налоги и взносы в фонды социального страхования	121,0	157,8	265,2	283,9	303,3
— акцизы	18,4	24,3	36,0	32,9	32,5
— налоги на наследство и дарение, таможенные пошлины и прочие доходы	19,2	26,3	37,1	40,2	41,8
Расходы федерального бюджета, всего	458,7	590,9	946,3	990,3	1004,6
в том числе:					
— национальная оборона	104,5	134,0	252,7	273,4	282,0
— международные вопросы	7,5	12,7	16,2	14,2	11,6
— общие вопросы науки, космос и техника	4,9	5,8	8,6	9,0	9,2
— природные ресурсы и окружающая среда	11,0	13,9	13,4	13,6	13,4
— сельское хозяйство	11,4	8,8	25,6	31,4	27,4
— образование, производственное обучение, занятость и социальное обеспечение	26,7	31,8	29,3	30,6	29,7
— здравоохранение	18,5	23,2	33,5	36,0	39,0
— программа медицинского обслуживания «Медикэр»	22,8	32,1	65,8	70,2	75,1
— социальное страхование	93,9	118,5	188,6	198,8	207,4
— обеспечение доходов	61,5	86,5	128,2	119,8	123,3
— выплаты и услуги ветеранам	19,0	21,2	26,3	26,4	26,8
— выплата процентов по государственному долгу	35,4	52,5	129,4	136,0	138,6
— прочие расходы	41,6	49,9	28,7	30,9	21,1

(окончился 30 сентября 1987 г.) 1004,6 млрд дол. Примерно треть всех федеральных расходов в настоящее время идет на финансирование бюджетной статьи «национальная оборона».

Федеральные расходы составляют примерно 60% общегосударственных расходов. Около 40% государственных расходов осуществляется через бюджеты штатов и местных органов власти. В частности, штаты и местные органы власти финансируют ряд программ в области обра-

зования, дорожного строительства, социального обеспечения, охраны окружающей среды. Источником доходов федерального бюджета являются налоги, они взимаются также на трех уровнях: федеральном (общегосударственном), на уровне штатов и местных органов власти.

Федеральные налоги выполняют три основные функции: 1) служат источником формирования средств для финансирования федеральных расходов — содержания правительственных ведомств, вооруженных сил, системы социального обеспечения и т. д.; 2) являются одним из наиболее мощных и гибких рычагов государственного экономического регулирования; 3) служат инструментом перераспределения национального дохода в интересах правящего класса. В послевоенный период налоговая система все активнее используется для стабилизации экономического положения, стимулирования темпов экономического роста и т. п.

Налоги в США подразделяются на прямые (например, подоходные) и косвенные (например, акцизы). По степени пропорциональности к облагаемой сумме они делятся на прогрессивные (т. с. растущие в большей степени, чем облагаемая сумма) и регрессивные — увеличивающиеся относительно медленнее. Последние в большей мере связаны с косвенным налогообложением.

На всех уровнях взимаются: (1) индивидуальные подоходные налоги, (2) налоги с прибылей корпораций, (3) налоги и взносы в фонды социального страхования, (4) налоги на наследство и дарение, (5) акцизы,— различия между ними на разных уровнях заключаются в порядке определения облагаемой суммы, величине ставок и удельном весе в совокупных бюджетных поступлениях. Только в федеральный бюджет поступают (6) таможенные пошлины. Штаты и местные органы власти взимают (7) налоги с розничной продажи большинства товаров, местные органы власти получают (8) налог на движимую и недвижимую собственность. В первой половине 80-х годов сложилась следующая среднегодовая структура налоговых поступлений на федеральном уровне: (1) — 46%, (2) — 9%, (3) — 37%, (4) — 1%, (5) и (6) — 7%; на уровне штатов и местных органов власти: (1) — 17%, (2) — 5%, (3) — 12%, (4) — 1%, (5) — 11%, (7) — 21%, (8) — 27%, прочие сборы — 6%. Из общей суммы федеральных доходов за 1987 фин. г., составившей 854,1 млрд дол., 46,0% были получены от индивидуального подоходного налога и 9,8% — от налогов на доходы корпораций (доля налогов на корпорации в общей сумме поступлений в федеральный бюджет в 80-х годах значительно уменьшилась).

Подготовкой федерального налогового законодательства в конгрессе занимаются комитет палаты представителей по доходам и расходам и сенатский финансовый комитет. Кроме того, для решения вопросов, связанных с налогообложением и налоговой политикой, с 1926 г. существует объединенный комитет конгресса по налогообложению, в который входят по пять представителей от вышеназванных комитетов.

Система подоходных налогов, действующая в США с 1913 г., основана на следующих принципах: «прогрессивный» характер налогообложения; дискретность (каждая более высокая ставка применима лишь к строго определенной части облагаемой суммы); довольно частое изменение (в законодательном порядке) ставок налогообложения в зависимости от экономического положения в стране и от задач, выдвигаемых правительством; универсальность изначального обложения (при равенстве сумм дохода действуют, как правило, одинаковые налоговые ставки); наличие большого количества скидок и других льгот для индивидуальных плательщиков и для корпораций (особенно до 1987 г.); обособленность налогов на цели социального страхования от системы общего подоходного налогообложения; наличие в индивидуальном обложении определенной начальной суммы доходов, не облагаемой налогом.

Налоги уплачиваются в форме удержаний из заработной платы или равномерными взносами в соответствии с декларацией о доходах, заполняемой налогоплательщиком.

Часто способы выплаты налогов сочетаются. Последний срок выплаты — 15 апреля следующего года. В случае неуплаты или умышленно неправильной уплаты налогов могут быть применены строгие санкции, вплоть до судебного иска.

Индивидуальные подоходные налоги уплачиваются с учетом состава семьи: количества работающих, наличия детей и т. п., в соответствии с чем меняется шкала налогообложения — размеры тех сумм, к которым применяются определенные налоговые ставки. В зависимости от состава семьи все индивидуальные налогоплательщики группируются по четырем основным категориям.

Обложение налогом прибылей корпораций строится по той же «прогрессивной» схеме, что и индивидуальные налоги, однако обладает рядом существенных особенностей. К ним относятся прежде всего значительное влияние, оказываемое на систему налогообложения амортизационной политикой, скидками и льготами для ряда отраслей, а также применение в течение длительного времени так называемого инвестиционного налогового кредита, который предусматривал изъятие из прибыли, облагаемой налогом, доли в 7—10% в целях финансирования инвестиций на реконструкцию и модернизацию. До 1987 г. существовало пять ставок налогов на прибыли корпораций.

При администрации Рейгана в целях дальнейшей активизации частного предпринимательства в стране уже в 1981 г. были понижены ставки налогов, взимаемых с доходов населения и с прибылей корпораций. Это мероприятие было нацелено на повышение нормы накопления корпораций и уровня сбережений населения с тем, чтобы ускорить темпы накопления основного капитала, а также на обеспечение с помощью амортизационных мероприятий и инвестиционного налогового кредита дополнительных источников финансирования крупномасштабных инвестиций в техническое перевооружение отраслей и создание новых наукоемких производств. Дополнительные льготы в области амортизации обеспечивались уменьшением устанавливаемых государством нормативных сроков списания основных фондов для разных их групп (от научных приборов и транспортных средств до зданий и сооружений).

Инфляция и большое количество льгот усиливали неравномерность налогообложения, и рост его бремени для бедных и средних слоев населения вызывал растущее недовольство в стране. Кроме того, состояние экономики США требовало поиска новых способов стимулирования затухающих темпов экономического роста.

Закон о налоговой реформе 1986 г. оценивается как самое крупное из налоговых мероприятий в США за весь послевоенный период. Основными целями реформы были упрощение системы федерального налогообложения, попытка придать налогообложению более равномерный и «справедливый» характер и посредством этого стимулировать ускорение темпов экономического роста. В результате реформы существенной перестройке подверглись как система индивидуального подоходного налогообложения, так и система налогов на прибыли корпораций. В отношении индивидуальных подоходных налогов новый закон предусматривает лишь две ставки — 15 и 28% — вместо существовавших ранее пятнадцати (с максимальной ставкой 50%); понижена максимальная ставка налогов на доходы корпораций до 34% вместо прежней ставки 46%; снижена и минимальная ставка с 20 до 15%. Отменены многие из существовавших прежде льгот. В систему налогообложения доходов корпораций внесены и другие изменения: понижаются с 85 до 80% размеры той части итоговой суммы дивидендов по расчетам между корпорациями — взаимными держателями акций, которая должна включаться в сумму облагаемого налогом дохода; пересматриваются методы определения побочных доходов и потерь при исчислении нераспределенной прибыли, а также методы денежной оценки изношенных средств труда; несколько повышается ставка налога на доходы от прироста капитала в результате роста рыночной стоимости активов; отменяется инвестиционный налоговый кредит на основной капитал; повышаются нормы амортизационных списаний. Уточнены сроки функционирования различных видов основного капитала, применяемые для целей налогообложения.

Законом 1986 г. устанавливается, что, независимо от общего объема прибыли, подлежащей налогообложению, первые 50 тыс. дол. облагаются низшей ставкой — 15%, следующие 25 тыс. дол. облагаются ставкой 25%, наконец, высшая ставка в 34% применяется к доходам свыше 75 тыс. дол. По расчетам, налогообложению по высшей ставке будут подлежать свыше 85% всех доходов корпораций. Низшие ставки считаются также мерой поощрения предприятий мелкого бизнеса. «Прогрессивность» налогообложения доходов на федеральном уровне в результате реформы резко снизилась.

Крупной статьей доходов (37% всей суммы доходов федерального бюджета) являются налоги и взносы, которые отчисляются в специальные целевые фонды из заработной платы, жалованья и из предпринимательских доходов для финансирования общегосударственной программы социального страхования. В нее входят пенсионное обеспечение по старости, инвалидности, страхование здоровья, компенсации по безработице.

Другие виды бюджетных доходов — акцизы, налоги на наследство и дарение, таможенные пошлины и прочие поступления — составляют примерно 9% доходной части федерального бюджета.

За счет налогов на уровне штатов и местных органов власти осуществляется развитие коммунального хозяйства, производственной и социальной инфраструктуры (строительство общественных школ, больниц, местных дорог и шоссе, содержание местной полиции и противопожарной охраны, рекреационных объектов и т. д.). Эти налоги взимаются, как правило, по регрессивной шкале и в меньшей степени, чем федеральные, могут использоваться в целях стабилизации и стимулирования экономического роста. Наибольшую долю доходов в бюджеты штатов и местных управлений дают налоги на имущество (земельные владения, строения, автомобили и т. д.). Большой доход дают и налоги на потребительские расходы. В каждой местности устанавливаются свои ставки налогов.

Огромные суммы военных расходов и налоговые льготы корпорациям и богатым налогоплательщикам привели к образованию дефицита федерального бюджета, возраставшего особенно быстро с середины 70-х годов. В середине 80-х годов ежегодный размер дефицита превысил 200 млрд дол., что привело к быстрому росту государственного долга.

Таблица 3

Дефицит федерального бюджета США

(в текущих ценах, млрд дол.)

Фин. г.	Сумма дефицита	Фин. г.	Сумма дефицита	Фин. г.	Сумма дефицита
1970	2,8	1979	40,2	1984	185,3
1975	53,2	1980	73,8	1985	212,2
1976	73,7	1981	78,9	1986	221,2
1977	53,6	1982	127,9	1987	150,5
1978	59,1	1983	207,8		

Государственный (федеральный) долг представляет собой сумму долговых обязательств США, выпущенных министерством финансов в форме различных правительственных ценных бумаг (облигации, казначейские векселя, сертификаты задолженности и т. д.). Держателями обязательств федерального правительства (кредиторами государства) являются федеральные резервные банки, коммерческие банки, страховые компании, промышленные корпорации, правительства штатов и местные органы власти, частные лица и другие инвесторы. Выпуском в обращение государственных ценных бумаг покрывается бюджетный дефицит. За время правления администрации Рейгана в результате из года в год увеличивавшихся сумм бюджетного дефицита размеры федерального долга более чем удвоились и составили к концу 1987 г. свыше 2,3 трлн дол. Большие суммы — до 140 млрд дол. в год — затрачиваются на выплату процентов по государственному долгу держателям правительственных ценных бумаг, которая производится за счет федерального бюджета.

Рост государственного долга, увеличение ежегодных выплат процентов по государственному долгу стимулировало такие негативные явления в американской экономике, как повышение учетных ставок, снижение общей стабильности экономического развития и т. д. В конце 1985 г. конгресс США принял закон Грэмма — Радмэна — Холлингса, предписывающий ликвидировать бюджетный дефицит к 1991 г., однако исполнение этого закона на практике столкнулось с рядом серьезных трудностей, в результате чего его цели остаются не достигнутыми, а высокий уровень бюджетного дефицита сохраняется.

Кредитная система

США обладают наиболее развитой в капиталистическом мире кредитной системой, в структуре и функционировании которой в полной мере проявляются сущность и противоречия современного государственно-монополистического капитализма. Кредитная система опосредствует весь механизм общественного воспроизводства и накопления капитала и служит мощным фактором концентрации производства и централизации капитала, способствует быстрой мобилизации свободных денежных ресурсов и их использованию в экономике страны.

Кредитная система США представляет собой совокупность государственных и частных кредитных институтов, ее основным государственно-монополистическим компонентом является Федеральная резервная система (ФРС), выполняющая функции центрального банка США (создана в 1913 г.). Структурно ФРС состоит из совета управляющих, 12 федеральных резервных банков и около 6 тыс. банков-членов. В структуру ФРС входят также два ее органа, созданные конгрессом,— Федеральный комитет по операциям на открытом рынке и Федеральный консультативный совет.

Совет управляющих ФРС, высший ее орган, состоит из семи членов, назначаемых президентом США с одобрения сената сроком на 14 лет. Председатель совета назначается президентом США сроком на четыре года с последующим переутверждением. Пост председателя совета управляющих ФРС нередко называют второй по важности (после президента) государственной должностью в США. Совет управляющих направляет кредитно-денежную политику ФРС — определяет нормы резервов коммерческих банков и сберегательных учреждений, утверждает изменения в учетной ставке федеральных резервных банков. В составе Федерального комитета по операциям на открытом рынке совет принимает решения о купле-продаже правительственных ценных бумаг, осуществляет контроль за соблюдением правил биржевых операций и т. д.

Согласно закону о ФРС вся территория страны поделена на 12 резервных округов, каждый из которых обслуживается федеральным резервным банком данного округа. Федеральные резервные банки являются главными оперативными звеньями ФРС, выполняя функции центрального банка для своего округа. Каждый из них является своего рода акционерным обществом, акции которого принадлежат банкам-членам из данного округа. Хотя банки — члены ФРС составляют лишь около 40% общего числа коммерческих банков США, на их долю приходится три четверти всех банковских депозитов страны. В период 70-х годов наблюдалось сокращение членства в ФРС (за десятилетие свыше 500 банков вышли из ФРС) по причине недостаточной финансовой выгодности, но ситуация изменилась после принятия конгрессом в 1980 г. закона о дерегулировании депозитных институтов и монетарном контроле, которым резервные требования ФРС были распространены на все депозитные институты страны. Закон способствовал существенному усилению позиций и роли ФРС в кредитной системе США.

Через Федеральный комитет по операциям на открытом рынке ФРС осуществляет постоянное воздействие на банковские резервы и денежное обращение в стране. Будучи эмиссионным центром страны, «банком банков», выполняя функции по обслуживанию государственного кредита, воздействуя на величину процентных ставок в стране, ФРС играет ключевую роль в кредитной системе США, оказывая влияние на деятельность практически всех институтов частной кредитной сферы — коммерческих и инвестиционных банков, сберегательных банков, страховых компаний, пенсионных фондов, дилерских и брокерских фирм и т. д.

Годы экономического кризиса 1929—1933 гг. вызвали к жизни такой институт кредитной системы США, как Федеральная корпорация страхования депозитов, создание которой (1934 г.) расценивалось в США как наиболее важный акт кредитного законодательства после учреждения ФРС. Все банки — члены ФРС обязаны быть членами этой организации. Корпорация не только страхует депозиты частных лиц и фирм, но и проводит операции по спасению банков, которым грозит банкротство, путем организации их слияния с другими банками или предоставления им займов по более низким, чем рыночные, процентным ставкам. Объем ее операций значительно увеличился в 80-е годы, когда в связи с политикой дерегулирования возросли нестабильность в кредитной сфере и число банковских крахов.

В 70—80-е годы в кредитной системе США наметилось существенное расширение иностранного компонента, обусловленное возрастающим проникновением иностранных банков в кредитную сферу США. В результате США пошли на значительное усиление законодательства, регулирующего деятельность иностранных банков на территории страны. В 1978 г. конгрессом был принят так называемый «международный банковский акт» — закон, которым впервые в истории США вводилось федеральное регулирование деятельности иностранных банков, на них в значительной мере была распространена юрисдикция ФРС.

Кредитно-денежная политика

Федеральная резервная система (ФРС) осуществляет кредитно-денежную политику государства, воздействуя на экономику через сферу кредита и денежного обращения. Важнейшими инструментами кредитно-денежной политики являются операции с правительственными ценными бумагами на открытом рынке, расширение или ограничение кредита через механизм учетной ставки и прямое регулирование банковских резервов.

Начатые в первые годы существования ФРС операции по продаже облигаций государственных займов послужили основой для формирования центрального направления в кредитно-денежной политике ФРС — операций с правительственными ценными бумагами на открытом рынке.

Воздействие на сферу кредита посредством изменения учетной ставки, т. е. ставки процента по займам, предоставляемым федеральными резервными банками коммерческим банкам — членам ФРС, предусматривалось законом 1913 г. о создании ФРС и активно используется ею в качестве регулирующего инструмента на протяжении всех лет ее существования. Путем изменения учетной ставки ФРС определяет привлекательность учета банками ценных коммерческих бумаг и тем самым воздействует на величину их резервов и объем кредитных операций, являющихся важным фактором, регулирующим экономическую активность в стране.

Массированное использование государственно-монополистических, в т. ч. кредитно-денежных, методов стимулирования экономического роста породило комплекс новых противоречий и диспропорций в экономике страны, проявившихся в 70-е годы, когда отчетливо обозначился кризис сложившейся системы государственно-монополистического регулирования. В этих условиях, прежде всего в результате неэффективности правительственной «антиинфляционной» политики, акцент кредитно-денежной политики ФРС переносится на борьбу с инфляцией. В 1979 г. ФРС объявила о переходе к «новой стратегии» кредитно-денежного регулирования — воздействию на денежную массу на долгосрочной основе — при одновременном проведении жесткой антиинфляционной политики.

Этот курс ФРС стал составным элементом экономической политики администрации Рейгана и в определенной мере способствовал ослаблению инфляции. Вместе с тем он породил ряд новых проблем в американской экономике и способствовал обострению противоречий в мировом капиталистическом хозяйстве. Жесткий курс кредитно-денежной политики ФРС привел к значительному повышению уровня процентных ставок, оказывая сдерживающее воздействие на экономический рост. Одновременно высокие процентные ставки вызвали резкое усиление притока в США иностранных капиталов и повышение курса доллара по отношению к валютам других капиталистических стран, что способствовало обострению внешнеторговых проблем США, проблем внешней задолженности развивающихся государств и общему усилению торгово-экономических противоречий в капиталистическом мире.

Привлечение иностранного капитала служит для США одним из источников финансирования экономики, а также финансирования дефицита федерального бюджета и государственного долга. В то же время этот приток усилил зависимость рынка капиталов США от иностранного капитала, способствовал превращению США с середины 80-х годов в крупнейшего международного должника.

Значительное влияние на кредитно-денежную политику в США в 80-е годы оказал курс правящих кругов на дерегулирование экономики. Принятые конгрессом в 1980 и 1982 гг. законы о дерегулировании финансовых институтов явились крупнейшими после 30-х годов законодательными актами в кредитно-финансовой области. Они были направлены на то, чтобы, с одной стороны, усилить конкурентные начала в деятельности кредитных институтов (устранение «потолка» процентных ставок по депозитам,

УСЛОВНЫЕ ОБОЗНАЧЕНИЯ

(Промышленность США)

Отрасли промышленности

- Металлургия
- Металлообработка и общее машиностроение
- Транспортное машиностроение
- Электротехника, радиоэлектроника и приборостроение
- Химическая, резинотехническая и нефтеперерабатывающая
- Деревообрабатывающая и целлюлозно-бумажная
- Легкая
- Пищевая
- Полиграфическая
- Прочие

Крупнейшие электростанции мощностью более 1 млн кВт

тепловые   атомные   гидростанции

Горнодобывающая промышленность

каменный уголь		серебряные руды	
бурый уголь		полиметаллические руды	
нефть		ртутные руды	
природный газ		золото	
железная руда		платина	
ванадиевые руды		урановые руды	
молибденовые руды		фосфориты	
алюминиевые руды		сера	
медные руды		калийные соли	
свинцовые руды		поваренная соль	
цинковые руды			

ПРОМЫШЛЕННОСТЬ

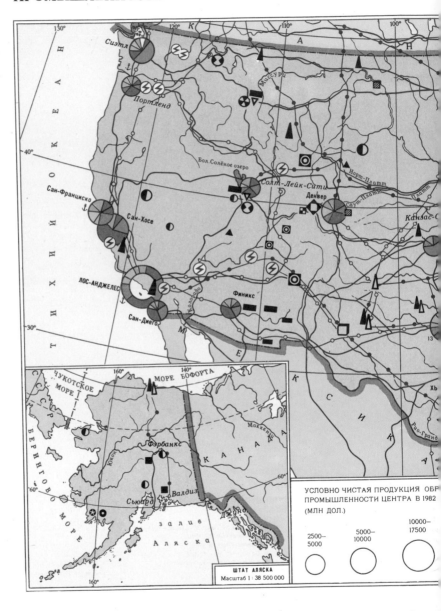

УСЛОВНО ЧИСТАЯ ПРОДУКЦИЯ ОБР
ПРОМЫШЛЕННОСТИ ЦЕНТРА В 1982
(МЛН ДОЛ.)

2500— 5000— 10000—
5000 10000 17500

ШТАТ АЛЯСКА
Масштаб 1 : 38 500 000

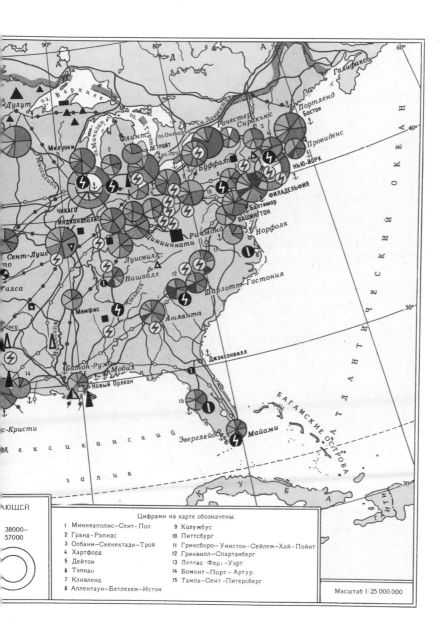

СЕЛЬСКОЕ ХОЗЯЙСТВО

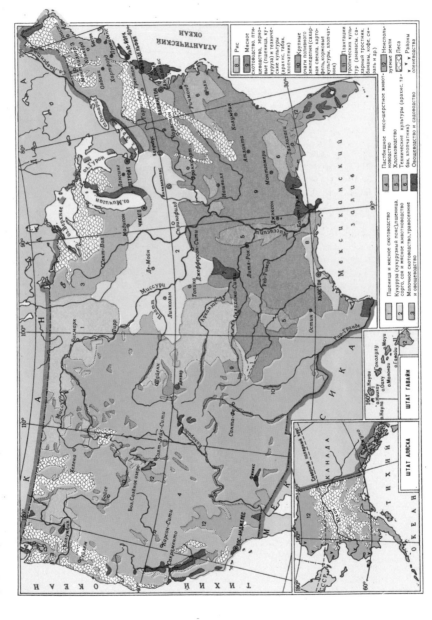

унификация резервных требований для банков и других кредитных и сберегательных институтов, расширение возможностей по привлечению средств и т. д.), а с другой — на то, чтобы расширить сферу регулирующих полномочий ФРС. Дерегулирование кредитно-финансовой сферы явилось одним из направлений поиска правящими кругами США выхода из кризиса государственно-монополистического регулирования экономики страны. Реформы 80-х годов в целом были направлены на то, чтобы способствовать повышению эффективности воздействия кредитно-финансовой сферы на производственную. В то же время дерегулирование способствовало усилению нестабильности в кредитной сфере страны, что породило новые сложные проблемы для кредитно-денежной регулирующей политики ФРС и в целом для экономической политики государства.

ЦИКЛИЧЕСКОЕ РАЗВИТИЕ ЭКОНОМИКИ

США и мировой
экономический цикл

Завершение промышленного переворота и развитие капиталистического фабричного производства создали в США условия для периодического возникновения экономических кризисов. По мере усиления хозяйственной мощи Соединенных Штатов внутренние процессы вызревания очередного кризиса в американской экономике, начиная с мирового экономического кризиса 1857 г., все тесней вплетались в механизм мирового капиталистического цикла.

Положение США в мировом экономическом цикле определялось рядом факторов, в т. ч. масштабами их экономики и возраставшим на протяжении второй половины XIX — начала XX в. удельным весом этой страны в совокупном промышленном производстве капиталистического мира (к концу 20-х годов XX в. доля США составляла более 40%), ее местом в системе международного капиталистического разделения труда. В ходе кризиса 1929—1933 гг. отчетливо проявилась роль Соединенных Штатов как эпицентра перенакопления капитала в рамках мирового капиталистического хозяйства.

Ускоренное развитие международного разделения труда и интернационализация хозяйственной жизни капиталистических стран после второй мировой войны постепенно сужали пределы асинхронности в развитии отдельных звеньев мировой капиталистической системы. При этом вызревавшие в недрах мирового капиталистического хозяйства кризисные процессы чаще всего получали наиболее полное развитие в американской экономике.

Одной из особенностей развития мирового экономического цикла в начале 70-х годов оказалась высокая степень синхронизации фаз оживления и промышленного подъема в развитых капиталистических странах. Это создавало все более напряженную ситуацию на мировых рынках энергетических, сырьевых и продовольственных ресурсов, подспудно подготавливая последующий взрыв. Другой особенностью циклического подъема первой половины 70-х годов было скачкообразное ускорение инфляционных процессов.

Существенное влияние на особенности мирового капиталистического цикла оказывал агрессивный политический курс американской администрации и стремительное увеличение военных расходов США во второй половине 60-х годов. Разбухший спрос на товары и услуги со стороны государства способствовал ускоренному росту цен, что в условиях растущей экономической взаимозависимости не могло не сказаться на движении стоимости жизни и в странах — партнерах США. Циклический рост цен по многочисленным каналам передавался из Соединенных Штатов в страны Западной Европы и Японию. «Импорт инфляции» оказывал неблагоприятное воздействие на движение реальных доходов основной массы населения этих стран. Обострение противоречия между производством и потреблением сопровождалось интенсивным накоплением серьезных хозяйственных диспропорций в рамках всей мировой капиталистической системы хозяйства.

Кризис 1973—1975 гг. по сфере охвата, продолжительности и разрушительной силе превосходил все послевоенные кризисные падения производства. Перенакопление основного капитала и перепроизводство товаров обнаружились практически во всех промышленно развитых капиталистических странах, во всех регионах и отраслях мирового капиталистического хозяйства. Повсеместное падение хозяйственной активности и сужение рынков сбыта ограничивали возможности американских монополий, вновь пытавшихся отыскать выход из кризиса на путях «вывоза перепроизводства» в другие регионы капиталистической системы. Впервые за послевоенные годы существенно сократился совокупный объем мировой капиталистической торговли.

Важной особенностью развития мирового капиталистического цикла, начиная с 1973—1975 гг., является переплетение циклических и структурных кризисов. Стремительный взлет цен на многие энергетические, сырьевые и продовольственные ресурсы и крушение прежних стоимостных пропорций поставили ряд ведущих отраслей капиталистической экономики перед необходимостью дополнительного сокращения производства. В такой ситуации американские предприниматели стремились использовать в своих интересах воздействие структурных кризисов и потрясений

Таблица 4

Продолжительность и глубина падения промышленного производства (от высшей точки до низшей) в периоды послевоенных мировых кризисов

Характеристика кризисов [1]	США		Канада		Япония	ФРГ	Франция	Велико-британия
Кризис 1948—1949 гг.								
продолжительность, мес.	15		7		—	—	—	—
падение, %	—9,2		—12,3		+25,0	+48,3	+8,7	+4,7
Кризис 1957—1958 гг.								
продолжительность, мес.	14		12		9	8	9	4
падение, %	—14,3		—6,0		—8,4	0	—5,0	—2,5
Кризис 1970—1971 гг.[2]								
продолжительность, мес.	13		8		4	7	7	11
падение, %	—6,8		—3,7		—3,0	—5,6	—4,0	—3,2
Кризис 1973—1975 гг.								
продолжительность, мес.	16		12		14	21	9	18
падение, %	—14,8		—9,8		—19,5	—10,9	—14,8	—11,0
Кризис 1980—1982 гг.[3]								
продолжительность, мес.	I 4	II 17	I 5	II 18	7	34	28	23
падение, %	I —6,0	II —11,4	I —4,0	II —17,6	—4,2	—9,8	—9,4	—14,6

[1] Продолжительность в месяцах рассчитана от максимума к минимуму.
[2] В США 1969—1970 гг.
[3] Для США и Канады римскими цифрами обозначены две стадии кризиса, соответственно: I — 1980 г., II — 1981—1982 гг.

мирового капиталистического хозяйства на экономику Японии и ряда западноевропейских стран, особенно сильно зависящих от импорта сырья и материалов. Кризисное падение производства в Японии и некоторых других капиталистических странах оказалось более глубоким. чем в США (см. таблицу 4).

Особенности циклического развития экономики США в 70—80-х годах

Гигантское перенакопление основного капитала, обнаружившееся в США к 1973—1975 гг., определило большой размах кризисных потрясений. Объем промышленного производства сократился на 14,8% (самое сильное циклическое падение производства за послевоенные годы). Производственные мощности в промышленности США в I квартале 1975 г. использовались не более чем на две трети. В ходе кризиса 1973—1975 гг. выявились некоторые новые тенденции циклического движения цен. На начальных этапах развертывания кризиса рост цен, особенно розничных, продолжал ускоряться, вызывая к жизни стагфляционные формы развития цикла.

Многообразие конфликтов, обнаружившихся в развитии американской экономики в 1973—1975 гг., выявило недостаточность прежних методов государственно-монополистического регулирования. Попытки стимулирования экономики с помощью кейнсианских рецептов (увеличение бюджетных расходов государства с целью расширения совокупного спроса) лишь способствовали дальнейшему ускорению инфляционных процессов. Стало давать сбои · и такое средство стимулирования спроса, как снижение налоговых ставок, поскольку увеличение номинальных доходов в условиях инфляции влекло за собой не снижение, а дальнейшее повышение фактических ставок подоходного налогообложения.

Кризис 1973—1975 гг. открыл новую полосу хозяйственного развития США, характеризовавшуюся существенным ухудшением общих условий воспроизводства. В ходе циклического подъема второй половины 70-х годов снизились темпы экономического роста и вместе с тем выявилась тенденция к ослаблению процессов реального накопления в ряде секторов американской экономики. Среднегодовые темпы роста чистых капиталовложений в США (без жилищного строительства, в ценах 1972 г.) в 1976—1981 гг. составляли 6,3% (по сравнению с 10,9% в 1972—1973 гг. и 10,1% в 1962—1966 гг.). Значительно изменился и характер новых вложений. Возросшая неустойчивость ценовых пропорций и общая нестабильность хозяйственной ситуации сдерживали развертывание крупных инвестиционных программ, рассчитанных на длительный срок. Сравнительно бо́льшие вложения направлялись теперь в такие проекты, которые предусматривали сравнительно меньшие расходы на возведение новых сооружений. В результате доля вложений в здания и сооружения (кроме жилищного строительства) в ВНП США во второй половине 70-х годов хотя и обнаружила циклический рост, но так и не достигла даже самого низкого уровня, наблюдавшегося во время прежних промышленных подъемов.

Серьезные потрясения в системе капиталистического мирового разделения труда с особой силой сказались на функционировании ряда ключевых сфер американской экономики. Так, стремительный взлет цен на нефть обусловил значительную интенсификацию накопления в отраслях топливно-энергетического комплекса. Доля текущих вложений в нефтеперерабатывающую промышленность в общей сумме инвестиций, снижавшаяся на протяжении длительного периода, во второй половине 70-х годов стала быстро увеличиваться: к 1981 г. она возросла примерно в два раза по сравнению с 1973 г. Значительно увеличились также вложения в отрасли добывающей промышленности.

Резко усилилась неравномерность в развитии отдельных отраслей. В ходе предшествующих циклических подъемов ведущую роль традиционно играли отрасли, выпускающие потребительские товары длительного пользования,— автомобильная, радиотехническая и др. В циклическом подъеме второй половины 70-х годов производство крупных автомобилей, радиоприемников и телевизоров практически оказалось в состоянии застоя. Немногим лучше обстояло дело в отраслях, выпускающих потребительские товары кратковременного пользования. С другой стороны, в указанный период ускорилось развитие тех звеньев машиностроительного комплекса, которые обеспечивали переход к энергосберегающей технологии, экономии сырья и материалов. Увеличился удельный вес вложений, направляемых в общее и электротехническое машиностроение.

К весне 1979 г. дальнейший рост промышленного производства практически приостановился, началось «вползание» американской экономики в очередной циклический кризис. С февраля 1980 г. начался первый этап развертывания кризиса («предварительный кризис»). На протяжении последующих месяцев падение промышленного производства набирало силу: в апреле — июне 1980 г. оно сокращалось в среднем на 2,4% в месяц. Это превосходило интенсивность аналогичного процесса в период кризисов 1948—1949 гг. (1,3%) и 1957—1958 гг. (2,2%), но уступало темпам падения производства кризиса 1973—1975 гг. (3,8%). Совокупный объем производства потребительских товаров, достигший максимума весной 1979 г., к июлю 1980 г. снизился на 7,4%.

Масштабы падения производства в различных отраслях в 1973—1975 гг. и в 1980—1982 гг. в большой мере зависели от конкретных форм взаимодействия циклических и структурных кризисов. И хотя масштабы повышения мировых цен на нефть в конце 70-х годов были значительно меньше, чем в 1973—1974 гг., новое обострение энергетического кризиса сильней, чем прежде, отразилось на состоянии американской экономики. Рост цен на энергетические ресурсы на внутреннем рынке США в 1979—1981 гг. значительно превосходил соответствующие показатели, относящиеся к 1973—1975 гг. Дело в том, что взаимодействие циклического и структурного кризисов в современных условиях неизбежно опосредствуется мероприятиями государственно-монополистического регулирования. В середине 70-х годов «контроль» над ценами внутреннего рынка и предоставление правительственных субсидий помогали сдерживать рост цен на нефтепродукты. С конца 70-х годов началось проведение политики дерегулирования, это позволило крупнейшим нефтяным монополиям не только повышать цены ускоренными темпами, но и открыло широкий простор для спекулятивных операций, получивших особенно большой размах на завершающих стадиях циклического подъема. Ускоренный рост цен на нефть способствовал резкому сокращению спроса на топливные ресурсы. Падение производства нефтепродуктов в ходе первой кризисной волны значительно превышало общее снижение промышленного производства.

Выявившееся в ходе кризиса 1980—1982 гг. структурное перенакопление капитала в производительной форме и особенно интенсивное моральное обесценивание основного капитала заставляло многих предпринимателей поддерживать свои расходы на модернизацию производственного аппарата на довольно высоком уровне даже в обстановке начавшегося ухудшения конъюнктуры. Интенсивные процессы накопления, продолжавшиеся в некоторых секторах американской экономики, еще не исчерпанная полностью к концу 70-х годов энергия циклического подъема ограничили масштабы и продолжительность «предварительного кризиса». С лета 1980 г. падение производства приостановилось, наметилась тенденция к некоторому улучшению конъюнктуры. Однако нарастание противоречий, сопровождавшее процесс капиталистического накопления, обусловило непродолжительность паузы, отделявшей «предварительный кризис» от второй, основной волны циклического кризиса. С августа 1981 г. развернулось новое падение промышленного производства, продолжавшееся вплоть до декабря 1982 г. Кризис 1980—1982 гг. в США по своей продолжительности превзошел все послевоенные кризисы, включая кризис 1973—1975 гг. (см. таблицу 4). Наибольшей за послевоенные годы оказалась недогрузка мощностей в обрабатывающей промышленности.

Всеобщий характер перепроизводства неизменно проявлялся в том, что в ходе циклических кризисов сокращение производства охватывало большинство отраслей обрабатывающей и добывающей промышленности, заметное снижение темпов роста наблюдалось даже в наиболее динамичных отраслях, продолжавших наращивать выпуск продукции. Разрушительная сила и продолжительность кризисов 70—80-х годов в значительной степени была связана со взаимоуглублением циклических, структурных и отраслевых кризисов. Наиболее глубоким в этот период было падение производства в автомобильной промышленности, металлургии, производстве строительных материалов и некоторых др. отраслях промышленности.

Возросла интенсивность циклических колебаний производительности труда. В ходе кризиса 1973—1975 гг. впервые за послевоенные годы наблюдалось существенное снижение годовых индексов производительности труда, исчисленных для всей экономики (кроме сельского хозяйства). К концу кризиса 1980—1982 гг. этот показатель не достигал уровня 1978 г.

Кризис 1980—1982 гг. выявил серьезное ослабление конкурентоспособности американских товаров на некоторых важнейших рынках — автомобилей, радиоаппаратуры, черных и некоторых цветных металлов и т. д. В начале 80-х годов выявилась тенденция к нарастанию дефицита торгового баланса США, этому способствовало и существенное повышение курса американского доллара по отношению к валютам основных партнеров.

Кризисные потрясения на рынке ценных бумаг и невиданно высокие ставки ссудного процента ухудшили положение многих мелких и средних компаний. Общее число банкротств частных фирм в 1982 г. увеличилось почти в 4 раза по сравнению с 1978 г., в ходе кризиса 1980—1982 гг. был достигнут наивысший уровень «смертности» фирм со времени кризиса 1929—1933 гг. В ходе циклических кризисов 70—80-х годов впервые за послевоенный период обнаружил свою неплатежеспособность ряд крупнейших американских корпораций. Из 500 крупнейших компаний США 20 оказались поглощенными в 1981 г. и еще 14 — в 1982 г.

Новый цикл, открытый кризисом 1980—1982 гг., характеризовался процессами интенсивной технической перестройки в ряде ключевых секторов американской экономики, преимущественным ростом тех отраслей, которые используют новейшие достижения научно-технического прогресса (производство микропроцессоров и других средств автоматизации, электронных компонентов, новых видов оборудования и др.). Самого высокого уровня за послевоенные годы достигла доля производственных частных капиталовложений в ВНП. Однако каждый новый шаг в переоборудовании и модернизации производственного аппарата неизбежно сопровождался дальнейшим нарастанием противоречий капиталистического воспроизводства.

По темпам роста ВНП и промышленного производства за четыре года после кризиса 1980—1982 гг. новый циклический подъем значительно уступал трем предшествующим подъемам (после кризисов 1957—1958 гг., 1969—1970 гг. и 1973—1975 гг.). Вместе с тем процессы технического переоборудования многих отраслей промышленности вели к массовой ликвидации рабочих мест. Так, к 1987 г. общее число занятых в обрабатывающей промышленности сократилось до 19,1 млн чел. (по сравнению с 21 млн чел. в 1979 г.), а в добывающей промышленности — до 742 тыс. (по сравнению с 1139 тыс. в 1981 г.). Численность безработных в условиях циклического подъема (7,4 млн, т. е. 6,1% всей рабочей силы в 1987 г.) превышала максимальный уровень первых послевоенных кризисов. Реальный уровень часовых ставок зарплаты рабочих и служащих, занятых во всех отраслях (кроме сельского хозяйства), к концу 1987 г. был ниже, чем перед кризисами 1973—1975 гг. и 1980—1982 гг. Примерно две трети всех коллективных договоров, заключенных в 1985 г., предусматривали ограничение дополнительных выплат (связанных с частным финансированием социальных программ, отпусками по болезни и т. п.). Нарастающее отставание личного потребления от роста производства свидетельствовало о серьезном осложнении условий капиталистического воспроизводства, о вызревании предпосылок для новых экономических кризисов.

Рост цен и инфляция

Периодами наиболее стремительного роста цен в первой половине XX в. неизменно являлись годы войн и гонки вооружений. После завершения второй мировой войны с особой наглядностью выявился хронический характер современного роста дороговизны, означающего неуклонное обесценение денег: к середине 80-х годов американский доллар утратил более 80% той покупательной способности, какой он располагал в конце XIX в.

Послевоенный рост цен характеризовался существенной неравномерностью. Первый стремительный взлет цен произошел во второй половине 40-х годов, он был связан с тем, что после завершения войны были отменены правительственные мероприятия, обеспечивавшие рационирование в торговле некоторыми потребительскими товарами и контроль над ценами. В последующие годы стремительный рост дороговизны сменился процессами «ползучей» инфляции. Циклический подъем 1955—1957 гг. придал заметное ускорение этим процессам, воздействие инвестиционного бума отчетливо проявилось в особенно быстром росте цен на элементы основного капитала (производственное строительство, оборудование).

Таблица 5

Движение цен в США
(1967 г. = 100)

Годы	Индекс стоимости жизни[1]	Индекс оптовых цен на готовую продукцию	Индекс цен на элементы ВНП (все товары и услуги)
1947	66,9	74,0	61,6
1955	80,2	85,5	75,8
1960	88,7	93,7	86,1
1965	94,5	95,7	94,1
1970	116,3	110,3	117,0
1975	161,2	163,4	165,2
1980	246,8	247,0	238,7
1985	322,2	293,8	311,1

[1] Рассчитан по розничным ценам.

С новым витком ускорения инфляции американская экономика столкнулась в конце 60-х и в 70-х годах. Существенную роль в этом росте цен сыграло расширение правительственных закупок товаров и услуг, связанное с эскалацией агрессивных действий США в Индокитае. С начала 70-х годов заметную роль в ускорившемся росте дороговизны играл взрыв структурных кризисов и в частности выявившиеся диспропорции между спросом на энергоресурсы, продовольствие и многие виды сырьевых материалов и их предложением на мировых рынках. Кульминационной точки этот процесс достиг к началу 80-х годов: показатель ежегодного роста стоимости жизни, составлявший в 1956—1960 гг. в среднем около 2%, к 1980 г. дошел до рекордного уровня в 13,5%. Ускоренный рост стоимости жизни оказывал крайне неблагоприятное воздействие на движение реальных доходов основной массы населения США. В 70 — начале 80-х годов с особой отчет-

ливостью обнаружились процессы «экспорта инфляции» из США в остальные регионы капиталистического мира.

Под влиянием огромного перенакопления капитала, обнаружившегося в ходе мирового экономического кризиса 1980—1982 гг., в первой половине 80-х годов выявилась тенденция к снижению темпов роста цен. Развитию этого процесса способствовали развертывание аграрного кризиса и снижение закупочных цен на продукцию, производимую американскими фермерами, а также падение цен на мировом рынке на многие виды минерального сырья и энергоресурсы — падение, получившее особенно большой размах в 1984—1986 гг. Вместе с тем лихорадочный рост военных расходов на протяжении 80-х годов, рекордные дефициты федерального бюджета и стремительное разбухание правительственной задолженности создают условия для нового ускорения инфляционных процессов.

СТРУКТУРА ЭКОНОМИКИ США

Общая характеристика

Соотношение отраслей в экономике США отражает сложившееся общественное разделение труда и пропорции общественного воспроизводства. Эти пропорции во многом определяют уровень эффективности всего хозяйства США. Структура экономики находит отражение в

Таблица 6

Отраслевая структура экономики США
(в % к ВНП в постоянных ценах 1982 г.)

Отрасли [1]	1959	1969	1979	1981	1983	1984	1985
Сельское хозяйство, рыболовство, лесное хозяйство	4,03	2,59	2,38	2,71	2,27	2,41	2,57
Добывающая промышленность	5,78	5,32	4,07	4,30	3,82	3,83	3,64
Строительство	9,84	7,58	5,43	4,54	4,49	4,58	4,55
Обрабатывающая промышленность	20,75	22,15	21,84	20,81	20,60	21,44	21,67
Транспорт, электро-, газо-, водоснабжение, связь	7,58	8,26	9,19	9,12	9,17	9,08	9,02
Торговля	14,77	14,92	16,03	15,61	16,13	16,57	16,85
Финансы	12,02	12,96	14,38	14,60	14,91	14,50	14,61
Услуги	11,26	11,87	13,46	14,24	14,84	14,89	15,02
Управление	14,29	14,04	11,78	11,86	11,81	11,24	11,14

[1] Сумма долей отраслей не равна 100% вследствие статистических погрешностей и остатка, не отнесенного ни к одной из отраслей.

структуре валового национального продукта (см. таблицу 6).

Общая закономерность происходящих отраслевых сдвигов заключается в заметном снижении в экономике удельного веса сырьевых отраслей и сельского хозяйства, технической модернизации промышленности с относительно несложным производством (легкая и пищевая), повышении эффективности использования производственного аппарата капиталоемких и материалоемких отраслей промышленности с высокой долей промежуточной продукции (металлургия и химическая промышленность).

В современный период наиболее радикальные изменения происходят на уровне подотраслей, в рамках которых наиболее высокую динамику развития имеют наукоемкие производства. Все более заметную роль в воспроизводственном процессе играют отрасли производства, применяющие новейшую технику и оказывающие преобразующее влияние на техническую базу экономики.

Если в начале XX в. нематериальное производство занимало незначительное место в хозяйстве США, функционально было оторвано от его материальной сферы и оказывало незначительное влияние на рост производительности труда и эффективность функционирования экономики, то в настоящее время оно превратилось в США в динамично развивающийся сектор хозяйства, непосредственно обслуживающий материальное производство. Этот качественный сдвиг произошел на базе роста производительности труда в сфере материального производства, обеспечившего возможность широкого развития отраслей нематериальной сферы, что, в свою очередь, во многом способствовало дальнейшему росту производительности труда.

Наиболее быстрый рост сферы нематериального производства и услуг в США был отмечен в отраслях так называемого духовного производства (наука и образование), а также восстановления физических и творческих способностей человека (физкультура, спорт, здравоохранение, искусство). Среди этих отраслей особенно выделяются те, которые связаны с обеспечением отдыха населения. Они стали оказывать серьезное влияние на эффективность всего общественного производства, существенно повысив роль духовных элементов развития производительных сил в экономике США. Эти отрасли в немалой мере обусловливают переход к новому этапу НТР. Отрасли же, непосредственно обслуживающие материальное производство, развиваются медленнее. В самом нематериальном производстве стремительно растет значение так называемой информационной сферы. Доля ее постоянно увеличивается как в общей численности занятых, так и в ВНП, повышая «информационную емкость» последнего.

Особенность структурных изменений в сфере материального производства состоит в интенсивных качественных сдвигах в отдельных отраслях, подотраслях и конкретных производствах.

Среди отраслей этой сферы промышленность (несмотря на снижение ее удельного веса) остается важнейшей. Ее доля в ВНП стабилизировалась в 70—80-х годах, она по-прежнему обеспечивает высокий уровень технического развития других сфер хозяйства. Именно в ней сегодня в первую очередь аккумулируются новейшие достижения научно-технического прогресса. В условиях обостряющейся борьбы за рынки сбыта американские монополии прилагают усилия для того, чтобы сохранить (или восстановить) свое превосходство в производстве важнейших видов продукции, особенно в наукоемких отраслях, что им далеко не всегда удается.

Структурная перестройка промышленного производства основывается на быстром и взаимосвязанном росте трех ключевых отраслей современной индустрии: машиностроения, электроэнергетики и химической промышленности. Их совокупная доля в продукции промышленности США превышает 50%, эти отрасли — главное поле приложения капитала, на них приходится 55—60% всех инвестиций в промышленности, именно эти отрасли стали базой зарождения и формирования новых наукоемких производств, все больше определяющих развитие экономики страны.

Для американской промышленности характерна тенденция к снижению удельного веса сырьевых отраслей, традиционной отрасли машиностроения — металлообработки, легкой и пищевой промышленности. Как и в сельском хозяйстве, в этих отраслях осуществляется техническое перевооружение производственной базы, и в результате увеличивающийся объем производства (в соответствии с платежеспособным спросом) сопровождается абсолютным сокращением занятости в них. Вместе с тем растет доля ключевых отраслей, продукция которых способствует преобразованию технического аппарата и технологических процессов в др. отраслях.

На протяжении ряда десятилетий доля добывающей промышленности в структуре всего промышленного производства США сокращалась. Это было связано с естественным процессом ухудшения условий добычи, повышением степени переработки исходного сырья и активным переходом страны на импорт дешевых сырьевых ресурсов. Способствовало этому и быстрое развитие отраслей, производящих заменители природного сырья, создающих новые композиционные материалы. Одновременно снижение удельного веса добывающих отраслей связано с общим для экономики США процессом снижения в производстве затрат материалов, сырья и энергии. Вместе с тем быстрое техническое перевооружение добывающей промышленности существенно увеличило темпы роста производительности труда в этой отрасли по сравнению с промышленностью в целом.

Анализ структуры американской экономики позволяет сделать вывод, что, несмотря на сравнительно небольшие количественные изменения в соотношении между крупными хозяйственными сферами и входящими в них отраслями, в экономике США за последнее десятилетие произошли глубокие сдвиги. Эти сдвиги не сводятся лишь к изменению отдельных экономических пропорций. Они отражают гораздо более широкий процесс и связаны с переходом экономики на новую качественную основу, подготовка которой является отличительной чертой современного этапа экономического развития США.

Промышленность

Наиболее динамичной сферой национальной экономики является промышленность. В ней в первую очередь зарождаются и в большей мере, чем в других отраслях хозяйства, используются новые научно-технические достижения. Промышленность — источник совокупного предложения товаров производственного и потребительского назначения на постоянно обновляемой технической основе. Одновременно она является аккумулятором значительной доли прибылей, капитальных вложений и базой накопления основного производственного капитала, крупным потребителем в системе совокупного спроса капитальных товаров. Промышленность связана со всеми отраслями экономики, социальной и производственной инфраструктуры и домашнего хозяйства. Интенсивность и эффективность ее развития является одним из главных факторов роста экономики, движения капиталистического цикла, жизнеспособности хозяйства в целом.

Промышленность занимает ведущие позиции в экономике США: на протяжении четверти века (1960—1985 гг.) она давала 47% продукции производственной сферы, концентрируя при этом 60% капиталовложений, 55% стоимости основного капитала и 50% численности занятых в материальном производстве, которая, однако, к 1985 г. снизилась примерно до 38%. В 1985 г. удельный вес промышленности в ВВП США (без государственного сектора) был равен 32,2%, в основном капитале — 23,9, в капитальных вложениях — 34,4 и в общей занятости — 26,9%.

В середине 80-х годов промышленность США выпускала условно чистой продукции на сумму свыше 1 трлн дол., концентрируя при этом основной производственный капитал в размере 2698 млрд дол. и 20 млн занятых, в промышленное развитие ежегодно вкладывалось более 165 млрд дол. капиталовложений (стоимостные показатели в ценах 1982 г.). Промышленность США занимает первое место в капиталистическом мире по масштабам производства (38,1% объема мировой промышленной продукции в 1981—1985 гг. по сравнению с 13,6%, приходящимися на долю Японии), по универсальности отраслевой и продуктовой структуры, расходам на НИОКР, степени концентрации и специализации производства, масштабам профессиональной подготовки кадров, уровню производительности труда (на 14% выше, чем в ФРГ, и на 27% выше, чем в Японии).

Вместе с тем к середине 70-х годов индустриальная структура и технический базис промышленного производства США устарели для решения более сложных социально-экономических задач, возникших в

новых, в целом ухудшившихся условиях общественного воспроизводства, что было связано с рядом причин.

Во-первых, в результате интенсивного промышленного развития за три послевоенных десятилетия экономика и сфера быта страны достигли такой степени насыщения техникой, промышленными материалами, предметами потребления длительного пользования, что все более отчетливо стала проявляться тенденция к замедлению роста, а затем и к абсолютному сокращению станочного парка, парка технологического оборудования, производства стали, автомобилей, химикатов, бытовой радиоэлектроники и т. п. Новая ситуация требовала пересмотра стратегии промышленного развития на базе ускорения НТП, активизации инвестиционного процесса и кардинальной структурной перестройки производства.

Во-вторых, процесс становления современной индустриальной структуры в США развивался в направлении создания всеохватывающего набора отраслей, подотраслей и производств в расчете на удовлетворение потребностей емкого внутреннего и в определенной мере мирового рынков. По мере падения спроса на продукцию традиционных отраслей в них происходило перенакопление основного капитала, что в условиях хронической недогрузки производственных мощностей вело к снижению возможностей получения средней нормы прибыли. Это сказывалось на объеме инвестиций и выпуске продукции. В условиях ожесточенной международной конкуренции американские монополии сосредоточили усилия на развитии принципиально новых наукоемких отраслей и производств, которые становятся движущей силой промышленного роста, опорой интенсивного типа воспроизводства.

В-третьих, к середине 70-х годов факторы, обусловившие быстрое расширение промышленного производства в послевоенные десятилетия (относительно высокие темпы совокупного платежеспособного спроса и обновления основного капитала и продукции на базе НТП), в значительной мере исчерпали себя. Экономика страны, и в первую очередь промышленное производство, вступила в полосу глубоких затруднений, замедлились темпы роста экономики, затрат на НИОКР, темпы научно-технического прогресса. Повышение эффективности производства в этих условиях могло быть достигнуто только в результате кардинальной перестройки технологического базиса и структуры выпуска промышленной продукции при снижении издержек производства.

К углублению интенсивного пути воспроизводства капитализм США толкают также обострение конкуренции на внутреннем и мировом рынках, кризисные ситуации на отдельных рынках сырья и энергии, ограниченные возможности дальнейшего наступления на жизненный уровень трудящихся.

Промышленность США включает три подразделения общественного производства: обрабатывающую промышленность, добывающую промышленность, электроэнергетику (включая газо- и водоснабжение). Обрабатывающая промышленность состоит из 20 крупных отраслей, охватывающих 450 подотраслей и производств. Она дает 79% общепромышленной продукции, в ней занят 91% общего числа работающих, сконцентрировано 50% капитальных вложений и 52% стоимости основного капитала промышленного производства в целом. В электроэнергетике создается примерно 10% промышленной продукции и используется соответственно 28% основного капитала, 24% инвестиций и 4% рабочей силы. В добывающей промышленности, включающей семь основных отраслей, главными из которых являются

нефте-, угле- и газодобыча, добыча руд черных и цветных металлов, неметаллического сырья, производится 11% продукции и занято соответственно 5, 20 и 26% трудовых ресурсов, основного капитала и инвестиций.

Специфика выпускаемой продукции, технического базиса и природных факторов производства предопределила малокапиталоемкий и относительно трудоемкий тип воспроизводства в обрабатывающей промышленности по сравнению с добывающей промышленностью и особенно электроэнергетикой, отличающимися чрезвычайно высокой капиталоемкостью и низкой трудоемкостью производства.

США занимают первое место по объемам производства во всех секторах мировой капиталистической промышленности, идя далеко впереди стран, находящихся на втором месте: по добывающей промышленности — 49,5% по сравнению с 17,3%, приходящимися на долю Великобритании, по обрабатывающей — 31,7% против 16,9% Японии, по электроэнергетике, газо-, водоснабжению — 28,4% по сравнению с 13,3% ФРГ.

Главным направлением научно-технического развития и совершенствования структуры промышленного производства в современный период является постепенный переход от базовых (как правило, капитало-, материало- и энергоемких) отраслей к отраслям, опирающимся в своем развитии на прогресс науки и техники и квалифицированную рабочую силу. Общая закономерность этих изменений заключается в последовательном переходе сначала от высокой доли сырьевых отраслей и отраслей промышленности с технически несложным производством к капиталоемким и материалоемким отраслям промышленности и, наконец, к наукоемким отраслям, создающим современные средства и предметы труда и потребительские товары.

До середины 70-х годов общие закономерности промышленного развития (1967—1977 гг.) заключались в опережающем росте электроэнергетических мощностей по сравнению с общепромышленными мощностями (среднегодовые темпы прироста составили соответственно 4,6 и 3,3%), в ускоренных темпах роста выпуска продукции обрабатывающей промышленности по сравнению с добывающей (соответственно 3,0 и 1,7%), в преимущественном развитии в рамках обрабатывающей промышленности производства товаров краткосрочного пользования по сравнению с производством товаров длительного пользования (соответственно 4,2 и 2,7%).

Со второй половины 70-х годов в структуре промышленности произошли существенные изменения: за период 1977—1985 гг. электроэнергетика развивалась значительно более медленными темпами, чем промышленное производство в целом (1,6% по сравнению с 2,7%), что в основном было вызвано реализацией программ экономии энергии, улучшением использования установленных мощностей электростанций, рационализацией энергопотребления. Изменились также тенденции развития двух групп отраслей в рамках обрабатывающей промышленности: темпы производства товаров длительного пользования в этот период опережали темпы производства товаров краткосрочного пользования (соответственно 3,1 и 2,85%), что было вызвано значительным увеличением выпуска машин и оборудования в связи с реконструкцией американской промышленности. Еще более усилилась тенденция отставания в промышленном развитии добывающей отрасли, темпы роста которой в 1977—1985 гг. упали до 1,1%, чему способствовало резкое снижение цен на нефть, газ, уголь и др. виды сырья в середине 80-х годов.

До обострения в середине 70-х годов энергосырьевой ситуации ресурсосберегающие функции НТП в американской промышленности использовались слабо. Так, в 1967—1977 гг. темпы роста промежуточной продукции (3,8%), материалов и энергии (3,3%) опережали темпы прироста конечной промышленной продукции (3,1%), что снижало возможности повышения эффективности промышленного производства. В рамках производства конечной промышленной продукции наиболее высокими темпами роста характеризовалось производство машин и оборудования для гражданских целей (4,0%), потребительских товаров (3,8%), в производстве военной и аэрокосмической техники наблюдался определенный спад.

Перестройка структуры промышленного производства в направлении ускоренного развития наукоемких отраслей, закрытие многих малорентабельных ресурсоемких предприятий, становление более четкой структуры вертикальной и горизонтальной интеграции производства, реализация принципа работы «вовремя» (без излишних запасов, складов, перевалок продукции), новые формы электронного управления и контроля и многое другое привели к тому, что в 1977—1985 гг. темпы роста конечной продукции стали опережать темпы роста промежуточной продукции (3,45 и 3,3% соответственно).

В результате реализации крупных программ экономии топливно-сырьевых ресурсов, и в первую очередь нефти, кардинально изменилась эластичность (соотношение среднегодовых темпов) производства материалов и энергии по отношению к выпуску конечной продукции с 1,06 в 1967—1977 гг. до 0,49 в 1977—1985 гг. и по отношению к промышленному производству в целом с 1,0 до 0,63 соответственно. Таким образом, прирост производства машин и оборудования, а также потребительских товаров в этот период обеспечивался в два раза более низкими темпами прироста производства материалов и энергии. Не менее важные изменения происходят в структуре производства конечной промышленной продукции: на первое место по темпам развития вышло производство военной и космической техники (6,9% ежегодного прироста), что прямо связано с милитаризацией экономики США и подготовкой программы «звездных войн». В отличие от 1967—1977 гг., когда рост конечной промышленной продукции производственного и потребительского назначения происходил примерно с одинаковой интенсивностью (4,0 и 3,8%), в последующие годы произошла довольно резкая дифференциация в развитии этих производств: темпы производства средств труда возросли до 4,3%, а темпы производства предметов потребления резко снизились до 2,3%. Это обстоятельство, связанное с сокращением реальных доходов населения США в первой половине 80-х годов, оказывает сдерживающее влияние на темпы экономического роста.

Для промышленного производства США в 1967—1977 гг. была характерна тенденция к увеличению доли в нем промежуточной продукции, материалов и энергии. В 1977—1985 гг. в связи с переходом на новый технический базис производства и ускорением обновления производственного аппарата, а также внедрением ресурсосберегающих технологий и осуществлением программ экономии энергии в промышленном производстве проявилась новая тенденция к преимущественному росту конечной продукции.

В рамках наиболее динамичного подразделения промышленного производства — обрабатывающей промышленности, с одной стороны, проявляется общая закономерность повышения удельного веса машиностроения и металлообработки, химической, нефтеперерабатывающей и нефтехимической промышленности, являющихся материальной опорой двух важных направлений научно-

Таблица 7

Структура продукции, ресурсов труда и капитала по отраслям обрабатывающей промышленности
(в % к итогу — 100)

Отрасли	Продукция		Основной капитал		Численность занятых		Капитальные вложения	
	1960 г.	1985 г.	1960 г.	1985 г.	1960 г.	1985 г.	1960 г.	1985 г.
Машиностроение и металлообработка	38,5	48,8	27,5	36,0	37,5	44,8	28,7	33,8
Химическая, нефтехим., нефтеперерабатывающая, резино-техническая	10,8	14,6	21,0	21,7	8,5	10,6	29,6	33,3
Металлургическая	10,1	4,4	14,5	11,6	7,5	4,3	11,0	4,8
Целлюлозно-бумажная и полиграфическая	9,4	9,4	9,1	9,7	8,7	10,6	4,7	5,3
Лесная, деревообрабатывающая и мебельная	4,3	4,3	2,6	3,0	3,7	6,1	—	—
Промышленность строит. материалов, стекольная и фарфоро-фаянсовая	4,0	2,9	4,9	3,8	3,7	3,0	4,8	2,2
Легкая	7,5	5,0	5,7	3,8	14,8	10,1	2,5	1,1
Пищевая	13,1	9,1	12,9	9,4	10,9	8,5	8,3	6,4
Прочие отрасли	2,3	1,5	1,8	1,0	4,7	2,0	10,4[1]	13,1[1]

[1] В прочие вошли капиталовложения деревообрабатывающей, табачной, швейной, полиграфической отраслей, приборостроения, не выделенные отдельно в статистику национальных счетов.

технического прогресса: автоматизации и химизации хозяйства (см. таблицу 7). Их совокупная доля в продукции обрабатывающей промышленности составляет в настоящее время 64%, здесь концентрируется 58% накопленного основного капитала, реализуется две трети капиталовложений и занято 55% работающих. В затратах на НИОКР частного сектора хозяйства США доля отраслей машиностроительного и химического профиля составила в 1985 г. 90,5%, а в рамках обрабатывающей промышленности — 94,0%. Их особая роль заключается в несравненно более высокой наукоемкости производства, которая почти в 10 раз превосходит наукоемкость др. отраслей обрабатывающей промышленности, что является важнейшим фактором их динамичного развития.

С другой стороны, очевидна тенденция сокращения доли традиционных отраслей (металлургии, легкой, пищевой промышленности, промышленности строительных материалов). Их совокупная доля в продукции обрабатывающей промышленности в 1985 г. сократилась по сравнению с 1960 г. с 34,7 до 21,4%, в основном капитале — с 38,0 до 28,6%, в инвестициях — с 26,6 до 14,5% и в численности занятых — с 36,9 до 25,9%. Сейчас эти отрасли находятся в процессе реконструкции и обновления, причем их становление на новый технический уровень опирается, прежде всего, на те достижения в области науки, техники, управления, которые зародились в рамках машиностроительных отраслей и химической индустрии.

В процессе индустриального развития в результате углубления предметной специализации производства все ощутимее становились связи между отдельными отраслями промышленности, выполняющими в общественном воспроизводстве определенную функциональную роль. Эти отрасли постепенно стали складываться в функционально-производственные комплексы (см. таблицу 8). Современное промышленное производство представляет из себя совокупность четырех таких комплексов, обеспечивающих различные общественные потребности: машиностроительный комплекс — в средствах труда, материалопроизводящий комплекс — в сырье и материалах, топливно-энергетический комплекс — в топливе и энергии, комплекс по производству предметов потребления — в потребительских товарах.

Машиностроительный комплекс поставляет средства труда во все сферы экономики и предметы потребления длительного пользования в сферу домашнего хозяйства. Машиностроительный комплекс отличает высокая наукоемкость (в 1986 г. отношение объема затрат на НИОКР к объему продаж продукции составило 8,7%), превышающая наукоемкость обрабатывающей промышленности в целом в 2,5 раза. Еще одной важной особенностью комплекса является низкая капиталоемкость производства: производя примерно 40% промышленной продукции, он концентрирует лишь около 20% основного производственного капитала. Наконец, в этом комплексе используется 40% рабочей силы, занятой в промышленности, здесь сосредоточена преобладающая часть рабочих мест высокого технического уровня. Эти особенности машиностроительного комплекса способствуют интенсивному типу воспроизводства в промышленности, быстрому научно-техническому обновлению продукции, повышению квалификации рабочей силы.

Современный этап развития промышленности США характеризуется переходом к новому техническому базису производства. Кардинальное преобразование и переход от механического, дискретного (прерывного) в своей основе технического базиса производства к гиб-

Доля функционально-производственных комплексов
в продукции и ресурсах промышленности
(в % к итогу = 100)

Показатели	Годы	Машиностроительный	Топливно-энергетический	Материало-производящий	Производство предметов потребления
Продукция	1960	32,9	15,9	28,3	22,9
	1970	35,3	16,0	28,8	19,9
	1980	38,3	16,3	24,4	21,0
	1985	40,7	15,8	23,3	20,2
Основной капитал	1960	14,8	48,8	24,8	11,6
	1970	17,5	46,0	26,3	10,2
	1980	19,1	44,2	27,0	9,7
	1985	20,4	44,5	25,3	9,8
Численность занятых	1960	34,7	8,6	26,1	30,6
	1970	38,2	7,3	25,8	28,7
	1980	40,3	9,3	24,7	25,7
	1985	40,2	9,6	24,2	26,0
Капитальные вложения	1960	20,6	40,4	27,9	11,1
	1970	25,0	38,7	24,8	11,5
	1980	26,5	37,7	24,4	11,4
	1985	28,3	36,1	23,7	11,9
НИОКР [1] частного сектора хозяйства	1960	79,5	2,8	11,9	1,4
	1970	75,9	2,9	15,1	1,6
	1980	74,1	3,5	15,9	1,6
	1985	74,5	3,1	16,2	1,4

---

[1] Итог не дает 100%, поскольку в имеющейся статистике не распределены по комплексам примерно 5% НИОКР частного сектора хозяйства США.

кому, электронно-автоматизированному, при выявившейся определенной несовместимости новых и старых элементов структуры, ставит перед машиностроительным комплексом принципиально новые задачи. Развитие машиностроения неразрывно связывается с реализацией двух важнейших задач научно-технического прогресса: электронизацией всех сфер хозяйства и быта (внедрением электронно-вычислительной и микропроцессорной техники) и комплексной автоматизацией процессов производства и управления. Уже созданы главные звенья нового технического базиса производства: автоматизированная система проектирования продукции, комплексы технологического оборудования с программным управлением, ЭВМ и микропроцессоры, промышленные роботы. Их соедине-

ние с механической системой машин (механотроника — синтез механики и электроники) позволяет приспособить промышленность к новым условиям дифференциации спроса, придать необходимую гибкость и маневренность технологическим процессам, резко, в 2—4 раза, повысить производительность труда при гарантированном высоком качестве продукции. Решение этих задач легло в основу начавшегося в конце 70 — начале 80-х годов процесса электронной автоматизации производства, конечная цель которого — создание гибких автоматизированных производств, а впоследствии комплексно автоматизированных предприятий, работающих по безлюдной (малолюдной) технологии. Это придало новый импульс развитию машиностроительного комплекса США, на долю которого в 80-х годах приходилось 34,2% мирового машиностроительного капиталистического производства, в то время как удельный вес Японии, занимающей второе место, был почти в 2 раза ниже (17,8%).

Машиностроительный комплекс включает пять крупных групп отраслей (металлообработка, общее машиностроение, электротехническое машиностроение, транспортное машиностроение, приборостроение, включая точное машиностроение) в составе 33 отраслей и 148 подотраслей и производств, в которых в первой половине 80-х годов произошли крупные структурные и качественные изменения (см. таблицу 9). К ним относится, в первую очередь, ускоренный рост авиаракетнокосмической промышленности (АРКП) и электротехники, наиболее тесно связанных с военно-промышленным комплексом США. Темпы роста производства в АРКП и электротехнике были в 1981—1986 гг. (8—10%) в 2— 2,5 раза выше темпов, принятых в экономике США для обозначения быстро растущих отраслей (4% ежегодно).

Все более сильная конкуренция со стороны Японии, в первую очередь в электронной промышленности, и западноевропейского консорциума в области гражданской авиа-

Таблица 9

Структура и уровень наукоемкости машиностроительного комплекса США в 80-е годы

Отрасли	Годы	Продажи			НИОКР				
		Объем (млрд дол.)	Доля в машиностроит. комплексе (%)	Среднегодовые темпы прироста 1981—1986 (%)	Объем (млрд дол.)	Доля в машиностроит. комплексе (%)	Среднегодовые темпы прироста 1981—1986 (%)	Процент к капиталовложениям в отрасль	Процент к объему продаж
Авиаракетнокосмическая	1980	51,1	10,4		9,2	28,4		130,8	18,0
	1984	76,8	10,7	10,2	16,1	30,7	17,1	451,5	20,9
	1986	91,6	11,9		23,7	35,4		529,3	25,9
Электротехника	1980	123,4	25,1		9,2	28,3		95,7	7,5
	1984	182,4	25,6	7,9	15,4	29,4	13,4	105,8	8,4
	1986	194,4	25,2		19,5	29,2		144,9	10,0
Общее машиностроение	1980	169,3	34,5		5,9	18,2		50,9	3,5
	1984	209,6	29,3	4,3	9,7	18,3	9,1	62,9	4,6
	1986	218,3	28,3		9,9	14,9		60,5	4,5
Автомобильная	1980	106,0	21,5		5,1	15,8		56,5	4,8
	1984	192,3	26,9	11,8	6,4	12,2	7,8	57,4	3,3
	1986	206,9	26,8		8,0	12,0		53,5	3,9
Приборостроение, точное машиностроение	1980	42,1	8,5		3,0	9,3		132,9	7,1
	1984	53,5	7,5	6,25	4,9	9,4	10,95	149,7	9,2
	1986	60,4	7,8		5,6	8,5		142,4	9,3
Машиностроит. комплекс в целом[1]	1980	491,9	100,0		32,4	100,0		82,0	6,6
	1984	714,6	100,0	7,8	52,5	100,0	12,8	109,6	7,3
	1986	771,6	100,0		66,7	100,0		125,2	8,7

[1] Без металлообработки и прочего транспортного машиностроения.

176

техники в сочетании с обильными военными заказами в рамках СОИ обусловила для американских компаний необходимость коренной реконструкции технического базиса производства и обновления выпускаемой продукции. В этой связи в 80-е годы резко возросли затраты на НИОКР, и по наукоемкости в 1986 г. АРКП и электротехника опережали обрабатывающую промышленность в целом соответственно в 7,4 и 2,8 раза. Для повышения технического уровня производства перестраивается общий процесс накопления, при этом темпы роста затрат на НИОКР превышают темпы роста инвестиций.

Инновационно - инвестиционная активность (измеряемая отношением затрат на НИОКР к капиталовложениям) в рассматриваемых отраслях к началу 80-х годов была самой низкой начиная с 60-х годов. В первой половине 80-х годов произошли крупные изменения, в первую очередь в АРКП, где началась новая волна военного бума и затраты на НИОКР в 1986 г. в 5,3 раза превысили объем производственных капиталовложений, в электротехническом машиностроении — в 1,5 раза.

Высокими темпами в эти годы развивалось приборостроение и точное машиностроение, прежде всего производство научной аппаратуры, электронных и оптических приборов и инструментов, контрольной аппаратуры, медицинской техники. Качественная характеристика этой отрасли, особенно наукоемкость ее продукции, уровень инновационно-инвестиционной активности весьма схожи с электротехнической промышленностью.

В то же время в структуре машиностроительного комплекса сокращается доля общего машиностроения (наиболее разветвленного блока отраслей), темпы развития которого в 80-е годы не превышали в среднем 4,3%, хотя по абсолютным объемам производства оно пока занимает первое место. Это объясняется в определенной мере ускоренным развитием электронно-счетного машиностроения (статистически учитываемого в общем машиностроении), которое сформировалось в самостоятельную отрасль с объемом продаж 55 млрд дол. в 1985 г.

Особо следует сказать о коренной реконструкции автомобильной промышленности, занимающей первое место среди моноотраслей по объемам продаж в американской индустрии. Острая международная конкуренция, прежде всего со стороны Японии, заставила автомобильные компании «Дженерал моторс», «Крайслер» и «Форд» провести коренную реконструкцию автомобильных заводов, используя системы автоматизированного проектирования продукции, гибкие производственные системы с широким использованием робототехнических комплексов, что в совокупности с новыми методами управления позволило повысить конкурентоспособность американского автомобилестроения. В 1984 г. США снова вышли на первое место в мире по производству легковых автомобилей (7773 тыс. шт.) и сохранили эти позиции в 1985 г. (8180 тыс. шт.), уступив с 1979 г. первое место в производстве грузовых автомобилей (включая автобусы) Японии.

В середине 80-х годов США занимали первое место в несоциалистическом мире по производству энергетического оборудования, электрооборудования (промышленного и бытового), промышленного электронного оборудования, электронных компонентов, электронно-вычислительных машин, авиаракетнокосмической техники, химического, дорожно-строительного оборудования, сельскохозяйственных машин, уступив первенство в производстве металлорежущих станков, бытовой электронной аппаратуры, промышленных роботов, грузовых автомобилей, тракторов, текстильных машин.

Позиции США в мировом машиностроительном комплексе во многом определяются дальнейшей структурной перестройкой в направлении электронизации продукции и технического базиса производства.

Наибольшие возможности связываются с развитием механотроники, включающей принципиально новую продукцию: гибкие производственные системы; обычные сенсорные системы; видеосенсорные системы; линии автоматической сборки; системы искусственного интеллекта; системы математического обеспечения электронно-вычислительной техники; промышленные роботы нового поколения; электронные системы и приборы контроля точности; новые стандарты механотроники. По оценкам американских специалистов, из девяти указанных крупных принципиальных новшеств механотроники позиции США на стадии фундаментальных исследований по семи из них были равны японским достижениям, но США превосходили Японию в создании видеосенсоров и ушли далеко вперед в разработке программ математического обеспечения. Однако если оценить позиции США на стадии коммерческого внедрения новшеств, то по системам математического обеспечения США впереди, равенство сил сохраняется по двум позициям (системы искусственного интеллекта, обычные сенсоры), по остальным на первое место вышла Япония. Жестокая конкуренция в этой области, настоящая «электронная война» во многом определяет дальнейшие пути развития всего промышленного комплекса новых, наукоемких отраслей. В то же время не следует преуменьшать возможности США в этой области.

Например, на рынке США продавались исключительно американские системы автоматизированного проектирования продукции и автоматизированные системы управления производством, в то время как на рынке Японии доля японских систем составляла 54%, систем США — 39% и Западной Европы — 7%. США занимают прочные позиции в производстве металлообрабатывающего оборудования с программным управлением (в 1985 г. было произведено 5350 единиц такого оборудования на сумму 822,1 млн дол.), производстве сложных роботов (выпуск 6,2 тыс., парк 20 тыс. в 1985 г.), производстве ЭВМ и персональных компьютеров. В 1985 г. в США было выпущено продукции электронной промышленности, включая электронные компоненты, на 175 млрд дол., по этому показателю они занимали первое место в мире.

Комплекс материалопроизводящих отраслей. Главными составляющими комплекса являются следующие основные отрасли промышленности: горнорудная, нерудная, химическая, нефтехимическая, черная и цветная металлургия, резино-техническая, пластмассоперерабатывающая, деревообрабатывающая, целлюлозно-бумажная и строительных материалов, стекольно-керамическая и фарфоро-фаянсовая. Этот комплекс дает примерно четверть продукции промышленности и сосредоточивает ту же долю трудовых ресурсов, основного капитала и инвестиций при несколько пониженной (16% общепромышленных НИОКР) наукоемкости (см. таблицу 8). Этот комплекс является первичным звеном в технологической цепи по переработке природного сырья и одновременно выступает производителем искусственных и синтетических материалов. Его роль заключается в производстве преимущественно предметов труда для удовлетворения потребностей всех сфер экономики, а также в изготовлении ряда важных предметов потребления для населения (лекарства, бытовая химия и т. д.).

До середины 70-х годов развитие комплекса носило устойчивый характер, преобладали факторы, связанные с ресурсоемким характером развития промышленного производства и экономики в целом и быстрым насыщением производства предметами труда. Этому процессу помимо факторов спроса способствовал интенсивный научно-технический прогресс в области создания новых материалов, расширения и обогащения их ассортимента и повышения качества. Позитивное влияние на развитие комплекса материалопроизводящих отраслей в этот период оказали низкие цены на исходные сырьевые материалы и энергию, доля которых в издержках производства всех отраслей комплекса весьма высока, что в конечном итоге способствовало снижению цен на черные и цветные металлы, пластмассы, химическую, резино-техническую и лесобумажную продукцию. Факторы, связанные с переходом на ресурсосберегающие технологии, снижением материалоемкости промышленного производства, а также с созданием замкнутых, малоотходных систем производства, находились в то время на заднем плане. Специфика воспроизводства предметов труда, связанная с перенесением их стоимости на продукт в течение одного производственного цикла (в отличие от воспроизводства основного капитала), способствовала непрерывному расширению комплекса, во многом на экстенсивной основе.

В связи с обострением энергосырьевой ситуации, после вспышки энергетического кризиса 1973—1974 гг. и скачка цен на минеральное топливо, ресурсосбережению было придано в США приоритетное значение, что существенно отразилось на развитии материалопроизводящего комплекса, доля которого в промышленном производстве снизилась. Наиболее крупномасштабными и динамичными отраслями комплекса, его лидерами выступают химическая и пластмассоперерабатывающая промышленность, отличающиеся наиболее высоким уровнем наукоемкости. Давая более

40% продукции комплекса, они концентрируют 36—38% ресурсов труда и капитала и 80% затрат на НИОКР. Их ускоренное развитие по сравнению с другими отраслями комплекса определяется прогрессивной экономической ролью, которую они выполняют, поставляя новые наукоемкие предметы труда, зачастую с уникальными свойствами, способные эффективно заменить природные материалы, снять тем самым напряжение, связанное с дополнительной добычей исходных сырьевых материалов. Другие отрасли комплекса под напором конкуренции или несколько сдают свои позиции (промышленность строительных материалов, стекольно-керамическая и др.), или переживают кризис (черная и цветная металлургия). Вместе с тем следует иметь в виду, что по четырем из пяти наиболее крупных комплексных отраслей, преимущественно изготовляющих предметы труда (и частично предметы потребления), США продолжают лидировать в капиталистическом мире: их доля в производстве продукции химической и нефтехимической промышленности, включая резино-техническую и пластмассоперерабатывающую, составляет 30,2% (Япония — 18%); черной и цветной металлургии — 25,2% (Япония — 21,9%); целлюлозно-бумажной и полиграфической — 40,5% (Франция — 8,7%); деревообрабатывающей и мебельной — 30,0% (ФРГ — 12,9%); промышленности строительных материалов, стекольно-керамической и фарфоро-фаянсовой — 21,4% (Япония — 21,7%). В 1985 г. США занимали первое место в капиталистическом мире по производству первичного и вторичного алюминия (5,3 млн т), магния, титана, меди, свинца, молибдена, редкоземельных металлов (25 тыс. т), пластмасс (21,8 млн т), химических волокон (3,7 млн т), химических удобрений (22,1 млн т), синтетического каучука (3 млн т), пиломатериалов (78 млн м³), бумаги (33 млн т), уступив первые позиции в выплавке стали (США — 85 млн т, Япония — 105 млн т), чугуна, в производстве агломерационной продукции, цинка, никеля, стальных труб. Дальнейшее развитие материалопроизводящего комплекса во многом связано с созданием в его рамках высокоэффективного производства конструкционных материалов и формированием биотехнической промышленности, где позиции США весьма прочны. Использование новых конструкционных материалов, в первую очередь композитов второго поколения, конструкционных пластмасс и промышленной керамики, с одной стороны, во все большей мере определяет создание новых поколений авиаракетнокосмической, электронной, атомной и других видов современной техники, а с другой стороны, позволяет реализовать ресурсосберегающие направления НТП. Развитие новой отрасли — биотехнической промышленности — позволит по-новому решить ряд крупных проблем в здравоохранении, энергетике, сельском хозяйстве и пищевой промышленности, экологии.

Традиционные отрасли (к которым, в первую очередь, следует отнести черную и цветную металлургию США) в настоящее время находятся в стадии глубокой реконструкции и, используя достижения наукоемких отраслей, возрождаются на новой научно-технической и организационно-управленческой основе, что влечет за собой ликвидацию многих нерентабельных и малорентабельных предприятий.

Топливно-энергетический комплекс (угле-, нефте-, газодобыча, угле-, нефте-, газопереработка, электроэнергетика, газо-, водоснабжение) в отличие от машиностроительного и материалопроизводящего комплексов характеризуется более низкой наукоемкостью и трудоемкостью производства, но чрезвычайно высокой его капиталоемкостью, которая в 3 раза выше, чем в материалопроизводящем комплексе, и в 6 раз выше, чем в машиностроительном.

США располагают мощным и разносторонним топливно-энергетическим комплексом и в 1985 г. занимали первое место в капиталистическом мире по выработке электроэнергии (2650 млрд кВт·ч по сравнению с 660 млрд кВт·ч в Японии), добыче нефти (438 млн т, в Саудовской Аравии — 165 млн т), газа (485 млрд м³, в Канаде — 84 млрд м³), угля (800 млн т, в Австралии — 175 млн т), мощности АЭС (83,4 млн кВт по сравнению с 44,7 млн кВт во Франции). Приоритетное развитие комплекса, наметившееся после энергетического кризиса 70-х годов, несколько затормозилось в 80-е годы в связи с изменившейся ситуацией на рынке топлива и резким падением цен на нефть. Предполагавшиеся ранее проекты ускоренного развития атомной энергетики, создания синтетического топлива, освоения альтернативных источников энергии с середины 80-х годов замедлились. Одна из главных причин этого процесса — широкая реализация энергосберегающих направлений НТП и целевых программ экономии энергии, требующих значительно меньше капитальных вложений, чем наращивание дополнительных мощностей по добыче топливно-энергетических ресурсов в ухудшающихся горно-геологических условиях. Дальнейшее развитие топливно-энергетического комплекса связано с усилением капиталоемкого пути промышленного роста и требует колоссальных инвестиций.

Комплекс по производству предметов потребления (легкая, пищевая, полиграфическая промышленность, производство мебели и т. п.) отличается от других промышленных комплексов сравнительно низкой наукоемкостью и капиталоемкостью и относительно высокой трудоемкостью производства. Его доля в промышленном производстве

США постепенно снижается (при абсолютном росте совокупного выпуска продукции), что связано с сокращением первичных материальных потребностей в общей структуре потребления населения и ростом сравнительной эффективности производства предметов потребления в «новых индустриальных» странах и быстрым увеличением импорта этих товаров на американский рынок (особенно одежды и обуви). Этот комплекс, используя новейшие научно-технические достижения машиностроения и химической индустрии, постоянно обновляет структуру выпускаемой продукции и преобразует технический базис производства для использования принципиально новой техники высоких параметров (безверетенного прядения, бесчелночного ткачества, тафтинг-процесса изготовления ковров, процессов формования изделий, замораживания и сублимации продуктов питания) в целях повышения конкурентоспособности. По объему производства многих видов потребительских товаров, особенно наукоемких (персональные компьютеры, микроволновые печи, легковые автомобили), а также продовольствия (мясо, овощи, фрукты, замороженные продукты), США занимают первое место в капиталистическом мире. По общему объему производства двух крупнейших отраслей комплекса США лидируют в капиталистическом мире; их удельный вес в производстве продукции легкой промышленности в середине 80-х годов составлял 25,5% по сравнению с 21,7% Японии, в производстве продукции пищевой промышленности — 28,9% по сравнению с 14% ФРГ, идущей на втором месте.

В 80-х годах все отрасли промышленности США активно перестраивают технический базис производства в направлении использования новых форм электронной автоматизации, связанных в значительной мере с экономией живого труда и освоением ресурсосберегающих замкнутых технологий, направленных на экономию материально-энергетических ресурсов, что означает переход к новому этапу индустриального развития.

Агропромышленный комплекс

Важную роль в экономике США играет агропромышленный комплекс (АПК). Он включает отрасли, производящие средства производства для сельского хозяйства (I сфера), само сельскохозяйственное производство (II сфера), отрасли, обеспечивающие переработку и сбыт сельскохозяйственного сырья и произведенной из этого сырья продукции (III сфера), а также те отрасли производственной и социальной инфраструктуры, которые непосредственно воздействуют на создание этой продукции.

Производство условно чистой продукции в АПК увеличилось за период 1975—1986 гг. (в текущих ценах) с 317,6 млрд дол. до 701,5 млрд дол., однако его доля в ВНП сократилась с 20,0 до 16,6%. Основной прирост производства условно чистой продукции приходился на несельскохозяйственные отрасли АПК, а их доля в условно чистой продукции всего комплекса возросла с 86,3 до 90,8%.

В отраслях АПК в 1986 г. было занято 17,9% рабочей силы США, причем, хотя занятость в АПК за период с 1975 по 1986 г. возросла с 19,7 млн чел. до 21,0 млн чел., ее доля в общей занятости населения США сократилась с 21,0 до 17,9%. В основном рабочая сила сосредоточена в III сфере АПК, куда на протяжении последних 10—15 лет происходил перелив трудовых ресурсов из сельскохозяйственного производства. В 1986 г. соотношение постоянно занятых работников ферм к количеству занятых в других отраслях АПК составляло 1 : 9.

Продукция АПК занимает важное место во внешней торговле США.

В период 1972—1981 гг. стоимость экспорта сельскохозяйственной продукции из США увеличилась с 7,7 млрд до 43,3 млрд дол., его доля в общем объеме экспорта составляла в конце 70 — начале 80-х годов около 20%. Доля экспортных поставок в общем объеме производства пшеницы в США увеличилась за период 1972—1982 гг. с 38 до 64%, в производстве кормового зерна — с 13 до 37%, в производстве соевых бобов — с 49 до 59%. Однако серьезные изменения в конъюнктуре на мировом продовольственном рынке вызвали в 80-е годы сокращение американского сельскохозяйственного экспорта. В 1986 г. он составил лишь 26 млрд дол., а его объем в натуральном выражении в 1986 г.— около 70% от уровня 1981 г.

Высокая степень интенсификации труда, острая внутриотраслевая и межотраслевая капиталистическая конкуренция, высокая капиталоемкость отраслей АПК, его масштабы и рост производительности труда позволили американским фермерам и предпринимателям обеспечить сравнительно высокий уровень сельскохозяйственного производства и производства продовольствия.

В период 1980—1984 гг. в рамках АПК США в среднем ежегодно производилось 70,5 млн т пшеницы, 6,5 млн т риса, 213,4 млн т кормового зерна (в т. ч. 176,8 млн т кукурузы), 51,6 млн т соевых бобов, 14,9 млн т картофеля, 19,3 млн т овощей, 25,0 млн т фруктов, 24,3 млн т мяса (в убойном весе), включая 17,5 млн т красного мяса (говядины, телятины, свинины, баранины), около 61,0 млн т молока.

Затраты населения США на продовольствие и напитки в сопоставимых ценах 1982 г. увеличились за период с 1980 по 1986 г. на 13%. В текущих ценах эти затраты достигли в 1986 г. 498 млрд дол., что составило около 18% всех потребительских расходов населения на товары и услуги.

I сфера АПК. В 1984 г. промышленность поставила в сельское хозяйство США средств производства и оказала услуг на сумму 119,3 млрд дол. Удельный вес этих затрат в структуре себестоимости всей сельскохозяйственной продукции страны составил 85,5%.

Важную роль в I сфере АПК США играют отрасли сельскохозяйственного машиностроения. На рубеже 70—80-х годов в сельское хозяйство США ежегодно поставлялось (средние данные за 1978—1980 гг.) 69,8 тыс. тракторов с двумя ведущими колесами мощностью от 40 до 89 л. с. и 59,5 тыс. тракторов мощностью свыше 100 л. с., а также 10,3 тыс. тракторов с четырьмя ведущими колесами, 29,8 тыс. самоходных зерновых комбайнов, 20,3 тыс. кукурузных хедеров (жаток), 11,1 тыс. кормоуборочных комбайнов и 17,5 тыс. пресс-подборщиков.

Аграрный кризис перепроизводства, разразившийся в начале 80-х годов, привел к сокращению деятельности отраслей, производящих средства производства для сельского хозяйства, особенно отраслей сельскохозяйственного машиностроения. В настоящее время производственные мощности компаний сельскохозяйственного машиностроения используются на 40—50%, а поставки всех видов перечисленных сельскохозяйственных машин сократились по сравнению с уровнем 1978—1980 гг. (в поштучном исчислении) в 2,6 раза.

В то же время кризисное состояние отраслей сельскохозяйственного машиностроения, не нарушая серьезно хода воспроизводства в насыщенном современной сельскохозяйственной техникой фермерском производстве, стимулировало изыскание путей совершенствования сельскохозяйственного машиностроения, особенно в направлении создания новых электронных систем контроля и управления сельскохозяйственной техникой.

Несмотря на кризис, в 80-е годы продолжали развиваться отрасли сельскохозяйственной химии. Так, поставки минеральных удобрений в 1985 г. составили: азотные — 18,5 млн т, фосфорные и фосфоросодержащие комплексные удобрения — 4,8 млн т, калийные удобрения — 5,0 млн т. Всего в сельском хозяйстве США в 1985 г. было использовано удобрений в пересчете на 100% питательного вещества 19,6 млн т. Потребление удобрений и пестицидов, а также других товаров сельскохозяйственной химии стимулировалось отказом от традиционной пахоты с оборотом пласта и переходом на новые виды обработки почвы в сельском хозяйстве (минимальную и нулевую), требующие усиленной химической защиты растений от сорняков и вредителей.

Полностью переведено на промышленную основу американское семеноводство.

Важной отраслью I сферы стала комбикормовая промышленность. Общая стоимость комбикормов, ежегодно поставляемых сельскому хозяйству, в середине 80-х годов составила 20,4 млрд дол. В этот период около 60% комбикормов, потребленных на американских фермах, было представлено комбикормами промышленного производства. В стране насчитывается 9900 комбикормовых заводов, которые производят сложные кормовые смеси. В состав этих смесей входят не только зерновые высокобелковые и минеральные добавки, но также витамины, антибиотики и другие ингредиенты. На многих комбикормовых заводах США налажен выпуск высокобелковых минерально-витаминных добавок для фермерских хозяйств, производящих зерно и занимающихся животноводством. На фермах, располагающих собственными зерновыми ресурсами, имеются малогабаритные мобильные и стационарные установки для плющения и размола зерна и приготовления кормосмесей с включением в них высокобелковых минерально-витаминных добавок, поставляемых комбикормовыми заводами.

II сфера АПК. В 70—80-х годах удельный вес сельскохозяйственного производства в показателях условно чистой продукции и занятости в АПК заметно сокращается, что отражает особенности структурных сдвигов внутри этого хозяйственного комплекса. В период с 1975 по 1986 г. доля сельскохозяйственного производства в показателях валового национального продукта сократилась с 2,8 до 1,5%. Вместе с тем сельское хозяйство является одной из наиболее капиталоемких отраслей американской экономики: в конце 70 — начале 80-х годов на долю сельскохозяйственного производства приходилось до 14% всех инвестиций в оборудование, машины и механизмы в хозяйстве страны.

В последние 15 лет наблюдался существенный рост объемов сельскохозяйственного производства, особенно производства продукции отраслей растениеводства, на долю которых в настоящее время приходится около 50% стоимости всей произведенной в США товарной сельскохозяйственной продукции. Так, объем ежегодного производства продовольственного зерна возрос в 1985—1987 гг. по сравнению с уровнем 1971—1973 гг. на 38%, фуражного зерна — на 34, соевых бобов — на 49%.

В основе роста производства сельскохозяйственной продукции лежат главным образом интенсивные факторы, хотя в период 70-х годов в связи с резким увеличением производства продукции на экспорт были увеличены земельные площади под основными сельскохозяйственными зерновыми культурами. Уборочные площади под ними в период 1976—1980 гг. достигли уровня начала 50-х годов, пашня составила 155 млн га, что было на 58% выше уровня 1971—1975 гг. В период 1979—1983 гг. число занятых непосредственно в сельскохозяйственном производстве стабилизировалось на уровне около 3,5 млн чел., включая фермеров, членов их семей и наемных рабочих. В середине 80-х годов занятость на фермах стала сокращаться и составила в 1986 г. 2,9 млн чел.

Прирост производства сельскохозяйственной продукции в последние 15 лет происходил главным образом за счет дальнейшего наращивания материально-технической базы, использования достижений научно-технического прогресса, капиталистической рационализации производства, резкой интенсификации сельскохозяйственного труда.

Так, с 1970—1974 по 1982—1986 гг. трудозатраты при производстве пшеницы сократились на 22%, кукурузы — на 40, картофеля — на 50, хлопка — на 72, молока — на 67, говядины — на 47, свинины — на 70, мяса цыплят-бройлеров — на 67%. Наивысшая средняя по стране урожайность зерновых культур достигнута в 1985 г.: пшеница — 25,2 ц с 1 га, кукуруза — 74,1 ц с 1 га, соевые бобы — 22,8 ц с 1 га, картофель — 334 ц с 1 га. Удой молока на одну дойную корову превысил 6,0 т в год.

В сельском хозяйстве США широко развита порайонная (специально выделенные экономические районы) и товарная специализация фермерских хозяйств. Производство зерна кукурузы сосредоточено в основном в штатах Кукурузного пояса (Айова, Иллинойс, Индиана), продовольственного зерна — в степях на Великих равнинах (штаты Канзас, Северная Дакота, Оклахома, Техас), картофеля — в штатах Айдахо и Вашингтон, овощей и фруктов — в Калифорнии и Флориде, молока — в штатах Северо-Востока и в Калифорнии, говядины — в штатах Техас, Канзас, свинины — в штатах Кукурузного пояса, бройлеров — в штатах Арканзас, Джорджия, Алабама, Северная Каролина и Мэриленд.

В 1986 г. в сельскохозяйственном производстве насчитывалось 2214 тыс. фермерских хозяйств. В среднем на каждое хозяйство приходилось 180 га земли, а объем реализованной товарной продукции в расчете на одну ферму составлял 66 тыс. дол. Однако среднестатистические данные для сельского хозяйства США не показательны. По уровню концентрации сельскохозяйственного производства и фермерского капитала США занимают одно из ведущих мест в капиталистическом мире. Особенно отчетливо процессы концентрации производства и капитала в сельском хозяйстве проявились в 80-е годы. В настоящее время почти половина товарной сельскохозяйственной продукции производится на 4,9% всех американских ферм (108 тыс. хозяйств). Это фермы с объемом ежегодно реализуемой продукции на сумму от 200 и более тыс. дол.

Выделяется группа ферм, которые ежегодно реализуют сельскохозяйственную товарную продукцию на сумму 500 и более тыс. дол. Эти суперфермы составляли в 1986 г. 1,3% фермерских хозяйств. Согласно проведенному в 1982 г. выборочному обследованию, площадь земель на этих фермах в среднем достигала 1405 га, на каждой из них было занято в среднем до 40 наемных рабочих в год (в группе ферм с объемом продаж от 250 до 499 тыс. дол.— только 7 рабочих), уровень капиталоотдачи (выручка на доллар капитальных активов) составлял 0,37 дол. (выше, чем в остальных группах, в т. ч. и в группе ферм с объемом продаж от 250 до 499 тыс. дол., где уровень капиталоотдачи не превышал 0,15 дол.).

В настоящее время 305 тыс. фермерских хозяйств, имеющих годовой объем реализации свыше 100 тыс. дол. на одну ферму, дают более 70% всей товарной сельскохозяйственной продукции. На их долю приходится около 80% всех наемных рабочих, занятых на американских фермах. Эти фермерские хозяйства составляют 13,8% от общего числа всех американских ферм.

На другом полюсе американского фермерского производства 1389 тыс. фермерских хозяйств (62,8% общего числа ферм), которые ежегодно реализуют товарную сельскохозяйственную продукцию на сумму менее 20 тыс. дол. Доля этих ферм в производстве сельскохозяйственной продукции не превышает 9%. В первой половине 80-х годов бо́льшая часть этих хозяйств была убыточной, т. е. издержки производства на них превышали доход от реализации сельскохозяйственной продукции. Процесс разорения фермерских хозяйств идет высокими темпами. С начала 60-х годов прекратили существование 1,5 млн ферм, а сотни тысяч фермеров только формально считаются занятыми в сельском хозяйстве, т. к. основной доход получают вне ферм.

Концентрация фермерского производства дала новый стимул к дальнейшему совершенствованию материально-технической базы сельского хозяйства. Повысился уровень фондооснащенности американского сельскохозяйственного производства. В 1986 г. число тракторов на фермах США (без садово-огородных) достигло 4670 тыс., грузовых автомобилей — 3380 тыс., зерновых комбайнов — 640 тыс. На фермах в среднем на 1 трактор сейчас приходится 106 га сельскохозяйственных угодий, в т. ч. 33 га пашни. Нагрузка на один зерноуборочный комбайн составляет 104 га. На каждого постоянного работника в США приходится 1,3 трактора и почти по одному грузовому автомобилю. Энергетические мощности на фермах США в 1984 г. достигли 356 млн л. с., в т. ч. мощность тракторного парка (без садово-огородных) — 295 млн л. с. Потребление минеральных удобрений в пересчете на питательное вещество составило в 1985 г. 19,5 млн т, извести —

23,1 млн т, бензина — 8,7 млрд л, дизельного топлива — 11,3 млрд л.

С учетом цены земли стоимость основных производственных фондов (в текущих ценах) на фермах США стабильно увеличивалась с 222,6 млрд дол. в 1970 г. до 961,0 млрд дол. в 1982 г., а затем начала сокращаться (главным образом за счет резкого падения цен на землю) — до 691,6 млрд дол. в 1986 г.

Одной из особенностей инвестиционной политики американских фермеров в 70-е годы, оказавшей большое влияние на масштабы и глубину финансового кризиса в сельском хозяйстве в первой половине 80-х годов, явилось значительное расширение капиталовложений за счет банковского кредита. Так, если в 1970 г. за счет этого канала финансировалось 17% капиталовложений, то в 1980 г.— 65%. Уровень задолженности фермеров различным кредитным организациям увеличился в 1984 г. по сравнению с 1971 г. почти в 4 раза — до 216,3 млрд дол. Долги в период 1983—1985 гг. превышали 20% всех фермерских активов. Общие размеры выплат, которые в период 1982—1985 гг. должны были производить американские фермеры по процентам за предоставленные им кредиты, превысили 21 млрд дол. В то же время доходы фермеров в 80-е годы существенно сокращались. Максимальный уровень чистого фермерского дохода был достигнут в 1979 г.— 31,7 млрд дол. в текущих ценах (19,4 млрд дол. в ценах 1972 г.). В 1983 г. он сократился до 15,0 млрд дол. (7,0 млрд дол. в ценах 1972 г.). В 1984 г. уровень фермерских доходов в текущих ценах достиг 34,5 млрд дол., но в постоянных составил только 15,5 млрд дол.

В 1984 г. 32,8% американских фермеров, пользовавшихся банковским кредитом, практически к середине года исчерпали все источники его получения, всего за год обанкротилось 3,9% фермерских хозяйств. По заниженным оценкам правительственных органов, в 1985 г. было ликвидировано около 6% всех фермерских хозяйств.

Начиная с 1985 г. финансовое положение фермерских хозяйств начинает стабилизироваться. Задолженность фермеров всем кредитным организациям сократилась к началу 1987 г. до 166,8 млрд дол., хотя долги по-прежнему превышают 20% стоимости активов, чистый фермерский доход в текущих ценах увеличился до 37,5 млрд дол.

С начала 60-х годов в фермерских хозяйствах отчетливо проявилась и получила развитие тенденция к росту занятости фермеров и членов их семей на стороне, преимущественно в несельскохозяйственном производстве. В 1960 г. доход от несельскохозяйственной деятельности составлял 78% от уровня чистых доходов фермеров от сельского хозяйства (после вычета всех издержек производства и издержек на содержание фермы), в 1970 г. он превысил уровень чистых доходов от сельского хозяйства на 23%, в 1984 г.— в 1,5 раза, в 1986 г.— на 10%. В 1986 г. фермеры и члены их семей в хозяйствах, ежегодно реализующих товарную сельскохозяйственную продукцию на сумму менее 5,0 тыс. дол., заработали на стороне около 23,7 млрд дол. (примерно по 27 тыс. дол. на ферму), что частично компенсировало им убытки от сельскохозяйственной деятельности.

III сфера АПК. В III сферу АПК включают пищевую и некоторые др. отрасли промышленности (в них в 1986 г. было занято 4,2 млн чел., или около 20% всех работников АПК, и создавалось 26,3% всей условно чистой продукции АПК), а также транспорт, оптовую и розничную торговлю, предприятия системы общественного питания США (в этих отраслях в 1986 г. было занято 10,6 млн чел., или 50,5% всех работников АПК, и производился 41% условно чистой продукции АПК).

Роль III сферы в АПК США стабильно увеличивается практически по всем показателям. Особенно существенно активизировалась деятельность компаний пищевой промышленности, а также фирм, занятых в розничной торговле и в системе общественного питания.

Пищевая промышленность является ведущей в АПК по темпам индустриализации производства и повышения уровня производительности труда. Объем ежегодных капиталовложений в эту отрасль увеличился с 2,1 млрд дол. в 1972 г. (в текущих ценах) до более чем 7,0 млрд дол. к середине 80-х годов, а общая стоимость активов возросла за этот период в два с лишним раза и превысила 50 млрд дол. На эту отрасль в конце 70-х годов приходилось лишь 9% занятых во всех отраслях обрабатывающей промышленности США, но свыше 17% стоимости их сырья и материалов и почти 10% ежегодных капиталовложений этой группы отраслей. Расширение масштабов деятельности пищевой промышленности и ее полный перевод на индустриальные рельсы связаны с изменением структуры спроса на пищевые продукты как со стороны потребителей, так и предприятий общественного питания: увеличился спрос на стандартную продовольственную продукцию в виде полуфабрикатов или пищевых продуктов, готовых к употреблению, при этом существенно расширилась номенклатура продуктов. В настоящее время в США свыше 70% сельскохозяйственного продовольственного сырья проходит промышленную переработку в различных отраслях пищевой промышленности. Широкое использование результатов научно-технического прогресса привело к увеличению производительности труда в пищевой промышленности, позволило резко сократить занятость в ней.

В отличие от пищевой промышленности занятость в отраслях оптовой и розничной торговли и в системе общественного питания увеличивается. За последние 30 лет занятость в этих отраслях увеличилась более чем в 2,6 раза. В настоящее время в стране создана и функционирует мощная разветвленная сеть оптовых баз, реализующих продовольственную продукцию в магазины и на предприятия общественного питания, имеется 29 тыс. крупных продовольственных магазинов-супермаркетов, 136 тыс. традиционных продовольственных магазинов, десятки тысяч мелких лавочек и др. предприятий розничной торговли продовольствием, а также 378 тыс. предприятий системы общественного питания.

В розничной торговле продовольствием активно развивается процесс концентрации капитала в крупнейших компаниях. В период с 1950 по 1980 г. общее число компаний, занятых розничной торговлей продовольствием, сократилось на 49%, число продовольственных магазинов при этом уменьшилось только на 30%, а товарооборот в расчете на один магазин увеличился (в постоянных ценах) в 2,5 раза. В начале 80-х годов на долю компаний, владеющих «цепью» из 11 и более продовольственных магазинов, включая супермаркеты, приходилось свыше 60% реализуемой в розничной торговле продовольственной продукции по сравнению с 39% в начале 50-х годов; в т. ч. компании, владеющие «цепью» из тысячи и более магазинов, реализовали свыше 40% продукции.

К числу важнейших факторов повышения эффективности розничной торговли продовольственными продуктами, к которым непосредственно причастно государство, относится развернувшаяся в 70-е годы компьютеризация розничной торговли продовольственными товарами. В настоящее время устанавливается также постоянная компьютерная связь между предприятиями пищевой промышленности, оптовыми базами и предприятиями розничной торговли. Технической основой служит общенациональная система государственных стандартов на продовольственную продукцию.

Система общественного питания является одной из наиболее динамично развивающихся отраслей АПК. Ежедневно она обслуживает свыше 140 млн посетителей. В начале 80-х годов через нее ежегодно реализовывалось свыше 22 млн т исходных продовольственных продуктов, в т. ч. около 4 млн т молочных продуктов и свыше 3 млн т мяса и мясопродуктов. В последнее время стремительно увеличивается доля продуктов, поставляемых на предприятия общественного питания из отраслей пищевой промышленности в форме полуфабрикатов и замороженных готовых изделий, что способствует увеличению производительности труда на предприятиях общественного питания и сохранности продуктов. Переход на использование полуфабрикатов стал возможен благодаря техническому перевооружению сферы общественного питания. В то время как общее число ее предприятий в период с 1966 по 1979 г. увеличилось на 2%, количество используемых на них всех видов холодильников возросло на 165%, а холодильных помещений — на 48%. Количество электрических плит за этот же период увеличилось на 350%. Доля предприятий, применяющих посуду разового пользования, увеличилась с 26 до 53%, а использующих разовую посуду для напитков — с 62 до 80%.

В системе общественного питания активно развиваются процессы концентрации производства, особенно за счет расширения масштабов деятельности компаний, имеющих «цепь» соответствующих предприятий.

В целом в развитии АПК США отчетливо проявляется его подчинение крупному монополистическому и финансовому капиталу. Немаловажную роль в формировании направлений и масштабов развития

АПК играет государство, деятельность которого осуществляется в настоящее время в следующих областях развития агропромышленного комплекса: создание благоприятных условий для развития производственной инфраструктуры в сельской местности, регулирование инвестиционного процесса в сельском хозяйстве и связанных с ним отраслях через правительственные программы поддержания доходов и цен на сельскохозяйственную продукцию, регулирование сферы переработки и сбыта сельскохозяйственного сырья и продовольственной продукции через государственную систему информации, государственную инспекцию и систему общенациональных стандартов, регулирование и формирование спроса на продовольственную продукцию внутри страны, политика стимулирования экспорта сельскохозяйственной продукции.

Строительство

Строительное производство в США представляет собой крупную отрасль национальной экономики.

В объем строительных работ включается стоимость нового строительства, реконструкции и капитального ремонта зданий и сооружений с инженерным оборудованием, а также планировка земли и снос существующих построек. Монтаж технологического оборудования, как правило, не включается в объем строительных работ, за исключением тех отраслей, где бóльшую часть такого оборудования изготавливают на строительной площадке (монтаж башен, резервуаров, сетей трубопроводов на химических и нефтеперерабатывающих заводах, монтаж доменных, мартеновских и коксовых печей).

За 1950—1986 гг. объем строительных работ в США увеличился более чем в 2 раза, а их стоимость в 1986 г. составила 350 млрд дол. Натурально-вещественный состав продукции строительства, складывающийся под влиянием структуры уже накопленных основных фондов, потребностей экономики и характера инвестиционного процесса, традиционно включает большую долю жилищного строительства, которая составила в 1985 г. 42% от общего объема строительных работ. Более 20% приходится на промышленное строительство (включая энергетику, газо- и водоснабжение), 18% — на торгово-финансовое строительство, 10% — на строительство в отраслях транспорта и связи, около 5% — на строительство в сфере образования и здравоохранения.

Возведение зданий и сооружений осуществляется в основном (примерно на 80%) за счет частных капиталовложений. Государственные инвестиции, как правило, ассигнуются на строительство объектов общественного пользования и производственной инфраструктуры с относительно большой продолжительностью строительства и освоения, требующих крупных капитальных затрат и характеризующихся относительно медленной их окупаемостью (железные и автомобильные дороги, мосты, тоннели, портовые и ирригационные сооружения, природоохранительные объекты).

Строительство осуществляется общестроительными и специализированными фирмами, численность которых составляет 1,4 млн (1982 г.). Фирмы, выполняющие специальные строительные работы (электротехнические, малярные, санитарно-технические и пр.), составляют около 65% всех строительных компаний. Значительная их часть представляет собой мельчайшие предприятия семейного типа, не использующие наемную рабочую силу, обслуживающие локальный строительный рынок и ориентированные на удовлетворение индивидуализированного спроса. Однако по совокупному объему выполняемых работ они уступают общестроительным фирмам, на которые приходится 58% строительного рынка. Общестроительные фирмы отличаются значительно более высоким уровнем концентрации производства и капитала. Удельный вес крупнейших компаний с объемом оборота свыше 5 млн дол. в общем объеме выполненных общестроительными фирмами строительных работ составляет 38%, а среди специализированных фирм — 13%. В среднем на одну общестроительную фирму приходится 13 наемных рабочих, в то время как на специализированную — 8.

В целом крупное производство в строительстве играет заметно меньшую роль, чем в др. отраслях экономики США. Так, в 1982 г. в обрабатывающей промышленности действовало 37 тыс. компаний с численностью занятых более 100 чел., в торговле — 19 тыс., на транспорте — 9 тыс., в то время как в строительстве — всего 4 тыс. Однако, несмотря на относительно низкий уровень концентрации строительного производства, в этой отрасли неуклонно развивается процесс усиления позиций крупного предпринимательства. В настоящее время основной объем работ выполняется такими крупными проектно-строительными фирмами, как «Келлог раст», «Флуор», «Бектел», «Парсонс» и др., которые самостоятельно способны не только вести строительные работы, но и осуществлять разработку проектов, выпускать необходимые строительные материалы и технику. Лишь за 1971—1985 гг. удельный вес 400 крупнейших строительных компаний США в общем объеме строительных работ вырос с 51 до 70%. При этом ведущие 40 строительных фирм выполнили в 1985 г. около 65% всего объема строительных работ 400 крупнейших компаний по сравнению с 54% в 1970 г., а также 98% зарубежных контрактов (в 1975 г.— 85%).

В строительном производстве США занято 8,2 млн чел. (1986 г.), или 6,8% всей рабочей силы страны. В последние годы в строительстве растет численность инженерно-технического и административно-управленческого персонала в связи с усложнением процесса производства и повышением уровня его организации и управления в условиях ускорения научно-технического прогресса. В 1984 г. на 100 строительных рабочих в США приходилось 5 инженерно-технических и 17 административно-управленческих работников (без конторских служащих). Требования научно-технического прогресса обусловили непрерывный рост образовательного и квалификационного уровня строительных рабочих. Доля квалифицированных рабочих среди этой категории занятых достигла 84%, что превышает аналогичный показатель по другим отраслям экономики.

Уровень заработной платы в строительстве традиционно высок, в 1984 г. он превышал средний часовой уровень оплаты занятых в др. отраслях экономики в среднем в 1,5 раза. Вместе с тем безработица в строительстве в 1,5—2 раза выше, чем в других отраслях экономики. Широко распространена так называемая частичная безработица, обусловленная сезонным характером строительных работ. В отдельные годы до трети всех строительных рабочих занято в течение лишь трех месяцев. Постоянным спутником строительства в США является высокая степень травматизма и обилие несчастных случаев. В этой отрасли число несчастных случаев в 2 раза, а число серьезных — в 3 раза выше, чем в обрабатывающей промышленности. В 1986 г. на строительство приходилось 11% всех несчастных случаев на производстве и 26% случаев со смертельным исходом.

Строительное производство в США опирается на широкую материально-техническую базу, бо́льшая часть отраслей американской экономики в той или иной степени обслуживает процесс строительного производства. Основными поставщиками материальных ресурсов в строительство выступают металлообрабатывающая промышленность (27% общего объема потребления материальных ресурсов в строительстве), промышленность строительных материалов (18%), деревообрабатывающая промышленность (17%), машиностроение (11%), металлургия (10%), химическая промышленность (9%), добывающая промышленность (8%). В обеспечении строительства техническими средствами и орудиями труда главную роль играют дорожно-строительное машиностроение (52%) и автомобильная промышленность (32%).

Под влиянием научно-технического прогресса в строительстве США происходят существенные сдвиги в потреблении материально-технических ресурсов. За 1960—1980 гг. удельный расход таких традиционных материалов, как цемент, снизился на 6%, стальные конструкции — на 15%, кирпич — на 30%. В то же время в расчете на 1 млн дол. строительных работ в 1,6 раза возросло использование строительных конструкций на основе алюминия и его сплавов, почти в 3 раза — изделий из синтетических смол и пластмасс. Выпускаемая строительная техника отличается универсальностью, мобильностью (за счет выпуска колесных моделей и разнообразного навесного оборудования), сочетанием машин большой, средней и малой грузоподъемности и с разнообразными мощностными характеристиками, что дает возможность эффективно использовать эту технику как в условиях нового строительства, так и в условиях реконструкции действующих объектов.

Отличительной чертой строительного производства США в условиях НТР становится функционально взаимосвязанный характер его развития в совокупности с отраслями экономики, производящими для него необходимые орудия и предметы труда. Такие отрасли, как промышленность строительных материалов и конструкций, дорожно-строительное машиностроение, составляя материально-техническую базу строительства, в совокупности со сферой проектирования и строительным производством образуют межотраслевой строительный комплекс в национальной экономике. При этом отрасли материально-технической базы и сфера проектирования развиваются опережающими (в среднем в 1,6—3,1 раза) темпами по отношению к строительному производству, чем обеспечивается необходимый уровень его техники и технологии.

Сезонный характер строительного производства, его зависимость от погодных условий и технологические особенности обусловливают более низкий (примерно в 1,5 раза) уровень производительности труда в этой отрасли по сравнению с промышленностью. Однако он остается в США выше, чем в др. капиталистических странах. Если принять уровень производительности труда в строительстве в США за 100%, то в ФРГ он составляет 88%, во Франции — 80, в Японии — 45%. Высокая эффективность строительного производства в США нашла свое выражение в сравнительно коротких сроках возведения зданий и сооружений, которые не превышают по объектам непроизводственного назначения в среднем 2—2,5 года, а по промышленным — одного года.

Сфера нематериального производства и услуг

Американская статистика включает в сферу нематериального производства и услуг транспорт, связь, оптовую и розничную торговлю, общественное питание, финансово-кредитную деятельность и страхование, весьма неоднородную группу услуг производственного и бытового назначения, образование, здравоохранение, частично науку, государственный аппарат управления хозяйством, а также деятельность военно-полицейского, политического, идеологического и пропагандистского аппарата буржуазного государства. Сфера нематериального производства и услуг — это комплекс отраслей хозяйства, продукция которых носит невещную форму и выступает как полезный эффект, неотделимый от самой производственной или хозяйственной деятельности. Роль этой сферы в экономике США постоянно возрастает. В основе этого процесса лежат новые тенденции в развитии государственно-монополистического капитализма в США, новые явления и сдвиги в общественном воспроизводстве, обусловленные в первую очередь воздействием на производительные силы и общество в целом современной НТР. Сфера нематериального производства и услуг США аккумулирует огромные трудовые и материальные ресурсы. В середине 80-х годов здесь было сосредоточено более 70% всех занятых, около 40% основных производственных фондов и создавалось около 60% ВВП.

В послевоенный период на долю сферы нематериального производства и услуг приходилось около 90% прироста численности занятых. Основная и наиболее общая причина этого структурного сдвига заключалась в том, что функционирование капиталистической экономики в условиях быстрого развития производительных сил под воздействием НТР объективно потребовало расширения многих старых и создания новых видов услуг. Так, развитие компьютерной техники вызвало к жизни ряд новых видов деятельности, связанных со сбором, обработкой и хранением различной информации. Повышенные требования к качеству и физическому состоянию рабочей силы вызвали расширение системы образования, профессиональной подготовки, здравоохранения, рекреационных услуг. Проблема реализации растущего объема промышленной и сельскохозяйственной продукции потребовала дальнейшего роста таких отраслей хозяйства, как торговля, финансово-кредитная деятельность и страхование, реклама.

Рост производительности труда в сфере материально-вещественного производства явился одной из важнейших экономических предпосылок развития сферы нематериального производства и услуг, т. к. создал возможности и условия для перелива рабочей силы в эту сферу хозяйства.

Отрасли сферы нематериального производства и услуг весьма неоднозначны как по своему экономическому значению, так и по удельному весу в общей занятости в данной сфере хозяйства. Так, из более чем 75 млн занятых в ней в 1985 г. 7,5 млн чел. (10%) работали на транспорте, в отрасли связи и в коммунальном хозяйстве, 22,3 млн (29,7%) — в торговле, почти 7 млн (9,3%) — в финансовой сфере, 33,3 млн (44,3%) — в области оказания разнообразных деловых и личных услуг, 5 млн чел. (6,7%) — в государственном аппарате управления.

Хотя сфера нематериального производства и услуг пока еще характеризуется более низкой технической оснащенностью, чем сфера материального производства, меньшими размерами предприятий, более низким уровнем концентрации производства, за послевоенный период ее материально-техническая база значительно укрепилась. Доля этой сферы в общем объеме капиталовложений в экономику возросла с 24% в 1950 г. до максимального уровня — 35% в первой половине 70-х годов. В 80-е годы этот показатель составил около 26%.

Научно-технический прогресс в этой сфере хозяйства США идет по тем же направлениям, что и в материальном производстве: широко внедряются механизация и электрификация производственных процессов, различные средства автоматизации и электронно-вычислительная техника.

Среди технических нововведений особая роль принадлежит информационной технике, и прежде всего ЭВМ. Более 65% всех установленных в США ЭВМ сосредоточено в сфере нематериального производства и услуг. Сложился целый ряд отраслей, успешное функционирование которых в значительной степени зависит от электронно-вычислительной техники,— торговля, банковское, страховое дело, централизованная обработка информации. Расширяется использование ЭВМ в образовании, здравоохранении, в государственно-хозяйственных учреждениях, в различных профессиональных услугах производству и сфере обращения.

Внедрение технических нововведений в нематериальную сферу привело к ускорению темпов прироста объема услуг на отработанный человеко-час во многих отраслях и, как следствие, к экономии общественного труда. Статистические данные, относящиеся к деятельности транспорта, розничной торговли, автозаправочных станций, общественного питания, к гостиничному хозяйству, ремонту и обслуживанию автомобилей, показывают, что темпы роста производительности труда там выше, чем в добывающей и во многих отраслях обрабатывающей промышленности.

В условиях капиталистических производственных отношений и усиления государственно-монополистических тенденций в экономике плоды технического прогресса пожинает в первую очередь монополистический капитал. Крупные банки, универсальные магазины и супермаркеты, крупные ремонтные предприятия по уровню технической вооруженности труда часто не уступают промышленным предприятиям, а иногда и превосходят их. Многие же лавки, ателье, закусочные служат последним оплотом ручного труда. В результате разрыв в показателях хозяйственной деятельности крупного и мелкого производства постоянно увеличивается, приводя к неполной и нерациональной занятости, а в периоды ухудшения экономической конъюнктуры — к интенсивному разорению мелкого бизнеса.

По мере развития сферы нематериального производства и услуг наряду с ростом технической оснащенности труда частный капитал стремится все шире использовать индустриальные методы организации производства и новые методы рационализации труда и рабочего времени. Технология оказания услуг все чаще утрачивает индивидуализированный характер и приобретает индустриальные черты. Пример индустриальных методов обслуживания — функционирование сети закусочных фирмы «Макдональдс» в США и др. странах. В этих закусочных используется метод самообслуживания, пища в них не приготовляется, а лишь разогревается, что позволяет существенно ускорить процесс стандартного обслуживания посетителей и одновременно снизить объем трудозатрат. Роль самообслуживания возросла во многих других подразделениях нематериальной сферы (розничная торговля, банки, бытовое обслуживание).

Еще одно направление трудосберегающих организационно-структурных нововведений — интеграция в сфере услуг мелкого бизнеса с крупными предприятиями. Во многих отраслях этой сферы за последние годы широкое распространение приобрела система контрактов, представляющих собой, чаще всего, соглашения между крупной фирмой и целым рядом мелких предприятий о сотрудничестве в предоставлении тех или иных хозяйственных услуг.

Среди организационных нововведений в сфере нематериального производства и услуг важное место занимает внедрение нетрадиционных форм организации труда и рабочего времени, и прежде всего частичной занятости. В 1985 г. около 80% работников, занятых неполный рабочий день, было сосредоточено в различных отраслях сферы нематериального производства и услуг. Наряду с частичной занятостью здесь широко применяется «подвижной график» рабочего времени. Суть его заключается в предоставлении рабочим и служащим права самостоятельно устанавливать время своего пребывания на работе — исключая часы обязательного присутствия — в рамках общего рабочего времени, которое необходимо отработать за неделю или месяц. Эти формы занятости повышают эффективность использования живого труда в сфере услуг, дают определенный трудосберегающий эффект.

В 80-е годы в сфере нематериального производства и услуг в США продолжался переход от экстенсивного к интенсивному типу воспроизводства. Тенденции интенсификации в этой сфере хозяйства оказывают существенное влияние на рынок рабочей силы в США, обостряя проблему безработицы. Еще полтора-два десятилетия назад отрасли нематериальной сферы рассматривались как сектор экономики, поглощающий рабочую силу, вытесняемую из материального производства. Она и сейчас остается сектором экономики, в котором происходит абсолютный прирост рабочих мест. Однако под влиянием НТР компенсирующий эффект этой сферы в области занятости в последние годы заметно ослабевает.

Транспортный комплекс

США располагают наиболее развитым в капиталистическом мире транспортным комплексом, играющим важную роль в экономической и социальной жизни страны. Развиваясь под воздействием производства, транспорт, в свою очередь, сам оказывает влияние на его размещение, специализацию и кооперирование. Развитие транспорта, в особенности автомобильного, оказало существенное влияние на системы расселения, породив бурный процесс субурбанизации, а также отразилось на уровне и самом образе жизни американцев, резко повысив мобильность населения вплоть до появления прослойки постоянно живущих в передвижных домах — трейлерах. На долю транспорта приходится около 25% общего потребления энергии в стране и от 50 до 60% всего потребления жидкого топлива. Основной капитал транспорта оценивается (без стоимости земли, в постоянных ценах 1972 г.) примерно в 1 трлн дол.

К транспортному комплексу США относят транспорт общего пользования (ТОП) — железнодорожный, автомобильный, морской, внутренний водный, воздушный и трубопроводный. Значительную часть грузовых и пассажирских перевозок выполняет транспорт необщего пользования — грузовой транспорт промышленных предприятий, индивидуальные легковые автомобили, персональные самолеты и т. п. Материально-техническая база транспортного комплекса — в основном современная, характеризующаяся большой мощностью и высоким качеством. Однако надо отметить, что электрифицировано менее 1% железнодорожной сети, есть участки железных дорог с плохим состоянием пути, на некоторых автомагистралях значительно изношено покрытие, нуждается в усилении или замене большое количество мостов, устарели гидротехнические сооружения на ряде внутренних водных путей.

Протяженность сети железных дорог составляет около 265 тыс. км, автомобильных дорог — около 6500 тыс. км, внутренних водных путей — свыше 40 тыс. км, регулярных авиалиний — 600 тыс. км, магистральных нефте-, нефтепродукто- и газопроводов — 280 тыс. км. Железные дороги располагают более 21 тыс. локомотивов (почти исключительно тепловозов) и около 800 тыс. грузовых (в основном четырехосных) вагонов средней грузоподъемностью порядка 70 т. Парк пассажирских вагонов незначителен (2,3 тыс. единиц).

Численность парка легковых автомобилей превышает 117 млн единиц (преимущественно машины личного пользования), грузовых — 44,8 млн единиц, автобусов — 0,5 млн единиц.

На внутренних водных путях обращается около 4,5 тыс. толкачей общей мощностью порядка 650 мВт и примерно 30 тыс. сухогрузных и наливных барж общей грузоподъемностью около 50 млн т.

Морской торговый флот под американским флагом насчитывает более 730 судов (тоннажем 1000 регистровых т и выше) общим дедвейтом порядка 24 млн т. Значительное число судов, фактически принадлежащих американским судовладельцам, зарегистрировано под «удобными флагами», т. е. под флагами стран с низкой заработной платой экипажей, слабым влиянием профсоюзов и т. п.— Либерии, Панамы и др. стран. Самолетов в США (спортивных, тренировочных, такси, индивидуальных, сельскохозяйственной авиации и т. д.) насчитывается более 275 тыс. единиц. Самолетный парк общего пользования состоит из 4,9 тыс. единиц, это в основном современные турбореактивные (в т. ч. широкофюзеляжные) самолеты большой пассажировместимости.

Общий грузооборот ТОП превышает 4000 млрд ткм, пассажирооборот — 530 млрд пасс-км.

Транспорт общего пользования выполняет основную долю грузовых перевозок, его доля в ВНП составляет около 4%, основной капитал — порядка 700 млрд дол., годовой доход — свыше 100 млрд дол., число занятых — более 3 млн чел. (примерно 3% от занятого населения страны). В пассажирских перевозках велика доля индивидуального автотранспорта.

Транспортный комплекс за последние 25 лет претерпел глубокие структурные изменения: протяженность сети железных дорог уменьшилась почти на 65 тыс. км, их доля в суммарном грузообороте сократилась с 35,5 до 30,5%, перевозка нефтегрузов во все большей мере осуществлялась трубопроводным транспортом, в пассажирообороте транспорта общего пользования ведущую роль стал играть воздушный транспорт (его доля во внутреннем пассажирообороте достигла 82,5%).

Капиталистическая рационализация транспорта позволила интенсифицировать использование производственных мощностей (например, средняя грузонапряженность железнодорожных линий возросла за 25 лет более чем в 2 раза) и на отдельных видах транспорта сократить численность персонала (на железных дорогах — примерно на 30%). В то же время развиваются преимущественно виды транспорта, наиболее расточительные по удельным затратам энергетических и трудовых ресурсов — автомобильный и воздушный транспорт.

Формы собственности на транспорте США различны. В собственности федерального правительства, властей штатов и местных органов власти находятся бо́льшая часть автомобильных дорог, внутренние водные пути, морские и речные порты, аэродромы, в частной собственности — железные дороги, морской и речной флот, самолетный парк, трубопроводы. Новым явлением в экономической жизни страны стало создание ряда общетранспортных компаний, владеющих железными дорогами, судоходными линиями, трубопроводами, автомобильным парком и пр., а также занимающихся промышленной деятельностью вне транспортной сферы.

Министерство транспорта США призвано вырабатывать и проводить единую транспортную политику. Отдельные вопросы деятельности транспорта входят в юрисдикцию министерства энергетики, министерства обороны и ряда других правительственных ведомств.

Последние годы ознаменовались существенным сокращением государственного регулирования транспорта, что дало возможность транспортным компаниям закрывать нерентабельные линии, устанавливать тарифы на перевозки по соглашениям с клиентурой, без утверждения их правительственными органами, и пр. Вследствие этого обострилась конкуренция как между разными видами транспорта, так и между компаниями внутри отдельных видов транспорта. С одной стороны, это усилило их внимание к вопросам использования достижений научно-технического прогресса, с другой — ослабило заинтересованность в совершенствовании перевозок, в частности на малоэффективных линиях.

В 80-е годы транспортный комплекс США вступил в полосу новых качественных сдвигов в области техники и технологии перевозок, прежде всего за счет широкого внедрения автоматизированных систем управления перевозочным процессом с использованием ЭВМ, микропроцессоров, волоконной оптики, лазеров, искусственных спутников Земли и пр. Важнейшим направлением повышения качества транспортных услуг становится внедрение системы перевозок «только в срок», с подачей грузов и подвижного состава с точностью до минут, что позволяет заказчикам обходиться без устройства дорогостоящих складов и сократить потребность в оборотных средствах. Транспорт все более превращается в органическую составную часть сложной производственно-транспортной системы, охватывающей всю экономику, что существенно повышает эффективность последней. Но развитие транспортного комплекса США отличается неравномерностью, характерной для капиталистической системы хозяйства. В то время как одни, наиболее развитые, районы страны перенасыщены путями сообщения, в районах менее развитых ощущается их нехватка. Слабое развитие систем общественного транспорта во многих даже самых крупных городах США продолжает оставаться серьезной проблемой.

Весьма сильный отпечаток на развитие транспортного комплекса накладывает милитаризация экономики США. Наращивание транспортного комплекса происходит под влиянием основных постулатов американской военной политики, диктующих необходимость повышения мобилизационных возможностей гражданского транспорта, ресурсы которого в случае кризисной ситуации или войны подлежат использованию в интересах вооруженных сил. В то же время отвлечение ресурсов на удовлетворение военных потребностей усугубляет трудности развития общественного транспорта.

Связь

Одной из важнейших отраслей экономики США, обслуживающей как материальное производство, так и нематериальную сферу, является связь.

Связь входит в качестве важнейшего компонента в формирующийся информационно-индустриальный комплекс США, который включает создание и производство информационной техники, сети связи, банки данных, информационные центры отдельных хозяйственных объектов, индивидуальных и групповых пользователей информацией в сфере науки, производства, образования, потребления и быта, оснащенных соответствующими техническими средствами. Создание современной инфраструктуры комплекса позволяет более рационально использовать информационные ресурсы общества и превратить их в важный фактор интенсификации и структурной перестройки производства. Этому способствует реализация в отрасли связи успехов на двух важнейших направлениях научно-технического прогресса в электронике: перевод аппаратуры связи на элементную базу ЭВМ и объединение средств связи и систем обработки информации в едином функциональном звене.

Связь — весьма наукоемкая отрасль. Все достижения в области микроэлектроники, вычислительной техники, космических исследований, технологии высокопрозрачных материалов, лазерной техники и др. немедленно применялись для создания новых и совершенствования существующих технических средств и сетей связи.

Связь является одним из самых динамичных секторов американской экономики. Доля связи в ВНП в 1985 г. составила 3,2% (0,8% в 1950 г.), в основном частном капитале — 6,6% (2,2% в 1950 г.), в числе занятых — 2,1% (2,65% в 1950 г.). В отрасли связи в 1985 г. было занято 1948 тыс. чел. (в т. ч. 65% в электросвязи). Имеется тенденция к уменьшению численности кадров средней квалификации и увеличению ИТР.

Процесс воспроизводства основного капитала в отрасли связи в США характеризуется высокими темпами накопления и обновления.

По характеру передаваемой информации и способу ее передачи связь включает электросвязь (телефонная, телеграфная, радиовещание и телевидение, телекс, телетекс, передача данных, факсимильная, видеоинформационная: телетекст, видеотекс) и почтовую связь.

США располагают мощной и технически зрелой сетью электросвязи. На их долю приходится около 40% всего парка телефонных аппаратов и более 90% всех видов терминальных устройств новых служб (телекса, видеотекса, факсимильных аппаратов, телетекста и т. д.) связи в мире. По уровню телефонной плотности (число основных телефонных аппаратов на 100 жителей), являющейся одним из обобщенных показателей развития связи, США в послевоенные годы занимали первое место в мире. В 1986 г. этот показатель в США составил 50 (в ФРГ — 42,5, во Франции — 41, в Японии и Великобритании — 39).

Для США 80-е годы характерны почти полным удовлетворением спроса на традиционные виды услуг, предоставляемых почтовой, телефонной и телеграфной связью. Поэтому рост продукции все в большей мере происходит за счет спроса на новые ее виды (факсимильная связь, электронная почта, конференцсвязь, видеоинформационное обслуживание сферы бизнеса и личного пользования, передача данных, обслуживание банков данных и библиографических систем, бескассовые операции финансовых учреждений), а также совершенствования традиционной службы — международной телефонной связи.

Передача деловой корреспонденции осуществляется службами телетекс, телефакс, бюрофакс. Первая представляет собой логическое развитие телекса и использует цифро-буквенное терминальное оборудование со скоростью передачи 5—10 сек на страницу текста, т. е. в 20—30 раз выше, чем у службы телекс. В 1984 г. в США число терминалов телетекса составило около тысячи. В службе телефакс и бюрофакс терминальным устройством служит факсимильная аппаратура, которая позволяет передавать информацию в печатной и графической форме. Передача информации (автоматизированное справочное обслуживание) из банков данных коллективного пользования на экран бытового телевизора осуществляется системами видеотекс, телетекст и кабельного телевидения. Кроме перечисленных выше систем в США существует большое число отдельных сетей передачи данных различного функционального назначения: система резервирования билетов, сети обмена коммерческой, научной, технической и экономической информацией, многоцелевые сети обработки данных и т. д. Парк терминалов сетей передачи данных в 1986 г. в США насчитывал около 600 тыс. Растет спрос на услуги наземных подвижных систем радиосвязи, их потребителями являются полиция, фирмы сферы обслуживания и транспортные средства.

Объем информации, переданной новыми видами связи, составил в 1985 г. 12% общего объема информации, переданной всеми службами электросвязи. Следует отметить, что на данном этапе своего развития почти вся новая продукция (80%) потребляется в сфере бизнеса.

США имеют разветвленную и быстро развивающуюся сеть электросвязи. Главное направление ее развития — создание интегральных цифровых сетей связи с комплексными услугами. Эти сети обеспечивают существенное повышение скорости, точности и надежности приема и передачи информации всех видов, независимо от ее характера и объемов. США занимают ведущее место в мире по использованию цифровых систем передачи и коммутации. В сети электросвязи преобладает использование коаксиальных линий связи, второе место занимают радиорелейные линии и спутники связи. Самым новым, прогрессивным и быстро растущим видом направляющих систем являются волоконно-оптические линии связи. За период 1979—1986 гг. их протяженность выросла с 500 км до 1,6 млн км.

Доля почтовой связи в основных характеристиках отрасли сокращается, что объясняется длительностью производственного цикла, сложностью доставки корреспонденции в труднодоступные районы и т. д., а также появлением альтернативных служб. В США в 1986 г. насчитывалось 29,3 тыс. почтовых

отделений (41 тыс. в 1950 г.). Общее число занятых — 791 тыс. чел. В 1985 г. почтовая связь обработала 140 млрд единиц почтовых отправлений. С 1981 г. федеральная почтовая связь работает без дефицита, но является бесприбыльной организацией. Скорость доставки письменной корреспонденции на расстояние свыше 400 км не превышает трех суток с учетом дня отправки. Если расстояние не превышает 200 км, доставка обеспечивается в пределах одних суток.

Отрасль связи США почти полностью принадлежит частному капиталу, государственной собственностью является только почтовая связь. Государство через созданную в 1934 г. Федеральную комиссию по связи осуществляет лишь общий контроль за использованием частотного спектра, уровнем тарифов на услуги связи, производит выдачу лицензий на строительство новых линий связи, теле- и радиостанций.

В 80-е годы наметилась общая тенденция для стран капиталистического мира к устранению монополии в производстве и эксплуатации средств связи и активизации таким образом конкурентной борьбы. В начале 80-х годов был принят закон о разукрупнении американского концерна «Америкэн телефон энд телеграф компани» (АТТ). АТТ — бывший монополист в области предоставления услуг связи (80% объема всех услуг связи в стране и 80% обслуживания местной телефонной сети). В результате осуществленной реорганизации концерна из его состава были выделены 22 эксплуатационные компании местной телефонной связи, которые были преобразованы в 7 самостоятельных региональных компаний и научно-исследовательскую фирму. АТТ в настоящее время имеет четыре филиала (услуги междугородной и международной связи, передача данных, производство оборудования связи и вычислительной техники, а также проведение НИОКР) и по-прежнему играет большую роль на американском рынке услуг связи (70% доходов от эксплуатации междугородной телефонной связи).

Поскольку АТТ действует в сфере обработки информации, ее деятельность сталкивается с интересами «Интернэшнл бизнес машинз» (ИБМ) и др. электронных компаний, что приводит к ожесточенной конкуренции.

Наиболее мощные корпорации в области телеграфной связи — «Уэстерн юнион», радиосвязи — «Рэйдио корпорейшн оф Америка».

Внутренняя торговля

Традиционно важным звеном капиталистического хозяйства Соединенных Штатов является внутренняя торговля. Ведущее место этой отрасли в экономике страны определяется ее высокой долей в ВНП. В 1986 г. эта доля составляла 16,5% (в т. ч. оптовая торговля — 6,9%, розничная — 9,6%).

Столь значительная доля торговли в ВНП страны свидетельствует о том, что в условиях конкурентной борьбы и обострения проблемы реализации продукции в сфере товарного обращения существенно растут издержки, связанные с продвижением товаров по каналам обращения.

В сфере товарного обращения сосредоточены крупные экономические и людские ресурсы. Общий объем капиталовложений во внутреннюю торговлю за 1947—1985 гг. (в ценах 1972 г.) составил 355,4 млрд дол., в т. ч. в 70-е и в первой половине 80-х годов — 112,4 и 93,6 млрд дол. соответственно. В результате роста капиталовложений материально-техническая база торговли претерпела существенные изменения. Техническое оснащение внутренней торговли в 80-е годы приближается, а иногда и превосходит оснащение производственного аппарата некоторых отраслей промышленности. Это в первую очередь относится к таким компонентам основных фондов, как технологическое и транспортное оборудование, холодильные установки, упаковочные, фасовочные, маркировочные машины и т. п.

Быстрыми темпами растет оснащение торговли электронно-вычислительной техникой. К концу 70-х годов компьютеризация охватила почти 70% всех оптовых фирм. В 80-е годы этот процесс активно продолжается. По числу используемых ЭВМ оптовая торговля США опережает транспорт, связь, добывающую промышленность, строительство и сельское хозяйство. Внедрение ЭВМ способствует увеличению эффективности хозяйственных операций оптового звена, повышает уровень управления товарными запасами. Важным элементом компьютеризации внутренней торговли является внедрение системы кодирования для товаров розничной сети. Новый код содержит описание товара и название фирмы — производителя данной продукции. С его помощью облегчается решение организационно-технических задач торговли: прием и выдача заказов, приемка продукции, сортировка, упаковка, отгрузка. Он также сокращает объем документации.

Важным показателем роли внутренней торговли в экономике США служит численность занятых. В 1986 г. общее число занятых в сфере оптовой и розничной торговли достигло 23,6 млн чел., т. е. 20% занятой рабочей силы *.

* При анализе занятости в сфере розничной торговли следует иметь в виду, что американская статистика включает сюда также занятых в общественном питании. В целом удельный вес товарного обращения в общей занятости в экономике страны превышает 30% (с частично занятыми), т. к. включает численность работников в организациях, связанных с торговлей и оказывающих услуги обращению: рекламные агентства, предприятия по упаковке и расфасовке товаров, лаборатории по анализу конъюнктуры и рыночным испытаниям товаров, центры машинной обработки коммерческой ин-

Значительный рост занятости во внутренней торговле **США** в послевоенный период происходил главным образом в сфере розничной торговли. Так, если в 1950—1985 гг. численность занятых во внутренней торговле в целом увеличилась с 10,8 до 22,3 млн чел., то в розничной торговле — с 8,2 до 18,0 млн чел. Это объясняется тем, что в послевоенные годы оптовая торговля как хозяйственное звено, связанное особенно тесно с производством, развивалась по интенсивному пути в гораздо большей степени, чем розничная.

В розничной торговле процесс интенсификации носил противоречивый характер. С одной стороны, происходила серьезная перестройка ее форм и методов, шел процесс рационализации, направленной на поиски путей сокращения издержек обращения. С другой стороны, в нее вовлекалось значительное число новых рабочих рук. Этот рост занятости был обусловлен различными социально-экономическими причинами: расширением торговой деятельности, связанной с ростом населения, ростом индивидуального потребления и освоением новых районов, увеличением объема производственной деятельности, связанной с доведением товарной массы до более высокого уровня обработки и существенным расширением функций торговых предприятий по обслуживанию покупателей. Но главная причина столь высокого прироста занятости связана с резким обострением проблемы реализации в результате насыщения и перенасыщения рынка.

Согласно последней торговой переписи 1982 г., в **США** насчитывалось 416 тыс. оптовых и 1923 тыс. розничных предприятий. На 120 чел. населения в **США** приходится одно

розничное предприятие, а на каждую тысячу жителей — 72 чел., занятых в розничной торговле (в 1948 г. этот показатель был равен 47).

До второй мировой войны внутренняя торговля была сферой мелкого семейного предпринимательства. В послевоенный период в этой сфере экономики произошли значительные структурные сдвиги, усилилась тенденция к концентрации производства и капитала, произошло укрепление позиций крупного капитала. По величине товарооборота, активов и численности занятых некоторые торговые фирмы приближаются или превосходят крупнейшие промышленные корпорации. Так, оборот торговой фирмы «Сирс, Робэк», составивший в 1986 г. 44,3 млрд дол., превысил оборот такого гиганта индустрии, как «Дженерал электрик».

В торговле интенсивно происходит процесс снижения удельного веса мелкого бизнеса в продажах и активах (хотя общее число фирм имеет тенденцию к росту). Мелкий бизнес попадает во все большую зависимость от крупных фирм.

Укрепление позиций крупного капитала во внутренней торговле осуществляется и путем объединения предприятий обрабатывающей промышленности, оптовой и розничной торговли, в результате чего в рамках одного хозяйственного комплекса соединяются последовательные стадии производства и обращения.

Жилищно-коммунальное хозяйство

США обладают огромным накопленным жилым фондом, насчитывающим 94 млн жилых единиц (квартир и односемейных домов), что составляет по стоимости 5,0 трлн дол., или около трети накопленного основного капитала страны. Три четверти жилого фонда составляют односемейные дома, около 20% при-

---

формации, агентства, обслуживающие операции по предоставлению кредита, взысканию задолженности, мастерские по изготовлению ярлыков и товарных знаков, оформлению интерьеров и витрин.

ходится на многосемейные (на 2 и более семей) и 5% — на так называемые передвижные дома — трейлеры. Передвижные дома представляют собой жилища на одну семью, сборка которых осуществляется из стандартных элементов в заводских условиях и которые затем транспортируются на специальные стоянки, где происходит их подключение к системам газо-, водо-, энергоснабжения и канализации. Односемейные дома находятся в личной собственности проживающих в них граждан, в то время как многосемейные обычно сдаются внаем на правах аренды и принадлежат либо корпорациям, либо частным лицам. Доля государственного жилья ничтожна и составляет 2,3% жилого фонда страны.

42% жилого фонда США представляют собой здания, построенные до 1950 г., 38% приходится на постройки периода 1950—1970 гг. и лишь 20% составляют дома, возведенные после 1970 г.

В послевоенный период такие факторы, как рост покупательной способности населения, расширение ипотечного кредита, низкие процентные ставки и др., в целом благоприятствовали росту жилищного строительства и увеличению жилого фонда страны, который за 1950—1985 гг. вырос в 2,8 раза. В продукции жилищного строительства снижался удельный вес односемейных домов и росла доля многосемейных и особенно передвижных домов, отражая в известной степени изменения в структуре спроса на жилье под влиянием снижения рождаемости, роста числа малодетных семей и семей-одиночек. Кроме того, затраты на строительство односемейного дома в 1,5 раза выше, чем на строительство квартиры в многосемейном доме, и в 3,5 раза выше, чем затраты на приобретение трейлера.

В США достигнуты короткие сроки возведения жилых домов. В настоящее время продолжительность строительства стандартного многосемейного жилого дома на 157 квартир составляет в среднем 14 мес., а односемейного дома — 5 мес.

В то же время при внешне благоприятных показателях развития жилого фонда США проблема доступности жилья остается очень острой прежде всего в связи со стремительным ростом цен на жилые дома. Если в начале 50-х годов цена традиционного односемейного дома равнялась 8 тыс. дол., то к 1986 г. достигла 84 тыс. дол. Для приобретения дома американская семья может получить ссуду в размере 70% его товарной цены с рассрочкой на 25—40 лет. Однако выплачиваемая по процентам сумма оказывается больше первоначального займа в два и более раза. В последние годы резко выросли платежи за кредит и оплату жилого дома. Даже на такие ранее доступные виды жилища, как передвижные дома, цены достигли 20—25 тыс. дол. В целом доля оплаты жилья в расходах населения в настоящее время в США составляет около 25%.

ВНЕШНЕЭКОНОМИЧЕСКИЕ СВЯЗИ

Государственно-монополистическое регулирование внешнеэкономической деятельности

Регулирование внешнеэкономической деятельности США включает в себя комплекс экономических и политических мер, направленных на обеспечение внешних условий для расширенного воспроизводства капитала и роста прибылей американских монополий. При этом используются торгово-политические, кредитно-денежные, бюджетно-налоговые, судебно-административные и иные средства.

Для защиты внутреннего рынка от иностранной конкуренции американское государство часто практиковало в прошлом установление протекционистски высоких таможенных пошлин, что значительно ограничивало доступ иностранных товаров, создавало для американского капитала благоприятные условия, обеспечивая промышленный рост и концентрацию производства. По мере усиления экономической мощи американских монополий они все меньше нуждались в протекционизме старого типа, основанном на высоких тарифах. В послевоенные годы США, постепенно снижая высокие таможенные барьеры в обмен на понижение таможенных пошлин иностранными государствами, относительно легко преодолевали протекционистские заграждения других стран, опираясь на высокую конкурентоспособность своих товаров. Однако в связи с усилением конкурентоспособности западноевропейских и японских компаний, а также фирм некоторых других стран США становится все труднее использовать механизм взаимного снижения таможенных барьеров, т. к. это стало непосредственным образом задевать интересы ряда отраслей американской промышленности, которые в силу своей недостаточной рентабельности и по некоторым др. причинам испытывают наиболее сильный нажим со стороны иностранных конкурентов на своем внутреннем рынке. Поэтому наряду со старыми средствами торгового протекционизма (таможенные пошлины, количественные ограничения) широко стали применяться новые формы и методы защиты внутреннего рынка от иностранных конкурентов, а именно: требования соответствия иностранных товаров внутренним американским техническим стандартам, дискриминационная практика государственных закупок, невыгодная для иностранных экспортеров система таможенной оценки и т. п., а также так называемые «добровольные» ограничения экспорта, которые под нажимом США принимают на себя зарубежные торговые партнеры (Япония — автомобили и полупроводники, Бразилия и Мексика — сталь и др.).

Вместе с тем правительство США в своей внешнеэкономической политике уделяет главное внимание устранению барьеров, препятствующих экспансии американских монополий в области торговли товарами и услугами и в сфере приложения капиталов. Особенно активно эту политику поддерживают представители тех отраслей экономики США, которые успешно конкурируют на иностранных рынках (авиаракетно-космической промышленности, электроники, некоторых подотраслей общего и транспортного машиностроения и др., а также агропромышленного комплекса).

Правительство США уделяет значительное внимание регулированию своих международных торгово-экономических отношений на двусторонней и многосторонней основе с тем, чтобы создать условия для расширения поля деятельности американского капитала. Большое значение придается многосторонним переговорам в рамках Генерального соглашения о тарифах и торговле (ГАТТ). В последние годы США принимают меры к тому, чтобы распространить действие ГАТТ и на сферу услуг, где американские фирмы обладают существенными преимуществами по сравнению с зарубежными конкурентами. В 1984 г. был принят закон о торговле и тарифах, позволяющий США путем односторонних акций воздействовать на регулирование международных экономических отношений капиталистических стран в интересах американского монополистического капитала. Главным средством давления на торговых партнеров является введение ограничений на импорт товаров из стран, которые отказываются открыть свои национальные рынки для американской промышленной и сельскохозяйственной продукции, для корпораций США, специализирующихся в сфере услуг, и для приложения американских капиталов.

Экспортно-импортный банк США обеспечивает государственное финансирование экспорта путем предоставления кредитов и их страхования при помощи государственных гарантий. Отказ в государственном финансировании является инструментом давления США на другие страны. В соответствии с законом 1971 г. о создании национальных экспортных корпораций налоговые льготы предоставляются определенной категории компаний, специализирующихся на экспортных операциях. Эти меры принимаются с тем, чтобы расширить круг фирм, занимающихся экспортом американских товаров, за счет вовлечения мелких и средних компаний, которые из-за своей финансовой слабости и отсутствия опыта внешнеторговой деятельности традиционно ориентируются на внутренний рынок.

На протяжении всего послевоенного периода значительную роль в государственном финансировании американского экспорта играли программы помощи иностранным государствам. Они способствуют укреплению экономических позиций американских корпораций в Азии, Африке и Латинской Америке и являются эффективным оружием в борьбе с иностранными конкурентами. В соответствии с практикой Управления международного развития, по линии которого предоставляется значительная часть помощи, ее получение связывается с условиями, предусматривающими закупки товаров американского происхождения. Это позволяет сбывать развивающимся странам товары по повышенным ценам, несмотря на то что в ряде случаев они обладают более низкими технико-экономическими характеристиками, чем аналогичные товары из др. стран.

США широко используют свое доминирующее положение в международных финансовых институтах капиталистического мира для привлечения их средств к финансированию американских поставок в развивающиеся страны.

Проблемы сбыта американской сельскохозяйственной продукции вызвали к жизни различные формы государственного финансирования ее экспорта. Широко практикуется и государственное финансирование поставок вооружения американским союзникам и антинародным марионеточным режимам в интересах глобальной гегемонистской политики США. Практикуемое США государственное финансирование экспорта оказывает существенное влияние на мирохозяйственные связи капиталистических стран и способствует сохранению и расширению позиций американских корпораций на мировом капиталистическом рынке.

По отношению к СССР и др. социалистическим странам США проводят дискриминационную торговую политику. Большинству социалистических государств не предоставляются режим наибольшего благоприятствования и право на получение государственных кредитов. Осуществляется контроль над экспортом в эти страны значительного количества товаров под предлогом того, что импортируемая из США продукция может, якобы, способствовать усилению военного потенциала стран социализма. Принятая в 1985 г. новая редакция закона об административном регулировании экспорта 1979 г. предусматривает дальнейшее усиление экспортного контроля над вывозом в СССР «стратегических» товаров.

США постоянно расширяют сферу действия экспортного контроля, включая в него все новые области, переходя от контроля над экспортом отдельных товаров к контролю над целыми отраслями промышленности, науки и техники, имеющими определяющее значение для развития экономики. Важным направлением внешнеэкономической политики США является стремление расширить круг стран, в том или ином объеме принимающих участие в осуществлении контроля над экспортом в СССР и др. социалистические страны передовой техники и технологии. Созданный в 1949 г. под эгидой США Координационный комитет по экспортному контролю (КОКОМ) был призван обеспечить участие наиболее развитых стран Запада (стран — членов НАТО, кроме Исландии и Японии) в контроле над экспортом в рамках торговли Восток — Запад. В настоящее время США оказывают систематическое давление на промышленно развитые нейтральные страны, заставляя их под угрозой экономических санкций отказываться реэкспортировать в социалистические государства товары, включенные в запретительные списки КОКОМ, а также экспортировать товары, произведенные с использованием технологии, закупленной в странах — членах КОКОМ. США предпринимают шаги к тому, чтобы такой же режим в отношении экспорта передовой техники и технологии в страны социалистического содружества установили и наиболее продвинувшиеся вперед в промышленном отношении развивающиеся страны.

Усилия США навязать др. странам систему экспортного контроля встречают со стороны большинства из них сопротивление, т. к. дальнейшее ужесточение многосторонней системы экспортного контроля противоречит их национальным интересам.

На ставших регулярными встречах на высшем уровне руководителей семи ведущих стран Запада (США, Великобритания, ФРГ, Франция, Италия, Канада и Япония) значительное внимание уделяется вопросам внешнеэкономических отношений. США пытаются использовать эти встречи для проведения в жизнь единой внешнеэкономической политики ведущих стран капитализма по отношению к развивающимся и социалистическим странам. В силу острых противоречий между участниками встреч «большой семерки» достигнутые договоренности носят, как правило, общий характер и в дальнейшем в ряде случаев произвольно трактуются каждым из участников. Внешнеэкономические противоречия между капиталистическими странами порождают постоянную напряженность между ними, «торговые войны» и т. п.

Проводимая США политика в области регулирования внешнеэкономических отношений с иностранными государствами, отвечающая гегемонистским целям американского монополистического капитала, вызывает растущее недовольство во многих странах мира, т. к. противоречит интересам их экономического развития и находится в несоответствии с общепринятыми нормами международных торгово-экономических отношений.

Масштабы и основные формы внешнеэкономической деятельности США

После второй мировой войны в капиталистическом мире сложилась система международных экономических отношений, центром которой стали США. Внешнеэкономическая деятельность США в этой системе реализуется в следующих основных формах: экспорт и импорт капитала, внешняя торговля товарами и услугами, предоставление помощи иностранным государствам, участие в международных экономических организациях, использование национальной денежной единицы — американского доллара в качестве главного международного расчетного, платежного и резервного средства.

На протяжении значительной части послевоенного периода США выступают как главный экспортер капитала, товаров и различных видов услуг, американский доллар функционирует в качестве главной валюты, в которой осуществляются расчеты, связанные с международными экономическими операциями. Утверждению США в роли главного центра мировых экономических отношений капитализма способствовало их положение как крупнейшей военной и самой мощной экономической державы капиталистического мира. Действие закона неравномерности развития капитализма, однако, обусловило утрату Соединенными Штатами их монопольного положения в мировом капиталистическом хозяйстве, что с особой силой проявилось в последние годы. К середине 80-х годов Япония, оттеснив США, выходит на первое место как экспортер капитала, ФРГ отнимает у США первое место в мировом экспорте товаров.

В капиталистическом мире сегодня действуют три центра империалистического соперничества — США, Западная Европа (ЕЭС) и Япония, но до сих пор ни одна отдельно взятая капиталистическая страна все еще не может сравниться с США по общим масштабам заграничных экономических операций и размерам получаемых прибылей, хотя разрыв этот все больше и больше сокращается.

Экспорт капитала. Со времени окончания первой мировой войны и вплоть до 1985 г. США являлись крупным нетто-кредитором капиталистического мира, т. е. их зарубежные активы превышали их обязательства. Масштабы зарубежных инвестиций и кредитов иностранным государствам свидетельствуют о том, что вывоз капитала, включающий реинвестицию полученных прибылей, является основной формой внешнеэкономических операций США. В настоящее время реинвестиции, а не вывоз капитала составляют основную долю новых заграничных прямых вложений США.

Общая сумма зарубежных активов США на конец 1986 г. составила 1 трлн 67,9 млрд дол. Иностранные активы в США выросли до 1 трлн 331,5 млрд дол., и таким образом чистая (нетто) задолженность США составила 263,6 млрд дол. Прямые заграничные частные инвестиции США, т. е. вложения капитала, обеспечивающие владение пакетом акций в объеме не менее 10% и позволяющие осуществлять полный контроль за деятельностью предприятий, составляли 260 млрд

Таблица 10

Международные инвестиционные позиции США

(в текущих ценах, млрд дол.)

Годы	Активы США			Иностранные активы в США, всего	Нетто-позиция США
	Всего	Государственные, включая валютные резервы	Частные		
1914	3,5	н/д	3,5	7,2	— 3,7
1919	16,9	10,0	6,9	4,4	+ 12,5
1935	25,1	11,4	13,7	6,3	+ 18,8
1950	54,4	35,4	19,0	17,6	+ 36,8
1960	85,6	36,4	49,2	40,9	+ 44,7
1970	165,4	46,6	118,8	97,7	+ 67,7
1980	606,9	90,3	516,6	500,8	+ 106,1
1981	719,7	98,6	621,1	579,0	+ 140,7
1982	824,9	108,3	716,6	688,7	+ 136,2
1983	874,1	113,0	761,1	785,6	+ 88,5
1984	898,2	119,5	778,7	893,8	+ 4,4
1985	952,4	130,6	821,8	1059,8	— 107,4
1986	1067,9	137,9	930,0	1331,5	— 263,6

дол. · Портфельные инвестиции — вложения капитала в акции и облигации иностранных частных предприятий — 131,1 млрд дол.

Особенностью вывоза капитала из США с середины 70-х годов является возрастание доли ссудного капитала, выразившееся в увеличении объема займов и кредитов, предоставляемых крупнейшими американскими банками, в общей сумме зарубежных активов США с 20% в 1975 г. до почти 50% в 1985 г.; их сумма выросла за это время с 60 млрд дол. до 447 млрд дол.

На базе вывоза капитала американский монополистический капитал создал обширную империю за пределами США, по размерам получаемой с нее дани превосходящую все известные ранее колониальные владения. Оборот подконтрольных американскому капиталу зарубежных предприятий в середине 80-х годов достигал 1,5 трлн дол., т. е. был почти в 7 раз больше экспорта товаров из США. Эксплуатация этой империи осуществляется экономическими методами, но охрана ее обеспечивается всей мощью империалистического государства. Прибыли США от зарубежных активов достигают 100 млрд дол. Примерно одна треть этой суммы поступает от прямых инвестиций и две трети — от внешних займов, кредитов и портфельных инвестиций.

Основными субъектами экспансии США выступают американские промышленные, банковские и торговые транснациональные корпорации. Товарооборот наиболее крупных из них, таких, как «Джснерал моторс», «Экссон» и др., можно сравнить с ВНП целых государств.

Внешняя торговля является важной формой внешнеэкономической деятельности США. Оборот товарной торговли в 1987 г. — 677 млрд дол. (252,9 млрд — экспорт и 424,1 млрд — импорт).

Для послевоенного периода характерно возрастание значения внешней торговли для экономики США. Доля экспортируемых товаров в ВНП выросла с 4,3% в 1970 г. до максимального уровня — 8,4% в 1980 г., затем понизилась до 5,9% в 1983 г. Изменения этого показателя объясняются циклическим развитием капиталистического производства, обострением межимпериалистической конкуренции, а также существенными колебаниями обменного курса американского доллара.

После почти столетнего актива в торговле с иностранными государствами США впервые зарегистрировали дефицит во внешней торговле в начале 70-х годов, а затем он стал быстро возрастать, достигнув 171,2 млрд дол. в 1987 г. Доля импорта в ВНП США в 70—80-х годах возрастает очень быстро — с 4,4% в 1970 г. до 8,2% в 1983 г. В 1984—1986 гг. она продолжала расти. Это объясняется определенным ослаблением позиций США в мировой капиталистической торговле. Американские монополии сдают свои позиции и на внутреннем рынке США; иностранные монополии, в первую очередь японские, захватывают все большую долю внутреннего рынка США (по стали около 25%, по автомобилям около 30%, по станкам свыше 30%, по некоторым видам бытовой электроники от 60% и выше).

Хотя приток иностранных товаров, за которые США расплачиваются бумажными долларами, обеспечивает определенные выгоды для экономики США, импорт иностранных товаров ведет к закрытию американских национальных предприятий, росту безработицы, обострению социальных противоречий внутри страны и межимпериалистических противоречий в мире. США еще в начале 70-х годов уступили ФРГ первое место в мире по экспорту готовых изделий, в начале 80-х Япония оттеснила их на третье место.

Долгое время сильной стороной американской внешней торговли

Внешняя торговля США

(в текущих ценах, млрд дол.)

Годы	Экспорт[1]	Импорт[2]	Сальдо
1970	42,7	42,9	—0,2
1978	143,7	186,0	—42,3
1980	220,8	257,0	—36,2
1981	233,7	273,4	—39,7
1982	212,2	254,9	—42,7
1983	200,5	269,9	—69,4
1984	217,9	341,2	—123,3
1985	213,9	361,6	—147,7
1986	226,8	383,0	—156,2
1987	252,9	424,1	—171,2

[1] Экспорт — ф. о. б. (без учета транспортных расходов и страхования).

[2] Импорт — с. и. ф. (с учетом транспортных расходов и страхования).

считался актив в торговле новейшей продукцией, так называемыми наукоемкими товарами. Однако и здесь наметилась тенденция к замедлению темпов роста экспорта и быстрому росту импорта и, как следствие, появление пассива в торговле многими видами наукоемкой продукции.

США имели крупный актив в торговле сельскохозяйственными товарами, достигавший 26,5 млрд дол. в 1981 г., этот актив сократился до 8 млрд дол. в 1985 г.

США теряют свои позиции в конкурентной борьбе не только со странами «Общего рынка» и Японией. В последние годы Южная Корея, Тайвань, Сингапур, Гонконг и др. страны успешно конкурируют. с США в экспорте отдельных видов компьютеров, бытовой электроники и др. наукоемких товаров.

Значительную долю импорта США составляет продукция предприятий, подконтрольных американскому капиталу. Практика произвольно завышаемых и занижаемых цен, применяемая в такой внутрифирменной торговле, служит инструментом манипулирования ценами, чрезвычайно выгодного монополиям США. Однако здесь, как и в сфере вывоза капитала, конкуренция идет в основном между национальными отрядами монополистической буржуазии империалистических государств. Наиболее наглядно это видно на примере отношений США с Японией: американские инвестиции в Японии сравнительно невелики, соответственно незначительна и доля поставок в США с предприятий, контролируемых американским капиталом, а дефицит в торговле с этой страной приблизился в 1986 г. к 60 млрд дол.

Торговля лицензиями является составной частью внешней торговли США и важной формой внешнеэкономической деятельности. К ней относится продажа лицензий на пользование технологией, дорогостоящими машинами и инструментами, на прокат кинофильмов и пользование американскими методами управления и пр. В 1985 г. США продали лицензий на 8 млрд дол., а купили на 0,5 млрд дол., т. е. имели актив в этой торговле более 7 млрд дол. Монополии США тщательно дозируют продажу лицензий на пользование новейшей технологией. Основными ее покупателями выступают зарубежные предприятия, подконтрольные американским ТНК. Стратегическая линия в этой торговле такова: сначала использовать новейшую технологию для продажи товаров на экспорт (при этом максимально охраняя ее от иностранных конкурентов), затем продавать ее только своим зарубежным филиалам, и, лишь когда появится опасность, что эта технология может быть самостоятельно освоена конкурентами, она поступает в открытую продажу.

Торговля услугами и туризм обеспечивают крупные поступления США — около 40 млрд дол. в 1985 г. В последние годы быстро растут поступления от операций заграничных филиалов американских банков и деятельности компаний США в сфере информатики.

Ввоз иностранного капитала в США получил большое развитие в 80-е годы (около 90—100 млрд дол.

в год). Иностранцы покупают в США государственные облигации и тем самым финансируют гонку вооружений, они приобретают также акции, землю, недвижимость и другие активы. Через кредитную систему США импортируемый иностранный капитал используется также для финансирования новых капиталовложений в американскую экономику. Характерной особенностью импорта иностранного капитала в США является быстрый рост иностранных прямых инвестиций. Многие японские и западноевропейские компании, создавая свои предприятия в США, успешно конкурируют с американскими компаниями на внутреннем рынке США, являвшемся традиционно заповедной зоной американского капитала.

В середине 80-х годов поступление иностранного капитала обеспечивало Соединенным Штатам возможность решения части их экономических проблем, позволяя покрывать 40—50% бюджетного дефицита или финансировать 20—25% годовых валовых капиталовложений в экономику США. Таким образом, привлечение иностранного капитала позволяет использовать во все возрастающей степени ресурсы других стран для достижения политических и экономических целей американского империализма. Вместе с тем это порождает новые проблемы и противоречия: в 1985 г. США превратились из страны нетто-кредитора, каковой они являлись на протяжении большей части текущего столетия, в страну нетто-должника, что может иметь серьезные негативные последствия, если задолженность возрастет до значительных размеров. Уже сейчас они выплачивают Западной Европе и Японии на их инвестиции в США больше прибылей, чем получают в этих странах от своих капиталовложений, в будущем эти платежи могут возрасти еще больше. Фактически монополистический капитал США решает свои нынешние военные и экономические проблемы, перекладывая расплату за их экономические последствия на плечи будущих поколений.

Экономическая и научно-техническая помощь, оказываемая иностранным государствам, на которую США в послевоенный период израсходовали свыше 300 млрд дол., занимает важное место в системе форм и методов внешнеэкономической деятельности. Она обеспечивает наиболее благоприятные условия для инвестиционной деятельности американских транснациональных корпораций (государства — получатели помощи предоставляют различные льготы американским компаниям, например снимают ограничения на импорт частного капитала, за счет помощи финансируется также часть их новых вложений и т. п.).

Во внешнеэкономической экспансии монополистический капитал США широко использует международные и региональные экономические организации: Международный валютный фонд (МВФ), Международный банк реконструкции и развития (МБРР), Международную ассоциацию развития (МАР), Международную финансовую корпорацию (МФК), региональные банки развития для Азии, Африки и Латинской Америки и др.

Привилегированное положение доллара играет исключительно важную роль в осуществлении внешнеэкономической экспансии США. Доллар США выступает на международном финансовом рынке с функциями, выполнявшимися прежде золотом. Функционируя как золото или вместо золота, доллар опосредствует распределение в мировом масштабе огромных ресурсов в виде потоков товаров и капиталов и тем самым обеспечивает Соединенным Штатам не только экономические выгоды, но и огромную политическую власть, реализуемую в виде «долларовой дипломатии», «долларового империализма». В дол-

207

ларах осуществляется примерно 70% расчетов в международной торговле и операциях, связанных с движением капиталов, что обеспечивает Соединенным Штатам огромные выгоды. Манипулируя курсом доллара, играя то на его повышении, то понижении, правящие круги США могут изменять направление движения потоков капиталов и товаров.

Географическая структура внешнеэкономических связей США

Внешнеэкономические связи США монополизированы ограниченным количеством транснациональных корпораций, действиями которых руководит главный мотив — максимизация прибыли. Существующие и ожидаемые условия получения максимальных прибылей являются решающими факторами при выборе ими направлений внешнеэкономических связей. Кроме того, на географическую структуру внешнеэкономических связей США влияют следующие факторы: общий уровень развития и структура размещения производительных сил в США и в др. составных частях мировой капиталистической системы, экономико-географические факторы, в частности особенности распределения природных ресурсов в США и других районах мирового капиталистического хозяйства, структура размещения рабочей силы, уровень ее квалификации, издержки на ее эксплуатацию, характер внутренней социально-экономической политики отдельных стран, их курс в отношении иностранного капитала и товарного импорта, наличие и перспективы региональных экономических группировок, например таможенных союзов или интеграционных объединений типа ЕЭС, текущая экономическая и социально-политическая ситуация в отдельных странах и районах.

Огромное влияние на географию внешнеэкономических связей США оказывает практика государственно-монополистического регулирования в этой сфере и экономике в целом. Так, навязывание искусственно завышенных процентных ставок и курса доллара в первой половине 80-х годов явилось одной из главных причин переориентации движения капиталов и товаров в мировой капиталистической экономике, ослабления международных экономических позиций развивающихся и большинства развитых капиталистических стран, усиления дезорганизации международной торговли.

Сильнейшее воздействие на географию внешнеэкономических связей США оказывают внешнеполитические факторы. Ставка на силу, подчинение экономических отношений военно-политическим соображениям США препятствуют развитию равноправных, взаимовыгодных экономических отношений, подрывают правовые основы мировой экономики и торговли.

Проблема географической структуры внешнеэкономических связей США имеет два аспекта: внутриэкономический — структура связей по отдельным экономическим районам и подрайонам и внешний — направления связей по группам стран и географическим регионам. Тенденции формирования внутренней структуры тесно связаны с процессами, обусловливающими направленность связей США с внешним миром.

Экономическое развитие США сопровождается существенными сдвигами в размещении производительных сил, расширением процессов региональной дифференциации экономической деятельности. Возможность изменений в сложившемся ранее разделении труда между регионами связана с тем, что в некоторых из них еще сохранился определенный потенциал для развития капитализма «вширь и вглубь». Опережающее развитие ряда штатов и целых районов, формирование в них мощного экономического потенциала сопровождается интенсивным формированием в этих районах крупных внешнеторговых центров, неуклонно повышающих свое значение в экспортном производстве и импортном потреблении США.

Особенно интенсивно развиваются в 70—80-е годы внешнеэкономические связи Запада и Юга США, которые теснят «старые» торговые центры Северо-Востока. Крупными аграрными экспортерами стали штаты Среднего Запада. Важные центры транспортировки и обработки внешнеторговых грузов развились в районе Великих озер и реки Святого Лаврентия.

Относительный рост промышленного потенциала отдельных районов и входящих в них штатов находит выражение в увеличении их экспортного потенциала и импортных потребностей. Наиболее динамично развивающиеся штаты выходят на первые места по показателям внешней торговли. В частности, первое место по стоимости экспорта готовой промышленной продукции занимает Калифорния, второе — Техас, третье — Иллинойс. Калифорния занимает первое место по числу занятых в экспортном производстве в обрабатывающей промышленности. Второе место по этому показателю занял штат Нью-Йорк, далее Огайо, Пенсильвания и др. Степень ориентации хозяйства таких штатов на экспорт превышает среднюю по стране. Они играют важнейшую роль во внешней торговле Соединенных Штатов.

В 1970—1986 гг. особенно сильно повысился удельный вес во внешней торговле США Юго-Западных и Тихоокеанских штатов: их суммарная доля в экспорте страны увеличилась с 45,8 до 54,9%, в импорте — с 35,3 до 47,4%. В тот же период резко сократилась доля Средне-Атлантических штатов: соответственно, с 30,8 до 21,3% и с 39,5 до 29,7%.

Внешнеэкономические связи США ограничиваются в основном капиталистическим сектором всемирного хозяйства, причем американские прямые частные капиталовложения за рубежом и внешняя торговля в период после второй мировой войны растут более быстрыми темпами в развитых капиталистических государствах. Доля этих государств в прямых инвестициях корпораций США за границей увеличилась за 1950—1986 гг. с 48,4 до 74,9%, в товарном экспорте — с 57,6 до 64,8%, в импорте — с 42,9 до 65,7%.

Развитие этой тенденции имело характерные особенности. В 70-е годы произошло существенное относительное падение удельного веса развитых капиталистических государств во внешней торговле США. Это явилось результатом действия трех основных факторов: увеличения мировых цен на нефть, а также на ряд других видов минерального сырья, приведшего к росту стоимости торговли США с развивающимися странами — экспортерами этих товаров, некоторого сравнительного ускорения экономического роста развивающихся стран, обусловившего увеличение спроса на американские товары, относительного увеличения промышленного производства и экспорта в ряде развивающихся государств, повлекшего рост их удельного веса в мировой торговле готовой промышленной продукцией, в т. ч. в импорте США.

В первой половине 80-х годов роль развитых капиталистических государств во внешней торговле США вновь стала возрастать. Главной причиной этого явилось резкое ухудшение социально-экономического положения развивающихся стран, наступившее в результате колоссального роста их финансовой задолженности, снижения мировых цен на большинство видов минерального сырья, топлива и сельскохозяйственной продукции. Существенную роль сыграли структурные изменения, происшедшие в экономике США, в первую очередь введение энерго- и ресурсосберегающих технологий, что сократило их потребности в импортном сырье и топливе. В итоге доля развивающихся стран в экспорте США уменьшилась в 1980—1986 гг. с 36,6 до 32,5%, в импорте — с 47,8 до 32,2%.

Произошли важные изменения в направлениях внешнеэкономических связей США внутри как развитых капиталистических, так и развивающихся стран. Во второй половине XX в. происходит сокращение доли Канады в американском импорте при некотором увеличении ее роли как рынка сбыта экспортной продукции США, сравнительно быстро идет процесс относительного уменьшения значения Канады как объекта приложения капитала транс-

национальных корпораций Соединенных Штатов. Развивается процесс относительного уменьшения роли западноевропейских рынков сбыта, хотя в импорте США доля Западной Европы, существенно снизившаяся к началу 80-х годов, вновь увеличивается. Неуклонно растет доля Западной Европы в прямых инвестициях ТНК США. С начала 70-х годов происходит постепенное сокращение удельного веса в торговле и экспорте капитала США Австралии, Новой Зеландии и ЮАР. Характерной чертой перестройки структуры внешнеэкономических связей США с развитыми капиталистическими государствами является ускоренный рост значения в них Японии, вытесняющей из этой сферы других империалистических конкурентов: ее доля в эк-

Таблица 12

Главные направления внешнеэкономических связей США
(в % к общему объему)

Регионы, группы стран и территорий	Экспорт товаров			Импорт товаров			Прямые частные капиталовложения США за рубежом			Иностранные прямые частные капиталовложения в США		
	1970 г.	1980 г.	1986 г.	1970 г.	1980 г.	1986 г.	1970 г.	1980 г.	1986 г.	1970 г.	1980 г.	1986 г.
Развитые капиталистические страны	69,2	59,2	64,8	73,3	51,2	65,7	68,0	73,6	74,9	97,2	87,2	90,0
Западная Европа	33,5	30,6	28,1	28,0	19,0	24,2	31,4	44,8	47,4	72,0	65,4	67,7
Канада	21,0	16,0	20,9	27,8	16,9	17,7	29,2	20,9	19,3	23,5	15,0	8,7
Япония	10,8	9,4	12,4	14,7	12,5	22,1	1,9	2,9	4,4	1,7	6,4	11,2
Другие [1]	3,9	3,2	3,4	2,8	2,8	1,7	5,5	5,0	3,8	...[2]	0,4	2,4
Развивающиеся страны	30,0	36,6	32,5	26,1	47,8	32,2	27,4	24,6	23,3	...[2]	11,8	9,9
Латинская Америка	15,1	17,5	14,3	14,6	15,2	11,4	18,9	17,9	13,5	...[2]	10,2	6,8
Ближний Восток	3,3	6,2	4,1	0,9	7,8	1,5	2,1	1,1	2,1	...[2]	1,1	2,3
Африка	2,2	2,1	2,2	2,0	12,5	2,2	3,3	1,7	1,6	...[2]	0,1	0,1
Южная и Восточная Азия	9,3	10,7	11,8	8,5	12,2	17,1	3,1	3,9	6,1[3]	...[2]	0,4	0,7
Океания	0,1	0,1	0,1	0,1	0,1	—	...[4]	...[4]	...[4]	...[2]	—	—
Социалистические страны ...	0,8	3,4	2,6	0,6	1,0	2,1	—	—	—		1,0	0,1
Прочие [5]	—	0,8	0,1	—	—	—	4,6	1,8	1,8	2,8	—	—

[1] Австралия, Новая Зеландия, ЮАР.
[2] Включено в прочие страны.
[3] Включая КНР.
[4] Включено в Южную и Восточную Азию.
[5] Международные институты и неидентифицированные страны.

спорте США в 1950—1986 гг. увеличилась с 4,1 до 12,4%, в импорте — с 2,1 до 22,1%, в прямых частных капиталовложениях США за границей — с 0,2 до 4,4%.

В связях США с развивающимися государствами также произошли значительные структурные перемены. В первую очередь это проявилось в резком сравнительном уменьшении роли Латинской Америки во внешнеэкономических отношениях Соединенных Штатов. Доля латиноамериканских государств в экспорте США сократилась за 1950—1986 гг. с 27,8 до 14,3%, в импорте — с 35,1 до 11,4%, в прямых инвестициях корпораций США — с 38,8 до 13,5%. Именно этот процесс обусловил тенденцию к уменьшению суммарного удельного веса развивающихся государств во внешней торговле и прямых частных капиталовложениях США за рубежом, поскольку ему не смогла противостоять даже динамичная тенденция к повышению роли развивающихся стран и территорий азиатско-тихоокеанского региона.

Таким образом, во второй половине текущего столетия происходит сравнительное ослабление таких «старых» направлений внешнеэкономических связей США, как Канада, Латинская Америка, а также, частично, Западная Европа, в пользу Японии и развивающихся стран и территорий азиатско-тихоокеанского региона.

Аналогичные тенденции развиваются в еще одной, ставшей особенно важной в последние десятилетия сфере — иностранных частных прямых капиталовложениях в американскую экономику. Здесь наблюдается отличный от других сфер внешнеэкономических связей США процесс: сравнительное усиление роли развивающихся стран как инвесторов в экономику Соединенных Штатов при ослаблении значения развитых капиталистических государств. Главными «виновниками» этого процесса являются развивающиеся страны и территории азиатско-тихоокеанского региона. Среди развитых капиталистических государств идет падение доли Канады, определенная стабилизация Западной Европы и ускоренное повышение удельного веса Японии, а также других развитых тихоокеанских государств — Австралии и Новой Зеландии.

Географическая структура внешнеэкономических связей США носит однобокий характер, поскольку в ней искусственно ограничено тор-

Т а б л и ц а 13

Товарная структура экспорта и импорта США
(в %, 1975—1986 гг.)

Статья	Экспорт				Импорт			
	1975 г.	1980 г.	1985 г.	1986 г.	1975 г.	1980 г.	1985 г.	1986 г.
Продовольствие	17,7	16,0	11,2	10,2	9,8	6,9	6,3	6,6
Промышленное сырье и материалы	27,4	31,8	27,5	26,6	51,4	52,8	33,3	27,3
Машины и оборудование (кроме автомобилей)	33,5	32,9	34,7	35,1	10,3	12,4	18,8	20,6
Автомобили (включая части, двигатели)	9,5	7,3	10,8	10,2	12,2	11,4	19,4	21,4
Потребительские товары (непродовольственные, кроме автомобилей)	5,6	7,4	5,4	6,4	13,4	14,1	19,4	21,3
Товары специальной категории (военного типа)	2,8	1,5	2,5	2,0	—	—	—	—
Другие товары	3,5	3,1	7,9	9,5	2,9	2,4	2,8	2,8

гово-экономическое сотрудничество с социалистическими странами. В 1986 г. доля социалистических государств в экспорте США составила лишь 2,6%, в импорте — 2,1%.

Товарная структура внешней торговли США

Значительным изменениям в 80-е годы подвергается товарная структура внешней торговли Соединенных Штатов (см. таблицу 13).

Увеличилась доля в экспорте США машин и оборудования, а также автомобилей. Резкому сокращению подверглась доля продовольствия, аналогичный процесс развивается в экспорте промышленного сырья и материалов.

Структура американского импорта подверглась почти таким же по характеру изменениям: снизилась доля продовольствия и промышленного сырья, увеличился удельный вес капитального оборудования. Резко усилилась ориентация импорта на потребительские товары и автомобили: доля этих статей в импорте в 2,5 раза больше, чем их удельный вес в экспорте США.

В результате отмеченных тенденций произошла перестройка структуры торгового баланса США. Резко сократился традиционно большой актив в торговле продовольственными товарами: в 1986 г. он был равен 2,6 млрд дол. в сравнении с 17,6 млрд дол. в 1980 г. Произошло уменьшение пассива

США в торговле сырьем и топливом: в 1980 г. он достигал более 61,3 млрд дол., а в 1986 г.— 42,4 млрд дол. Особенно сильно сократилось отрицательное сальдо в торговле топливом: с 76,1 до 29,0 млрд дол. Главной статьей пассива стала торговля готовыми промышленными изделиями. Произошло это из-за резкого увеличения импорта более дешевых иностранных потребительских товаров и автомобилей. Отрицательное сальдо по этим статьям достигло в 1986 г. почти 120 млрд дол.

Таким образом, к концу 80-х годов произошло усиление специализации США на экспорте и импорте готовой промышленной продукции. В этом проявляется углубление участия Соединенных Штатов в международном разделении труда на внутриотраслевом уровне, усиление процесса интернационализации воспроизводственных процессов в этой стране.

Советско-американская торговля

Современное состояние советско-американской торговли не соответствует экономическим возможностям двух стран, их роли в мировом хозяйстве. СССР и США, вместе взятые, производят 35% мирового национального дохода, в то же время их взаимная торговля составляет лишь 0,07% глобального товарооборота. В американском экспорте удельный вес СССР не пре-

Т а б л и ц а   14

Динамика советско-американской торговли

(млн руб.)

Годы	Оборот	Экспорт СССР	Импорт СССР	Сальдо
1980	1502,5	151,0	1351,5	−1200,5
1981	1845,4	183,4	1662,0	−1478,6
1982	2226,4	154,8	2071,6	−1916,8
1983	1900,5	330,5	1570,0	−1239,5
1984	3134,9	305,9	2829,0	−2523,1
1985	2702,5	326,1	2376,4	−2050,3
1986	1458,5	312,5	1146,0	−833,5
1987	1198,4	279,0	919,4	−640,4

вышает 1%, в импорте — 0,15%. Во внешнеторговом обороте СССР на долю США приходится в среднем 1,5%.

Советско-американская торговля развивается в сложных условиях. Для нее характерны частые и резкие колебания товарооборота (см. таблицу 14), несбалансированность и неудовлетворительная структура торгового обмена. В 1981—1987 гг. экспорт США в СССР в 7 раз превосходил объем встречного импорта. Лишь примерно 2% поставляемых в США советских товаров относятся к категории машин и оборудования, остальное — драгоценные металлы, удобрения, нефть и нефтепродукты. В американском экспорте в СССР наибольший удельный вес (в среднем около 50%) имеет сельскохозяйственная продукция: зерно и соевые бобы. Роль машин и оборудования не столь значительна — не более 12—13%.

Такое положение во многом является следствием дискриминационной политики правящих кругов США, в основе которой лежит утверждение, что торговля укрепляет экономику СССР, а это якобы неизбежно ведет к росту военной мощи «потенциального противника». В соответствии с этой концепцией в США была разработана всеобъемлющая система законов и регламентаций, призванная ограничивать двустороннюю торговлю. Помимо экспортных ограничений, существенно расширенных в 80-е годы, важнейшими элементами указанной системы являются: таможенно-тарифная дискриминация советских товаров в результате отказа американской стороны предоставить СССР режим наибольшего благоприятствования в торговле на общепринятых условиях (так называемая поправка Джэксона — Вэника), установление предельного размера государственных кредитов суммой 300 млн дол. (СССР — единственная страна, подвергаемая подобным ограничениям). Законодательная дискриминация дополняется административно - бюрократическим регламентированием, существенно осложняющим развитие двусторонней торговли, затрудняющим работу советских коммерческих представителей на территории США, а также враждебными кампаниями, организуемыми в этой стране противниками сотрудничества с Советским Союзом.

Политические договоренности, достигнутые во второй половине 80-х годов в ходе встреч на высшем уровне между М. С. Горбачевым и Р. Рейганом, включали и совместные заявления руководителей СССР и США, в которых высказывалась твердая поддержка расширению взаимовыгодных торгово-экономических отношений. Практические шаги для достижения этой цели включают активизацию контактов на различных уровнях, в т. ч. в рамках межправительственной советско-американской комиссии по вопросам торговли и Американо-советского торгово-экономического совета (АСТЭС), расширение обмена торгово-экономической информацией, создание первых совместных предприятий и т. д. Задачи развития взаимной торговли предусматривают необходимость повышения конкурентоспособности и качества товаров обеих сторон, поиска более сбалансированной модели торговых отношений.

Транснациональные корпорации

Американские транснациональные корпорации (ТНК) выросли на вывозе из США предпринимательского капитала в форме прямых инвестиций, обеспечивающих материнским фирмам-инвесторам контроль над зарубежными предприятиями (филиалами, дочерними компаниями) в промышленно развитых и развивающихся странах. Несмотря на усиление в 70-е и особенно в 80-е годы японских и западноевропейских конкурентов, американские ТНК продолжают удерживать лидирующие позиции в мирохозяйственных связях, сконцентрировав в своих руках треть всех прямых инвестиций и владея пятой частью общего числа иностранных филиалов, действующих в экономике капитализма.

Господствующее положение среди более чем 2 тыс. американских компаний, имеющих около 20 тыс. зарубежных филиалов, занимают крупнейшие транснациональные монополии. Именно они определяют место ТНК в национальном хозяйстве и внешнеэкономических связях США, силу транснационального монополистического капитала. На долю всего 50 ТНК (2% от общего числа, без учета банков) приходится 47% их совокупного капитала. Им же принадлежит около 90 зарубежных дочерних фирм, имеющих активы от 1 млрд дол. и более. Эти подконтрольные компании-гиганты сами уже вошли в число ведущих концернов капиталистического мира.

Особенно велика концентрация транснационального монополистического капитала в банковской сфере. Всего 50 из 15 тыс. банков США держат под своим контролем почти половину всех банковских активов в стране и практически все размещенные за рубежом депозиты. Лишь на 9 американских банковских монополий приходится 60% иностранных депозитов, принадлежащих американским владельцам, в 900 банковских филиалах (менее 5% от общей численности всех подконтрольных американскому капиталу иностранных предприятий и дочерних компаний) размещено 40% зарубежных активов ТНК США. Причем если в начале 60-х годов лишь около десятой части объема операций банковских транснациональных монополий осуществлялось в международной финансовой сфере, то в начале 80-х годов эта доля достигала двух третей. Затем «кризис задолженности» развивающихся стран и высокие процентные ставки в США несколько снизили роль зарубежных сфер предпринимательства в их бизнесе. Однако и во второй половине 80-х годов транснациональные банковские монополии США удерживают под своим контролем международные финансовые связи США — через импорт ссудного капитала, финансирование деятельности промышленных ТНК и их филиалов, получение выплат в счет огромного долга развивающихся государств, превышающего 1 трлн дол.

Американские ТНК создали за пределами своей страны базирования «вторую экономику» США — комплекс заграничных предприятий (филиалов, дочерних компаний), действующих в промышленности и торговле, финансах и сфере услуг развитых капиталистических и многих развивающихся стран. Формирование «второй экономики» в 50—60-е годы шло преимущественно за счет наращивания американскими корпорациями зарубежных инвестиций в сферу промышленного производства; в 70-е годы этот процесс распространился на банковскую сферу. Для 80-х годов характерно активное внедрение американского капитала в новые отрасли сферы услуг др. стран, в т. ч. научно-технических и проектно-конструкторских, управленческих, информационных.

В текущем десятилетии повышается роль совместных предприятий в зарубежной деятельности ТНК, расширяются контрактные формы совместной хозяйственной деятельности американских и иностранных компаний без участия в капитале друг друга. Однако подконтрольные филиалы по-прежнему формируют костяк международного бизнеса ТНК США. Американским ТНК принадлежит более половины акционерного капитала в 84% предприятий, в которые вложены прямые инвестиции американских корпораций. Тем самым функционирование «второй экономики» оказывается подчиненным интересам американских монополий — идет ли речь о развитии или свертывании производства, экспортно-импортной деятельности, международных финансовых связях или технологической политике.

«Вторая экономика», уже не уступающая по своему потенциалу национальным хозяйствам ФРГ, Франции, Англии и соразмерная с экономикой самих США, служит важнейшим полем деятельности американских корпораций на мировом рынке. Масштабы зарубежного производства ТНК США более чем в 3 раза превышают американский экспорт и соответствуют около 40 % мировой торговли товарами. По услугам разрыв между операциями филиалов и экспортом США шестикратный. Сами зарубежные предприятия широко вовлечены в мировой внешнеторговый оборот, реализуя за пределами принимающих их стран треть своей продукции, или примерно столько, сколько экспортируется товаров из США.

Зарубежный производственный комплекс американских корпораций все активнее используется для снабжения внутреннего рынка США, для укрепления позиций американских ТНК на «своей» хозяйственной территории. Более 40 % экспорта филиалов направляется в экономику США (в основном своим материнским компаниям). Доступ к зарубежным сырьевым источникам (через полностью принадлежащие ТНК США или совместные предприятия, через кооперационные соглашения с иностранными государствами и т. д.) позволяет транснациональным корпорациям более чем наполовину удовлетворять импортные потребности США в нефти и нефтепродуктах, а также в значительной мере спрос американской промышленности на цветные металлы и многие др. виды сырья, имеющие стратегическое значение. Глобальная реорганизация бизнеса, предпринятая ТНК обрабатывающих отраслей

промышленности в 80-е годы, переориентировала многие зарубежные филиалы на снабжение американского рынка и позволила за счет международной кооперации предприятий получать значительную экономию на издержках. В результате происходит расширение импорта по внутрифирменным каналам, особенно из «новых индустриальных» развивающихся стран. Почти пятая часть всего американского импорта теперь приходится на поставки с подконтрольных предприятий ТНК США, а в целом ввоз из-за рубежа товаров, связанный с операциями этих корпораций, приближается к половине импорта США. Расширение закупок иностранных товаров сделало ТНК США прямо причастными к «импортному буму» 80-х годов, к разрастанию торгового дефицита страны.

Особый упор в своей международной политике с «позиции силы» американский империализм делает на научно-технический потенциал ТНК. В самих США их исследовательские центры выполняют две трети НИОКР, проводимых в стране, в т. ч. пятую часть — по заказам (в основном военным) федерального правительства. Используя налоговые рычаги и заказы Пентагона, американская администрация пытается укрепить технологическое лидерство американских монополий в борьбе с западноевропейскими и японскими конкурентами, ускорить рост и увеличить прибыли военно-промышленных ТНК. В отрасли новейшей военной техники, менее подверженные иностранной конкуренции, активно внедряются многие ведущие транснациональные корпорации гражданских отраслей. В 80-е годы автомобилестроительные ТНК «Дженерал моторс» и «Крайслер» поглотили крупные авиастроительные компании, производящие военную технику, существенно расширил поставки Пентагону «Форд». Крупными военными подрядчиками являются ИБМ и другие транснациональные корпорации электронной промышленности. Милитаризация распространяется и на внешнеэкономические связи ТНК, все чаще создающих совместно с иностранными концернами многонациональные консорциумы для производства военной техники по заказам правительств США и др. стран НАТО.

Немалая роль в разработке современной технологии отводится зарубежным исследовательским центрам ТНК, где расходуется каждый десятый доллар, выделяемый транснациональными корпорациями США на НИОКР. В лабораториях американских корпораций за пределами США занято 90 тыс. ученых и инженеров — граждан зарубежных стран, или 13% всего научно-исследовательского персонала ТНК США. Причем в ряде отраслей обрабатывающей промышленности — фармацевтической, радиотелевизионной и средств связи, автомобилестроительной и приборостроительной — значение иностранных лабораторий в исследованиях ТНК гораздо больше, чем американских. «Вторая экономика» США превратилась, следовательно, не только в важнейшую сферу производственной, но и научно-исследовательской деятельности американских корпораций, в источник скрытой «утечки умов» из принимающих, главным образом западноевропейских, стран.

Опираясь на собственную «индустрию знаний» в США и за рубежом, на международную сеть производственных филиалов, американские ТНК держат в своих руках основные каналы международной передачи технологии. Зарубежным филиалам штаб-квартиры ТНК отдают безусловный приоритет в коммерческом использовании технологических новшеств за пределами США. В результате три четверти экспорта патентов и лицензий США приходится на их «передачу» материнскими компаниями своим иностранным филиалам и лишь четверть — на экспорт технологии независимым фирмам. В дополнение к этому сами филиалы направляют 84% расходов на НИОКР в проекты, осуществляемые для их собственных нужд, причем все чаще эти исследования увязываются с работами, проводимыми американскими и др. «родственными» лабораториями в разных странах. Такая внутрифирменная международная кооперация переориентирует технологический обмен между США и др. странами капитализма в сторону связей ТНК и их филиалов. Локализация результатов научно-технического прогресса в рамках ТНК ограничивает доступ к ним развивающихся стран, она же используется правящими кругами США для установления «технологической блокады» стран социализма, сковывающей научно-техническое сотрудничество между Востоком и Западом.

Укрепление позиций в научно-техническом соперничестве японских и западноевропейских монополий вынуждает ТНК США все чаще вступать с ними в кооперационные связи при разработке и производстве передовой техники, ее сбыте на мировых рынках. В 80-е годы соглашения о кооперации заключили ИБМ (США) и «Мицубиси», «Космос-80», «Санкё Сэйки» (Япония) в области электротехники и робототехники, «Дженерал электрик» (США) и «Снекма» (Франция) — в производстве авиадвигателей, «Дженерал моторс» (США) и «Тойота» (Япония) — в области совместного производства автомобилей в США и др. Растет число совместных проектов в создании нового поколения ЭВМ, оптико-волоконных средств связи, интегральных схем, в биотехнологии, производстве новейших видов военной техники. На этой основе более тесными становятся международные межмонополистические связи ТНК США, усиливается переплетение их интересов с транснациональными корпорациями др. стран капитализма. Этому

216

способствует и активное проникновение в американскую экономику иностранных ТНК, увеличивающих свои прямые инвестиции в США в 2 раза быстрее, чем растет вывоз американского предпринимательского капитала за рубеж.

Такие интернациональные связи монополий заставляют администрацию США теснее координировать свою внутри- и внешнеэкономическую политику, отказываться в интересах «своих» ТНК от некоторых традиционных форм протекционизма и антитрестовских санкций, нарушающих хозяйственные связи американских корпораций со своими зарубежными филиалами, а также с концернами др. стран капитализма. Вместе с тем возросшая в 80-е годы зависимость Западной Европы, Японии и особенно развивающихся стран от американского рынка, от технологии и капиталов, находящихся в руках ТНК США, используется правящими кругами этой страны для выторговывания экономических и военно-политических уступок у своих партнеров, «открытия» их экономики для экспансии американских монополий. Внешнеэкономическая политика США, ориентируясь на интересы транснационального монополистического капитала, нередко становится политикой диктата, навязывания неравноправных отношений другим государствам.

Платежный баланс

Платежный баланс США представляет собой стоимостное отражение всех внешнеэкономических операций в виде соотношения платежей и поступлений за данный отрезок времени (как правило, за год). Платежный баланс тесно связан с главными показателями экономического развития: валовым национальным продуктом, национальным доходом и т. п. и наряду с ними является объектом государственно-

монополистического регулирования экономики. Состояние платежного баланса определяет положение доллара в долгосрочном плане.

Платежный баланс отражает совокупность экономических отношений США с др. странами. Он включает следующие основные элементы: торговый баланс, т. е. соотношение между вывозом и ввозом товаров, платежи и поступления по услугам (фрахт, страхование, почтовые и телеграфные платежи и т. п.), некоммерческие платежи и поступления (денежные переводы, дары, расходы, связанные с туризмом и деловыми поездками, государственные расходы на содержание иностранных представительств, военные расходы за границей, военные поставки, субсидии и пр.), доходы и платежи по заграничным инвестициям. Вышеперечисленные статьи образуют платежный баланс по текущим операциям. В платежный баланс также входит движение долгосрочного капитала (ввоз и вывоз), движение краткосрочного капитала, движение валютных резервов, а также статья под названием «статистическое расхождение» (ошибки и пропуски).

Возрастание значения международной миграции капиталов, образование единого мирового капиталистического финансового рынка привело к тому, что важнейшим рычагом воздействия на валютный курс наряду с товарным рынком становится рынок капиталов. В современных условиях зачастую первоначальный толчок к изменению валютного курса дают различия условий на денежно-кредитных рынках отдельных стран, вызывающие перемещение финансовых ресурсов в весьма значительных размерах. Воздействие движения капиталов на валютный курс зависит от конкретных особенностей функционирования валюты той или иной страны, ее места и роли в международных расчетах и платежах. Доллар в наибольшей степени испытывает влияние движения капиталов. Это объясняется как огромными масштабами финансового рынка США, к тому же в наибольшей степени связанного с международным кредитным рынком и в наибольшей степени интегрированного с ним, так и положением доллара в мировом капиталистическом хозяйстве в качестве главного расчетного, платежного и резервного средства. Поэтому положение доллара определяется прежде всего состоянием экономики США в широком смысле слова. Наряду с движением цен на его курс непосредственно влияют темпы экономического роста, фаза цикла, состояние денежного рынка и рынка капиталов, уровень ссудного процента, т. е. факторы, определяющие выгодность и надежность помещения средств в различной форме в США. Изменение этих показателей экономического развития США под влиянием перелива финансовых средств способно вызвать и вызывает значительные долговременные отклонения курса доллара от паритета покупательной силы, т. е. от соотношения товарных цен.

Так, падение курса доллара в 70-е годы было вызвано прежде всего ослаблением общих позиций США в мировой экономике, отставанием от основных конкурентов по ряду показателей, вялым экономическим ростом, периодически прерываемым кризисами, небывалой для послевоенного периода инфляцией. Все это, вместе взятое, привело к резкому снижению доходности всех видов вложений в долларах. В итоге как иностранные, так и американские вкладчики капитала все в больших объемах переводили средства в др., более доходные валюты. Во второй половине 70-х годов этот процесс принял лавинообразный характер. «Бегство от доллара» вызвало небывалое падение его курса в 1977—1978 гг. Всего же за период 1971—1978 гг. доллар обесценился против марки ФРГ на 50%, швейцарского франка — на 62, иены — на 54%.

Ситуация коренным образом изменилась с начала 80-х годов. «Бегство от доллара» уступило место постоянному росту спроса иностранных инвесторов на эту валюту, приведшему к массовому притоку капиталов в США. К началу 1985 г. курс доллара почти на 10% превзошел уровень 1970 г. и достиг послевоенного пика.

Приток капиталов в США был обусловлен более высокими, чем в др. странах, процентными ставками. Реальная величина процентных ставок на американском финансовом рынке (номинальный процент за вычетом темпа роста цен) в 1979—1980 гг. находилась на уровне 10%, по сравнению с 2—3% в 60-х и 1,5% в 70-х годах. В 1983—1985 гг. этот показатель хотя и понизился, но все же составлял 5—7%.

Такой уровень процентных ставок в США объясняется как увеличением спроса корпораций и частных лиц на кредит в условиях экономического подъема, ускоренной структурной перестройки экономики, так и действиями государства. С одной стороны, в попытках обуздать инфляцию, Федеральная резервная система США перешла к политике жесткого кредитного контроля, что сократило предложение заемных средств. С другой стороны, в первой половине 80-х годов наблюдался постоянный рост дефицита государственного бюджета в результате прежде всего небывалой эскалации военных расходов. Для его финансирования, оплаты старых долгов государство прибегало ко все более значительным займам, что способствовало вздорожанию кредита.

В результате приток капиталов постоянно нарастал. Если в 1983 г. в США поступило около 40 млрд дол., то в 1985 г.— почти 120 млрд дол. По состоянию на начало 1986 г. США использовали около 9% сбережений других капиталистических, а также развивающихся стран и тем самым в значительной мере финансировали как свои военные приго-

Таблица 15

Платежные балансы по текущим операциям
основных капиталистических стран
(млрд дол.)

	1982 г.	1983 г.	1984 г.	1985 г.	1986 г.
США	—8,1	—40,8	—101,5	—117,7	—140,6
Япония	—7,6	+20,8	+35,0	+49,2	+86,0
ФРГ	+3,3	+4,1	+6,2	+13,2	+35,8
Франция	—11,5	—4,4	—0,1	—0,2	+3,5
Великобритания	+9,6	+3,9	+0,1	+3,8	—1,6
Все страны — члены Организации экономического сотрудничества и развития (ОЭСР)	—26,1	—25,0	—65,6	—52,4	—16,3

товления, так и промышленное развитие за счет иностранных ресурсов.

Вздорожание доллара понизило конкурентоспособность американского экспорта и одновременно ускорило рост импорта в США. Во многом под воздействием этого фактора имело место дальнейшее быстрое увеличение дефицита торгового баланса этой страны, а также дефицита платежного баланса по текущим операциям. Одновременно изменение направления товарных потоков в значительной степени под воздействием валютно-финансовых факторов привело к заметному улучшению торговых балансов и платежных балансов по текущим операциям большинства капиталистических стран за счет США (см. таблицу 15). Налицо образование небывалого валютно-экономического неравновесия, что отражает резко возросшие диспропорции в развитии мировой капиталистической экономики.

Прилив капиталов привел к утрате Соединенными Штатами традиционных позиций нетто-кредитора капиталистического мира. Если в 1981 г. все американские активы за границей превышали вложения иностранцев в США на 141 млрд дол., то в конце 1984 г.— всего на 4 млрд дол. В 1985 г. США превратились в международного должника, что произошло впервые с 1917 г. К концу 1986 г.

задолженность США превысила 260 млрд дол.

Утрата позиций международного банкира на мировом рынке вызывает в США все большее беспокойство, свидетельством чего явились предпринятые по их инициативе коллективные мероприятия по снижению курса доллара, согласованные на встрече министров финансов ведущих капиталистических стран в сентябре 1985 г. и подтвержденные на встрече на высшем уровне в Токио в мае 1986 г. руководителей США, Великобритании, ФРГ, Франции, Италии, Канады и Японии. По состоянию на конец 1987 г. по сравнению с наивысшим уровнем, достигнутым в феврале 1985 г., курс доллара упал по отношению к основным валютам более чем на 50%. Дальнейшее его снижение вызывает обоснованное беспокойство у основных партнеров США, которые не считают себя застрахованными от нового удара со стороны американских монополий, но теперь уже не в вопросах выкачивания необходимых финансовых ресурсов, а в области внешней торговли. Обесценивающийся доллар может превратиться в эффективное средство экспортного наступления США, орудие разрушительной конкуренции, в один из факторов новой глубокой деформации международного экономического обмена в капиталистическом мире.

СОЦИАЛЬНЫЕ ПРОБЛЕМЫ
И СОЦИАЛЬНАЯ ПОЛИТИКА

Наличие в США ряда социальных проблем, таких, как огромное имущественное и социальное неравенство, безработица, дискриминация отдельных слоев и групп населения, рост преступности и др., служит источником постоянной социальной напряженности, особенно в кризисные периоды. Используя механизм государственно - монополистического регулирования в социальной сфере, правящие круги США принимают различные меры для смягчения этих проблем, с тем чтобы сгладить социальные конфликты.

Развитие государственной социальной политики в США происходило неравномерно. Подходы властей к социальным проблемам и сама структура социальной политики исторически складывались в условиях острой классовой, идеологической и политической борьбы преимущественно в периоды экономических кризисов.

Переход к общенациональной социальной политике в США был осуществлен значительно позже, чем в Европе. Вплоть до 30-х годов XX в. в социально-экономической политике господствовал принцип «твердого индивидуализма», а государственное вмешательство в экономику и социальные отношения объявлялось «социализмом», «коллективизмом», «неамериканским подходом». На практике это означало полную свободу рук бизнесу. Индивидуалистические иллюзии были свойственны и значительной части фермеров и рабочих.

Положение изменилось в результате экономического кризиса 1929— 1933 гг., приведшего к катастрофическому ухудшению положения американских трудящихся. Во избежание нарастания в стране революционной ситуации правящие круги были вынуждены перейти к общегосударственным мерам регулирования экономики и социальных отношений. Таким образом, государственное регулирование в социальной сфере, развивавшееся одновременно и взаимосвязанно с регулированием экономики, стало одним из главных инструментов обеспечения социальной стабильности общества в эпоху государственно - монополистического капитализма.

Государственная социальная политика в США носит двойственный характер. Она содержит важные уступки демократическим силам и предоставляет определенные материальные и правовые гарантии широким слоям населения, предусматривая одновременно механизм обуздания демократических сил и перевода их борьбы на уровень выступлений, удовлетворяющихся требованиями частичных реформ.

Принятые под влиянием широко развернувшихся в 60-е годы массовых движений протеста социальные программы дали новый толчок социальной деятельности государства. Вторая половина 60 — первая половина 70-х годов были периодом наиболее быстрого роста социальных расходов государства в американской истории. К середине 70-х годов эти расходы достигли 20% ВНП (11,5% — федеральные и 8,5% — расходы штатов и местных органов власти). Со второй половины 70-х годов темпы роста социальных расходов замедлились, а в 80-е годы их доля в ВНП сократилась.

Реформы 60-х годов принесли неоднозначные результаты. Сравнительно с другими категориями населения в наибольшей степени выиграли от расширения социальных выплат престарелые американцы. Пенсионное обеспечение стало самой крупной статьей социальных расходов. В то же время многие социальные проблемы остались столь же острыми. В середине 80-х годов бедняков в США было столько же, сколько в середине 60-х. Провалилась попытка обновить американские города, уничтожить «черные гетто» Америки. И без того высокий уровень преступности стал еще выше. Возросло число бездомных. Все это происходило на фоне резкого ухудшения экономического положения страны в 70 — начале 80-х годов, падения реальной заработной платы, роста инфляции, безработицы и налогов.

В 80-е годы правящие круги предприняли попытки существенно ограничить деятельность государства в социальной сфере, но это им удалось лишь частично. Политика администрации Р. Рейгана в этой области натолкнулась на сопротивление американской общественности. Особенно мощной оказалась поддержка системы социального страхования; в результате правительство было вынуждено отказаться от первоначальных намерений резко сократить выплаты (в первую очередь пенсии) по этой системе.

Несмотря на то что эти планы лишь частично удалось провести в жизнь, от политики консерваторов в социальной сфере пострадали десятки миллионов американцев. Был упразднен или значительно урезан целый ряд программ и ассигнований на них в системе вспомоществования, образования, здравоохранения, социальных услуг. Были ужесточены условия предоставления медицинской помощи по программам «Медикэр» и «Медикейд». В результате всех произведенных сокращений резко замедлились темпы роста социальных расходов; если раньше они значительно опережали темпы роста ВНП, то теперь стали от них отставать. Если с середины 30-х и до середины 70-х годов происходил хотя и неравномерный, но в целом ускоренный рост государственной социальной деятельности, со второй половины 70-х годов наступил период замедленного развития, а затем и определенного сокращения социальных обязательств государства. Однако, хотя администрации Р. Рейгана в значительной степени удалось обратить вспять тенденции предшествовавшего периода, социальная деятельность государства в США сохраняет значительные масштабы.

Личные доходы и потребление

Материальное положение американцев характеризуется относительно высоким уровнем личных доходов, неэффективностью и незначительностью (по сравнению с развитыми капиталистическими странами Запада) перераспределительных мероприятий, направленных на выравнивание конечных доходов, самым высоким в мире средним уровнем личного потребления, чрезвычайно глубоким неравенством доходов и потребления материальных благ, неравенством, обусловленным отчетливо выраженным классовым характером механизма распределения этих благ.

С точки зрения отношений собственности **личные доходы** подразделяются на заработную плату, прибыль и поступления некорпорированного сектора.

Движение *заработной платы* — основного источника доходов подавляющего большинства трудящихся — определяется изменением стоимости рабочей силы, колебаниями спроса и предложения на рынке труда и соответствующим уровнем занятости, борьбой рабочего класса за свои экономические права, а также государственной политикой в этой области.

С 1947 по 1985 г. номинальная недельная ставка заработной платы производственных рабочих несельскохозяйственного сектора США увеличилась в 6,6 раза (с 45,6 до 301,2 дол.), однако с учетом повышения потребительских цен реальная заработная плата за этот же период выросла в 1,4 раза (в дол. 1977 г.). При этом среднегодовые темпы ее прироста неуклонно снижались: с 2,2% в 1950—1960 гг. до 1,3% в 1960—1970 гг., а в 1973—1985 гг. зарплата падала в среднем на 1,45% в год.

Сокращение реальной заработной платы, особенно усилившееся в 70 — начале 80-х годов,— длительный процесс, затронувший практически все основные категории занятых: служащих и инженерно-технических работников, квалифицированных, полуквалифицированных и неквалифицированных рабочих, трудящихся почти всех отраслей американской экономики. Реальная заработная плата снизилась среди управляющих среднего звена, конторских служащих, учителей, рабочих заводов, резко ухудшилось положение преподавателей высшей школы. Лишь отдельные категории высококвалифицированных специалистов и рабочих смогли за прошедшее десятилетие существенно улучшить свое материальное положение. Среди работников преимущественно умственного труда в наилучшем положении были врачи, юристы, некоторые категории инженеров, программисты ЭВМ, специалисты наукоемких отраслей.

Динамика заработной платы рабочих и служащих низшего звена в 70—80-е годы отличалась большой неустойчивостью. В 1973—1985 гг. оплата труда этой категории трудящихся выросла только в горнодобывающей и обрабатывающей промышленности.

В 80-х годах рабочие потеряли многие из своих экономических завоеваний прошлых лет. В 1984 г. примерно 0,5 млн рабочим и служащим авиатранспорта, строительства и розничной торговли было навязано сокращение или «замораживание» номинальной заработной платы. Только за два года подъема экономики 1983—1984 гг. эта мера затронула более 1,5 млн чел.— такое же число трудящихся, как и за три предыдущих года глубокого кризиса.

В понятие *прибыли*, т. е. личных доходов от капитала, включаются дивиденды на акционерный капитал, проценты по вкладам, рента за сдачу внаем собственности. В 1985 г. она составила 16,9% общей суммы личных доходов американцев по сравнению с 13,2% в 1970 г., что объясняется быстрым ростом процентного дохода, превращением его в третий по важности источник денежных поступлений населения США (после зарплаты и социальных выплат).

Несмотря на быстрое увеличение в последние десятилетия числа получателей ренты, дивидендов, процентных платежей (за счет возросшей «распыленности» этих источников среди миллионов американских семей), доля личных доходов от капитала в общей сумме семейных доходов среди основных категорий рабочих и служащих оставалась стабильной, колеблясь в диапазоне 2—4%. У наиболее обеспеченных 20% семей доля доходов от капитала составляет около 6%, в т. ч. у самых богатых 5% семей — 8%, а у сверхбогатых 1% семей — 13%. Лишь у нескольких тысяч семей мультимиллионеров она достигает более 50% всех поступлений.

В начале 80-х годов почти один доллар из семи, получаемый американцами, приходился на проценты по вкладам. Это составило свыше 14% общей суммы личных доходов в 1985 г. по сравнению с 8,3% в

1970 г. и 4,3% в 1950 г. В 1985 г. процентный доход от сбережений (банковских вкладов), облигаций, а также накоплений в пенсионных и страховых фондах достиг 476 млрд дол.

Процентный доход непрерывно вытесняет дивиденды, еще три десятилетия назад бывшие одним из основных источников личных доходов от капитала. В 1985 г. доля дивидендов в общей сумме доходов от капитала составила около 15% по сравнению с 34% в 1950 г.

В середине 80-х годов общая стоимость акций и облигаций 2,7 млн корпораций США равнялась примерно 25% стоимости жилого фонда, находящегося в личной собственности. Акции были распределены среди 42 млн индивидуальных владельцев и нескольких десятков тысяч так называемых институциональных инвесторов (страховых компаний, пенсионных фондов и т. д.). Пайщиками таких инвесторов являются 133 млн американцев, накопления которых в пенсионных и страховых фондах используются их держателями в финансовых операциях на рынке ценных бумаг.

Объем получаемой на руки прибыли определяется числом акций, находящихся у акционеров, нормой дивиденда, а также долей прибылей корпорации, подлежащих распределению среди инвесторов.

Владельцы акций в своей массе располагают пакетами небольших размеров, которые, как правило, не дают им реальной возможности воздействовать на принятие решений руководством корпорации. Лишь 6% семей с доходами до 5 тыс. дол. в год владели акциями. Вместе с тем в семьях с доходами свыше 50 тыс. дол. в год имелось более одного акционера.

Важным каналом развивающейся поляризации личных доходов является абсолютное и относительное снижение *доходов некорпорированного сектора*. Сюда входят поступления от предпринимательской дея-тельности владельцев фирм, находящихся в личной, групповой (партнерства и товарищества) и кооперативной собственности. Социально-экономическое положение получателей дохода некорпорированного сектора неоднородно: в 1983 г. из 10,5 млн фирм, находившихся в личной собственности, свыше 90% имели годовую выручку менее 100 тыс. дол. в год, в т. ч. свыше 70% — менее 25 тыс. дол. С точки зрения классовой принадлежности получатели доходов некорпорированного сектора относятся к мелкой и средней буржуазии.

Доход индивидуальных собственников, являющийся наиболее распространенной разновидностью поступлений некорпорированного сектора, представляет собой выручку предприятий, которыми владеют отдельные лица (семьи). В данную категорию входят сельскохозяйственные фермы, конторы, агентства, семейные фирмы, мастерские. Это могут быть как крупные предприятия с большим числом рабочих и служащих и наемными управляющими, так и временный или сезонный бизнес, включая и такой, в котором используется труд лишь самого владельца «собственного дела».

Доля поступлений некорпорированного сектора в общей сумме личных доходов населения неуклонно падает с 17,0% в 1950 г. до 11,8% в 1960 г., 9,6% в 1970 г., 8,0% в 1980 г. и 7,7% в 1985 г. В этом отразился процесс разорения миллионов американских фермеров, мелких розничных торговцев, кустарей и ремесленников. В то же время за такими цифрами скрывается расширение сети предприятий, оказывающих профессиональные услуги (юридические, медицинские, научные, посреднические, ремонтные и т. д.). Их собственники работают на своих предприятиях, как правило, эпизодически или неполный рабочий день, рассматривая выручку от «дела» как вспомогательный источник доходов. Бо́льшую часть своих доходов они получают в виде заработной платы, работая где-либо по найму. Поэтому, несмотря на неуклонное сокращение доли поступлений мелких собственников в общей сумме личных доходов, число новых фирм (в основном мелкого бизнеса) неуклонно растет (с 93 тыс. в 1950 г. до 702 тыс. в 1986 г.).

В отличие от крупной буржуазии мелкие собственники не защищены от превратностей деловой конъюнктуры системой частных и государственных финансовых, кредитных, налоговых и правовых страховочных мер. Ежегодно десятки тысяч бизнесменов-неудачников пополняют ряды беднейшей части населения. Потерпевшие крах владельцы мелких и мельчайших предприятий составляют более трети среди самых бедных семей США. Убытки их достигают в среднем 5 тыс. дол. на семью.

В то же время определенное число лиц, сумевших наладить прибыльное «дело», стабильно получают высокие доходы. Среди самых богатых 5% семей с доходами, превышавшими в начале 80-х годов 50 тыс. дол. в год, владельцы таких высокоприбыльных предприятий составляли 40%.

В Соединенных Штатах еженедельно только в обрабатывающей промышленности создается 4700 мелких предприятий, а 4500 кончают банкротством. В целом более двух третей фирм мелкого бизнеса разоряются в течение первых пяти лет своего существования, а средний доход их владельцев меньше зарплаты нью-йоркского мусорщика.

Перераспределение доходов. Заработная плата, прибыль и доходы некорпорированного сектора являются первичными доходами. В результате процесса перераспределения формируются конечные доходы. Конечные доходы — это первичные доходы за вычетом обязательных платежей (налогов, взносов на социальное страхование и пр.) плюс различные социальные пособия и льготы.

Перераспределение доходов населения происходит по трем основным каналам: государственному, частному и личному. Государственное перераспределение доходов осуществляется через налоговую систему и государственную систему социального обеспечения. Частный сектор помимо обязательных платежей государству участвует в формировании конечных доходов через систему частных фондов страхования и вспомоществования, а также в виде отчислений в благотворительные организации. Перераспределение доходов по личному каналу осуществляется путем передачи денежных и неденежных средств от одних семей и доходополучателей к другим. Часть выплат санкционируется законодательством (алименты, пособия и пр.), другие осуществляются на добровольной основе.

В процессе перераспределения большую роль играет система государственных социальных пособий и услуг, преследующая цель несколько выравнять распределение личных доходов и тем самым повысить потребительский спрос категорий населения с низким и средним уровнями достатка, обеспечить капиталистическое производство образованной и квалифицированной рабочей силой, породить иллюзии у значительной части рабочего класса.

Уравнительное воздействие этих выплат во многом нейтрализуется американской системой налогообложения, от которой больше всего проигрывают семьи со средними доходами. Определенные выгоды от распределительных мероприятий получают только малообеспеченные 30% семей. Однако их первичные доходы настолько малы, а у значительной части — даже отрицательны (т. е. семьи живут в долг или на свои сбережения), что эти выгоды не могут существенно повлиять на материальное положение малообеспеченных семей.

В целом в начале 80-х годов американские семьи в результате перераспределения лишались 18,6% своих первичных доходов. Особенно тяжелое бремя несли семьи со средними доходами: после перераспределения они теряли почти четверть своих первоначальных поступлений. В то же время высокообеспеченные группы населения (самые богатые 5% семей) и особенно крупная буржуазия (сверхбогатые 1% семей) за счет различных налоговых льгот теряли значительно меньшую часть своих доходов.

Личное потребление — это часть конечной фазы общественного производства, при которой произведенные блага используются в процессе удовлетворения личных потребностей и таким образом выбывают из экономического оборота. Между доходами и потреблением, как правило, существует прямая зависимость. Однако в 70 — 80-х годах в результате действия ряда экономических и социально-демографических факторов картина изменилась. Так, с 1973 по 1983 г. денежные доходы на одного получателя до вычета налогов (в дол. 1984 г.) упали на 19%, а потребительские расходы на душу населения выросли на 15%. Это объясняется сокращением в семьях числа иждивенцев (в результате дальнейшего снижения рождаемости), ростом потребительской задолженности населения, уменьшением доли средств, откладываемых американцами в сбережения.

Уровень личного потребления на душу населения в США остается самым высоким в мире. Это касается таких компонентов потребления, как питание, жилье, обеспеченность транспортом, коммунально-бытовые услуги, медицинское обслуживание. При этом потребление отличается не только значительным объемом потребляемых товаров и услуг, но и высоким качеством, широкой их доступностью. В 1983 г., по данным обследования семейных бюджетов, средний доход американских домохозяйств в месяц составил 1919 дол. (до вычета налогов).

Налоговое бремя в **США** значительно, американцы платят самые разнообразные виды податей: личные подоходные налоги, налоги на собственность, с продаж, на наследство и дарение; они взимаются на федеральном, штатном и местном уровнях. Всего только в виде прямых налогов семья выплачивает в среднем 17% своего первоначального денежного дохода, или 325 дол. в месяц. Оставшаяся сумма — 1594 дол. расходуется на потребление и сбережения.

Самым значительным компонентом потребительского бюджета семей остается жилье, которое в 1984 г. поглощало 26,6% всех расходов по сравнению с 23,6% в 1973 г. Жилье — это не только самая большая, но и самая быстро растущая статья расходов. Вместе с тем в стране достигнут один из самых высоких в мире уровней обеспеченности жилищными услугами. В среднем на одного американца приходится около 48 м^2 полезной (отапливаемой) площади. 65% семей живут в собственных односемейных домах и кооперативных квартирах, остальные арендуют жилье.

В 1986 г. цена среднего дома составила 84 тыс. дол. (в 1970 г.— 23 тыс. дол.). 25% этой суммы семья должна выплатить сразу, а оставшуюся сумму можно получить в виде ипотечной ссуды с погашением в течение 30 лет. Поскольку процент по ссуде очень высок (10— 15%), семья за 30 лет выплачивает за дом сумму, в 2 и более раза превышающую его первоначальную стоимость. Общая сумма всех расходов на оплату такого дома, включая погашение ссуды, составляет 1000 дол. в месяц.

Доля затрат на питание в потребительском бюджете семей сокращается. С 1973 по 1985 г. она снизилась с 17,8 до 16,5%. Относительное уменьшение расходов на питание происходит, в частности, за счет замены дорогостоящих продуктов (говядина, сливочное масло и т. д.) на более дешевые (птица, растительное масло и пр.). Качество пищи при этом не ухудшается, она становится более здоровой и полезной.

Затраты на предметы быта составляют незначительную часть бюджета семей: в 1973 г.— 4,4%, в 1985 г.— 4,0%. Сюда входит покупка мебели, предметов хозяйственного обихода, в т. ч. товаров длительного пользования (холодильников, морозильников, стиральных машин и т. д.). По большинству основных электробытовых товаров длительного пользования обеспеченность семей близка к 100%.

Расходы американских семей на одежду имеют тенденцию к снижению. Если в 1973 г. на эти цели они тратили 7,8% своего бюджета, то в 1985 г.— 5,2%.

В среднем на американскую семью приходится 1,8 автомобиля, столько же, сколько и 15 лет назад. Однако затраты по этому компоненту выросли с 18,7 до 19,7% семейного бюджета, что объясняется в основном ростом тарифов на техобслуживание, цен на горючее и увеличением числа и дальности поездок.

На прямую оплату медицинских услуг, несмотря на быстро растущую их стоимость, уходит лишь 4,1% затрат средней американской семьи (1985), поскольку бóльшую часть (72%) расходов на эти услуги берет на себя государство и частный сектор через систему медицинского страхования. В 1985 г. государство покрывало около 40% расходов потребителей на медицинские услуги, система частного страхования — 31%, благотворительные учреждения — чуть больше 1%, а сам потребитель — 28%.

Отдых и развлечения — быстро растущий компонент личного потребления американских семей. В 1973 г. расходы по ним составили 4,7%, а в 1985 г.— 5,5% среднего потребительского бюджета семьи. Значительную часть в этих затратах занимают покупки теле- и радиоаппаратуры, звуко- и видеозаписывающей техники, спортинвентаря.

Средние объемы потребления материальных благ не дают представления о реальном уровне жизни малообеспеченных семей. Так, средний доход американской семьи из двух человек, проживающей ниже официальной «черты бедности», составил в 1983 г. 450 дол. в месяц, включая все пособия по социальной помощи. Арендная плата за однокомнатную городскую квартиру с минимумом удобств составила 220 дол. в месяц, или более половины всего бюджета такой семьи после вычета налогов. Продукты питания приобретаются либо на дешевых рынках, особенно за городом, вблизи ферм, либо посредством льготных продовольственных талонов. Доступность медицинского обслуживания для бедных семей в целом в 2 раза ниже, чем в среднем по стране. Всего в условиях низкой по американским стандартам материальной обеспеченности проживает более 20% всех семей США.

Социально-имущественная поляризация

За последние три десятилетия социально-имущественная поляризация американского общества непрерывно нарастала. Разрыв в уровне текущих денежных поступлений и накопленных богатств вырос между различными группами населения: самыми бедными и самыми богатыми, большинством семей со средним достатком и меньшинством с высоким достатком, белыми и цветными, рабочим классом и буржуазией, наконец, дифференциация увеличилась и внутри классов и социальных групп американского общества.

В 80-х годах происходило относительное сокращение количества домохозяйств со средними доходами при одновременном увеличении числа мало- и высокообеспеченных.

**Распределение домохозяйств
по уровню годового дохода**
(в %)

Годовой доход домохозяйства (в дол. 1984 г.)	1970 г.	1984 г.
До 15 тыс. дол.	30,2	32,2
15—35 тыс. дол.	42,2	38,2
Свыше 35 тыс. дол.	27,6	29,6

Основными причинами усиления имущественного неравенства являются существенное ухудшение экономического положения страны в 70 — начале 80-х годов, продолжающееся изменение отраслевой и профессионально - квалификационной структуры занятости, проводимая правящим классом социально-экономическая политика, в частности сокращение и свертывание программ социальной помощи, рост числа семей, возглавляемых женщинами.

Экономические кризисы и связанный с ними рост массовой безработицы, высокие темпы инфляции, неуклонное снижение реальной заработной платы в наибольшей мере сказались на положении семей трудящихся. Падение доходов рабочего класса было самым глубоким за все послевоенное время. Так, с 1978 по 1985 г. реальная недельная заработная плата производственных рабочих несельскохозяйственного сектора США с учетом роста индекса цен (рассчитанного в дол. 1977 г.) упала на 10,3%.

Сдвиги в отраслевой и профессионально-квалификационной структуре занятости вызвали относительное, а в некоторых отраслях и профессиях абсолютное сокращение среднеоплачиваемых рабочих мест. Продолжался опережающий рост занятости в сфере нематериального производства, где средний уровень оплаты труда значительно ниже, чем по народному хозяйству в целом. В то же время значительно снизилась численность промышленных рабочих (особенно в отраслях обрабатывающей промышленности), в основном за счет среднеоплачиваемых.

На фоне этих сдвигов увеличивалась оплата труда быстро растущего контингента работников новых наукоемких отраслей (производство вычислительной техники, медико-биологическая промышленность, аэрокосмическая промышленность и пр.), а также сферы деловых услуг (услуги биржевых маклеров, консультантов по инвестиционным, банковским и финансовым операциям и т. д.).

Одновременно возрастала поляризация в оплате труда наемных работников. Этому в немалой степени способствовал рост доли занятых в сфере нематериального производства. Уровень заработной платы производственных рабочих в этом секторе экономики в 3—4 раза ниже, чем у управляющих, в то время как в обрабатывающей промышленности только в 1,5 раза.

В результате ярко выраженной промонополистической политики администрации Р. Рейгана за относительно короткий срок социальная и имущественная поляризация между трудом и капиталом резко усилилась. Так, по данным Института проблем городов, с 1980 по 1984 г. средние доходы (с учетом инфляции) самых малообеспеченных 20% семей сократились на 7,1%, причем более половины этого сокращения произошло непосредственно за счет мероприятий администрации. За это же время доходы наиболее обеспеченных 20% семей выросли на 8,7%, при этом около пятой части этого прироста явилось результатом политики республиканской администрации.

Отношения между трудом и капиталом

Антагонистические противоречия между трудом и капиталом свойственны США, как и другим капиталистическим государствам. В то же время можно говорить об особенностях, присущих именно этой ведущей стране капиталистического мира, где процесс концентрации и централизации производства и капитала достиг наибольшей степени.

В экономически активном населении США доля буржуазии составляет 3%, однако решающую роль играет узкий круг сверхбогачей-миллиардеров. В 1980 г. 0,5% американских семей владели 22% национального богатства страны. Центральное место занимают кланы Морганов, Рокфеллеров, Дюпонов, Меллонов, Фордов, Хьюзов. Богатейшие семейства Америки держат под своим контролем коллективную капиталистическую собственность в стране и за ее пределами.

Господствующей формой капиталистического предпринимательства является акционерное общество — корпорация, в которой реальная власть принятия важнейших экономических решений принадлежит крупнейшим собственникам акционерного капитала и высшим управляющим. Свои посты президентов компаний, директоров и членов правлений корпораций высшие управляющие используют для превращения в крупных собственников акционерного капитала. Будучи формально наемными служащими, они в действительности принадлежат к классу капиталистов. Руководители крупнейших корпораций и банков входят в состав монополистической буржуазии. Возрастание в составе крупной буржуазии социального веса и роли высшей управленческой бюрократии — наиболее характерная черта изменения структуры господствующего класса на стадии государственно-монополистического капитализма.

Буржуазия организуется в предпринимательские ассоциации на местном и общенациональном уровнях. Основной целью создания этих ассоциаций является объединение капиталистов для борьбы с профсоюзами и усиления влияния всего класса капиталистов и его отдельных групп на политику государства. Предпринимательские ассоциации осуществляют мощную лоббистскую деятельность, активно создают так называемые комитеты политических действий, которые финансируют избирательные кампании главным образом консервативных политических деятелей. В 80-х годах в США насчитывалось 40 тыс. национальных, региональных и местных ассоциаций предпринимателей. Общенациональными организациями, объединяющими особенно враждебно настроенных по отношению к рабочему движению американских капиталистов, являются существующая с 1895 г. Национальная ассоциация промышленников (НАП) и созданная в 1912 г. Торговая палата США. Эти организации преследуют цель добиваться принятия антипрофсоюзных законов в конгрессе США и препятствовать проведению государством социальных реформ в интересах трудящихся. Антипрофсоюзный закон Тафта — Хартли был принят в 1947 г. под нажимом на конгрессменов лобби НАП и Торговой палаты. В 1978 г. попытки профсоюзов улучшить трудовое законодательство потерпели провал в значительной мере из-за сопротивления этих общенациональных организаций капиталистов. В Торговую палату входят 65 тыс. фирм и корпораций, НАП объединяет около 75% всех промышленных компаний США.

Интересы крупнейших корпораций и банков представляет созданная в 1972 г. влиятельнейшая организация «Круглый стол бизнеса». Она, по существу, является организацией финансовой олигархии. «Круглый стол бизнеса» обладает огромным влиянием на все органы государственной власти. Эта организация обосновала стратегию наступления союза государства и монополий на рабочее движение в конце 70-х годов.

К американскому рабочему классу объективно принадлежит более 80% работающей по найму рабочей силы страны, независимо от характера труда и профессионально-квалификационных различий. Научно-техническая революция и структурный кризис экономики США вызвали изменения в составе рабочей силы. Увеличилось число занятых нефизическим и умственным трудом, в 1985 г. они составили 55% всей занятой рабочей силы. Среднее образование имеют около 75% работающих по найму. Увеличивается число представителей новых профессий в новых наукоемких отраслях. Перестройка и разрушение базисных отраслей промышленности приводят к тому, что уменьшается количество промышленных рабочих. В то же время увеличивается число занятых в нематериальном производстве (торговля, коммунальное хозяйство, сфера обслуживания и т. д.), в настоящее время здесь сосредоточено около 75% всей наемной рабочей силы. Большая часть этой рабочей силы не организована в профсоюзы. В последние годы увеличилось число работающих женщин. В 80-е годы женщины, в большинстве своем занятые в нематериальном производстве, составили 44% рабочей силы. Особенно быстро растет число работающих женщин, принадлежащих к расово-этническим меньшинствам.

По мере изменения структуры наемной рабочей силы стала проявляться тенденция к снижению среднего уровня реальной заработной платы. Постоянно повышается степень эксплуатации американского рабочего класса. За период с 1950 по 1985 г. норма прибавочной стоимости увеличилась со 150 до 300%. С 1980 по 1986 г. прибыли американских корпораций после вычета налогов возросли с 85 млрд дол. до 203 млрд дол. Неуклонно улучшается положение получателей наивысших доходов: крупнейших собственников, управляющих высшего ранга и верхушки средних слоев — лиц свободных профессий.

Ухудшение положения рабочего класса ведет к обострению классовых противоречий. В настоящее время борьба рабочих за свои права ограничивается экономической борьбой профсоюзов за повышение уровня заработной платы и улучшение условий труда на предприятиях. На эту борьбу оказывает влияние изменение положения на рынке труда. Беспрецедентная по продолжительности со времени кризиса 30-х годов безработица ослабила позиции рабочих при заключении коллективных договоров и усилила позиции корпораций. Страх перед безработицей вынуждает организованных рабочих соглашаться на снижение почасовых ставок заработной платы и усиление интенсификации труда. В 80-х годах повышение уровня заработной платы было самым незначительным за весь послевоенный период, по коллективным договорам она ежегодно возрастала примерно на 2,5%, отставая от роста цен.

Главной ударной силой монополистического капитала в борьбе за перераспределение национального дохода в пользу класса капиталистов являются корпорации-конгломераты и транснациональные корпорации. Они имеют возможность выдерживать длительную борьбу с профсоюзами, поскольку убытки от забастовок на предприятиях одной отрасли могут компенсировать повышением степени эксплуатации своих рабочих на предприятиях другой отрасли. Самое большое влияние на позиции труда и капитала в классовой борьбе оказывает образование транснациональных корпораций. Своим главным оружием в экономической борьбе ТНК сделали перевод предприятий из США и других развитых капиталистических стран в страны, где рабочий класс лишен возможности объединяться в профсоюзы для защиты своих интересов и где заработная плата составляет 5—10%

от уровня, существующего в США. Переводом предприятий ТНК ликвидируют в США целые промышленные районы, являющиеся историческими очагами профсоюзной борьбы. За первую половину 80-х годов перевод предприятий лишил американский рабочий класс 5 млн рабочих мест. Интернационализация производства транснациональными корпорациями затруднила организацию забастовок против той или иной корпорации в рамках одной страны. Эксплуатируя на своих филиалах дешевую иностранную рабочую силу, ТНК сводят к минимуму ущерб от забастовок на своих американских предприятиях.

Рост силы интернационального монополистического капитала и давление массовой безработицы на занятых рабочих отразились в первой половине 80-х годов на уровне и размахе забастовочной борьбы. По данным министерства труда США, в 1979 г. в стране произошло 235 забастовок, в которых участвовало более миллиона человек. В 1984 г. было 62 забастовки (376 тыс. участников). Применение корпорациями штрейкбрехеров для срыва забастовок и ликвидации профсоюзных организаций приняло беспрецедентный в послевоенный период характер.

Основные усилия в классовой борьбе корпорации направляют на недопущение организации рабочих в профсоюзы. По официальной статистике в США в среднем каждый двадцатый рабочий из тех, что выразили желание вступить в профсоюз, увольняется в нарушение трудового законодательства. Предприниматели во всех отраслях промышленности расходуют более 500 млн дол. в год на оплату услуг огромной армии антипрофсоюзных консультантов, специализирующихся на разработке мер по срыву организационных усилий профсоюзов.

Корпорации стремятся также максимально ослабить или разрушить профсоюзы. Большая угрозой для профсоюзов стали положения коллективных договоров о так называемой «системе двухъярусной заработной платы». Эта система устанавливает различные почасовые ставки для кадровых рабочих и вновь нанимаемых. Впервые в американской практике заключения коллективных договоров «система двухъярусной заработной платы» была включена в коллективные соглашения после поражения в 1983 г. забастовки водителей автобусов компании «Грейхаунд». По условиям этого договора был отменен профсоюзный принцип «равной оплаты за равный труд» при установлении уровня заработной платы. Заработная плата вновь нанятых рабочих составила 65% от зарплаты рабочих, проработавших три года. Корпорации, которым удается навязать этот тип договора, получили возможность установлением дискриминационной системы заработной платы вносить раскол в ряды рабочих и тем самым ослаблять профсоюзы.

С конца 70-х годов корпорации упорно добиваются ликвидации в коллективных договорах положений о «скользящей шкале заработной платы», согласно которым уровень почасовой заработной платы должен автоматически меняться в зависимости от изменений официального индекса стоимости жизни в США. По данным министерства труда США, с 1977 г. число организованных рабочих, охваченных «скользящей шкалой заработной платы», снижается. Так, в 1985 г. автоматическое повышение заработной платы получали лишь 2,3 млн из 18 млн организованных в профсоюзы рабочих.

Усилению наступления монополистического капитала США на права трудящихся в значительной мере способствовало то, что ухудшались условия повышения прибыльности производства по мере утраты американским капитализмом привилегированного положения в мировой капиталистической экономике и обострения международной конкуренции, учащения экономических кризисов и развития инфляционного процесса.

Под предлогом необходимости повысить эффективность производства и улучшить конкурентоспособность товаров капитал навязывает организованным рабочим «новую систему» трудовых отношений, в которой профсоюзам отводится роль младшего партнера в проведении мер по увеличению прибыльности производства.

Обострению отношений между трудом и капиталом в значительной мере способствовала политика администрации Р. Рейгана, отражающая интересы правого крыла правящего класса. Рейгановская администрация открыто встала на путь перераспределения национального дохода в пользу крупного капитала и крупной буржуазии. С приходом республиканцев к власти было отменено право на получение семьями забастовщиков продовольственных талонов по системе государственного вспомоществования, прекращена выплата компенсаций рабочим, теряющим работу по причине ликвидации их рабочих мест из-за растущего импорта иностранных товаров и товаров с филиалов американских транснациональных корпораций. (Импорт товаров с этих филиалов и вообще импорт иностранных товаров ликвидировал 1,3 млн рабочих мест в отраслях обрабатывающей промышленности только в 1984 г.) Частью экономической и социальной политики республиканцев стало разрушение профсоюзов. Сигналом к развертыванию фронтального наступления государства и монополий на профсоюзы послужило увольнение в 1981 г. по личному распоряжению президента Р. Рейгана 12 тыс. забастовавших авиадиспетчеров и разгон их профсоюза.

В орудие борьбы с рабочим движением превращено Национальное управление по трудовым отношениям, которое во время правления республиканцев было укомплектовано враждебно настроенными к профсоюзам чиновниками. Управление открыто поощряет предпринимателей нарушать трудовое законодательство. Оно нанесло серьезный удар по организованным рабочим, приняв решение, по которому корпорации могут разрывать существующие соглашения с профсоюзами, закрывать предприятия, на которых заняты члены профсоюзов, и переносить производство в районы, где можно по низкой цене нанимать неорганизованных рабочих.

Впервые за послевоенный период государство вступило в прямую конфронтацию с рабочим движением. Отказавшись от политики социального маневрирования, оно открыто приняло сторону монополистического капитала в классовой борьбе.

В рабочем классе растет осознание того, что старая тактика и старые методы борьбы, ограничивавшие ее компромиссным заключением коллективных договоров, неприменимы в новых условиях, что необходимо сочетать экономическую борьбу с политической. Во второй половине 80-х годов забастовочная борьба начала переплетаться с борьбой за изменение экономической и социальной политики государства.

Тенденция к отступлению, проявившаяся в конце 70-х годов и получившая развитие в 80-х годах, когда рабочий класс испытывал временные поражения, занимая оборонительные позиции, постепенно сходит на нет. Растет понимание необходимости классового единства — в особенности международного объединения рабочего класса — для перехода в наступление на транснациональные корпорации. В рядах профсоюзов усиливается борьба против расизма, препятствующего сплоченности рабочих по общности классового интереса. Ширится единство действий трудящихся в массовых демонстрациях против политики правительства. Набирает силу процесс выработки уверенности класса в своих силах, идет созревание классового сознания.

В конце 70 — начале 80-х годов произошло определенное поправение в политическом поведении массы белых рабочих, отошедших от поддержки кандидатов Демократической партии. С конца 60-х годов, когда рост налогов, инфляция и участившиеся кризисы начали снижать их уровень жизни, рабочие стали проявлять недовольство и возмущение экономической и социальной политикой демократов. Этим воспользовалась капиталистическая реакция в лице правых политических деятелей, заинтересованных в свертывании социальных функций государства. Правые силы демагогически объявили себя защитниками интересов «рабочей средней Америки». Не имея альтернативы обанкротившейся политике государственного реформизма, часть рабочего класса поддалась этой социальной демагогии.

Со второй половины 80-х годов рабочие массы, убедившись в том, что политика администрации Рейгана в социально-экономической сфере увеличивает неравенство в обществе, стали отходить от поддержки кандидатов Республиканской партии. На выборах в конгресс 1986 г. они сыграли главную роль в поражении республиканцев.

Из всех развитых капиталистических стран США выделяются самым низким процентом участия рабочих в выборах. Так, в 1984 г. от участия в президентских выборах воздержалось более 84 млн чел., подавляющее большинство которых составляли наиболее дискриминируемые, низкооплачиваемые, неорганизованные группы рабочего класса и безработные. Они не видят никакого существенного различия между Республиканской и Демократической партиями. Не участвующее в выборах большинство рабочего класса представляет собой огромную потенциальную социальную базу для массовой рабочей партии в США. Развитие политического сознания передовых групп рабочего класса идет в направлении все большего понимания того, что, пока рабочие не имеют своей собственной массовой политической организации для воздействия на государство, они не могут рассчитывать на радикальное изменение промонополистической государственной экономической и социальной политики. Впервые с 30-х годов в рядах рабочего движения обсуждаются практические меры подготовки условий для создания своей независимой партии на базе профсоюзного движения, на что постоянно указывает в своих документах Компартия США.

Большое влияние на сознание масс рабочего класса оказывает растущая угроза термоядерной войны. В этих условиях американское рабочее движение начинает все более активно включаться в борьбу против гонки вооружений, за развитие международной солидарности рабочего класса и улучшение советско-американских отношений.

Регулирование трудовых отношений

Система мер, с помощью которых в США осуществляется регулирование трудовых отношений, складывалась на протяжении практически всей американской истории. В наши дни она представляет собой сложный комплекс законодательных актов, административных норм, судебно-правовых установлений, прямых действий исполнительных органов власти. Важнейшими элементами системы являются: трудовое законодательство (федеральное и штатов); специальные административные органы, контролирующие и регулирующие взаимоотношения труда и капитала (министерство труда, Национальное управление по трудовым отношениям, Федеральная служба посредничества и примирения и др.); судебно-правовые органы, призванные толковать и защищать нормы трудового права, а на практике трансформирующие эти нормы; коллективно-договорный процесс, в ходе которого характер и содержание трудовых отношений определяются предпринимателями и профсоюзами непосредственно за столом переговоров.

В разные периоды американской истории в трудовых отношениях господствовали различные формы регулирования. Так, практически до конца XIX в. в трудовых отношениях безраздельно царила судебная корпорация, которая, исходя из прецедентного права, отказывалась признавать законными организации рабочих, их цели и деятельность. В 90-х годах прошлого века в США появляются первые законы, регулирующие условия труда и найма. Однако рабочие организации вплоть до периода «нового курса» Ф. Рузвельта, т. е. до 1933 г., рассматривались американскими судами как «преступные», незаконные объединения.

Легализация американских профсоюзов происходит с принятием закона Вагнера (1935). В условиях подъема массового рабочего движения этот закон не только признал правомочность рабочих организаций, их цели, право на забастовку, коллективный договор, но и обязал предпринимателей воздерживаться от наиболее откровенных форм антипрофсоюзной борьбы. В предвоенный период, после принятия законов о социальном страховании (1935) и справедливых условиях труда (1938), появляется законодательная основа, закрепляющая право американских трудящихся на пенсионное обеспечение, пособия по безработице, устанавливается фиксированный минимум заработной платы, иные социальные льготы.

В атмосфере «холодной войны» и маккартизма, воцарившихся в США в первые послевоенные годы, социальные завоевания периода «нового курса» подверглись консервативному пересмотру. Принятые тогда законы Тафта — Хартли (1947 г.) и Лэндрама — Гриффина (1959 г.) до настоящего времени служат законодательной основой регулирования трудовых отношений в США. Правовыми установлениями, содержащимися в этих законах, существенно ограничивалось право американских рабочих на организацию профсоюзов, запрещались отдельные виды забастовок (так называемые «организованные стачки», проводимые для того, чтобы заставить предпринимателя признать вновь созданный профсоюз, забастовки солидарности, сидячие забастовки, забастовки на железнодорожном транспорте и авиалиниях, политические забастовки, забастовки государственных служащих и др.). Этими же законами жестко регламентировались условия заключения коллективных договоров между профсоюзами и предпринимателями, предписывались меры контроля за внутренней жизнью профсоюзов со стороны государственных органов (включая организацию и проведение выборов профсоюзных руководителей, порядок профсоюзной отчетности, характер и порядок финансовой отчетности профсоюзного руководства), строго оговаривались цели профсоюзной деятельности и требования, которым должен соответствовать профсоюз и его руководители.

До настоящего времени далеко не все области трудовых отношений получили законодательное признание, что оставляет широкие возможности для предпринимательского произвола и антирабочей, антипрофсоюзной деятельности судов. В США отсутствует федеральное законодательство, гарантирующее право на труд, надежно защищающее условия труда женщин и детей, препятствующее дискриминации при найме и увольнении по расово-этническим признакам. Попытки рабочих организаций отстаивать свои права в забастовочной борьбе могут быть пресечены органами власти практически на любой стадии. Не раз в послевоенной истории, опираясь на существующее законодательство либо действуя по собственному усмотрению, американская судебная система, административные органы, а то и лично президент США (как это было при увольнении забастовавших авиадиспетчеров и разгоне их профсоюза в 1981 г.) срывали выступления трудящихся.

Многочисленные попытки американских профсоюзов изменить существующее положение заканчивались, как правило, неудачей. Последняя попытка такого рода, носившая характер широкой законодательной инициативы, была предпринята в 1978 г. Требования профсоюзов об усилении правовых гарантий своей деятельности, демократизации процесса признания рабочих организаций, ослаблении контроля со стороны судебных и административных органов, о расширении правовой защиты от предпринимательского произвола не нашли поддержки в конгрессе США.

В 80-е годы в условиях развернутого наступления правых регулирование трудовых отношений приобретает неприкрыто антипрофсоюзный характер. Тактика предпринимателей, направленная на разгром рабочего движения в США, в этот период находит поддержку со стороны Национального управления по трудовым отношениям, Верховного суда США. Получают распространение и узакониваются такие ранее не существовавшие антирабочие меры, как ликвидация профсоюзов под предлогом возможного банкротства компании либо смены ее руководства, как использование консультативных юридических фирм, специализирующихся на борьбе с профсоюзами, и т. п.

Безработица

Одной из острейших социальных проблем США, вобравшей в себя целый комплекс социально-экономических и социально-политических противоречий современного этапа развития американского государственно-монополистического капитализма, является безработица. Хотя во второй половине 80-х годов по сравнению с началом десятилетия доля безработных в общей численности рабочей силы несколько сократилась, она продолжала оставаться в среднем на уровне 7% (или в абсолютном выражении около 8 млн безработных). При этом среди черного населения относительный уровень безработицы составлял в 1986 г. 14,8%, среди испаноязычных американцев — 12,3%. С учетом 1,2—1,3 млн чел., потерявших надежду найти работу (т. е. не регистрирующихся на бирже труда), а также более 5,5 млн чел., занятых неполный рабочий день, фактические масштабы безработицы превышали в середине 80-х годов 15 млн чел.

Общая масса безработных может быть подразделена на четыре категории:

лица, потерявшие работу вследствие сокращения производства, изменения профиля или закрытия того или иного предприятия. Большая часть таких безработных в зависимости от доминирующих объективных причин увольнения составляет контингент *циклической и структурной безработицы;*

лица, оставившие прежнее место по собственному желанию, но не нашедшие в течение какого-то времени новой работы по не зависящим от них причинам;

лица, впервые вступающие на рынок рабочей силы,— молодежь, выпускники учебных заведений, ранее не работавшие женщины и т. п.;

лица, вновь возвращающиеся на рынок труда после длительного перерыва (как правило, женщины, прерывавшие работу на несколько лет из-за необходимости заниматься воспитанием детей).

Последние три категории безработных составляют контингент так называемой *фрикционной безработицы.*

Динамика безработицы в США демонстрирует устойчивую тенденцию роста в течение всего послевоенного периода. Так, среднегодовое число безработных в 50-е годы достигало 3 млн чел. (4,6% всей рабочей силы гражданских секторов экономики), в 60-х годах оно равнялось 3,6 млн (4,8%), а в 70-х, по данным официальной американской статистики,— 5,9 млн чел. (6,9%).

Повышенный приток на рынок труда в 70-х годах экономически активного населения (в т. ч. из-за высокого уровня рождаемости в первое послевоенное десятилетие), структурные сдвиги в американской экономике, эволюция квалификационной, профессиональной, половозрастной структуры рынка труда США, ускоренное внедрение в производство робототехники и автоматики, интенсивная милитаризация американской экономики, консервативная, антирабочая политика правящих кругов США — вот далеко не полный перечень важнейших причин того, что сегодня безработица в больших масштабах стала существовать наряду со значительным расширением занятости. За десятилетие 1970—1980 гг., например, общее число наемных работников в США возросло более чем на 18 млн чел., а в последующие шесть лет еще на 11 млн. Однако рост предложения рабочей силы намного превышал возможности рынка. Если в 50-е годы для сокращения безработицы на 1% необходимо было создать 1 млн дополнительных рабочих мест, то в 1980—1982 гг.— уже от 6 до 7 млн.

Традиционно масштабы безработицы зависели прежде всего от смены фаз экономического цикла. Однако ныне рассасывание безработицы в фазе подъема экономики происходит в значительно более скромных масштабах, чем раньше. После кризиса 1980—1982 гг. высокий уровень безработицы сохранялся далеко за пределами кризиса.

Наивысших показателей за послевоенные десятилетия безработица достигла в период двух последних экономических кризисов — 1973—1975 гг. и 1980—1982 гг. Так, в период кризиса середины 70-х годов уровень безработицы подскочил до 9%, а в конце 1982 г. достиг рекордной цифры за весь послевоенный период, составив 12,5 млн чел., или более 10% гражданской рабочей силы. В начале 80-х годов в условиях структурной перестройки экономики безработица была особенно велика в традиционных отраслях: в 1982 г. в рядах безработных оказалось 29,2% рабочих металлургической промышленности, 23,2% рабочих, занятых в автомобилестроении. Среди строительных рабочих официальный уровень безработицы составил 18%.

В 80-е годы безработица охватывает, хотя и в разной степени, практически все профессионально-квалификационные, региональные, половозрастные, расовые и национальные группы трудящихся США. Среди некоторых категорий она особенно распространена. Так, в начале 80-х годов молодежь в возрасте до 25 лет составляла более 40% всех безработных (по сравнению с 33% в 1960 г.). Безработица среди черного населения и представителей расово-этнических меньшинств составляла от 42 до 48% в 1980—

1984 гг. Если в 1948—1949 гг. (во время первого послевоенного кризиса) основное бремя безработицы несли на своих плечах мужчины старше 25 лет (50,5% всех безработных), то в 80-е годы их удельный вес сократился приблизительно до 30%, а основную тяжесть безработицы несут женщины и молодежь.

В первой половине 80-х годов значительно увеличилась средняя продолжительность безработицы: для мужчин возрастной категории 45—65 лет она равнялась 5—8 неделям; женщинам того же возраста приходилось тратить на поиск новой работы 4,5—6,5 недели. Мужчины возрастных категорий 25—45 лет были безработными в среднем по 9,5 недели, женщины того же возраста — по 7 недель. По данным министерства труда США, в начале 80-х годов около 20% безработных потратили на поиск новой работы 15 недель и более. Практически в течение всего послевоенного времени существенно не менялась доля лиц, находящихся в состоянии безработицы более 27 недель,— 10% всех безработных.

Далеко не все американцы имеют право на получение пособий по безработице. Для этого нужно иметь определенный стаж работы, выплатить взносы в фонд социального страхования, как минимум, за 12 месяцев, при потере работы зарегистрироваться в качестве безработного и активно искать работу. Во время кризиса 1973—1975 гг. 75% безработных получали пособия. В середине 80-х годов пособие по безработице получали 3,5 млн чел., т. е. менее половины всех безработных. Пособия в большинстве случаев выплачиваются лишь в течение 26 недель. Продление выплат еще на 13 недель, предусмотренное законом от 31 декабря 1974 г., на практике возможно далеко не всегда. Во время пика кризиса начала 80-х годов менее половины американских штатов выплачивали продленное пособие, ко-

торое в среднем по стране составляло тогда около 89 дол. в неделю, т. е. приближалось к трети недельных заработков.

Безработица является одной из основных причин падения жизненного уровня трудящихся США, сокращения их заработной платы, сбережений. Более 40% всех случаев сползания за «черту бедности» в середине 80-х годов было связано с утратой работы. В начале 80-х годов по сравнению с серединой предшествующего десятилетия численность семей с низкими доходами, чей кормилец оставался без работы 15 и более недель, возросла почти на 40%.

По данным американских исследователей, повышение уровня безработицы всего на 1% при условии сохранения ее в течение шестилетнего периода приводит к следующему росту показателей «социальной патологии»:

общей смертности на 2% (в т. ч. от сердечно-сосудистых заболеваний на 2%, от цирроза печени на 2%);

числа самоубийств — на 4%;

количества убийств — на 5,7%;

увеличения числа заключенных в тюрьмах — на 4%;

количества больных, находящихся на излечении в психиатрических клиниках,— на 4%.

Отказ республиканской администрации в 80-х годах от политики прямого воздействия на безработицу путем регулирования рынка труда, стимулирования занятости, долгосрочных программ переподготовки рабочей силы для структурного приспособления резервной армии труда к потребностям капиталистического воспроизводства в сочетании с традиционными объективными причинами безработицы, порождаемыми самим капиталистическим способом производства, способствовал созданию предпосылок для сохранения крупномасштабной безработицы на длительную перспективу.

Проблема бедности

Бедными в США официально считаются лица, чей ежегодный доход не превышает так называемой «черты бедности» (в 1986 г.— 11 200 дол. для семьи из четырех человек). Уровень дохода на «черте бедности» был определен государственными органами США в 1964 г. следующим образом: была подсчитана минимальная стоимость питания, необходимого для поддержания физического существования семьи из четырех человек; эта сумма затем умножалась на три, исходя из того, что стоимость питания составляет одну треть необходимых расходов бедной семьи; остальные две трети — это расходы на жилье, медицинское обслуживание, одежду, транспорт и т. д. Соответствующие коэффициенты учитывались при определении «черты бедности» для семей с другим численным составом. Однако «черта бедности» для семьи из четырех человек используется как стандартный показатель, поскольку такая семья считается наиболее типичной для США.

Официальная «черта бедности» определяется исходя из стоимости товаров и услуг, необходимых для удовлетворения самых минимальных жизненных потребностей. Учитывая высокую стоимость жизни в США, получаемая таким образом цифра семейного бюджета американских бедняков не сопоставима с данными, характеризующими уровень бедности в других странах, для населения которых «минимально адекватный семейный бюджет» беднейшей части американцев может выглядеть достаточно высоким. В действительности, прожиточный минимум для семьи из четырех человек составляет сумму, превышающую официальную «черту бедности» на 20—40%, при этом в такой прожиточный минимум не включаются расходы на отдых, образование, питание вне дома

и т. п. Доходы свыше трети бедняков США составляют менее 50% суммы, определяемой как «черта бедности», а доходы двух третей беднейшего населения США — менее 75%.

В 1987 г. в США насчитывалось 33 млн чел., чей доход был ниже официальной «черты бедности», и еще 11 млн чел., чей доход находился на уровне между 100 и 125% от этой «черты». В условиях ниже «черты бедности» жили 11,4% белого и 31,3% черного населения. Около 12 млн детей — 16,6% белых и 44,5% черных — жили в бедных семьях, и около 16 млн детей (25% от общего количества) жили в семьях, располагающих доходом, который был выше уровня бедности не более чем на 25%.

В течение последних 20 лет структура беднейшего населения США существенно изменилась. В 60-е годы значительную часть его составляли престарелые и семьи, возглавляемые мужчинами. К 80-м годам доля престарелых, чей доход находился ниже уровня бедности, сократилась прежде всего в результате увеличения выплат по пенсионной системе. Сократилась и доля бедных семей, возглавляемых мужчинами в возрасте до 65 лет. В то же время резко возросло число бедняков, проживающих в семьях, возглавляемых женщинами. Их доля в составе беднейшего населения увеличилась с 26,8% в 1960 г. до 49,5% (16,4 млн чел.) в 1985 г. Таким образом, основную часть беднейшего населения США в настоящее время составляют женщины и дети, двое из трех взрослых бедняков — женщины.

«Феминизация бедности» непосредственно связана с тенденциями развития американской семьи за последние десятилетия. Число семей, возглавляемых женщинами, постоянно увеличивается: в первой половине 80-х годов их доля по отношению к общему числу семей составляла свыше 15%. 12% белых

237

и 42% черных семей возглавляются женщинами. Главной причиной увеличения числа таких семей служит рост разводов. В подавляющем большинстве семей, во главе которых находятся женщины, есть дети. Именно такие семьи очень часто оказываются за «чертой бедности». 28% белых и 56% черных семей, возглавляемых женщинами, имеют доход ниже «черты бедности». Доход белой семьи, возглавляемой женщиной, почти в 2 раза ниже дохода белой семьи, возглавляемой мужчиной; среди черных семей разрыв еще больше — соответственно в 2,5 раза. «Феминизация бедности» усугубляет проблему бедности и делает ее более трудноразрешимой. Даже когда женщина — глава бедной семьи работает, эта работа, как правило, настолько низкооплачиваемая, что не может спасти семью от бедности. Если работающий мужчина в большинстве случаев в состоянии поднять семейный доход выше уровня бедности — и самым страшным бичом для таких семей оказывается безработица,— то многие семьи, возглавляемые женщинами, обречены жить в бедности независимо от того, работают они или нет.

Важным фактором, влияющим на положение малообеспеченных слоев населения, является государственная система социального обеспечения. В целом выплаты по системе социального обеспечения снижают цифру, характеризующую распространение бедности в США, примерно вдвое. Однако 40% бедняков с доходом ниже «черты бедности» никаких пособий по бедности не получают, т. к. право на различные виды пособий и помощи (продовольственной, медицинской, жилищной) имеют лишь некоторые категории беднейшего населения, такие, как престарелые, инвалиды и матери с детьми.

Поворот к консерватизму во внутренней политике правящих кругов, начавшийся с конца 70-х и особенно усилившийся в 80-х годах, усугубил проблему бедности в США. Только за первые четыре года пребывания у власти республиканской администрации (1981—1984) ассигнования на помощь беднякам были урезаны на 25% в реальном исчислении. Не менее 500—600 тыс. бедных семей вообще лишились пособий, еще сотни тысяч семей стали получать их в урезанных размерах. Рост безработицы способствовал разорению миллионов американцев и появлению так называемых «новых бедняков», т. е. людей, которые еще недавно имели сравнительно хорошо оплачиваемую работу и причисляли себя к «среднему классу».

В 80-е годы правительство США фактически отказалось от мер, направленных на улучшение положения беднейшего населения страны, дабы за счет уменьшения доли расходов на социальные нужды в федеральном бюджете финансировать гигантскую программу вооружений. Идеологические установки, которыми руководствуется республиканская администрация в своей внутренней политике, провозглашают, что в существовании проблемы бедности виновата не экономическая и социальная система США, а сами бедняки, поскольку они якобы не хотят работать или по своим личным качествам не в состоянии добиться успеха, предпочитая жить за счет общества. Цель подобных утверждений заключается в том, чтобы убедить общественное мнение США в правомерности сокращения программ помощи бедным.

Положение женщин

По данным 1984 г., женщины составляют 51,4% населения страны и 52,3% граждан США, имеющих право голоса, но на их долю приходится лишь 4% всех выборных должностей. В 1986 г. в сенат США были избраны две женщины, в палату представителей конгресса —

23 женщины; одна женщина является членом Верховного суда США. В законодательных органах штатов женщины занимают 13% мест.

Женщины составляют более 44% всей рабочей силы, 62% американок в возрасте от 18 до 64 лет работает по найму, в т. ч. более 50% матерей малолетних детей (до 6 лет).

Женщины в США являются объектом дискриминации во всех сферах жизни. В федеральном законодательстве США, по данным министерства юстиции, в конце 70-х годов насчитывалось около 3 тыс. законов, правил и постановлений, содержащих элементы дискриминации по признаку пола. Большинство дискриминационных законов и постановлений действует на уровне штатов и графств, однако и в федеральном законодательстве нет положений, предоставляющих женщинам полноту прав и защищающих их интересы. Единственное конституционно закрепленное положение, запрещающее дискриминацию по признаку пола в предоставлении права голоса, содержится в XIX поправке (1920) к конституции США. Положений, которые бы гарантировали или провозглашали равноправие женщин, в конституции нет. Более чем полувековая борьба американских женщин при поддержке демократической общественности за внесение в текст конституции США поправки, гарантирующей их равноправие с мужчинами, успехом пока не увенчалась. Хотя соответствующая поправка была принята конгрессом США в 1972 г., она не стала законом, поскольку не была ратифицирована необходимым для этого числом штатов США.

Юридической базой для борьбы за равноправие женщин служат антидискриминационные законы, завоеванные массовым демократическим движением в 60 — начале 70-х годов. Это закон о равной оплате труда 1963 г., закон о гражданских правах 1964 г., VII раздел которого прямо запрещает дискриминацию по признаку пола, закон об образовании 1972 г. и ряд других нормативных актов. Принятие этих законов, являющееся свидетельством определенного улучшения положения дискриминируемых групп населения, в том числе и женщин, не покончило, однако, с их неравноправным положением. В 80-е годы при администрации Р. Рейгана все государственные органы, включая министерство юстиции, фактически полностью отказались от контроля за соблюдением этих законов.

В результате продолжает оставаться нормой дискриминация женщин на рынке труда. Все еще не реализуется принцип равной оплаты за равный труд. Разрыв в оплате мужского и женского труда составляет около 40%, и надежды на его ликвидацию нет. Женщины, таким образом, остаются источником резервной рабочей силы, обеспечивающей предпринимателям сверхприбыли. Подавляющее большинство (80%) работающих женщин занято на низкооплачиваемой, малопрестижной работе. Они же составляют две трети работающих неполный рабочий день. В условиях США это означает, что они лишены права на пенсию и др. льготы, которые предприниматели вынуждены предоставлять своим постоянным работникам. В престижных и хорошо оплачиваемых профессиях женщины составляют незначительное меньшинство: 14,6% среди врачей, 15,6% среди юристов, 3% среди инженеров, 1% среди управляющих. Женщины, имеющие высшее образование, получают, как правило, не больше, чем мужчины, не окончившие и среднюю школу. Даже те из женщин, кто защитил докторскую диссертацию в области естественных наук, получают на 10—20% меньше своих коллег-мужчин. Сохраняется дискриминация женщин и при получении образования, профессии, при повышении по службе.

В США отсутствует федеральное законодательство, защищающее материнство и детство. Лишь в немногих штатах установлено право женщин на отпуск (неоплачиваемый) по беременности и родам. Отсутствует система доступных и недорогих детских учреждений. Все это создает серьезные трудности для работающих женщин, мешая им совмещать профессиональные функции и материнство. Эти трудности усугубляются кризисными процессами, происходящими в семье,— половина браков распадается, увеличивается число детей, рожденных вне брака. В середине 80-х годов насчитывалось более 10 млн семей, возглавляемых женщинами. В США нет федеральных законов, обязывающих отцов платить алименты на содержание детей, вопрос решается судом в индивидуальном порядке. В 1981 г. лишь 59% из 8 млн разведенных женщин с детьми суд присудил получение алиментов.

При отсутствии единой общенациональной системы семейного права отношения внутри семьи регулируются законами отдельных штатов, причем во многих из них до сих пор закреплено зависимое положение жены. В некоторых штатах замужняя женщина не может заключать имущественные сделки без согласия мужа. Юридическим местом жительства жены считается, как правило, место жительства мужа.

В богатейшей стране капиталистического мира прямо нарушаются законы и установления мирового сообщества, принятые большинством членов ООН и призванные положить конец дискриминации женщин. США до сих пор не ратифицировали Конвенцию о ликвидации всех форм дискриминации в отношении женщин, одобренную ООН в 1979 г.

Положение молодежи

В 60—70-е годы в США наблюдалась тенденция к увеличению доли молодежи в населении страны, обусловленная «бумом рождаемости» 50-х годов. В 1985 г. в стране насчитывалось около 40 млн лиц этой группы населения. (К молодежи принято относить лиц в возрасте от 16 до 24 лет.)

Будучи неоднородной в классовом и социальном отношении, молодежь тем не менее сталкивается с проблемами, общими для этой возрастной группы, хотя острота проблем неодинакова для представителей различных слоев общества.

В условиях научно-технической революции значительно возрастают требования к общеобразовательной и профессиональной подготовке молодежи. С 1965 по 1985 г. количество учащихся в высших учебных заведениях США увеличилось более чем в 2 раза: 1965 г.— 5675 тыс. чел., 1984 г.— 12 304 тыс. чел. В определенной мере это объясняется демографическими сдвигами, проявляющимися в увеличении доли молодежи в общей численности населения страны. Другой причиной роста количества студентов в США являются развитие НТР и особенности самой системы образования.

В 60—70-е годы происходило значительное расширение сети так называемых младших двухгодичных колледжей, дающих в основном профессионально-техническое образование. Младшие колледжи, хотя формально и входят в систему высшего образования, являются фактически средними специальными учебными заведениями, готовящими узких специалистов. Эти колледжи с умеренной платой за обучение и несложными учебными программами оказались наиболее доступными для выходцев из малообеспеченных, рабочих семей, для представителей расово-этнических групп. В настоящее время около 40% студентов учатся в младших колледжах. Расширение сети младших колледжей было продиктовано, с одной стороны, объективной в условиях научно-технической революции потребностью в квалифицированной рабочей силе и стремлением уменьшить приток в университеты и четырехгодичные колледжи представителей трудящихся масс — с другой.

Несмотря на то что в результате расширения доступа молодежи к высшему образованию расовый и этнический состав американского студенчества претерпел определенные изменения, расовая дискриминация в сфере образования остается одной из острейших социальных проблем. Молодежь расово-этнических групп находится в условиях, препятствующих получению полноценного школьного образования,— массовая бедность, жизнь в гетто, языковая дискриминация. В середине 80-х годов 33% черных школьников учились в практически полностью сегрегированных школах, где качество обучения значительно ниже, чем в школах с преобладающим белым составом учащихся. Лишь 20,2% испаноязычных учащихся, 15,5% учащихся азиатского происхождения и 5,2% индейцев имеют возможность обучаться на родном языке. Представителям расово-этнических групп получить высшее образование также труднее, чем белым американцам.

Молодые люди, вступающие на рынок труда в качестве рабочих или дипломированных специалистов, сталкиваются с комплексом проблем, в первую очередь с безработицей и дискриминацией. В 80-е годы тяжесть безработицы в значительной степени легла на плечи молодежи. Это объясняется, в частности, диспропорцией между реальными требованиями рынка труда и количеством молодежи, впервые вступающей на этот рынок, а также разрывом между квалификационно-профессиональными запросами рынка рабочей силы, изменившимися в условиях научно-технической революции, и уровнем и характером профессионально-технической подготовки молодежи. Кроме того, при найме на работу молодежь подчас предъявляет повышенные требования к характеру и условиям труда, размерам оплаты, отличается большей бескомпромиссностью, чем старшее поколение.

В 1980 г. более 40% безработных составляли молодые люди в возрасте до 25 лет. В последующие годы безработица среди молодежи снизилась, но продолжала оставаться значительно выше среднего уровня по стране.

Таблица 2

Уровень безработицы среди молодежи
(в %)

	1982 г.	1983 г.	1984 г.
Всего безработных в стране	9,7	9,6	7,5
В возрасте до 25 лет	17,8	17,2	14,0
В возрасте 16—19 лет	23,2	22,4	18,9

В 1985 г. уровень безработицы среди молодежи до 20 лет составил 18,5%, в том числе среди белых англоязычных американцев — 15%, черных американцев — 41, испаноязычных американцев — 21%.

Реальные условия, в которых оказалась значительная часть американской молодежи 80-х годов,— невозможность найти работу даже при наличии диплома, невозможность получить диплом из-за недостатка средств или расово-этнических преград — оказывают серьезное воздействие на умонастроения молодежи, на формирование ее социальной психологии, ценностных ориентаций и поведение, порождают ощущение безысходности, бессилия, отчужденности.

Подобные настроения усиливают распространение среди молодежи тяжелейших общественных пороков — преступности и наркомании. Так, в 300 городах США орудуют

2200 молодежных банд, насчитывающих около 96 тыс. участников. Особенно развита молодежная преступность в крупных городах страны: Нью-Йорке, Чикаго, Лос-Анджелесе и др.

Своеобразной реакцией на проблемы современного американского общества является распространение среди молодежи наркомании. 80% американских школьников хоть раз, но пробуют тот или иной наркотик, и многие из них становятся жертвами этого опасного порока. Распространение наркомании облегчается относительной доступностью наркотиков на черном рынке.

Положение престарелых

К престарелым американская статистика обычно относит лиц в возрасте 65 лет и старше. По мере роста продолжительности жизни число престарелых и их доля в общей численности населения увеличиваются: к середине 80-х годов они составляли почти 12% населения, или свыше 28 млн чел. Кроме того, насчитывается еще 12 млн чел. в возрасте 60—64 лет.

В 50-е годы свыше 40% престарелых жили в бедности; в 1985 г. доля престарелых, живущих в бедности, понизилась до 12,6%. Хотя благодаря расширению выплат по системе социального обеспечения многие пожилые американцы за последние десятилетия сумели поднять уровень своего семейного дохода выше официально установленной «черты бедности», в большинстве случаев они недалеко от нее ушли. В общей сложности 20,8% престарелых обладают доходом в пределах 125% от «черты бедности», фактически каждый пятый престарелый в середине 80-х годов жил в бедности. В среднем семейный доход престарелых остается на 40% ниже дохода семей, возглавляемых людьми моложе 65 лет.

Для многих американцев характерно стремление накопить к старости какие-то сбережения, вложить деньги в ценные бумаги, обеспечить себе частную пенсию и т. д. Однако главным источником их дохода служат государственные пенсии. Для двух третей престарелых государственные пенсии составляют свыше половины их дохода.

Развернувшееся в 30-е годы движение пожилых американцев за свои права вынудило конгресс США принять в 1935 г. закон о социальном страховании, установивший пенсионное обеспечение престарелых через систему государственного социального страхования. На протяжении первых десятилетий размер пенсионных пособий был весьма низким, и лишь в 70-х годах произошло заметное повышение размеров выплат, которые с 1975 г. были привязаны к уровню инфляции, автоматически повышаясь ежегодно в зависимости от роста потребительских цен. В 1984 г. размер пенсий составлял от 24 до 63% зарплаты, получаемой перед выходом на пенсию. Более высокий уровень начисления пенсий предусмотрен для низкооплачиваемых, хотя в долларовом исчислении их пенсии, естественно, ниже, чем у высокооплачиваемых. Средний размер пенсии находится примерно на уровне «черты бедности».

Пенсионный возраст одинаков и для мужчин и для женщин — 65 лет. На пенсию можно выйти и в возрасте 62—64 лет, в этом случае пенсия будет выплачиваться в урезанном размере. Тем не менее в настоящее время двое из трех пожилых американцев выходят на пенсию именно в этом возрасте. После 65 лет продолжают работу лишь 19% мужчин и еще меньше женщин. Люди физического труда, как правило, к этому возрасту уже слишком измотаны, чтобы продолжать работать. Кроме того, для большинства рядовых служащих существуют и другие веские причины покидать работу по достижении пенсионного возраста, прежде всего это нежелание хозяев держать их на работе и давление резервной армии труда, в частности более молодых конкурентов. Престарелые бедняки могут обратиться за дополнительным пособием по так называемой программе гарантированного дохода. Однако доход, гарантируемый этой программой, значительно ниже «черты бедности».

Зависимость престарелых от государственных социальных выплат является причиной того, что они проявляют повышенную политическую активность. 70% пожилых американцев голосуют на выборах, что составляет самый высокий процент среди всех слоев населения. Пожилые объединяются в ассоциации, защищающие их права, осуществляющие лоббистскую деятельность в конгрессе, организующие кампании в пользу или против тех или иных мер, затрагивающих их интересы. Деятельность подобных общественных организаций способствовала, в частности, тому, что внесенный в 1981 г. республиканской администрацией законопроект о снижении пенсий на 20% был отвергнут сенатом США.

Демографические сдвиги (так называемое «старение населения» в результате роста продолжительности жизни) и усиление консерватизма во внутренней политике американского государства в 80-е годы серьезно осложняют перспективы дальнейшего улучшения положения престарелых. Система пенсионного обеспечения с конца 70-х годов находится в состоянии долгосрочного финансового кризиса и лишь путем резкого повышения взимаемого с трудящихся налога на социальное страхование сохраняет свою платежеспособность.

Расовая проблема

Одной из острейших внутриполитических проблем США, своими корнями уходящей в глубокое прошлое страны, является расовая проблема. Несмотря на провозглашенное конституцией США равноправие американских граждан, Соединенные Штаты продолжают оставаться страной расового неравенства и дискриминации. США, значительную часть населения которых составляют представители расово-этнических групп,— одно из немногих государств — членов ООН, которое на протяжении долгих лет отказывается взять на себя конкретные договорные обязательства по борьбе против расовой дискриминации. Они до сих пор не ратифицировали Международную конвенцию о ликвидации всех форм расовой дискриминации, принятую ООН в 1965 г.

В 60-е годы в условиях подъема массового движения за гражданские права негров и развернувшихся вслед за ним движений испаноязычных американцев и индейцев правящие круги были вынуждены пойти на ряд законодательных и практических мер, направленных на борьбу с дискриминацией и ее последствиями, на улучшение социально-экономического положения расово-этнических групп. Принятие законодательства о гражданских правах способствовало уничтожению наиболее одиозных форм расовой сегрегации и дискриминации, создало правовую основу, позволяющую этим группам действовать через суды и другие органы в случаях явных проявлений сегрегации и дискриминации. Однако остается экономическая основа расовой дискриминации — заинтересованность господствующего класса в сверхэксплуатации миллионов цветных американцев.

Дискриминация и ее последствия определили сохранение неравенства расово-этнических групп в сфере занятости. Они до сих пор непропорционально представлены в наименее квалифицированных и самых низкооплачиваемых специальностях. Согласно данным американской статистики, черные и испаноязычные американцы составляют свыше 40% всех занятых в домашнем услужении, 26% неквалифицированных рабочих в промышленности, свыше 25% работников сферы обслуживания. В то же время среди квалифицированных рабочих в промышленности и строительстве черные и испаноязычные американцы составляют менее 16%, среди врачей — 10,8, управленческого и административного персонала — 8,5, преподавателей высшей школы — 6,9, инженеров — 5,2, юристов и судей — 4,6%.

О сохраняющейся дискриминации при найме и увольнении свидетельствует несокращающийся разрыв в уровне безработицы между белыми и цветными американцами. В 1965—1975 гг. уровень безработицы среди черных был в 1,8 раза выше уровня безработицы среди белых, в 1975—1980 гг.— в 2 раза, в 1980—1985 гг.— в 2,3 раза. Наиболее катастрофический характер носит безработица среди черной молодежи, в последние 10 лет постоянно превышающая 40%, а также среди индейского населения, согласно весьма заниженным официальным данным, составляющая около 40%.

Расово-этнические группы подвергаются систематической дискриминации и в оплате труда. Несмотря на некоторое сокращение разрыва в заработной плате между различными группами цветных и белыми американцами в последние десятилетия, он все еще остается значительным. Средний недельный заработок черных составляет лишь 77% среднего недельного заработка белых.

Результатом дискриминационной практики и ее последствий является значительный разрыв в доходах белых и цветных американцев. К 1975 г. средний доход черной семьи составлял 62% от дохода белой. Однако к 1980 г. соотношение между доходами черных и белых

американцев упало до 58%, а к середине 80-х годов снова, как и четверть века назад, составило 55%. В 80-е годы наблюдается падение жизненного уровня и др. расово-этнических групп. Если в 1980 г. средний доход испаноязычной семьи составлял 69% от дохода белой англоязычной семьи, то к середине 80-х годов — 67%. Самый низкий уровень доходов у индейского населения. Черные и испаноязычные американцы, насчитывающие менее 20% населения США, составляют 40% всех бедняков в стране. Около половины всех черных детей живет в бедных семьях.

Несмотря на принятие законов и судебных решений, объявивших расовую сегрегацию и дискриминацию в жилищной сфере незаконной, по оценке министерства жилищного строительства и городского развития США, 2 млн черных и испаноязычных американцев ежегодно отказывают в сдаче в аренду и продаже жилья из-за их расово-этнической принадлежности. Разделение Америки на населенные цветными городские центры и благополучные «белые» пригороды за последние десятилетия не только не сгладилось, но и достигло беспрецедентных за всю историю страны масштабов. Негритянские и испаноязычные гетто многих американских городов — это не только внешнее разрушение, но и изломанные судьбы, хроническая безработица и нищета и неизбежно связанные с ними социальные болезни — алкоголизм, наркомания, проституция, преступность.

Широкие массы цветных американцев практически лишены доступа к качественному медицинскому обслуживанию. Среди них значительно шире распространены хронические и тяжелые инфекционные заболевания, более высокая смертность и низкая продолжительность жизни. Детская смертность среди черных американцев вдвое выше, чем среди белых. Средняя продолжительность жизни черных на шесть лет, а испаноязычных — на девять лет ниже, чем белых. Самая низкая в стране продолжительность жизни — 44 года — среди индейцев.

Одна из самых острых проблем, стоящих перед всеми расово-этническими группами,— дискриминация в сфере образования. В 1970 г. 52% черных детей обучались в фактически сегрегированных школах (где цветные составляют большинство учащихся), а к началу 80-х годов — уже 63%. Сегрегированное образование — это образование второго сорта, оно не дает возможности многим выпускникам расположенных в черных, мексиканских и пуэрто-риканских кварталах школ получить работу, требующую высокой квалификации, преграждает доступ к высшему образованию. Среди белых англоязычных американцев доля лиц со средним или незаконченным высшим образованием на 18% выше, чем среди черных, и на 30% выше, чем среди испаноязычных. В то же время 23% черных, 38% испаноязычных американцев имеют лишь начальное образование (в среднем по стране 14%).

Перед испаноязычными американцами, индейцами, а также перед представителями других групп, сохранившими родной язык как основное средство общения в семье и в рамках своей этнической группы, остро стоит проблема языковой дискриминации. Американский капитализм лишил испаноязычное и др. языковые меньшинства возможности обучаться на родном языке, использовать его в общественно-политической жизни, тем самым превратив сохранение родного языка в «языковой барьер», препятствующий тому, чтобы миллионы американских граждан пользовались декларируемым «равенством возможностей». Несмотря на принятие конгрессом США в 1968 и 1974 гг. законов о двуязычном обучении, различными программами двуязычного обучения охвачено менее 10% нуждающихся в них детей.

Формально все граждане США имеют равные права на участие в выборах независимо от цвета кожи. Однако зафиксировавшая это положение XV поправка (1870) к конституции США до середины 60-х годов XX в. существовала только на бумаге: большинство негритянского населения, как и других цветных американцев, почти в течение столетия было фактически лишено возможности участвовать в выборах. Закон о гражданских правах 1964 г. и особенно закон об избирательных правах 1965 г., а также ряд судебных решений 60-х годов сыграли важную роль в устранении как формальных, так и фактических препятствий, преграждавших черным и другим небелым американцам дорогу к избирательным урнам, способствовали значительному усилению их роли на выборах. Однако в силу целого ряда причин экономического, социального и психологического характера абсентеизм среди цветного населения США по-прежнему высок — значительная часть цветных американцев не зарегистрирована в качестве избирателей и не участвует в выборах. Согласно официальным данным, в 1984 г. из 17 млн черных граждан избирательного возраста лишь около 12 млн было зарегистрировано в качестве избирателей и участвовало в голосовании.

Результатом развернувшейся со второй половины 60-х годов борьбы расово-этнических групп за свои права явилось значительное расширение их политического представительства. К середине 80-х годов число черных американцев, занимающих выборные должности на различных уровнях, превысило 6 тыс. (в 1970 г. оно не достигало 1,5 тыс.). В 1987 г. они имели 23 представителя в конгрессе США и около 400 представителей в законодательных собраниях штатов. Концентрация черных и других меньшинств в городских центрах явилась объективной основой роста числа черных мэров: во второй половине 80-х годов черные являлись мэрами свыше 380 городов США, в т. ч. таких крупнейших, как Лос-Анджелес, Чикаго, Детройт, Филадельфия, Атланта, Кливленд, Вашингтон. За последнее десятилетие расширения политического представительства добились и испаноязычные американцы. Во второй половине 80-х годов они занимали 13 мест в палате представителей конгресса США, 115 — в законодательных собраниях штатов, посты мэров 12 городов, в т. ч. таких крупных, как Сан-Антонио, Эль-Пасо и Денвер. Однако, несмотря на значительное расширение в результате борьбы минувших десятилетий участия черных и других цветных американцев в политической жизни США, многие дискриминационные барьеры до сих пор лишают их пропорционального политического представительства. Черные американцы занимают лишь 1,2% из 490 800 выборных должностей в стране. В соответствии со своей численностью испаноязычные американцы должны были бы иметь 20 представителей в конгрессе США, занимать от 12 до 36% мест в законодательных органах юго-западных штатов (они занимают от 5,5 до 15,2%).

Черные и другие цветные американцы лишены должной защиты со стороны закона, записанных в конституции США правовых гарантий. Американское правосудие носит откровенно расистский характер. Даже официальная статистика свидетельствует, что черные и другие цветные американцы значительно чаще подвергаются арестам, чем их белые соотечественники, получают за одни и те же преступления более высокие сроки наказания, чем белые. Подготовленные в последние годы доклады авторитетных комиссий показывают, что выносимые представителям меньшинств приговоры носят настолько жестокий характер, что противоречат международно признанным правам заключенных на возможность реабилитации и возвращения к нормальной жизни. Более половины всех приговоренных к смертной казни, значительная часть отбывающих пожизненное тюремное заключение — черные. Свыше 50% всех убитых полицией за последние годы — черные.

Американские власти широко прибегают к карательно-репрессивным методам для подавления выступающих за гражданские права организаций и их лидеров. Арсенал репрессивных средств включает разгон массовых демонстраций полицией и национальной гвардией, привлечение активистов движений к уголовной ответственности по сфабрикованным обвинениям, судебные и полицейские преследования организаций, пользующихся наибольшим влиянием в массах.

Зловещая черта жизни США 80-х годов — возрождение Ку-клукс-клана, активизация других расистских организаций. Деятельность Ку-клукс-клана более не ограничивается травлей черного населения Юга. Куклуксклановцы терроризируют испаноязычное население юго-западных штатов, американцев азиатского происхождения. Безнаказанность совершаемых куклуксклановцами убийств и др. преступлений поощряет их к дальнейшим провокационным действиям.

Многие направления широкого наступления господствующего класса на интересы расово-этнических групп, наметившиеся в 70-е годы, получили развитие с приходом к власти в 1981 г. республиканской администрации, предпринявшей ряд конкретных шагов с целью ограничения возможности применения антидискриминационного законодательства, затруднения работы органов, призванных проводить его в жизнь. Республиканская администрация заняла непримиримую позицию по отношению к мерам, направленным на десегрегацию школ, борьбу с дискриминацией в сфере занятости и высшего образования. Тяжелым ударом по положению меньшинств стал пересмотр бюджетных приоритетов — сокращение ассигнований на социальные нужды и перекачка этих средств в военный бюджет.

Проблема преступности

В последние десятилетия преступность в США приобретает все более открытые, массовые и жестокие формы. Происходит усиление темпов роста преступности и все большее вовлечение в нее молодежи, концентрация преступности в городах и промышленных центрах.

Преступность в США слагается из трех основных ее видов: «беловоротничковой», организованной и общеуголовной. Каждый из этих видов преступности обладает своими характерными особенностями и специфической социальной опасностью.

Так называемая *«беловоротничковая» преступность* представляет собой совокупность преступлений, совершаемых «респектабельными лицами» высокого социального положения в ходе их профессиональной деятельности. «Беловоротничковая» преступность охватывает такие уголовно наказуемые действия, как получение взятки официальным лицом от предпринимателя с целью содействовать заключению выгодного контракта или добиться принятия угодного закона; хищение фондов или использование их не по назначению; умышленно организованные банкротства; сговор о фиксировании цен на ту или иную продукцию; фальсификация продуктов питания и медикаментов; сокрытие подлежащих налоговому обложению доходов; обман клиентуры при производстве строительных и ремонтных работ и тому подобные незаконные действия в сфере производства, торговли и обслуживания.

«Беловоротничковая» преступность является для США серьезной проблемой как общесоциального, так и экономического плана. Ежегодно наносимый ею материальный ущерб экономике США до 1980 г. исчислялся в среднем в 45 млрд дол.

Организованная преступность представляет собой противоправную деятельность членов преступных ассоциаций, занимающихся добыванием денег посредством обеспечения населения незаконными товарами и услугами, включающими, в частности, организацию азартных игр, проституцию, распространение наркотиков, предоставление денежных ссуд под большие проценты. Способы добывания денег или ценностей организованными преступниками включают также насилие или угрозы применения насилия, мошенничество, вымогательство, в частности, посредством причинения или угрозы причинения ущерба и т. п. Преступные организации вкладывают часть своих огромных капиталов в легальные предприятия. Происходит так называемая инфильтрация организованной преступности в легальный бизнес, что не только приносит доход, но и создает респектабельную маскировку преступной деятельности. С каждым годом это явление приобретает все большие масштабы. Усиливается проникновение организованной преступности и в профессиональные союзы. Проникая в существующие или создавая новые профсоюзные организации, организованные преступники берут их под свой контроль и используют как средство давления на предпринимателей. В частности, создавая препятствия правильному функционированию предприятия и ставя предпринимателя на грань разорения, организованные преступники вымогают у него деньги, диктуют условия производства и оплаты труда рабочих и т. д.

Организованная преступность наносит населению страны огромный моральный и материальный ущерб. Предположительно ежегодные ее доходы от различного рода незаконной деятельности в начале 80-х годов превышали 160 млрд дол. Только незаконная торговля наркотиками в США приносит организованной преступности около 300% прибыли. Спрос на наркотики растет. По данным конгресса США, в начале 80-х годов незаконная торговля наркотиками приносила организованной преступности ежегодный доход не менее 80 млрд дол.

Национальная уголовная статистика США учитывает состояние и динамику лишь восьми видов *общеуголовных преступлений* — так называемый «индекс преступности». В «индекс» входят преступления, связанные с насилием над личностью — умышленное убийство, изнасилование, нападение при отягчающих обстоятельствах (включая покушение на убийство), а также имущественные преступления — ограбление, кража, кража со взломом, кража автомашин, поджог.

Статистические данные, характеризующие общее состояние и динамику развития преступности по стране в целом, а также отдельных ее видов, используются правительством США для разработки мер борьбы с нею.

Таблица 3

Динамика общеуголовной преступности

Годы	Общее число зарегистрированных «индексных» преступлений	Насильственные преступления	Имущественные преступления
1975	11 292 410	1 039 710	10 252 700
1980	13 408 220	1 344 520	12 063 700
1983	12 108 590	1 258 090	10 850 500
1984	11 881 780	1 273 280	10 608 500

По данным за 1984 г., в США каждые 25 сек. совершалось пре-

ступление, связанное с насилием, а каждые 3 сек.— имущественное.

Национальная уголовная статистика не дает, однако, подлинной картины состояния преступности в стране, т. к. отражает лишь некоторую часть фактически совершенных преступлений. В частности, данные о преступлениях поступают из полицейских управлений на добровольной основе, т. е. не от всех полицейских управлений, и, следовательно, не могут считаться полными. Национальная статистика не учитывает менее серьезные преступления, хотя их число в несколько раз превышает число «индексных» преступлений. Существует также огромное число преступлений, которые остаются неизвестными полиции, т. к. заявления делают лишь 23% из числа лиц, столкнувшихся с преступлениями.

На основе расширяющейся инфильтрации организованной преступности в легальное предпринимательство и однородности методов и приемов, используемых легализовавшимися организованными преступниками и «беловоротничковыми» преступниками, происходит все большее сближение и взаимовлияние этих видов преступности. В свою очередь, «беловоротничковая» и особенно организованная преступность содействует созданию в США обстановки, способствующей росту общеуголовной преступности.

Существует прямая связь между ростом *наркомании* и преступности. В 1982 г. более 50% заключенных систематически потребляли какой-либо наркотик по меньшей мере в течение месяца до того, как совершили преступления, за которые были осуждены. Почти треть из них находилась под воздействием наркотика в момент совершения преступления. Примерно четвертая часть убийств в г. Нью-Йорке совершается лицами, находящимися под воздействием наркотика. Наркоманами, добывающими деньги на покупку наркотиков, совершается от 75 до

90% зарегистрированных преступлений.

С ростом преступности в стране растет и цена, которую американское общество вынуждено платить за это социальное зло: загубленными жизнями, материальным ущербом, душевными потрясениями, а также налогами, которые идут на содержание полиции, судов, тюрем и различных средств борьбы с преступностью. Существуют значительные потери и морального характера в результате дезорганизации общественных связей и частной жизни граждан, страха перед возможностью оказаться жертвой преступления, неверия американских граждан в способность правительства решить проблему преступности и др.

Таким образом, преступность представляет собой одну из острых социальных проблем США как с точки зрения ее объективного значения (распространенность, наносимый ущерб, затраты на борьбу с нею и др.), так и в оценке самих американцев (общественное беспокойство, дискредитация правопорядка, подрыв общественной морали и др.).

Проблема алкоголизма

Пьянство и алкоголизм в США — острая социальная проблема, которая затрагивает, по существу, все стороны жизни американского общества — социально-политическую, экономическую, морально-нравственную. По распространенности среди заболеваний алкоголизм стоит на четвертом месте после сердечно-сосудистых заболеваний, рака и психических болезней.

По данным опросов общественного мнения, в 1985 г. в США насчитывалось 34 млн алкоголиков и злоупотребляющих спиртными напитками. На душу населения (в годовом исчислении) приходилось по 8,4 л абсолютного алкоголя; затраты населения на покупку алкогольных напитков составляли в текущих ценах 54,5 млрд дол., т. е. более 11% расходов на продукты питания. 65—70% взрослого населения постоянно употребляют алкогольные напитки; 60% американок употребляют спиртное (среди женщин среднего возраста этот показатель достигает 80%), около 12% женщин — хронические алкоголички. Остро стоит проблема алкоголизма среди молодежи: в 1985 г. 19% молодых людей в возрасте от 14 до 17 лет страдали от алкоголизма, что прямо связано с ростом смертности в этой возрастной группе. Широкое распространение получили пьянство и алкоголизм на производстве и среди военнослужащих. В середине 80-х годов среди рабочих было 6,5 млн алкоголиков; еще столько же злоупотребляющих алкоголем находятся на стадии, близкой к хроническому алкоголизму. Среди военнослужащих страдали алкоголизмом 12%.

Экономический ущерб от пьянства и алкоголизма ежегодно составляет 120 млрд дол. Ущерб, нанесенный лишь в результате вождения транспортных средств в нетрезвом виде, составляет 24 млрд дол. в год, включая прямой материальный ущерб, стоимость непроизведенного продукта, потери в зарплате, стоимость медицинских и юридических услуг и пр. Более 25 центов из каждого выплаченного по всем видам страхования доллара идет на покрытие ущерба, нанесенного пьяным водителем. По данным официальной американской статистики, в 1982 г. было задержано 129 444 пьяных водителя в возрасте от 16 до 19 лет, 626 033 — в возрасте от 20 до 29 лет, 332 556 — в возрасте от 30 до 39 лет.

Алкогольная патология является одновременно причиной и следствием обострения других социальных проблем, существующих в стране (бедность, безработица, преступность, наркомания, самоубийства, распад семей).

Проблема распространения алкоголизма в США, обострившаяся в

начале 80-х годов, вызывает озабоченность общественности, представителей деловых кругов, государственных и политических деятелей.

Вопросами разработки подходов к борьбе с пьянством и алкоголизмом занимается ряд научно-исследовательских центров США — Национальная академия наук США, Национальный институт проблем злоупотребления алкоголем и алкоголизма и др. Значительно активизирована антиалкогольная деятельность на всех уровнях власти, в общественных организациях, профсоюзах, религиозных общинах; в нее вовлекается семья и школа.

На протяжении всей истории США государство играло заметную роль в регулировании производства и потребления алкогольных напитков. Одной из последних антиалкогольных мер правительства стал закон, принятый в 1984 г. конгрессом, согласно которому сумма федеральной помощи на строительство шоссейных дорог уменьшается тем штатам, где не введен возрастной ценз в 21 год для покупателей спиртных напитков. Эффективным средством регулирования спроса признано повышение цен на спиртное. Закон 1984 г. санкционировал повышение на 19% акцизных налогов на крепкие алкогольные напитки (впервые за последние 20 лет). Были также ужесточены меры наказания за вождение транспортных средств в нетрезвом состоянии.

Заметную роль в борьбе с алкоголизмом играет частный бизнес (в результате пьянства американская промышленность ежегодно терпит урон в 70 млрд дол.— от падения производительности труда, потерь рабочего времени из-за прогулов, временной нетрудоспособности и т. д.). 30% из 500 крупнейших промышленных корпораций имеют программы, нацеленные на оказание медицинской помощи лицам, страдающим алкоголизмом.

Сочетание административных мер с активной антиалкогольной просветительской работой и конкретными медицинскими мерами дает позитивные результаты: в последние годы наблюдается относительное снижение потребления алкоголя. Однако проблемы пьянства и алкоголизма в США, обострению которых в значительной степени способствует политика производителей алкогольных напитков, еще далеки от разрешения.

Кризис больших городов

Комплекс социально-экономических проблем городской жизни, обострившихся в послевоенные годы в процессе капиталистической урбанизации, находит свое проявление в кризисе крупных городов. Существование этого кризиса впервые нашло официальное признание в 1968 г. в специальном отчете правительственной комиссии о гражданских беспорядках, вызванных плохими условиями жизни в городах для значительной части их населения. К таким условиям были отнесены, в частности: плохая жилищная обеспеченность и наличие бездомности, высокая преступность, обветшание физической среды, включая жилищный фонд, плохое состояние школ, больниц, дефицит городских бюджетов и т. д., ведущие, как отмечалось, к углублению социальной поляризации в американском обществе и растрате человеческих ресурсов.

Важнейшими социально-демографическими процессами, усугубляющими кризис, были названы:

1. Концентрация в крупнейших городах страны малоимущего населения, вытесненного из сельского хозяйства (преимущественно на Юге) и потянувшегося в крупные города Севера и в меньшей степени Запада США в поисках работы и дешевого жилья.

Так, число представителей низшей, ниже средней и средней по доходу групп населения возросло за 1950—1970 гг.: в Нью-Йорке —

на 453 тыс. чел., в Чикаго — на 151 тыс. чел., в Филадельфии — на 91 тыс. чел., в Вашингтоне — на 46 тыс. чел.

Большая доля черных в составе малоимущих переселенцев предопределила существенные сдвиги в расовом составе населения городов. Так, за период наиболее интенсивной послевоенной миграции (1950—1970) доля черного населения в столице США Вашингтоне возросла с 35,4 до 70,3%. Соответствующие данные для Атланты 36,6 и 66,6%, для Детройта 16,4 и 63,0%, для Балтимора 23,8 и 54,8%, для Сент-Луиса 18,4 и 45,6%, для Кливленда 16,4 и 43,8% и т. д. В последующие годы этот процесс продолжался. К середине 80-х годов в США насчитывалось 28 городов, в которых доля черного населения превышала 30%; в 68 городах она превышала долю черного населения в общей численности населения США (т. е. 12%).

2. Массовый переезд из городов в пригороды на постоянное жительство (процесс субурбанизации) белого, преимущественно состоятельного населения. Так, в Чикаго число представителей двух высших имущественных групп (выше средней и высшей) сократилось за 1950—1970 гг. на 144 тыс. чел., в Нью-Йорке — на 50 тыс. чел., в Вашингтоне — на 33 тыс. чел., в Филадельфии — на 30 тыс. чел.

Процесс выезда в пригороды белых состоятельных горожан продолжался и в более поздние годы. За период 1970—1980 гг. Детройт покинуло 50,6% его белого населения, Окленд — 39,0, Джерси-Сити — 37,0, Сент-Луис — 33,5, Кливленд — 32,9, Чикаго — 32,5, Нью-Йорк — 29,3% и т. д. В эти годы потерю какой-то части своего белого населения зарегистрировали 66 из 95 крупнейших городов США.

Обострению кризиса больших городов во многом способствует специфика административно-территориального деления в американских городских агломерациях, проявляющаяся в законодательно закрепляемом предоставлении карликовым пригородным поселениям статуса самоуправляющихся единиц, полностью независимых от центрального города. Вокруг Чикаго, к примеру, таких юридически и финансово самостоятельных поселений насчитывается 1113, вокруг Филадельфии — 876, вокруг Питтсбурга — 704, вокруг Нью-Йорка — 551, вокруг Сент-Луиса — 474 и т. д.

В результате социального и административного «распыления» большие города теряют единое самоуправление и возможность планировать свой дальнейший рост, а в результате утери значительной части своей налоговой базы (по причине относительного роста численности менее обеспеченных слоев населения) оказываются на грани финансовой несостоятельности. В середине 80-х годов две трети американских городов испытывали острый финансовый дефицит. Наиболее ярким проявлением этой стороны кризиса больших городов США был рост финансовых затруднений крупнейшего города страны Нью-Йорка в 1975 г. Относительной стабилизации финансового положения города помогло лишь получение дотации из федеральной казны.

Вынужденные выделять растущую часть скудеющих муниципальных средств на нужды, исключительно связанные с концентрацией бедности в городах, городские власти оказываются не в состоянии уделять должное внимание выполнению своих прямых функций — поддержанию коммунального хозяйства, содержанию школ, больниц, служб общественного порядка и пр. Отсюда ускоренная деградация социальной среды в городах, рост преступности, широкое распространение бездомности, пьянства и наркомании, что еще более стимулирует бегство из них состоятельной части населения.

Государственная система социального обеспечения

Действующее в настоящее время в США социальное законодательство является завоеванием трудящихся, достигнутым в результате десятилетий упорной борьбы. Лишь после экономического кризиса 1929—1933 гг. в условиях роста классовой борьбы в стране правящие круги были вынуждены приступить к общегосударственным мерам в социальной сфере.

Система социального обеспечения в США является сложной и весьма запутанной. Единой общенациональной централизованной системы не существует. Она образуется из разного рода социальных программ, регламентируемых либо федеральным законодательством, либо законодательством штата, либо совместно федеральными органами и органами власти штатов; отдельные программы принимаются также местными властями. Целый ряд видов социального обеспечения отсутствует, некоторые категории населения им не охвачены, отдельные виды социального обеспечения имеют ограниченный характер.

Государственная система социального обеспечения включает две основные формы — социальное страхование и государственное вспомоществование, отличающиеся друг от друга по источникам финансирования. Выплаты по социальному страхованию производятся из страховых фондов, образуемых за счет налога на социальное страхование, который взимается с трудящихся (в доле с предпринимателями). Государственное вспомоществование выплачивается из бюджетных средств (федерального бюджета, бюджетов штатов или местных органов власти).

Действующая система **социального страхования** далеко не всеобъемлюща. Отсутствуют страхование по болезни, по беременности и родам, оплачиваемые отпуска, государственная система яслей и детских садов, санаториев, турбаз и домов отдыха. Все это в сочетании с высокой стоимостью жилья, медицинского обслуживания и высшего образования, неразвитостью системы общественного транспорта резко удорожает стоимость жизни и ложится тяжелым бременем прежде всего на малообеспеченных американцев, а в значительной степени и на средние слои. Частная система социального страхования, охватывающая (за исключением медицинского страхования) втрое меньшее число людей, чем государственная, лишь в ограниченной степени способствует ликвидации существующих пробелов.

Законом о социальном страховании (1935) было установлено два вида социального страхования: по старости (пенсии) и по безработице. Закон предусматривал также ограниченные меры помощи некоторым категориям бедняков, таким, как инвалиды и сироты. Первые пенсии были выплачены в 1937 г. С течением времени этот закон обрастал многочисленными поправками, вводящими новые формы социального страхования. В 1939 г. была принята поправка о выплате пособий по утрате кормильца. Из других шагов по расширению государственной системы социального страхования наиболее крупными были поправка 1956 г., предусматривавшая выплату пособий по нетрудоспособности, не связанной с производственной травмой (страхование по инвалидности в результате производственной травмы или болезни, вызванной условиями труда, входит в компетенцию штатов), и поправка 1965 г., предоставившая право на медицинское страхование лицам в возрасте 65 лет и старше (программа «Медикэр»).

Закон 1935 г. и поправки к нему распространяются на рабочих и служащих частного сектора, за исключением железнодорожников, для которых установлена отдельная система социального страхования. Существуют также программы социального страхования для федеральных гражданских служащих, ветеранов войн и военнослужащих. Такие категории трудящихся, как сельскохозяйственные рабочие, работники мелких предприятий, поденщики и т. д., остались неохваченными государственными программами социального страхования.

Все виды социального страхования, предусмотренные законом 1935 г. и последующими поправками к нему, принято объединять под названием Общей федеральной программы. В ее рамках в середине 80-х годов свыше 36 млн чел. получали различные пособия: пенсии по старости — 21,5 млн чел., по утере кормильца — свыше 12 млн чел., по инвалидности — 2,5 млн чел. Из 36 млн получателей пособий около 30 млн было в возрасте 62 лет и старше, из них 26 млн — в возрасте 65 лет и старше. Число получателей пособий по другим параллельно существующим программам значительно меньше: около 1,5 млн бывших федеральных гражданских служащих и 670 тыс. железнодорожников. Поправкой к закону 1935 г., принятой конгрессом в 1983 г., предусмотрено постепенное упразднение программы социального страхования федеральных служащих и распространение на них Общей федеральной программы.

Государственную пенсию в полном объеме могут получить люди, достигшие 65-летнего возраста (мужчины и женщины одинаково). Трудовой стаж, необходимый для получения полной пенсии,— 26 лет. Однако законодательством предусмотрено постепенное увеличение этого стажа — до 35 лет к 1991 г. Если стаж меньше, то пенсия соответственно уменьшается. Предусмотрена выплата пенсии и в возрасте 62 лет, но в этом случае пенсионное пособие сокращается на 20%. В начале будущего века намечается (поправка 1983 г.) повы-

шение пенсионного возраста до 67 лет. Средний размер пенсии в 1986 г. составлял 478 дол. в месяц. Если у пенсионера-мужчины на иждивении жена в возрасте 65 лет и старше, он имеет право на 50-процентную надбавку к пенсии. Женщина, имеющая на иждивении мужа, такой надбавки не получает. Если оба супруга имеют право на пенсию, то женщина должна выбирать между собственной пенсией и 50-процентной надбавкой мужа.

Средний размер пенсии даже с надбавками обеспечивает лишь доход примерно на уровне «черты бедности» или немногим выше, поэтому престарелые, не имеющие дополнительных средств, вынуждены вести предельно скромное существование. В 1985 г. 3,5 млн престарелых имели доход ниже «черты бедности», еще около 2 млн обладали доходом между 100 и 125% от этой черты. Таким образом, каждый пятый пожилой американец, по существу, живет в нужде. Положение становится катастрофическим, если к моменту выхода на пенсию семья не успела выплатить за свое жилище, купленное в рассрочку.

Пенсионеры имеют право работать, однако, начиная с определенной суммы заработка, у них вычитается из пенсии 50 центов на каждый заработанный доллар. Фактически они теряют еще больше, т. к. зарплата, в отличие от пенсии, облагается подоходным налогом, и в результате теряется примерно 70 центов из каждого заработанного доллара.

Пособие по утрате кормильца устанавливается членам семьи умершего в том случае, если умерший имел право на пенсию по старости, а члены семьи (переживший супруг, дети, родители) находились на его иждивении. Право на пенсию по утрате кормильца и ее объем определяются в зависимости от возраста иждивенцев и их трудоспособности. Исходной суммой для начисления пенсии является размер пенсии по старости умершего, которую он мог бы получить по достижении пенсионного возраста.

Пособие по нетрудоспособности устанавливается лицам до 65 лет, ставшим инвалидами в результате заболеваний или несчастных случаев, не связанных с производством. Право на получение пособия имеют трудящиеся, уплатившие определенный объем страховых взносов и проработавшие не менее пяти лет на предприятиях, входящих в сферу охвата страхованием по Общей федеральной программе. Условия начисления и размер пособия по нетрудоспособности приблизительно соответствуют условиям начисления и размерам пособий по старости. При наступлении пенсионного возраста пенсия по инвалидности заменяется пенсией по старости.

Все пособия в рамках Общей федеральной программы финансируются за счет налога на социальное страхование, который взимается в равных долях с наемных рабочих и служащих и с предпринимателей. Однако фактически основная часть налога выплачивается трудящимися, поскольку предприниматели находят способы перекладывания своей доли на их плечи, в частности, путем уменьшения на соответствующую сумму заработной платы. Налоговая ставка, по которой взимается взнос на социальное страхование, устанавливается для трудящихся в процентном отношении к заработной плате, для предпринимателей — в процентном отношении к фонду выплаченной зарплаты. Налоговая ставка постоянно растет: в 1950 г. она составляла 1,5%, в 1986 г.— 7,15%. Резко выросла и налоговая база, т. е. максимальная сумма годовой заработной платы рабочих и служащих, облагаемая этим налогом,— с 3 тыс. дол. в 1950 г. до 42 тыс. дол. в 1986 г., и соответственно максимальный годовой взнос, с учетом выплат предпринимателей, за те же годы увеличился с 90 до 6000 дол. В от-

личие от подоходного налога, который носит прогрессивный характер (ставки этого налога растут по мере роста доходов), налог на социальное страхование является регрессивным. Он взимается по единой налоговой ставке начиная с первого заработанного доллара и далее в пределах налоговой базы. Потолок этой базы установлен в такой сумме, которая превышает заработки рядовых рабочих и служащих. В результате рядовые труженики платят налог со всей суммы своих заработков, а наиболее состоятельные американцы оказываются в привилегированном положении, платя налог только с части своих доходов. Таким образом, налог на социальное страхование наибольшей тяжестью ложится на малообеспеченных: для 25% самых низкооплачиваемых американцев он превратился в самый тяжелый налог.

В Общую федеральную программу включены также лица, работающие не по найму (врачи, лица свободных профессий, священники и т. п.). Они уплачивают налог на социальное страхование по установленной совокупной налоговой ставке, т. е. по ставке, по которой взимается налог с трудящихся и предпринимателей совместно. В настоящее время они выплачивают в фонды социального страхования свыше 14% своих доходов (в пределах налоговой базы).

Характерной чертой государственной системы социального страхования является постоянная тенденция к повышению налога, что обусловлено как экономическими, так и демографическими причинами. Долгосрочный финансовый кризис системы социального страхования уже дважды вынуждал конгресс — в 1977 и 1983 гг.— серьезно повышать налог на социальное страхование. Дальнейшие перспективы роста этого налога выглядят еще более угрожающими, в частности, в связи с демографическими сдвигами в сторону «старения населения». Однако даже повышение налога не может обеспечить платежеспособность Общей федеральной программы. Встает вопрос о значительном сокращении выплат по социальному страхованию. Проблемы такого рода в долгосрочной перспективе ставят под угрозу само существование государственной системы социального страхования.

Страхование по безработице, также введенное законом 1935 г., осуществляется на федерально-штатной основе. Федеральным законом определены общие принципы страхования по безработице, детализированные затем законодательством каждого из штатов. Штаты определяют категорию лиц, подлежащих страхованию, порядок получения пособий, их размеры и сроки выплаты. Фонды страхования по безработице образуются в основном за счет налогов с предпринимателей, размеры которых устанавливаются в процентном отношении от выплаченной заработной платы.

В связи с высоким уровнем производственного травматизма и широким распространением профессиональных заболеваний в США существуют, в основном на уровне штатов, соответствующие программы страхования. Единственная федеральная программа в этой сфере предусматривает выплаты шахтерам, страдающим от профессионального заболевания «черные легкие», и членам их семей. Программа введена федеральным законом о безопасности труда на шахтах 1969 г., действует с 1970 г. и финансируется за счет общих фондов федерального бюджета.

В большинстве штатов законодательство устанавливает ответственность предпринимателей за увечье, нанесенное рабочему на производстве, и определяет уровень возмещения и продолжительность выплат по временной нетрудоспособности или же размеры компенсации семье погибшего в результате несчастного случая на производстве. Уровень возмещения определяется в процентном отношении к зарплате и составляет не более двух третей зарплаты, а в большинстве случаев еще ниже. Основная часть денежной компенсации выплачивается не непосредственно предпринимателями, а частными страховыми компаниями, поскольку большинство предпринимателей заранее страхуется от подобных случаев. В некоторых штатах созданы специальные страховые фонды за счет налога с предпринимателей, из которых власти штатов выплачивают страховку пострадавшим и их семьям. Весьма часто рабочие, ставшие инвалидами, или семьи погибших вынуждены обращаться в суд, поскольку хозяева отказываются платить компенсацию, ссылаясь на то, что несчастный случай произошел по вине самого рабочего, из-за его пренебрежения правилами техники безопасности. В этом случае пострадавшие оказываются перед перспективой длительного и дорогостоящего судебного процесса с неясным исходом. За последние годы возросло число работников, занятых на опасных производствах, которые предпочитают самострахование в частных страховых фирмах от несчастных случаев. В большинстве штатов законы об ответственности предпринимателей за профессиональные заболевания либо вообще отсутствуют, либо охватывают весьма узкий круг этих заболеваний.

Общая сумма компенсации пострадавшим и их семьям из всех существующих источников федерального бюджета, фондов штатов и частных страховых компаний возросла с 2 млрд дол. в 1970 г. до 4,5 млрд дол. в 1975 г. и 11,6 млрд дол. в 1983 г. Этот рост связан прежде всего с сохраняющимся высоким уровнем производственного травматизма в США. По данным американских профсоюзов, каждую минуту 18—20 человек получают производственную травму, а 8,5 тыс. ежедневно становятся инвалидами.

Другой частью американской государственной системы социального обеспечения является **вспомоществование**, или помощь бедным. Эта система получила относительно широкое развитие лишь начиная со второй половины 60-х годов под влиянием развернувшихся в то время движений массового социального протеста, и в первую очередь движения черных американцев.

В отличие от социального страхования для получения помощи в системе вспомоществования не требуется специальных предварительных взносов. Критерием для предоставления помощи служит именно нуждаемость. Получение права на пособие требует унизительной и сложной процедуры проверки нуждаемости. Однако только некоторые категории нуждающихся имеют право на получение пособий. 40% беднейшего населения США практически никакой помощи не получают.

Пособия, выплачиваемые по системе вспомоществования, крайне низки — примерно в 4 раза ниже средних размеров государственных пенсий. Уровень пособий даже по одной категории вспомоществования различен в разных штатах.

Главные программы в сфере вспомоществования — это программы обеспечения гарантированного дохода, помощи нуждающимся семьям с детьми, продовольственных талонов, жилищной помощи и медицинской помощи («Медикейд»).

Программа обеспечения гарантированного дохода охватывает престарелых, полных и постоянных инвалидов и слепых — всего менее 4 млн чел. Она действует с 1974 г. По этой программе указанным категориям беднейшего населения федеральное правительство выплачивает денежные пособия, с тем чтобы обеспечить им минимум средств существования (так называемый гарантированный доход). Этот минимум установлен на весьма низком уровне — примерно 60% уровня дохода на «черте бедности». Штатам предоставлено право повышать размер пособий по этой программе за счет своего бюджета. На середину 80-х годов этим правом воспользовались лишь 26 штатов и федеральный округ Колумбия. При этом только в восьми штатах пособия повышались довольно существенно, в ряде штатов они увеличивались лишь формально — на 1—2%. Размер пособий зависит от остальных доходов получателей, дополняя их до гарантированного минимума. Уровень гарантированного минимума корректируется уровнем инфляции, т. е. повышается по мере роста индекса потребительских цен. Около половины получателей по этой программе, прежде всего престарелые, имеют и пенсии по системе страхования, однако последние настолько мизерны, что им приходится обращаться и за пособием по бедности.

Другая программа вспомоществования, по которой предоставляется денежная помощь,— это *программа помощи семьям с детьми.* Как правило, помощь по этой программе получают многодетные семьи с низким доходом, где глава семьи вдова, разведенная или мать-одиночка. В ряде штатов право на пособия по этой программе предоставлено бедным семьям, в которых глава семьи — безработный отец, но таких семей только 9% от общего количества охваченных программой. Программа помощи семьям с детьми — федерально-штатная, но главную роль в ее осуществлении играют власти штатов. Они устанавливают критерии нуждаемости (как правило, значительно ниже официального уровня бедности), в их руках находится руководство программой. Федеральное правительство принимает участие в финансировании программы, оплачивая примерно 60% затрат. В отличие от других выплат в сфере социального обеспечения пособия семьям с детьми не зависят от уровня инфляции, поэтому, если власти штатов их не повышают, их реальная величина с течением времени фактически снижается. Именно это произошло в 70-е годы в большинстве штатов. В 80-е годы материальное положение бедных семей с детьми еще более ухудшилось в результате решений республиканской администрации и конгресса значительно сократить федеральные ассигнования на данную программу. В результате заметно уменьшилось число получателей пособий. Если в 1975 г. их насчитывалось 11,4 млн чел., то в 1985 г.— 10,4 млн чел., из которых 70% составляли дети. В рамках дальнейшего ужесточения политики, направленной против беднейшего населения, республиканская администрация потребовала, чтобы все трудоспособные получатели помощи по этой программе, т. е. в основном матери — главы семьи, привлекались бы в принудительном порядке к бесплатному труду, чтобы «отработать» свои пособия. Хотя конгресс отклонил законопроект по этому вопросу, представленный администрацией, в ряде штатов в первой половине 80-х годов такого рода законодательство было принято.

Поскольку денежные пособия, предоставляемые некоторым категориям беднейшего населения, крайне низки, а 40% бедняков их вообще не получают, то помимо денежной помощи в системе вспомоществования действует ряд других видов помощи, в частности продовольственная, жилищная и медицинская.

В рамках *продовольственной помощи* наибольшее распространение получила программа продовольственных талонов. Согласно законодательству 1981 г., правом на получение талонов обладают лица или семьи, чей доход не превышает 125% дохода на «черте бедности». На самом же деле талонами пользуется менее половины американцев, живущих на этом уровне дохода,— 21,5 млн чел. Чаще всего талоны автоматически предоставляются семьям, уже получающим пособия по программам гарантированного дохода и помощи семьям с детьми. Талоны предоставляются бесплатно (самым бедным) или за сниженную цену. Средняя стоимость талонов в пересчете на человека невелика (65 дол. в месяц в 1987 г.), однако и приобретение продовольственных товаров на эту сумму служит существенным подспорьем для многих бедных семей, зачастую спасая их от голода. Другие продовольственные программы, прежде всего школьные завтраки и продовольственная помощь бедным матерям с младенцами до года, были резко урезаны в 80-е годы и имеют гораздо меньшее значение.

Жилищные субсидии, предоставляемые 3,5 млн семей с низкими доходами, достигают в среднем 2 тыс. дол. в год на семью, что, учитывая чрезвычайно высокую стоимость жилья в США, является минимальной суммой. Тем не менее правительственные субсидии охватывают лишь меньшинство нуждающихся. В отличие от пенсий, пособий по безработице, по бедности и пр., которые государственные органы социального обеспечения обязаны предоставлять лицам, охваченным той или иной программой, жилищные субсидии нуждающимся семьям предоставляются по усмотрению этих органов в каждом конкретном случае. В результате лишь 25% семей, имеющих право на получение жилищной помощи, получают ее в действительности.

Важное значение имеют программы медицинского страхования и вспомоществования — «Медикэр» и «Медикейд», действующие с 1966 г. Острая необходимость принятия этих программ была обусловлена огромной стоимостью лечения. Однако они распространяются лишь на 50 млн чел., или примерно на 22% населения.

Программы социального обеспечения находятся в ведении различных государственных органов. Все федерально-штатные программы в административном отношении подчинены властям штатов и осуществляются их соответствующими органами. Выплаты по Общей федеральной программе социального страхования и программе гарантированного дохода производятся министерством здравоохранения и социальных служб США. Это же министерство предоставляет пособия шахтерам в связи с профессиональным заболеванием «черные легкие». Министерство труда курирует программы страхования по безработице и производственному травматизму. Жилищные субсидии и займы предоставляет министерство жилищного строительства и городского развития. Продовольственные программы сосредоточены в министерстве сельского хозяйства. Все программы помощи ветеранам находятся в руках Управления по делам ветеранов.

Государственная система социального обеспечения в целом, при всем ее несовершенстве, безусловно, является завоеванием трудящихся, достигнутым в длительной и упорной борьбе. Однако основные программы государственного социального страхования вступили в фазу ограничительного развития, относительного и абсолютного уменьшения масштабов государственной помощи, что вынуждает американских трудящихся прибегать к услугам частной системы социального страхования.

Частная система социального страхования

В США существуют две формы частного страхования — коллективное по месту работы и индивидуальное.

Ведущей формой является коллективное страхование. Коллективные договоры между профсоюзами и предпринимателями, как правило, предусматривают определенные социальные выплаты и гарантии. Однако аналогичные виды частного социального страхования существуют и во многих отраслях и фирмах, где профсоюзы отсутствуют.

Предприниматели рассматривают свое участие в различных частных страховых «планах» как средство закрепления на своих предприятиях прежде всего наиболее квалифицированной рабочей силы и административного персонала.

Наиболее широко распространено медицинское страхование по месту работы: этим видом страхования в 1985 г. было охвачено около 60% работающих по найму и членов их семей.

Важное значение для большой части трудящихся имеют частные пенсии. С 1950 по 1980 г. число рабочих и служащих, охваченных частными пенсионными планами, выросло с 9,8 млн до 35,8 млн чел., число фактически получающих частные пенсии за тот же период увеличилось с 450 тыс. до 9,1 млн чел., вклады в пенсионные фонды — с 2 млрд до 69 млрд дол., финансовые активы этих фондов — с 12 млрд до 407 млрд дол. В начале 80-х годов 94% вкладов в пенсионные фонды вносили предприниматели, остальные 6% — профсоюзы и неорганизованные рабочие и служащие.

Несмотря на значительный рост, частная пенсионная система охватывает втрое меньшее число трудящихся, чем государственная. Кроме того, при начислении государственной пенсии учитывается общий стаж, независимо от того, менял человек место работы или нет, а для получения минимальной частной пенсии рабочий или служащий должен иметь, как правило, 10 лет непрерывного стажа в одной фирме.

В большинстве пенсионных планов размер будущей пенсии увеличивается за каждый год трудового стажа на фиксированный процент от конечного заработка, например на 1,5%. В этом случае рабочий или служащий с 30-летним стажем получит пенсию в размере 45% от конечного заработка, а пенсия рабочего с 15-летним стажем составит только 22,5% его заработка. Кроме того, в большинстве частных пенсионных планов действует формула, согласно которой процентное отношение пенсии к зарплате выше для высокооплачиваемых категорий наемных работников, т. е. прежде всего для высшего и среднего звена управленческого аппарата. В 1985 г. годовой средний размер частной пенсии составлял 5314 дол. для мужчин и 3417 дол. для женщин.

Частная пенсионная система в определенной мере контролируется государством на основе прежде всего двух законов — налогового кодекса США 1954 г. (с поправками 1986 г.) и закона о частном пенсионном обеспечении 1974 г. Эти законы, предусматривая налоговые льготы участникам пенсионных планов, в то же время пытаются ограничить наиболее грубые махинации и злоупотребления многомиллиардными пенсионными фондами, поскольку такие злоупотребления со стороны руководства корпораций и фирм встречаются весьма часто. Специальное федеральное агентство Корпорация — гарант частных пенсий следит за платежеспособностью действующих пенсионных фондов и определяет порядок и сумму компенсации участникам пенсионных «планов» в случае банкротства компаний.

В послевоенный период в США в рамках системы частного социального страхования получили распространение так называемые дополнительные выплаты. Эти выплаты могут включать оплату отпусков и больничных листов, дополнительные пособия по безработице, иногда субсидирование расходов на продолжение образования, юридические услуги. Распространение различных видов «дополнительных» (по отношению к зарплате) выплат варьируется в широких пределах, так же как формы, размеры и способы их предоставления различными компаниями. Кроме того, привилегии, как правило, предоставляются высокооплачиваемым категориям работников. Так, в 1984 г. в частном несельскохозяйственном секторе экономики оплата больничных листов распространялась на 66% административного персонала и лишь на 25% рядовых рабочих и служащих. Число оплачиваемых отпускных дней обычно прямо пропорционально стажу работника, однако в среднем оно составляет не более двух-трех недель. Дополнительные пособия по безработице могут получать (примерно в течение года) только члены наиболее мощных профсоюзов, оставшиеся без работы, т. е. такого рода гарантиями охвачено не более нескольких процентов всей рабочей силы. Еще более редки другие формы выплат. В сельском хозяйстве, на мелких предприятиях и фирмах вышеперечисленные виды социальных выплат практически полностью отсутствуют.

Индивидуальное частное социальное страхование получило значительное развитие лишь в области медицинского страхования. За последние годы наблюдается серьезный рост числа так называемых индивидуальных пенсионных счетов. Закон о частном пенсионном обеспечении 1974 г. впервые разрешил лицам наемного труда, не охваченным частными пенсионными планами, ежегодно откладывать до 1,5 тыс. дол., не облагаемых налогами, на особый счет в банке. В 1981—1982 гг. действующие правила были либерализированы: максимальный размер вклада был увеличен до 2 тыс. дол. в год, а право заводить личные пенсионные счета было распространено и на участников коллективных пенсионных планов. В результате число индивидуальных пенсионных счетов резко подскочило — с 6,8 млн в 1981 г. до 24 млн в 1983 г.

Частное индивидуальное социальное страхование еще более дискриминационно по отношению к непривилегированным и малообеспеченным слоям населения, чем коллективное, поскольку лучшую страховку могут приобрести только богатые люди с доходом, как минимум, выше среднего. К тому же планы широкого распространения частных индивидуальных пенсий открыто рассматриваются консервативными кругами США в качестве альтернативы государственной пенсионной системе, которую предлагается постепенно демонтировать, передав практически все социальное страхование в руки частного страхового бизнеса.

Жилищная проблема и жилищная политика

Характеризуя жилищную проблему в США, следует отметить, что в силу ряда исторических, социальных и экономических условий развития страны уровень обеспеченности американцев жильем — один из самых высоких в мире. В 1984 г. в США насчитывалось 93,5 млн жилищ (квартир и односемейных домов), из которых было заселено 84,7 млн. Около 65% американских семей проживало в собственных домах и кооперативных квартирах, остальные арендовали жилье. Средняя норма обеспеченности — около 48 м^2 полезной площади на человека. Среднее число комнат (включая кухню) в стандартном жилье — 5,1. Жилой фонд США отличается высокой оснащенностью современными удобствами: 80% домов имеют центральное отопление, 75% — канализацию, 59% — кондиционер, 90% — телефон.

Острота жилищной проблемы в стране заключается не в нехватке жилья для семей трудящихся, хотя и она имеет место (бездомность охватывает, по неофициальным данным, 2—3 млн граждан страны), а в его дороговизне и отсутствии гарантий в обеспеченности жильем. Средняя цена односемейного коттеджа к середине 80-х годов составляла около 84 тыс. дол. и продолжает расти. Средняя по стране месячная квартплата в 1970 г. составляла 90 дол., в 1984 г.— 243 дол.

Главные причины роста дороговизны — стремление к наживе со стороны финансовых и строительных монополий, влияние общей экономической конъюнктуры в стране и кредитно-денежная политика федерального правительства. Последняя способствовала росту ипотечного процента и обострению дефицита ссудного капитала в стране, необходимого для покрытия строительных издержек и расходов по приобретению жилья в кредит.

По мере роста дороговизны снижалась доступность покупки и найма жилья и одновременно получала распространение «переплата» за стандартное жилье, вынуждавшая малосостоятельных граждан расходовать до 70% своих денежных поступлений на жилищные нужды.

Проблему осложняет экономическая незаинтересованность строительных монополий в сооружении дешевых жилищ, рассчитанных на низкооплачиваемого потребителя, что заставляет последнего искать пристанища во второсортном подержанном фонде. Отсюда непрекращающийся спрос на трущобные жилища и их живучесть, так же как и концентрация бедного населения в местах скопления старого обветшалого фонда, т. е. в центральных районах крупнейших американских городов.

Рыночное распределение жилищного фонда предопределяет не только резкие контрасты жилищных условий различных социальных групп населения. Оно стало важнейшим механизмом социального разобщения населения по месту жительства, социально-престижного разделения городских территорий, территориальной самоизоляции высших социальных групп от низших и дальнейшего отчуждения классов и социальных слоев американского общества.

Государственная жилищная политика носит отчетливо выраженный классовый характер, т. е. в первую очередь служит интересам крупного капитала и состоятельных слоев населения страны.

Первое оживление государственного интереса к жилищной сфере в США относится к периоду экономического кризиса 30-х годов, когда в 1934 г. было создано Федеральное жилищное управление для гарантии частных ипотечных ссуд на строительство жилья, позволившее несколько смягчить жесткие условия предоставления таких ссуд.

В 1937 г. при президенте Ф. Д. Рузвельте была создана система управления так называемыми муниципальными домами на федеральном и местном уровне, предусматривавшая привлечение федеральных и местных средств для строительства и распределения среди беднейших слоев населения относительно дешевых квартир. Это первая и единственная сохранившаяся до наших дней федеральная программа с прямым привлечением бюджетных средств в жилищное строительство. Ее эффект, однако, был всегда незначительным. Муниципальный фонд никогда не превышал 2—2,5% от всего жилищного фонда страны.

Большинство других федеральных программ в жилищной сфере в послевоенные годы предусматривало лишь косвенное участие в решении жилищной проблемы государства, которым, однако, настойчиво проводилась в жизнь идея стимулирования собственности на жилище, весьма выгодная для частного капитала.

С помощью ипотечных ссуд был создан и продан в кредит огромный фонд преимущественно расположенных в пригородных зонах индивидуальных коттеджей, преобразивших в послевоенные годы весь облик страны и изменивший образ жизни состоятельной части ее населения.

Государственная жилищная политика, однако, осталась малоэффективной в отношении подлинно нуждающихся в улучшении жилищных условий, в числе которых 30,0% всех малообеспеченных собственников жилищ и 66,3% малообеспеченных арендаторов квартир. Среди лиц, чей уровень дохода был ниже официальной «черты бедности», острую жилищную нужду испытывали 42,8% владельцев собственных жилищ и 76,7% арендаторов.

Серьезные проблемы стоят и перед собственниками приобретенных в кредит жилищ. Их суммарный долг банкам в 1984 г. превысил 2 трлн дол., а ежемесячные выплаты в счет погашения задолженности достигают более 30% их доходов.

ВНЕШНЕПОЛИТИЧЕСКИЕ СТРАТЕГИЯ И ДОКТРИНЫ США ПОСЛЕ ВТОРОЙ МИРОВОЙ ВОЙНЫ

Превращение США после окончания второй мировой войны в могущественнейшую страну капиталистического мира, в его экономический центр и военно-политического лидера привело к беспрецедентной еще в истории опоре на военную силу при проведении глобального внешнеполитического курса Вашингтона. Оптимальной с точки зрения правящих кругов США формой устройства международных отношений был бы «мир по-американски» — «Pax Americana».

Главное препятствие на пути установления своей мировой гегемонии правящие круги США усматривали в Советском Союзе, усилении национально-освободительного движения, росте сил, борющихся за социальный прогресс. После смерти президента Франклина Рузвельта в апреле 1945 г. американское руководство во главе с президентом Г. Трумэном надеялось, что экономически существенно ослабленный войной Советский Союз не сможет оказать сопротивление американскому военному давлению, согласится на особую доминирующую роль Вашингтона в мире и подчинится экономическому диктату США. После провала этих расчетов американский правящий класс перешел в тотальное наступление на мировой арене с целью «сдерживания» и «отбрасывания» социализма с его позиций.

Сигналом для такого наступления послужила речь У. Черчилля 5 марта 1946 г. в Фултоне (США), в которой он призвал создать англо-американский военный союз для борьбы с «восточным коммунизмом». Началась «холодная война». Инструментами внешнеполитической стратегии для достижения такого рода амбициозных целей оказались монополия на ядерное оружие, экономические рычаги и технологическое лидерство Америки. Ядерное оружие было положено в основу всего военного планирования на перспективу, стало главным средством военной стратегии США.

Правящие круги США считали необходимым закрепить за собой монопольное обладание атомным оружием, для чего ими был разработан и выдвинут в ООН в 1946 г. «план Баруха». Названный формально «планом международного контроля за атомной энергией», он предусматривал такой «контроль», при котором США фактически предоставлялось не только решающее слово в предлагавшемся «международном органе», но и право распоряжаться всеми залежами урановой руды в мире. Вместе с тем уничтожение Соединенными Штатами собственного ядерного оружия в соответствии с этим планом отодвигалось в отдаленное будущее. Таким образом «план Баруха» был в первую очередь нацелен на то, чтобы сохранить и укрепить монопольное обладание США атомным оружием.

В силу того что ядерное оружие стало считаться главным средством обеспечения американского превосходства в мире, военная стратегия являлась основным элементом, стержнем американской внешней политики, которая характеризовалась тем, что рассматривала отношения между государствами в первую очередь как силовую борьбу за влияние и доминирование на мировой арене.

Оказавшись перед лицом быстро развивающегося процесса революционных перемен в мире, лидеры США избрали стратегическую внешнеполитическую линию, направленную на слом сложившегося в результате второй мировой войны соотношения сил, «оттеснение» СССР и складывавшейся мировой системы государств, вставших на путь социализма, с занимаемых ими позиций. Эта линия получила название политики «сдерживания коммунизма» и стала официальным внешнеполитическим курсом трумэновской администрации.

Доктрина «сдерживания» была предложена советником посольства США в Москве Дж. Кеннаном в феврале 1946 г. В июле 1947 г. в журнале «Форин афферс» была опубликована, подписанная лишь буквой «Х», его статья «Источники советского поведения». Призывая «противопоставить русским неизменную противодействующую силу в любом пункте, где они проявляют тенденцию к покушению на интересы стабильности и миролюбия», доктрина «сдерживания», по сути, была направлена на оправдание агрессивного внешнеполитического курса США, который предусматривал активное вмешательство американского империализма во внутренние дела социалистических государств, сохранение реакционных политических режимов в различных районах земного шара, ослабление СССР путем оказания на него военного, политического и экономического давления.

Гонка вооружений, прежде всего ядерных, сколачивание военных блоков под эгидой США (НАТО, СЕАТО, СЕНТО), создание широкой сети военных баз вокруг границ СССР явились практическим воплощением доктрины «сдерживания».

В дальнейшем, когда отчетливо стала проявляться несостоятельность этой доктрины, она подверглась критике в США, в т. ч. и со стороны самого Дж. Кеннана.

Политика «сдерживания» в наиболее концентрированном виде отражена в «доктрине Трумэна» и «плане Маршалла».

«Доктрина Трумэна» была изложена президентом США 12 марта 1947 г. на объединенном заседании обеих палат конгресса США. Сославшись на «коммунистическую опасность», якобы нависшую над Грецией и Турцией, Г. Трумэн призвал конгресс в интересах «национальной безопасности США» ассигновать в срочном порядке 400 млн дол. на оказание помощи греческому и турецкому правительствам.

Выдвинутая Трумэном программа была закреплена законом от 15 мая 1947 г., в соответствии с которым были подписаны американо-греческое и американо-турецкое (20 июня и 12 июля) соглашения, определившие условия предоставления американской помощи этим странам и предусматривавшие создание в Греции и Турции американских миссий с наделением их широкими полномочиями по контролю за ее использованием. Таким образом, США получили возможность вмешиваться во внутренние дела этих государств, использовать их территорию как плацдарм против СССР и др. социалистических стран, а также для своего проникновения в районы Ближнего Востока и Восточного Средиземноморья.

«Доктрина Трумэна» явилась первым официальным развернутым изложением стратегии «сдерживания коммунизма», политики объединения всех капиталистических государств под эгидой США для борьбы против складывающейся мировой системы социализма.

Региональный характер «доктрины Трумэна» не явился препятствием для ее универсального толкования и глобального применения.

Открыто воинствующий и гегемонистский характер политики президента США Г. Трумэна, вызывавший недовольство даже у близких к Вашингтону западноевропейских правительств, был несколько закамуфлирован **«планом Маршалла»**, представленным летом 1947 г. в качестве чисто экономического и бескорыстного акта американской помощи. Фактически же этот план призван был способствовать осуществлению главных задач «политики силы» и «сдерживания»— изоляции СССР и вытеснению его из Восточной Европы, стабилизации и сплочению капиталистических государств, вовлечению их в военный союз под эгидой США, предотвращению прогрессивных социальных изменений в мире.

Под прикрытием разговоров о необходимости «сдерживания коммунизма» Соединенные Штаты повели наступление на позиции своих западноевропейских союзников, стремясь вытеснить их в тех регионах мира, где в результате антиколониальных революций создавались, по американской терминологии, «вакуумы силы».

В сентябре 1949 г. стало известно об испытании советского атомного оружия. Тем самым СССР ликвидировал атомную монополию США.

С целью реализации своих глобалистских устремлений США развернули работы по созданию водородного оружия, начав очередной этап гонки вооружений.

Пришедшую к власти в январе 1953 г. республиканскую администрацию Эйзенхауэра не устраивала политика «сдерживания коммунизма», которая, по словам Дж. Ф. Даллеса (госсекретарь США 1953—1959 гг.), не оправдала себя. В январе 1953 г. Даллес выдвинул доктрину **«освобождения»**, которая в наиболее полном виде была сфор-

мулирована им в общих чертах в статье «Политика смелости», опубликованной еще в мае 1952 г. журналом «Лайф». Доктрина «освобождения» от коммунизма явилась выражением «более решительного» курса республиканцев на борьбу с «мировым коммунизмом», с СССР и его союзниками. Это была линия на организацию экспорта контрреволюции, на бесцеремонное вмешательство во внутренние дела социалистических и др. стран.

Одновременно стала разрабатываться военно-политическая **стратегия «массированного возмездия»**, основные положения которой были изложены Дж. Ф. Даллесом в его речи 12 января 1954 г. Стратегия предполагала массированное использование правительством Соединенных Штатов ядерного оружия в любое время и в любом районе земного шара в случае военного конфликта с Советским Союзом. Это фактически означало, что правительство Эйзенхауэра выдвигало «ядерную силу» как главную в арсенале внешней и военной политики США, утверждая принцип использования атомного оружия первыми. Руководствуясь этой стратегией, США в 50-е годы резко увеличили свой ядерный арсенал, что являлось одной из форм ядерного шантажа в отношении СССР и др. стран социализма.

Одна из главных задач внешнеполитического курса Эйзенхауэра — Даллеса состояла в том, чтобы связать как можно большее число освободившихся от колониального ига государств Ближнего Востока и Азии военными обязательствами с США, завершить окружение СССР, всего социалистического содружества кольцом военных блоков и баз, замкнув это кольцо на его южных и восточных границах. Развивающиеся страны были подвергнуты администрацией США резкой критике за их антиимпериалистическую позицию на международной арене, которая была сформулирована в решениях Бандунгской конференции (1955).

Кульминацией критики в адрес идеи неприсоединения явилось заявление госсекретаря США об «аморальности нейтралитета». Даллес провозгласил нейтралитет «несовместимым» с долгом каждой «свободной» страны занять свое место в «борьбе с коммунизмом», назвав саму концепцию нейтралитета «устаревшей и, за исключением некоторых совершенно особых случаев, аморальной и близорукой концепцией».

Доктрина «освобождения», стратегия «массированного возмездия», концепция «аморальности нейтралитета» были тесно связаны с внешнеполитической тактикой «балансирования на грани войны», которая была сформулирована Дж. Ф. Даллесом в феврале 1956 г. в интервью журналу «Лайф».

«Способность быть на грани войны, но не оказаться вовлеченным в нее является необходимым искусством,— сказал он.— Если вы не сможете овладеть им, вы окажетесь в войне. Если же вы не будете проводить такой политики, то вы пропали». Целью этой тактики было то, чтобы с помощью шантажа и угроз в отношении др. государств, и прежде всего Советского Союза, добиваться от них выгодных для США уступок.

Второй срок своего президентства Д. Эйзенхауэр начал с того, что обратился со специальным экстренным посланием к конгрессу США (5 января 1957 г.), в котором подробно изложил намерения и методы действий своей администрации в отношении Ближнего и Среднего Востока. Новая доктрина вошла в историю под именем ее автора — Эйзенхауэра. С учетом активной роли, сыгранной в ее разработке Дж. Ф. Даллесом, ее иногда называют «доктриной Эйзенхауэра — Даллеса».

«Доктрина Эйзенхауэра» была одобрена совместной резолюцией обеих палат конгресса США 9 марта 1957 г. Ее основными пунктами были стандартные обвинения СССР в стремлении добиться господства в районе Ближнего Востока, имеющем жизненно важное значение для стратегических, торговых, транспортных, энергетических, сырьевых и даже религиозных интересов США и их союзников. С целью «спасения» стран Ближнего Востока от «угрозы советского коммунизма» в доктрине предполагалось: сотрудничество с арабскими странами «в развитии экономической силы для сохранения национальной независимости», осуществление «программ военной помощи и сотрудничества» и главное — использование «вооруженных сил США для обеспечения и защиты территориальной целостности и политической независимости» ближневосточных стран. Нацеленная на подавление национально-освободительного движения арабских народов, доктрина представляла собой попытку Соединенных Штатов Америки произвольно решать вопросы войны и мира в районе Ближнего и Среднего Востока. В первую очередь, однако, «доктрина Эйзенхауэра» была призвана сыграть важную роль в осуществлении антисоветских планов дипломатии «окружения» Советского Союза и оказания на него военного давления.

При таком внешнеполитическом курсе значительные усилия американского государства были направлены на производство «сверхоружия» и более совершенных средств его доставки — баллистических ракет со всей сопутствующей электронной и другой техникой. Индустрия вооружений и административный механизм ее политического обеспечения заняли главенствующее место в американском обществе, получили фактически решающую роль в формировании внешнеполитического курса страны. Осознание ненормальности подобной ситуации заставило даже Эйзенхауэра в последние дни его пребывания на президентском посту в январе 1961 г. выступить с серьезным предупреждением об опасности всевластия военно-промышленного комплекса (ВПК) Соединенных Штатов Америки.

Глобалистский внешнеполитический курс США постоянно обнаруживал свою бесперспективность. Провал американской интервенции в Корее, приведший к подписанию перемирия в июле 1953 г. на основе статус-кво анте, заявление Советского Союза (август 1953 г.) об успешном испытании водородного оружия в СССР, крах в 1954 г. поддержанной США интервенции французских империалистических сил в Индокитае, начало становления развивающихся стран в качестве самостоятельной политической силы на мировой арене (Бандунгская конференция 1955 г.), неудачные попытки вмешательства США во внутренние дела социалистических стран приводили к росту более реалистических настроений в американском истэблишменте, выразившихся, в частности, в стремлении к нормализации отношений с СССР. Но на этом этапе они не привели к сколько-нибудь радикальным переменам в пользу мира.

В начале 60-х годов с приходом к власти администрации Демократической партии во главе с президентом Джоном Кеннеди во внешнеполитической стратегии США стали отмечаться некоторые изменения. Правительство Кеннеди стало более реалистично оценивать свои возможности в мире, лучше осознавать социально-экономические факторы мирового развития. Сам Кеннеди неоднократно подчеркивал необходимость проводить более гибкую и реалистическую внешнюю политику.

Новые внешнеполитические акценты нашли отражение и в военно-стратегической области. Так, в начале 60-х годов на вооружение

была принята **стратегия «гибкого реагирования»**, ставшая официальной стратегией НАТО. Она предусматривала возможность ведения как тотальной ядерной войны, так и «ограниченных» войн с применением и обычного и ядерного оружия, причем ракетно-ядерные силы необязательно должны были применяться сразу же по возникновении военного конфликта. Вместе с тем стратегия «гибкого реагирования» свидетельствовала о стремлении США сохранить в своем арсенале войну как средство достижения внешнеполитических целей. Органической частью этой стратегии была линия на ведение локальных войн в целях подавления мирового революционного и национально-освободительного движения.

Карибский кризис (октябрь 1962 г.) стал, по существу, отправным пунктом для некоторой переоценки и переориентации внешней и военной политики администрации президента Кеннеди, способствовал более широкому распространению трезвых суждений в политических, деловых и академических кругах США по вопросам ядерной войны. Тем не менее, в основе внешнеполитической стратегии США продолжали лежать антикоммунизм и убежденность в «праве» США выполнять функции международного полицейского. Однако, учитывая изменения в соотношении сил в мире, правящие круги США стали уделять большее внимание экономическим, политическим и идеологическим акциям с целью продвижения американских интересов на мировой арене (программа «Союз ради прогресса» для Латинской Америки, создание «Корпуса мира»). Осуществляя подобные шаги, американское руководство делало ставку на укрепление позиций капитализма в развивающихся странах, на привитие населению этих стран индивидуалистической буржуазной психологии, на создание образа США как страны, «бескорыстно помогающей нуждающимся», и т. д.

Если внешняя политика администрации Д. Эйзенхауэра, хотя ей и были свойственны колебания, не привела к сколько-нибудь явному официальному отказу от ставки на вседозволенность действий США на международной арене, то внешнеполитический курс администрации Дж. Кеннеди уже в определенной мере основывался на признании сокращающихся политических, военных и идеологических возможностях США в мире. Признание этого объективного факта сочеталось с объявленным намерением Белого дома не допускать внешнеполитических потерь и поражений, в т. ч. и на региональном уровне.

В плане борьбы с революционными национально-освободительными движениями США попытались перейти к методам «тихой контрреволюции» («контринсургенция») — полуполитическим-полувоенным операциям, призванным максимально уменьшить риск эскалации локального конфликта до масштабов регионального или глобального конфликта, чреватого прямым военным столкновением между двумя блоками или между СССР и США.

Руководствуясь именно такими методами, США с начала 60-х годов втянулись в гражданскую войну во Вьетнаме на стороне контрреволюционных сил. Вьетнамская агрессия создала более или менее точное представление об агрессивной сущности концепции «национальной безопасности», спроецированной на страны Юго-Восточной Азии, которые рассматривались как зоны «жизненных интересов» США.

Весной 1964 г. была выдвинута **доктрина «наведения мостов»**. Смысл ее заключался в дифференцированном подходе к социалистическим странам, в их разобщении, разжигании в каждой из них национализма, изоляции от Советского Союза. Стремясь к разъединению

социалистического содружества и делая ставку на «мирную эволюцию» отдельных его членов в направлении к капитализму, джонсоновская дипломатия не переставала демагогически утверждать о необходимости преодоления «холодной войны» и ликвидации раскола Европы, о налаживании тесного экономического сотрудничества. Заодно говорилось о вере в то, что «искусное развитие отношений с Восточной Европой может ускорить наступление того дня, когда будет воссоединена Германия».

Делая упор в риторике на приверженность мягким методам и на поддержку национальной самобытности, администрация Л. Джонсона в своей политике по отношению к развивающимся и освободившимся от колониального гнета странам быстро переходила от признания новых революционных правительств к попыткам включения этих государств в сферу влияния США.

В отношении Латинской Америки было открыто объявлено, что единственным критерием для признания США какого-либо правительства будет служить его отрицательное отношение к коммунизму.

В конце 1963 г. помощником госсекретаря по межамериканским делам Т. Манном было сформулировано стратегическое направление внешней политики США в отношении Латинской Америки, получившее название «**доктрины Манна**». Эта внешнеполитическая программа предполагала оказание дальнейшей поддержки авторитарным режимам в Латинской Америке, усиление политической и экономической изоляции Кубы и организацию под предлогом борьбы с «коммунистической опасностью» в Западном полушарии «коллективных» (в т. ч. вооруженных) действий по вмешательству в дела отдельных латиноамериканских государств.

Дальнейшее развитие такая политика получила в «**доктрине Джон-**

сона», которая была сформулирована в выступлении президента Л. Джонсона по радио 2 мая 1965 г. в связи с событиями в Доминиканской Республике и декларировала «право» США на вооруженную интервенцию в любую из латиноамериканских стран в случае возникновения «угрозы ее перехода под коммунистическое господство». Пытаясь оправдать вооруженную интервенцию США в Доминиканскую Республику, Джонсон заявил, что американские страны «не допустят создания в Западном полушарии еще одного коммунистического правительства».

В середине 60-х годов Вашингтон счел необходимым усилить и азиатское направление своей глобальной экспансии, что наглядно проявилось в **«тихоокеанской доктрине Джонсона»**, провозглашенной президентом США Л. Джонсоном в его выступлении 12 июля 1966 г. по национальному радио и телевидению. Ее основные элементы заключались в подтверждении решимости США выполнять свои обязательства в Азии в качестве «тихоокеанской державы» и в объявлении этого региона «сферой интересов США»; их намерении всеми средствами противодействовать там национально-освободительному движению и воевать во Вьетнаме, «сколько бы ни понадобилось для этого времени». Согласно доктрине, США брали на себя обязательство добиться «умиротворения, порядка и процветания Азии».

Руководствуясь этой доктриной, администрация президента Джонсона развернула в Юго-Восточной Азии, прежде всего во Вьетнаме, широкомасштабную войну против национально-освободительного движения с использованием самых современных видов неядерных вооружений. Несмотря на участие в интервенции во Вьетнаме полумиллионного экспедиционного корпуса при использовании самой современной военной техники, США потерпели там военное и политическое поражение. Это привело в конечном итоге к пересмотру внешнеполитической стратегии США, к попытке правящих кругов страны привести свои глобальные обязательства в некоторое соответствие с реальными возможностями.

Осуществлением этой задачи занялась республиканская администрация во главе с Р. Никсоном, пришедшая к власти в январе 1969 г. Осознание обреченности агрессии США во Вьетнаме, а также рост антивоенного движения в мире вынудили Белый дом прибегнуть к военно-политическому маневру: было публично объявлено о «вьетнамизации» конфликта, т. е. об увеличении роли сайгонской администрации в военных действиях при постепенном выводе американских войск.

«Доктрина Никсона» (**«гуамская доктрина»**) была изложена президентом США 25 июля 1969 г. в ходе его пресс-конференции на острове Гуам. Суть ее, по утверждению Р. Никсона, заключалась в том, что США будут участвовать в обороне и развитии своих союзников и друзей, но они не смогут и не будут разрабатывать все планы, программы, выполнять все решения и брать на себя во всем объеме заботу об обороне стран, находящихся в сфере господства капитализма. Доктрина обосновывала право США определять масштабы, формы и сферы своего вмешательства в региональные события исходя из собственной оценки реальной необходимости обстоятельств и времени такого вмешательства и своих национальных интересов. Таким образом, речь шла не об отказе от глобализма и гегемонизма, а о стремлении более «рационально» выполнять свои внешнеполитические «обязательства», привести их в соответствие с возможностями США, с реальностями международной обстановки, обеспечить Белому дому большую свободу политического маневра.

В послании Р. Никсона конгрессу США от 18 февраля 1970 г. доктрина получила дальнейшее развитие как руководящий принцип политики США не только в Азии, но и в других районах мира.

В доктрине нашел отражение прагматизм администрации Р. Никсона, сформировавшийся под воздействием перемен, охвативших на рубеже 60—70-х годов весь мир. Это была попытка как-то учесть военно-стратегический паритет с СССР, подвергнуть корректировке условия применения ядерного оружия и использования его как рычага политического давления. Что касается чисто «вьетнамского» содержания «доктрины Никсона», то оно диктовалось необходимостью найти выход из проигрышной для США ситуации.

Более трезвый взгляд на возможности военной силы в современную эпоху, более скромная оценка военных возможностей самих США в условиях изменившегося соотношения сил на мировой арене и прагматический «национальный интерес» в предотвращении ядерной войны, которая затронула бы территорию самих Соединенных Штатов, привели правящий класс США в 60—70-е годы к мнению, что опора на военную силу не исключает конструктивного диалога с «потенциальным противником». При подобной оценке «новых реальностей» американскому руководству пришлось признать, что в ядерный век не существует иной основы для поддержания отношений между США и СССР, кроме мирного сосуществования, что, несмотря на коренные различия в социальном характере двух систем и их идеологии, между ними существует довольно широкая сфера совпадения интересов, главным из которых является предотвращение ядерной войны, могущей означать гибель мировой цивилизации. Для такого поворота американского руководства к реализму во внешнеполитическом мышлении и к разрядке международной напряженности потребовались многие неудачи и провалы не только во внешней политике США, поражение в агрессии против вьетнамского народа. Большую роль в этом сыграла последовательно миролюбивая политика СССР, курс КПСС на установление взаимопонимания и сотрудничества со странами противоположной социальной системы во имя мирного будущего человечества.

С конца 1975 г. на внешнюю политику США начало влиять приближение предстоящих президентских выборов. Правые силы обеих ведущих партий сконцентрировали усилия на критике политики разрядки, тех внешнеполитических установок, которые в той или иной мере были связаны с приспособлением к мировым реальностям.

«Доктрина Форда» («тихоокеанская доктрина») была изложена в выступлении президента Дж. Форда в Университете Гонолулу (Гавайи) 7 декабря 1975 г. В ней Форд систематизировал основные задачи политики США в тихоокеанском регионе, суть которой заключалась в закреплении сложившегося там статус-кво. Шесть основных положений доктрины подтверждали намерение Вашингтона сохранять империалистическое присутствие США в Азии путем «сохранения мощи США», «стратегической опоры на Японию», «нормализации отношений с КНР», «заинтересованности в стабильности и безопасности Юго-Восточной Азии», «урегулирования крупных политических конфликтов» (прежде всего «корейского вопроса»), «развития структуры экономического сотрудничества в Азии». «Доктрина Форда» подчеркивала необходимость для США закрепиться в «послевьетнамскую эру» на «новых рубежах» для последующего перехода в наступление на социалистические страны и прогрессивные силы в регионе.

Во внешнеполитическом мышлении и действиях администрации Дж. Картера на передний план вышла **концепция «трехсторонности»**. «Трехсторонность», или «трилатерализм», не названный доктриной, но, по существу, ею являвшийся, означал попытку создать лигу высокоразвитых капиталистических стран — Западной Европы и Японии — под эгидой США для противостояния мировому социализму, прежде всего СССР, и национально-освободительному движению. Этот план был изложен в документе администрации США весной 1977 г. Объединение сил Запада стало господствующей для администрации идеей.

Политическое обоснование отхода от разрядки содержалось в **«доктрине Картера»**, которая была изложена президентом США в послании конгрессу «О положении страны» 23 января 1980 г. и носила на первый взгляд частный, региональный характер, но имела в действительности более широкое толкование. Новая доктрина декларировала намерение США осуществлять вмешательство и диктат в любом регионе и в отношении любого государства. Имелось в виду также «использовать все средства, включая военную силу, в случае попыток какой-либо силы извне обеспечить себе контроль над районом Персидского залива». Доктрина отражала стремление США к экспансии в глобальном масштабе, особенно в зоне развивающихся стран, путем расширения военного присутствия и общей активизации силовой политики в районах, прилегающих к Индийскому океану, в странах Среднего и Ближнего Востока, Африки.

На рубеже 70—80-х годов определенная шовинистически настроенная часть американского правящего класса восприняла внешнеполитические провалы как «вызов Соединенным Штатам». Ультрапатриотическая агитация правых сил, получивших мощную поддержку со стороны ВПК, заинтересованного в новом раунде гонки вооружений, привела к власти в США в начале 80-х годов те круги правящего класса, которые заняли жесткую позицию в вопросах нормализации советско-американских отношений, в особенности после ввода ограниченного контингента советских войск в Афганистан. Маятник политической жизни и внешнеполитический курс США качнулся резко вправо.

Администрация Рейгана, пришедшая к власти в январе 1981 г., внесла немалый вклад в теоретико-доктринальное обоснование и практическую реализацию многих программ строительства стратегических ядерных вооружений.

Основу теоретико-доктринальной базы неоконсерваторов составил **неоглобализм**. Следует отметить, что глобализм был свойствен всем без исключения послевоенным американским внешнеполитическим доктринам. Суть же подхода, предложенного неоконсерваторами, сводилась к попытке решать глобальные проблемы внешней политики США на региональном уровне, к стремлению изменить в пользу США соотношение военных сил в различных частях земного шара, вытеснять мировой социализм из каждого региона на глобальном уровне. Такой подход базировался на нескольких фундаментальных принципах, среди которых были гонка вооружений, экономическая война против СССР, обеспечение господства в общественном мнении США настроений «холодной войны», ставка на «политику силы», оценка событий в «третьем мире» только через призму американо-советских отношений. В основе этого подхода была попытка выйти из положения военно-стратегического паритета, обойти его на региональных направлениях американской внешней политики в условиях отсутствия возможности сломать его на глобальном уровне. Доктрина вновь поставила во главу угла концепцию «национальной безопасности» в ее неограниченно расширенном толковании.

Но при всем антикоммунизме в правящих кругах США растет понимание, что откровенно конфронтационный курс может привести лишь к ядерному конфликту с СССР. А опасность такого курса сознают даже антикоммунистически настроенные представители правящего класса США. Не могут не считаться они и с настроениями широких масс американцев, которые характеризуются, с одной стороны, возросшим национализмом, стремлением видеть «сильную и уважаемую всеми Америку», но в то же время тесным образом переплетаются с желанием мирно сосуществовать с СССР, договариваться о путях и способах сохранения и упрочения мира, вести переговоры по разоружению. Именно поэтому США вынуждены идти на урегулирование отношений с СССР — такие акции, как встречи на высшем уровне, договоренности в сфере вооружений, положительное решение ряда вопросов двусторонних отношений.

При всем этом американская внешняя политика продолжает основываться на устарелых стереотипах, на недооценке Советского Союза и др. социалистических стран, роли развивающихся государств и очередной переоценке силовых возможностей США, приводящей вновь к настроениям политической вседозволенности. В то время как советское руководство ставит вопрос о необходимости нового мышления в ядерный век, о замене устарелых силовых концепций политики новыми гуманистическими понятиями, о преодолении представления о войне в ядерную эпоху как о приемлемом средстве достижения политических целей, влиятельные круги США по-прежнему рассматривают военную силу как универсальное средство для решения своих задач на международной арене.

ОТНОШЕНИЯ МЕЖДУ США И СССР

С конца 40-х годов и вплоть до начала 60-х годов советско-американские отношения во многом складывались под воздействием политики «холодной войны» и «сдерживания коммунизма», проводимой империалистическими кругами США. Главным инструментом этой политики была ставка на военную силу, прежде всего на ядерное оружие как гарантию военного превосходства над СССР. Конец атомной монополии США, очевидная нереальность расчетов на подрыв устоев социализма в Советском Союзе и на создание препятствий социалистическому строительству в ряде стран Восточной Европы и Азии способствовали проявлению реалистических тенденций во внешней политике Вашингтона. Были сделаны первые шаги по нормализации отношений с СССР — подписано двухгодичное советско-американское Соглашение в области культуры, техники и образования (январь 1958 г.). Летом 1959 г. вице-президент Р. Никсон нанес визит в Советский Союз в связи с открытием американской выставки в Москве.

В сентябре того же года состоялся визит в США Первого секретаря ЦК КПСС, Председателя Совета Министров СССР Н. С. Хрущева, приуроченный к открытию очередной сессии Генеральной Ассамблеи ООН. Важное место во время его встречи с президентом США Д. Эйзенхауэром занял вопрос о мирном урегулировании в центре Европы и о Западном Берлине. Была достигнута договоренность об организации в мае 1960 г. новой встречи глав правительств четырех держав с целью обсуждения назревших международных проблем, в т. ч. вопроса о Западном Берлине.

Крайне правые круги США, стремясь сорвать совещание и отбросить мир к временам конфронтации, усилили антисоветскую кампанию и наскоки на правительство за его «мягкость». Кульминационным пунктом в деле срыва совещания в верхах стало вторжение 1 мая 1960 г. в воздушное пространство СССР американского самолета-разведчика «Локхид У-2», сбитого советскими ракетчиками. Официальные представители США вначале пытались отрицать преднамеренный характер полета, но вскоре Эйзенхауэр был вынужден это признать. Тем не менее, начало 60-х годов было периодом явного кризиса политики «холодной войны», постепенного формирования предпосылок разрядки в советско-американских отношениях.

3—4 июня 1961 г. в Вене состоялась встреча Председателя Совета Министров СССР Н. С. Хрущева и президента США Дж. Кеннеди. Центральное место в обмене мнениями заняли проблемы разоружения, урегулирование ситуации вокруг Западного Берлина. Президент США впервые признал общее «равенство сил СССР и США». Стороны договорились поддерживать контакты по всем вопросам советско-американских отношений.

Своеобразным водоразделом в процессе формирования взаимоотношений между двумя странами стал Карибский кризис (октябрь 1962 г.), наглядно продемонстрировавший опасность ядерного столкновения СССР и США и реальные пределы возможностей применения силы Соединенными Штатами в конфликтных ситуациях.

В июле 1963 г. в Москве состоялись переговоры между СССР, США и Великобританией, в ходе которых был согласован и в августе 1963 г. подписан Договор о запрещении испытаний ядерного оружия в атмосфере, в космическом прост-

ранстве и под водой. В июне 1963 г. СССР и США подписали меморандум об установлении линии прямой связи между правительствами двух стран с целью облегчения контактов в периоды острых международных ситуаций. В июне 1964 г. в Москве была подписана советско-американская Консульская конвенция.

Во второй половине 60-х годов были предприняты определенные шаги, имевшие целью способствовать международному сотрудничеству при подготовке многостороннего Договора о нераспространении ядерного оружия. Подписание этого договора в июле 1968 г. явилось важным этапом на пути к избавлению человечества от угрозы ядерной войны. В значительной степени благодаря улучшению советско-американских отношений был выработан и многосторонний Договор о запрещении размещения на дне морей и океанов и в его недрах ядерного оружия и других видов оружия массового уничтожения (вступил в силу в 1972 г.).

В послевоенной истории советско-американских отношений 70-е годы занимают особое место. В первой их половине в отношениях между СССР и США произошли существенные позитивные сдвиги, были выработаны основополагающие принципы этих взаимоотношений применительно к условиям ядерного века, стало намечаться выгодное сотрудничество по широкому кругу проблем, был создан механизм такого сотрудничества и взаимодействия. Состоялся ряд советско-американских встреч на высшем уровне: визиты в СССР Р. Никсона (май 1972 г., июнь — июль 1974 г.), Л. И. Брежнева в США (июнь 1973 г.), встречи Л. И. Брежнева с Дж. Фордом в районе Владивостока (ноябрь 1974 г.) и Дж. Картером в Вене (июнь 1979 г.), в ходе которых обсуждались вопросы ограничения стратегических вооружений, отношений между двумя странами, узловые международные проблемы.

В ходе советско-американской встречи на высшем уровне 29 мая 1972 г. в Москве был подписан документ «Основы взаимоотношений между СССР и США», зафиксировавший основные принципы советско-американских отношений. Стороны согласились исходить из общей убежденности, что «в ядерный век не существует никакой иной основы для поддержания отношений между ними, кроме мирного сосуществования», и «различия в идеологии и социальных системах СССР и США не являются препятствием для развития между ними нормальных отношений, основанных на принципах суверенитета, равенства, невмешательства во внутренние дела и взаимной выгоды». Они обязались избегать военных конфронтаций и предотвратить возникновение ядерной войны.

В 1971—1979 гг. СССР и США подписали свыше 60 соглашений по самым различным сферам двусторонних отношений, в т. ч. в 1971 г. было заключено Соглашение о мерах по уменьшению опасности возникновения ядерной войны между СССР и США. В мае 1972 г. в Москве были подписаны соглашения о сотрудничестве в области: охраны окружающей среды; медицинской науки и здравоохранения; науки и техники; в исследовании и использовании космического пространства в мирных целях; предотвращения инцидентов в открытом море и в воздушном пространстве над ним. В октябре 1972 г. в Вашингтоне было подписано советско-американское торговое соглашение, которое, однако, не вступило в силу, так как США не выполнили его главного условия — о предоставлении СССР режима наибольшего благоприятствования. В 1973 г. СССР и США подписали соглашения о предотвращении ядерной войны, о сотрудничестве в таких областях, как исследование Мирового океана, транс-

порт, сельское хозяйство, мирное использование атомной энергии и др.; в 1974 г.— о сотрудничестве в таких областях, как энергетика, жилищное и другие виды строительства, научные исследования и разработки искусственного сердца; долгосрочное соглашение о содействии экономическому и научно-техническому сотрудничеству; Договор об ограничении подземных испытаний ядерного оружия и др.

В 1969 г. начались советско-американские переговоры об ограничении стратегических наступательных вооружений. В ходе советско-американской встречи на высшем уровне в Москве в мае 1972 г. были подписаны Договор об ограничении систем противоракетной обороны (Договор по ПРО) и Временное соглашение между СССР и США о некоторых мерах в области ограничения стратегических наступательных вооружений, получившие общее название — Соглашение по ОСВ-1 и ставшее первым конкретным шагом в обуздании гонки ракетно-ядерных вооружений. 21 июня 1973 г. в Вашингтоне был подписан документ «Основные принципы переговоров о дальнейшем ограничении стратегических наступательных вооружений», который не только предусматривал активное продолжение работы, направленной на ограничение стратегических наступательных вооружений как с точки зрения их количества, так и их качественного совершенствования, но и ориентировал на принятие мер по последующему их сокращению. Однако влиятельные силы в США всячески препятствовали осуществлению достигнутых договоренностей. Тем не менее 14 июня 1979 г. делегации обеих стран завершили в Женеве работу по подготовке текстов Договора ОСВ-2, который был подписан на советско-американской встрече на высшем уровне в Вене 18 июня 1979 г. вместе с комплексом соглашений по этому вопросу. Устанавливались равные количественные ограничения на стратегические ядерные силы двух держав. В развитии Соглашений по ОСВ-1 и владивостокской договоренности подписанный договор ограничивал более широкий диапазон стратегических вооружений, предусматривал ограничения их качественного совершенствования, фиксировал паритет стратегических сил двух сторон. Однако противники разрядки и ОСВ повели на венский договор массированное наступление. Им удалось воспрепятствовать ратификации договора в сенате США.

Опыт 70-х годов продемонстрировал, насколько упорно сопротивление реакционных сил в США, выступающих против разрядки, против конструктивного сотрудничества с СССР, насколько живучи и сильны пережитки и стереотипы периода «холодной войны». Действие этих факторов во многом обусловило серьезное осложнение советско-американских отношений в конце 70 — начале 80-х годов.

В развитии взаимоотношений СССР — США в 80-е годы можно выделить три периода. Первый из них охватывает в основном 1981—1984 гг. Он характеризовался военно-политической конфронтацией двух государств из-за размещения ракет средней дальности на Европейском континенте; безрезультатностью проходивших в 1981—1983 гг. советско-американских переговоров об ограничении ядерных вооружений в Европе и о сокращении стратегических наступательных вооружений; плохим политическим климатом и ростом недоверия и подозрительности сторон друг к другу; сведением к минимуму контактов и связей в сферах двусторонних советско-американских отношений.

Второй период (1985—1986) ознаменовался началом в марте 1985 г. новых советско-американских переговоров об ограничении ядерных и космических вооружений, постепенным восстановлением механизма политического диалога между двумя странами, в т. ч. и на высшем уровне.

В ноябре 1985 г. состоялась советско-американская встреча в верхах (М. С. Горбачева и Р. Рейгана) в Женеве — первая после 1979 г. Она вылилась в открытый, широкий диалог, оказавший существенное воздействие на общую обстановку в мире, а также положила начало возрождению сотрудничества в ряде сфер двусторонних отношений СССР — США. Обе стороны заявили, что «ядерная война никогда не должна быть развязана и в ней не может быть победителей», и обязались не стремиться к достижению военного превосходства, подчеркнули важность предотвращения любой войны между ними — ядерной или обычной. В Женеве было подписано межправительственное Общее соглашение об обменах и контактах в области науки, образования и культуры и в других областях, а также связанная с ним специальная Программа сотрудничества и обменов между СССР и США на 1986—1988 годы. Позднее, в августе 1986 г., в целях реализации этой программы было подписано 13 рабочих соглашений, предусматривающих обмен выставками из советских и американских музеев; расширение обмена преподавателями и студентами; сотрудничество в изучении русского и английского языков; внедрение компьютерной техники в средних школах и др. В апреле 1986 г. было возобновлено воздушное сообщение между двумя странами, прерванное решением администрации США в декабре 1981 г.

Определенный импульс начали получать советско-американские торгово-экономические отношения, которым был нанесен серьезный урон в результате дискриминационных мер, предпринятых США (эмбарго на экспорт зерна в СССР, ограничение экспортируемых товаров по списку КОКОМ и др.).

Стала вновь функционировать межправительственная советско-американская комиссия по вопросам торговли. На сессиях комиссии в 1985—1988 гг. было рассмотрено положение дел с рядом проектов возможного делового сотрудничества между советскими внешнеторговыми организациями и американскими компаниями в таких областях, как нефтехимическая, легкая промышленность, отрасли агропромышленного комплекса, оборудование для добычи нефти и газа; была отмечена взаимная заинтересованность в их осуществлении. Однако сколько-нибудь существенных сдвигов в области развития советско-американских торгово-экономических отношений не последовало. Администрация США не проявила стремления смягчить существующее дискриминационное в отношении СССР торговое законодательство. Кроме того, она продолжала оказывать давление на своих западноевропейских союзников с целью ужесточения их торговой политики в отношении социалистических стран (в октябре 1985 г. под давлением США в рамках НАТО был создан комитет представителей министерств обороны стран — членов блока, призванный контролировать все вопросы передачи СССР «стратегической технологии»).

В октябре 1986 г. М. С. Горбачев и Р. Рейган встретились в Рейкьявике. Значение встречи в Рейкьявике состоит прежде всего в том, что на ней были обсуждены конкретные формулы радикального сокращения ядерного оружия, предложенные советской стороной. При этом по вопросам о ликвидации ракет средней дальности и о 50-процентном сокращении стратегических наступательных вооружений была достигнута принципиальная договоренность. Но неконструктивная позиция американского президента в вопросе о соблюдении Договора по ПРО 1972 г. перечеркнула возможность комплексной договоренности,

которая предусматривала бы недопущение гонки вооружений в космосе.

Иными словами, хотя политический диалог был восстановлен, конкретных соглашений на этом этапе достичь не удалось. Более того, вскоре после каждой из этих двух встреч в верхах администрация США шла на демонстративные антисоветские акции явно в целях нейтрализации их позитивного воздействия на ситуацию в мире (отказ от Договора ОСВ-2, высылка советских дипломатов, отклонение одностороннего советского моратория на испытания ядерного оружия).

С марта 1987 г. советско-американские отношения вступили в третий период. Заметно активизировались политические контакты на различных уровнях. В ходе весьма интенсивных дипломатических контактов весной и особенно осенью 1987 г. удалось завершить выработку Договора по РСМД, договориться о проведении в декабре того же года третьей советско-американской встречи в верхах — на этот раз в Вашингтоне.

Импульсом к наметившимся позитивным сдвигам в советско-американских отношениях стали те перемены во внутренней и внешней политике СССР, которые обозначились после апрельского Пленума ЦК КПСС 1985 г. Процесс перестройки в Советском Союзе подорвал расчеты правящих кругов США на отставание СССР в экономической и научно-технической областях, а следовательно, и сами основы силового курса США в отношении нашей страны. Активная, конструктивная линия Советского Союза в международных делах, выдвигаемые им конкретные инициативы и предложения, иная по сравнению с началом 80-х годов оценка своих долгосрочных национальных интересов с позиций нового мышления содействовали возникновению такой ситуации, при которой официальным кругам США становилось все труднее открыто выступать против радикальных сокращений ядерных вооружений.

28 февраля 1987 г. советская сторона выразила готовность решить с США вопрос об РСД на основе «нулевого варианта», вне зависимости от решения вопросов стратегических вооружений. Когда американская сторона заявила в ответ, что она оставляет за собой право нарастить свои оперативно-тактические ракеты в Европе до советского уровня, СССР предложил ликвидировать с обеих сторон и этот класс вооружений. В июле 1987 г. СССР, идя навстречу азиатским странам, учитывая их озабоченность, выразил готовность (при условии согласия Соединенных Штатов сделать то же самое) пойти на взаимной основе на уничтожение всех ракет средней дальности СССР и США в Азии. СССР согласился ликвидировать и оперативно-тактические ракеты СССР и США на глобальной основе, т. е. реализовать концепцию так называемого «глобального двойного нуля».

Уже к середине 80-х годов стала очевидной безуспешность попыток Вашингтона навязать односторонне выгодные для США условия строительства отношений с Советским Союзом. Предпринятый американской администрацией в 80-е годы рывок в гонке вооружений не дал желаемых результатов: ситуация военно-стратегического паритета не была поколеблена. Становилось очевидным и то, что ввиду экономических трудностей США оказываются не в состоянии финансировать все проталкиваемые Пентагоном военные программы. Уже в 1985 г. конгресс США заморозил военные расходы, а с 1987 фин. г. началось даже их определенное сокращение. В стране усиливалась критика внешней политики администрации, и особенно ее курса в отношении Советского Союза. Конгрессом США был принят ряд резолюций, содержавших

требования к администрации сохранить в силе Договор ОСВ-2, Договор по ПРО, пойти на переговоры с СССР по вопросам прекращения ядерных испытаний и др.

В сентябре 1987 г. было подписано Соглашение о создании центров по уменьшению ядерной опасности и два протокола к нему. В соответствии с итоговым документом конференции в Стокгольме по мерам укрепления доверия и безопасности и разоружению в Европе в конце августа 1987 г. группа американских военных впервые инспектировала проведение военных учений на территории Белоруссии. Наконец, стороны договорились о проведении полномасштабных советско-американских переговоров по ограничению и в конечном итоге прекращению ядерных испытаний. Первый раунд этих переговоров начался 9 ноября 1987 г.

В качестве первого шага стороны должны согласовать эффективные меры контроля, которые позволили бы ратифицировать остающиеся не ратифицированными советско-американский Договор об ограничении подземных испытаний ядерного оружия 1974 года и Договор о подземных ядерных взрывах в мирных целях 1976 года и приступить к согласованию дальнейших промежуточных ограничений на ядерные испытания с конечной целью их полного прекращения. Советские и американские ученые — представители Академии наук СССР и Совета защиты природных ресурсов (США) — провели в сентябре 1987 г. новый совместный эксперимент с использованием американского оборудования на ядерном полигоне в районе Семипалатинска, целью которого было измерение мощности двух неядерных взрывов и проверка возможности осуществлять эффективный контроль за соблюдением соглашения о полном запрещении ядерных испытаний.

Важнейшим событием стала встреча в верхах в Вашингтоне 7—

10 декабря 1987 г. Главный итог ее — подписание Договора между СССР и США о ликвидации их ракет средней дальности и меньшей дальности. Значение этого соглашения состоит в том, что оно впервые в послевоенной истории позволит ликвидировать определенную часть ядерных вооружений, а следовательно, укрепить безопасность СССР, США, как и всех остальных государств. Наряду с этим оно создало более благоприятные политические, психологические и иные предпосылки для обсуждения и нахождения решений других важнейших вопросов сокращения ядерных (прежде всего стратегических) и иных вооружений. Наконец, оно существенно укрепило ростки доверия и взаимопонимания в отношениях между СССР и США, дало новые импульсы процессу преодоления накопившихся в них проблем и трудностей. Значение договора состояло и в том, что он показал возможность и необходимость обеспечения безопасности не с помощью наращивания вооружений, а путем их ликвидации.

Итоги встречи, подготовка к ней содействовали оздоровлению политического климата в советско-американских отношениях, дали новый толчок расширению двустороннего сотрудничества в области экономики, науки, культуры, в решении глобальных проблем. На протяжении 1987 г. были продлены межправительственные соглашения о сотрудничестве в области охраны окружающей среды, исследования Мирового океана, рыбного хозяйства, а также подписано Соглашение между СССР и США о сотрудничестве в исследовании и использовании космического пространства в мирных целях. Оно предусматривает проведение совместных работ в области исследования Солнечной системы, космической астрономии и астрофизики, науки о Земле, физики солнечно-земных связей, космической биологии и медицины.

Между двумя странами (впервые с 70-х годов) имело место определенное взаимодействие в решении острых международных проблем. В 1987 г. обе страны сотрудничали в выработке текста резолюции 598 Совета Безопасности ООН по Персидскому заливу. В целях снижения опасности разрастания конфликта, обеспечения свободы судоходства советская сторона предложила направить в этот район силы ООН, которые могли бы заменить находящиеся там иностранные суда. В этих целях предложено было задействовать военно-штабной комитет Совета Безопасности ООН, в заседании которого мог бы принять участие начальник Генерального штаба Вооруженных Сил СССР. Кроме того, советская сторона предложила провести встречу министров обороны СССР и США. Такие встречи состоялись в марте — мае 1988 г. В 1986—1988 гг. проходили советско-американские консультации на уровне заместителей руководителей дипломатических ведомств по вопросам деятельности ООН, региональных проблем, нераспространения ядерного оружия, укрепления режима безопасного развития ядерной энергетики. Во второй половине 80-х годов стали также активно развиваться межпарламентские, культурные и общественные связи.

Важным звеном в развитии советско-американских отношений стала встреча в верхах в Москве, которая состоялась с 29 мая по 2 июня 1988 г. Сам факт проведения встречи на высшем уровне, подготовка к ней не только закрепили значительные позитивные перемены в советско-американских отношениях, но и дали новые импульсы к их развитию. Ратификация Договора по ракетам средней и меньшей дальности, обмен в ходе встречи ратификационными грамотами о вступлении этого договора в силу, дальнейшее продвижение в завершении выработки соглашения о

50-процентном сокращении стратегических наступательных вооружений, подписание до встречи соглашений по афганскому урегулированию, заключение ряда соглашений о дальнейшем совершенствовании механизма предотвращения ядерной войны, а также о развитии двустороннего сотрудничества — все это конкретные свидетельства продолжающейся нормализации советско-американских отношений, привнесения в них дополнительных элементов устойчивости и последовательности.

ПОЛИТИКА США В ОТНОШЕНИИ СОЦИАЛИСТИЧЕСКИХ СТРАН ВОСТОЧНОЙ ЕВРОПЫ

В период становления мировой социалистической системы в 1944—1949 гг. США пытались удержать восточноевропейские государства в орбите Запада с помощью буржуазных партий и их деятелей, входивших тогда в коалиционные правительства большинства восточноевропейских стран. Несмотря на противодействие внутренней контрреволюции, опиравшейся на поддержку империалистических кругов Запада, в этих странах происходили крупные социально-экономические преобразования. К 50-м годам в основных чертах сложилась мировая социалистическая система. Она быстро укреплялась в политическом, экономическом и военном отношениях, росли ее авторитет и влияние на мировые дела.

На следующем этапе, в 50—60-х годах, основная ставка была сделана Вашингтоном на контрреволюционные силы в Восточной Европе, связанные с прошлым буржуазным строем и действовавшие, как правило, в подполье. Расчеты строились на том, что этим силам при поддержке империалистических кругов удастся ниспровергнуть народно-демократический, социалистический строй. Однако и эти надежды не осуществились, поскольку антисоциалистические силы оказались неспособны повернуть развитие вспять.

В 70—80-е годы империалистические круги США не оставляли попыток разжечь недовольство среди населения социалистических стран, используя в провокационных целях отдельные негативные явления в повседневной практике социалистического строительства. При этом, наряду с другими, преследуется цель трансформации социализма, постепенного внедрения западной модели общественного устройства. Однако эти расчеты не оправдывают себя, ибо социалистические страны в процессе своего развития вырабатывают действенные механизмы преодоления внутренних трудностей и противоречий.

Политика правых кругов США в отношении социалистических стран Европы направлена на то, чтобы в самом регионе, вокруг него, в двусторонних отношениях, по линии Восток — Запад, в политической, экономической, военной, идеологической и других сферах создавать внутреннюю и внешнюю обстановку, благоприятную для активизации антисоциалистических сил, и либо непосредственно, либо косвенно подталкивать эти силы к целенаправленным действиям в интересах Запада.

Конкретные целевые установки американской политики неоднократно менялись. Это обусловливалось соотношением сил в правящих кругах США, изменениями в оценках ими ситуации в мире, международных возможностей Вашингтона и его потенциальных противников. В этом плане можно выделить два этапа. На первом этапе (1948—1960) строились расчеты на непосредственное свержение социализма в странах Восточной Европы в результате единовременного акта. На втором, начавшемся с приходом в Белый дом администрации Дж. Кеннеди в 1961 г., курс был взят на постепенную трансформацию социализма.

Внешнеполитические установки Вашингтона базировались на империалистических доктринах, направленных против социалистических стран. Так, первый этап был отмечен провозглашением доктрины «сдерживания коммунизма». Предполагалось, что на полное осуществление целей «сдерживания» потребуется 10—15 лет. К этому времени, по расчету авторов доктрины, социализм как система государств либо перестанет существовать, либо он будет находиться в столь ослабленном состоянии, что вряд ли сможет оказывать влияние на мировое развитие, и тогда США смогут покончить с социализмом.

В политике «сдерживания» Вашингтон возлагал надежды на вероятность взрыва изнутри, считая, что контрреволюционные элементы, связанные с эмигрантскими кругами, обладают значительными ресурсами и влиянием, чтобы «сдержать» развитие социалистических тенденций в этих странах. Вместе с тем американское правительство предпринимало шаги, направленные, в частности, на установление экономической блокады стран Восточной Европы. В феврале 1949 г. конгресс США принял закон о контроле над экспортом, который устанавливал в области торговли с социалистическими странами особый ограничительный режим. Были аннулированы торговые соглашения с Чехословакией, Болгарией, Румынией, Венгрией. В 1949 г. был создан и с 1 января 1950 г. стал действовать Координационный комитет (КОКОМ), в который первоначально вошло 15 крупнейших капиталистических государств. Он был призван установить международный контроль над экспортом в социа-

листические страны. Принятый в 1951 г. закон о контроле над оказанием помощи в целях взаимной обороны (закон Бэттла) обеспечивал контроль США и сотрудничающих с ними государств над экспортом в «любую страну или группу стран, которые угрожают безопасности США». Такими странами в законе Бэттла были названы СССР и др. социалистические государства. В том же году ПНР и ВНР были лишены режима наибольшего благоприятствования в торговле. В результате всех этих мер американский экспорт в социалистические страны за 1948—1953 гг. сократился более чем в 200 раз, импорт из этих стран в США — в 5 раз.

В 1949 г. был подписан Североатлантический договор. Создание на границах социалистических стран агрессивного военного объединения — НАТО имело целью превратить эпизодическое устрашение в постоянную угрозу.

Одновременно усилилась тайная подрывная деятельность против восточноевропейских государств. В 1949 г. представители ряда крупнейших монополий США создали Комитет Свободной Европы, объединяющий наиболее реакционные круги США с контрреволюционной восточноевропейской эмиграцией. В 1950 г. Совет национальной безопасности США принял документ СНБ-68, в котором признал необходимым широкое развертывание «операций тайными средствами в сфере экономической, политической и «психологической войны», с тем чтобы вызывать и поддерживать недовольство и брожение в соответствующих странах Восточной Европы».

В 1951 г. американский конгресс принял закон о взаимном обеспечении безопасности, в соответствии с которым из 100 млн дол., выделенных в целях «обеспечения национальной безопасности» США, значительную сумму предполагалось использовать для организации террористических и военных формирований из лиц восточноевропейского происхождения, для финансирования подпольных организаций в этих странах.

Доктрина «сдерживания» не смогла воспрепятствовать утверждению социализма в Восточной Европе. На смену ей пришла доктрина «освобождения» стран социализма, выдвинутая в начале 1953 г. А весной 1955 г. в США была разработана «программа политического наступления на мировой коммунизм», которая предусматривала, в частности, подготовку кадров «для руководства операциями сопротивления, для пропаганды, подрыва, проникновения в социалистические страны».

Несмотря на трудности периода становления, социализм как форма общественного устройства демонстрировал успехи в экономике и социальной сфере. В 1955 г. была создана Организация Варшавского Договора, что отразило стремление СССР и др. социалистических государств Восточной Европы сообща защищать безопасность, социальные достижения от угроз, исходящих от НАТО, а также осуществлять взаимные консультации по внешнеполитическим вопросам.

Между целями, которые провозглашал Вашингтон, и реальными возможностями их осуществления образовался значительный разрыв. Соединенные Штаты не имели в своем арсенале средств для «освобождения» Восточной Европы, не подвергая себя при этом серьезному риску. Тем не менее сторонники этой доктрины продолжали призывать к отторжению государств Восточной Европы от социалистического содружества. Вынашивались планы «поглощения ГДР». В октябре 1956 г. внутренняя контрреволюция при поддержке американских спецслужб и международной реакции спровоцировала мятеж в Венгрии. С лозунгами «освобождения» шли на выборы в

1960 г. Р. Никсон, в 1964 г. Б. Голдуотер.

Успешное испытание в Советском Союзе межконтинентальной баллистической ракеты (август 1957 г.) развеяло миф о ядерно-ракетном превосходстве США. Во влиятельных политических кругах США на рубеже 60-х годов зрело убеждение, что тактика лобового натиска неэффективна и должна быть дополнена новыми, более гибкими тактическими приемами, которые бы содействовали «эрозии», «размыванию», «размягчению» социалистического содружества. Индивидуальный дифференцированный подход к отдельным социалистическим странам был намечен президентом Дж. Кеннеди и официально закреплен его преемником Л. Джонсоном в доктрине «наведения мостов», в основе которой лежало убеждение правящих кругов США, что страна, оторванная от социалистического содружества, силой обстоятельств неизбежно будет двигаться в сторону западной системы (и в политическом и в социальном смысле). Поэтому этот «отрыв» и ставился в качестве основной конкретной задачи «наведения мостов». Однако политика «наведения мостов» все больше выявляла свою провокационную, подрывную сущность.

Одна из главных причин начавшейся на рубеже 70-х годов переоценки внешнеполитических концепций США состояла в том, что возможность «влиять» на внутреннее развитие отдельных восточноевропейских стран и всего социалистического содружества, вызвать противоречия, разногласия между европейскими социалистическими государствами, используя примитивный принцип «вознаграждения», оказалась, как правило, теоретической. Поэтому стратегия Вашингтона, по мнению ряда американских внешнеполитических идеологов, должна была состоять в «подключении» к внутренним идеологическим, социальным, экономическим, политическим проблемам, с которыми сталкиваются социалистические страны. Принцип «подключения» вовсе не представлял собой только использование возникающих возможностей: суть его заключалась в том, что, когда тот или иной процесс, считающийся выгодным с точки зрения ближайших или конечных интересов Запада, начинается в какой-то восточноевропейской стране, США (Запад) будут стремиться «подключиться» к нему, создавая своими акциями внешнюю, а в ряде случаев и внутреннюю обстановку, благоприятную для развития этого процесса, для деятельности антисоциалистических сил, которые стоят за ним.

Принцип «подключения» находился на вооружении всех администраций США в 70-е и 80-е годы, хотя каждая из них вносила в него свое понимание.

Нормализация советско-американских отношений в первой половине 70-х годов сдерживала открытую подрывную активность США против социалистических стран. В Вашингтоне не могли не понимать, что откровенный подрыв социализма вызвал бы острую реакцию Советского Союза и мог повести к прямой конфронтации с СССР. В то же время правые круги США продолжали разжигать антисоциалистические и антисоветские настроения в странах социализма.

Администрация Дж. Картера откровенно пыталась противопоставить СССР его союзникам, стремилась оказать давление на социалистические страны, используя идеологические и экономические методы. Кампания за права человека, «подключение» к так называемой «диссидентской проблеме» были рассчитаны на оказание психологического воздействия на массовое сознание населения стран социализма. Вашингтон активно вмешался в социально-политический кризис в Польше, начавшийся в августе 1980 г.

С приходом к власти администрации Р. Рейгана крайне правые круги усилили антикоммунистическую пропаганду, открыто взяли курс на дестабилизацию ситуации в ПНР, подталкивая экстремистских лидеров «Солидарности» к антиконституционным действиям. Нормализация ситуации в ПНР вынудила республиканскую администрацию пойти во второй половине 80-х годов на меры по устранению отдельных дискриминационных ограничений в подходе к этой стране.

В это же время в правящих кругах США укрепляется тенденция более реалистического подхода к социалистическим странам с учетом экономических, военных и идеологических реальностей современного мира, конструктивных предложений социалистических стран по мировым проблемам.

АМЕРИКАНО-ЗАПАДНОЕВРОПЕЙСКИЕ ОТНОШЕНИЯ

В послевоенной внешней политике США Западная Европа занимает особое место. Встав на путь конфронтации с Советским Союзом и др. странами социализма, Соединенные Штаты начали мобилизацию возможных союзников, проводя политику укрепления капиталистического лагеря и своей гегемонии в нем. Роль главных союзников отводилась странам западноевро-

пейского региона, укрепление связей с которыми стало важнейшим элементом американского внешнеполитического курса. Атлантизм — совокупность усилий по все большему вовлечению стран Западной Европы во внешнеполитическую деятельность США — вот уже на протяжении нескольких десятилетий лежит в основе военно-политической стратегии Вашингтона.

В своих связях с этим регионом США прошли за послевоенный период путь от патронирования до взаимоотношений относительного равенства, так как за это время произошло значительное перераспределение мощи между США и западноевропейским центром капитализма, его ядром — Европейским экономическим сообществом (ЕЭС).

В послевоенном курсе США по отношению к Западной Европе прослеживаются три этапа.

На первом этапе (1945 — до начала 60-х годов) США прилагали значительные усилия по социально-экономической стабилизации своих западноевропейских союзников. Обозначилось определенное совпадение интересов и позиций правящих кругов США и Западной Европы, обусловленное их общим страхом перед социальным обновлением мира; антикоммунизм становится основой их сотрудничества.

Доктрина «сдерживания» в ее направленности на Западную Европу имела своей целью сдержать, свернуть тенденцию к социальному обновлению, обозначившуюся в тот период в ряде индустриально развитых капиталистических государств. Но провозглашая себя гарантом сохранения социального статус-кво в этих странах, принимая на себя ответственность за сохранение в них власти в руках монополистической буржуазии, США одновременно утверждали себя (и, как надеялись в Вашингтоне, надолго) в роли лидера всей социальной системы капитализма со всеми вытекающими отсюда последствиями для входящих в нее стран, прежде всего Западной Европы.

5 июня 1947 г. был обнародован «план Маршалла», предусматривавший выделение на определенных условиях займов и кредитов для экономического восстановления Западной Европы и в значительной степени способствовавший утверждению американского влияния в Западной Европе. С апреля 1948 г.

по февраль 1952 г. Западная Европа поглотила 17 млрд дол. по «плану Маршалла». Одновременно с этим американский бизнес выгодно скупал западноевропейские предприятия.

Для проведения в жизнь плана по укреплению позиций западноевропейского капитализма, утверждения в регионе американского влияния была создана специальная Организация европейского экономического сотрудничества (ОЕЭС), осуществлявшая контроль за распределением средств и условиями их использования (позднее она стала называться Организацией экономического сотрудничества и развития — ОЭСР). ОЕЭС, как и «план Маршалла», в целом выполняла задачу «сдерживания коммунизма» на экономическом уровне, тогда как образование Североатлантического союза (НАТО) призвано было решить эту задачу на военно-политическом уровне.

Одновременно Вашингтоном был взят курс на интеграцию Западной Европы. Американские правящие круги исходили из того, что объединение ряда стран Западной Европы ускорит процесс ее стабилизации на капиталистической основе. Кроме того, интеграция ее сначала на экономической, а затем на политической и военной основе должна была стать материальным фундаментом того «противовеса» Советскому Союзу, который США рассчитывали создать на Европейском континенте. В Вашингтоне надеялись, что западноевропейская интеграция станет первой ступенью атлантической интеграции, в которой США будут прочно занимать доминирующее положение. Именно поэтому в правящих кругах США с одобрением отнеслись к подписанию в 1957 г. Римского договора, положившего начало созданию Европейского экономического сообщества.

Вашингтон активно использовал совпадение интересов западноевропейских и американских правящих кругов, чтобы под флагом «атлантической солидарности» втянуть своих партнеров в «холодную войну» против социалистических стран. Все это, однако, не означало, что между США и их союзниками не возникало разногласий и что их интересы были абсолютно тождественны. Так, например, западноевропейские страны отказались рассматривать агрессию США в Корее как «союзническую операцию», в свою очередь Вашингтон не желал оказаться втянутым в войну между Францией и Алжиром; в 1956 г. США, исходя из своих интересов, не поддержали суэцкой авантюры Великобритании, Франции и Израиля.

Преуспев в укреплении экономических и военных позиций своих западноевропейских союзников, США, однако, создали для себя проблему — в капиталистическом мире возник новый мощный «центр силы», который все более проявлял свои автономные устремления. Тем не менее в течение этого периода правительство США, используя разнообразные рычаги давления на своих партнеров, в конечном счете добивалось в той или иной форме подчинения интересов союзников своим глобальным устремлениям.

На втором этапе (с начала 60-х до середины 70-х годов) произошла определенная социально-политическая и экономическая стабилизация в странах Западной Европы. Экономическая интеграция шести стран создала известные стимулы хозяйственного роста. Уже в 1960 г. ВНП ЕЭС составлял более половины американского, а к 1970 г.— две трети его. В экспорте капиталистического мира позиции ЕЭС в 1970 г. были прочнее американских (ЕЭС — 31,2%, США — 15,6%). Укрепление западноевропейского экономического блока, приближающегося по своим показателям к американским параметрам, обостряло между ними конкуренцию на мировых рынках, интересы стран Западной Европы в ряде случаев уже не совпадали с американскими. Лидеры некоторых стран Западной Европы стали проводить более самостоятельную линию как в отношениях с США, так и на международной арене, которая отвечала их собственным интересам.

Правительство Ш. де Голля первым начало политику нормализации отношений со странами социализма. В январе 1963 г. было заключено соглашение между Францией и ФРГ, которое, как рассчитывали руководители этих стран, станет основой рождающегося европеизма в противовес атлантизму. Обеспокоенное сближением Парижа и Бонна, американское правительство оказало сильный нажим на Бонн, от которого потребовало четкого разъяснения, что заключенное в январе 1963 г. соглашение не имеет антиамериканской, антиатлантической направленности.

Попытки Вашингтона втянуть во вьетнамскую авантюру своих европейских союзников в целом не соответствовали их интересам.

Консолидация экономических сил Западной Европы и ее увеличивающаяся независимость не могли не беспокоить США, которые хотели бы использовать растущую мощь нового империалистического центра в интересах государственно-монополистического капитализма США. Именно такую цель преследовал «Великий проект» президента Дж. Кеннеди. Проект предусматривал создание атлантического сообщества на основе партнерства и взаимозависимости США и стран Западной Европы. При этом предполагалось, что новое сообщество укрепит позиции США, связанных многочисленными глобальными обязательствами, а отсутствие таможенных барьеров в рамках сообщества позволит более сильным американским монополиям определять экономическую ситуацию в его рамках.

С другой стороны, правительства Дж. Кеннеди, а потом Л. Джонсона попытались поставить под свой контроль ядерное оружие Англии и Франции. Так, проект многосторонних ядерных сил (МЯС) предполагал создание межнациональных ядерных сил (в виде кораблей с ядерным оружием на борту и со смешанными национальными командами) в рамках НАТО, причем решающим голосом в вопросе их использования обладал бы только американский президент.

Однако ни «Великий проект», ни проект МЯС не были осуществлены. В экономической области США не удалось на переговорах так называемого «раунда Кеннеди» (где ЕЭС выступало с единых согласованных позиций) снять разделяющие США и Западную Европу таможенные барьеры. В военной области США не добились подчинения западноевропейского ядерного оружия Вашингтону, правительство Л. Джонсона в конце концов вынуждено было отказаться от проекта МЯС.

Стремление западноевропейских стран НАТО к большей самостоятельности проявилось наиболее емко в их «восточной политике», т. е. в отношениях с социалистическими странами. Наиболее ярким ее выражением становится «новая восточная политика» ФРГ и позиция западноевропейских стран на Совещании по безопасности и сотрудничеству в Европе (Хельсинки, 1975 г.). В конце 60 — начале 70-х годов западноевропейские правящие круги ищут свой подход и к ближневосточному урегулированию, к отношениям с развивающимися странами.

Утверждению большей самостоятельности западноевропейских стран НАТО в международных делах способствовал начавшийся в это время процесс разрядки международной напряженности. На первый план выходят экономические, научно-технические, финансовые параметры мощи. Это было как раз то, чем реально располагала Западная Европа, что она могла использовать в системе отношений с другими странами. Страны Западной Европы первыми на Западе осознали необходимость разрядки, в известной мере подтолкнув к ней и США.

В первой половине 70-х годов Соединенные Штаты, столкнувшись с серьезным внутриполитическим кризисом (уотергейтское дело), ослаблением своих международных позиций, предприняли попытки скорректировать свои отношения с западноевропейскими союзниками. Правящие круги США в ряде случаев шли на компромисс со своими союзниками, учитывая их возросший международный вес. При всех своих опасениях по поводу отдаления Западной Европы, развития ее сотрудничества с СССР и др. странами социалистического содружества, США не могли не считаться с процессом начавшейся в Европе разрядки международной напряженности и приняли активное участие в подготовке и работе Совещания по безопасности и сотрудничеству в Европе.

Вместе с тем американское правительство в этот период ищет новые пути утверждения своего лидерства в западном союзе, новые рычаги давления на Западную Европу. Концепция «зрелого партнерства», являющаяся составной частью «доктрины Никсона», была нацелена на то, чтобы возросшую экономическую мощь Западной Европы использовать для облегчения военного бремени Соединенных Штатов, бремени их глобальных обязательств.

23 апреля 1973 г. госсекретарь США Г. Киссинджер выступил с предложением, которое он назвал «новой атлантической хартией», призванным связать США, их западноевропейских союзников и Японию воедино, создать взаимосвязь их экономик, военной сферы и политики в расчете на сохранение ведущей позиции за США. При этом Вашингтон определял роль Запад-

ной Европы как «региональную» в отличие от «глобальной» роли США, что шло вразрез с тенденцией к самостоятельности Западной Европы. Не случайно поэтому проект «новой атлантической хартии» был отвергнут Западной Европой. Вместе с тем США, используя свое лидерство в НАТО, роль доллара в финансовой системе капиталистического мира, экономическое, военное, идеологическое присутствие в Западной Европе, свои «ядерные гарантии», научно-техническое превосходство и др. инструменты воздействия, продолжали оказывать значительное влияние на ориентацию западноевропейских государств во внешнем мире, вынуждая их в ряде случаев (хотя все с большим трудом) жертвовать своими интересами, в т. ч. и в отношениях со странами социалистического содружества.

В середине 70-х годов, т. е. на третьем этапе американо-западноевропейских отношений, произошло дальнейшее сокращение экономического и научно-технического разрыва между этими двумя центрами современного империализма. В 1979 г. ЕЭС обгоняет США по экспорту товаров в 3 раза. В 1979 г. США экспортировали товаров на 178 млрд дол., в то время как только ФРГ — на 171 млрд. Валютные резервы стран ЕЭС к 1980 г. в 6 раз превзошли американские. Европейские страны — члены НАТО стали нести основную нагрузку в неядерных сферах деятельности блока, они поставляли от 80 до 90% военнослужащих, танков, самолетов, кораблей и т. д. С ростом экономической мощи западноевропейских стран НАТО росло их политическое влияние на международной арене. Эти страны стали в большей степени ориентироваться на свои, а не на атлантические интересы, в результате чего усиливалось экономическое соперничество, подчас перераставшее в политические, военные, идеологические разногласия.

Особое опасение вызывало у США укрепление отношений Восток — Запад. Правительство США, начиная со второй половины 70-х годов, встало на путь подрыва процесса разрядки международной напряженности. Подписав Заключительный акт Совещания по безопасности и сотрудничеству в Европе, США стали использовать отдельные его положения, вырванные из контекста и толкуемые односторонне, для возрождения конфронтации с социалистическими государствами Европы. С этой же целью Соединенные Штаты неоднократно предпринимали попытки помешать развитию экономических связей между Востоком и Западом, распространяя миф «о советской военной угрозе».

В целом правящие круги западноевропейских стран проявили большую, нежели Вашингтон, приверженность продолжению политики разрядки, дальнейшему развитию общеевропейского процесса, начатого в Хельсинки, расширению экономических контактов со странами социалистического содружества. И это понятно: торговый оборот между Восточной и Западной Европой к 1980 г. составлял 70 млрд дол. (в 12 раз больше, чем у США). Поддерживая идеологическое наступление на страны социализма, они выступали против переноса конфронтации в политическую и тем более экономическую сферы.

В то же время на военном уровне, в рамках НАТО, Западная Европа пошла на ряд уступок США. Под их давлением в мае 1978 г. сессия НАТО приняла 15-летнюю программу дальнейшего наращивания и модернизации вооружений, было принято решение о ежегодном увеличении военных бюджетов стран — членов НАТО на 3% в реальном исчислении (в последующем большинство европейских стран НАТО, ссылаясь на экономические трудности, не выполняло это обязательство). В декабре 1979 г. США добились принятия на сессии Совета НАТО решения о размещении с конца 1983 г. в пяти странах Западной Европы 572 ракет средней дальности «Першинг-2» и крылатых ракет «Томагавк», оснащенных ядерными боеголовками, хотя западноевропейские страны и предприняли попытку увязать это решение с продолжением советско-американских переговоров об ограничении ядерных вооружений в Европе (так называемое «двойное решение»).

В целом двойственность западноевропейской позиции играла на руку правым кругам в США, предоставляя им возможность усиливать значимость военного фактора в системе американо-западноевропейских отношений и тем самым значительно сдерживать стремление к проведению странами Западной Европы политики, отвечающей их собственным интересам.

Американская администрация в начале 80-х годов попыталась восстановить полную гегемонию США в союзе западных стран. Основным методом, избранным для достижения этой цели, было нагнетание международной напряженности, для чего активно использовались события в Афганистане, положение в Польше и раздувание мифа «о советской военной угрозе». Продолжение политики разрядки, сотрудничества со странами социалистического содружества фактически рассматривалось США как «предательство интересов Запада».

И в ряде случаев страны Западной Европы были вынуждены демонстрировать атлантическую солидарность, принося в жертву свои собственные интересы.

Снижение сопротивления правящих кругов западноевропейских стран давлению из-за океана определялось рядом факторов. Западная Европа с большими, нежели США, издержками вышла из экономического кризиса 1980—1982 гг., оживление ее экономики происхо-

дило медленнее, чем в США. Этому способствовала, в частности, американская финансовая политика (высокие учетные ставки вызвали отток капиталов из Западной Европы). В ряде стран Западной Европы к власти пришли правительства, в большей мере, чем их предшественники, ориентирующиеся на США.

Вместе с тем ситуация в американо-западноевропейских отношениях не была однозначной. Интересы двух центров капиталистического мира на международной арене продолжали сохранять тенденцию к расхождению. Специфика западноевропейских интересов в экономической, политической, военной областях объективно требовала сохранения и развития сотрудничества с Советским Союзом и др. странами социалистического содружества, своего подхода к отношениям с развивающимися странами. Стремление США в корне подорвать экономические связи Западной Европы со странами социализма в целом оказалось безуспешным. Это со всей очевидностью выявилось в период столкновения между атлантическими союзниками по вопросу о строительстве газопровода Сибирь — Западная Европа. Попытки США сорвать сделку, распространить на союзников американское законодательство по контролю над экспортом технологии и оборудования в социалистические страны потерпели неудачу.

Усилия США, направленные на срыв конференции в Мадриде, проводимой в рамках Совещания по безопасности и сотрудничеству в Европе, также оказались безуспешными, ибо Западная Европа недвусмысленно проявила свою заинтересованность в развитии общеевропейского сотрудничества. Американской администрации удалось, однако, сорвать принятие итогового документа на конференции в Берне в июне 1986 г., не допустить компромиссного решения по обсуждавшимся там вопросам гуманитарного и культурного сотрудничества вопреки интересам и желанию своих союзников. Политические издержки этого шага для Вашингтона оказались настолько значительными, что на конференции по мерам доверия в Стокгольме правящие круги США уже не решились на повторение подобных мер.

В 80-е годы Западная Европа не выработала своего подхода к прекращению гонки вооружений, переговорам со странами социализма по этому вопросу, к снижению уровня ядерного противостояния. По всем этим вопросам большинство западноевропейских государств активно либо пассивно следовало за США. Такие западноевропейские страны, как Великобритания, ФРГ, Италия и др., не только поддержали «стратегическую оборонную инициативу», но фактически включились в программу по ее реализации.

Западная Европа проявляет все больший интерес к советским мерам и предложениям в области разоружения, особенно стратегического ядерного оружия. Ряд стран открыто поддержали советский мораторий на проведение подземных испытаний ядерного оружия. Американские союзники, кроме Великобритании, фактически осудили агрессивную акцию США против суверенного государства Ливии, многие из них неодобрительно относятся к политике США по поддержанию расистского режима ЮАР. Расширяется политический диалог между Восточной и Западной Европой, в т. ч. и на высшем уровне. Преодолевая последствия экономического кризиса, Западная Европа постепенно обретает былую уверенность в своих отношениях с США.

Перестройка в СССР, новое внешнеполитическое мышление сказались и на атлантических отношениях. Советско-американский Договор по РСМД выявил новые аспекты традиционных противоречий США и Западной Европы. Некоторые американские партнеры в Европе, прежде всего Франция, Великобритания, восприняли его как проявление отхода США от «ядерных гарантий» союзникам, намерение «расстыковать» военное сотрудничество двух центров капиталистического мира. В правящей верхушке западноевропейских стран — членов НАТО оживились тенденции к военной интеграции. Вместе с тем окрепли позиции кругов, выступающих за создание в Европе системы взаимной безопасности, основанной на сотрудничестве государств с различным социальным строем. США, озабоченные и материальным бременем обязательств западноевропейским союзникам и их недоверием к себе, пытаются решить эти новые проблемы в рамках традиционной атлантической политики.

В целом нынешнюю сложную и противоречивую ситуацию в американо-западноевропейских отношениях можно квалифицировать как переходную. На данной стадии партнерства-соперничества США уже не обладают, а Западная Европа еще не обладает достаточной мощью, чтобы добиться решения той или иной спорной проблемы на своих условиях. Вместе с тем каждый из двух центров капиталистического мира достаточно силен, чтобы отразить попытки решить возникающие между ними разногласия только за его счет.

АМЕРИКАНО-КАНАДСКИЕ ОТНОШЕНИЯ

Отношения Соединенных Штатов Америки и Канады — неравное партнерство двух расположенных по соседству друг с другом высокоразвитых капиталистических государств, в котором первому из них принадлежит главенствующая роль вследствие его огромного превосходства в экономической и военной мощи.

Для США Канада — важнейший объект экономической экспансии. Крупнейший «пакет» американских прямых заграничных капиталовложений — более 20% — находится в Канаде, в результате чего американские корпорации занимают ключевые позиции в ее экономике. Канада является самым крупным торговым партнером США, на нее приходится до 20% общей стоимости американского внешнеторгового оборота.

Обладая территорией, выходящей на три океана и примыкающей на расстоянии около 5 тыс. км к США с севера, Канада занимает важнейшее место в военно-стратегических планах Пентагона.

До недавнего времени политика канадского правительства, его отношение к Соединенным Штатам не вызывали в американских кругах тревоги или опасений за свои интересы.

После окончания второй мировой войны канадские правящие круги присоединились к агрессивному блоку капиталистических стран во главе с США. В феврале 1947 г. было заключено американо-канадское соглашение о возобновлении деятельности созданного в 1940 г. Постоянного объединенного совета обороны и о других формах тесного военного сотрудничества. Намерение крупной канадской буржуазии принять участие в реализации глобальных планов США в роли их «младшего партнера» нашло свое дальнейшее выражение в экономической области в 1947 г., когда в Оттаве был принят «план Эббота». Он предусматривал поощрение производства товаров для нужд американского рынка, прежде всего сырья, а также притока американского капитала в канадскую экономику. В ответ США уже в 1948 г. пригласили Канаду участвовать в поставках по «плану Маршалла» в Западную Европу.

Реализация «плана Эббота» привела к резкому ускорению роста долгосрочных американских инвестиций в Канаде. За 1948—1985 гг. они выросли с 5,6 млрд до 118,7 млрд дол., т. е. более чем в 21 раз. Корпорации США захватывали прежде всего сырьевые отрасли, где их инвестиции за 1945—1977 гг. выросли в 37 раз. Помимо огромных прибылей — 7,6 млрд дол. в 1980 г.— эти инвестиции гарантировали бесперебойное снабжение американской промышленности сырьем и полуфабрикатами. Другим следствием явилось увеличение в канадской внешней торговле доли США, достигшей в 1985 г. 75,6%.

Многомиллиардные вложения США в Канаде представляют собой основу североамериканской экономической интеграции и предопределяют ведущую роль в ней Соединенных Штатов.

В военно-политической сфере договорно-правовой основой подчинения Соединенными Штатами Канады послужил Североатлантический договор, обязательство по которому стали определять канадскую военную и внешнюю политику. Военная область является сферой наиболее тесного сотрудничества США с Канадой. Еще в 50-х годах США добились сооружения на канадской территории трех линий воздушного предупреждения. В 1957 г. было заключено важнейшее Соглашение о создании Объединенного командования противовоздушной (с 1981 г.— воздушно-космической) обороны Северной Америки — НОРАД, которое возглавили американцы. В 1959 г. канадцы согласились на вооружение своего контингента в составе сил НАТО в Европе контролируемым американцами ядерным оружием и на выполнение канадскими ВВС ядерно-атакующей роли. В том же году была принята «программа совместного военного производства», ставшая каналом превращения канадской военной промышленности в придаток ВПК США. Консервативное правительство Канады также пошло на вооружение ПВО страны американскими зенитными ракетами. Когда же под давлением общественности правительство стало тянуть с ввозом американских ядерных боеголовок к этим ракетам, США спровоцировали в январе 1963 г. правительственный кризис, который закончился внеочередными выборами и поражением консерваторов. Сменившие их либералы в том же году заключили с США соглашение о ввозе ядерных боеголовок в Канаду.

В годы агрессии против народов Индокитая США, как и в период своей корейской авантюры, стремились втянуть Канаду в прямое участие в их империалистическую акцию. Однако канадское правительство, опасаясь быть вовлеченным в мировой конфликт и учитывая осуждение общественностью страны варварских действий американцев во Вьетнаме, на этот раз отказалось послать войска в помощь интервентам. В Канаде нашли убежище десятки тысяч молодых американцев, уклонявшихся от посылки во Вьетнам.

В целом же в годы «холодной войны» Вашингтон, используя военно-политическую и экономическую зависимость Канады от США, ее членство в НАТО, оказывал решающее влияние на общее направление канадской внешней политики и решение большинства конкретных внешнеполитических вопросов. В результате в Европе правительство Канады поддерживало линию США по вопросу о Западном Берлине. На Дальнем Востоке, следуя за США, Канада подписала сепаратный мирный договор с Японией. Стремление канадцев установить дипломатические отношения с КНР в течение многих лет блокировалось США. Характерно, что в ООН Канада, как член НАТО, вместе с США поддерживала колониальные войны Франции и Португалии.

В конце 60-х годов характер отношений между США и Канадой стал меняться, началось их заметное обострение. Канадская буржуазия, обогатившаяся в процессе широкого и всестороннего сотрудничества с американскими корпорациями, стремилась использовать ослабление экономических, военных, политических, моральных позиций США в мире и обстановку разрядки международной напряженности для отстаивания своих собственных интересов.

Пришедшее к власти в 1968 г. правительство либералов во главе с П. Трюдо весной 1969 г. сместило выполнение обязательств перед НАТО с первого на третье место в системе задач военной политики Канады, поставив на первое место обеспечение суверенитета и безопасности самой Канады. Оно вдвое сократило численность канадского контингента в войсках НАТО в Западной Европе, отказалось от ядерно-атакующей роли канадских ВВС в НАТО, сняло с вооружения американское ядерное оружие, заморозило на три года уровень военных ассигнований. В 1970 г., невзирая на отрицательную позицию США, Канада признала КНР и установила с ней дипломатические отношения. В том же году канадцы приняли закон, направленный на защиту своих интересов в Арктике, против посягательств американских нефтяных монополий. В 1970—1971 гг. представители Канады неоднократно подвергали публичной критике действия американских интервентов во Вьетнаме.

Все эти действия вызывали негативную реакцию Вашингтона. В августе 1971 г. США ввели дополнительную 10-процентную пошлину на ввоз многих товаров, имея в виду ограничить в первую очередь импорт из Японии и Западной Европы, но при этом ответили отказом на настойчивые просьбы канадцев не применять действие новой пошлины к их товарам.

В ответ канадское правительство в октябре 1972 г. огласило концепцию своей политики по отношению к США, сутью которой была установка на развитие и укрепление экономики и других сторон национальной жизнедеятельности с целью уменьшения уязвимости страны от влияния Соединенных Штатов. В соответствии с этой концепцией канадский парламент в 1973 г. принял закон о проверке иностранных капиталовложений, означавший принципиальный отход от политики поощрения американских инвестиций. Он был встречен крупным бизнесом США с нескрываемым раздражением, как и создание в 1975 г. канадской государственной нефтегазовой компании «Петро-Кэнада», которая стала приобретать контроль над филиалами американских монополий, господствующих в энергетике Канады. В 1976 г., пытаясь создать противовес однобокой ориентации своей внешней торговли на США, Канада заключила общие соглашения о содействии торгово-экономическому сотрудничеству с ЕЭС и Японией. Однако реализация этих соглашений столкнулась с серьезными трудностями.

В условиях медленного выхода Канады из мирового экономического кризиса 1973—1975 гг. надежность торговых связей с США стала для канадцев крайне важной. Особую значимость приобрело для правительства Трюдо отношение США к стремлению франко-канадских сепаратистов, которые пришли к власти в провинции Квебек в 1976 г., заручиться политической поддержкой американцев. В этой обстановке правительство Канады все чаще стало проявлять стремление расположить к себе правящие круги США. В результате в феврале 1977 г. президент Дж. Картер публично высказался за сохранение Канады как единого государства, похоронив тем самым расчеты квебекских сепаратистов на политическую поддержку со стороны США.

Общее улучшение отношений США с Канадой не устранило проявлений таких острых противоречий между ними, как конфликт, вызванный разграничением 200-мильной экономической зоны у Атлантического побережья. Летом 1978 г. Канада, а затем США взаимно запретили коммерческий лов рыбы в своей зоне, а вопрос о границе зон был передан на международный арбитраж.

Приход к власти в Канаде в 1979 г. консерваторов во главе с Дж. Кларком привел к заметному улучшению американо-канадских отношений, так как новое правительство страны явно ориентировалось на Вашингтон не только в своей военной и внешней политике, но и во внешней торговле и в некоторых областях своей внутренней политики.

Однако в феврале 1980 г. к власти вернулись либералы во главе с П. Трюдо, которые в октябре того же года провозгласили «национальную энергетическую программу», направленную на ослабление господства США в нефтегазовой промышленности Канады, что вызвало резкие протесты со стороны деловых и официальных кругов США.

С приходом к власти в США республиканской администрации в январе 1981 г. отношения между двумя странами осложнились в еще большей степени. Уже в ходе избирательной кампании 1980 г. в США была выдвинута идея создания североамериканского сообщества, включающего США, Канаду и Мексику, которая была решительно отвергнута обоими соседями США.

Американская администрация не проявила склонности решать накопившиеся спорные, главным образом экономические, вопросы с Канадой, касающиеся, в частности, рыболовства у восточного побережья, «кислотных дождей» и др. Ее позиция как в области внутриэкономической, так и внешней политики во многом расходилась с действиями и планами правительства П. Трюдо: США проводили курс на дерегулирование экономики, Канада поощряла усиление государственного сектора в энергетике. Американская политика высоких процентных ставок срывала усилия Канады по оживлению своей экономики. В то время как администрация США возглавляла наступление реакционных кругов Запада на разрядку международной напряженности, правительство Канады продолжало выступать в ее поддержку, против возврата к «холодной войне». Лидеры двух стран резко расходились по вопросу о формах отношений стран Запада с развивающимися странами. Неконструктивный подход США к переговорам с Советским Союзом по разоружению подвергался открытой критике со стороны П. Трюдо.

Поражение канадских либералов на выборах в сентябре 1984 г. привело к власти правительство консерваторов во главе с Б. Малруни, которое взяло курс на всестороннее сближение с США, особенно в области экономики. В январе 1988 г. по инициативе Оттавы было подписано соглашение о введении режима свободной торговли между США и Канадой. В сентябре 1985 г. правительство Б. Малруни разрешило частным канадским фирмам и отдельным гражданам участвовать в реализации «стратегической оборонной инициативы» (СОИ), но под давлением общественности отказалось от участия в СОИ на межправительственном уровне. Было продлено на пять лет соглашение о НОРАД и достигнута договоренность о совместной модернизации системы раннего оповещения в Арктике.

Вместе с тем и при консерваторах сохранились прежние разногласия между США и Канадой по таким вопросам двусторонних отношений, как торговля, «кислотные дожди», разграничение морских экономических зон в Тихом и Ледовитом океанах, суверенитет Канады над акваторией Арктического архипелага, отношения с Кубой, Никарагуа, ядерное разоружение, где по некоторым вопросам Канада занимает более конструктивные позиции.

ОТНОШЕНИЯ США СО СТРАНАМИ ЛАТИНСКОЙ АМЕРИКИ, АЗИИ И АФРИКИ

Место развивающихся стран в глобальной внешнеполитической стратегии Вашингтона определяется комплексом экономических, политических и военно-стратегических интересов США.

Основное место занимают экономические интересы, которые в последнее время качественно изменились. Заинтересованность в поставках сырья из развивающихся стран сменяется широким интеграционным процессом, основанным на взаимной экономической зависимости, главным двигателем которого являются транснациональные монополии. В этих условиях главной задачей США является не просто сохранение развивающихся государств в орбите мировой капиталистической экономики, а всемерное развитие и укрепление их дополняющей роли в экономике развитых капиталистических стран.

Военно-стратегические интересы США в развивающихся странах заключаются в использовании их территории прежде всего путем размещения своих военных баз для осуществления целого ряда военно-политических задач. Это составная часть американской системы глобального военного окружения СССР и др. социалистических стран, а также стратегии обеспечения проведения полицейских акций против национально-освободительного движения.

Основы политики США в отношении развивающихся стран закладывались в годы второй мировой войны, но окончательно определились на пороге 50-х годов. В период второй мировой войны при разработке целого ряда документов в американских правительственных ведомствах была сформулирована такая долгосрочная цель американской внешней политики, как содействие «постепенной» и «выборочной» деколонизации ряда бывших колоний европейских держав. Достижение этой цели предопределялось прежде всего соображениями конкурентной борьбы американского капитала за рынки и ресурсы бывших колоний. Однако в то же время ее выдвижение отвечало и высокому уровню критических настроений в адрес традиционного колониализма, помноженных на официальные антиколониалистские традиции, сильные общедемократические настроения, вызванные войной против фашизма и созданием антигитлеровской коалиции.

После окончания второй мировой войны и перехода правящих кругов США к политике «холодной войны» содействие «умеренной деколонизации» осталось в числе внешнеполитических целей США, хотя ее осуществление предполагалось уже в совершенно ином контексте.

На рубеже 50-х годов ситуация стала существенно меняться. Именно в это время в США зарождается взгляд на национально-освободительное движение как на средство мировой «экспансии коммунизма» путем «экспорта революции». Навешивая на такие движения ярлык «подрывной деятельности коммунизма», Соединенные Штаты стремились поставить под сомнение законность практически всех видов антиколониальной борьбы и оставить за собой «право» признавать те из них, которые отвечали интересам США. Развивающиеся страны уже рассматриваются — социально и геополитически — как арена борьбы с мировым социализмом, а межимпериалистические противоречия, хотя и остаются существенным фактором, определяющим политику США в этих районах, все больше подчиняются интересам этой борьбы.

Конкретным воплощением этой политики в жизнь стал четвертый пункт «программы Трумэна» (1949), в котором главным средством борьбы за развивающиеся страны хоть и объявлялась экономическая и финансовая помощь, но логика «сдерживания» приводила к усилению военной вовлеченности США в борьбу с национально-освободительным движением.

Однако собственно политика США в развивающихся странах, как таковая, оформилась уже в 50-е годы. В 1951 г. администрация Трумэна провела через конгресс закон о взаимном обеспечении безопасности, в соответствии с которым определялась правовая база курса на создание широкой сети договоров и соглашений США со странами Азии, Африки и Латинской Америки. Этим странам в обмен на согласие предоставить свою территорию для размещения американских военных баз и открыть свои рынки для американского капитала была обещана экономическая помощь. Всего за период предоставления американской помощи на основе этого закона (1953—1961 фин. гг.) Соединенные Штаты выделили более 43 млрд дол., из которых около 20 млрд были направлены на оказание военной помощи, а остальные — в сферу экономики.

Уже в 50-е годы политика США в развивающихся странах действует как четко оформившееся направление со своими целями, задачами, средствами и методами. В этот период в связи с быстрым распространением национально-освободительного движения на все три континента, обострением вооруженной борьбы в странах Юго-Восточной Азии (Индокитай, Малайя, Филиппины), Персидского залива, Северной Африки (Алжир, Египет), возникновением движения в пользу активного нейтралитета и неприсоединения Соединенные Штаты поставили перед собой задачу оказать помощь союзникам по блоку НАТО из числа колониальных держав в борьбе против «радикальных» элементов в рядах освободительного движения, но наряду с этим параллельно добиться укрепления собственных позиций в освободившихся странах. В этот период США заключили около 30 договоров и соглашений со странами Азии, Африки и Латинской Америки, которые практически ставили их в полную зависимость от США, так как затрагивали такие важные сферы отношений, как безопасность, поддержка зависимых режимов, создание и укрепление их государственного аппарата. К числу этих договоров и соглашений относятся и договор о создании блока СЕАТО (1954), и обязательства США по поддержанию стран — членов созданного в 1955 г. Багдадского пакта (в связи с выходом из него в 1959 г. Ирака был преобразован в СЕНТО) и др. Одним из основных итогов этого периода в политике США по отношению к развивающимся странам становится ее явная милитаризация.

Очевидным свидетельством этого является быстро растущее в конце 50 — начале 60-х годов вмешательство США в войну во Вьетнаме, в бывшем бельгийском Конго (ныне Заир), борьба США против революции на Кубе.

В период 60-х годов политика США в развивающихся странах стала значительно более разнообразной по формам своего осуществления, хотя основное ее содержание не переменилось. В 1961 г. администрация Кеннеди провела через конгресс закон о помощи иностранным государствам. На его основе

было создано Управление международного развития (УМР), централизовавшее разработку и осуществление программ помощи иностранным государствам. В министерстве обороны были также созданы органы по оказанию военной помощи зависимым странам, органы, занимающиеся программами «контрпартизанской войны». Смысл всех преобразований в политике США в развивающихся странах в этот период состоял в попытке двигаться одновременно по двум направлениям: разработать более гибкий и разносторонний механизм военного подавления революционных освободительных движений и внедрить систему мер по оказанию помощи зависимым странам, их превращению в опору США в борьбе и соревновании двух мировых систем.

Однако добиться одновременно осуществления этих задач Соединенным Штатам не удалось. Начавшееся с конца 50-х годов вовлечение США в войну в Южном Вьетнаме постепенно вылилось в открытую интервенцию (с 1963 г. — в виде «специальной войны», с 1965 г.— в виде прямого вторжения), которая отвлекла значительные материальные ресурсы (по официальным данным, свыше 140 млрд дол.), а также вызвала резкое обострение международной напряженности и социально-политический кризис внутри США. Вместо широкой и всеохватывающей системы действий по укреплению своих позиций в развивающихся странах их политика сосредоточилась на этой войне, в которой Соединенные Штаты в конечном счете потерпели поражение, испытав на себе все последствия ими же созданного кризиса.

В период 70-х годов политика США в развивающихся странах в связи с поражением американской интервенции в Южном Вьетнаме и др. странах Индокитая претерпела дальнейшую эволюцию. Разработанные на основе положений «доктрины Никсона» новые направления этой политики включали: заметный акцент на «снижение прямой вовлеченности» США в развивающихся странах, прежде всего в военно-политическом отношении; пересмотр в этом духе системы обязательств США, вытекавших из договоров и соглашений, подписанных в 50-е и 60-е годы; активизация роли военно-политических группировок и «дружественных» стран и режимов. Были несколько сокращены объемы иностранной помощи США, хотя в целом она продолжалась на основе закона 1961 г. и в период 1962—1976 гг. составила около 105 млрд дол., из которых около 22 млрд было предоставлено южновьетнамскому режиму.

Вместе с тем именно в этот период в политических кругах США существенно обострились разногласия по вопросам политики в развивающихся странах. Одна часть этих кругов под влиянием поражения американской интервенции во Вьетнаме считала, что Соединенные Штаты должны коренным образом пересмотреть систему своих внешнеполитических направлений, с тем чтобы в максимально возможной степени ослабить свою вовлеченность в развивающихся странах (ценность которых для США, в том числе и для американской экономики, подверглась очень большим сомнениям) и сосредоточить усилия на поддержании глобального «баланса сил» между пятью ведущими центрами (США, СССР, страны Западной Европы, Япония и Китай) в пользу Запада. Другая же часть оспаривала этот вывод и считала, что Соединенные Штаты должны сохранить активную роль в развивающихся странах, хотя и несколько видоизменить ее по сравнению с периодом 60-х годов.

На протяжении десятилетия соотношение сил между этими двумя основными группировками менялось. До периода 1973—1974 гг. (т. е. до энергетического кризиса и роста цен на нефть на мировом рынке) в целом перевес был в пользу первой группировки. Но с 1974—1975 гг. он постепенно менялся в пользу второй.

Внешнеполитический курс администрации Дж. Картера (1977—1981) во многом заимствовал идеи «взаимозависимости» и «центров силы» в качестве ориентиров для определения собственной структуры. В этой структуре большое внимание уделялось установлению на основе принятого в 1978 г. закона о помощи международному развитию более близких отношений США с рядом крупных развивающихся, в т. ч. неприсоединившихся, стран (Бразилия, Мексика, Индия, Нигерия) для укрепления общих мировых позиций США. Не меньшее значение придавалось при этом и сглаживанию противоречий со странами Западной Европы и Японией.

При этой же администрации было решено воссоздать военный механизм США для краткосрочных интервенций в развивающиеся страны (президентская директива № 18 от 25 августа 1977 г. о создании «сил быстрого развертывания» — СБР), для подавления революционных выступлений в зависимых странах или «наказания» стран независимой ориентации.

Внешнеполитический курс администрации Картера в развивающихся странах не выдержал испытания временем и событиями. Революции в Иране и Никарагуа (1979), где были сметены дружественные США режимы, не только символизировали провал политики США по созданию «взаимозависимой» системы стран капиталистической ориентации, но и в очередной раз продемонстрировали разнонаправленность усилий США и содержания доминирующих процессов в этих странах. Революционные перемены не укладывались в американскую схему «взаимозависимости», следовательно, объективно действовали против той концепции «мирового порядка», которая в течение всех лет после окончания второй мировой войны вдохновляла американскую идею создания системы зависимых стран и режимов.

Итогом провала политики администрации Картера в развивающихся странах стал очередной всплеск антисоветизма во внешнеполитическом курсе США. Под предлогом «событий в Афганистане» (ввод ограниченного контингента советских войск в Афганистан по просьбе правительства ДРА для борьбы с финансируемой из-за рубежа контрреволюцией) администрация Картера резко ужесточила политику в отношении СССР, попыталась объявить Советский Союз источником «подрывной деятельности» и роста «терроризма» в развивающихся странах.

На этом этапе к власти в США пришла администрация Рейгана, которая выдвинула лозунг «борьбы с международным терроризмом» в качестве главной задачи на первом этапе своей политики в отношении развивающихся стран. Выдвижение этого лозунга означало, что Соединенные Штаты квалифицировали обстановку в развивающихся странах как крайне «нестабильную», «находящуюся под угрозой хаоса» и, следовательно, потенциально опасную для интересов США и др. развитых капиталистических стран. Источником этой «нестабильности» объявлялся «международный терроризм», якобы поддерживаемый, оплачиваемый и направляемый Советским Союзом.

Со временем общий замысел политики администрации Р. Рейгана в развивающихся странах начал вырисовываться более четко. Во-первых, администрация рассматривала развивающиеся страны как «поле противоборства» двух мировых систем. Во-вторых, администрация рассматривала противоборство с влиянием мира социализма в развивающихся странах прежде всего как военно-политическую проблему. Она считала эту борьбу частью общей военно-политической стратегии США на международной арене. В докладе конгрессу тогдашнего министра обороны США К. Уайнбергера по вопросам военного бюджета и стратегической программы (февраль 1982 г.) была сформулирована задача «проецирования» военной силы США в отдаленные уголки мира для демонстрации силы и «противодействия» СССР. Эта задача, получившая наименование концепции «горизонтальной (или географической) эскалации», стала составной частью военно-стратегической доктрины администрации. В-третьих, дипломатические и экономические средства политики США в отношении развивающихся стран при республиканской администрации отошли на второй план. Она предпринимала отдельные попытки использовать средства экономической дипломатии для укрепления своих позиций в некоторых регионах развивающегося мира (например, провозглашенная в 1982 г. «карибская инициатива» президента Рейгана или экономическая помощь некоторым пострадавшим от засухи странам Африки). Но в целом она рассматривала сферу экономических отношений с развивающимися государствами лишь как дополнение к стратегии военно-политического противоборства и уделяла ей соответствующее внимание.

Следствием этих перемен стало быстрое формирование комплекса новых и более глубоких противоречий между США и развивающимися странами. В частности, это обострение шло по линии ужесточения американской политики в отношении Движения неприсоединения, что было продемонстрировано враждебной реакцией Вашингтона на результаты очередной конференции глав государств и правительств неприсоединившихся государств в Дели (1983), а также выдвижением концепции о возникновении и обострении «региональных конфликтов» (выступление президента Рейгана в ООН 24 октября 1985 г.).

Концепция «региональных конфликтов», суть которой состояла в исключительном внимании проблемам вооруженной и дипломатической борьбы против не устраивающих США правительств в отдельных регионах мира, стала определять практически всю политику администрации в отношении развивающихся государств в 1985—1988 гг. Ее возникновению и развитию предшествовало несколько этапов в эволюции этой политики. После первого этапа, который условно можно определить как этап доминирования концепции «борьбы с терроризмом», когда Соединенные Штаты провели усиленное перевооружение войск, предназначенных для действий в зоне развивающихся государств (рост численности СБР и создание Центрального командования для управления их операциями — СЕНТКОМ в 1983 г., ввод в строй ряда законсервированных ранее линкоров типа «Нью-Джерси» и др. мероприятия), наступил следующий этап: провозглашение так называемой «доктрины Рейгана» (1985). Эта доктрина попыталась сформулировать «наступательную» позицию США в развивающихся государствах и объявила об открытой помощи контрреволюционным и раскольническим группировкам в странах прогрессивной ориентации — Анголе, Афганистане, Никарагуа, Эфиопии, Кампучии.

В ряде выступлений высокопоставленных деятелей администрации было объявлено о «повороте волны освободительных революций в другую сторону», т. е. против прогрессивных режимов в указанных государствах. Это преподносилось как весьма знаменательный показатель перемен в соотношении сил на международной арене в пользу США и др. стран Запада и нуждалось, как подчеркивалось в соответствующих заявлениях, в «помощи и поддержке» со стороны США. Соединенные Штаты объявили об открытой помощи группировке УНИТА в Анголе, контрреволюционным группировкам в Афганистане, Эфиопии, Кампучии, Никарагуа.

Попытки США усилить вмешательство в дела независимых государств наряду с получившими полную поддержку Вашингтона действиями ЮАР на юге Африки и Израиля — на Ближнем Востоке привели к общему обострению ситуации в развивающихся странах. Об этом неоднократно говорилось в документах Движения неприсоединения, в заявлениях и декларациях стран — участников Организации Варшавского Договора. Особую опасность для международного мира и безопасности представляли очаги напряженности в Центральной Америке — вокруг Никарагуа, на Ближнем и Среднем Востоке — вокруг Ливана и Афганистана, на юге Африки — на границах ЮАР и «прифронтовых государств».

В этой обстановке и была сформулирована концепция «региональных конфликтов» как стержневой элемент политики американской администрации по отношению к развивающимся странам. Эта концепция представила региональные конфликты как часть «советско-американского соперничества» и пыталась в равной степени разделить ответственность за обострение конфликтов между обеими великими державами. В конце 1985 — начале 1986 г. эта концепция была подкреплена рядом деклараций, в которых была объявлена новая внешнеполитическая ориентация США, получившая в советской прессе наименование «неоглобализма».

«Неоглобализм» во многом объясняет цели, преследуемые республиканской администрацией США в отношении развивающихся стран, прямо ставя перед этой политикой задачу выхода Соединенных Штатов на позиции доминирующей военной, политической и экономической силы в развивающихся странах. Он выдвигает на передний план лобовые методы достижения безоговорочного подчинения освободившихся государств интересам США.

В этом плане концепция «региональных конфликтов» и их «урегулирования» предстает как средство добиться военной и дипломатической победы США в тех узловых районах развивающегося мира, где освободительные движения и независимые страны сосредоточили усилия на ликвидации остатков колониализма, расизма и апартеида, где приобрела особенно широкий размах борьба против продажных марионеточных режимов. Политика США придает этим конфликтам значение более обширных очагов напряженности и потенциально превращает их в источники опасных международных кризисов.

Латинская Америка и Карибский бассейн

Страны Латинской Америки первыми из группы развивающихся стран освободились от колониального гнета еще в 20-е годы XIX в., но в результате массированной экспансии со стороны империалистических держав, и прежде всего США, оказались в зависимом и подчиненном положении в системе международных отношений. Соединенные Штаты добились в конечном счете установления экономического, политического, военного и идеологического влияния на многие страны Латинской Америки, грубо вмешиваясь во внутренние дела стран этого региона, неоднократно прибегая к прямым вооруженным интервенциям, сколачивая военно-политический блок под своей эгидой, широко пропагандируя концепции панамериканизма, используя агентуру из представителей полуфеодальных олигархий, военщины, клерикальных кругов и других сил местной реакции.

Потеснив во время второй мировой войны своих империалистических конкурентов, Соединенные Штаты в первые послевоенные годы предприняли ряд акций военно-политического характера, направленных на дальнейшее усиление зависимости латиноамериканских стран. К их числу относится заключение межамериканского договора о взаимной помощи 1947 г. (пакт Рио-де-Жанейро); подписание с большинством латиноамериканских государств двусторонних военных соглашений; создание в 1948 г. Организации американских государств (ОАГ); развертывание разветвленной сети военных баз и опорных пунктов; использование межамериканских военных органов для установления контроля над национальными армиями; инспирирование государственных переворотов и насаждение марионеточных режимов, полностью ориентированных на США.

Созданная на основе этих усилий «межамериканская система», главным компонентом которой стала ОАГ, а теоретическим фундаментом доктрина «панамериканской солидарности», провозглашающая «историческую неизбежность» зависимости Латинской Америки от США, обеспечивала на протяжении двух послевоенных десятилетий доминирующее политическое, экономическое и военное положение Соединенных Штатов в странах Латинской Америки.

Однако уже на пороге 60-х годов «межамериканская система» стала обнаруживать тенденции к дезинтеграции и эрозии, в основе которой лежали объективные факторы. Упрочение сил мирового социализма, крах колониальной системы, повсеместный рост освободительного движения, победа Кубинской революции, усилившееся стремление ряда латиноамериканских государств к проведению суверенной внешней политики и ослаблению зависимости от США привели к росту центробежных тенденций в «межамериканской системе» и вынудили правящие круги США искать новые подходы во взаимоотношениях со странами Латинской Америки и Карибского бассейна в русле стратегии неоколониализма.

Неоколониалистская политика США в регионе в последующие годы осуществлялась в самых разнообразных формах (программа империалистического реформизма «Союз ради прогресса» и положенная в ее основу теория «мирной регулируемой революции», «доктрина Джонсона», «Действие ради прогресса» и «Новый диалог» Р. Никсона, политика «дифференцированного подхода» Дж. Форда, псевдолиберальная риторика Дж. Картера о «правах человека» и ее воздействие на выбор внешнеполитических альянсов и, наконец, «силовое реагирование» Р. Рейгана, осуществляемое с позиций антикоммунизма и антисоветизма). Однако, несмотря на многообразие форм неоколониалистской политики США в Латинской Америке, ее содержание было и остается неизменным: укрепить и по возможности расширить экономические, политические, военные и идеологические позиции американского империализма в этом районе мира.

С приходом к власти администрации Р. Рейгана в правящих кругах США произошла переоценка ситуации, сложившейся в Западном полушарии. Если администрация президента Дж. Картера рассматривала политическую нестабильность в ряде латиноамериканских стран и рост освободительного движения на континенте прежде всего под углом зрения недальновидной и негибкой политики местных олигархий, наиболее концентрированно проявлявшейся в нарушении ими прав человека, то республиканская администрация Р. Рейгана стала рассматривать Латинскую Америку

и особенно субрегион Центральной Америки и Карибского бассейна в контексте конфликта между Востоком и Западом: речь сразу же пошла о «защите западных ценностей» и «национальной безопасности» США от угрозы и инфильтрации «международного коммунизма», орудиями которого в Западном полушарии объявлялись Куба и Никарагуа, а также марксистско-ленинские партии стран Латиноамериканского континента.

В связи с указанной «переоценкой ценностей» произошло изменение латиноамериканской политики Соединенных Штатов в сторону ее ужесточения и резкого усиления ярко выраженных экспансионистских устремлений. Теоретические и идеологические основы этой политики сформулированы в предвыборной платформе Республиканской партии (1980), в докладе «Новая межамериканская политика на 80-е годы», известном под названием «документа Санта-Фе», а также в программных заявлениях должностных лиц республиканской администрации.

Авторы «документа Санта-Фе» ратовали за возрождение «доктрины Монро», за усиление влияния Вашингтона в ОАГ, призывали аннулировать договор о Панамском канале, объявляли образцом твердой и решительной политики в Латинской Америке военную интервенцию США в 1965 г. в Доминиканскую Республику, ратовали за силовое решение конфликтов в Центральной Америке и «возвращение лидерства» США в Западном полушарии. Специальный раздел отводился Республике Куба. Обвинив Кубу в «расширении масштабов коммунистического движения на континенте», авторы документа сочли, что она заслуживает «особого наказания». В своей латиноамериканской политике империалистические круги стремились к последовательной реализации самых экстремистских предложений ультраконсервативного «комитета Санта-Фе».

Во главу угла латиноамериканского курса США республиканская администрация поставила задачу нейтрализации идей и влияния Кубинской революции и упрочения подорванных позиций Вашингтона в зоне Центральной Америки и Карибского бассейна. Доминантами внешнеполитической деятельности Вашингтона в субрегионе стали борьба с освободительным движением, широкая помощь антинародным проамериканским режимам и нагнетание милитаристского психоза.

Беспрецедентная эскалация военного присутствия США, вооруженная агрессия против Гренады, перманентные кампании угроз в адрес Кубы, необъявленная война против Никарагуа, вмешательство во внутренние дела Сальвадора с целью подавления освободительного движения, фактическая оккупация территории Гондураса под предлогом проведения «совместных маневров», усиление экономической экспансии американского капитала — все это привело к созданию еще одного опасного очага международной напряженности.

Резко усилилась эскалация военного присутствия Соединенных Штатов в субрегионе, осуществляемая в самых различных формах: развертывание и модернизация сети военных баз и опорных пунктов; наращивание мощи военно-морских и военно-воздушных сил; проведение широкомасштабных маневров с целью оказания давления и устрашения; направление в ряд стран американских военных советников для обучения национальных армий методам контрпартизанских действий; прямое участие американских военнослужащих в боевых действиях против патриотических сил в Сальвадоре и Гватемале; нарушение суверенитета Кубы и Никарагуа самолетами-шпионами ВВС США; дислокация на территории Гондураса нескольких тысяч американских военнослужащих и боевой техники США; создание специального Карибского командования США со штаб-квартирой в Ки-Уэсте (Флорида); размещение на базе ВВС США Хоумстед (Флорида) 72 истребителей-бомбардировщиков F-16, способных нести ядерное оружие и предназначенных для «выполнения боевых задач против Кубы» (сентябрь 1984 г.); строительство гражданских сооружений, имеющих военное значение (порты, стратегические шоссейные дороги, аэродромы, линии связи, радиостанции и т. д.), обеспечение подразделениями войск США охраны военных объектов и коммуникаций.

В первые годы пребывания у власти республиканской администрации наряду с грубым вмешательством во внутренние дела Сальвадора первостепенное внимание уделялось оказанию всестороннего давления на Кубу. Была развязана беспрецедентная кампания устрашения и шантажа, дополненная небывалым сосредоточением военно-морских и военно-воздушных сил США у берегов Кубы и провокационными маневрами с высадкой десантов на военно-морскую базу США на Кубе Гуантанамо. Неоднократно заявлялось, что нельзя допустить возникновения «новой Кубы» в Западном полушарии.

Администрация США выдвинула концепцию «отбрасывания» и «вытеснения» коммунизма в Западном полушарии. Ее представители неоднократно подчеркивали, что нормализация отношений с Кубой и Никарагуа станет возможной лишь при условии ослабления их связей с Советским Союзом и «советским блоком».

Важнейшим непосредственным «источником опасности» кроме Кубы была объявлена революционная Никарагуа, вокруг которой создана исключительно напряженная обстановка. Об этом, в частности, свидетельствуют следующие конкретные факты: прекращение Вашингтоном всех видов помощи сандинистскому правительству; широкая антиникарагуанская клеветническая кампания, развернутая в США; создание на территории США специальных лагерей для военной подготовки «контрас»; подрывные операции ЦРУ против Никарагуа; расширение масштабов маневров американских войск на территории Гондураса в непосредственной близости от границ Никарагуа; минирование портов Никарагуа, в результате которого получили повреждения ряд никарагуанских и иностранных судов, блокирование Вашингтоном мирных инициатив Контадорской группы, созданной в январе 1983 г. Мексикой, Колумбией, Венесуэлой и Панамой в целях содействия нормализации положения в Центральной Америке; объявление Вашингтоном эмбарго на торговлю с Никарагуа; прекращение воздушного сообщения между двумя странами и запрет захода в американские порты судов под никарагуанским флагом; угрозы администрации США разорвать дипломатические отношения с Никарагуа и признать «никарагуанское правительство в изгнании» и т. д. Главной целью администрации в субрегионе было открыто объявлено свержение сандинистского правительства. При этом военным средствам политики США придается особое внимание. В планах Вашингтона по усилению контроля Пентагона над вооруженными силами центральноамериканских стран значительное место занимает военная помощь проамериканским режимам, которая возрастает из года в год. Так, из суммы почти в 2 млрд дол., выделенной рейгановской администрацией для экономической помощи странам Латинской Америки и Карибского бассейна на 1985/86 фин. г., половина была предоставлена четырем центральноамериканским странам: Сальвадору, Гондурасу, Коста-Рике и Гватемале.

В 1987—1988 гг. произошло серьезное обострение противоречий между США и Панамой, в основе которого по существу лежали проблемы, связанные со статусом Панамского канала. По договору 1903 г. Панама уступила США часть своей территории для постройки межокеанского канала. В 1920 г. Панамский канал был официально открыт. В 1977 г. США и Панама подписали два новых договора о Панамском канале. По первому договору — о статусе канала Панама «постепенно» начиная с 1 октября 1979 г. получает право на управление каналом, который перейдет полностью в ее руки 31 декабря 1999 г. Второй договор — о нейтралитете и функционировании канала. Оба договора вступили в силу в 1979 г. По договорам управление, эксплуатация и оборона зоны Панамского канала до полудня 31 декабря 1999 г. сохраняется за США. Обострение американо-панамских отношений в 1987—1988 гг. было вызвано, с одной стороны, активизацией борьбы панамского народа и националистически настроенных политических и военных кругов страны за полную политическую независимость от США и, с другой стороны, стремлением американских политических, военных и деловых кругов сохранить за США контроль за зоной канала и в XXI в.

Политика «силовых решений» и «кризисной дипломатии», проводимая республиканской администрацией в зоне Центральной Америки и Карибского бассейна, дополняется усилением экономической экспансии США. Уделяется особое внимание «экономической перестройке» стран субрегиона с ориентацией на рыночные силы, упрочение позиций ТНК. Речь идет прежде всего о сокращении сферы активности государственного сектора и принятии кабальных условий Международного валютного фонда. Эта направленность характеризует так называемую «карибскую инициативу», с которой выступил президент Рейган в феврале 1982 г.

Было заявлено, что США будут стремиться к дестабилизации революционных правительств на Кубе и в Никарагуа, к ограничению освободительных процессов в регионе. Первостепенное значение в ряду этих действий придавалось резкому увеличению американских частных инвестиций в страны Центральной Америки и Карибского бассейна, вкладу США в экономическое развитие, который всячески превозносился. Широковещательные обещания об «оздоровлении экономики» центральноамериканских и карибских государств свелись к дальнейшему усилению экономической экспансии Вашингтона. Экономическая дискриминация, неравноправный торгово-экономический обмен, навязанный США карибским странам, усугубляют имеющиеся трудности, приводят к дальнейшему обострению социально-политических проблем. Постоянно занижаются цены на сахар — основной продукт экспорта многих карибских стран. В результате этого закрываются промышленные предприятия, уменьшается объем сельскохозяйственной продукции, происходит значительная утечка капиталов в банки США и др. промышленно развитых стран Запада. Однако, несмотря на многомиллионные материальные затраты и очевидные политические издержки, американской администрации не удалось добиться главной стратегической цели в субрегионе — дестабилизации сандинистского правительства, прекращения демократических преобразований в Никарагуа и ее отказа от связей с социалистическими странами.

Укрепились международные позиции Республики Куба, значительно возросла ее обороноспособность. В Сальвадоре продолжается гражданская война, в которой патриотические силы демонстрируют свою боеспособность и готовность продолжать боевые действия. Ослаблены крайне правые в Гондурасе.

В Гватемале в результате выборов пришло к власти гражданское правительство. На Гаити пала диктатура Дювалье. Происходят социальные взрывы в Доминиканской Республике. Хотя события на Гренаде обусловили очевидный поворот вправо восточнокарибских государств, полного совпадения позиций между ними и США достигнуть не удается. Большинство руководителей стран карибского сообщества настаивают на увеличении экономической помощи и выступают за решение проблем внешнего долга путем его замораживания либо отмены обязательства по процентным платежам. Усиливается тенденция отхода от антиникарагуанской политики США. Не ликвидирован глубокий структурный кризис в экономике этих стран.

Жесткий, откровенно экспансионистский курс американской администрации создал дополнительные трудности в отношениях между Соединенными Штатами и подавляющим большинством крупных стран Латинской Америки. Правительство Рейгана пытается оказывать нажим на своих южных соседей, требуя от них вклада в осуществление глобальных планов США и поддержки позиции США в «межамериканской системе». По существу, поборники «силового подхода» к проблемам центральноамериканских стран рассматривают взаимоотношения США с Мексикой и государствами Южной Америки сквозь призму той задачи, которую они считают главной,— ликвидацию предполагаемой «коммунистической угрозы» в центрально-американском субрегионе.

Возрождение политики «большой дубинки» и «дипломатии канонерок», прямая измена Вашингтона им же провозглашенным принципам «панамериканской солидарности» и поддержка, оказанная внеконтинентальной державе — Великобритании во время конфликта с Аргентиной на Фолклендских (Мальвинских) островах (1982), подчеркнутое нежелание Белого дома считаться с обострившимися экономическими трудностями стран континента и его политика «выборочного фаворитизма» по отношению к государствам Центральной Америки, получающим львиную долю помощи Соединенных Штатов, ассигнованной всем латиноамериканским республикам, вызывают растущее раздражение даже в тех слоях латиноамериканского общества, которые постоянно ориентируются на США.

Традиционные разногласия в межамериканских отношениях резко обострились в начале 80-х годов в связи с тяжелейшей экономической ситуацией, сложившейся в странах Латинской Америки, в частности, в связи с катастрофическим ростом их внешней задолженности. Если в 1960 г. внешняя задолженность латиноамериканских государств составляла лишь 5 млрд дол., то к концу 1987 г. она достигла 410 млрд дол. Положение усугубляется тем, что, используя бедственное положение должников, администрация США увеличивает и без того высокие учетные ставки и вводит все новые протекционистские барьеры на товары латиноамериканского импорта: текстиль, кожевенные изделия, сельскохозяйственную продукцию, многие виды сырья. В странах континента происходят новые вспышки инфляции, растут цены на продукты питания, услуги, предметы первой необходимости. Число безработных достигло 40 млн чел. Обостряются социальные проблемы.

В этих условиях за последние годы в регионе заметно усилились тенденции к проведению суверенного внешнеполитического курса, что, в частности, нашло свое выражение во вступлении многих стран в ряды Движения неприсоединения, в создании и деятельности Контадорской группы, в совпадающих либо близких позициях с позициями СССР и др. стран социалистического содружества по ряду важнейших проблем современной международной жизни.

Показательно, что число стран Латинской Америки, в той или иной форме принимающих участие в Движении неприсоединения, постоянно возрастает. Так, если на I Конференции глав государств и правительств неприсоединившихся стран в Белграде (1961) Латинская Америка была представлена Кубой (принявшей участие в ее работе в качестве полноправного члена и одного из организаторов движения), а также Боливией, Бразилией и Эквадором — в качестве наблюдателей, то на VIII Конференции в Хараре (1986) участвовало 28 стран Латинской Америки и Карибского бассейна — 18 членов, 9 наблюдателей и 1 в качестве гостя.

Стремление к укреплению межлатиноамериканского сотрудничества получило наиболее яркое воплощение в деятельности Контадорской группы. Предложенный ею в августе 1984 г. «Акт мира», предусматривающий решение центральноамериканских проблем путем переговоров без вмешательства извне, был безоговорочно принят правительством Никарагуа и встретил поддержку всех прогрессивных сил. Однако Вашингтон, на первых порах на словах приветствовавший контадорскую инициативу, впоследствии перешел к ее открытому блокированию. Присоединение в 1985 г. к усилиям Контадорской группы Уругвая, Аргентины, Бразилии и Перу, создавших «группу латиноамериканской поддержки Контадору», свидетельствует об осуждении крупнейшими странами континента политики республиканской администрации в Карибском бассейне.

В этот период характерно и усиление противоречий между США и странами Латинской Америки в Организации американских государств, которая перестает быть послушным орудием Вашингтона, как это было еще в недавнем прошлом, и превращается в арену ожесточенной борьбы. ОАГ все чаще проявляет несвойственный ей ранее политический реализм, неоднократно принимая резолюции, осуждающие американскую агрессивную политику. Однако в силу обструкционистской позиции США в сфере экономики ОАГ не удается добиться принятия согласованных решений. Поэтому на континенте усиливается стремление к единству действий в рамках региональных экономических организаций без участия США.

Новые позитивные элементы в общую атмосферу борьбы за ликвидацию очага международной напряженности в зоне Центральной Америки и Карибского бассейна в русле усилий Контадорской группы привнес приход к власти гражданских правительств Р. Альфонсина в Аргентине, Т. Невиса, а затем Ж. Сарнея в Бразилии и Х. Сангинетти в Уругвае. Формально США приветствуют успехи процесса демократизации в странах Южной Америки и даже приписывают их своей политике. Но в действительности они опасаются неконтролируемых перемен в этих странах, которые могут привести к утрате или ослаблению их экономических и политических позиций.

США стремятся использовать экономическую зависимость латиноамериканских государств для навязывания им решений политического характера (отказ от помощи правительствам Аргентины и Перу в связи с их поддержкой Контадорской группы, прямой экономический нажим на Мексику с целью занять «более лояльную позицию» по отношению к США и т. д.).

Экономическое и политическое давление США с цплью сохранения и упрочения зависимого положения Латинской Америки в 80-е годы дополняется расширением военного присутствия США, особенно в зоне Центральной Америки и Карибского бассейна.

Администрация США рассматривает латиноамериканские армии не только как потенциальный резерв для осуществления агрессивных военно-стратегических концепций Пентагона, но и как важнейшее орудие политической власти, которое хотя и было ослаблено за последние годы в ряде крупнейших государств континента, но продолжает оставаться реальной силой в борьбе с освободительными движениями. Для установления контроля над национальными вооруженными силами Пентагон использует межамериканские военные органы, финансирование военной помощи, поставки вооружения и боевой техники. Особое значение уделяется подготовке командных кадров вооруженных сил стран континента в военно-учебных центрах США.

В планах американской администрации по дальнейшей милитаризации центральноамериканских стран и усилению контроля Пентагона над их вооруженными силами значительное место занимает военная помощь проамериканским режимам, которая возрастает из года в год. Так, только за период с января 1981 г. по июль 1985 г. Сальвадор получил американской помощи на сумму 2 млрд дол., большая часть которой была израсходована на военные цели. На содержание никарагуанских контрреволюционных группировок конгресс США выделил в 1981—1988 гг. около 300 млн дол., что было расценено мировой общественностью как прямое вмешательство во внутренние дела Никарагуа, грубейшее нарушение Устава ООН и норм международного права. Милитаристские устремления США встречают растущее сопротивление подавляющего большинства крупных стран Латинской Америки. Об этом свидетельствует, в частности, сужение зоны безопасности агрессивного пакта Рио-де-Жанейро; фактический паралич военноправовой межамериканской системы во время Фолклендского (Мальвинского) кризиса; полный провал проекта институционализации «межамериканских вооруженных сил» под эгидой США и ряда других военно-стратегических планов США в Латинской Америке; диверсификация военно-торговых отношений с рядом стран; стремление многих государств уклониться от проведения совместных военных маневров с США.

Многолетняя экономическая и военно-политическая экспансия США в Латинской Америке в широких масштабах сопровождалась идеологической экспансией через средства массовой информации. Уделяется особое внимание в рамках «идеологизированной дипломатии» расширению идеологической обработки населения латиноамериканских стран. Так, ассигновано 1 млрд дол. на усиление мощностей «Голоса Америки», значительная часть передач которого направлена на Латинскую Америку, создана антикубинская диверсионная радиостанция «Радио Марти», выделяются средства специальным пропагандистским центрам для популяризации среди различных слоев общества идеалов «западной демократии» и «американского образа жизни».

При проведении открытого интервенционистского, жесткого курса в Латинской Америке, особенно в зоне Центральной Америки и Карибского бассейна, администрация США пытается опираться на ряд идеологических конструкций для придания видимости законности своим противоправным действиям. Усиливается панамериканская риторика, делаются попытки реанимировать доктрину «взаимозависимости», согласно которой сырьевые ресурсы Латинской Америки и индустриальный потенциал США на вечные времена представляют собой «естественный» производственный комплекс. Эта «доктрина» прямо на-

целена на утверждение политической и экономической зависимости Латинской Америки. Ей отводится роль производителя сырья и потребителя американской промышленной продукции. Выдвинуты и широко пропагандируются «доктрины» и «концепции», стержнем которых являются антикоммунизм и антисоветизм (доктрина «несовместимости», концепции «инфильтрации международного коммунизма», «советской угрозы», «международного терроризма», «демократизации режимов», «доктрина Шульца» и др.). Эти противоправные «доктрины» и «концепции» направлены на создание такой идеологической обстановки, которая оправдывала бы проводимую империалистическими кругами США политику государственного терроризма, экономического шантажа, дестабилизации и устранения неугодных режимов любыми методами, вплоть до вооруженной агрессии.

Политика на Ближнем Востоке

Под регионом Ближнего Востока в широком смысле в США понимается район, простирающийся от Ирана и Афганистана (в некоторых случаях даже Пакистана) на востоке до Марокко и Мавритании — на западе и от Турции — на севере до Сомали — на юге.

После второй мировой войны Ближний Восток неизменно занимал в системе американских внешнеполитических приоритетов одно из первых мест. Еще в 1946 г. президент Г. Трумэн охарактеризовал этот регион как «район громадного экономического и стратегического значения» для США. Подобная оценка разделялась всеми другими американскими президентами послевоенного периода. Примечательно, что из послевоенных американских внешнеполитических доктрин (непосредственно связанных с именами президентов) три имели прямое отношение к Ближнему Востоку («доктрина Трумэна», «доктрина Эйзенхауэра» и «доктрина Картера»), а еще две другие (доктрины Никсона и Рейгана) во многом опирались на опыт, приобретенный Соединенными Штатами в регионе, в частности, в плане использования в своих целях Израиля, а также некоторых других реакционных ближневосточных режимов.

В основе подхода американских правящих кругов к Ближнему Востоку — экономические, политические, военно-стратегические и иные интересы США в том виде, как их понимают в Вашингтоне.

В экономической сфере это прежде всего тот факт, что Ближний Восток является богатейшей нефтяной кладовой мира. Только в недрах арабских стран и Ирана заключено около 70% разведанных запасов нефти во всех капиталистических и развивающихся странах, вместе взятых, и в Вашингтоне, несмотря на все имеющие подчас важное значение конъюнктурные колебания на международном нефтяном рынке, по-прежнему придают исключительно большое значение проблемам доступа к ближневосточным источникам нефти и установлению в той или иной форме американского контроля над ними. Такой контроль рассматривается американскими правящими кругами помимо всего прочего и как важный рычаг воздействия на другие, в т. ч. союзные США, нефтепотребляющие страны. Кроме того, ближневосточные страны за последние полтора десятилетия стали важным рынком американских товаров и услуг, не говоря уже о многомиллиардных поставках им американского оружия.

В стратегическом плане расположенный в непосредственной близости от границ Советского Союза и др. стран социалистического содружества Ближний Восток, через который к тому же проходят кратчайшие морские и воздушные коммуникации между Европой, Азией и Африкой, с точки зрения Вашингтона, представляет собой удобную стартовую площадку, создающую возможность угрожать глубинным районам Советского Союза и социалистических стран Восточной Европы. Роль важнейшего военно-стратегического плацдарма в борьбе с СССР была отведена Вашингтоном Ближнему Востоку еще в годы «холодной войны», когда на территориях Ливии, Марокко, Саудовской Аравии и некоторых др. стран были созданы крупные американские военно-воздушные базы, а на территории Турции в 1959—1963 гг. были размещены баллистические ракеты средней дальности «Юпитер», оснащенные атомными боеголовками. Широко использовалась Пентагоном в антисоветских целях и территория Ирана до свержения шаха.

В общеполитическом плане Вашингтон отводит Ближнему Востоку весьма важную роль, имея прежде всего в виду борьбу за влияние Соединенных Штатов на социально-политическое развитие всех освободившихся стран в глобальном масштабе. При этом американские правящие круги исходят из того, что от социально-экономической и политической эволюции стран Ближнего Востока во многом зависят судьбы мирового развития. Подобное мышление во многом объясняет бурную реакцию США на любые, не устраивающие их политические или социально-экономические изменения в ближневосточных странах.

В течение уже многих лет Соединенные Штаты рассматривают этот регион и как один из наиболее опасных очагов региональных и локальных конфликтов и кризисных ситуаций, способных вызвать кризис глобальных масштабов, и, следовательно, как один из наиболее вероятных источников прямой советско-американской конфронтации.

Для формирования ближневосточной политики США характерна еще одна, весьма специфическая особенность, не имеющая близких аналогий в подходе Соединенных Штатов к любому другому региональному направлению их внешней политики. Эта особенность заключается в том, что в течение уже ряда десятилетий в США прочно укоренилась тенденция рассматривать все связанные с Ближним Востоком проблемы не только с внешнеполитической или внешнеэкономической точек зрения, но и как важный фактор внутренней политики. Это связано прежде всего с исключительной активностью в Соединенных Штатах весьма влиятельного произраильского лобби, в котором решающую роль играют сионисты. Поэтому учет результатов деятельности этого лобби, как и некоторых других аспектов внутриполитической жизни Соединенных Штатов, необходим для понимания ближневосточной политики США. Их стратегия и тактика на Ближнем Востоке на протяжении всего послевоенного периода определялась также и стремлением США любыми средствами добиться подрыва реальных и потенциальных позиций Советского Союза в регионе, поскольку именно эти позиции рассматриваются в Соединенных Штатах как основное препятствие на пути реализации планов установления американского господства в этом исключительно важном районе мира. В начале 70-х годов в качестве одной из наиболее важных целей внешней политики США провозглашалось «вытеснение» СССР из ближневосточного региона. Практически это нашло свое отражение в активизации попыток ограничить и подорвать позиции СССР в регионе, создавая сложности в отношениях отдельных ближневосточных стран с Советским Союзом, а, если удастся, то и добиваться полного разрыва этих отношений, наносить удары по тем силам региона, которые выступают в едином с государствами социалистического содружества фронте антиимпериалистической борьбы. В результате такой политики Ближний Восток, где в тугой узел завязан целый ряд региональных и локальных конфликтов и кризисных ситуаций, и прежде всего самый длительный в послевоенной истории арабо-израильский конфликт, ставший первопричиной большинства из них, превратился в хронический очаг военной опасности.

Набор инструментов и методов, которые используют США при проведении своей политики на Ближнем Востоке, претерпел за послевоенные годы заметную эволюцию. В 40-е годы они не считали еще возможным действовать на Ближнем Востоке без поддержки старых колониальных держав, что отразилось в тройственной декларации США, Великобритании и Франции 1950 г., по которой эти три страны в обход ООН фактически возлагали сами на себя роль «гарантов» перемирия в 1949 г. между арабскими странами и Израилем и присваивали себе право определять уровни вооруженных сил и вооружения ближневосточных государств. С середины 50-х годов США рассчитывали на успех в регионе, полагаясь лишь на свою собственную военную мощь, свидетельством чего явилось провозглашение в 1957 г. после провала англо-франко-израильской агрессии против Египта в 1956 г. «доктрины Эйзенхауэра», предусматривавшей «право» одностороннего вмешательства Соединенных Штатов, в т. ч. и вооруженным путем, во внутренние дела любой страны Ближнего Востока для борьбы с «международным коммунизмом». Во второй половине 60 — начале 70-х годов основная ставка была сделана на использование военной машины Израиля без прямого военного вовлечения США, что наиболее ярко проявилось в ходе израильской агрессии 1967 г., а затем и на диверсификацию американской клиентуры в регионе и создание местных жандармских сил помимо Израиля, наиболее ярким примером которых был до краха монархии в 1979 г. шахский Иран. С конца же 70-х годов Соединенные Штаты в своей ближневосточной политике стали делать упор на использование всех этих инструментов и методов в комплексе с попеременным выдвижением на первый план то одного, то другого.

Вполне определенно это проявилось в годы президентства Дж. Картера, который считал своим важнейшим внешнеполитическим успехом отрыв садатовского режима в Египте от прогрессивных сил в арабском мире, от Советского Союза и сепаратный сговор А. Садата с Израилем, оформленный в кэмп-дэвидских сделках, заключенных под эгидой США в сентябре 1978 г., а затем и в египетско-израильском «мирном договоре», подписанном в марте 1979 г. Одновременно был взят курс на более активное использование американской военной силы в целях регулирования региональной ситуации в выгодном для США направлении, что нашло свое выражение в «доктрине Картера».

Суть этого курса заключалась в откровенных притязаниях на «право» требовать в любом районе мира, который США в одностороннем порядке объявят сферой своих «жизненно важных интересов», установления угодных им порядков, не допускать там каких бы то ни было не устраивающих их социальных и иных перемен.

Когда же, по мнению американских правящих кругов, эти «интересы» США могут быть ущемлены, провозглашалось «право» на вмешательство, вплоть до использования всех необходимых средств, включая военную силу. В доктрине предусмотрен также ряд мер, направленных своим острием против развивающихся стран, и прежде всего против стран Ближнего Востока.

Кроме того, ставилась задача вплотную заняться «изучением возможностей более активного использования военных объектов» как на самом Ближнем Востоке, так и в непосредственной близости от этого региона.

Для политического обеспечения и пропагандистского прикрытия этого крайне опасного для дела мира курса, как и вообще всей своей ближневосточной политики в целом, Соединенные Штаты всемерно использовали среди других поводов факт захвата 4 ноября 1979 г. иранскими студентами их посольства в Тегеране и задержание ими в течение 444 дней находившегося в нем персонала. На деле же, как показывают факты, администрация Картера приступила к разработке и реализации своей интервенционистской программы в районе Ближнего Востока и вокруг него задолго до указанного события, что и было зафиксировано в президентской директиве № 18, подписанной еще в августе 1977 г. Особенно активно в этом плане американской администрацией использовались события, связанные с апрельской революцией 1978 г. в Афганистане и вводом по просьбе афганского правительства в эту страну в декабре 1979 г. ограниченного контингента советских войск с целью оказания помощи в отражении внешнего вмешательства, организуемого при широкой поддержке США.

События в Афганистане стали поводом для провозглашения «доктрины Картера», а сам Афганистан был включен в сферу деятельности созданного 1 января 1983 г. специального Центрального командования (СЕНТКОМ), сфера деятельности которого самовольно, без каких-либо консультаций с правительствами соответствующих стран или тем более просьб с их стороны была распространена на 19 ближневосточных и прилегающих к ним государств. На поддержку антиправительственных сил в

Афганистане Вашингтон израсходовал более 1 млрд дол.

Еще больший размах военная активность США на Ближнем Востоке приобрела в годы президентства Р. Рейгана. Даже в «доктрине Эйзенхауэра» утверждалось, что вооруженное вмешательство США в дела той или иной ближневосточной страны последует лишь после «просьбы» соответствующего правительства. В военной стратегии США на 1984—1988 гг., в которой Ближнему Востоку отводится особо важное место, предписывается «американским силам быть готовыми в случае необходимости по собственной инициативе занять позиции в этом районе, не дожидаясь приглашения дружественного правительства».

В ходе израильской агрессии против Ливана в 1982 г. была претворена в жизнь принятая на вооружение республиканской администрацией доктрина «прямого противоборства» на региональном уровне применительно к конфронтации с силами арабского национально-освободительного движения. Впервые за всю историю арабо-израильского конфликта США вступили в прямую военную конфронтацию с арабским освободительным движением, подвергнув территорию Ливана бомбардировкам с моря и с воздуха. Старую «политику канонерок», а вернее, современную политику авианосцев и бомбардировщиков являли собой и пиратские акции США против Ливии.

В этом же плане следует рассматривать беспрецедентную концентрацию американской военной мощи в Персидском заливе под предлогом защиты международного судоходства, которое оказалось под угрозой в результате расширения масштабов ирано-иракской войны и распространения боевых действий на зону залива. Аргументы насчет необходимости обеспечения беспрепятственного вывоза нефти, добываемой в Персидском заливе и прилегающих к нему странах, заслуживали внимания. Однако, как показал опыт, после ввода в Персидский залив ВМС США и др. стран НАТО не только международное судоходство в этом регионе не стало более безопасным, но и создались реальные перспективы еще большего расширения географических рамок ирано-иракского конфликта и вовлечения в него новых стран со всеми вытекающими из этого непредсказуемыми последствиями. Примером тому может служить катастрофа иранского пассажирского самолета, сбитого ракетами, выпущенными с американского крейсера «Винсеннес» (июль 1988 г.), в результате чего погибло около 300 чел.

Активизируя военную деятельность на Ближнем Востоке, администрация Рейгана исходит из того, что осуществление стратегических замыслов США на Ближнем Востоке невозможно без дипломатических маневров, призванных продемонстрировать «стремление США к стабилизации положения в регионе». Отсюда, с одной стороны, новые посулы экономической и научно-технической помощи, с другой — выдвижение 1 сентября 1982 г. президентом Рейганом «американской мирной инициативы для многострадальных народов Ближнего Востока». Этот план ничего общего с установлением подлинного мира в регионе не имеет, о чем свидетельствует, в частности, тот факт, что ни один из восьми пунктов выработанного на встрече в верхах арабских стран в марокканском городе Фесе в сентябре 1982 г. плана ближневосточного урегулирования не совпадает с положениями этой «мирной инициативы».

Крах шахского режима в Иране, отказ Египта после убийства А. Садата следовать в фарватере политики Вашингтона, провал прямого американского военного вмешательства в Ливане, стремление монархических арабских режимов хотя бы в какой-то степени отмежеваться от этой политики, нежелание арабских государств принять «план Рейгана» — все это свидетельствует о том, что реальные позиции США на Ближнем Востоке далеко не прочны. И чем большую ставку на военно-силовые методы в своей ближневосточной политике делают США, чем больше они обостряют обстановку в регионе, тем большее сопротивление эта политика вызывает у народов Ближнего Востока, а также во всем мире, подтверждением чего является растущая поддержка созыва под эгидой ООН международной конференции по Ближнему Востоку.

С подобными настроениями не могут не считаться Соединенные Штаты. Именно поэтому они уже не выступают открыто против самой идеи проведения такой конференции, хотя и пытаются вложить в нее собственное еще весьма далекое от стремления к подлинному и справедливому урегулированию содержание.

Важный импульс процессу урегулирования региональных конфликтов (в том числе и на Ближнем Востоке) дало подписание в Женеве 14 апреля 1988 г. соглашений по внешним аспектам политического урегулирования, относящегося к Афганистану. Достижение Женевских соглашений открыло исторический шанс для обеспечения мира и благополучия афганскому народу, нормализации обстановки в регионе и продемонстрировало возможность решения других региональных конфликтов политическими средствами. Участвуя наряду с СССР в урегулировании афганской проблемы в качестве официального гаранта, Соединенные Штаты фактически пошли на то, чтобы создать прецедент конструктивного взаимодействия, столь необходимого для оздоровления международных отношений в целом. Однако при всей его позитивности этот шаг едва ли может служить основанием для утверждения, что

ближневосточная политика США уже претерпела кардинальные изменения. Тем более, что практическая реализация Женевских соглашений по Афганистану с самого начала встретилась с немалыми осложнениями, определенную ответственность за которые несет Вашингтон.

Азиатско-тихоокеанский регион

В 80-е годы значение азиатско-тихоокеанского региона, куда входят страны Дальнего Востока, Юго-Восточной Азии, Индокитая, Австралии и Океании, в американской политике значительно возросло. Именно здесь соприкасаются границы и интересы не только двух наиболее мощных держав мира — СССР и США, но и занимающих с каждым годом все более заметное место как в системе международных отношений, так и в политике США Японии и КНР. Региону, где развернуты значительные формирования вооруженных сил США, придается все большее значение в американской военной стратегии, как в плане наращивания собственной военной мощи, так и с точки зрения укрепления коалиционной политики.

Возрастает и роль региона в мирохозяйственных связях США. С 1975 по 1986 г. доля региона во внешней торговле США увеличилась с 21,2 до 35,3%, и в 1986 г. в абсолютном выражении объем экспорта США в регион составил 60,3 млрд дол., а импорт — 146,7 млрд дол. В 80-е годы регион превратился в крупный рынок американских инвестиций. На конец 1986 г. прямые инвестиции США здесь составили 35,7 млрд дол. (14% общего объема прямых капиталовложений за границей), из которых 31,7% пришлось на Японию, 44,8% — на страны ЮВА.

Повышенное внимание США к региону определяется и тенденциями опережающих темпов развития западных и южных районов страны по сравнению с восточными и северными. Это находит отражение и в формировании политики, поскольку сторонники тихоокеанской ориентации приобретают все большее влияние на всех уровнях власти.

Формирование политики США в азиатско-тихоокеанском регионе во многом определяется уровнем советско-американских отношений, как глобальных, так и региональных. И СССР, и США являются частью этого региона, и, хотя до сих пор многие аспекты конкретных связей между двумя странами все еще традиционно тяготеют к двусторонним и европейским проблемам, региональный фактор все чаще оказывается в фокусе советско-американских отношений. В первую очередь это относится к отношениям СССР и США с третьими странами. Если СССР исходит прежде всего из интересов двусторонних отношений с государствами региона, то в политике США доминируют задачи, вытекающие из концепции глобального противодействия СССР и др. странам социализма. Регион в целом и Дальний Восток в частности рассматривается в Вашингтоне как военный плацдарм, приближенный к границам СССР и достаточно отдаленный от США.

Внешнеполитическая стратегия США в азиатско-тихоокеанском регионе подчинена генеральной цели обеспечения доминирующих позиций американского империализма перед лицом растущей мощи и влияния Советского Союза. При всем многообразии интересов США в этой части мира прямое противостояние СССР находит ту или иную степень выражения как в общих внешнеполитических установках, так и в соответствующих аспектах отношений Вашингтона со своими союзниками и партнерами в тихоокеанском бассейне. США пытаются сохранить свои ведущие позиции в блоке АНЗЮС, создать предпосылки для формирования альянса Вашингтон — Сеул —

Токио, придать военно-политические функции АСЕАН. Укрепление и расширение коалиционной структуры предусматривает не только «сдерживание», но и рассчитано на изоляцию СССР и его союзников в регионе. Коалиционная политика подразумевает и поиск возможностей для блоковой привязки неприсоединившихся государств с использованием в этих целях политического и экономического давления.

В то же самое время именно здесь США усматривают все более серьезную угрозу своим стратегическим позициям: вызов в экономической области со стороны Японии и «новых индустриальных государств», в число которых входят Тайвань, Южная Корея, Сингапур и Гонконг, активизация политики социалистического Китая и, наконец, рост влияния СССР в регионе — все это серьезно осложнило военные, политические и экономические возможности Вашингтона. Пытаясь приостановить процесс ослабления стратегических позиций, США используют активизацию политических и экономических связей со странами региона, укрепление военных союзов и дальнейшее наращивание своей военной мощи.

Главным компонентом американской политики являются здесь отношения с наиболее важным стратегическим союзником США — Японией. Комплекс отношений с Японией для США — это наиболее крупная система двусторонних отношений, что определяется не только тем, что на эти две страны приходится одна треть мирового ВНП и четверть объема торговли капиталистических стран, но и масштабами политических, экономических и военных связей между двумя странами. Для США одним из важнейших направлений политики на Дальнем Востоке является сохранение Японии в орбите проамериканской политики. Казалось бы, что эта задача все более усложняется по мере стремления Японии дополнить гигантскую экономическую мощь активной и самостоятельной внешней политикой. Однако находящееся у власти в стране правительство либерально-демократической партии делает ставку лишь на повышение роли Японии в системе западного союза. Подобная политика в условиях сохранения американского военного, а до определенной степени и политического лидерства в капиталистическом мире значительно облегчает задачу Вашингтона. Стремление США к поддержанию стабильных и прочных отношений с Японией определяется как военно-стратегическими расчетами, опирающимися на подписанный в 1951 г. американо-японский «договор безопасности», так и возрастающими с каждым годом торгово-экономическими связями между ними. В то же время эти отношения характеризуются серьезной асимметрией, являющейся следствием, во-первых, сохраняющейся военной зависимости Японии от США и, во-вторых, растущим дефицитом США в торговле с Японией, объем которого в 1986 г. достиг почти 55 млрд дол., что составило одну треть всего дефицита американской внешней торговли.

Американо-японский военно-политический союз в 80-е годы претерпел ряд серьезных изменений, связанных прежде всего с эволюцией американского подхода к отношениям с Токио. Если в 70-е годы в рамках дипломатии Никсона — Киссинджера, рассматривавшей Японию лишь в качестве одного из «центров силы» в стратегическом балансе, произошло заметное снижение уровня отношений между двумя странами, то после прихода к власти администрации Р. Рейгана Японии был возвращен статус основного стратегического партнера США на Дальнем Востоке. Взяв курс на проведение политики жесткой конфронтации с СССР, империалистические круги США стали подходить к Японии как к важней-

шему звену в реализации американских военно-политических задач. В 1986 г. в Японии находилось 46,7 тыс. американских военнослужащих, две трети которых расположены на острове Окинава. Японии был предложен конкретный и скоординированный с США план активизации ее военных усилий, включающий такие акции, как патрулирование японскими «силами самообороны» морских коммуникаций в радиусе 1000 миль от берегов Японии, блокирование трех проливов Японского моря, передачу Соединенным Штатам военной технологии и участие Японии в программе СОИ. Параллельно были предприняты шаги, направленные на укрепление антисоветского, антисоциалистического содержания американо-японских отношений: Япония была втянута в политику различного рода ограничений и санкций, направленных против СССР, Вьетнама и др. социалистических стран. В американских военно-стратегических планах Япония стала рассматриваться как элемент глобальной антисоветской политики, о чем, в частности, свидетельствуют усилия по координации японской военной политики с планами НАТО.

Качественное и количественное наращивание японского военного потенциала, необходимого для реализации поставленных США задач, несомненно, усиливает американские военные позиции на Дальнем Востоке, однако по-прежнему львиная доля военных усилий предпринимается здесь Пентагоном. Участие Японии в планируемых акциях направлено прежде всего на создание жесткой привязки японской политики к военно-стратегическим планам Вашингтона.

Подобное «соучастие» позволяет США, с одной стороны, добиваться единства Японии и их западных союзников в политике конфронтации с СССР и др. странами социализма, а с другой — ограничивает самостоятельность внешнеполитического выбора Японии: общность военно-политической стратегии предусматривает определенный автоматизм вовлечения Японии в американские военно-политические акции. Процесс дальнейшего втягивания Японии во внешнюю и военную политику США направлен и против улучшения японо-советских отношений, поскольку активизация военных приготовлений в Японии идет под прикрытием раздуваемой США кампании о так называемой «советской военной угрозе».

Вынуждая Японию увеличивать военные расходы, США пытаются, хотя и без особого успеха, сократить дефицит в торговле с Японией. В то же время республиканская администрация сумела заставить Японию принять многие военные программы, противоречащие японским конституционным запретам, в обмен на значительное смягчение антияпонской политики торгового протекционизма. Это отнюдь не означает, что провозглашенный Р. Рейганом курс на «свободную торговую конкуренцию» продиктован интересами развития военных связей с Японией, но объективная связь между этими двумя процессами существует.

Сложность разрешения американо-японских торгово-экономических противоречий, выраженных прежде всего в хроническом дефиците американской торговли с Японией, объем которого с 1965 по 1986 г. составил астрономическую сумму в 252 млрд дол., из которых свыше 135 млрд пришлось на три последних года, связана с колоссальной взаимозависимостью их экономических структур. США, являясь крупнейшим торговым партнером Японии, поглощают более одной трети объема японского экспорта (38,5% в 1986 г.); на Японию, которая среди торговых партнеров США уступает лишь Канаде, приходится свыше 10% американского экспорта.

В 1986 г. объем экспорта США в Японию составил 26,9 млрд дол. Прямые американские инвестиции в экономику Японии в 1986 г. составили 11,3 млрд дол., а японские прямые инвестиции в США достигли 23,4 млрд. дол. В 1986 г. сумма активов, контролируемых Японией в США, составила 156,5 млрд дол.

Рост американского дефицита в торговле с Японией прежде всего связан с высокой конкурентоспособностью дешевых японских товаров, что является результатом относительно низких, по сравнению с США, издержек производства. Оценка перспектив развития американо-японских отношений позволяет заключить, что конфликт между двумя странами в торгово-экономической области имеет тенденцию к обострению, тем более что уже сейчас наблюдается перемещение конкуренции из трудоемких и материалоемких отраслей в наукоемкое производство, где Япония имеет особенно сильные позиции. Превращаясь в крупнейшего в мире экспортера капиталов, Япония занимает все более прочные позиции в американском банковском деле, растет японская конкуренция и в сфере услуг. Однако администрация США, несмотря на постоянное давление конгресса, требующего принятия протекционистских мер в отношении Японии, стремится избежать обострения конфликта, мотивируя это важностью сохранения американо-японских союзнических отношений, в фундаменте которых лежат военные связи.

Антикоммунистическая ориентация американской политики оказала серьезное воздействие и на развитие американо-китайских отношений. В первую очередь это сказалось на определенном снижении уровня стратегической значимости отношений с КНР. Унаследовав от предшественников концепцию использования в политике США «китайского фактора», империалистические круги не смогли преодолеть правоконсервативную антикоммунистическую настороженность в отношении КНР. США отказались от широкого использования отношений с КНР в политике баланса сил, сосредоточив внимание на развитии связей со своими идеологическими союзниками — Японией, Южной Кореей и Тайванем. Американо-китайские отношения были увязаны с параллельным развитием «неофициальных» связей США с гоминьдановским режимом на Тайване, включая поставки современных вооружений и широкие торгово-экономические связи. Определенная сдержанность американской политики в отношении КНР связана и с теми изменениями, которые внес в международные позиции Китая XII и XIII съезды КПК.

Тем не менее администрация США продолжает попытки эксплуатации некоторых существующих еще сложностей в отношениях между СССР и КНР, делая акцент на создание программы развития американо-китайского военного сотрудничества, включая поставку в КНР технологии и техники военного назначения и вооружений, на что не решалась ни одна из предшествующих администраций.

США пытаются эксплуатировать интерес китайского руководства к получению американской финансовой, экономической и научно-технической помощи в осуществлении программ «четырех модернизаций».

Значительную роль в развитии американо-китайских отношений играют и экономические соображения. В 1987 г. объем торговли между двумя странами вырос на 25% по сравнению с предыдущим годом и составил 10,4 млрд дол. Американский экспорт в КНР в 1987 г. составил 3,5 млрд дол., а импорт — 6,9 млрд дол.

В КНР действует свыше 140 представительств американских компаний и более 400 смешанных американо-китайских предприятий.

В 1987 г. объем прямых американских инвестиций в экономику КНР составил 3,1 млрд дол., из которых 40% пришлось на разработку нефтяных месторождений. Развивается научно-техническое сотрудничество между двумя странами: в 1987 г. в США обучалось 15 тыс. китайских стажеров и студентов, США посетило 30 тыс. китайских технических специалистов. Установление широких экономических связей с КНР рассматривается в Вашингтоне как возможность усиления ее зависимости от капиталистической экономики и создания предпосылок для выгодных Вашингтону изменений социально-экономической структуры китайского общества.

Наиболее сложной проблемой развития американо-китайских отношений остается «тайваньская проблема». Установив с 1 января 1979 г. дипломатические отношения с КНР, США 10 апреля 1979 г. приняли закон об отношениях с Тайванем, который создал юридическую основу для продолжения широких связей с Тайванем после разрыва в январе 1979 г. американо-тайваньских дипломатических отношений и аннулирования подписанного в 1954 г. Договора о взаимной обороне. Все контакты между Вашингтоном и Тайбэем осуществляются на основе созданного решением конгресса США Американского института по Тайваню, формально считающегося частной организацией. США практически полностью сохранили свои экономические интересы на острове: в 1986 г. на Тайвань было экспортировано товаров на 5,4 млрд дол., а тайваньский импорт в США достиг 19,8 млрд дол.

Тенденция к дальнейшему укреплению контактов с Тайванем проявилась особенно отчетливо после прихода в Белый дом республиканской администрации Р. Рейгана. В основе этого курса лежит убеждение американских консервативных кругов в стратегической важности острова, идеологическая и политическая близость с Тайбэем и, наконец, надежда на то, что руководство КНР пойдет на компромисс с США по этому вопросу в силу своей заинтересованности в развитии отношений с Вашингтоном. Лавируя между Пекином и Тайбэем в рамках политики «один Китай, два правительства», администрация США практически игнорирует американо-китайское коммюнике от 17 августа 1982 г. в той его части, где речь идет о сокращении и прекращении поставок Тайваню современных вооружений. С 1984 по 1986 г. США поставили Тайваню вооружений более чем на 2 млрд дол. Вооружая тайваньский режим, США препятствуют решению тайваньской проблемы путем переговоров и тем самым сохраняют элемент нестабильности в международной обстановке на Дальнем Востоке.

На сохранение еще одного очага международной напряженности на Дальнем Востоке направлена американская политика и в отношении Кореи. Одним из важнейших препятствий на пути поиска мирных путей к объединению Кореи является американское военное присутствие на юге Корейского полуострова. В соответствии с подписанным в 1953 г. американо-южнокорейским Договором о взаимной обороне США продолжают дислоцировать свои вооруженные силы, включая ядерное оружие, на территории Южной Кореи. В 1986 г. на Корейском полуострове находилось свыше 40 тыс. военнослужащих США, число которых в ходе ежегодно проводимых двухмесячных американо-южнокорейских военных маневров «Тим спирит» возрастает до 62 тыс. (1985).

Между реакционным южнокорейским режимом Чон Ду Хвана, захватившего власть в мае 1980 г. в результате военного переворота, а затем его преемником президентом Ро Де У, пришедшим к власти в феврале 1988 г., и рейгановской администрацией поддерживались тесные контакты. В первую очередь это определяется стремлением Вашингтона к сохранению на Корейском полуострове опорного пункта антикоммунистической стратегии. Значительную роль в развитии американо-южнокорейских связей играют и экономические интересы монополий США. В 1986 г. американский экспорт в Южную Корею составил 6,4 млрд дол., а импорт — 12,7 млрд, многие американские компании имеют филиалы своих предприятий в Южной Корее.

США отказываются от проведения трехсторонних переговоров между КНДР, Южной Кореей и США, как это было предложено правительством КНДР в январе 1984 г. Инициатива КНДР предусматривает обсуждение таких вопросов, как подписание мирного договора между США и Кореей взамен существующего соглашения о перемирии, принятие декларации о ненападении между Севером и Югом. США отказываются обсуждать и предложение КНДР о превращении Корейского полуострова в безъядерную зону. Позиция администрации США сводится к необходимости достижения прогресса во взаимоотношениях между Севером и Югом в качестве предварительного условия участия третьих стран в переговорах.

Повышая роль южнокорейского плацдарма в своих военно-стратегических планах, о чем свидетельствует как дальнейшее увеличение американской военной помощи Сеулу, объем которой в 1986 г. составил 232,2 млн дол., так и процесс модернизации и укрепления американских вооруженных сил, дислоцированных там, в США все большее внимание уделяется планам так называемой «региональной оборонной инициативы» на Дальнем Востоке. Речь идет об активизации военного сотрудничества США, Южной Кореи и Японии, включая участие последней в программе «звездных войн». Оно предусматривает в будущем возможность создания военной группировки, в функции которой будет входить реализация американских военных планов на Дальнем Востоке.

В американской политике в азиатско-тихоокеанском регионе важное место занимает и Юго-Восточная Азия. В отношении стран АСЕАН (Индонезия, Малайзия, Таиланд, Филиппины, Сингапур, Бруней) США проводят политику расширения отношений как на уровне связей с региональной ассоциацией в целом, так и на двусторонней основе. Превращение этой группы стран в устойчивых партнеров американского империализма с помощью создания там прочной базы относительно развитой капиталистической экономики рассматривается в качестве одной из важнейших задач по укреплению позиций США и капитализма в целом в развивающемся мире. В 1986 г. объем торговли США с государствами, входящими в АСЕАН, составил 22,5 млрд дол. (экспорт — 8,3 млрд, импорт — 14,2 млрд), а прямые американские инвестиции на конец 1985 г. достигли 9,2 млрд дол. Наиболее сложной экономической проблемой отношений между США и странами АСЕАН остается несбалансированность торговли. В ответ на рост дефицита в торговле с регионом в США все чаще ставится вопрос о введении жестких протекционистских мер. Однако стремление США сохранить эти страны в своей политической орбите служит главным фактором, сдерживающим протекционизм.

В политическом плане США прилагают усилия для придания АСЕАН четко выраженной антисоветской направленности. Тезис о так называемой «советской военной угрозе» преподносится как обоснование развития военного сотрудничества с США и милитаризации в рамках развития тихоокеанской коалиционной структуры. В этих же це-

лях используется и «кампучийская проблема» — Соединенные Штаты всячески препятствуют нормализации отношений между странами АСЕАН и Индокитая.

Особое внимание США уделяют Таиланду и Филиппинам. В 1985 г. было подписано рассчитанное на пять лет соглашение, в соответствии с которым Таиланд получает крупные партии оружия, в 1986 г. принято решение о создании на территории Таиланда складов американской военной техники на случай «чрезвычайных обстоятельств».

США прилагают значительные усилия для сохранения своих военных баз на Филиппинах — крупнейших за пределами территории США.

По заявлению президента Филиппин К. Акино, правительство которой пришло к власти в марте 1986 г., вопрос о будущем баз будет решен путем национального референдума после 1991 г., когда истечет срок действующего соглашения об их аренде. Находясь на Филиппинах в апреле 1986 г., тогдашний министр обороны США К. Уайнбергер предложил увеличить военную и экономическую помощь, что подразумевает сохранение американских военных баз в стране. Одновременно США разжигают внутриполитическую борьбу в стране по данному вопросу, опираясь на некоторые проамериканские круги в вооруженных силах Филиппин.

Решение избранного 14 июля 1984 г. лейбористского правительства Новой Зеландии о закрытии своих портов для судов с ядерными двигателями или имеющих на борту ядерное оружие вызвало не только кризис отношений между Новой Зеландией и США, но и поставило под удар сам факт существования военного союза АНЗЮС. США практически полностью заморозили военное сотрудничество с Новой Зеландией и угрожают принятием экономических санкций. Однако пока не идут на официальный разрыв существующих соглашений. Хотя в отношениях с Австралией и отсутствует напряженность, характерная для американо-новозеландских отношений, Соединенные Штаты проявляют недовольство такими политическими акциями правительства Австралии, как подписание в августе 1985 г. по ее инициативе Договора Раротонга, объявившего южную часть Тихого океана безъядерной зоной, или отказ в феврале того же года от предоставления США своей территории для испытаний ракет МХ.

В 1986 г. объем торговли США с Новой Зеландией составил около 1,9 млрд дол. (экспорт — 881 млн дол., импорт — 982 млн дол.). В торговле с Австралией в 1986 г. США имели положительное сальдо в сумме 3 млрд дол. (экспорт — 5,6 млрд, импорт — 2,6 млрд).

Неоколониалистской формой политики США в регионе явилась фактическая аннексия Микронезии, над которой с 1947 г. Соединенные Штаты в соответствии с мандатом ООН осуществляли опеку. В ноябре 1986 г. США объявили, что трем частям этой территории — Северным Марианским островам, Маршалловым островам и Федеративным Штатам Микронезии — придается статус «содружества» или «ассоциации» с Соединенными Штатами. Это решение, навязанное микронезийцам в нарушение Устава ООН, ведет к превращению этого района в военно-стратегический плацдарм США в западной части Тихого океана. В 1986 г. Соединенные Штаты добились согласия администрации Палау — оставшейся части раздробленной Микронезии — на отмену конституции 1979 г., ограничивавшей американское военное присутствие на этой территории, и придали ей статус «свободной ассоциации» с США.

В обмен на предоставленные микронезийцам 3 млрд дол. США получили право на строительство базы ВМС. В рамках так называемой «свободной ассоциации» США получают возможность для создания своих военных баз на этих территориях, что, в случае потери баз на Филиппинах, приобретает для США особое значение. Уже сейчас на островах Тиниан и Сайпан, входящих в Марианский архипелаг, Пентагон «арендовал» 18 тыс. акров земли для «расширения имеющихся военных объектов в случае необходимости». На атолле Кваджалейн, входящем в Маршалловы острова, находится полигон для испытания различных ракетных систем, включая предназначенные для АСАТ и СОИ, на Палау планируется создание базы ВМС.

В американской военной доктрине азиатско-тихоокеанскому региону отводится особая роль.

США уделяют значительное внимание координации наращивания собственных военных сил в регионе с военными программами своих союзников. Ежегодно в регионе проводятся различные военные маневры, в которых участвуют вооруженные силы США, Южной Кореи, Японии, Австралии, Канады, Филиппин и Таиланда. Флоты Австралии, Японии и Канады рассматриваются США как силы, которые могут быть использованы в операциях американских ВМС на тихоокеанском театре.

Все большую роль в военно-политической стратегии США на Дальнем Востоке начинают играть попытки Пентагона создать систему глобальной угрозы СССР с Востока и Запада. Именно этим можно объяснить все чаще наблюдающееся совпадение по времени маневров натовского флота на Западе и американских ВМС на Дальнем Востоке. Этим же целям отвечают попытки США создать предпосылки для координации военных усилий Японии не только с собственными военными планами, но и с задачами, стоящими перед НАТО. Усилиями Вашингтона азиатско-тихоокеанский регион превратился в район, где с каждым годом усиливается гонка вооружений, растет международная напряженность.

Основу советской политики в регионе продолжает составлять курс, направленный на реализацию конкретных предложений, предусматривающих ослабление международной напряженности и обуздание гонки вооружений. Советские инициативы, содержавшиеся в выступлении Генерального секретаря ЦК КПСС М. С. Горбачева в июле 1986 г. во Владивостоке, непосредственно касались стабилизации обстановки в азиатско-тихоокеанском регионе. Предложения о недопущении распространения и наращивания ядерного оружия в Азии и на Тихом океане, о сокращении активности на Тихом океане флотов, об обсуждении мер доверия и ряд др. были обращены в первую очередь к США. Их основным содержанием является мирное урегулирование конфликтов, отказ от гонки вооружений и перевод советско-американских отношений в регионе в плоскость переговоров, снятие остроты военного противостояния в различных районах Азии, стабилизация обстановки в регионе.

Зона Индийского океана

На протяжении 80-х годов в зоне Индийского океана не ослабевала дипломатическая и военная активность Соединенных Штатов, что объяснялось рядом причин. Во-первых, Индийский океан рассматривается Вашингтоном как зона «стратегической обороны» наряду с аналогичными зонами в Атлантическом и Тихом океанах. Военные базы США в зоне Индийского океана замыкают единую стратегическую цепь американских опорных пунктов по всему периметру границ СССР. В Вашингтоне придают особое значение американскому военному присутствию в этом районе мира и явно стре-

мятся не только обеспечить региональное превосходство, разместив вооруженные силы в Индийском океане на постоянной основе, но и включить их в систему глобального военного баланса между СССР и США.

Во-вторых, регион является важнейшим сырьевым резервом. Здесь имеются значительные запасы импортируемых США и их союзниками полезных ископаемых. Так, в начале 80-х годов США ввозили из стран Индийского океана 38 видов сырья, включая сырье стратегического назначения — литий, бериллий, кобальт, марганец, хромиты, технические алмазы. Но, пожалуй, главное — это огромные нефтяные запасы стран Персидского залива.

В-третьих, зона Индийского океана имеет, с точки зрения США, большое политическое значение, поскольку в нее входит 44 прибрежных и материковых государства с общим населением 1,3 млрд чел.

В «доктрине Картера» район Персидского залива был объявлен «сферой американских жизненных интересов» наряду с Западной Европой и Дальним Востоком.

Причиной столь повышенного внимания США к этому району мира был рост национально-освободительного движения и антиимпериалистических, антиамериканских настроений, приведших к развалу американской системы блоков и союзов. Используя в качестве прикрытия миф о «расширении советского военно-морского присутствия» в Индийском океане, республиканская администрация Р. Рейгана пошла значительно дальше, чем ее предшественники, по пути наращивания военного присутствия США и нагнетания напряженности в этом районе мира. Главной целью Вашингтона стало обеспечение регионального превосходства над СССР и способности к «защите американских экономических интересов».

Военно-политическая стратегия США в зоне Индийского океана развивается по следующим основным направлениям:

наращивание военного присутствия в Индийском океане;

расширение сети опорных пунктов и баз в регионе;

укрепление отношений с консервативными режимами региона;

нейтрализация выступлений против иностранного военного присутствия в Индийском океане.

В рамки этих главных направлений вписывается и линия США на фактическое блокирование конференции ООН по Индийскому океану, проведение которой могло бы стать реальным шагом в деле создания здесь зоны мира.

Усиление американского военного присутствия в районе Индийского океана идет прежде всего по пути повышения уровня оперативной готовности и мобильности вооруженных сил США с помощью создания единого центрального командования для этого региона, а также укрепления и совершенствования «сил быстрого развертывания». При наращивании американского военного присутствия в Индийском океане делается упор также на усиление ВМС США и сил обеспечения боевых действий, на улучшение их качественных характеристик и совершенствование организации.

Продолжается деятельность, направленная на укрепление «сил быстрого развертывания». На программы увеличения численного состава СБР, оснащения их транспортными средствами, модернизацию опорных пунктов и т. п. Пентагон израсходовал до 1988 г. 13,6 млрд дол.

Наращивание американского военного присутствия в зоне Индийского океана тесно связано с позицией США в специальном комитете ООН по Индийскому океану. Понимая, что откровенный бойкот решений ООН и усилий многих государств, поддерживающих идею превращения этого региона в зону

мира, чреват дипломатическими осложнениями, американская администрация разработала двойную систему мероприятий, содержащую элементы дипломатического маневрирования в ООН и известную «аргументацию» в пользу наращивания и сохранения своего военного присутствия в регионе.

С одной стороны, США формально не отрицают необходимости созыва конференции ООН, но обусловливают ее проведение выполнением ряда предварительных требований для создания «подходящей политической обстановки». Они настаивают, в частности, на принятии так называемого «комплекса принципов поведения» государств региона. Цель данного требования — изменить принятый ООН мандат специального комитета ООН по Индийскому океану, предусматривающий подготовку созыва конференции, утопить практическую ее подготовку в дискуссии по согласованию указанных «принципов», которые не касаются ключевых вопросов ограничения военной деятельности, ликвидации военных баз, неразмещения ядерного оружия. В итоге американский подход к проблеме созыва международной конференции по Индийскому океану вызывает негативный резонанс в ООН и приводит к столкновению интересов США и большинства неприсоединившихся стран, выступающих за выработку международного соглашения о превращении Индийского океана в зону мира.

Заметным элементом стратегии США в районе Индийского океана стала активизация военно-политических связей с рядом государств региона. Эта политика призвана, во-первых, предоставить США возможность завершить создание здесь собственно американской военной инфраструктуры, укрепив систему своих опорных пунктов и баз; во-вторых, увеличить заинтересованность этих стран в американском присутствии в Индийском океане и подготовить почву для дальнейшего расширения их военного сотрудничества с США. Главная цель, которая при этом преследуется,— обеспечение максимально благоприятных условий для действий американских ВМС и расширение их интервенционистских возможностей.

Помимо наращивания собственного военного присутствия в Юго-Западной Азии и зоне Персидского залива, а также поощрения милитаризации стран этого региона США не оставляют попыток объединить прозападные режимы региона на антисоветской основе. Заявив о наличии «особых» интересов Вашингтона в зоне Персидского залива и в Юго-Западной Азии, администрация Рейгана еще в 1981—1982 гг. предприняла усилия в целях создания здесь зоны «стратегического соглашения» для «сдерживания» Советского Союза и защиты американских интересов в этом районе, охватывающем богатые нефтяные арабские государства Персидского залива.

США всячески поощряет сближение Пакистана и Саудовской Аравии. Саудовская Аравия и особенно Пакистан стали проводниками американских интересов в мусульманском мире, плацдармом для проведения американской наступательной стратегии в этом регионе, каналом для ведения необъявленной войны против Афганистана.

Увеличение американской военной помощи и расширение военных связей США с рядом стран зоны Персидского залива сопровождается и ростом масштабов совместных военных маневров и учений США.

Хотя в целом Соединенным Штатам и удалось активизировать военные связи с рядом мусульманских стран зоны Персидского залива, однако уровень этих связей, по мнению Вашингтона, явно недостаточен для того, чтобы можно было говорить об эффективной реализации планов по закладыванию основ военно-блокового механизма в жизнь

и идею «стратегического соглашения» — объединения на антисоветской основе Израиля и консервативных арабских режимов, которые выражают растущее недовольство углубляющимися американо-израильскими военными связями.

Соединенные Штаты активно зондируют возможность размещения своих баз на территории ряда стран Южной Азии, которые явились бы продолжением линии американских опорных пунктов по периметру Индийского океана. Подобный зондаж ведется в Шри-Ланке, где США обладают правом захода своих военных кораблей в порт Тринкомали, в Бангладеш, где Вашингтон пытается добиться разрешения использовать аэродром в Читтагонге для базирования морской авиации 7-го флота США на случай «чрезвычайных обстоятельств», а также на островах Сант-Мартин и Манпура, где американцы рассчитывают создать военно-морские базы.

Особые надежды США возлагают на Пакистан, где они хотели бы получить доступ к порту Гвадар (на берегу Аравийского моря, недалеко от входа в Ормузский пролив), к военно-воздушной базе в Пешаваре, которая активно использовалась США в начале 60-х годов, и к военно-морской и военно-воздушной базе в Карачи. Предполагается, что все эти базы могли бы послужить транзитными опорными пунктами для американских СБР.

Ставя перед собой в качестве основной задачи установление преобладающего американского влияния в зоне Индийского океана, США постоянно сталкиваются с противодействием Индии. Одним из факторов, вызывающих рост американо-индийских противоречий, является сегодняшняя политика США в зоне Индийского океана, заключающаяся в наращивании американского военного присутствия, расширении и укреплении базы на острове Диего-Гарсия в непосредственной близости от границ Индии, увеличении военной помощи Пакистану и поощрении его милитаризации, поиске новых опорных пунктов. Правительство Индии, стоящая у власти партия Индийский национальный конгресс (И) и прогрессивные силы страны воспринимают рост военного присутствия США в регионе и его превращение в постоянный фактор военно-политической обстановки как угрозу безопасности страны.

На протяжении всех послевоенных десятилетий США не прекращали попыток добиться кардинального сдвига политической ориентации Индии к проамериканизму. Однако, не добившись этого, они начали осуществлять в отношении Индии своеобразную политику «сдерживания», направленную на то, чтобы предотвратить дальнейшее усиление позиций Индии в качестве нового регионального центра и замедлить процесс подключения Индии к решению важнейших международных проблем.

Для достижения этих целей США сделали ставку на антииндийскую политику Пакистана, поощрение противоречий в отношениях между Индией и ее соседями — Шри-Ланкой, Бангладеш, Непалом, КНР. Кроме того, США предпринимали и определенные усилия по дестабилизации внутриполитической и экономической ситуации в Индии, прибегая к использованию сикхской общины и сепаратистского движения в Пенджабе и ряде др. штатов для нажима на Дели. Со времен индо-пакистанского конфликта 1971 г. «присутствие» США в Индийском океане не в последнюю очередь направлено против Индии. В совокупности с др. вопросами, разделяющими США и Индию, это ведет к углублению противоречий между обеими странами как по общим международным проблемам, так и по конкретным вопросам двусторонних отношений.

Политика США в зоне Индийского океана сталкивается с целым рядом сложных проблем. Во-первых, наращивание американского военного присутствия в бассейне Индийского океана вызывает настороженность в большинстве прибрежных стран, что ведет к росту противоречий между этими странами и Соединенными Штатами.

Во-вторых, американские планы более активного подключения стран региона к военному сотрудничеству с США наталкиваются на определенные сложности. Даже прозападно настроенные мусульманские режимы, учитывая антиамериканские настроения в арабском мире в связи с произраильской политикой США, не склонны идти с ними на такой уровень военно-политического сотрудничества, который позволил бы воплотить в жизнь идеи «стратегического согласия». Широкое военное сотрудничество США с некоторыми из этих стран чревато обострением там внутриполитической обстановки и дальнейшим ростом антиамериканских настроений, с чем не могут не считаться правящие в них режимы.

В-третьих, позиция США в спецкомитете ООН по Индийскому океану вызывает негативный резонанс в ООН и приводит к столкновению интересов США и большинства неприсоединившихся стран, выступающих в пользу превращения Индийского океана в зону мира. Кроме того, политика США подвергается все усиливающейся критике со стороны большинства участников этого комитета. Прервав в 1978 г. в одностороннем порядке переговоры с Советским Союзом по ограничению и последующему сокращению военной деятельности в Индийском океане и отказываясь от возобновления этих переговоров, США создают еще один фактор сохранения напряженности в регионе.

В итоге нынешний курс США в зоне Индийского океана ведет к созданию новых узловых противоречий и созданию реальной угрозы безопасности государствам этого региона.

ПОЛИТИКА В АФРИКЕ

Во внешней политике США в послевоенный период Африканский континент, как правило, рассматривался лишь как второстепенный объект, не требовавший специального внимания, и длительное время занимал одно из последних мест в системе стратегических приоритетов Вашингтона. В США было широко признано, что их интересы там «передоверены» западноевропейским союзникам по НАТО и гарантированы ими, а следовательно, не являются «жизненно важными» для США.

Внешнеполитический курс США в Африке развивался определенными циклами: за периодом затишья следовал период инициатив. Освобождение африканских стран от колониальной зависимости европейских метрополий до определенной степени устраивало США, поскольку создавало для них дополнительные рычаги неоколониалистской политики. Когда же национально-освободительная борьба переходила в борьбу за социальное освобождение, в борьбу против неоколониального гнета, тогда США начинали активно вмешиваться в африканские дела с целью не допустить выхода тех или иных стран из мировой системы капитализма.

Конец 50 — начало 60-х годов ознаменовались поисками путей более активного американского вмешательства в африканские дела. Пытаясь приспособить политику США к стремительно меняющейся ситуации в Африке, администрация Дж. Кеннеди (1961—1963 гг.) создавала неоколониальную структуру контроля над Африкой. Возросла численность американских посольств, персонала «Корпуса мира», Управления международного развития, миссионеров. Активизировался частный капитал США: к концу 1961 г. в Африке, к югу от Сахары, уже действовало более 200 американских фирм, объем капиталовло-

жений которых достиг 1,1 млрд дол. Заметно увеличились ассигнования на оказание помощи. Недавние лозунги «преждевременной независимости», «аморальности нейтралитета», «западноевропейской ответственности за Африку» были заменены новыми — «истинного неприсоединения», «уважения к африканским реальностям», «помощи развитию» и т. д., что создавало новый пропагандистский климат отношений с Африкой. Для решения основной задачи — недопущения прогрессивных социально-экономических преобразований — упор был сделан на поиск и укрепление политических позиций союзников США и Запада из числа стран Африканского континента, а в рамках НАТО за США была закреплена роль «пожарной команды» на случай наиболее серьезных успехов освободительного движения.

Начиная с 1964 г. в американо-африканских отношениях вновь наступил период застоя. Успех осуществленных под руководством США новой интервенции стран НАТО в Конго в 1964 г., серии реакционных военных переворотов (Конго — 1965 г., Гана — 1966 г., Дагомея — 1963, 1965 гг., Верхняя Вольта — 1966 г. и др.), затянувшаяся не без участия США междоусобная война в Нигерии (1967—1971) привели Вашингтон к убеждению, что военная сила способна сковывать освободительное движение. Ассигнования на оказание помощи были резко сокращены, а экономическое внедрение в Африку переориентировано на частные каналы. В конце 60 — начале 70-х годов, в период апогея вьетнамской войны, США были не в состоянии уделять своей африканской политике большого внимания. Действуя под лозунгами «регионального сотрудничества» и «истинного партнерства», выдвинутыми администрацией Никсона, США полагали, что можно будет еще долгое время беспрепятственно осуществлять экономическую экспансию на континенте, игнорируя его социально-экономические проблемы. Получивший название «благожелательного равнодушия», этот подход наиболее ярко выражала политика «контактов» с расистскими режимами ЮАР и Южной Родезии и поддержка португальских колонизаторов в Анголе, Мозамбике, Гвинее-Бисау. Ее основанием послужил одобренный Р. Никсоном вывод «Исследовательского меморандума 39» (1969) о том, что «белые останутся в Южной Африке навечно и конструктивные перемены могут исходить только от них».

В необходимости изменения политики Вашингтон убедил лишь крах после революции в Португалии в 1974 г. ее колониальной империи, а вместе с ней и американской установки на «вечное» присутствие белых. Вместо трезвого осмысления новой ситуации США развязали в 1975 г. тайную войну против МПЛА и народа Анголы с использованием раскольнических группировок ФНЛА и УНИТА, а также расистов ЮАР. Народ Анголы, опираясь на поддержку международных сил солидарности с его борьбой, завоевал независимость, а попытка США помешать этому обернулась поражением американских ставленников и серьезным ударом по престижу США в Африке.

В поисках выхода из ангольского фиаско госсекретарь США Г. Киссинджер провозгласил в апреле 1976 г. «новый курс» в Африке. Признав, что их политика не может строиться, опираясь лишь на поддержку белого расизма и апартеида, а нуждается в расширении своей базы за счет правого национализма «умеренного» блока в Африке, США выступили с поддержкой идеи правления черного большинства в Родезии и Намибии, на деле рассчитывая не допустить победы там революционно-демократических сил. Поэтому

«план Киссинджера», вызвавший вначале заинтересованность африканских государств, на открывшейся в октябре 1976 г. в Женеве конференции по Родезии был отвергнут ими и лидерами Патриотического фронта Зимбабве (ПФЗ) как сводивший передачу власти черному большинству к формальности и сохранявший господство белых.

Администрация Дж. Картера смогла более трезво оценить глубину антиамериканизма в Африке, силу поддерживаемого африканскими и социалистическими странами освободительного движения и громадную значимость для всей Африки проблем урегулирования на Юге. В итоге была поставлена «сверхзадача» — создав благоприятный фон для действий США в Южной Африке и слегка изменив условия урегулирования там в приемлемом для Черной Африки направлении, добиться резкого перелома всей совокупности американо-африканских отношений в пользу США. Речь шла о выработке долгосрочной наступательной стратегии, направленной против СССР и левых сил в Африке и предполагавшей вытеснить прогрессивные силы с политической арены континента по возможности гибкими невоенными методами.

Стремясь с этой целью отождествить американскую политику с африканским национализмом, США в основном полагались на идеологические и экономические рычаги. Элементом идеологического наступления США в Африке была и кампания в защиту «прав человека». Хотя свою демагогию США, как и везде, не смогли подкрепить делами, она дала им возможность рекламировать лозунги отказа от предвзятости, «лояльности» в отношении любых режимов, в т. ч. социалистической ориентации, в расчете на их эволюцию к «умеренным» позициям.

Ассигнования на помощь странам Африки увеличились в 1976—1980 гг. с 271 млн до 600 млн дол. в год, а доля африканских стран в американских программах помощи достигла 17%. За те же годы частные инвестиции США в странах Африки (без ЮАР) возросли с 2802 млн до 3730 млн дол., экспорт США в Африку — с 5206 млн до 9060 млн дол., импорт — с 12 639 млн до 32 251 млн дол.

Опираясь на эти экономические меры, администрация Картера рассчитывала добиться успеха на Юге Африки. Идея состояла в том, чтобы превратить «либерализированный» апартеид в ЮАР и навязанные Родезии и Намибии «умеренные» режимы в долговременную опору США в регионе. Однако «либерализировать» ЮАР не удалось, поскольку Претория отвергла «самоубийственные», с ее точки зрения, реформы. США же, ограничившись лишь символическими ответными мерами и риторическим осуждением апартеида, блокировали принятие в ООН экономических санкций против него. Одновременно продолжался рост экономических связей. В 1976—1980 гг. инвестиции США в ЮАР выросли с 1,6 млрд до 2,3 млрд дол., экспорт в ЮАР — с 1348 млн до 2463 млн дол., импорт из ЮАР — с 925 млн до 3321 млн дол. Такая двойственная политика только укрепляла апартеид, вызывая резкую критику США в Африке.

Аналогичная ситуация складывалась в намибийском вопросе, для решения которого в обход ООН США создали в 1977 г. «контактную группу» (США, Англия, Франция, ФРГ и Канада). На специальной сессии Генеральной Ассамблеи ООН по Намибии летом 1978 г. предложенный «контактной группой» план урегулирования подвергся всесторонней критике за явную предубежденность в пользу расистов. С учетом мнения мирового сообщества Совет Безопасности принял резолюцию № 435 (1978), ставшую планом ООН по предоставлению Намибии независимости. Однако и в дальнейшем действия «контактной группы» свелись к давлению на патриотов Народной

организации Юго-Западной Африки (СВАПО) и к обсуждению бесконечных отговорок Претории в отношении плана ООН, позволяя тем самым ей выигрывать время для создания и укрепления марионеточного режима в Намибии. Закономерным итогом был срыв Преторией Женевской конференции по Намибии в январе 1981 г.

В ходе конфликтов на Африканском Роге в 1977—1978 гг., в которых США спровоцировали Сомали на агрессию против революционной Эфиопии и были главным организатором помощи агрессору; восстаний в заирской провинции Шаба в 1977 и 1978 гг., вызванных широким народным недовольством проамериканским режимом Мобуту и подавленных с помощью организованной США интервенции Франции, Бельгии и Марокко; конфликта вокруг Западной Сахары, связанного с аннексионистскими претензиями Марокко, США продемонстрировали традиционный подход к решению кризисных ситуаций, основанный на широком использовании американских военных поставок и войск своих союзников и «друзей». Прикрытием этих противоправных действий служили раздувавшаяся США шумиха о мнимой «советской угрозе» и спекуляции об интернациональной помощи СССР и Кубы народам Анголы и Эфиопии в отражении агрессии.

Тактика заигрывания была в конечном счете предана забвению и в Нигерии, где администрация Картера особенно настойчиво пыталась навести «политические мосты» на основе общих экономических интересов, выступить гарантом ее особой роли в регионе. Независимый внешнеполитический курс Нигерии, особенно ее активная помощь делу освобождения Юга континента, ослабил интерес Вашингтона к превращению Нигерии в свою африканскую опору.

Первые же шаги администрации Рейгана показали, что глобалистский подход вновь возобладал в политике США в Африке. Сохранив достигнутый при прежней администрации высокий уровень активности в Африке, она отказалась от реформистских инициатив, от решения проблемы в «региональном контексте» и отошла от методов маневрирования с африканскими государствами. Такая стратегия для Африки, как и подобные ей программы в др. регионах «третьего мира», была оформлена в серии заявлений президента Рейгана и др. членов администрации в концепцию «неоглобализма».

Рост военной помощи осуществлялся США тем странам Африки, которые взяли на себя роль проводников политики империализма. Со 119 млн дол. в 1980 г. она выросла до 210—220 млн дол. в 1985—1987 гг., составив около 20% всей помощи США Африке. С учетом сумм, предназначенных на военные цели, но проводимых по статьям «экономической» помощи, эти цифры возрастают, как минимум, вдвое. В числе основных получателей — Марокко, Тунис, Сомали, Заир, Либерия и др. страны.

«Нивелировке» африканских стран в соответствии с американскими нормами «свободы и демократии» были подчинены и экономические возможности США. Наряду с преимущественно инфляционным ростом помощи Африке, сумма которой в середине 80-х годов превысила 1 млрд дол., происходила дальнейшая политизация этой помощи. Провозгласив в 1984 г. «инициативу в области экономической политики» для Африки, США наметили израсходовать за пять лет 500 млн дол. на целевую поддержку тех стран, которые наиболее активно поощряют развитие частного сектора. После сильной засухи, охватившей в 1983—1984 гг. более 27 стран Африки с населением 180 млн чел., США приняли в 1985 г. программу «Продовольствие ради прогресса», также ориентированную на культивирова-ние капитализма в африканских странах и обусловленную проведением отвечающих интересам США политических реформ.

Основой внешней политики США стало открытое блокирование с прозападными диктатурами. Провозгласив ЮАР своим «историческим союзником», существенно расширив ее дипломатическую, экономическую и военную поддержку, США показали, что, по сути дела, готовы пренебречь расистской внутренней политикой Претории. Но содействуя в собственных интересах прорыву изоляции ЮАР в мире и учитывая мощное движение против апартеида в ЮАР и в США, особенно активизировавшееся с конца 1984 г., США настойчиво твердили о необходимости ликвидации наиболее одиозных черт апартеида и даже были вынуждены ввести в 1985—1986 гг. ряд ограничений в торговле с ЮАР. Но это не могло скрыть того факта, что «конструктивное сотрудничество» США с ЮАР вылилось в поощрение косметических, не ликвидирующих, а укрепляющих апартеид реформ, в стимулирование резкого усиления репрессий в ЮАР и ее агрессии против Анголы, Мозамбика и др. «прифронтовых» государств.

По существу игнорируя проблему апартеида, т. е. «сузив» сферу конфликта в регионе до Намибии, администрация США одновременно стремилась использовать намибийское урегулирование для поощрения ЮАР и активизации нажима на Анголу и Мозамбик, тем самым поворачивая острие конфликта против стран социалистической ориентации и СВАПО. С этой целью США всячески тормозили предоставление независимости Намибии (условия которой были согласованы еще в конце 70-х годов), сделав ее заложником своей идеи «увязки», т. е. параллельного с урегулированием в Намибии вывода кубинских войск из Анголы и разделения ее правительством власти с главарем УНИТА Ж. Савимби.

Эта позиция была расценена как нереалистичная и провокационная большинством стран Африки, СВАПО и даже американскими партнерами по «контактной группе», что, однако, не подтолкнуло США к ее пересмотру. Они лишь изменили тактику навязывания «увязки», добившись включения вопроса о Намибии в контекст начавшихся по их инициативе с конца 1982 г. переговоров между ЮАР и Анголой, контактов между ЮАР и СВАПО, а также ЮАР и Мозамбиком. Но подписанные в результате весной 1984 г. ЮАР и Мозамбиком «договор Нкомати» и Лусакское соглашение между ЮАР и Анголой, создав видимость ослабления напряженности, не стабилизировали обстановку. Не сумев найти выхода из тупика своей политики, США пошли традиционным путем эскалации необъявленной войны против Анголы. Летом 1985 г. американская администрация добилась отмены конгрессом США поправки Кларка (1975 г.), формально запрещавшей какую-либо помощь США раскольническим группировкам в Анголе, а в 1986 г. приступила к предоставлению УНИТА военной помощи.

Провал этой тактики вынудил вернуться к переговорам, которые в мае 1988 г. привели к Лондонской конференции с участием делегаций Анголы, Кубы, ЮАР и США, где наметился некоторый шанс на выход из тупика в Южной Африке.

В развязанной американской администрацией кампании борьбы с «международным терроризмом» одним из главных объектов в Африке стала Ливия. В мае 1981 г. США закрыли посольство Ливии, в августе организовали провокационные маневры у ее побережья, в ходе которых были сбиты два ливийских самолета, в 1982 г. ввели частичное, а в 1985 г.— полное торговое эмбарго. С начала 1986 г. у ее побережья постоянно курсировала сильная группировка ВМС США (30—40 боевых единиц, в т. ч. два-три авианос-

ца), а в апреле того же года США осуществили крупнейшую акцию государственного терроризма — бомбардировку городов Триполи и Бенгази.

Вмешательство США в Чаде было продиктовано намерением использовать 20-летний междоусобный конфликт в стране для насаждения режима Х. Хабре, которому была предоставлена военная помощь в размере более 100 млн дол. Поощряемая Соединенными Штатами интервенция Франции и Заира не только позволила режиму Хабре выжить в непрекращающейся с 1983 г. борьбе с патриотическими силами, но и подтолкнула его к агрессии против Ливии в 1987 г.

Столь же неблагоприятный для интересов Африки оборот принял с начала 80-х годов конфликт в Западной Сахаре. Получив в обмен на базы щедрую военную и политическую поддержку США, Марокко отказалось от согласованных под эгидой ОАЕ мер по политическому решению вопроса.

Существенную роль в планах США по дестабилизации Ливии и Эфиопии играл также Судан до падения проамериканского режима Нимейри в январе 1985 г.

Однозначная позиция США в этих наиболее крупных конфликтных ситуациях нашла подтверждение в их подходе к Нигерии. Вначале США ориентировались на создание долгосрочных «рабочих» отношений, основанных на известном взаимопонимании в политике и взаимозависимости в экономике. Однако недовольные самостоятельностью политики Нигерии, возросшей после военных переворотов в 1983 и 1985 гг., США и здесь прибегли к силовому давлению, в данном случае к экономическому шантажу, что обострило американо-нигерийские отношения.

Таким образом, с середины 70-х годов африканское направление прочно заняло заметное место в системе региональных приоритетов внешней политики США. Африканская политика США была ориентирована на их вмешательство в решение важнейших международно-политических проблем континента, что опосредованно обеспечивалось ростом их экономической экспансии.

ПОЛИТИКА США В ООН

Вместе с другими ведущими государствами антифашистской коалиции США сыграли активную роль в создании Организации Объединенных Наций, на которую возлагались серьезные надежды с точки зрения перспектив развития послевоенного международного сотрудничества в интересах сохранения мира и безопасности народов. Однако уже в последние месяцы войны на внешнеполитический курс Вашингтона стали оказывать воздействие экспансионистские круги американского империализма, видевшие в ООН не столько будущий инструмент сотрудничества с др. странами на основе суверенного равенства в интересах мира, сколько потенциальное орудие реализации собственных гегемонистских целей. Вопреки противодействию этих кругов миролюбивым демократическим силам мира при активном участии Советского Союза удалось добиться закрепления в Уставе ООН высоких целей и принципов, основополагающих правил работы главных органов Организации, и в первую очередь принципа единогласия постоянных членов Совета Безопасности.

В результате политики «холодной войны» конструктивная деятельность ООН в первые 10—15 лет оказалась, по существу, блокированной прежде всего американской «машиной голосования». Представители составлявших тогда в ООН большинство западных и латиноамериканских государств, находившихся в политической и экономической зависимости от США, неизменно голосовали по указке Вашингтона.

По мере изменения международной ситуации, относительного ослабления позиций США в капиталистическом мире, прихода в ООН новых стран, добившихся независимости в результате распада колониальной системы империализма, уже в конце 50-х и особенно в 60-е годы американская «машина голосования» начала давать сбои, а в 70-х годах полностью развалилась. Большинство стран в ООН все четче определяло собственные позиции, заявляло о своих чаяниях и интересах, которые в основе своей совпадают с целями и принципами мирных отношений, конструктивного взаимодействия на международной арене.

В результате в 60-е годы ООН приняла ряд важных решений в пользу политики мирного сосуществования, сыграла позитивную роль в заключении нескольких важнейших международных соглашений, сдерживающих на некоторых направлениях гонку вооружений, в т. ч. Договора о запрещении испытаний ядерного оружия в атмосфере, в космическом пространстве и под водой (1963), Договора о принципах деятельности государств по исследованию и использованию космического пространства, включая Луну и другие небесные тела (1967), Договора о нераспространении ядерного оружия (1968). Этот опыт использования ООН в интересах подлинного сотрудничества ради сохранения мира и укрепления безопасности получил самую высокую оценку во всем мире, в т. ч. и официального Вашингтона.

Во второй половине 70-х годов несоответствие многих аспектов внешнеполитического курса США стремлению к разрядке международной напряженности со стороны большинства стран мира стало очевидным. США и их ближайшие союзники все чаще оказывались в меньшинстве при голосовании как в ходе сессий Генеральной Ассамблеи ООН, так и в Совете Безопасности.

Конфликт между линией США и позициями большинства членов ООН еще больше обострился и углубился в первой половине 80-х годов. Взятая на вооружение республиканской администрацией военно-силовая политика при решении сложных международных проблем явилась основной причиной того, что при голосовании более чем 80% принимаемых на Генеральной Ассамблее ООН резолюций Соединенные Штаты оказывались в глубокой изоляции, получая в лучшем случае поддержку лишь со стороны своих ближайших союзников по НАТО, Израиля и некоторых др. стран. В Совете Безопасности США все чаще прибегают к использованию своего права вето, чтобы воспрепятствовать принятию решений, пользующихся поддержкой международной общественности. С 1970 г., когда США впервые применили вето, они делали это 67 раз, в т. ч. за период 1980 г. по май 1988 г.— 44 раза.

Силовые методы давления США на ООН включают политический нажим и экономический шантаж. В 1985 г. США односторонне сократили свой взнос в бюджет ООН, вызвав тем самым обострение финансовых проблем организации; в том же году США демонстративно вышли из ЮНЕСКО. На май 1988 г. Соединенные Штаты Америки оставались должны ООН 319,5 млн дол. (в том числе по регулярному бюджету 252 млн дол.)

Пользуясь тяжелым экономическим положением ряда развивающихся стран, Вашингтон ограничивает объем помощи тем из них, которые отказываются следовать в фарватере американской внешней политики и поддерживать позицию США в ООН. Вместе с тем в линии США в отношении ООН сказываются и настроения реалистически мыслящих кругов этой страны, симпатии к идеалам ООН со стороны значительной части американской общественности. В ряде случаев Совету Безопасности удавалось принимать полезные решения, направленные на оздоровление обстановки в отдельных регионах мира. Важным примером является резолюция 598 1987 г. Совета Безопасности, направленная на урегулирование ирано-иракского конфликта. В последние годы наметилось деловое сотрудничество с участием делегации США и при обсуждении некоторых вопросов на Генеральной Ассамблее ООН, в т. ч. таких, как проверка и соблюдение соглашений по разоружению. США активно поддерживают деятельность ряда специализированных учреждений ООН.

США И ПРОБЛЕМА РАЗОРУЖЕНИЯ

Позиция США в вопросах разоружения в послевоенный период, хотя и претерпела определенную эволюцию, остается непоследовательной. Первыми открыв ядерную эру, проводя испытания и применив атомное оружие в 1945 г., США развязали гонку ядерных вооружений. Свою временную атомную монополию они стремились использовать в качестве важнейшего фактора военного, политического, экономического и психологического давления на СССР в надежде на установление мирового господства.

Пытаясь скрыть свои истинные цели в отношении атомного оружия, 14 июня 1946 г. США выступили в Комиссии ООН по атомной энергии с так называемым «планом Баруха», который, не предусматривая запрещения атомного оружия, был направлен прежде всего на то, чтобы поставить все мировые атомные ресурсы под контроль США и сохранить их монополию в вопросах дальнейшего использования атомной энергии. Тогда США отвергли советский проект международной конвенции о запрещении атомного оружия, который предусматривал четкие обязательства не применять атомного оружия ни при каких обстоятельствах, запретить его производство и хранение и в трехмесячный срок, считая со дня вступления конвенции в силу, уничтожить весь запас как уже имеющегося, так и еще только производящегося оружия.

Пытаясь уйти от решения проблемы запрещения ядерного оружия, США в первые послевоенные годы делали упор на необходимости решения вопросов, связанных с обычными вооружениями. Но и здесь весь вопрос они сводили лишь к установлению контроля за обычными вооруженными силами, обмену широкой информацией о них, но без ограничения и сокращения обычных вооруженных сил и вооружений. Предложенный Соединенными Штатами «контроль без разоружения» уже в первый послевоенный период завел в тупик обсуждение проблем разоружения в рамках ООН, в ее комиссиях по атомной энергии и по обычным вооружениям.

Процесс пересмотра позиции США в вопросах разоружения начался на рубеже 50—60-х годов под воздействием целого ряда факторов, и прежде всего в силу начавшегося изменения соотношения сил на международной арене. Это проявилось в том, что в 1949 г. СССР покончил с атомной монополией США, в 1953 г. продемонстрировал свои научно-технические возможности созданием собственного термоядерного оружия, а в 1957 г. запуском первого в мире искусственного спутника Земли. Пересмотр этой позиции США проходил в острой внутриполитической борьбе и завершился к началу 60-х годов разработкой компромиссной и весьма противоречивой концепции «контроля над вооружением», концепции частичного решения проблем разоружения, но при контролируемом продолжении гонки вооружений. С приходом к власти администрации Дж. Кеннеди в начале 60-х годов эта концепция была положена в основу политики США в вопросах разоружения. Упор при этом был сделан на отдельных частичных мерах по ограничению гонки вооружений. Так, США начали первый послевоенный этап переговоров в области разоружения с целью ограничения сферы гонки ядерных вооружений.

В 60—70-е годы были разработаны такие важные международные договоры и соглашения, как Договор о запрещении испытаний ядерного оружия в атмосфере, в космическом пространстве и под водой (1963), Договор о принципах деятельности государств по исследованию и использованию космического пространства, включая Луну и другие небесные тела (1967), Договор о нераспространении ядерного оружия (1968), Договор о запрещении размещения на дне морей и океанов и в его недрах ядерного оружия и других видов оружия массового уничтожения (1971), Конвенция о запрещении разработки, производства и накопления запасов бактериологического (биологического) и токсинного оружия и об их уничтожении (1972). Эти соглашения заложили основу международной системы договоров и соглашений в области ограничения гонки вооружений и разоружения, хотя и не решили полностью соответствующих проблем.

Разработка этих договоров и соглашений показала, что их согласование, а затем одобрение в США проходили весьма сложно. Империалистические круги и военно-промышленный комплекс США, выступавшие против таких шагов, не имея возможности заблокировать их, выдвигали целый ряд требований, в частности ускоренное проведение испытаний ядерного оружия под землей, принятие новых военных программ и форсирование гонки вооружений в целом. В этот период США упорно не желали решать такие важнейшие вопросы войны и мира, как отказ от применения силы в международных отношениях в ядерный век, сокращение военных бюджетов и др. Не согласились США и с исследованием и использованием космического пространства исключительно в мирных целях, с полной демилитаризацией дна морей и океанов, с одновременным запрещением и уничтожением химического и бактериологического оружия, что предлагал уже в то время СССР.

Непоследовательную позицию США заняли и в вопросе о нераспространении ядерного оружия, добиваясь на первых этапах разработки такого договора, который, не исключая в будущем приобщения их союзников или военно-политических группировок к ядерному оружию, содействовал бы тем самым развитию ядерного потенциала таких стран, как ЮАР и Израиль, и поощрял ядерные амбиции Пакистана.

Вместе с тем указанные соглашения проложили путь к переговорам об ограничении стратегических вооружений, с которых США включились во второй этап послевоенных переговоров в области разоружения — этап двусторонних переговоров СССР и США. Он продолжался примерно до конца 70-х годов и привел к заключению целого ряда важных двусторонних советско-американских соглашений и договоров, в т. ч. Договора об ограничении систем ПРО (1972) и Временного соглашения 1972 г. о некоторых мерах в области ограничения стратегических наступательных вооружений (ОСВ-1), Договора ОСВ-2 (1979), Соглашения о предотвращении ядерной войны (1973), договоров об ограничении подземных испытаний ядерного оружия (1974) и о подземных ядерных взрывах в мирных целях (1976) и др.

США пошли на переговоры об ОСВ под воздействием целого ряда факторов, и прежде всего под воздействием изменения в соотношении стратегических сил США и СССР. Потеря Соединенными Штатами к концу 60-х годов стратегического превосходства ставила их перед опасностью эффективного ответного удара со стороны СССР, ограничивая возможности США в проведении политики с «позиции силы» на мировой арене.

Идя на переговоры об ОСВ, США делали ставку и на то, чтобы использовать их для решения крупных политических проблем, в частности поиска путей выхода США из войны во Вьетнаме. Американские военные круги стремились также добиться определенных преимуществ путем ограничения количественных параметров стратегического арсенала СССР, не связывая вместе с тем себе руки в деле создания качественно новых систем стратегического оружия с перспективой получения вновь стратегического превосходства над СССР. С этой целью они стремились использовать переговоры, чтобы выиграть время для подготовки нового витка в гонке стратегических вооружений.

В 1972 г. США пошли на подписание первых соглашений об ограничении стратегических вооружений — Договора по ПРО, по которому советская и американская стороны обязались ограничиться развертыванием систем ПРО только в двух районах (в соответствии с протоколом к договору от июля 1974 г. — только в одном). Одновременно стороны обязались не создавать, не испытывать и не развертывать системы или компоненты ПРО морского, воздушного, космического и мобильно-наземного базирования.

В 1972 г. СССР и США подписали также Временное соглашение ОСВ-1, распространявшееся на пусковые установки межконтинентальных баллистических ракет (ПУ МБР), пусковые установки баллистических ракет подводных лодок (ПУ БРПЛ) и на современные подводные лодки с баллистическими ракетами. Осенью 1977 г. в связи с истечением 5-летнего срока действия этого соглашения США и СССР заявили о готовности соблюдать и впредь принятые обязательства.

С подписанием первых советско-американских соглашений в области ограничения стратегических вооружений военно-промышленный комплекс и его представители в конгрессе США перешли в открытое наступление на разрядку. В результате советско-американские договоры об ограничении подземных испытаний ядерного оружия и о подземных ядерных взрывах в мирных целях, подписанные соответственно в 1974 и 1976 гг., так и не были представлены на ратификацию и до сих пор не вступили в силу.

Особенно острая внутриполитическая борьба развернулась вокруг Договора ОСВ-2, который впервые ограничил численность всех компонентов стратегических сил сторон — пусковых установок МБР и БРПЛ, тяжелых бомбардировщиков, а также баллистических ракет класса «воздух — земля» (БРВЗ) — суммарным количеством не более 2400 единиц, а с 1 января 1981 г.— 2250 единиц. Предусматривались и качественные ограничения, в частности не разрешалось создавать более одного типа легких МБР. Более того, стороны договорились тогда о продолжении переговоров с целью достижения существенных количественных сокращений и качественных ограничений стратегических вооружений, заявили о своем отказе от стремления к военному превосходству.

Под мощным давлением правых сил, которые использовали Договор ОСВ-2 как предлог для нападок на весь процесс разрядки в советско-американских отношениях, президент Дж. Картер предложил сенату отложить рассмотрение этого договора, «заморозив» также ряд советско-американских переговоров в области ограничения гонки вооружений. Одновременно США навязали своим союзникам по НАТО развертывание в Европе 572 новых американских ракет «Першинг-2» и крылатых ракет.

С приходом в Белый дом администрации Р. Рейгана в 1981 г. для США начался новый этап переговоров с СССР по вопросам ограничения гонки вооружений. Он характеризовался нежеланием администрации Рейгана вести конструктивные переговоры в этой области. Была предпринята очередная попытка резкого наращивания военной мощи США, переговоры использовались в качестве ширмы для прикрытия своих истинных целей — нарушения установившегося паритета и достижения вновь стратегического превосходства США. Хотя администрация Р. Рейгана в конце концов и пошла в ноябре 1981 г. на возобновление переговоров об ограничении ядерных вооружений в Европе, а в июне 1982 г. на переговоры об ограничении и сокращении стратегических вооружений, однако позиция, которую она заняла на этих переговорах, завела их в тупик.

Приступив в 1983 г. к развертыванию в Западной Европе новых американских ракет «Першинг-2» и крылатых ракет, администрация США сделала шаг к изменению стратегического соотношения сил в свою пользу, вынудив СССР прервать переговоры и принять ряд ответных мер по обеспечению своей безопасности и безопасности своих союзников.

Более того, 23 марта 1983 г. президент США объявил о начале работ в рамках «стратегической оборонной инициативы» (СОИ), т. е. создания системы противоракетной обороны с элементами космического базирования. Этот шаг наряду с форсированным наращиванием стратегических наступательных вооружений создал качественно новую и весьма опасную ситуацию, поставив под угрозу Договор по ПРО 1972 г. и Договор ОСВ-2 1979 г.

Более того, администрация США открыто объявила в мае 1986 г. о том, что она более не считает себя связанной ограничениями по Соглашениям ОСВ, и в конце 1986 г. США нарушили рамки лимитов Договора ОСВ-2.

Одновременно администрация Р. Рейгана продолжала предпринимать шаги в плане практической реализации «стратегической оборонной инициативы», объявив о «широком» толковании Договора по ПРО, которое якобы допускает эти ее действия. Она отрицательно отнеслась к предложениям СССР не допустить милитаризации космического пространства, уничтожить ядерное оружие к XXI в., равно как и осуществить радикальные сокращения обычных вооружений, не откликнулась на объявленный СССР и неоднократно продлевавшийся односторонний мораторий на проведение любых ядерных взрывов. Это вновь ярко проявилось на встрече руководителей СССР и США в октябре 1986 г. в Рейкьявике. Именно нежелание администрации США отказаться от планов переноса гонки вооружений в космос не позволило согласовать меры по радикальному сокращению ядерных арсеналов СССР и США. В ходе встречи на высшем уровне в Рейкьявике удалось, однако, достигнуть взаимопонимания по вопросу о ликвидации ракет средней и меньшей дальности СССР и США, о 50-процентном сокращении стратегических арсеналов СССР и США в качестве начала ликвидации их ядерных запасов.

На советско-американской встрече на высшем уровне в Вашингтоне в декабре 1987 г. руководители двух стран подписали Договор о ликвидации в течении трех лет их РСД и РМД. Они также определили, что предельные уровни средств доставки СНВ у СССР и США не будут превышать 1600 единиц, а число боезарядов на них — 6000, установив в рамках этого уровня лимит в 4900 единиц на суммарное количество боеголовок МБР и БРПЛ. Незадолго до вашингтонской встречи на высшем уровне возобновились советско-американские переговоры по ограничению и в конечном итоге прекращению ядерных испытаний.

Подписание и ратификация советско-американского Договора по РСМД вызвали нападки со стороны правых кругов США, конечная цель которых состояла в том, чтобы заблокировать новое соглашение о сокращении наполовину стратегических арсеналов СССР и США. Под давлением этих сил администрация Р. Рейгана подтвердила свой курс на реализацию СОИ и вместе со своими союзниками предприняла ряд шагов, направленных на «компенсацию» ликвидируемых РСД и РМД и приступила, в частности, к производству новых видов химического оружия — бинарных, крайне осложнив подготовку международной конвенции о запрещении химического оружия.

ГЛОБАЛЬНЫЕ ПРОБЛЕМЫ И ПОЛИТИКА США

Глобальные проблемы современности отражают реальности нынешнего этапа истории человечества, на котором взаимодействуют и противоборствуют две противоположные социальные системы. Марксистская наука видит в решении глобальных проблем обеспечение общечеловеческих интересов живущих и будущих поколений, рассматривает прогресс на пути снижения их остроты как важную предпосылку для построения на планете общества социальной справедливости; буржуазная наука активно отстаивает капиталистические рецепты несправедливого разрешения общечеловеческих затруднений, не затрагивающие классовой сущности и антагонистических противоречий капитализма. Среди главных причин резкого обострения глобальных проблем буржуазная наука, и в частности американская, чаще всего называет быстрый рост народонаселения, вызывающий-де резкое увеличение масштабов хозяйственной деятельности и как следствие этого — возрастание нагрузок на природу.

Субъективный, прагматический подход к трактовке глобальных проблем современности и стремление поставить на первый план корпоративные интересы американских монополий при выборе конкретных форм и методов их решения проявляются в политике США по отношению к ООН и другим международным организациям, в сфере двусторонних и многосторонних отношений с др. государствами. Американские исследователи стремятся представить тенденции развития глобальных проблем в выгодном для США свете, обосновать необходимость участия др. стран в борьбе с крупномасштабными кризисными явлениями в экономике США и мировом капиталистическом хозяйстве.

С начала 70-х годов ряд американских исследовательских центров на постоянной основе занимаются изучением глобальных проблем, консультируют по этим вопросам правительство и частный бизнес. Самыми авторитетными из них являются вашингтонский Институт всемирной вахты и Институт мировых ресурсов, Аспенский институт гуманитарных исследований (Боулдер, штат Колорадо), Массачусетский технологический институт, Корпорация «Ресурсы для будущего», Принстонский университет,

Нью-Йоркский институт мировой политики. В эти годы в выступлениях государственных руководителей США, в программных документах органов исполнительной и законодательной власти стали появляться указания на необходимость широкого сотрудничества государств в решении таких глобальных проблем, как освоение космоса и Мирового океана, охрана окружающей среды, мирное использование атомной энергии. При этом США отводилась роль лидера в предложении др. странам наиболее эффективных методов разрешения общечеловеческих проблем.

Включение глобальных проблем в повестку дня практической деятельности многих государств оказало заметное влияние на процесс разработки внешнеполитической стратегии США, стало причиной создания в системе исполнительной и законодательной власти специальных организационных структур, занимающихся на постоянной основе их изучением и разработкой вариантов практических акций, призванных обеспечить решение этих проблем в выгодном для США направлении в сфере международных отношений. Претерпели также определенные изменения структура и функции ряда министерств и ведомств федерального правительства (в первую очередь отвечающих за создание технических потенциалов и использование природных ресурсов), а также подразделений конгресса — в плане повышения их роли и компетентности в решении глобальных проблем современности.

Исполнительное управление президента США (ИУП), высшие консультативные органы государства постепенно дополняются новыми функциональными структурами, призванными обеспечить анализ состояния глобальных проблем и доведение результатов этого анализа до участников процесса принятия важнейших решений, составляющих содержание государственной политики. В частности, в период пребывания у власти демократической администрации Дж. Картера в составе Совета национальной безопасности (СНБ) были созданы две группы — глобальных проблем и отношений «Север — Юг». Первая группа была призвана обеспечить эффективное обсуждение и принятие обоснованных решений по таким проблемам, как деятельность США в ООН, контроль за распространением обычного и ядерного оружия, использование пространств и ресурсов Мирового океана, международные экологические проблемы и права человека. Создание группы глобальных проблем было продиктовано стремлением повысить эффективность внешней политики США по вопросам, которые требуют «глобальных, а не двусторонних решений». На группу «Север — Юг» возложено решение всех внешнеполитических проблем, связанных с отношениями США и развивающихся стран Африки, Латинской Америки и Азии, для которых преодоление отсталости имеет первостепенное значение.

Республиканская администрация Р. Рейгана учредила пять межведомственных советов для регулярного обсуждения важнейших проблем, входящих в компетенцию более чем одного правительственного ведомства: по вопросам торговли; людским ресурсам; экономике; продовольствию и сельскому хозяйству; природным ресурсам и окружающей среде. Большинство этих советов в той или иной степени занимаются и глобальными проблемами. Кроме того, в Исполнительном управлении президента в 1981 г. была создана рабочая группа по глобальным проблемам во главе с председателем Совета по качеству окружающей среды, на которую возложена разработка и реализация на практике единой политики в области охраны окружающей среды и рационального использования природных ресурсов

внутри страны и на международной арене.

В составе государственного департамента функционирует Управление по делам океана, международным проблемам окружающей среды, науки и техники, отвечающее за разработку и проведение в жизнь практических мероприятий, призванных обеспечить использование возможностей и достижений американской науки и техники в отношениях США с другими странами и в международных организациях. В функции этого подразделения входит подготовка позиции США по широкому кругу вопросов внешней политики, непосредственно связанных с решением таких глобальных проблем, как использование Мирового океана, в т. ч. его биологических ресурсов; охрана окружающей среды; народонаселение; ядерная техника и новые источники энергии; освоение космоса и др. сферы деятельности, связанные с использованием в сфере международных отношений новейших достижений науки и техники.

Увеличился удельный вес глобальных проблем в деятельности аппарата специального помощника президента по науке и технике, выполняющего одновременно функции начальника Управления по вопросам политики в области науки и техники; расширился круг международных вопросов в деятельности Совета по качеству окружающей среды в составе ИУП. Все чаще привлекаются к разработке конкретных рекомендаций, касающихся позиции США в отношении той или иной глобальной проблемы, министерство энергетики, Агентство по охране окружающей среды, Национальное управление по аэронавтике и исследованию космического пространства (НАСА), министерство внутренних дел, министерство торговли и особенно входящее в его состав Национальное управление по исследованию океана и атмосферы, Агентство по международному сотрудничеству в целях развития.

Управление по оценке технологии конгресса, а также подразделения Исследовательской службы конгресса регулярно выпускают специальные доклады и обзоры по проблемам космоса и Мирового океана, охраны окружающей среды, продовольствия, здравоохранения, научно-технической помощи развивающимся странам, а также по ряду аспектов гонки вооружений и ядерной войны. Все эти документы предназначены в первую очередь для того, чтобы расширить кругозор конгрессменов и руководителей федеральных ведомств и обеспечить их более компетентное участие в обсуждении глобальных проблем. Такие организации, как Американская ассоциация содействия ООН, Совет по международным отношениям, Трехсторонняя комиссия, все чаще обращаются к обсуждению глобальных проблем, выпускают аналитические документы по этим вопросам.

В отношении важнейшей среди глобальных проблем — проблемы укрепления мира и разоружения подход США, как правило, отличается стремлением обеспечить себе односторонние военные преимущества, ускорить темпы и расширить масштабы гонки вооружений, в т. ч. за счет распространения ее на космическое пространство, сорвать или максимально замедлить процесс переговоров по ограничению и сокращению вооружений и обеспечению безопасности в различных регионах планеты. В результате продолжается отвлечение в непроизводительную сферу материальных и людских ресурсов, столь необходимых для решения общечеловеческих проблем.

Подход США к минерально-сырьевой и энергетической проблемам характеризуется стремлением в возможно большей степени воспользоваться природными ресурсами др. стран, в первую очередь

развивающихся, для удовлетворения собственных растущих потребностей в минеральном и энергетическом сырье. Если в 50-х годах США импортировали около половины общего объема потребления четырех из 13 основных видов стратегических материалов, то в 80-х годах на импорт приходится 90% из девяти таких видов, и эта тенденция продолжает углубляться. Американские корпорации предпочитают усиливать «минерально-сырьевую экспансию» на развивающиеся страны и одновременно уделяют достаточно внимания экономии и рациональному использованию минеральных ресурсов.

Глобальная экологическая проблема обостряется в результате следования США «двойным стандартам» качества окружающей среды, в результате чего на территории США предприятия оснащаются более надежными средствами борьбы с загрязнениями, а для объектов, сооружаемых в др. странах, в первую очередь развивающихся, допускаются заметные послабления. По этой причине на таких предприятиях отмечаются экологические катастрофы. Подобная катастрофа в индийском г. Бхопале окончилась гибелью более 2500 человек и значительным ущербом здоровью людей и природной среде. В 80-х годах участие США в международном сотрудничестве по охране окружающей среды было явно ниже их технических и научных возможностей.

Освоение космоса и Мирового океана США подчинили в первую очередь интересам своей военной и экономической политики. Этими причинами объясняется стремление администрации Рейгана распространить гонку вооружений на космическое пространство, прежде всего за счет реализации планов «звездных войн», а также обеспечить максимальную свободу рук частным корпорациям в использовании космической техники. Республиканская администрация тормозила работу III Конференции ООН по морскому праву и отказалась подписать Конвенцию ООН по морскому праву, под которой к началу 1985 г. стояли подписи 159 государств. Свою позицию США оправдывают стремлением обеспечить интересы добывающих и др. корпораций, заинтересованных в бесконтрольной эксплуатации ресурсов Мирового океана.

В подходе США к демографической проблеме, к борьбе с голодом и болезнями наблюдается стремление, с одной стороны, переложить основную тяжесть издержек на плечи трудящихся в самих США и на правительства развивающихся государств, а с другой — создать благоприятные условия для максимального обеспечения политических, военных, экономических интересов США в процессе реализации программ продовольственной, медицинской и др. видов помощи развивающимся государствам.

Участвуя в. международных мероприятиях по преодолению отсталости, США проводят последовательную линию на сохранение «разрыва» между развитыми и развивающимися странами, стремятся следовать стратегии неоколониализма, которая позволила бы увеличить политическую, экономическую и др. виды зависимости от США молодых государств Азии, Африки, Латинской Америки.

Для США подход к решению глобальных проблем неразрывно связан с фундаментальными целевыми установками, которые избирает для себя та или иная администрация, находящаяся у власти. Исходя из этого в деятельности американских администраций последних лет можно выделить два этапа. В течение первого этапа (с конца 60— до конца 70-х годов) несколько американских администраций придерживалось либерально-космополитического подхода к глобальным проблемам, в которых они акцентировали их общечелове-

ческое содержание и признавали необходимость широкого международного сотрудничества в этой области. Нормализация межгосударственных отношений, политическая и военная разрядка, утверждавшие себя в советско-американских отношениях и в целом в мировой политике, расценивались как важное условие для прогресса в решении глобальных проблем.

На 80-е годы пришелся второй этап, в течение которого республиканская администрация избрала консервативный подход к глобальным проблемам. Ставка на силу во внешней политике США привела к очередному витку гонки вооружений, сокращению участия в двустороннем и многостороннем сотрудничестве, что существенно затрудняет решение общечеловеческих проблем совместными усилиями государств.

Подписание во время вашингтонской встречи на высшем уровне в декабре 1987 г. советско-американского Договора РСМД и др. шаги, направленные на уменьшение опасности возникновения конфликтов и укрепление стратегической стабильности, открыли значительные возможности для расширения плодотворного сотрудничества Советского Союза и Соединенных Штатов Америки в решении глобальных проблем, что само по себе создает реальные предпосылки для успешного решения этих проблем совместными усилиями большинства государств планеты.

На конец 80-х — начало 90-х годов приходится третий этап развития политики США по отношению к глобальным проблемам, на котором считается необходимым расширить двустороннее и многостороннее сотрудничество, призванное ослабить такие их кризисные проявления, как засухи, голод, «озонная дыра», распространение пустынь, истощение ресурсов биосферы. На этом этапе будет расти число международных программ и проектов по созданию новейших технических потенциалов, в которых примут участие США (контроль за атомной энергией, термоядерная энергетика, освоение космоса, в том числе полет к Марсу, комплексное исследование биосферы и т. д.). Американские исследователи выступили с концепцией «устойчивого развития» как стратегии научно-технического и экономического развития всех государств, ориентирующей на снижение вредных воздействий на природную среду. Эта концепция близка по своему содержанию к концепции экологической безопасности как компонента всеобъемлющей безопасности человечества, выдвинутой Советским Союзом и получившей широкое международное признание.

ПРОБЛЕМА ИСПОЛЬЗОВАНИЯ МИРОВОГО ОКЕАНА И ПОЛИТИКА США

Использование Мирового океана и международные отношения в этой области занимают важное место в системе приоритетов внутренней и внешней политики США. Американские монополии широко используют высокоразвитый технологический потенциал, информацию и управленческий опыт для получения преимущественного доступа к морским источникам сырья и захвата ведущих позиций в области развития новых направлений использования Мирового океана (космическая океанография, освоение ресурсов глубокого дна, использование температурных градиентов океанических вод для получения энергии, роботизация подводных работ).

В 1986 г. морской транспортный флот под флагом США состоял из 738 судов (валовой вместимостью свыше 1 тыс. рег. т) общим дедвейтом 24,5 млн т (около 4% общемирового тоннажа). Под иностранными флагами было зарегистрировано 485 судов дедвейтом 47,78 млн т.

В 1986 г. объем морских внешнеторговых перевозок США составил 770 млн т грузов стоимостью 312 млрд дол.

Наряду с объективными задачами развития внешнеэкономических связей торговое судоходство используется в США как инструмент экономической экспансии монополий, как деятельность, «оправдывающая» операции американских ВМС по «обеспечению безопасности» морских судоходных трасс.

Прибрежные акватории США относятся к числу наиболее продуктивных промысловых районов мира. В 1985 г. здесь было выловлено 4,88 млн т рыбы (около 6% мирового улова). Общая стоимость американского производства рыбной продукции в том же году составила 5,0 млрд дол. Душевое потребление рыбы — 6,5 кг в год. Из общего улова около побережья США 24% пришлось на долю иностранного промысла. С 1976 г. США осуществляют юрисдикцию в отношении охраны и регулирования промысла в 200-мильном поясе около своего побережья. Контроль иностранного доступа к рыбным ресурсам используется американскими правящими кругами в политике давления на страны, ведущие здесь экспедиционный лов (Япония, Южная Корея и др.). Экспедиционный лов США касается главным образом тунца и креветок. Основными районами активности американских рыбопромысловых компаний являются районы возле берегов Латинской Америки и островных государств Океании.

США занимают четвертое место в мире по подводной добыче нефти. В 1985 г. на американском континентальном шельфе было получено 61,6 млн т нефти, или 14,3% общей добычи этого сырья в стране. Подводная добыча газа составила 132,5 млрд м^3. В 70-е годы определяющим элементом американского подхода к освоению месторождений шельфа стал курс на резервирование запасов этого стратегического сырья (с 1971 по 1980 г. морская добыча нефти в США упала с 82 млн до 51 млн т) и активное вовлечение американских монополий в разведку и эксплуатацию морских нефтегазовых ресурсов в прибрежных районах др. стран. Начавшийся в 80-е годы рост подводной добычи встречает оппозицию и в конгрессе и в министерстве обороны со стороны кругов, выступающих за мораторий на освоение новых прибрежных районов.

С конца 60-х годов американские монополии ведут подготовку к разработке океанических месторождений полиметаллических конкреций (ПМК), содержащих такие полезные ископаемые, как никель, медь, кобальт и марганец.

Во внешней политике основу американского подхода составляет курс на коренную перестройку международных отношений в области использования ресурсов Мирового океана с целью, прежде всего, обеспечения по возможности наиболее выгодных условий для себя, а также «регламентации» межимпериалистической борьбы в океанической сфере с Японией и государствами Западной Европы.

В 70 — начале 80-х годов на решение этой задачи была ориентирована политика США на III Конференции ООН по морскому праву (1973—1982). Одной из центральных на этом форуме стала проблема выработки международного режима освоения месторождений ПМК, залегающих в глубоководных районах дна Мирового океана. Эти ресурсы, провозглашенные ООН «общим наследием человечества», расположены за пределами чьей-либо национальной юрисдикции, в районе, который находится в общем пользовании всего человечества. США стремились создать такой международный режим распределения прав и регулирования деятельности по использованию ПМК, который был бы подобен действующей в капиталистических странах частнопредпринимательской системе извлечения прибылей за счет эксплуатации ресурсов, контролируемых буржуазным государством (например, потенциал морских прибрежных районов).

В условиях активного противодействия социалистических государств курсу США на получение односторонних выгод и острых противоречий последних с развивающимися странами, которые рассматривали создаваемый режим с позиций справедливой перестройки, международных экономических отношений, американским правящим кругам не удалось навязать мировому сообществу свою модель. Разработанный на конференции режим отвергает систему распределения прав на участки океанического дна по экономической силе претендентов и гарантирует любому государству возможность участия в освоении глубоководных ресурсов. Режим ставит под международный контроль деятельность частных монополий по освоению ПМК.

В июне 1982 г. президент Р. Рейган заявил об отказе США от подписания Конвенции ООН по морскому праву (регламентирующей среди прочего и деятельность в международном районе океанического дна).

Обструкционистской политике США на завершающем этапе работы III Конференции ООН по морскому праву предшествовало принятие ряда односторонних законов, регламентирующих ту деятельность в Мировом океане, которая являлась предметом международных переговоров. В 1976 г. был принят закон об охране и управлении рыболовством в районе, простирающемся на 200 миль от побережья США, в 1980 г.— закон о твердых минеральных ресурсах глубоководных районов морского дна.

В 1983 г. президент Р. Рейган заявил об установлении 200-мильной исключительной экономической зоны. Этой акцией были провозглашены американские суверенные права на ресурсный потенциал морских районов, площадь которых составляет 21 млн км^2 и более чем в полтора раза превышает размеры сухопутной территории США.

В 1984 г. по инициативе США восемь западных держав подписали сепаратное соглашение о взаимном признании прав и приоритетов на глубоководные ресурсы и разрешений на их освоение. Партнеры договорились о разделе наиболее перспективных участков дна в Тихом океане, содержащих ПМК. Заявки четырех американских консорциумов (с участием иностранного капитала) были зарегистрированы правительством США.

На московской встрече в верхах в мае — июне 1988 г. стороны поручили своим представителям активизироваться в достижении договоренностей на переговорах по вопросам морского судоходства, по разграничению морских пространств в Северном Ледовитом и Тихом океанах, борьбы с загрязнениями Берингова и Чукотского морей в чрезвычайных обстоятельствах. Они выразили удовлетворение консультациями по правовым аспектам использования Мирового океана, вопросам обеспечения безопасности на морском транспорте. Было отмечено успешное развитие взаимодействия в рамках двустороннего соглашения о сотрудничестве в области исследования Мирового океана, заключены соглашения о сотрудничестве в области рыбного хозяйства, о создании объединенной радионавигационной системы в районах северной части Тихого океана и Берингова моря, о поиске и спасании на море.

ВНЕШНЕПОЛИТИЧЕСКАЯ ПРОПАГАНДА США

Внешнеполитическая пропаганда является неотъемлемым компонентом внешней политики США и инструментом осуществления их политических целей на мировой арене. По мере того как после второй мировой войны неуклонно усиливался внешнеполитический экспансионизм США, информационно-пропагандистская деятельность американского империализма на мировой арене все более приобретала характер идеологической экспансии, одним из проявлений которой явился так называемый «информационный империализм», т. е. стремление подчинить национальные средства массовой информации целого ряда стран диктату американских органов информации. В последние десятилетия идеологическая экспансия США достигла глобальных масштабов.

Внешнеполитическая пропаганда США в первую очередь направлена на подрыв идейно-политического единства народов СССР и др. стран социализма, стимулирование «оппозиционных» настроений среди определенных групп населения этих стран.

Целью идеологической экспансии США является также не допустить распространение в развивающихся странах коммунистической идеологии, дискредитировать в их глазах достижения социализма, разжечь национальную и религиозную рознь. Основная цель внешнеполитической пропаганды США в странах капиталистического Запада и Японии заключается в оправдании агрессивного внешнеполитического курса американских правящих кругов, гонки ядерных вооружений, планов милитаризации космоса, а также в поддержке политических сил этих стран, выступающих за тесный союз с США.

Основным содержанием идеологической экспансии Вашингтона на мировой арене был и остается антикоммунизм и антисоветизм.

Эскалация антикоммунистической, антисоветской пропаганды совпадает с периодами временных трудностей, которые переживали социалистические страны (ГДР — 1953 г., ВНР — 1956 г., ЧССР — 1968 г., ПНР — начало 80-х годов).

Внешнеидеологическая деятельность США развивается по следующим направлениям: международное радиовещание и телевидение, печатная пропаганда, осуществление программ научно-технических и культурных обменов, проведение зарубежных выставок и иных культурно-идеологических мероприятий.

Идеологическая деятельность США на международной арене включает в себя текущую пропаганду, направленную на рекламирование «американской модели» общественно-политического устройства, экономических достижений, духовной культуры. Особое место здесь занимает так называемая «социологическая пропаганда» — навязывание представлений о «преимуществах» социальных и культурных ценностей американского образа жизни с помощью художественных фильмов, телевизионных программ, массовых иллюстрированных изданий, коммерческой рекламы, выставок и т. п. Во второй половине 70-х и в 80-е годы Вашингтон развернул ряд идеологических кампаний: «в защиту прав человека», «против международного терроризма», «против советской военной угрозы».

Центральное место в аппарате внешнеполитической пропаганды занимает Информационное агентство США (ЮСИА), созданное в 1953 г. В 1978 г. в ходе предпринятой по указанию президента Дж. Картера реорганизации ЮСИА объединилось с Управлением госдепартамента по вопросам образования и культурных обменов и было преобразовано в Управление международных связей США (УМС). В 1982 г., после очередной реорганизации, УМС вновь было переименовано в ЮСИА. Контроль за деятельностью ЮСИА осуществляет консультативная комиссия по вопросам «публичной дипломатии» (семь членов), ежегодно представляющая в конгресс США доклад о деятельности агентства. Бюджет ЮСИА — 959,2 млн дол. (1987). В агентстве работает более 9 тыс. сотрудников. Штаб-квартира находится в Вашингтоне. Центральный аппарат (дирекция, управление по кадрам, ряд административных управлений) осуществляет планирование деятельности подразделения.

В ЮСИА функционируют пять отделов: африканский; европейский; Восточной Азии и Тихого океана; американских республик (страны Латинской Америки); Северной Африки, Ближнего Востока и Южной Азии, которые занимаются «анализом» аудитории и вырабатывают рекомендации по осуществлению программ ЮСИА. В ЮСИА создано также на правах отдела подразделение, именуемое «президентская инициатива по американо-советским обменам».

Агентство имеет 214 информационных центров (постов ЮСИА) и 132 библиотеки в 129 странах мира, а также более 100 «двунациональных» центров по изучению английского языка в странах Азии, Африки и Латинской Америки. Через зарубежные представительства ЮСИА осуществляются многообразные программы двусторонних научных, студенческих, культурных и спортивных обменов. Важным направлением деятельности ЮСИА является изучение состояния общественного мнения за рубежом, что входит в компетенцию отдела исследований и анализа. В 1984 г. при СНБ создана межведомственная

Консультативная комиссия по исследованию общественного мнения за рубежом, в которую вошли представители ЮСИА, госдепартамента и министерства обороны.

Текущими операциями внешнеполитической пропаганды занимаются четыре службы средств массовой информации. Служба прессы и публикаций совместно со службой зарубежных информационных центров распространяет печатную продукцию агентства: 10 периодических изданий — «Горизонты США» (издается на 15 языках), «Диалог» (издается на 10 языках), «Топик» (издается для стран Африки), «Аль-Махал» (издается на арабском языке), «Проблемы коммунизма» (издается на английском языке), «Америка» (издается на русском языке) и др., а также иллюстрированные брошюры и буклеты. Издательства ЮСИА расположены в США, а также в Маниле (Филиппины) и Мехико (Мексика). В 80-е годы вошла в строй новая система компьютерной связи с зарубежными информационными постами ЮСИА —«Уайрлесфайл», с помощью которой во все посольства США из Вашингтона рассылаются официальные тексты речей, заявлений, пресс-конференций президента, государственного секретаря, др. ответственных представителей администрации. Служба прессы и публикаций — основное звено в осуществлении «контрпропагандистской» программы ЮСИА (т. н. «проекта Истина»), разработанного в 1981 г. для дискредитации советских средств массовой информации. В рамках этого «проекта» по системе «Уайрлесфайл» рассылаются периодический бюллетень «Предупреждение: советская пропаганда», а также подборки материалов «Америка в последний час», предназначенных для зарубежной печати. Служба прессы и публикаций осуществляет также издание на иностранных языках книг американских политических деятелей, ученых, писателей. Производственные мощности службы позволяют выпускать около 10 млн экземпляров книг и до 15 млн экземпляров журналов ежегодно. Осуществляя принятую в 1983 г. «программу глобальной книгоиздательской деятельности», ЮСИА издает на иностранных языках 150 наименований книг в год (1986).

Служба телевидения и кино выпускает и распространяет за рубежом короткометражные информационно-документальные фильмы и телепрограммы: «Сайенс уорлд» (ежемесячная научно-популярная серия), «Видеодиалог» (международное обозрение), «Сэтелайт файл» (еженедельная программа новостей) и др. В 1983 г. вступила в действие «всемирная телевизионная сеть» ЮСИА («Уорлднет»), компонентами которой являются континентальные системы телевещания через стационарные спутники связи: «Евронет» (вещание на Западную Европу), «Афнет» (вещание на страны Африки), «Паснет» (вещание на страны тихоокеанского региона). Телепередачи, транслируемые по системе «Уорлднет» из Вашингтона, принимаются в 50 странах мира. Ассигнования на эту новую пропагандистскую инициативу в 1987 г. составили 25 млн дол.

Важнейшее подразделение ЮСИА — служба радиовещания, в ведении которой находится деятельность радиостанции «Голос Америки» (создана в 1942 г.), вещающей на 44 языках. На радиостанции работает около 3 тыс. сотрудников. Общий объем передач в 1987 г. составил 1327 часов в неделю, из которых 17 часов приходится на передачи «русской службы». Около 20 отделений размещены в Великобритании, ФРГ, Швейцарии, Италии, Пакистане, Гонконге, Коста-Рике и др. странах. «Голос Америки» имеет 34 передатчика на территории США и 77 передатчиков за рубежом. Передатчики «Голоса

Америки» находятся в городах Делано и Диксон (Калифорния), Маратон (Флорида), Бетани (Огайо), Гринвилл (Южная Каролина), на острове Родос (Греция) и в г. Кавалья (Греция), а также в Великобритании, ФРГ, на Филиппинах, в Марокко, Либерии, Шри-Ланке, Таиланде, Ботсване.

В мае 1985 г. вступило в строй новое подразделение «Голоса Америки» — станция «Радио Марти», вещающая на Кубу. Объем ежедневных передач — 14,5 часа. Штаб-квартира расположена в г. Маратон (Флорида). Бюджет радиостанции — 11 млн дол. (1985). С января 1986 г. возобновлены ежедневные круглосуточные передачи «Голоса Америки» на английском языке для стран Западной Европы. В 1983 г. утвержден план модернизации «Голоса Америки» (общая сумма ассигнований около 1,5 млрд дол.), рассчитанный на период 1984—1990 гг. Предусмотрено строительство новых ретрансляционных станций в Марокко, Шри-Ланке, Коста-Рике, Белизе, Таиланде и Израиле. Планируется также увеличить число языков вещания до 85.

С «Голосом Америки» тесно взаимодействуют радиостанции «Свобода» (РС) и «Свободная Европа» (РСЕ). Радиостанция «Свобода» (первоначально — «Освобождение») создана в 1950 г., радиостанция «Свободная Европа» — в 1953 г. С 1976 г. функционируют под единым руководством. Штаб-квартира РС РСЕ находится в Мюнхене (ФРГ). Региональные бюро располагаются в Вашингтоне, Нью-Йорке, Лондоне, Париже, Риме, Бонне, Брюсселе, Гонконге, Исламабаде. 46 радиопередатчиков расположены в ФРГ, Португалии, Испании и ведут передачи на 22 языках. Финансирует и контролирует радиостанции Совет международного радиовещания (СМР), созданный в 1973 г. Бюджет радиостанций — 142 млн дол. (1986).

Штат — более 1600 сотрудников. Общий объем ежедневных передач РС — РСЕ на СССР и на социалистические страны Европы составляет 1060 часов. С 1984 г. действует новое подразделение — радио «Свободный Афганистан» (вещание на языках пушту и дари дважды в неделю).

Разработкой стратегических вопросов внешнеполитической пропаганды занимается Совет национальной безопасности (СНБ). В 1983 г. при СНБ образована «специальная группа планирования» пропаганды во главе с помощником президента по вопросам национальной безопасности. Группа состоит из четырех подразделений: международной информации, международной политики, по радиовещанию и по связям с общественностью.

Еще одно важное звено в аппарате внешнеполитической пропаганды США — государственный департамент. Еще в 1946 г. в госдепартаменте было создано Управление международной информации и культурных обменов. После принятия в 1947 г. закона о международной информации и обменах в области образования № 402 (закон Смита — Мундта) Управление международной информации было преобразовано в два новых управления: международной информации и по обменам в области образования. В настоящее время вопросы внешнеполитической пропаганды возложены на Управление разведки и исследований, в частности на такие его подразделения, как отдел исследований и анализа данных об СССР и Восточной Европе, сектор коммунистических стран отдела экономических исследований, а также на Управление по связям с общественностью, сотрудники которого проводят регулярные брифинги и пресс-конференции, а также выпускают печатные пропагандистские издания. Кроме того, под эгидой госдепартамента проводятся различные конференции и семинары по отдельным проблемам внешнеполитической и пропагандистской деятельности США.

Важное место в разработке методов внешнеполитической пропаганды США занимают различные научно-исследовательские центры (прежде всего «советологические»): «РЭНД корпорейшн», Брукингский институт, Центр стратегических и международных исследований Джорджтаунского университета; филантропические фонды: Фонд Карнеги, Фонд Форда, Фонд Рокфеллеров и др., а также многие общественные организации, тесно связанные с находящейся у власти администрацией (так, в 80-е годы приоритет в данной области принадлежит таким ультраправым организациям, как «Комитет по существующей опасности», «Фонд наследия», «Комитет за свободный мир» и др.).

Выработкой рекомендаций по осуществлению внешнеполитической пропаганды занимаются различные комитеты и подкомитеты конгресса США, где регулярно проводятся специальные слушания по проблемам «общественной, или публичной дипломатии», как в США стали называть с 70-х годов внешнеполитическую пропаганду.

Активное участие во внешнеидеологической деятельности принимает министерство обороны США, в структуре которого имеются специальные подразделения информационно-пропагандистского профиля: журнальный отдел, книжный отдел и отдел информации управления по связям с общественностью. В распоряжении Пентагона имеются десятки издательств и киностудий. Служба телевидения и радиовещания министерства обороны располагает более 300 радио- и телевизионными станциями, расположенными в США, на территории американских военных баз за рубежом, включая радиостанцию в Мюнхене (РИАС), и на кораблях ВМС. В 80-е годы совместно с госдепартаментом Пентагон подготовил ряд пропагандистских брошюр, призванных оправдать милитаристский курс США: «Советская военная мощь» (семь изданий), «Советские программы стратегической обороны» и др.

ЦРУ финансирует и непосредственно осуществляет многочисленные операции «психологической войны» против социалистических и развивающихся государств. Примером ее деятельности в этой области может служить «учебное пособие» для никарагуанских контрреволюционеров «Психологические операции в партизанской войне» (1984). Контролируя деятельность многих зарубежных органов массовой информации (радиостанций, издательств, органов периодической печати), ЦРУ осуществляет глобальную кампанию клеветы и дезинформации, направленную против СССР и др. стран социализма.

Активное участие в осуществлении внешнеполитической пропаганды США принимает Управление международного развития, «Корпус мира», Торговая палата США, министерство труда, министерство образования и некоторые др. ведомства, а также частные организации, осуществляющие программы международных обменов и «помощи» развивающимся странам.

В 1983 г. был создан Национальный фонд в поддержку демократии (НФД) для координации и частичного финансирования как правительственных, так и ряда «благотворительных» программ международных обменов и «помощи». Фактически НФД является особым инструментом идеологической экспансии США в развивающихся странах. Руководство НФД осуществляет Совет директоров (16 членов), куда входят представители Республиканской и Демократической партий, конгрессмены, ответственные сотрудники ряда министерств. Бюджет НФД — 31 млн дол. (1985).

Эти средства предназначены для реализации более 40 различных программ «укрепления демократии» в странах Азии, Африки и Латинской Америки, которые проводятся под эгидой Национальных институтов международных отношений Республиканской и Демократической партий, Центра международного частного предпринимательства Торговой палаты США, Института свободных профсоюзов и др. организаций профобъединения АФТ—КПП, Управления международного развития, госдепартамента и др. ведомств. В программах «укрепления демократии» принимает участие Совет по международным молодежным обменам (1982), занимающийся реализацией международных обменов между студентами США и развитых капиталистических стран.

Особую роль в идеологической экспансии США на мировой арене играют американские средства массовой информации, имеющие доступ к широкой международной аудитории: газеты «Нью-Йорк таймс», «Вашингтон пост», «Уолл-стрит джорнал», «Интернэшнл геральд трибюн», журналы «Ньюсуик», «Тайм», «Ридерс дайджест» (тираж свыше 28 млн экземпляров на 15 языках мира), «Ю. С. ньюс энд уорлд рипорт» и др. Особым каналом внешнеполитической пропаганды США является массовая литература и кинематограф.

ВООРУЖЕННЫЕ СИЛЫ

ВОЕННАЯ И ВОЕННО-ПОЛИТИЧЕСКАЯ ДОКТРИНЫ США

Военная и военно-политическая доктрины США, в основе которых лежат установки на противоборство с Советским Союзом и завоевание американским империализмом господствующих позиций в мире, в послевоенный период строились в расчете на силовое обеспечение интересов господствующих классов, выдаваемых за интересы «национальной безопасности». В основу доктрин положены установки на готовность к прямой конфронтации (с СССР и др. странами социализма), «устрашение» («сдерживание путем устрашения») и «неоглобализм» (использование военной силы против революционных, национально-освободительных движений и прогрессивных развивающихся государств).

Главным фактором и основным инструментом внешней политики США в противоборстве с Советским Союзом является ядерная мощь. Важное значение придается обычным вооруженным силам и вооружениям, предназначающимся для целей глобального американского военного присутствия, прямого военного вмешательства, ведения военных действий как без применения, так и с применением ядерного оружия.

Военно-силовой подход во внешней политике США остается главным в американской доктрине «национальной безопасности», несмотря на политические договоренности, достигнутые во второй половине 80-х годов между руководителями СССР и США. Этот подход предусматривает готовность к применению военной мощи (в случае необходимости даже без согласования с союзниками) и продиктован стремлением обеспечить военное превосходство США над СССР. На протяжении всего послевоенного периода США считали первенство в гонке вооружений наиболее эффективным путем к завоеванию доминирующего положения в мире, а международную напряженность — поводом для наращивания военной мощи. В конце 60 — начале 70-х годов СССР добился примерного стратегического паритета с США, что явилось важнейшим фактором, вынудившим Вашингтон пойти на двусторонние переговоры об ограничении стратегических ядерных вооружений. Однако подход США к этим переговорам в значительной степени диктовался стремлением нарушить в свою пользу сложившееся равновесие сил. Подобное стремление проявляется и в отношении уже достигнутых договоренностей, когда в зависимости от внешне- и внутриполитической конъюнктуры правящие круги США считают возможным отказаться от таких соглашений в одностороннем порядке в угоду развертыванию военных программ, имеющих своей целью приобретение стратегических преимуществ над СССР (как это, в частности, было с Договором ОСВ-2).

Основные политические и военно-стратегические усилия направляются на то, чтобы в случае ядерного конфликта отвести угрозу уничтожающих ядерных ударов от территории США и этим обеспечить «выживание» и «победу в войне». В этих целях делается ставка на приобретение способности к нанесению первого (обезоруживающего) удара, а также ведение «ограниченной» ядерной войны. Помимо стратегических наступательных вооружений возможным будущим компонентом потенциала обезоруживания считаются ударные космические вооружения, призванные поражать объекты в космосе и на Земле.

Военно-политическая доктрина США внутренне противоречива. Рассчитанная на укрепление безопасности западного мира, и прежде всего самой Америки, силовыми способами, она приводит к подрыву безопасности — и национальной, и международной. Гонка вооружений, военно-технический подход к обеспечению безопасности в ядерный век способны лишь увеличить риск возникновения войны.

В основу дальнейшего развития военно-политической доктрины США кладутся иллюзорные теоретические построения, в соответствии с которыми широкомасштабная противоракетная оборона в космосе сделает ядерное оружие «бессильным и устаревшим». Эта концепция построена на противоречии, ибо предусматривает свертывание одного вида оружия за счет создания и развертывания другого. Но усиление гонки вооружений на одном направлении ведет к усилению гонки и на другом. Тем самым военно-политическая доктрина США не способна привести к действительно прочному миру, в котором международные противоречия решались бы исключительно мирными средствами. Это реально лишь в условиях безъядерного мира и укрепления политических институтов обеспечения гарантий безопасности.

ВОЕННО-ПОЛИТИЧЕСКИЕ И ВОЕННО-СТРАТЕГИЧЕСКИЕ КОНЦЕПЦИИ США *

В основе военно-политических и военно-стратегических концепций США лежит стремление обеспечить господствующие позиции Америки в мире за счет создания превосходящей военной мощи, прежде всего ядерной, готовности к ее применению первыми как в глобальном масштабе, так и в ключевых регионах.

Основной военно-политической концепцией является концепция «сдерживания». Она была разработана сразу после окончания второй мировой войны и стала неотъемлемой частью широкой геополитической стратегии «сдерживания коммунизма», предусматривавшей проведение политики с «позиции силы» — политической, экономической, военной — для оказания воздействия на СССР и социалистическую систему в целом с целью ограничения их влияния и реализации американских внешнеполитических установок. В соответствии с этой концепцией уже в конце 40-х годов в США были разработаны первые планы прямого военного нападения на СССР.

Военно-стратегическая концепция «сдерживания путем устрашения» предусматривала опору на ядерное оружие как главный гарант эффективности силового давления на Советский Союз и др. страны социализма, осуществляемого по политическим, экономическим и военным каналам («ядерное сдерживание»). Применение ядерного оружия рассматривалось на том

---

* Военно-политические и военно-стратегические концепции — понятия, применяющиеся в США и ряде буржуазных стран для обозначения системы взглядов на военную политику, подготовку и ведение войны и строительство вооруженных сил. Служат основой для разработки военной доктрины (стратегии).

этапе в качестве альтернативного пути решения советско-американского конфликта в том случае, если иные рычаги воздействия окажутся неэффективными.

Концепция «сдерживания путем устрашения» остается базовой в строительстве обычных и стратегических вооружений. Нацелена на создание «позиции силы» в военно-стратегической области и создание у др. государств представления о возможности использования этой силы, в т. ч. ядерной, для достижения внешнеполитических целей. Для того чтобы угроза использования силы была правдоподобной и действенной, вооруженные формирования должны быть внушительными, способными не только быть потенциальной угрозой, но и обладать возможностью одновременно вести одну крупномасштабную войну и несколько локальных войн в отдаленных районах мира. Предусматривается также активное использование различных форм демонстрации силы — занятие жестких позиций по различным международным проблемам в целях оказания политического давления, проведение военных учений вблизи территории других государств, «война нервов» и т. д. Использование прямых и косвенных форм силового давления имеет целью не допустить каких-либо нежелательных для США действий со стороны др. государства, заставить его предпринять определенные действия или же воздержаться от них в зависимости от воли США, оказать поддержку др. государствам, создать стимулы для определенного поведения того или иного государства на мировой арене. В рамках военно-силового мышления и образа действий наращивание военной мощи объявляется целесообразным не только для «сдерживания агрессии», но и для оказания политического давления в целях достижения выгодных для США результатов на переговорах по ограничению вооружений и разоруже-

нию. Практика силового давления применяется Соединенными Штатами и в отношениях с союзниками, пытающимися занимать самостоятельные позиции по тем или иным международным проблемам.

В соответствии с этими военно-политическими установками в США действовали различные стратегии: стратегия (военная доктрина) «массированного возмездия», официально провозглашенная в 1954 г.; стратегия «гибкого реагирования», принятая администрацией Кеннеди в 1961 г. Основные положения последней действуют и поныне, хотя и претерпели некоторые модификации в 70-х годах, когда при администрации Никсона была провозглашена стратегия «реалистического сдерживания» (1971).

В рамках внешнеполитической концепции «неоглобализма» в 80-е годы разработана теория так называемых «конфликтов малой интенсивности», предполагающая «борьбу с терроризмом», оказание помощи реакционным режимам в подавлении национально-освободительных движений, поддержку контрреволюционных сил, действующих против законных правительств некоторых развивающихся государств.

В 80-х годах наибольшая значимость придается военно-стратегическим концепциям, связанным с наращиванием ядерного потенциала, которое сопровождается заявлениями о готовности к его использованию.

Концепция «стратегической ядерной триады» предусматривает наличие в составе стратегических наступательных ядерных сил трех компонентов: межконтинентальных баллистических ракет (наземный компонент), баллистических ракет на подводных лодках (морской компонент) и стратегических бомбардировщиков (авиационный компонент).

Данную американскую военно-стратегическую концепцию следует

отличать от концепции «триады» вооруженных сил НАТО, компонентами которой являются стратегические ядерные силы, ядерные силы театра войны и обычные силы.

Концепция «гарантированного уничтожения» предусматривает необходимость обеспечить «гарантированное уничтожение» любого противника в любой, даже самой неблагоприятной для США стратегической ситуации. Ущерб для противника должен быть «неприемлемым», в результате чего его государство и общество должны перестать существовать. В начале 60-х годов, когда была провозглашена данная концепция, считалось достаточным уничтожение 20—25% населения и 50% промышленности. Хотя к концу 60-х годов, по американским оценкам, США обладали потенциалом «гарантированного уничтожения» СССР, достигнутый Советским Союзом стратегический паритет с США давал возможность нанести по США неприемлемый для них ответный удар. Тем не менее, продолжая форсировать гонку ядерных вооружений, США ныне делают расчет не только на «гарантированное уничтожение» СССР в случае ядерной войны, но в первую очередь на его обезоруживание. В отношении масштабов собственных потерь США ориентируются на концепцию «ограничения ущерба» до «приемлемого уровня». Гонка ядерных вооружений — акции США и оборонные контрмеры СССР — привела к созданию ситуации «взаимного гарантированного уничтожения», выход из которой возможен лишь на путях радикального сокращения и последующей ликвидации ядерных арсеналов.

Концепция «первого удара». В самом начале ядерной эры предполагалось нанесение превентивного (упреждающего, первого) удара по основным политическим и индустриальным центрам СССР. С созданием советского ядерного потенциала и провозглашением Соединенными Штатами стратегии «массированного возмездия» готовность к «первому удару» прикрывалась ссылками на необходимость решительных «ответных действий» США в случае использования Советским Союзом даже обычного оружия в возможных вооруженных конфликтах. На практике такие «ответные действия» сводились бы, как это официально декларировалось, к нанесению «первого ядерного удара» в моменты и в местах по выбору США.

С созданием ракетно-ядерного потенциала США и возможностью нанесения высокоточных ударов по стратегически важным военным объектам идея нанесения ядерного удара первыми стала сочетаться с идеей обезоруживания СССР, и понятие «первый удар» стало синонимом понятия «обезоруживающий удар». «Первый удар» стал трактоваться как решительное уничтожение сил «второго (ответного) удара», находящихся в распоряжении противника. Стратегия «гибкого реагирования», предусматривавшая принцип дозирования в использовании военной мощи, постепенность ее эскалации вплоть до «тотального» применения ядерного оружия, делала ставку не столько на второй (ответный) удар по советским городам и индустриальным объектам, сколько на первый обезоруживающий удар. В соответствии с этим создавался потенциал «первого удара», т. е. стратегическим ядерным средствам стала придаваться «контрсиловая» способность к поражению высокозащищенных военных объектов.

В 70-х годах в США был взят курс на обход стратегического паритета через развертывание в Европе РСД, представляющих потенциал первого удара, и на сохранение лидерства в области совершенствования стратегических вооружений, прежде всего в «контрсиле», с целью обеспечения «реалистического сдерживания» СССР. Упор был сделан на создание высокоточных ракетно-ядерных средств — баллистических и крылатых ракет различного базирования и дальности действия, а также разделяющихся головных частей ракет с боеголовками индивидуального наведения. В 80-х годах в соответствии с курсом на завоевание военно-технического и общего военного превосходства США выдвинули концепцию «конкурентного соперничества», согласно которой в ходе гонки вооружений делалась ставка на максимальное использование ими достижений своей военной технологии. С началом разработки СОИ предпринята новая попытка в еще большей степени уменьшить способность СССР к нанесению ответного удара, т. е. нарастить способность к «первому удару» за счет создания наземно-космических средств ПРО, задачей которых явилось всемерное ослабление советского ответного удара.

«Применение ядерного оружия первыми». Согласно этой концепции, ядерные силы США должны находиться в постоянной готовности к применению ядерного оружия первыми. Ожидается, что такая военно-политическая установка будет служить не только в качестве средства «разубеждения» потенциального противника от нападения на США (т. е. средства «сдерживания»), но и в качестве реального инструмента инициативного развязывания и ведения ядерной войны в расчете на победу в ней. Готовность к применению ядерного оружия первыми выдается за меру, направленную на «оборонительные» цели, на сдерживание якобы превосходящего арсенала обычных вооружений стран — участниц Варшавского Договора.

Концепция «контрсилы» («противосилы») предусматривает нанесение ударов по военным объектам — пусковым шахтам, авиационным и военно-морским базам, военным складам, пунктам военного и государственного управления, группировкам войск и т. д. При этом она исходит из того, что такие удары могут быть наиболее эффективными лишь при осуществлении внезапного нападения, когда ракеты и бомбардировщики др. стороны еще не стартовали, а вооруженные силы находятся в местах постоянного размещения.

Концепция «ограниченной ядерной войны» допускает возможность ведения «ограниченной ядерной войны» как на театре военных действий вне США, так и с нанесением ограниченного количества ударов по военным объектам на территориях США и СССР («ограниченная стратегическая ядерная война», «концепция Шлесинджера»). Концепция закрепляет идею приемлемости ядерного конфликта, обеспечивает дальнейшее развитие «контрсиловых» аспектов ядерной стратегии США. В ее основе лежит иллюзия контролируемого развития ядерного конфликта с выборочным уничтожением лишь военных объектов. При этом делается расчет на то, что США как государство уцелеют в ядерной войне, не допустив при этом ее неограниченной эскалации. В данной концепции нашло отражение, с одной стороны, осознание объективного снижения роли военной силы в достижении внешнеполитических целей, с другой — стремление все же использовать накопленные ядерные арсеналы, чтобы добиться лучшего для себя «контрсилового ядерного обмена», т. е. за счет внезапного поражения основной массы советских стратегических средств значительно ослабить, а в перспективе и свести к нулю силу ответного удара СССР.

Президентской директивой № 59 от 25 июля 1980 г. расчет на нанесение «разоружающего» удара при сохранении собственного стратегического ядерного резерва был дополнен ставкой и на «обезглавливающий» удар, с тем чтобы уже с началом «ограниченной ядерной войны» подорвать систему политического и военного управления СССР. Курс на превосходство в «контрсиле» и «обезглавливании» стал определяющим.

Официально концепция «ограниченной ядерной войны» исходит из тезиса о том, что ограничение масштабов применения ядерного оружия и поражение только военных и управленческих объектов привело бы к значительно меньшим потерям. Опасность концепции «ограниченной ядерной войны» состоит в допущении возможности ядерного конфликта, начало которого неизбежно приведет к эскалации вплоть до масштабов всеобщей, неограниченной ядерной войны. Основанное на этой концепции требование наращивания средств эффективного поражения высокозащищенных объектов является еще одним импульсом к гонке ядерных вооружений.

Концепция «второго удара». Способность «второго удара» определяется как способность нанести ответный удар силами, которые уцелеют после внезапного ядерного нападения. Концепция «второго удара», выдвинутая в США в начале 60-х годов, в своей официальной трактовке ориентирована на постоянную готовность американских стратегических сил к «ядерному возмездию». Она предусматривает способность этих сил не только сохранить свою ударную мощь после потерь, вызванных гипотетическим советским «внезапным» ударом, но и нанести в ответном ударе неприемлемый ущерб напавшей стороне. Политическое назначение концепции — афишировать якобы «оборонительный» характер американской военной доктрины. Однако США, в частности, отказались заключить предложенный Советским Союзом договор о неприменении силы и поддержании отношений мира, который предусматривал бы обязательства государств —

членов НАТО и Варшавского Договора не применять первыми ни ядерного, ни обычного оружия. Военное предназначение концепции — путем создания максимально мощных стратегических сил обеспечить военное превосходство для нанесения первого обезоруживающего удара.

Концепция «ограничения ущерба» предусматривает необходимость мер по максимальному ограничению потерь населения и экономической базы США в случае ядерной войны. Основной посылкой концепции является тезис об обезоруживании противника путем комбинированного применения наступательного и оборонительного стратегических потенциалов. На «ограничение ущерба» направлены меры по усилению всех видов обороны, в т. ч. гражданской обороны. Общая цель предпринимаемых комплексных мер — обеспечить не только выживание США в ядерной войне, но и их способность к быстрому «восстановлению предвоенного статус-кво».

Концепция «эскалационного доминирования» служит для обеспечения превосходства военной мощи США и НАТО на каждом из возможных этапов вооруженного конфликта, будь то с применением только обычных вооружений, при использовании тактического ядерного оружия и ядерных средств средней дальности, при «контрсиловом» обмене ядерными ударами в «ограниченной ядерной войне» или во всеобщей ядерной войне. Концепция исходит из расчета на то, что «доминирование» на каждой из возможных ступеней эскалации конфликта, достигаемое как созданием превосходящих сил, так и максимально эффективным их использованием, позволит США и НАТО «контролировать» развитие военных действий, с тем чтобы иметь возможность окончить их в определенный момент «на выгодных для США условиях».

Концепция «ядерного порога». Под термином «ядерный порог» подразумевается тот предел, после которого совершается переход от применения обычного оружия к ядерному. «Высота» порога характеризуется промежутком времени между началом военных действий и первым применением ядерного оружия. В попытках вывести свою территорию из-под ядерных ударов США предпочитают обеспечить «высокий» порог, чтобы выиграть время для возможного политического решения проблем, обусловивших возникновение вооруженного конфликта. В свою очередь многие западноевропейские союзники США выступают за понижение «ядерного порога», видя в этом способ усилить «сдерживание» Советского Союза. Вместе с тем и США, и их натовские союзники провозглашают свою готовность к применению ядерного оружия первыми. Тем самым страны — члены НАТО на практике ориентируются на стратегическую неопределенность, что, по их расчетам, должно осложнить стратегическое планирование государств — участников Варшавского Договора.

Концепция «затяжной ядерной войны» провозглашена президентской директивой № 59 в 1980 г. Предусматривает готовность США к ведению ядерной войны в течение нескольких недель или месяцев — создание соответствующих запасов средств ведения войны, повышение надежности системы управления стратегическими силами и т. д.

В концепции **«стратегической стабильности»** понятие стратегической стабильности трактуется как поддержание в течение как можно более длительного периода условий, при которых ни США, ни СССР не будут считать целесообразным прибегать к использованию ядерных сил. Упор при этом делается на военно-технические аспекты стабильности. Характерным для США является стремление к обеспечению стабильности путем такого развития стратегической мощи — как наступательной, так и оборонительной,— которая обеспечивала бы им военное превосходство, необходимое якобы для усиления «сдерживания».

Концепция «кризисной стабильности» предусматривает поддержание ситуации, при которой ни одна из сторон не опасается (в т. ч. при острых международных кризисах), что другая сторона может нанести упреждающий ядерный удар. В целях «кризисной стабильности» предпринимаются меры по уменьшению уязвимости ядерных сил США. В то же время создаются системы вооружений, призванные повысить уязвимость советских стратегических сил (ракеты МХ, «Трайдент», крылатые ракеты большой дальности), в т. ч. при полете баллистических ракет и боеголовок в космосе (лазерное, пучковое, кинетическое оружие). С целью фактически мгновенного (в пределах нескольких минут) поражения советских стратегических объектов были развернуты в Западной Европе американские РСД «Першинг-2». Следовательно, речь идет не только об одностороннем понимании данной концепции, но и об однобоком подходе к обеспечению международной безопасности. В 80-х годах в США все большее внимание уделяется подготовке к ведению войн с применением обычных вооружений.

Концепции ведения обычной войны. До начала 70-х годов в США была принята концепция **«двух с половиной войн»**, которой предусматривалась готовность вооруженных сил США к одновременному ведению крупных войн в Европе и Азии и небольшой по масштабам войны в др. районе. Установление стратегического паритета между СССР и США, провал американской авантюры во Вьетнаме и происшедшее ранее ухудшение в советско-китайских отношениях привели к переоценке возможностей и самой вероятности использования американской военной мощи одновременно в двух крупномасштабных войнах. Была принята концепция «полутора войн» — одной крупной войны в Европе или Азии и небольшой войны на второстепенных театрах. Было намечено и более сдержанное отношение к заокеанским военным обязательствам США, а также взят курс на более полное объединение сил США и их союзников.

В начале 80-х годов в соответствии с концепцией «горизонтальной (или географической) эскалации» США отказались от точных оценок в отношении количества войн, которые могли бы вестись Соединенными Штатами одновременно. В случае обычной войны США намерены стремиться наносить удары по наиболее уязвимым местам противника, причем США будут решать, где сосредоточивать усилия своих вооруженных сил — во многих районах или нескольких, наиболее важных. Исходя из основной задачи защиты «жизненных интересов» США и одержания победы в войне, военно-политическое руководство США планирует строительство вооруженных сил.

Концепция «воздушно-наземной операции», сформулированная в 1982 г., касается развития и применения сил общего назначения с учетом перехода сухопутных войск и тактической авиации ВВС США на новые образцы вооружения и боевой техники в 80-е годы и совершенствования организационно-штатной структуры войск. Предусматривает достижение решающего успеха в операции путем нанесения в короткие сроки массированных ударов ядерными, химическими и обычными вооружениями по вторым эшелонам и резервам войск противника до ввода их в сражение (глубина поражения — до 300 км). Огневые удары должны наноситься как тактической авиацией, так и новейшими неядерными системами — высокоточными

разведывательно-ударными комплексами, реактивными системами залпового огня, крылатыми ракетами при их снаряжении кассетной головной частью,— по своим поражающим способностям приближающимися к тактическому ядерному оружию. Нанесение ударов на всю глубину оперативного построения войск противника должно обеспечить возможность переноса в короткие сроки боевых действий на его территорию. По мнению военного руководства США, наступательные воздушно-наземные операции должны быть внезапными, скоротечными и решительными по характеру.

«План Роджерса»— концепция, ориентированная на ведение обычной войны в Европе и предусматривающая нанесение «глубоких неядерных ударов» по стратегически важным целям в странах Варшавского Договора. Главный объект поражения с помощью обычного оружия новейшей технологии — вторые эшелоны и резервы войск Варшавского Договора. Предусматривается «упреждающий» характер акций, т. е. нанесение огневых ударов первыми. Концепция принята в декабре 1984 г. в НАТО.

Таковы основные современные военно-политические и военно-стратегические концепции, которые положены в основу строительства и использования вооруженных сил США.

Существует и ряд других концепций: «передового базирования», предусматривающая размещение значительной части вооруженных сил и вооружений США — ядерных и обычных — по периметру стран социалистического содружества для оказания постоянного военного давления на социалистические страны, поддержания напряженности, предоставления так называемых «гарантий безопасности» союзникам, обеспечения доминирования США в военных союзах. Концепция призвана также отвести потенциальные театры военных действий дальше от территории США. Концепция «обороны на передовых рубежах» предусматривает размещение части вооруженных сил США и ведение ими активных военных действий на зарубежных территориях, непосредственно примыкающих к границам стран социалистического лагеря; «стратегической мобильности»— предусматривает быструю переброску по воздуху и морем войск из США на различные театры войны; «контроль над морем» — предусматривает военно-стратегический контроль американских ВМС над важнейшими районами Мирового океана, в т. ч. прилегающими к территории СССР.

ОБЩАЯ ХАРАКТЕРИСТИКА ВООРУЖЕННЫХ СИЛ США

Общая численность личного состава вооруженных сил (ВС) США, включая резервные компоненты — более 3 млн чел. Кроме кадровых военных в американских войсках находится также около 1 млн гражданских служащих.

Вооруженные силы США оснащены всеми современными средствами ведения военных действий, в т. ч. и ракетно-ядерным оружием. Согласно закону о национальной безопасности 1947 г., они состоят из трех самостоятельных видов: сухопутные войска (армия) численностью свыше 1,5 млн, военно-воздушные силы численностью более 750 тыс. и военно-морские силы (включая морскую пехоту) численностью более 850 тыс. чел. Каждый вид ВС США состоит из регулярных войск и резервных компонентов (в сухопутных войсках и ВВС — национальная гвардия и резерв, в ВМС — резерв). По степени укомплектованности и боеготовности многие резервные формирования США находятся на уровне регулярных войск.

Вооруженные силы США наряду с административной организацией (по видам ВС) имеют оперативную, согласно которой все силы и средства включены в девять объединенных и три специальных командования. Специальные командования оперативно подчинены непосредственно Комитету начальников штабов (КНШ). К ним относятся: стратегическое авиационное командование (САК); тактическое авиационное командование и специальное командование сухопутных войск на континентальной части США. Пять объединенных командований развернуты или имеют зону оперативной ответственности за пределами территории США: четыре — в Западной Европе, зоне Атлантического океана, зоне Тихого океана, в Центральной и Южной Америке; пятое — Центральное командование (СЕНТКОМ) имеет географическую зону действия, которая включает 19 государств Ближнего и Среднего Востока, Северной и Восточной Африки. В распоряжении СЕНТКОМа находятся так называемые «силы быстрого развертывания».

Силы и средства стратегической переброски войск входят в состав объединенного командования стратегических перебросок. В его распоряжении около 1 тыс. самолетов и вертолетов различного назначения, транспортные и грузовые суда.

К объединенным командованиям относятся также американо-канадское Объединенное командование воздушно-космической обороны Северной Америки (НОРАД), Объединенное космическое командование и созданное в 1987 г. Объединенное командование специальных операций. Специфика этих формирований состоит в том, что уже в мирное время они сведены в соединения, отдельные части и подразделения и имеют штатный личный состав. Их боевая подготовка проводится по программе так называемой взаимной поддержки совместно с частями регулярных вооруженных сил.

С середины 1973 г. вооруженные силы США комплектуются путем найма добровольцев. Контракты заключаются, как правило, на срок не менее четырех лет.

По американской конституции верховным главнокомандующим является президент. Непосредственное руководство вооруженными силами осуществляют министр обороны и министры видов вооруженных сил. Рабочим органом министерства обороны по оперативному руководству вооруженными силами является Комитет начальников штабов.

По целевому назначению и характеру решаемых задач вооруженные силы США подразделяются также на стратегические силы (наступательные и оборонительные), силы общего назначения, силы и средства стратегической переброски войск и резервы. Эта классификация была принята в 1967 г. в целях обеспечения подготовки американских вооруженных сил в соответствии с установками военной доктрины США к любому возможному типу современной войны.

СТРАТЕГИЧЕСКИЕ СИЛЫ

Стратегические силы США включают в себя стратегические наступательные и стратегические оборонительные силы. Их компоненты входят в состав ВВС и ВМС. Оперативно стратегические силы подчинены непосредственно верховному главнокомандующему (президенту США) через Комитет начальников штабов.

Стратегические наступательные силы (СНС) включают стратегические ракетные силы наземного и морского базирования и стратегическую авиацию. Стратегические ракетные силы наземного базирования и стратегическая авиация организационно входят в состав стратегического авиационного командования (САК) ВВС США. Стратегические ракетные силы морского базирования входят в состав подводных сил Атлантического и Тихоокеанского флотов ВМС США.

Стратегические наступательные силы обладали огромной разрушительной мощью уже в тот период, когда единственным средством доставки являлись стратегические бомбардировщики. В 1954 г. США располагали 835 стратегическими бомбардировщиками В-36 и В-47, имевшими на вооружении 735 ядерных бомб. В начале 60-х годов у США уже было примерно 1900 стратегических носителей, способных доставить к цели свыше 4700 ядерных боеприпасов. С принятием администрацией президента Кеннеди программы ракетно-ядерного перевооружения стратегических сил только в 1961—1962 гг. количество ядерных боеприпасов на стратегических средствах повышенной готовности и их мегатоннаж были удвоены. В 1967 г., когда программа была завершена, в стратегических силах насчитывалось 2325 стратегических носителей.

В 70-х годах осуществлялось качественное совершенствование стратегических наступательных сил США. Без увеличения количества носителей (которое сдерживалось советско-американским Соглашением ОСВ-1) возможности стратегических сил по доставке в одном пуске/вылете ядерных боеприпасов возросли более чем вдвое. Если в 1970 г. число ядерных зарядов на стратегических носителях составляло 4000, то в 1980 г.— 9200 единиц. При этом значительно возросли боевые возможности по поражению высокозащищенных объектов. Были приняты на вооружение 550 МБР «Минитмен-3» с тремя высокоточными боеголовками каждая, а на рубеже 80-х годов была завершена программа переоснащения 300 таких МБР на новые головные части Мк 12А с тремя боеголовками. Эти боеголовки обладают вдвое более высокой точностью попадания (круговое вероятное отклонение — 180 м вместо прежних 350 м) и вдвое большей мощностью (350 кт вместо 170 кт). На 31 атомной ракетной подводной лодке было размещено 496 БРПЛ «Посейдон» С-3 с 10—14 боеголовками на каждой ракете, точность которых также была повышена вдвое. 268 тяжелых бомбардировщиков В-52 G и В-52 H были оборудованы для оснащения 20 ударными ракетами СРЭМ каждый, а 65 средних бомбардировщиков FB-111A — для шести таких ракет. В результате значительно возросли «контрсиловые» боевые возможности каждого элемента стратегической триады.

Администрация Рейгана, не удовлетворенная такими возможностями стратегических сил, в октябре 1981 г. приняла «программу модернизации стратегических вооружений», а фактически — перевооружения. В результате выполнения программы развертывания МБР МХ, БРПЛ «Трайдент-2», крылатых ракет воздушного базирования, новых стратегических бомбардировщиков возможности стратегических наступательных сил по доставке ядерных боеприпасов в одном пуске/вылете к концу 80-х годов должны возрасти не менее чем в полтора раза при существенном росте способности к «первому удару». В 1987 г. находящиеся в боевых частях стратегические носители уже могли поднять в одном пуске/вылете примерно 14—16 тыс. ядерных боеприпасов мощностью от 50 кт до 10 Мт.

В начале 1988 г. в США имелось 2260 носителей стратегических вооружений, из них пусковых установок МБР — 1000, в т. ч. 550 ПУ МБР, оснащенных разделяющимися головными частями (РГЧ) индивидуального наведения; ПУ БРПЛ — 672, в т. ч. 640 ПУ БРПЛ, оснащенных РГЧ индивидуального наведения; стратегических бомбардировщиков — 588, в т. ч. 161 бомбардировщик, оснащенный для крылатых ракет.

Наземный компонент стратегических сил. В начале 1988 г. стратегические силы наземного базирования имели на вооружении 522 пусковые установки МБР «Минитмен-3», 450 — ПУ МБР «Минитмен-2», 28— ПУ МБР МХ (МБР «Титан-2» были окончательно сняты с вооружения в мае 1987 г.). Все МБР способны поднять в одном пуске 2296 ядерных боеголовок. Более 90% МБР постоянно находятся на боевом дежурстве в готовности к немедленному использованию. «Программой модернизации стратегических вооружений» намечено произвести перевооружение этого компонента стратегических сил, ценность которого, по американским оценкам, состоит в способности в короткие сроки точно поражать высокозащищенные цели. Планируется развертывание 100 МБР МХ и 1000 МБР «Миджитмен» при одновременном сокращении МБР «Минитмен-2» и «Минитмен-3». МБР МХ оснащена 10 боеголовками мощностью 600 кт каждая с очень высокой точностью попадания в цель (круговое вероятное отклонение — всего 90 м). По своей поражающей способности ракета МХ равноценна нескольким МБР «Минитмен-3» с новейшими головными частями. Ракеты МХ размещаются в стационарных шахтных пусковых установках ракет «Минитмен-3» на базе ВВС Уоррен (штат Вайоминг). Планируется проведение исследований с целью выбора в будущем других способов базирования, обеспечивающих более высокую степень выживаемости. Однако конгресс США неоднократно выступал против ассигнований на развертывание

МБР МХ в предусмотренном администрацией объеме. Выделены средства на производство 64 МБР МХ, из которых только 50 предназначены к развертыванию. Администрация продолжает настаивать на своих первоначальных планах, объявляя о готовности изыскать иной приемлемый способ базирования других 50 из запланированных к развертыванию 100 МБР МХ и развернуть их к концу 1989 г.

Проводится активная разработка второй новой («малой») моноблочной МБР «Миджитмен» с головной частью мощностью 500 кт (не исключается возможность оснащения ракеты тремя боеголовками). В 1988 г. планируется начать полетные испытания ракеты, а в 1992—1996 гг. осуществить ее развертывание в мобильном варианте (не исключается и развертывание части ракет «Миджитмен» в стационарных ракетных шахтах). Утверждения руководства США, что развертывание ракет этого типа якобы обеспечивает укрепление стратегической стабильности, несостоятельны.

Согласно высказываниям даже американских военных, при этом увеличится опасность развязывания ядерной войны. К тому же ракеты «Миджитмен» были бы развернуты в дополнение к ракетам МХ, а потому количество «контрсиловых» боеголовок возрастет, а не уменьшится. Объявлено о решении создать еще одну ракетную мобильную систему.

Морской компонент стратегических сил. На 1 января 1988 г. в стратегических силах насчитывалось 38 подводных лодок-ракетоносцев (ПЛАРБ) с 672 ПУ БРПЛ: 16 ПЛАРБ с 16 ракетами «Посейдон» (С-3) — каждая (в среднем по 10 боеголовок на ракете); 12 ПЛАРБ с 16 ракетами «Трайдент-1» (С-4) - каждая (в среднем по 8 боеголовок на ракете) и 8 ПЛАРБ типа «Огайо» с 24 ракетами «Трайдент-1» на каждой, 2 ПЛАРБ с 16 ракетами «Полярис А-3» на каждой. Более половины атомных ракетных подводных лодок постоянно находится в режиме боевого патрулирования в районах, обеспечивающих нанесение ядерных ударов по объектам на территории СССР.

«Программой модернизации стратегических вооружений» Рейгана намечается создание и принятие на вооружение новой баллистической ракеты для подводных лодок («Трайдент-2» D5) с большей дальностью действия (11 000 км вместо 7400 км у «Трайдент-1»), большей точностью (КВО у «Трайдент-2» — 90 м, а у «Трайдент-1» — 460 м), новым сочетанием количества боеголовок на ракете и их мощности (у «Трайдент-2» — 7×600 кт или 14×150 кт; у «Трайдент-1» — 8×100—150 кт). В 1989 г. должно начаться развертывание БРПЛ «Трайдент-2» на девятой и последующих подводных лодках — ракетоносцах типа «Огайо». Хотя количество ПЛАРБ сокращается, их боевые возможности возрастают. Одна ПЛАРБ типа «Огайо» по своим боевым возможностям превосходит 10 атомных ракетных подводных лодок системы «Полярис». БРПЛ «Трайдент-2» окажется способной выполнить те же «контрсиловые» задачи, что и МБР МХ.

Окончательное количество ПЛАРБ типа «Огайо», предназначенных к строительству, никогда официально не объявлялось. Считается, что к концу этого века в США будет не менее 20 подводных лодок типа «Огайо», причем в 90-х годах намечено вооружить все эти подводные лодки высокоточными ракетами «Трайдент-2». Они должны стать мощным средством «первого удара», который впервые сможет наноситься и из морских глубин. Важным их качеством считается то, что размещение трудно уязвимых подводных лодок — ракетоносцев в обширных районах Мирового океана обеспечит возможность нанесения высокоточных «контрсиловых» ударов по территории социалистических стран практически со всех направлений.

«Программа модернизации стратегических вооружений» Рейгана предусматривала также массовое оснащение к середине 90-х годов 150 атомных подводных лодок и надводных кораблей крылатыми ракетами большой дальности «Томагавк» (намечалось развернуть около 4 тыс. крылатых ракет морского базирования, в т. ч. свыше 750 в ядерном снаряжении). Линкоры «Нью-Джерси» и «Айова» и 12 атомных подводных лодок уже вооружены такими ракетами.

Авиационно-ядерный компонент стратегических сил. К началу 1988 г. в состав боеготовых сил стратегической авиации входило 588 тяжелых бомбардировщиков, в т. ч. 161 бомбардировщик, оснащенный для крылатых ракет. На вооружении находятся бомбардировщики B-52G, B-52H. Самолеты B-52G способны нести до 20 крылатых ракет. К началу 90-х годов они смогут нести по 28 крылатых ракет (дальность — 2600 км, ядерный заряд — до 200 кт, точность — 150 м). Запланировано закупить 3500 крылатых ракет. С 1987 г. началось производство крылатых ракет второго поколения (АСМ) с увеличенной дальностью стрельбы (возможно до 4—10 тыс. км) и с использованием технологии создаваемого самолета-«невидимки» «Стелс». Всего планируется изготовить до 1500 таких ракет. Всего же в 90-е годы планируется иметь в стратегической авиации около 7 тыс. крылатых ракет. Разрабатывается ракета СРЭМ-11. Все бомбардировщики оборудованы системой дозаправки топливом в воздухе.

«Программа модернизации стратегических вооружений» Рейгана предусматривала перевооружение стратегической авиации на бомбардировщик B-1B в середине 80-х годов и новейший бомбардировщик «Стелс» (АТВ) в 90-е годы.

В 1988 г. введены в строй все 100 самолетов B-1B, каждый из которых сможет нести до 30 крылатых ракет. К 1996 г. взамен части бомбардировщиков B-52 и части самолетов B-1B намечается построить 132 бомбардировщика «Стелс».

Стратегическую ценность бомбардировщиков, по американским оценкам, представляет их способность доставлять на большие расстояния ядерные заряды различной мощности, производить замену целей в ходе полета и возвращаться на аэродромы при отмене команды на нанесение ударов, избирать новые маршруты полета и выполнять различные боевые задачи, в т. ч. повторно и с применением обычного оружия. Группировка стратегической авиации развернута на континентальной части США и в зоне Тихого океана на острове Гуам. Бомбардировщики B-52 регулярно совершают полеты, в т. ч. с ядерным оружием на борту, в так называемые районы «жизненно важных интересов» США.

Фактически частью стратегического наступательного потенциала являются ядерные ракеты средней дальности — баллистические ракеты «Першинг-2» и крылатые ракеты «Томагавк», размещение которых в Западной Европе было начато в конце 1983 г. В соответствии с принятым в декабре 1979 г. решением НАТО намечалось развернуть 108 ракет «Першинг-2» и 464 крылатые ракеты. К концу 1987 г. было развернуто 429 таких ракет, в т. ч. все ракеты «Першинг-2». Согласно Договору о ликвидации РСД и РМД, заключенному между СССР и США 9 декабря 1987 г., эти ракеты подлежат ликвидации в течение трех лет после вступления договора в силу.

Стратегические оборонительные силы. Включают системы раннего предупреждения о ракетно-ядерном ударе и контроля космического пространства, силы и средства противовоздушной обороны, системы противоракетного и противоспутникового оружия. Организационно соединения (части) стратегических оборонительных сил входят в состав основных командований видов вооруженных сил США. Системы предупреждения и контроля космического пространства в оперативном отношении подчинены Объединенному космическому командованию ВС США, силы и средства ПВО — Объединенному командованию воздушно-космической обороны Северной Америки (НОРАД).

Централизованное боевое управление стратегическими оборонительными силами осуществляется с основного и трех запасных КП НОРАД.

Стратегические оборонительные силы дополняют потенциал стратегических наступательных сил, непрерывно обеспечивают военно-политическое руководство США и НАТО данными о воздушно-космической обстановке и разведывательной информацией в глобальном масштабе.

В состав стратегических оборонительных сил США входят спутники обнаружения пусков баллистических ракет, радиолокационные и оптические посты сопровождения баллистических ракет, космических объектов и воздушных целей, истребители-перехватчики ПВО, разветвленная сеть наземных и подземных командных пунктов и центров управления стратегическими силами.

В последние годы развертываются новые посты предупреждения о ракетно-ядерном ударе, контроля космического пространства (в т. ч. в интересах ПРО — на территории Гренландии и Великобритании, что является нарушением советско-американского Договора по ПРО), новые центры управления силами ПВО оперативных районов. Система наблюдения за воздушным пространством США полностью модернизирована. Большинство регулярных частей истребительной авиации перевооружены на новейшие самолеты F-15. В интересах стратегических оборонительных сил предусматривается использование самолетов дальнего радиолокационного обнаружения Е-ЗА системы АВАКС.

В настоящее время, по оценкам министерства обороны США, система НОРАД обеспечивает ограниченную оборону от нападения стратегических бомбардировщиков и крылатых ракет. На территории США сооружаются новые мощные РЛС «Пейв Пос», которые могут быть использованы в интересах ПРО территории страны, осуществляется переоснащение радиолокационных постов ПВО, продолжается перевооружение истребительной авиации, находящейся в распоряжении командования НОРАД. Разрешенная Договором по ПРО система ПРО, развернутая для прикрытия группировки МБР на севере США, законсервирована, однако разработки по совершенствованию этой системы продолжаются. Расконсервация системы может быть осуществлена в короткие сроки. Развиваются противоспутниковые системы. В целях повышения возможностей обнаруживать и устанавливать координаты ядерных взрывов и быстро предпринимать необходимые меры в военное время, а также наблюдать за выполнением возможных соглашений о запрещении ядерных испытаний устанавливаются новые датчики на спутниках системы «Навстар».

В центре военных научно-исследовательских и опытно-конструкторских работ находятся разработка и создание широкомасштабной системы ПРО с элементами космического базирования (лазерное, пучковое, кинетическое оружие) согласно «стратегической оборонной инициативе» президента Рейгана. Такая система фактически должна обеспечивать не оборонительные, а наступательные функции, т. к. она может служить для уничтожения ракетно-ядерных средств СССР на Земле и для поражения используемых в ответном ударе ракет и боеголовок, уцелевших после внезапного первого ядерного удара стратегических наступательных сил США. Тем самым, по расчетам Пентагона, обеспечивалась бы безнаказанность первого ядерного удара США.

Совершенствованию системы стратегического управления США (система управления, контроля и связи) придается первостепенное значение в рамках «программы модернизации стратегических вооружений» Рейгана, особенно в плане подготовки к затяжной ядерной войне. Крупные организационные и практические мероприятия осуществляются и в области гражданской обороны.

СИЛЫ ОБЩЕГО НАЗНАЧЕНИЯ

Силы общего назначения (СОН) превосходят количественно другие компоненты личного состава вооруженных сил США. Непрерывно наращивая боевую мощь СОН и оснащая их все более совершенными образцами оружия и боевой техники, США затрачивают на них до 80% всех ассигнований по бюджету министерства обороны.

Использование СОН планируется командованием США в войнах различного масштаба, в т. ч. с применением оружия массового уничтожения. СОН наиболее активно используются американским руководством во внешнеполитических целях. Исследователи в США подсчитали, что в 1945—1982 гг. американские сухопутные войска применялись в 50 акциях силового давления за рубежом, ВВС — в 56, а ВМС — в 209.

Высшими органами оперативного руководства сухопутных войск, ВВС и ВМС являются соответствующие штабы. Министерства видов вооруженных сил, на которые возложено их административное руководство, ответственны за боевую подготовку войск, материально-техническое обеспечение, мобилизационную готовность. Министры и начальники штабов назначаются президентом сроком на четыре года.

Сухопутные войска (по американской терминологии — армия) являются одним из видов ВС и основным компонентом сил общего назначения. Они способны самостоятельно или во взаимодействии с национальными ВВС и ВМС, а также с ВС союзников вести активные военные действия с различными усилиями в любых по характеру и масштабам войнах на различных ТВД.

В мирное время сухопутные войска (СВ) состоят из регулярной армии и организованного резерва, который включает резерв армии и сухопутные войска национальной гвардии. Регулярная армия — основа сухопутных войск. Организованный резерв — база мобилизационного развертывания в угрожаемый период, усиления и восполнения боевых потерь СВ в ходе войны. Военно-политическое руководство США подчеркивает важность поддержания высокой боевой готовности СВ, размещаемых за рубежом, подготовки стратегических резервов на континентальной части страны, постоянного улучшения структуры СВ, оснащения соединений и частей современным оружием и военной техникой. В этих целях неуклонно наращивается объем ассигнований на СВ: с 24 млрд дол. (1976 фин. г.) они выросли до 75 млрд дол. (1987 фин. г.), причем темпы их роста при администрации Рейгана были почти вдвое больше, чем в предыдущее пятилетие. Численность регулярного состава сухопутных войск за указанные 11 лет увеличилась с 779 тыс. до 781 тыс. чел., а численность организованных резервов — с 557 тыс. до 772 тыс. чел.

Основной концепцией СВ является зафиксированная в полевом уставе FM-100-5 (1982) концепция, носящая название «воздушно-наземная операция» и предусматривающая разгром противостоящей группировки войск на всю глубину ее оперативного построения в результате нанесения глубоких огневых ударов и усиления маневренных возможностей СВ.

СВ США состоят из 28 дивизий, а также отдельных бригад и полков. Из них в регулярной армии — 18 дивизий (4 бронетанковых, 6 механизированных, 1 моторизованная, 1 пехотная, 4 легких пехотных, 1 воздушно-десантная, 1 воздушно-штурмовая), в организованных резервах — 10 дивизий (2 бронетанковые, 2 механизированные, 6 пехотных). Командование США обращает особое внимание на развитие резервных компонентов СВ в качестве базы мобилизационного развертывания и усиления регулярной армии. Для формирования девяти дивизий регулярных сил привлекаются части и подразделения резерва. В пяти из них на долю резервов приходится одна треть всех частей и подразделений.

Основные группировки регулярной армии развернуты на континентальной части США (стратегический резерв) и в ФРГ; небольшие контингенты сухопутных войск содержатся в Южной Корее, на Гавайских островах, в зоне Центральной и Южной Америки, Италии, Японии, Греции, Турции и в составе многонациональных сил ООН на Синайском полуострове.

Американское командование осуществляет крупномасштабную и долгосрочную программу (1981—1990 гг.) «Армия-90», в соответствии с которой проводится поиск оптимальной организационной структуры СВ, разрабатываются рекомендации в отношении способов их использования, проходит техническое перевооружение соединений и частей. Реорганизованные бронетанковая и механизированная дивизии будут иметь однотипную структуру с одним лишь исключением: в первой будет 6 танковых и 4 мотопехотных батальона, во второй — 5 танковых и 5 мотопехотных батальонов. В результате модернизации число танков в бронетанковой дивизии со-

кратится с 360 до 348, а в механизированной увеличится с 252 до 290. В обеих дивизиях возрастет количество противотанковых ракетных комплексов (в бронетанковой — с 312 до 788, в механизированной — с 267 до 686), орудий атомной артиллерии (в обеих — с 66 до 88), вертолетов (в обеих — с 61 до 146), а также численность личного состава (в бронетанковой — с 18 тыс. до 19,3 тыс., в механизированной — с 18 тыс. до 19,6 тыс.). Реорганизация «тяжелых» соединений обеспечивает повышение их огневой и ударной мощи, мобильности, способности вести борьбу с бронетехникой и действовать в условиях применения оружия массового поражения.

По программе «Армия-90» изучалась возможность создания «легких» соединений, предназначенных главным образом для применения в боевых действиях низкой интенсивности на слабооборудованных театрах военных действий (ТВД) на территории развивающихся государств. Проблема заключалась в нахождении оптимального баланса между боевой эффективностью «легкого» соединения и его стратегической мобильностью. Считалось, что обычные пехотные дивизии слишком «тяжелы» для быстрого реагирования на кризисы за рубежом. Требовалась организация 1500 рейсов транспортных самолетов C-141B для переброски за три недели одной пехотной дивизии. Для доставки нового «легкого» соединения, структура которого была определена в начале 80-х годов, в любую точку земного шара необходимо в 3 раза меньше самолето-рейсов. В легкой пехотной дивизии нет танков и бронетранспортеров, меньше автомобилей, противотанкового оружия «Тоу» и «Дракон», 105-мм гаубиц. Ее численность при тех же девяти пехотных батальонах уменьшена по сравнению с обычной пехотной дивизией на 6 тыс. чел. (до 10,7 тыс.). Командование США формирует четыре регулярные (6, 7,

10, 25-я) и одну резервную легкие пехотные дивизии. Во второй половине 80-х годов завершится реорганизация 82-й воздушно-десантной и 101-й воздушно-штурмовой дивизий с целью превращения их в более «легкие» соединения. Хотя в основном на них возложены задачи проведения «блицкриговых» операций в составе «сил быстрого развертывания» в районах развивающегося мира, американское командование не исключает применения «легких» дивизий в Европе — на северном и южном флангах группировки вооруженных сил НАТО.

В 1987 г. закончилось формирование экспериментального соединения промежуточного типа — моторизованной дивизии (14,5 тыс. чел.), предназначенной для ведения боевых действий на различных ТВД. В ней те же девять пехотных батальонов, но больше, чем в легкой пехотной дивизии, вертолетов, автомобилей, установок противотанковых управляемых ракет (ПТУР) «Тоу», имеются 155-мм самоходные гаубицы. Для транспортировки по воздуху моторизованной дивизии потребуется 1300 самолето-рейсов.

США непрерывно наращивают наступательные возможности СВ за счет принятия на вооружение новых видов и систем вооружений. В 80-х годах началось производство танков М-1 «Абрамс» в двух вариантах — со 105-мм или 120-мм пушкой. СВ должны получить 7,5 тыс. танков этого типа. К началу следующего десятилетия планируется достичь установочного рубежа — 6900 единиц (по численности боевых машин пехоты типа «Брэдли»). На них будет установлена более мощная ПТУР «Тоу-2». Противотанковый потенциал ударных средств СВ возрастет с поступлением в войска вертолета огневой поддержки АН-64А с ПТУР «Хеллфайер». В 1984 г. в СВ США, дислоцированных в Западной Европе, были размещены первые установки зенитных ракет «Пэтриот», которые, по свидетельству американских специалистов, могут быть использованы и для перехвата оперативно-тактических ракет. В 1981 г. на вооружение СВ была принята реактивная система залпового огня MLRS, предназначенная для поражения целей по площадям (при каждом залпе одной пусковой установки боевые элементы покрывают площадь примерно 25 тыс. м^2).

В связи с принятием концепции «воздушно-наземная операция» США ускорили разработку новой системы вооружений — разведывательно-ударных комплексов (РУК). В них должны быть совмещены в единую автоматизированную систему управления средства поражения и все то, что обеспечивает их боевое применение — средства разведки, связи, управления, обработки информации.

В общей сложности в СВ США в середине 80-х годов с учетом резервных запасов на военное время насчитывалось 14 тыс. танков, 24 тыс. бронетранспортеров и боевых машин пехоты, до 17 тыс. орудий полевой артиллерии, 17 тыс. пусковых установок противотанковых управляемых ракет, 5 тыс. зенитно-ракетных комплексов, около 10 тыс. самолетов и вертолетов.

Тактическая авиация (ТА) — вид военно-воздушных сил, способный решать оперативно-тактические задачи самостоятельно или во взаимодействии с СВ и ВМС. Согласно американским оценкам, ТА должна завоевывать и удерживать господство в воздухе, оказывать непосредственную авиационную поддержку СВ, обеспечивать изоляцию района боевых действий (т. е. препятствовать подходу войск и подвозу материальных средств противника из тыла или др. участков фронта), вести разведку. Организационно ТА сведена в четыре командования: тактическое авиационное командование (ТАК), дислоцируемое на континентальной части США, командование ВВС в зоне Европы, командование ВВС в зоне Тихого океана, командование ВВС в зоне Аляски. ТАК, являющееся стратегическим резервом авиационных сил на заморских ТВД, включает три воздушные армии. В свою очередь, воздушная армия состоит из тактических истребительных авиационных крыльев, в каждом из которых три авиационные эскадрильи (по 24 самолета). В регулярном компоненте ТА в середине 80-х годов находилось 26 тактических истребительных крыльев, в резерве ВВС — 12, в ВВС национальной гвардии — 36. Командование США планирует увеличить число авиакрыльев в первых двух компонентах ВВС до 40. Всего на вооружении ТА — 9100 самолетов различных типов.

Со второй половины 70-х годов ТА получила серию новых боевых машин — всепогодные многоцелевые истребители F-15 и F-16, самолет непосредственной авиационной поддержки A-10. Более совершенный и дорогостоящий истребитель F-15 отличается высокой маневренностью, способностью вести бой на средних и малых дистанциях в большом диапазоне скоростей и высот. Во второй половине 80-х годов США приступили к производству самолета F-15 в ударном варианте. Устанавливаемые на нем прицельно-навигационные системы ЛАТИРН позволяют ему применять оружие по наземным целям ночью в сложных метеорологических условиях. Для поражения воздушных и наземных целей самолеты ТА могут применять ракеты класса «воздух — воздух»: «Спарроу», «Сайдуиндер», AMRAAM, ракеты класса «воздух—земля» «Мейверик», противорадиолокационные ракеты HARM, бомбы и бомбовые кассеты калибра до 2 тыс. фунтов, 20-мм пушки «Вулкан».

В целях обеспечения боевых действий ТА на заморских ТВД США создали на базе транспортного самолета Боинг-707 и развернули в ВВС 34 самолета дальнего радиолокационного обнаружения Е-3. Его бортовая аппаратура позволяет вести круговое наблюдение за воздушной обстановкой в радиусе до 450 км, обнаруживать 1500 целей и сопровождать свыше 100 из них.

Для борьбы с радиолокационными станциями ПВО противника специалистами ВВС разработан разведывательно-ударный комплекс (РУК) с огневой мощью на порядок выше существующих систем. Комплекс образуют самолеты разведки, ударные самолеты типа F-4, F-15, F-16, наземный центр управления. С помощью комплекса могут быть поражены цели на удалении до 550 км.

ВВС США обладают многочисленным парком грузовых самолетов межконтинентальной дальности полета: 66 самолетов С-5А и 44 самолета С-5В (грузоподъемность — 120 т) и 234 самолета С-141 (42 т).

На середину 80-х годов в регулярном компоненте ТА насчитывалось свыше 3000 истребителей F-4, F-15, F-16, около 300 истребителей-бомбардировщиков F-111, свыше 700 штурмовиков A-10.

ВМС общего назначения рассматриваются в США как чрезвычайно гибкий инструмент военной мощи, который можно эффективно использовать как в рамках «дипломатии авианосцев» в отношении развивающихся государств, так и во всеобщей ядерной войне. Согласно принятой в 80-х годах чрезвычайно провокационной военно-морской стратегии, ВМС общего назначения должны сыграть одну из главных ролей в процессе «сдерживания путем устрашения», а в случае возникновения военных действий — в их завершении на благоприятных для США условиях. Выполнение этой задачи предполагает переброску к берегам противника в период повышения угрозы военной конфронтации крупных соединений ВМС США и нанесение «упреждающего удара» по его военным объектам на берегу и силам флота.

Успешное течение большой войны американское военно-политическое руководство ставит в зависимость от надежного функционирования океанских и морских коммуникаций, связывающих США с районами военных действий: более 90% всех грузов, запланированных к доставке из США, будут транспортироваться по морю. Планируется, что еще в ходе военных действий с применением обычного оружия ВМС США приступят к поиску и уничтожению атомных подводных лодок с баллистическими ракетами на борту, чтобы уже на данном этапе изменить в свою пользу соотношение ядерных сил. Военно-морское командование подчеркивает, что ВМС в силу высокой степени неуязвимости окажутся главным элементом военного потенциала США, который сохранится у них к концу ядерной или обычной войны. Далее, по этой логике, ВМС должны будут обеспечивать «доминирование США в послевоенном мире».

В 80-х годах особое внимание в США уделялось наращиванию ВМС общего назначения. Заявив о неприемлемости для США принципа равенства в военно-морской области, администрация Рейгана взяла курс на завоевание абсолютного превосходства на морях и океанах. Начатое строительство «флота из 600 кораблей», которое планируется завершить к началу 90-х годов, стало одним из ярких символов всей военной политики администрации.

Предусматривается, что «флот-600» должен включать, в частности, 15 авианосцев, 4 линкора, 137 крейсеров и эсминцев, 101 фрегат, 100 многоцелевых атомных подводных лодок, 75 десантных кораблей, способных одновременно перевезти около 50 тыс. морских пехотинцев, 14 минно-тральных кораблей, до 130 вспомогательных судов. В реальности численность корабельного состава ВМС США не ограничится приблизительно 600 единицами. С учетом всех кораблей, находящих-

ся в резерве, а также многочисленных вспомогательных судов ВМС США общего назначения, по данным Пентагона, должны будут насчитывать к следующему десятилетию более 800 единиц. В 1982—1988 годах на кораблестроение в США было израсходовано более 80 млрд дол., что позволило построить около 110 кораблей и судов.

Костяк американских ВМС общего назначения составляют авианосные многоцелевые группы, формируемые из авианосца, 2 крейсеров, 4 эсминцев и 4 фрегатов. Две-три группы могут быть объединены в авианосное многоцелевое соединение. Авианосная группа способна вести боевые действия без пополнения запасов до восьми суток в зоне до 100 тыс. квадратных миль и наносить удары на глубину до 1200 миль, будучи рассредоточенной на площади 10 тыс. квадратных миль. В 1987 г. США располагали в регулярных ВМС 15 авианосцами — 5 атомными и 10 обычными энергетическими установками. Американское командование не включает в свои подсчеты тот авианосец, который стоит на капитальном ремонте,— в 80—90-х годах постоянно в доке будет находиться один авианосец. Таким образом, вступление в строй 15-го «готового к развертыванию» корабля этого класса ожидается лишь в 1989 г. В 1991 г. на вооружение должен быть принят еще один атомный авианосец.

На тяжелых авианосцах водоизмещением 91 тыс. т базируется авиакрыло со следующим типовым составом: 24 истребителя F-14A, 24 штурмовика A-7E, 10 штурмовиков A-6E, 4 самолета радиоэлектронной борьбы EA-6B, 4 самолета-разведчика E-2C, 10 противолодочных самолетов S-3A, 6 противолодочных вертолетов SH-3H. Каждый штурмовик может нести по две-три ядерные бомбы мощностью от нескольких килотонн до 1 Мгт.

Ударная мощь американских ВМС общего назначения, ранее сосредоточенных преимущественно в авианосцах, резко возрастает с вооружением кораблей и самолетов высокоточными противокорабельными ракетами «Гарпун» (дальность полета 110 км), а также крылатыми ракетами «Томагавк» в ядерном и обычном снаряжении. Пентагоном намечена закупка 3994 «Томагавков», из них 758 будут оснащены ядерными боеголовками и иметь дальность стрельбы 2500 км. Они будут установлены к середине 90-х годов на 4 линкорах, 29 крейсерах, 51 эсминце и 106 подводных лодках. Первый корабль с ядерными крылатыми ракетами «Томагавк» — подводная лодка типа «Лос-Анджелес» — вышел на боевое патрулирование в июне 1984 г. Принятие США на вооружение крылатых ракет «Томагавк» морского базирования фактически приводит к стиранию различий между ВМС стратегического и общего назначения, создает немалые трудности для процесса ограничения и сокращения стратегических вооружений, так как между ядерными и обычными вариантами ракет отсутствуют какие-либо внешние различия.

Администрация Рейгана добилась выделения средств на расконсервацию и переоборудование четырех линкоров типа «Айова» (58 тыс. т), оснащенных башенными установками 405-мм орудий. На каждом из них монтируются ракетные комплексы «Томагавк» и «Гарпун». Предполагается, что они будут действовать в составе корабельных ударных групп вместе с 10 кораблями охранения.

В ВМС общего назначения находятся 9 атомных ракетных крейсеров. Строятся новые крейсеры с обычной энергетикой типа «Тикондерога» (всего их будет 27), оснащаемые зенитным ракетным комплексом «Иджис». Аналогичные комплексы будут размещены на запланированных 29 эсминцах типа «Берк». Командование США планирует иметь в строю к концу десяти-

летия 48 подводных лодок типа «Лос-Анджелес». Началась разработка подводной лодки типа SSN-21. Она будет обладать в 2 раза большей огневой мощью, меньшей шумностью хода, повышенной способностью действовать в условиях ледовой обстановки.

Ядро амфибийных сил ВМС США составляют 5 универсальных десантных кораблей типа «Тарава» (39 тыс. т) и 7 десантных вертолетоносцев типа «Иводжима» (18 тыс. т). Кроме них еще 50 менее крупных десантных кораблей могут (по состоянию на 1987 г.) обеспечивать интервенционистские операции морской пехоты. К 1990 г. США планируют ассигновать средства на создание четырех новых универсальных десантных кораблей типа «Уосп» (40 тыс. т), способных принимать на борт до 200 морских пехотинцев и 42 вертолетов.

Авиация ВМС США (регулярный и резервный компоненты) насчитывает более 1900 самолетов и вертолетов, в т. ч. свыше 500 истребителей F-14, F-4A, F/A-18; свыше 500 штурмовиков А-6 и А7Е; свыше 100 противолодочных самолетов S-3A; около 400 самолетов Р-3 базовой патрульной авиации.

Корпус морской пехоты США был учрежден в 1775 г., в период борьбы штатов за независимость от британской короны. Однако дальнейшая история морской пехоты связана с подавлением свободы и независимости др. стран. Только в XX в. морская пехота принимала участие в интервенции против Советской России в 1918 г., в войнах против Кореи и Вьетнама, высадках на Кубу, в Доминиканской Республике, в Ливане.

Численность личного состава корпуса морской пехоты — около 200 тыс. чел. Его возглавляет комендант, являющийся членом Комитета начальников штабов.

Регулярные силы морской пехоты включают 3 дивизии, 3 авиакрыла, 3 группы тылового обеспечения.

В резерве — 1 дивизия, 1 авиакрыло, 1 группа тылового обеспечения. Две трети регулярных сил корпуса базируются в зоне Тихого, одна треть — в зоне Атлантического океанов.

В военных действиях морская пехота используется в составе оперативных формирований: экспедиционная дивизия (включает дивизию из 9 батальонов, авиакрыло с 338—370 боевыми машинами, группу тылового обеспечения; общая численность — 40—53 тыс. чел.), экспедиционная бригада (2—5 батальонов, смешанная авиагруппа, бригадная группа тылового обеспечения — около 16 тыс. чел.), экспедиционный батальон (батальон морской пехоты, смешанная авиационная эскадрилья, батальонная группа тылового обеспечения — до 2,5 тыс. чел.). Постоянно в плавании находятся три экспедиционных батальона — в Средиземном море, юго-западной части Тихого океана, Индийском океане.

На вооружении корпуса морской пехоты США — свыше 700 танков М-60 А1, которые уже начали заменяться танками М-1 «Абрамс», более 1500 бронетранспортеров, более 700 самолетов и вертолетов.

В соответствии с президентской директивой № 18 (1977) в США было создано новое формирование — **«силы быстрого развертывания» (СБР)**, предназначенные для вторжения в страны развивающегося мира и разгрома противника там в максимально сжатые сроки. Осново-

полагающий принцип использования СБР — быстрая переброска соединений и частей в район боевых действий для нанесения внезапного удара. В случае необходимости СБР должны быть доставлены на заморский ТВД за шесть недель. Наиболее вероятными регионами, куда могут быть посланы СБР, военно-политическое руководство США считает районы Ближнего Востока и Юго-Западной Азии. Для руководства действиями СБР в Юго-Западной Азии в 1983 г. было создано Центральное командование (СЕНТКОМ), штаб-квартира которого находится на базе ВВС Макдилл (США).

СБР не имеют постоянного состава. Они формируются по решению командования для выполнения конкретной задачи из заранее выделенных и обученных соединений и частей СВ, ВВС и ВМС. СБР приданы от СВ 82-я воздушно-десантная, 101-я воздушно-штурмовая, 24-я механизированная, 9-я моторизованная дивизии, 7-я легкая пехотная, противотанковая вертолетная бригада, войска «специального назначения»; от корпуса морской пехоты — $1^1/_3$ экспедиционной дивизии; от ВВС — 11 крыльев тактической истребительной авиации, две эскадрильи стратегических бомбардировщиков В-52; от ВМС — 3 авианосные многоцелевые, 1 корабельно-ударная, 3 амфибийно-десантные группы, 5 эскадрилий патрульной авиации.

Наибольшая численность личного состава СБР — 440 тыс. чел.

ВОЕННОЕ ПРОИЗВОДСТВО

В течение почти 40 лет многие страны осуществляют интенсивное наращивание военной мощи. Этот процесс часто именуется термином «гонка вооружений», под которым подразумеваются крупномасштабные военные приготовления государств, превышающие, как правило,

потребности их обороны. Главным ее содержанием является разработка и производство (или закупка за рубежом) новых, все более разрушительных видов оружия и военной техники для оснащения вооруженных сил. Исторически гонка вооружений всегда инициировалась и подталкивалась наиболее реакционными кругами господствующего класса капиталистических государств; она сопровождается постоянным наращиванием военных бюджетов и наносит ощутимый ущерб социально-экономическому развитию многих стран.

После второй мировой войны правящая верхушка США настойчиво стимулировала раскручивание гонки вооружений, стремясь добиться военного превосходства над СССР путем создания новейших образцов вооружений.

США не ограничиваются наращиванием только своей военной машины. Поддерживая атмосферу международной напряженности, подогревая локальные конфликты, расширяя выгодный для себя экспорт военной техники, они подталкивают гонку вооружений во многих других странах, в т. ч. и развивающихся. В результате военные расходы в мире возросли за последние 10 лет более чем в 2,5 раза и в 1988 г. составили около 1 трлн дол., 29% из которых приходилось на долю США (285 млрд дол.)

Военно-промышленная база и финансирование военного строительства в США. США располагают самой мощной в капиталистическом мире производственной и научно-технической базой, позволяющей создавать все современные виды вооружений. Ее основа сложилась в годы второй мировой войны, когда в стране было построено, в основном на государственные средства, большое число новых предприятий по выпуску самолетов, танков, артиллерийско-стрелкового оружия и др. военной техники.

После войны государство стало продавать или сдавать в аренду эти заводы частным компаниям на весьма выгодных для них условиях (во многих случаях они продавались по цене, составляющей треть или четверть фактической стоимости). При этом фирма, купившая или арендо-

вавшая государственное военное предприятие, брала, как правило, обязательство выполнять на нем заказы министерства обороны (МО), обеспечивать обновление производственного оборудования, содержать его в состоянии мобилизационной готовности.

В результате этого процесса к настоящему времени почти все военное производство в стране (около 90% стоимости) оказалось в руках частных корпораций.

В производстве вооружений и др. продукции по спецификациям военных ведомств США участвует, в той или иной степени, более 100 тыс. промышленных фирм, из которых одни являются головными подрядчиками, другие — выполняют заказы последних на отдельные компоненты военной техники, выступая в роли субподрядчиков. Однако вследствие высокой степени концентрации военного производства США львиная доля его приходится на несколько десятков компаний. В последние годы 100 наиболее крупных подрядчиков министерства обороны США получали заказы на сумму 65—70% всей стоимости контрактов Пентагона, составившей в 1986 фин. г. почти 146 млрд дол.

Практически все военно-промышленные фирмы — широко диверсифицированные объединения, создающие также значительный объем гражданской продукции, доля которой колеблется от 5 до 85% их общего выпуска по стоимости.

В число 12 крупнейших военных подрядчиков Пентагона, получивших заказы на сумму более 2 млрд дол. каждая (по итогам 1986 фин. г.), входят:

«Дженерал дайнэмикс» (истребители Ф-16, крылатые ракеты «Томагавк», тактические ракеты различных классов, космическая техника, участие в программе СОИ, атомные подводные лодки типа «Трайдент», танки М-1 «Абрамс», радиоэлектронное оборудование), сумма контрактов 8 млрд дол. (5,5%);

«Дженерал электрик» (двигатели для военных самолетов, ракетного оружия и космических летательных аппаратов, радиоэлектронное оборудование), сумма контрактов 6,8 млрд дол. (4,7%);

«Макдоннел-Дуглас» (основная военная продукция — истребители F-15 и F-18, ракетное оружие тактического назначения, космическая техника), сумма военных контрактов — 6,6 млрд дол. (4,5%);

«Рокуэл интернэшнл» (бомбардировщики B-1B, IV ступень МБР МХ, тактическое ракетное оружие, космические корабли типа «Спейс Шаттл», участие в программе СОИ, радиоэлектронное оборудование), сумма контрактов 5,6 млрд дол. (3,8%);

«Локхид» (патрульные самолеты P-3, ракеты «Трайдент», разведывательные и военно-транспортные самолеты, участие в программе СОИ), сумма контрактов 4,9 млрд дол. (3,4%);

«Рейтеон» (системы ракетного оружия тактического назначения различных классов), сумма контрактов 4,1 млрд дол. (2,8%);

«Боинг» (самолеты военно-транспортные и специального назначения типа АВАКС, крылатые ракеты воздушного базирования, участие в программах МХ и СОИ, радиоэлектронное оборудование), сумма контрактов 3,6 млрд дол. (2,4%);

«Хьюз эйркрафт» (военные вертолеты, тактическое ракетное оружие различных классов, компоненты самолетов, участие в программе СОИ), сумма контрактов 3,6 млрд дол. (2,4%)*;

«Юнайтед текнолоджиз» (двигатели для военных самолетов и ракет, радиоэлектронное оборудование систем оружия), сумма контрактов 3,5 млрд дол. (2,4%);

«Грумман» (палубные истребители F-14, штурмовики типа A-6E, самолеты радиоэлектронной разведки

E-2S, модификация истребителей EF-111A, участие в программе СОИ), сумма контрактов 3,0 млрд дол. (2,0%);

«Мартин Мариэтта» (один из главных подрядчиков по МБР МХ, ракеты типа «Першинг», ракеты-носители космических аппаратов, части самолетов, в т. ч. B-1B, участие в программе СОИ, электронно-оптическая аппаратура), сумма контрактов 2,9 млрд дол. (2,0%);

«Литтон индастриз» (корабли, радиоэлектронное оборудование самолетов и ракет, в т. ч. крылатых, системы управления оружием, ЭВМ), сумма контрактов 1,7 млрд дол. (1,1%).

Перечисленные 12 корпораций получили в 1986 фин. г. 37% суммы основных заказов министерства обороны США, а первые 30 в списке крупнейших военных поставщиков — свыше 53%.

Это обстоятельство обусловило крайне неравномерное географическое размещение военного производства. На долю 16 штатов в последние годы приходилось около трех четвертей стоимости всех военных контрактов. На первом месте по объему выполняемых заказов Пентагона стоит штат Калифорния (самолеты, ракеты, радиоэлектроника) — не менее одной пятой, далее следуют Техас, Нью-Йорк, Миссури, Коннектикут.

Кроме прямой прибыли корпорации-поставщики вооружений извлекают ряд других весьма значительных выгод. Они производят минимальные собственные капиталовложения в военное производство: большая часть их финансируется государством; имеют возможность использовать по своему усмотрению результаты научно-исследовательских работ, оплаченных Пентагоном; получают авансовые средства на еще не выполненные работы, а нередко и субсидии; пользуются льготным налогообложением; сбыт их продукции практически гарантирован и не встречает конкуренции (после

---

* Данные за 1985 фин. г.; в 1986 г. поглощена корпорацией «Дженерал моторс».

подписания контракта), а в случае сокращения программы министерство обороны выплачивает компенсацию; имеют (и используют) широкие возможности прямых махинаций из-за несовершенства контроля со стороны заказчика. Подобных условий и преимуществ не имеет ни одна гражданская промышленная фирма.

Раскручиваемая в США гонка вооружений, особенно усилившаяся в начале 80-х годов, поглощает огромные и все возрастающие финансовые ресурсы. Отпускаемые на военные цели средства включены в федеральный бюджет в графу «национальная оборона» и охватывают фонды, выделяемые министерству обороны и др. ведомствам на мероприятия военного характера (прежде всего министерству энергетики на создание ядерного оружия и атомной технологии).

В бюджете США имеются два раздела: ассигнования (бюджетные полномочия) и расходы *, причем первые начиная с 1981 г. существенно превышают фактические расходы. В 1987 фин. г. военные ассигнования составили более 287 млрд дол., расходы — около 282 млрд. Значительное превышение ассигнований над расходами предопределяет высокий уровень расходов в последующие годы, когда придется оплачивать заказы, размещенные в пределах ассигнований предыдущих лет.

За первые пять лет пребывания у власти администрации Р. Рейгана военный бюджет США возрастал небывалыми для мирного времени темпами. В 1985 фин. г. военные ассигнования возросли более чем в 2 раза по сравнению с 1980 г. Фактические расходы Пентагона превысили 27% расходной части

---

* Ассигнования — суммы, в пределах которых ведомству разрешено в данном году заключать контракты, оплата их будет производиться в течение ряда лет; расходы — суммы, выделяемые для оплаты счетов в текущем финансовом году.

бюджета (в 1980 г.— около 23%), а в расчете на одного жителя страны — 1190 долларов. За пятилетие (1988—1992) военные ассигнования по плану МО США будут возрастать более медленными темпами и могут достигнуть 340— 350 млрд дол., что значительно больше, чем за годы американской агрессии во Вьетнаме (с учетом поправки на инфляцию).

Главными статьями военного бюджета США являются: «Закупки вооружений» (около 32% всех военных ассигнований в 1986 фин. г.), «Содержание и эксплуатация материальной части» (26%), «Содержание личного состава» (23%), «Научно-исследовательские и опытно-конструкторские работы» (11%), «Создание ядерного оружия и атомной технологии» (2,5%), «Военное строительство» (2%).

Военные затраты — одна из главных причин небывало высокого дефицита федерального бюджета США, превысившего в 1986 г. 220 млрд дол. (в 1979 фин. г. он составлял 40 млрд.).

Генератором гонки вооружений выступает военно-промышленный комплекс (ВПК), представляющий собой негласный союз различных групп правящего класса, объединенных общей заинтересованностью в непрерывном наращивании военных расходов и извлечении максимальных экономических и политических выгод из военного бизнеса. Эти группы можно разделить на три основных компонента: экономический (военные промышленники и стоящая за ними финансовая олигархия), военный (Пентагон) и государственно-политический (некоторые представители администрации, часть органов конгресса, ведающих военными и финансовыми делами, и лоббистских организаций).

Союзником ВПК, поддерживающим гонку вооружений, является ряд гражданских, в первую очередь транснациональных, корпораций.

Стремясь сохранить за собой беспрепятственный доступ к источникам сырья в развивающихся странах и обеспечить защиту (если потребуется, то и военную) своих прибыльных капиталовложений за рубежом, они хотят иметь поддержку в виде мощных вооруженных сил, готовых к военным акциям в любых регионах, объявленных зонами «жизненных интересов» США. Такие корпорации вместе с военно-промышленными являют собой огромную экономическую и политическую силу в стране.

Современный американский ВПК стал своего рода «государством в государстве». Он участвует в планировании военно-политических и военно-экономических мероприятий, разработке военных доктрин и концепций, программ строительства вооруженных сил и новых систем оружия. ВПК оказывает существенное влияние на всю экономику страны, ибо огромные суммы военного бюджета, которыми он распоряжается, служат важным элементом механизма государственного регулирования экономики США.

Ядром ВПК являются крупные военно-промышленные корпорации — главные подрядчики Пентагона, монополизировавшие производство вооружения. Чтобы обеспечить поступление выгодных военных контрактов, они стремятся к установлению «особых» отношений и устойчивых «дружеских» связей с двумя другими компонентами ВПК — соответствующими органами Пентагона, от которых зависит размещение заказов на разработку и производство «нужных» программ, и конгрессом, утверждающим выделение необходимых финансовых средств. Этому способствует стабильный состав лидирующей группы военных подрядчиков, почти не изменяющийся в течение многих лет.

Связи военно-промышленных корпораций с сотрудниками Пентагона не ограничиваются лишь областью официальных деловых операций. Фирмы, стремясь заполучить выгодные контракты, активно «обрабатывают» должностных лиц министерства обороны, ожидающих ответных благ от промышленников. Одна из форм «благодарности» — предоставление этим лицам, после выхода в отставку, должностей в той или иной компании, оплачиваемых в несколько раз выше, чем на государственной службе. Тысячи офицеров и генералов переместились за последние годы из военных ведомств в управленческие аппараты подрядчиков, как правило, тех же, с которыми они вели деловые операции до отставки. Взаимный «обмен» кадрами между Пентагоном и его подрядчиками происходит в обоих направлениях: немало высоких постов в министерстве обороны и его организациях (особенно закупочных и планирующих) было отдано представителям военно-промышленных фирм.

Конгресс США, официально призванный контролировать деятельность военных, оказался в значительной степени интегрирован в ВПК. Прежде всего это относится к таким его организациям, как комитеты по вооруженным силам и по ассигнованиям. На протяжении всего послевоенного периода конгресс, как правило, утверждал все программы Пентагона и запрашиваемый им бюджет. Косметические поправки к нему, если они и принимались, не оказывали существенного влияния на масштаб военных приготовлений. Такие действия конгресса — результат сочетания двух факторов: личных интересов конгрессменов и воздействия на них лоббистских и наиболее милитаристски настроенных общественных организаций.

Члены обеих палат конгресса независимо от того, как публично они обосновывают свою позицию по тому или иному аспекту расходов на вооружение, руководствуются прежде всего интересами собственной политической карьеры, определяющимися сбалансированным учетом интересов представляемого ими избирательного округа, государственных ведомств, с которыми у них сложились «особые» отношения, и позиции комитета конгресса, в котором они заседают.

Мощным рычагом давления военного бизнеса на конгрессменов является финансирование их предвыборных кампаний. Во второй половине 70-х годов каждый из крупнейших подрядчиков министерства обороны создал свой комитет политических действий с целью активного участия в выборах в законодательные органы. В ходе избирательной кампании 1980 г. восемь крупнейших военно-промышленных корпораций израсходовали на поддержку «своих» кандидатов свыше 2 млн дол. (в т. ч. «Боинг» около 510 тыс. и «Грумман» — 390 тыс. дол.).

Почти каждый крупный подрядчик министерства обороны содержит лоббистскую группу со штаб-квартирой в Вашингтоне. Такие группы вместе с лоббистами министерства обороны готовят почву в соответствующих комитетах конгресса для «благоприятного» решения по представленным военным программам Пентагона. Параллельно с ними действуют многочисленные общественные организации реакционного толка, созданные по инициативе министерства обороны, различных видов вооруженных сил или военно-промышленных фирм. Используя средства массовой информации, финансируемые в основном промышленными корпорациями, они стремятся оказывать воздействие и на конгресс, и на общественность страны. К таким организациям можно отнести Совет американской безопасности (создан в 1955 г.), Американский консервативный союз (1977), выступающий против каких-либо сокращений военных ассигнований, Коалицию за мир с позиции силы (1978), Национальный консервативный комитет политического действия (1974), Комитет по существующей опасности (1976), среди руководителей последнего были владелец военно-промышленного концерна «Хьюллет-Паккард», бывший заместитель министра обороны Д. Паккард, бывший заместитель министра обороны П. Нитце, бывший директор ЦРУ У. Колби и др. В 1979 г. руководство комитета активно выступало против ратификации Договора ОСВ-2.

Огромные экономические и политические выгоды, получаемые за счет военных ассигнований, направляемых на гонку вооружений, в значительной мере объясняют сопротивление ВПК и связанных с ним кругов мероприятиям, направленным на разрядку международной напряженности.

МИЛИТАРИЗАЦИЯ НАУКИ

Милитаризация науки — процесс, характерный для развития США в годы после второй мировой войны и определяемый прежде всего влиянием государства на структуру и направления научно-исследовательских и опытно-конструкторских работ (НИОКР).

До конца 30-х годов влияние военных НИОКР было невелико. США расходовали на военные исследования около 5 млн дол. в год.

В годы второй мировой войны средства, выделяемые из государственного бюджета на военные НИОКР, выросли с 30 млн до примерно 1,5 млрд дол. в год.

После окончания второй мировой войны государственные средства, выделяемые на военные НИОКР, были на короткий период сокращены до 700 млн дол. в 1948 г., а затем вновь начали возрастать. В начале 50-х годов ассигнования на военные исследования достигли в США 1 млрд дол., в 1955 г. они составили 3 млрд дол., в 1960 г.— 7 млрд дол. и в 1981 г. превысили 18 млрд дол. В 1987 фин. г. бюджетные ассигнования на военные НИОКР составили 35,6 млрд дол.

В 80-е годы администрация США осуществила беспрецедентное наращивание средств, выделяемых на военные исследования. Если между 1960 и 1973 гг. на долю министерства обороны США приходилось в среднем 61,4% всех государственных расходов на НИОКР, а после 1973 г. этот показатель даже несколько снизился, до 50% в 1980 г., то в 1986 г. военная доля в общегосударственных расходах на НИОКР составила уже 73%.

За период с 1980 по 1984 г. федеральные расходы на военные НИОКР возросли в сопоставимых ценах на 53%, а государственные расходы на невоенные исследования в области здравоохранения, энергетики, сельского хозяйства, транспорта и т. д. сократились на 29%.

На военные исследования отвлекается значительная часть квалифицированных специалистов. В начале 70-х годов 77% инженеров и ученых негуманитарных специальностей, занимавшихся исследованиями и разработками на средства, ассигнованные федеральным правительством США, получали их от трех ведомств: МО, НАСА и Комиссии по атомной энергии (КАЭ), являвшихся главными заказчиками по военным исследованиям (в 1974 г. КАЭ была распущена; после 1977 г. работы, связанные с ядерными зарядами, атомными двигательными установками и т. п., были переданы в министерство энергетики — МЭ). Более половины этих государственных фондов поступало из МО. По американским оценкам, более трети всех инженеров и ученых негуманитарного профиля страны участвуют в военных исследованиях и разработках.

Поскольку расходы на военные исследования составляют свыше 30% всех государственных и частных ассигнований на НИОКР в стране, очевидно, что именно они в значительной мере определяют важнейшие направления и структуру исследований. Военными НИОКР занимаются: частные промышленные фирмы; лаборатории и предприятия МО; формально независимые исследовательские центры, работающие по контрактам федерального правительства; университеты и колледжи.

Обычно на первые две категории исполнителей приходится свыше 90% всех государственных ассигнований на военные исследования, причем наиболее крупную долю — почти три четверти всех государственных средств на НИОКР — получают частные фирмы. В основном это те же компании, которые являются и главными поставщиками серийных систем оружия. Важно отметить, что степень концентрации военных исследований очень велика и превосходит степень концентрации военного производства. Так, на долю 25 крупнейших поставщиков Пентагона приходится около 45% от общей ежегодной суммы затрат на приобретение военной техники и свыше 75% на проведение военных НИОКР.

Хотя на долю высших учебных заведений приходится около 3% средств, расходуемых на исследования и разработки МО, однако абсолютная величина этих фондов в 80-е годы очень быстро росла, усиливая зависимость университетов от МО как источника финансирования. Так, если в 1980 г. они получили от Пентагона 457 млн дол., то в 1985 г.— уже 930 млн дол. Влияние МО в университетах заметно растет. В 1984 г. военное ведомство выделило 4 тыс. стипендий студентам старших курсов для работ в рамках его научных программ. В 1983 г. Пентагон принял пятилетнюю программу по снабжению университетов оборудованием для военных исследований. В рамках этой программы 152 высших учебных заведения в 47 штатах получили фонды или стипендии.

Хотя МО является основным заказчиком на НИОКР военного назначения, значительные средства на военные исследования выделяются и др. правительственными учреждениями — министерством энергетики и НАСА. Так, в 1984 фин. г. по линии этих двух ведомств на военные исследования было ассигновано 2,4 млрд дол.

Деформация структуры государственных расходов на НИОКР в сторону их военной составляющей определяет весьма специфический характер соотношения между фундаментальными и прикладными исследованиями и разработками в структуре государственных расходов на эти цели.

По принятой в МО классификации расходы на НИОКР распределяются по следующим основным категориям (с указанием доли в процентах от общей суммы ассигнований на НИОКР в военном бюджете на 1984 г.):

исследования, в которые включаются все фундаментальные и часть прикладных исследований, направленных на расширение знаний в различных областях науки (3%);

поисковые разработки, в ходе которых формируются концепции новых систем оружия и анализируются возможности их осуществления (около 8% средств);

экспериментальные разработки, включая создание макетных образцов для лабораторных и эксплуатационных испытаний новой техники (свыше 22% бюджета);

технические разработки, в результате которых создаются и опробуются в войсках перспективные образцы оружия и военной техники, пока решение об их закупках еще не принято (свыше 34%);

доработки на стадии эксплуатации, включая все работы по модернизации и совершенствованию систем, уже стоящих на вооружении, или тех, по которым принято решение об их закупке и принятии на вооружение (около 24%);

административные расходы и материально-техническое обеспечение, куда включаются расходы на строительство научно-исследовательских объектов общего назначения, эксплуатацию лабораторий, полигонов и т. п. (9%).

Таким образом, свыше половины исследовательского бюджета МО расходуется на разработку и модернизацию конкретных систем оружия и военной техники и подавляющая его часть не ориентирована на получение новых знаний, определяющих научно-технический прогресс. Государственная научная политика, направленная на дальнейшую милитаризацию науки, наносит в целом серьезный ущерб научно-техническому прогрессу.

Военное ведомство и при проведении исследований предпочитает иметь дело с крупнейшими военно-промышленными фирмами, хотя важнейшим генератором нововведений является в США мелкий и средний исследовательский бизнес. Кроме того, получение одними и теми же крупнейшими поставщиками Пентагона большей части государственных заказов на научно-исследовательские работы и на производство вооружений само по себе является мощным фактором, диалектически сдерживающим научно-технический прогресс. Крупные военно-промышленные фирмы противятся революционным нововведениям, поскольку они обесценивают и делают морально устаревшим весь накопленный ими производственный потенциал. Поэтому они более склонны к постепенной модернизации уже существующей продукции и технологических процессов.

Открытия и изобретения, определяющие перспективу научно-технического прогресса, делаются без участия министерства обороны США. Этот факт подтверждается сопоставлением имеющихся данных по статистике регистрируемых в США патентов на изобретения и открытия. Количество патентов, получаемых в ходе военных НИОКР, всегда значительно меньше, чем в случае расхода сопоставимых средств в гражданских областях. Так, за период с 1949 по 1959 г. 15 крупнейших военных подрядчиков США израсходовали 7,9 млрд дол. на военные НИОКР и подали в ходе их проведения заявки на 2190 патентов. Эти же компании за тот же период вложили 5,8 млрд дол. в гражданские исследования, результатом чего явились 23 880 патентов.

Анализ деятельности крупных подрядчиков МО, занятых в области военных исследований, выявил, что за период с 1949 по 1959 г. эти предприятия в общей сложности запатентовали 61 300 изобретений. В связи с выполнением заказов МО на НИОКР они получили 7988 патентов. Только 79 из них удалось использовать коммерчески, хотя в среднем 50% из общего числа патентов в США находят коммерческое применение.

Использование в гражданских целях результатов военных исследований («спин-офф») все более осложняется из-за их крайней специализации и все большего расхождения между нуждами военных НИОКР и рациональными потребностями человеческой цивилизации. Сам процесс передачи технологии из военной сферы в гражданскую становится все более сложным и дорогостоящим из-за барьеров секретности, которые, кроме того, ограничивают возможности научных дискуссий, т. е. тормозят свободный обмен информацией, необходимый для ускорения научно-технического прогресса.

Гражданские исследования дали гораздо больше побочных продуктов, которые применимы в военном деле, чем наоборот. Специальная президентская комиссия по вопросам конкурентоспособности продукции промышленности США пришла к выводу, что Пентагон является «нетто-пользователем» результатов коммерческих изобретений.

Сопоставление опыта Японии и США убедительно доказывает, что прямые гражданские исследования дают несравненно больший экономический эффект, чем использование в гражданских целях военных разработок, тем более что при военных исследованиях безусловный приоритет отдается достижению требуемых функциональных характеристик системы и почти не обращается внимания на издержки, что неприемлемо для гражданской продукции. По данным Стокгольмского международного института проблем мира, затраты на НИОКР при разработке военной техники в среднем в 20 раз превышают затраты при разработке сопоставимой гражданской продукции.

По доле ВНП, инвестируемой в невоенные НИОКР в 70-е годы (1,5%), США отстают от других развитых капиталистических стран, хотя в 50—60-е годы по этому показателю они опережали своих основных конкурентов. С 1982 по 1984 г. импорт наукоемкой продукции в США в стоимостном выражении возрос на 218%.

Все эти проблемы, безусловно, усугубятся в связи с реализацией программы СОИ. Согласно намеченным планам, с 1985 по 1990 г. эта крупнейшая программа военных исследований должна поглотить 14% прироста американских расходов на НИОКР. По оценкам, к 1990 г. на исследования в рамках СОИ будет тратиться почти четверть суммы, выделяемой МО на исследования и разработки.

ВОЕННОЕ ИСПОЛЬЗОВАНИЕ США КОСМОСА

В официальных документах администрации США освоение космоса объявляется «новым рубежом» для американского народа. Факты, однако, свидетельствуют, что речь идет прежде всего об использовании космоса в военных целях, поскольку военные программы занимают все более приоритетную роль в использовании космического пространства Соединенными Штатами.

С 1958 по 1981 г. затраты Пентагона на военно-космические программы достигли 100 млрд дол. Ежегодные ассигнования по федеральному бюджету на космические проекты министерства обороны, которые раньше уступали ассигнованиям НАСА, с 1982 фин. г. значительно превышают их. Причем темпы роста ассигнований на военно-космические программы в последнее время составляют около 20% в год, что значительно превышает даже небывало высокие темпы роста суммарного бюджета министерства обороны.

Если в 1982 фин. г. на эти цели было ассигновано 6,7 млрд дол., в 1983 и 1984 фин. гг.— 8,5 и 9,9 млрд дол. соответственно, то в 1985 фин. г.— 12 млрд дол., т. е. вдвое больше, чем на деятельность НАСА.

Но даже эти цифры нельзя считать исчерпывающими — ассигнования на военный космос поступают и по другим каналам — в 1983 фин. г., например, 28,3% (1,5 млрд дол.) ассигнований НАСА по научно-исследовательским разработкам фактически ушло на работу, относящуюся к военным программам. Имеются данные и о существовании засекреченных расходов Пентагона по этим статьям, составляющих несколько миллиардов долларов.

Начало процесса военного использования космоса в США тесно связано с деятельностью бывших гитлеровских специалистов, вывезенных в США и занимавшихся ранее работами по созданию и совершенствованию реактивных снарядов ФАУ.

К работе над проектом перехвата ракет на активном участке траектории в США приступили в начале 50-х годов (проект «Бэмби»). Имеются свидетельства того, что еще в 1958 г. Управление перспективных исследований и разработок Пентагона заключило контракт на проведение исследовательских работ в области создания мощных лазеров, т. е. в области, ныне широко представленной в разработке по программе СОИ.

Используемый в настоящее время принцип наземного базирования ракет-перехватчиков (в программе СОИ его применение предусматривается в последнем эшелоне) был доведен в США до высокой степени реализации уже в начале 60-х годов, когда на атоллах Кваджалейн и Джонстон в Тихом океане появились системы уничтожения спутников соответственно на основе ракет «Найк Зевс» и «Тор». К 1975 г. системы были законсервированы, но могут быть приведены в боевую готовность в шестимесячный срок. В конце 50-х годов в США приступили к исследованиям, в целях военного использования, пучков элементарных частиц.

Программы военного использования космоса получили особенно интенсивное развитие с приходом к власти администрации Р. Рейгана, когда в руководстве США усилились настроения в пользу отказа от соглашений по ОСВ и Договора по ПРО. В предвыборной платформе республиканцев в связи с этим содержался призыв к «энергичным НИОКР в области ПРО».

Подобные настроения привели к тому, что с начала 80-х годов Вашингтоном был предпринят ряд мероприятий, поставивших работы в области создания противоракетных систем на качественно более высокую ступень. 2 октября 1981 г. президент Р. Рейган объявил о «программе модернизации стратегических вооружений», в которой в качестве одной из первоочередных задач намечалось «энергичное проведение расширенных НИОКР в области ПРО, включая разработку технологии для соответствующих систем космического базирования». 4 июля 1982 г. Белый дом опубликовал директиву президента о национальной космической политике, в которой, в частности, указывалось, что США «будут продолжать разрабатывать потенциал противоспутниковых систем». 1 сентября 1982 г. было создано космическое командование ВВС. 23 марта 1983 г. президент Р. Рейган выступил с речью, получившей позднее название речи о «звездных войнах». В этой речи были выдвинуты основные положения «стратегической оборонной инициативы», которая предусматривала разработку и создание широкомасштабных противоракетных систем с элементами космического базирования. 25 марта президент подписал директиву СНБ № 6-83 о начале работ по реализации этого плана, а 6 января 1984 г. была подписана еще одна директива СНБ — о проведении НИОКР по перспективной системе ПРО. Для выполнения программы СОИ 16 апреля 1984 г. была создана специальная организация во главе с генерал-лейтенантом Дж. Абрахамсоном. В сентябре 1985 г. было объявлено о начале функционирования нового объединенного космического командования США, подчиняющегося непосредственно министру обороны.

По свидетельствам специалистов США, широкомасштабная противоракетная система должна состоять из нескольких «слоев» — эшелонов перехвата баллистических ракет. Важнейшее значение придается перехвату на начальном активном участке траектории (продолжается около 100 сек), поскольку считается, что именно на этом участке

ракета наиболее уязвима. На первом этапе, при разгоне ракеты, предусматривается применение оружия направленной передачи энергии (ОНПЭ) — лазерного или пучкового, которое предполагается разместить либо на космических платформах, либо на поверхности земли (в последнем случае излучение должно направляться на цель с помощью расположенных на орбитах зеркал).

На среднем, баллистическом участке к перечисленным средствам добавляются еще два вида вооружений — рентгеновские лазеры с накачкой от ядерного взрыва, которые предполагается разместить на БРПЛ и выводить по команде в космос, а также кинетическое оружие, включающее в себя «электродинамические ускорители массы», в которых разгон снаряда происходит с помощью мощного электромагнитного поля. К кинетическому оружию могут быть отнесены и др. разновидности средств «заатмосферного перехвата», также основанные на принципе соударения. На конечном участке входа ракеты в плотные слои атмосферы предусматривается использование низковысотных средств перехвата, подобных уже разработанным в США для системы ПРО в Гранд-Форксе.

Реализация программы широкомасштабной противоракетной обороны считается самым дорогостоящим военным проектом за всю историю гонки вооружений, который может обойтись американскому народу в сумму около 2 трлн дол. По имеющимся оценкам, на военные исследования по противоракетным системам всех типов в США только до провозглашения программы СОИ уже было израсходовано 40 млрд дол. На 1989 фин. г. на программу СОИ утверждены ассигнования в сумме 3,7 млрд дол.

В соответствии с планами на 1985—1989 гг. ассигнования на пятилетие намечались в размере 26 млрд дол., а до первой половины

90-х годов включительно расходы на программу СОИ должны фактически составить примерно 70—90 млрд дол.

Значительную опасность миру таят в себе и новые планы реализации американской противоспутниковой программы АСАТ, разработка которой была начата в 1977 г.* Составной частью системы является высотный истребитель F-15, выводящий ракету в заданную точку и дающий ей стартовый импульс. Мобильность системы и ее технические данные (способность поражать цели на высотах порядка 1000 км) свидетельствуют о том, что принятие ее на вооружение создаст серьезную угрозу для космических аппаратов самого различного назначения. Всего в США до 1987 г. было проведено более 20 испытаний противоспутниковых систем, в т. ч. три летных испытания системы нового поколения. В 1988 фин. г. конгрессом США были вчетверо сокращены ассигнования на эту программу при сохранении запрета на испытания с перехватом мишени, что привело к прекращению работ.

Милитаризация космоса связывается в Пентагоне с запусками многоразовых транспортных космических кораблей (МТКК) «Спейс Шаттл», в конструкцию которых в процессе строительства по инициативе военных вносились нужные им изменения. Завершено строительство специального стартового комплекса министерства обороны США на базе ВВС Ванденберг для запусков МТКК «Спейс Шаттл». Почти половину полетов до конца 80-х годов планировалось осуществлять по программам министерства обороны, однако происшедшая в 1986 г. авария с кораблем «Челленджер», повлекшая за собой гибель семи астронавтов, задержала осуществление этих планов.

Дальнейшее продвижение по пути милитаризации космического пространства, развертывание широкомасштабных противоракетных систем с элементами космического базирования будет иметь самые негативные военно-политические последствия, к которым следует, в частности, отнести: подрыв вплоть до полной ликвидации существующих соглашений в области ограничения и сокращения ядерных вооружений (в т. ч. может быть нарушен бессрочный Договор по ПРО между СССР и США от 1972 г.), значительное осложнение переговоров по ограничению и сокращению ядерных вооружений и существенное уменьшение шансов на достижение договоренностей в данной области. Будет также усложнена и без того чрезвычайно сложная система оценки стратегического баланса и, как следствие этого, возможность диалога между СССР и США. Анализ показывает, что реализация программы СОИ не только не избавит мир от ядерного оружия, но и создаст стимулы для наращивания стратегических ядерных вооружений. Наконец, будет поставлен барьер на пути международного, и в т. ч. советско-американского, сотрудничества в области использования космического пространства в мирных целях.

В Советском Союзе ведутся научно-исследовательские работы, связанные с космосом, в т. ч. и в военном плане. Но они не направлены на создание ударного космического оружия, а имеют дело с совершенствованием космических систем раннего предупреждения, разведки, связи, навигации.

Программе размещения оружия в космосе Советский Союз противопоставляет комплексную программу «звездного мира». СССР неоднократно, начиная с 1958 г., был инициатором соответствующих резолюций ООН и проектов договоров, направленных на предотвращение появления военно-космических

---

* К целенаправленным исследованиям в этом направлении в США приступили в 1956 г.

систем. В августе 1981 г. СССР выдвинул проект Договора о запрещении размещения в космическом пространстве оружия любого рода. В августе 1983 г. СССР принял на себя в одностороннем порядке мораторий на вывод первым в космос каких-либо видов противоспутникового оружия. В том же году последовала очередная советская инициатива — проект Договора о запрещении применения силы в космическом пространстве и из космоса в отношении Земли. Выполнение положений, содержащихся в предложенных СССР документах, способствовало бы полному исключению космоса из сферы гонки вооружений.

Стремясь достичь масштабных договоренностей по полной ликвидации ядерного оружия, Советский Союз высказался в пользу необходимости соблюдения Договора по ПРО. В ходе встречи на высшем уровне в Вашингтоне в декабре 1987 г. руководители СССР и США поручили своим делегациям в Женеве выработать договоренность, которая обязала бы стороны соблюдать Договор по ПРО (в том виде, как он был подписан в 1972 г.) в процессе осуществления исследований, разработок и при необходимости испытаний, разрешенных по Договору по ПРО, и не выходить из этого договора в течение согласованного срока.

ВОЕННЫЙ ЭКСПОРТ США

Военный экспорт США включает продажу вооружений, оборудования для обеспечения их эксплуатации, запасных частей и документации, различных предметов снабжения войск, предоставление услуг по содержанию поставленной военной техники и обучению военного персонала, а также военное строительство. В среднем за 1972—1981 гг. на долю вооружений приходилось почти 60% стоимости всего американского военного экспорта и около 40% — на строительство и услуги военного назначения. Весь военный экспорт находится под контролем администрации, регулируется рядом законодательных актов, и в настоящее время основная его часть осуществляется по межправительственным соглашениям.

Контролируя экспорт вооружений, администрация США стимулирует его расширение, стремясь извлечь максимальные экономические и политические выгоды, использовать его как дополнительное средство повышения мобилизационной готовности военно-промышленной базы и как рычаг давления на правительства стран-покупателей.

За 70-е годы стоимость поставок из США продукции и услуг военного назначения возросла в 3,5 раза. В 1980 г. общий объем военного экспорта достиг 17,3 млрд дол., из них продажи по межгосударственным соглашениям составили 15,3 млрд (88%), коммерческие — 1,8 млрд (10,4%) и безвозмездная военная помощь — лишь 0,3 млрд дол. В 1982 и 1983 гг. военный экспорт США достигал 21 млрд дол. Всего за 1950—1983 гг. США поставили за границу товаров и услуг военного назначения на сумму 228 млрд дол. (по текущим ценам соответствующих лет). В начале 80-х годов доля США в мировом экспорте вооружений оценивалась в 45%.

До середины 60-х годов главными покупателями американского оружия были развитые капиталистические страны. Однако к настоящему времени положение изменилось: наибольшая доля военного экспорта США — около трех четвертей — направляется в развивающиеся страны. В среднем стоимость оружия, ввозимого в эти страны, в начале 80-х годов достигла 16% их военных расходов, а в развитые капиталистические страны — около 1%. Крупнейшими импортерами американских вооружений в последний период были Иран (до свержения шахского режима), Саудовская Аравия и Израиль, на долю которых приходилось около 50% американского военного экспорта. Существенно возросла также продажа вооружений Египту, Марокко, Пакистану, Южной Корее, Венесуэле.

Всего за период с 1972 по 1981 г. США заключили контракты на поставку развивающимся странам вооружений на сумму 48,1 млрд дол. и на предоставление услуг военного назначения, включая строительство различных объектов,— на сумму 35,3 млрд дол. По американским данным, за 1950—1984 гг. США поставили этим государствам танков 34 300, военных самолетов и вертолетов 38 500, кораблей 26 200, артиллерийских орудий 33 100, ракет различных классов свыше 430 тыс.

Экспортные заказы на вооружение в 80-е годы значительно повышали загрузку соответствующих американских предприятий, что обеспечивало поддержание в действующем состоянии крупных производственных мощностей и в конечном итоге высокую мобилизационную готовность военно-промышленной базы. В 1971 г. военный экспорт по стоимости составлял лишь 4,2% контрактов Пентагона, а в 1983 г.— свыше 16%. В среднем за 1972—1983 гг. на долю поставок вооружений за границу приходилось ежегодно почти 20% суммы военных заказов, выданных промышленным фирмам. В 1975—1976 гг. стоимость военного экспорта превышала бюджетные расходы министерства обороны на закупки для вооруженных сил США.

До 1970 г. основную массу поставлявшегося за границу американского оружия составляли устаревшие образцы и излишки из запасов. В последующие годы США стали все больше продавать современной военной техники, такой, как истребители F-15 и F-16, самолеты типа АВАКС, ракетное оружие тактического назначения, современные боевые вертолеты. Все это ведет к дальнейшему существенному повышению прибыли соответствующих американских фирм. Значительную экономию средств получает и Пентагон, ибо распределение затрат на разработку и производственных издержек на большее число покупателей позволяет снизить цену конечной продукции.

Государства, чьи вооруженные силы оказались в зависимости от поставок из США, вынуждены идти на многие уступки американцам в торгово-экономической и военно-политической областях, чтобы не потерять источник получения военной техники. Используя поставки оружия и др. программы военной помощи, США стремятся воздействовать на внутреннюю и внешнюю политику стран-импортеров, в первую очередь развивающихся, таким образом, чтобы создать наиболее благоприятные условия для деятельности американских транснациональных корпораций, эксплуатации сырьевых ресурсов, а также использования иностранных территорий с целью строительства военных баз и складов вооружений для своих «сил быстрого развертывания».

В середине 80-х годов США столкнулись с возросшей конкуренцией на международном рынке вооружений при одновременном снижении платежеспособного спроса со стороны ряда государств из-за обострения экономических трудностей и проблемы долгов. Число экспортеров оружия возросло с 32 в 1977 г. до 44 в 1982 г. Доля Франции в мировом военном экспорте достигла в 1983 г. 11,4%, в Великобритании — 5,6, в ФРГ — 3,6%. Это обстоятельство обостряет соперничество между США, Канадой и европейскими странами НАТО в области торговли оружием. И хотя руководство блока стремится к сглаживанию противоречий между основными экспортерами, противоборство между ними продолжается.

Позиция администрации США в этом вопросе характеризуется неизбежной двойственностью. С одной стороны, налицо стремление сохранить за американцами максимальную долю мирового рынка вооружений, а с другой — использовать военные поставки европейских стран НАТО и Канады как средство удержания импортеров под влиянием Запада, обеспечить достижение военно-политических целей международного империализма в различных регионах, когда США по тем или иным политическим и дипломатическим соображениям

не могут открыто предоставлять свою военную помощь.

Особое значение такого западного «плюрализма» на мировом рынке вооружений руководство США видит в том, что он может быть использован для подрыва влияния СССР в развивающихся странах.

В ближайшие годы руководство США, исходя из экономических, политических и военных соображений, будет стимулировать дальнейшее расширение американского военного экспорта. Наметившаяся тенденция к продаже странами Запада наиболее «надежным» государствам современного вооружения, по всей вероятности, сохранится, что таит в себе угрозу военной дестабилизации в некоторых регионах, усиления реакционных проамериканских режимов, возникновения новых локальных конфликтов.

УЧАСТИЕ США В ВОЕННО-ПОЛИТИЧЕСКИХ БЛОКАХ

Одним из важнейших элементов глобальной стратегии Вашингтона после второй мировой войны стала политика создания военно-политических блоков и союзов, призванных установить американскую гегемонию в мире. Разорвав с традицией невовлечения в блоки, США в послевоенный период активно занялись сколачиванием по всему миру различных политических коалиций, военных пактов, замкнутых региональных организаций и экономических группировок.

Блоковая политика была поставлена во главу угла взаимоотношений Соединенных Штатов Америки с их партнерами и, по существу, явилась одной из новых форм экспансии США на мировой арене с целью «сдерживания» и «отбрасывания» мирового социализма, а заодно и утверждения себя в качестве лидера в несоциалистической части мира.

Поворот США к блоковой политике объяснялся прежде всего радикальным изменением соотноше-

ния классовых сил на мировой арене в результате победы социалистических революций в ряде стран Европы и Азии и дальнейшего углубления общего кризиса капитализма. Вследствие закономерного развития международного революционного процесса углубилась тенденция к объединению среди империалистических и проимпериалистических сил.

Классовым содержанием этого единения являлось стремление организоваться в коалиции для активной борьбы с социализмом и национально-освободительным движением. Роль объединительного центра империализма в глобальном масштабе взяли на себя Соединенные Штаты. Наряду с укреплением силовых позиций США в мире за счет др. стран американская политика по созданию блоков была призвана одновременно обеспечить экономическую блокаду социалистических стран, их политическую изоляцию и военное окружение.

Взяв на вооружение блоковую политику, США стремились объединить силы и средства по возможности максимального числа государств проамериканской ориентации, сковать их индивидуальную инициативу и заставить их действовать в рамках политики, определяемой Вашингтоном. В стратегическом плане США рассчитывали, что американских союзников по всему миру можно будет впоследствии коллективно противопоставить социалистическим государствам в качестве дополнительной «буферной силы», укрывшись за которой можно будет извлекать максимум политических, экономических и военных преимуществ.

С блоками в Вашингтоне связывали решение целого ряда тактических задач американского империализма. Важное значение придавалось, в частности, функции военно-политических альянсов, заключавшейся в том, что, вступая в те или иные пакты против «внешней угрозы», стороны непременно договаривались о совместных мерах по охране политического режима стран-членов и даже неприсоединившихся государств, находившихся в сфере действия данного блока. Вовлечение в проимпериалистические союзы развивающихся государств, освободившихся от пут европейского колониализма, означало для США создание дополнительных гарантий того, что эти страны попадут в орбиту американской неоколониальной «империи», с тем чтобы использовать силы и ресурсы проамериканских режимов в этих странах для подавления национально-освободительных движений. С помощью блоков США создавали правовую базу для практической реализации межимпериалистической солидарности эксплуататорских классов.

Особое значение блоковая структура для Вашингтона приобретает в свете его курса на размещение за границей американских войск и создание военных баз в первую очередь для средств ядерного нападения.

Организация Североатлантического договора (НАТО), созданная по инициативе и под руководством США, является крупнейшим агрессивным военно-политическим блоком империализма, основным его инструментом в реализации милитаристских замыслов. НАТО с самого начала стала активным орудием в руках Вашингтона в проведении политики «холодной войны», силового давления на Советский Союз. Под предлогом «атлантической солидарности» США крепко привязали Канаду и ряд западноевропейских государств к своей военной машине и создали на территории Западной Европы свой военный плацдарм, нацеленный против СССР и др. социалистических стран. Создание НАТО оформило отход Соединенных Штатов Америки, а также Англии, Франции и некоторых др. западных государств от сложившегося в годы второй мировой войны сотрудничества стран антигитлеровской коалиции, от совместно выработанных принципов справедливого послевоенного устройства мира. На США и НАТО лежит ответственность за послевоенный раскол Европы на противостоящие военно-политические союзы.

Североатлантический договор был подписан в Вашингтоне 4 апреля 1949 г. министрами иностранных дел 12 государств: США, Великобритании, Франции, Италии, Канады, Бельгии, Нидерландов, Люксембурга, Португалии, Норвегии, Дании, Исландии. Членами НАТО стали: с 1952 г.— Греция и Турция, с 1955 г.— ФРГ, с 1982 г.— Испания. С 1966 г. Франция не принимает участия в военной организации НАТО, в 1974 г. о выходе из нее объявила Греция, но в 1980 г. она восстановила свое членство. США широко представлены во всех органах военно-политической структуры НАТО и возглавляют наиболее важные из них.

В районе Западной Европы США располагают наиболее существенным военным потенциалом. По состоянию на 1987 г. США имели в Европе группировку сил общего назначения численностью более 355 тыс. чел. В этой группировке на территории Западной Европы находится около 30% личного состава регулярных сухопутных войск США, до 220 пусковых установок баллистических ракет, 5000 танков, 2500 орудий полевой артиллерии и минометов, более 5000 ПУ ПТУР, 1200 самолетов и вертолетов армейской авиации, в т. ч. 33 с ПТУР. В составе вооруженных сил США в Западной Европе насчитывается более 900 боевых самолетов, из них свыше 400 — истребители-бомбардировщики среднего радиуса действия, носители ядерного оружия и около 300 палубных штурмовиков — носителей ядерного оружия, также способных достигать территории СССР, около 200 боевых кораблей, 54 ударные подводные лодки, 7 многоцелевых авианосцев. Для сил общего назначения в Западной Европе размещено свыше 7 тыс. ядерных боеприпасов США. Кроме того, в распоряжение главнокомандующего вооруженными силами США в Европе выделено несколько сот ядерных боеголовок стратегических ракет подводных лодок. В соответствии с принятым в декабре 1979 г. решением НАТО было намечено развернуть в ряде западноевропейских стран — членов НАТО ракеты средней дальности — «Першинг-2» (108 единиц) и крылатые ракеты (464 единицы). К концу 1987 г. было развернуто 429 таких ракет, в т. ч. все ракеты «Першинг-2» (ныне подлежат уничтожению согласно Договору по РСМД).

США являются главным поставщиком ядерных вооружений странам НАТО. Объем поставок американского оружия в страны НАТО в период с 1966 по 1985 фин. г. составил 55,2 млрд дол.

Разработанная в США концепция «сдерживания коммунизма» служит стержнем всей деятельности блока НАТО после второй мировой войны и предусматривает постоянное наращивание военного потенциала якобы для предотвращения «агрессии» со стороны СССР и др. социалистических стран, а по существу, для достижения превосходства над ними с целью подготовки вооруженного нападения.

Основу военной стратегии НАТО неизменно составляют соответствующие доктрины США. На современном этапе деятельность НАТО строится в соответствии с проводимой администрацией Рейгана линией на экономическое изматывание социалистических стран путем интенсификации гонки вооружений по всем направлениям. С принятием НАТО в декабре 1984 г. концепции «удара по вторым эшелонам и резервам» («план Роджерса») акцент в плане возможного использования военной силы блока делается на наращивание на качественно новом уровне обычных вооружений, которые по своим поражающим свойствам приближаются к ядерному оружию, и на нанесение с их помощью упреждающих ударов на всю глубину расположения войск стран — участниц Организации Варшавского Договора с целью лишить их возможности ведения оборонительных действий.

Североатлантический блок за три с половиной десятилетия своего существования проявил себя как агрессивный военно-политический союз. Его деятельность, осуществляемая под эгидой США, служит источником международной напряженности и международных кризисов, целям подхлестывания гонки вооружений и подготовки войны.

Под давлением США в марте 1985 г. группа ядерного планирования НАТО высказалась в поддержку выдвинутой американским президентом «стратегической оборонной инициативы», известной как план подготовки «звездных войн».

В конце мая 1986 г. США добились одобрения руководящими органами НАТО планов модернизации американского химического арсенала, которые позволили Пентагону приступить в декабре 1987 г. к широкомасштабному производству новой разновидности химических вооружений — химических бинарных боеприпасов. Министерству обороны США совместно с верховным командованием вооруженными силами НАТО в Европе поручено разработать планы развертывания этих боеприпасов в странах Западной Европы «при соответствующих обстоятельствах». США стремятся вовлечь партнеров по НАТО в милитаристские авантюры по всему миру, далеко за пределами зафиксированной зоны действия этого блока.

США и др. ядерные государства — члены Североатлантического блока отказались принять обязательство, как это сделал Советский Союз в 1982 г., не применять первыми ядерное оружие. Блок НАТО не откликнулся на неоднократные предложения СССР и др. социалистических государств об одновременном роспуске НАТО и ОВД, а в качестве первого шага договориться о том, чтобы не предпринимать действий, которые могли бы привести к расширению существующих или созданию новых замкнутых группировок и военно-политических союзов, к расширению сферы их деятельности на новые страны и регионы; о том, чтобы ликвидировать их военные организации, о заключении между участниками противостоящих союзов соглашений или договоров о неприменении силы, о ненападении, о взаимном неувеличении военных расходов и об их последующем сокращении и т. д. Блок НАТО не дал позитивного ответа и на предложение, выдвинутое в июне 1986 г. на заседании ПКК Варшавского Договора, о сокращении вооруженных сил и обычных вооружений в Европе.

В ходе декабрьской (1987) сессии Совета НАТО, которая в целом позитивно оценила итоги советско-американской встречи на высшем уровне в Вашингтоне и подписание 8 декабря 1987 г. Договора между СССР и США о ликвидации их ракет средней и меньшей дальности, обсуждался вопрос о действиях НАТО в военной и политической области после вступления в силу данного договора. В кругах НАТО выдвигаются планы модернизации вооружений стран — членов блока, которые должны «компенсировать» ликвидацию «Першингов» и крылатых ракет. Речь, в частности, идет о том, чтобы разместить в ряде западноевропейских стран дополнительное количество самолетов — носителей ядерного оружия; осуществить замену устаревших образцов тактического ядерного оружия; передать в зону НАТО новые американские подводные лодки-ракетоносцы, а также крылатые ракеты морского базирования.

Агрессивные планы американских правящих кругов, столкновение экономических и политических интересов США и западноевропейских стран вызывают усиление разногласий между участниками блока: Франция в 1966 г. вышла из военной организации НАТО. Дания и Греция выступали против размещения американских ядерных ракет средней дальности в Европе. Правительства Франции, Дании, Норвегии, Греции, Нидерландов и Канады отказались участвовать в американской программе СОИ.

Блок НАТО был дополнен разветвленной сетью военно-политических организаций и пактов в др. географических регионах, созданных в разное время под эгидой США, которые образовали глобальную систему империалистической взаимопомощи.

В 1954 г. по инициативе Вашингтона была образована *Организация договора Юго-Восточной Азии*

(СЕАТО) в составе США, Англии, Франции, Австралии, Новой Зеландии, Таиланда, Филиппин и Пакистана. Блок был создан для борьбы с национально-освободительным движением в Юго-Восточной Азии, для подрывной деятельности против СССР и социалистических государств Восточной Азии. Большинство членов СЕАТО участвовало в агрессии США в Индокитае.

Успехи прогрессивных сил стран Юго-Восточной Азии в борьбе с империализмом и реакцией в этом регионе, противоречия между самими членами СЕАТО привели к кризису и в конечном итоге распаду этого блока, который официально прекратил свое существование с 1 июля 1977 г.

Политическая основа блока — Манильский договор и Тихоокеанская хартия продолжают формально оставаться в силе, что сохраняет возможность возрождения СЕАТО.

В районе Ближнего и Среднего Востока в 1955 г. был создан *Багдадский пакт*, который с выходом из него в 1959 г. Ирака был преобразован в *СЕНТО — Организацию центрального договора*. В состав СЕНТО вошли Англия, Иран, Турция и Пакистан. Хотя США формально входили в СЕНТО в качестве наблюдателя, они активно участвовали в его деятельности, а американские представители возглавляли ряд его ключевых органов.

После падения шахского режима в начале 1979 г. новое правительство Ирана объявило о выходе своей страны из СЕНТО. Примеру Ирана последовал Пакистан, о чем было заявлено 13 марта 1979 г. Эти решения привели к самороспуску данной военно-политической организации.

В 1951 г. США подписали с Австралией и Новой Зеландией *Тихоокеанский пакт безопасности*, что привело к созданию трехстороннего военно-политического блока АНЗЮС. В середине 80-х годов значение этого блока для США оказалось существенно подорванным из-за антиядерной политики Новой Зеландии, запретившей кораблям с ядерными силовыми установками или с ядерным оружием на борту заходить в порты страны, а самолетам с подобным вооружением — пользоваться ее аэродромами. Этот запрет коснулся в первую очередь США, чьи корабли и самолеты ранее беспрепятственно пользовались портами и аэродромами этой страны. Совместно с рядом др. тихоокеанских государств Новая Зеландия осуществила также практические шаги по созданию безъядерной зоны в южной части Тихого океана. В 1986 г. членство Новой Зеландии в АНЗЮС по инициативе США было приостановлено. Неудачей закончились попытки США добиться присоединения Австралии к реализации американской программы СОИ.

В 1966 г. США предприняли попытку свести в один блок всех своих союзников в восточноазиатском регионе и южной части Тихого океана. Был образован *Азиатско-Тихоокеанский совет (АЗПАК)* в составе Японии, Южной Кореи, Тайваня, Филиппин, Таиланда, Южного Вьетнама, Малайзии, Австралии, Новой Зеландии. Формально АЗПАК создан с целью развития сотрудничества стран-членов в экономической, культурной и социальной областях. Фактически же это был политический союз, тесно связанный с системой агрессивных военных блоков США в Азии и на Тихом океане, направленных против социалистических стран этого региона и национально-освободительного движения. Все его члены, кроме Малайзии, были связаны двусторонними военными союзническими соглашениями с США и являлись в той или иной форме соучастниками американской агрессии в Индокитае. На территории большинства из них размещались военные базы США.

В настоящее время деятельность АЗПАК парализована, поскольку он полностью проявил свою неспособность наладить мирное сотрудничество среди стран-членов и разоблачил себя в качестве политического подспорья военно-блоковой системы империализма в регионе. В 1973 г. из него вышла Малайзия, а в 1975 г. в связи с победой Национального фронта освобождения Южного Вьетнама прекратил свое существование сайгонский режим и АЗПАК лишился еще одного своего члена. Сессии министров иностранных дел стран—членов АЗПАК не созываются с 1973 г.

Учитывая общий кризис периферийных блоков и нежелание развивающихся стран вступать в новые военно-политические союзы с империалистическими государствами, администрация Рейгана делает особый упор на неформальную координацию деятельности всех потенциальных антисоветских сил в мире, на политику создания «стратегического консенсуса» стран так называемого «свободного мира» с целью усиления давления на СССР сразу со всех флангов и по различным направлениям. Она стремится идти еще дальше по пути активного сколачивания всемирной антисоциалистической коалиции, дополняя уже имеющиеся военно-политические альянсы антисоветских сил под своей эгидой разного рода новыми договоренностями с союзниками и «дружественными режимами» о «совместном противодействии» политике стран социалистического содружества во всех регионах планеты.

ВОЕННЫЕ БАЗЫ США

Военная база США представляет собой специально оборудованный участок территории с размещенными на нем контингентами вооруженных сил, военной техникой и необходимыми запасами боеприпасов, горючего, продовольствия и др. материальных средств, необходимых для боевой и повседневной деятельности.

Современные военные базы США подразделяются на ракетные, авиационные и военно-морские.

Ракетная база представляет собой комплекс стартовых позиций, пунктов управления, средств материально-технического обеспечения, предназначенных для поддержания ракетных комплексов в состоянии боеготовности и нанесения ракетно-ядерных ударов по целям, расположенным на территории др. государств.

Авиационная база используется для базирования самолетов стратегической, тактической и транспортной авиации, частей ремонта и материально-технического обеспече-ния боевых действий. Как правило, это крупный, капитально оборудованный аэродром с одной или несколькими взлетно-посадочными полосами с твердым покрытием и несколькими вспомогательными полосами и рулежными дорожками. Авиационные базы подразделяются на постоянные и временные, действующие и резервные (запасные).

Военно-морская база состоит из портовых сооружений, судоподъемных и судоремонтных предприятий, системы тылового обеспечения. Под военно-морскую базу отводится оборудованный и обороняемый район побережья и прилегающего участка моря, обеспечивающий базирование кораблей ВМС США и маневр сил флота. На некоторых военно-морских базах имеются аэродромы морской авиации и средства обеспечения ее использования.

Наряду с базами на своей территории Соединенные Штаты развернули целую сеть военных баз и объектов за рубежом. Военная база США на чужой территории представляет собой, как правило, изолированный, хорошо защищенный и имеющий известную автономию комплекс военно-технических сооружений и объектов. Она занимает значительную территорию, изъятую из-под местной юрисдикции и используемую для обеспечения присутствия американских вооруженных сил и складирования вооружения и боевой техники.

Как правило, на крупной военной базе США за рубежом постоянно находится 1,5—2 тыс. американских военнослужащих. Имеются также базы площадью до 500 км^2 с численностью гарнизона более 5 тыс. чел. Вместе с военнослужащими на базе, как правило, проживают и члены их семей.

Наряду с военными объектами на территории базы имеется обширная инфраструктура для обеспечения бытовых нужд и времяпрепровождения американских граждан (магазины, кинотеатры, гостиницы, бары, дискотеки и т. п.).

Для содержания военных баз как на территории США, так и вне ее, а также обеспечения и поддержания глобальной деятельности американских вооруженных сил Соединенные Штаты развернули в различных районах мира большое число военных объектов различного назначения (пункты связи и слежения, метеорологические станции, радиомаяки, радиолокационные пункты, заправочные станции, склады горючего, центры радиотехнической разведки и т. д.).

Понятие «военный объект» значительно у́же понятия «военная база». Оно подразумевает не комплекс военно-технических и вспомогательных сооружений, а отдельный изолированный пункт или установку, расположенную на территории иностранного государства и предназначенную для использования американскими военнослужащими. В отличие от военной базы военный объект зачастую не пользуется правом экстерриториальности.

Соединенные Штаты имеют почти 1600 военных баз и объектов на территории 34 государств, на которых постоянно дислоцируются более 500 тыс. американских военнослужащих.

Наибольшее число американских военных баз и объектов сосредоточено в Западной Европе. Только в ФРГ Соединенные Штаты используют около 200 крупных военных баз и объектов. Американские военные базы размещены и в др. западноевропейских государствах — членах НАТО: в Великобритании — 19, в Италии — 10, в Турции — 7, в Испании — 6, в Греции — 4 и т. д. Всего в Европе в военных формированиях, оснащенных самой современной боевой техникой и вооружением, в т. ч. и ядерными боеприпасами, находится около 350 тыс. американских военнослужащих.

Вторая по мощи заморская военная группировка США (около 130 тыс. чел.) размещена на Дальнем Востоке и в бассейне Тихого океана в непосредственной близости от границ СССР. Здесь американские вооруженные силы используют около 350 военных баз и объектов, в т. ч. 40 военных баз в Южной Корее, 32 — в Японии, 11 — на Филиппинах и т. д.

В 1970—1980 гг. США значительно расширили свое военное присутствие в районе Ближнего и Среднего Востока и Персидского залива. Здесь находится до 20 тыс. американских военнослужащих. Пентагон использует военные базы и объекты, расположенные в Египте, Израиле, Кении, Сомали, Омане, Саудовской Аравии, Бахрейне, на острове Диего-Гарсиа.

Американское военное присутствие в Латинской Америке и зоне Карибского бассейна составляет более 20 тыс. чел. США располагают военной базой Гуантанамо на Кубе, а также сетью военных баз и объектов в Панаме, Пуэрто-Рико, Гондурасе, на Бермудских островах.

Американские военные базы и объекты размещены также в Австралии, Канаде, на островах Атлантического океана. Наличие американских военных баз и объектов на территории суверенного государства серьезно затрудняет проведение этим государством независимой внешней, а зачастую и внутренней политики. Страна, предоставившая Соединенным Штатам свою территорию для сооружения военного объекта, может оказаться соучастником акта агрессии, даже если она и не поддерживает его. С другой стороны, государство, имеющее на своей территории военные базы США, особенно если на этих базах складированы ядерные боеприпасы, ставит под угрозу жизнь и безопасность собственных граждан в случае возникновения кризисной международной ситуации.

В соответствии с требованиями стратегической концепции «передового базирования» Соединенные Штаты предпринимают значительные усилия по расширению и модернизации существующих и созданию новых военных баз и опорных пунктов за рубежом. Предпринимаются усилия по продлению существующих договоров об американских военных базах в ряде стран (Греция, Португалия, Турция, Филиппины).

В последние 15—20 лет США все больше приходится считаться с движением, развернувшимся во многих странах за ликвидацию американских военных баз. Это движение принимает разнообразные формы и охватывает широкие слои населения государств, на территории которых расположены американские базы. В 60-е и 70-е годы США были вынуждены ликвидировать свои военные базы или объекты в Марокко, Франции, Ливии, Пакистане, Иране и некоторых др. странах.

Учитывая негативную реакцию местного населения, Соединенные Штаты вынуждены прибегать к различного рода маневрам в проведении своей политики создания баз. Не все новые базы США создаются теперь в традиционной форме: с вывешиванием американского флага, получением широкого иммунитета от местной юрисдикции и т. д. В порядке компенсации за право использования военных объектов на территории иностранных государств США поставляют им крупные партии оружия и техники, оплачивают долги этих государств, выделяют кредиты и т. д. К таким государствам относятся, в частности, Египет, Сомали, Кения, Израиль; доступ к базам этих стран Соединенные Штаты получают во все возрастающих масштабах в обмен на военную и экономическую помощь.

НАУКА И ОБРАЗОВАНИЕ

ОРГАНИЗАЦИЯ НАУКИ

В течение всего послевоенного периода роль научно-исследовательских и опытно-конструкторских работ (НИОКР) в экономике США постоянно повышалась. Это выражалось прежде всего в росте затрат на НИОКР, которые к середине 80-х годов превысили 100 млрд дол.

Таблица 1

Сводные данные по сфере НИОКР США

	1965 г.	1970 г.	1975 г.	1980 г.	1986 г.
Доля затрат на НИОКР в валовом национальном продукте США (%)	2,84	2,57	2,20	2,29	2,80
Затраты на НИОКР, всего (млрд дол.) в текущих ценах	20,0	26,1	35,2	62,6	116,8
в дол. 1982 г.	59,4	62,4	59,9	73,2	102,2
Доля затрат на военные НИОКР в общих затратах США на НИОКР (%)	33	33	27	24	28

На фундаментальные исследования затрачивается около 12,5%, на прикладные исследования — 21,5, на опытно-конструкторские разработки — 66% всех средств, выделяемых на НИОКР.

В структуре организаций, финансирующих и проводящих исследования и разработки, можно выделить четыре крупных звена: министерства и ведомства федерального правительства, промышленные фирмы США, университеты и разного рода бесприбыльные организации.

Участие государственных органов в развитии науки в США весьма велико и осуществляется в основном на федеральном уровне, где разрабатывается и реализуется общенациональная научно-техническая политика.

Из федерального бюджета в 1986 г. финансировалось 47% национальных расходов на НИОКР. 73% из этих средств приходилось на военные НИОКР. Федеральные ведомства США имеют в своем подчинении около 750 лабораторий, тем не менее, бóльшая часть федеральных средств на НИОКР реализуется через внешних исполнителей. При этом средства, выделяемые университетам, предназначаются в основном для развития фундаментальной науки. Средства же, направляемые в промышленность, являются составной частью общих государственных расходов на закупку продукции по контрактам с частными фирмами (в первую очередь продукции военного и космического назначения).

Главным органом, ответственным за формирование национальной научной политики, является Управление по вопросам политики в об-

Структура финансирования и проведения НИОКР в 1986 г.

(млрд дол.)

Источники финансирования	Исполнители НИОКР				Итого
	федеральное правитель-ство	промышлен-ность	университе-ты и колле-джи	беспри-быльные ор-ганизации	
Государственный бюджет	14,0	28,5	10,4	2,4	55,3
Промышленность	—	58,5	0,6	0,4	59,5
Университеты и колледжи	—	—	2,5	—	2,5
Бесприбыльные организации	—	—	0,7	0,6	1,3
Итого	14,0	87,0	14,2	3,4	118,6

ласти науки и техники, созданное в 1976 г. в Исполнительном управлении президента.

Функциональные ведомства (министерства обороны, здравоохранения и социальных служб, сельского хозяйства, НАСА, Национальное бюро стандартов и др.) занимаются распределением средств и проведением НИОКР в соответствии со своим профилем.

За поддержку в стране фундаментальной науки отвечает Национальный научный фонд США. В рамках этого учреждения устанавливаются наиболее перспективные направления научных исследований на ближайшие годы. Определением этих направлений занимаются эксперты, которые являются обычно ведущими учеными в своих областях. Одновременно они вырабатывают конкретные рекомендации относительно финансирования различных исследовательских проектов.

Особенность организации фундаментальной науки в США заключается в том, что фундаментальные исследования проводятся главным образом в научно-исследовательских центрах и лабораториях высших учебных заведений. В 1986 г. в университетах и колледжах страны было реализовано 57% общенациональных средств на фундаментальные исследования (8,25 млрд дол.). При этом на 100 ведущих университетов приходится 83% проводимых в вузах страны фундаментальных исследований. Такая организация исследований академического характера позволяет не только быстро включать результаты этих исследований в учебные программы, но и привлекать к научной деятельности способных студентов.

Ключевой фигурой университетской науки является профессор. Он выдвигает научные идеи и руководит исследовательской группой, обычно состоящей из студентов старших курсов, аспирантов и молодых преподавателей. Финансирование деятельности таких групп осуществляется из собственных фондов университета и за счет средств, привлеченных по контрактам с государственными учреждениями и промышленными фирмами. Как правило, объем финансирования зависит от известности руководителя группы и важности проблемы, которой он занимается. Кроме того, во многих университетах существуют специальные денежные фонды для начальной поддержки молодых ученых-преподавателей.

Частные промышленные фирмы являются главным источником финансирования и исполнителями прикладных исследований и опытно-конструкторских разработок. Научно-технические проблемы в этом секторе НИОКР разрабатываются в лабораториях крупных корпораций, в малых инновационных компаниях и в специализированных научно-исследовательских фирмах.

Показатель концентрации НИОКР в промышленности намного превосходит показатели концентрации производства и капитала. В начале 80-х годов компании с числом занятых свыше 10 тыс. чел. концентрировали у себя 78% ученых и инженеров, проводящих исследования и разработки в американской промышленности, в т. ч. компании с числом занятых свыше 25 тыс. чел.— 64%. 21% всех средств, вложенных американским бизнесом в сферу НИОКР, приходился всего на четыре крупнейшие корпорации — ИБМ, «Дженерал моторс», АТТ и «Форд».

В промышленных компаниях США НИОКР рассматриваются в качестве важнейшего элемента общей хозяйственной стратегии, направленной на повышение прибылей. Проведение НИОКР является необходимым условием осуществления нововведенческой деятельности, мероприятий по модернизации, улучшению качества, повышению конкурентоспособности продукции. В большинстве крупных корпораций идеи новых научно-технических проектов принимаются от любого сотрудника, включая научно-вспомогательный и административный персонал.

Малые инновационные фирмы возникают и действуют на многих важнейших направлениях научно-технического прогресса (НТП), нередко именно они закладывают фундамент для развития новых производств и даже отраслей экономики США. Создаются они, как правило, учеными и инженерами, являвшимися в прошлом сотрудниками крупных корпораций, университетов, правительственных лабораторий. Такие фирмы обеспечили весьма высокую эффективность организации нововведенческого процесса.

Специальные исследования установили, что в фирмах с числом занятых до 100 чел. было создано около четверти всех важнейших нововведений в период 1953—1973 гг., а в фирмах с числом занятых до 1000 чел.— около половины. В начале 80-х годов на 1 дол. затрат на НИОКР фирмы с числом занятых менее 100 чел. разрабатывали в 6,4 раза больше новинок, чем крупные корпорации с числом занятых более 4 тыс. чел. История большинства инновационных фирм обычно представляет собой развитие новшества от научной идеи до конечного продукта: из небольшой лаборатории или конструкторского бюро в момент образования она вырастает в корпорацию с развитой научной, производственной и сбытовой базой. Финансирование таких фирм осуществляется с помощью так называемого рискового (венчурного) капитала *, причем финансируется не только стадия НИОКР, но и промышленное освоение полученных результатов. Среднегодовой прирост «рисковых» капиталовложений на поддержку нововведенческих проектов в малых фирмах составлял в 80-е годы 3—4 млрд дол.

Специализированные консультативные научно-исследовательские фирмы занимаются проведением НИОКР по заказам частных и правительственных организаций, а также по собственной инициативе. В первом случае их прибыль представляет собой разницу между суммой контракта и издержками, а во втором — разницу между издержками и объемом вырученных лицензионных платежей. Среди фирм, относящихся к этой категории, большинство невелики по объему продаж, но некоторые имеют ежегодный оборот в сотни миллио-

---

* Капитал, вкладываемый в новое предприятие, связанное с повышенным риском, в т. ч. в разработки и организацию производства нового продукта.

нов долларов, например «Артур Д. Литтл».

Особую группу организаций, занимающихся финансированием и проведением НИОКР, составляют бесприбыльные организации. Они могут быть самых различных типов. Одни создаются для управления крупными правительственными, частными или смешанными проектами в какой-либо конкретной области знаний — например, «Семикондактор рисерч корпорейшн», в которую были вложены средства нескольких производителей полупроводниковых приборов и правительственных ведомств для создания основ новой полупроводниковой технологии. Другие представляют собой научно-исследовательские лаборатории при отраслевых промышленных ассоциациях — например, при Национальной ассоциации угольной промышленности, Американской ассоциации газовой промышленности и т. п. Третьим видом являются благотворительные фонды, которые наряду с субсидированием искусств, любительского спорта и др. занимаются также проведением НИОКР в области здравоохранения, охраны окружающей среды, экономики и т. п. К их числу относится, например, Баттельский мемориальный институт. Наконец, существуют бесприбыльные исследовательские организации, которые, по сути, обслуживают правительственные учреждения, являясь для них своеобразными «мозговыми центрами». Они занимаются разработкой политических и экономических проблем («Фонд наследия»), комплексными исследованиями в области обороны («РЭНД корпорейшн»).

Основной тенденцией развития сферы НИОКР в послевоенный период является интенсификация научной деятельности на основе использования программно-целевого подхода и создания прочных связей между наукой и хозяйственной практикой. Программно-целевой подход позволил сориентировать сферу НИОКР на решение задач экономического, военного и социального характера. Одновременно сращивание науки с производством потребовало создания специальных организационных форм. До 70-х годов процессы интеграции науки с производством шли во многом стихийно в соответствии со складывающимися хозяйственными реальностями: например, в рамках выполнения федеральных военных и космических программ вокруг крупнейших государственных лабораторий или ведущих университетов размещали свое производство фирмы наукоемких отраслей, и таким образом возникали научно-производственные комплексы. Со второй половины 70-х годов федеральное правительство стало принимать специальные программы, направленные на поддержку нововведений в мелких фирмах, на развитие кооперативных исследовательских проектов, которые осуществляются в университетах на средства федеральных ведомств и ряда промышленных фирм. С середины 80-х годов на средства государства при ведущих университетах создаются центры инженерных исследований, текущее финансирование которых осуществляется из средств промышленных фирм.

К началу нового этапа научно-технической революции (НТР), развернувшегося со второй половины 70-х годов, наука в США окончательно превратилась в непосредственную производительную силу и стала одним из важнейших приоритетов государственно-монополистического капитализма. В 80-е годы активно развивается процесс слияния научной и экономической политики американской администрации, чтобы в еще большей мере сориентировать науку на решение стратегической задачи правящего класса США — сохранение жизнеспособности капиталистического способа производства в этой стране.

НАУЧНЫЕ КАДРЫ

Численность научных сотрудников в США превысила в середине 80-х годов 2,3 млн чел. (1,9% рабочей силы страны). За период с 1980 по 1986 г. она возросла на 82%, т. е. росла со среднегодовым темпом 11,5%, более чем втрое опережая темпы роста общей занятости и ВНП (в неизменных ценах). Таким образом, лишь примерно треть прироста численности научных кадров США можно отнести на счет общего увеличения валового национального продукта, а почти 70% прироста их числа непосредственно связано с развитием НТП. Численность наиболее квалифицированного контингента научных сотрудников — докторов наук — возросла за период с 1973 по 1983 г. на 66,5% и достигла 308 тыс. чел. В 1984 г. на 10 тыс. занятых в США приходилось 65 ученых, в Японии — 62, в ФРГ — 47, в Англии — 35 и во Франции — 40.

Крупнейшими сферами приложения труда ученых являются (по данным на 1983 г.) промышленность (51,2% всех научных сотрудников), университеты и колледжи (23,7%), государственные учреждения (10,9%). Именно эти три основных компонента и формируют современную структуру американской науки. Среди докторов наук распределение научных кадров по сферам приложения труда иное: бо́льшая их часть (53%) работала в университетах и колледжах, 30,7% — в промышленности, 7% — в государственном секторе.

По основным видам деятельности научные сотрудники распределялись в 1983 г. следующим образом: наиболее значительная группа — 16,6% была занята в исследованиях, 8,6% — в опытно-конструкторских работах, 7,5% — в управлении НИОКР, 15,3% — в управлении (кроме НИОКР), 13,4% — в преподавании. (Другими сферами приложения труда ученых являются производство, учет, государственный аппарат и вооруженные силы.) Среди докторов наук эти пропорции были несколько иными: в исследованиях было занято 29% ученых, в преподавании — 31,3, в опытно-конструкторских работах — лишь 3,4, в управлении НИОКР — 6,8, в управлении другими сферами деятельности — 8,2%. Более 21% докторов наук было занято в др. сферах приложения труда ученых.

Распределение научных кадров США по основным областям науки показывает, что из общего числа ученых наибольший процент приходится на специалистов по электронно-вычислительной технике (более 23%, или 445 тыс. чел., в 1984 г.). На данную категорию ученых пришлось 40% всего прироста занятости научных кадров США за период с 1976 по 1983 г. На втором месте по числу занятых находятся ученые в области биологии (20,2%, или 384 тыс. чел.). Третье место по численности занимают социальные науки (свыше 18,8%, или 357 тыс. чел.). Далее следуют физика (12,6%, или 238 тыс. чел.), психология (11,8%, или 223 тыс. чел.). Прочие научные специальности заметно отстают от перечисленных выше по числу занятых.

Имеющиеся данные о профессиональной мобильности докторов наук в США свидетельствуют о том, что миграция ученых из академической среды (университеты и колледжи) в промышленность существенно превышает (в 2,8 раза в 1981—1983 гг.) обратный процесс — из промышленности в академические учреждения. Это обусловлено более высоким уровнем зарплаты ученых в промышленности по сравнению с сугубо научными учреждениями. При этом необходимо отметить, что 83% всех научных кадров США вовлечено в консультативную деятельность.

В 1985 г. в США было присвоено 1374 тыс. научных степеней, в т. ч. 1055 тыс.— бакалавра наук, присваиваемая после окончания четырехлетнего колледжа; 286 тыс.— магистра, которая приблизительно соответствует дипломам советских университетов или пяти-шестилетних вузов; около 34 тыс.— «доктора философии», присуждаемой в различных областях наук (требует подготовки диссертации и примерно соответствует степени кандидата наук в СССР).

Несмотря на высокий престиж научной деятельности, в США имеет место недоиспользование потенциала ученых. По официальным данным, постоянно сохраняется определенный уровень безработицы среди ученых. В 1983 г., например, он составил 2,6%, а среди ученых в области социальных наук — 4,6%.

Для характеристики особенностей научно-технического прогресса в США важна не только общая численность ученых в стране, но и система их многообразного и разнонаправленного использования в качестве исследователей и преподавателей, а также консультантов различных фирм и государственных ведомств, членов наблюдательных советов фирм и т. д. Особое значение имеет привлечение ученых к работе государственного аппарата, к разработке важных правительственных решений. Практически многие такие решения принимаются лишь после предварительной тщательной проработки всех исходных материалов и идей учеными. Это относится к широкому кругу проблем, начиная от разработки современного оружия, военно-политической стратегии и кончая конкретными направлениями научно-технического прогресса или региональными внешнеполитическими проблемами.

ГОСУДАРСТВЕННАЯ И ЧАСТНАЯ СИСТЕМА ОБРАЗОВАНИЯ

Система образования в США включает как государственный, так и частный сектор. В 1986 г. расходы государственных учебных заведений составили 211,6 млрд дол., на долю частного сектора пришлось 48,6 млрд дол.

Наибольшее развитие государственный сектор получил в области начального и среднего образования: более 90% детей школьного возраста обучаются в государственных школах. Роль частного сектора не менее значительна в области высшего образования. Более половины всех высших учебных заведений — 1,8 тыс. из примерно 3,3 тыс.— составляют частные высшие учебные заведения. В них обучается, однако, лишь 21% всех студентов в США.

В период после второй мировой войны система образования как государственная, так и частная, характеризовалась быстрыми темпами развития. В числе факторов, вызвавших ее рост, было повышение требований к подготовке рабочей силы, выдвигаемых научно-технической революцией, соревнование с СССР в экономической и научно-технической областях, изменение демографических характеристик состава населения в связи с так называемым «бумом рождаемости» 50-х годов, наконец, государственная политика 60-х годов, когда расходы на образование в соответствии с теорией «человеческого капитала» стали рассматриваться как инвестиции, дающие хозяйственный эффект. В результате общие — государственные и частные — расходы на образование возросли за период с 1950 по 1983 г. с 11 млрд дол. до 215 млрд дол., или в 4 раза с учетом темпов инфляции. Их доля в ВНП повысилась с 3,4% в 1954 г.

до 6,9% в 1983 г. (пиком ее роста стал 1975 г., когда она составила 8%).

Происшедшее в 60-е и 70-е годы расширение государственного сектора в высшем образовании связано с быстрым увеличением сети двухгодичных так называемых младших колледжей. Их распространение было рассчитано на то, чтобы отвести быстро растущий в эти годы поток абитуриентов из широких трудящихся масс от университетов и четырехгодичных колледжей *. Большинство вновь созданных учебных заведений являлось по сути дела средними специальными учебными заведениями, дающими образование в рамках профессионально-технического профиля. В результате структура государственной высшей школы существенно изменилась: в 80-е годы лишь треть ее учебных заведений составляют полноценные вузы (университеты и колледжи), а две трети — это «усеченные» вузы, младшие колледжи, в которых обучается почти половина студентов государственного сектора.

Администрация Рейгана, отражающая в своей деятельности традиционную линию консерваторов на всемерное увеличение роли частного сектора, стремилась ограничить развитие государственного сектора в системе образования. В области начального и среднего образования на это было направлено предложение о введении налоговых кредитов для родителей, которые изберут для своих детей частную школу. Это предложение, однако, было отвергнуто конгрессом. В области высшего образования политика сокращения государственной помощи студентам, в первую очередь из малоимущих семей, привела к уменьшению числа абитуриентов, главным образом в государственные вузы.

_____
* Колледжи представляют собой либо отделения университетов, либо самостоятельные учебные заведения с двух- или четырехгодичным курсом обучения.

Начальное и среднее образование

Система начального и среднего образования в США — одна из наиболее развитых в капиталистическом мире. В 1985 г. в стране насчитывалось 105,5 тыс. школ, в которых обучалось 44,0 млн детей школьного возраста (27,2 млн — в начальной школе, 16,8 млн — в средней). Из 159 млрд дол., затраченных в 1986 г. на начальное и среднее образование, 91%, или 145,5 млрд, составляли государственные расходы. Государственная бесплатная общеобразовательная школа является основой системы начального и среднего образования.

Особенностью системы образования в США является децентрализация ее управления и финансирования. Несмотря на создание в 1979 г. министерства образования, штаты и местные органы власти по-прежнему играют ведущую роль в этой области. На долю штатов и местных властей в 1986 г. пришлось 93% всех государственных расходов в области начального и среднего образования, что составило 135,6 млрд дол., в то время как федеральное правительство оплачивало лишь 6,2% расходов на школьное образование (9,9 млрд дол.). Все школьное законодательство и руководство деятельностью школ регулируется и осуществляется органами власти штатов (департаментами просвещения) и органами местного самоуправления — школьными округами, число которых составляет около 16 тыс.

Продолжительность обучения в общеобразовательной средней школе составляет 12 лет, начиная с 6-летнего возраста. Однако в США отсутствует единая школьная структура. Законы штатов о сроках обязательного обучения определяют не число обязательных лет обучения, а лишь возраст, до которого ребенок должен находиться в школе. В большинстве штатов обязательным считается обучение до 16 лет, в четырех — до 18. Доминирующим типом начальной школы являются школы с шестилетним курсом обучения. С ней близко смыкается подготовительный класс, который посещают три четверти детей в возрасте 5 лет.

Средняя школа в большинстве округов подразделяется на младшую среднюю школу (седьмые — девятые классы) и старшую среднюю школу (десятые — двенадцатые классы). Основной принцип обучения, принятый в американских средних школах, состоит в том, что учащиеся, особенно в старших классах, могут выбирать по собственному желанию тот или иной набор учебных дисциплин в зависимости от своих наклонностей и способностей.

Уже в девятом классе фактически создается несколько программ обучения, совпадающих с профилями старшей средней школы, где проводится дифференцированное обучение девушек и юношей в возрасте от 16 до 18 лет. В соответствии с разными программами различаются три профиля обучения: академический, направленный на подготовку к колледжу; профессиональный, задача которого дать практические знания для устройства на работу; общий, не дающий специализированной подготовки.

Быстрыми темпами идет внедрение компьютеров в учебный процесс, все больше захватывая начальные классы. По данным частной исследовательской фирмы в Денвере, обследовавшей 51 400 начальных школ осенью 1983 г., в 30 350 из них использовался по меньшей мере один микрокомпьютер, в то время как в 1982 г.— лишь в 14 тыс. школ, а в 1981 г.— в 6,5 тыс. школ из того же числа обследуемых. В целом, по данным за 1985 г., в государственных школах использовалось около 570 тыс. микрокомпьютеров, причем 215 тыс.— только в начальной школе. Они использовались в таких областях учебного процесса, как устные и практические занятия (19%), программное обучение (21%), обучение школьников со «способностями выше средних» (30%), «средними способностями» (12%) и «ниже средних» (15%).

Однако, несмотря на то, что бесплатное школьное образование, его более демократическая в целом организация, широкий охват молодежи средним образованием делают американскую систему более прогрессивной, чем школьные системы ряда др. капиталистических стран, ее основной чертой является классовость. Распределение знаний и их дальнейшее использование в конечном счете ставятся в зависимость от социальной принадлежности, хотя правящий класс в силу экономической необходимости вынужден допускать к подлинно качественному среднему образованию наиболее талантливых выходцев из «низов».

Американская педагогика исходит из определяющей роли наследственности в развитии детей. На основе этого принципа в США широкое распространение получило интеллектуальное тестирование, в соответствии с результатами которого происходит отбор учащихся по группам, а в средней школе — по профилям обучения. Применение метода интеллектуального тестирования служит теоретическим оправданием для неравноценного образования, получаемого разными социальными группами учащихся.

Существует большой разрыв в уровне и качестве образования не только между частными школами, где обучаются дети социальной верхушки, и общей массой государственных школ, но и между государственными школами, расположенными в центральных городских районах, где обучаются дети бедноты, и школами богатых пригородов, обслуживающими зажиточные слои населения. Так, нехватка финансовых средств, вызванная низкой налоговой базой (главным источником финансирования государственных школ является налог на недвижимое имущество, взимаемый местными органами власти), обусловливает чрезвычайно слабую постановку образования в школах центральных городских районов. Уровень знаний зависит также от профиля, по которому занимаются старшеклассники.

Серьезной проблемой в США является отсев учащихся. Показательно, что в частных школах США почти нет проблемы отсева, в то время как в государственных школах эта проблема — одна из наиболее острых. Около 25% поступивших в первый класс среднюю школу не заканчивают, среди черного населения отсев доходит до 40%. Социологические исследования и опросы показали, что причина отсева коренится в социально-классовом положении учащихся. Бо́льшая часть прекращающих учебу происходит из малоимущих семей с ограниченными материальными возможностями для обеспечения содержания детей до 18 лет. Отсев учащихся становится особенно заметным в 14 лет (в восьмом классе) и достигает «пика» примерно в десятом классе, по достижении юношами и девушками 16-летнего возраста. Непосредственными поводами ухода из школы являются невозможность продолжать учебу после средней школы, негативное отношение к школе и преподаваемым предметам (около 20% опрошенных в 1978 г.). В то же время на плохую успеваемость как фактор прекращения обучения указало только 6,3% отсеявшихся школьников, а на то, что они были исключены из школы,— 6,2%.

В 80-е годы проблема качества образования стала одной из острейших социальных проблем. В 1981 г. была создана Национальная комиссия по повышению качества образования, которая в своем докладе, выпущенном в апреле 1983 г., отметила «растущую тенденцию к по-

средственности, которая угрожает будущему как страны, так и народа». Констатировалось, что около 23 млн взрослых американцев являются функционально неграмотными, т. е. не могут правильно прочитать и грамотно изложить минимально сложный текст. По данным комиссии, школы выпускают 13—20% функционально неграмотных людей, причем в фактически сегрегированных школах их доля среди небелых американцев достигает 40%.

Активизация государственного регулирования в социальной сфере, вызванная усилением экономической и социальной неустойчивости капиталистического общества, имела место и в сфере образования. Однако вмешательство федерального правительства вплоть до конца 50-х годов носило эпизодический характер и диктовалось, как правило, конкретными экономическими потребностями.

Поворотным моментом в политике федерального правительства стал закон об образовании в целях национальной обороны 1958 г., ставший прямым ответом на запуск Советским Союзом первого искусственного спутника Земли. Закон предусматривал ряд важных мер в области повышения качества обучения в средней и высшей школе, что в первую очередь касалось точных и естественных наук. Политика в области образования стала одним из важнейших направлений деятельности федерального правительства. Дальнейшее расширение роли федерального правительства в области образования произошло в середине 60-х годов под влиянием массовых демократических движений. Правящие круги были вынуждены расширить доступ к образованию представителям расово-этнических групп и женщинам. Закон об экономических возможностях 1964 г. предусматривал целый ряд мероприятий по повышению уровня образования малоимущих граждан (программы борьбы с неграмотностью, помощь работающей молодежи в получении высшего образования, программы обучения взрослых и др.). В эти же годы были приняты др. законы, являющиеся до сих пор юридической основой для вмешательства федерального правительства в сферу образования, среди которых наибольшее значение имел закон о начальном и среднем образовании 1965 г., в соответствии с которым федеральное правительство выделяло около 1 млрд дол. на цели обучения детей из необеспеченных семей.

Консервативные круги в настоящее время считают, что система образования, особенно среднего, за последние 20 лет испытала пагубные воздействия принципа «эгалитаризма». По их мнению, известное сближение уровней знаний белых и небелых школьников удалось лишь за счет снижения общего уровня успеваемости. Администрация Рейгана взяла курс на сокращение федеральных ассигнований в области начального и среднего образования, которые направлялись на помощь детям из индейских резерваций и негритянских гетто, детям иных расово-этнических групп, а также детям с физическими и умственными недостатками, испытывающим трудности в получении образования. В 1985 г. по сравнению с 1980 г. федеральные расходы в этой области были сокращены на 20,6% (с учетом темпов инфляции).

В 80-е годы в США большое значение приобрели вопросы, связанные с реформой образования, в первую очередь среднего. Новые требования капиталистического хозяйства, предъявляемые к рабочей силе, выдвинули перед американской школой задачу интенсификации, повышения эффективности среднего образования. Особое внимание при проведении реформы средней школы уделяется подготовке наиболее способных учеников на фоне

повышения значения академического образования всех учащихся, интенсивного внедрения компьютерного обучения. В центре реформы стоит вопрос о повышении компетентности школьных учителей. Главный недостаток реформы заключается в ее социальной односторонности, игнорировании проблемы обучения детей из малоимущих семей. В результате выходцы из социальных «низов» фактически остаются не затронутыми изменениями, происходящими в американской школе.

Высшее образование

В настоящее время в систему высшего образования США входит около 3,3 тыс. институтов различных типов, в которых обучается более 12 млн чел. В начале 80-х годов число лиц с высшим образованием в занятом населении США возросло с 1970 г. на 126%. Ежегодно университеты и колледжи в США оканчивает в 4 раза больше студентов, чем в странах ЕЭС.

К системе высшего образования в США относят далеко не равноценные учебные заведения:

младшие, или местные, двухгодичные колледжи, обучение в которых финансируется местными властями и рассчитано на удовлетворение местных нужд в специалистах. Младшие колледжи присуждают так называемую степень младшего специалиста. Эта степень, являющаяся по существу профессиональной, становится все более распространенной благодаря росту местных колледжей и сравнительно низкой плате за обучение. В настоящее время учебой в младших, или местных, колледжах охвачено около 40% американских студентов;

технические институты и профессиональные школы, которые не присваивают степеней бакалавров. Выпускники получают после двух- или трехгодичного курса квалификацию техников;

четырехгодичные учебные заведения — университеты и самостоятельные колледжи,— по окончании которых присваивается степень бакалавра (при дополнительном обучении в течение одного-двух лет — степень магистра).

Указанные учебные заведения могут быть как государственными, так и частными. Из 1,9 тыс. четырехгодичных учебных заведений к частному сектору относится 72% вузов и только 28% — к государственному. В то же время во всех частных вузах обучается лишь 21% студентов.

В США насчитывается 156 университетов. Важной составной частью подготовки специалистов в университетах является научно-исследовательская деятельность, к которой привлекаются как аспиранты, так и студенты. В настоящее время в высших учебных заведениях выполняется около 60% всех фундаментальных исследований в США. Основная роль в проведении научных исследований принадлежит крупнейшим, так называемым мультиуниверситетам, как частным, так и государственным, выполняющим помимо фундаментальных большое количество прикладных исследований по контрактам.

Начиная с середины XIX в. система высшего образования в США пользовалась поддержкой со стороны государства. Существенное расширение помощи со стороны федерального правительства имело место во второй половине 40-х годов XX в., когда происходил резкий рост численности студентов за счет увеличения темпа прироста населения, а также в результате предоставления финансовой помощи ветеранам второй мировой войны, желающим получить высшее образование. Следующий пик государственных программ помощи системе высшего образования отмечен в 60-е годы. Запуск первого советского искусственного спутника Земли побудил правительство США к развертыванию активной политики стимулирования научно-технического развития, важнейшей частью которой стала программа финансирования системы образования. С середины 70-х годов рост объема федеральной помощи вузам замедлился, и к концу 70 — началу 80-х годов он практически прекратился. Несмотря на это, совокупная величина федеральных затрат на финансирование высшего образования остается высокой — на высшую школу расходуется около 3% ВНП.

Хотя объем государственной помощи вузам в США значительно превышает масштабы государственного финансирования высшего образования в большинстве др. капиталистических стран, ее уменьшение крайне неблагоприятно сказывается на нынешнем финансовом положении американских колледжей и университетов и подрывает основы их эффективной деятельности в будущем. Если в 1973 г. за счет федерального правительства покрывалось 15,7% общих расходов высших учебных заведений, то в 1982 г.— 14,1%, остальные расходы покрывались штатами (27,4% в 1973 г., 31,1% в 1982 г.) и за счет др. источников. Государственная финансовая помощь уже в настоящее время не соответствует реальным потребностям вузов, особенно если принять во внимание, что используемое вузами оборудование, в первую очередь оборудование для проведения научных исследований, в большинстве своем устарело.

Существенным источником доходов вузов является весьма высокая плата за обучение, взимаемая со студентов. В частных университетах и колледжах плата за обучение выше, чем в государственных вузах. В 1985/86 уч. г. величина платы за обучение, взимаемой с одного студента в частных вузах, достигала 12 тыс. дол. в год, а в наиболее «престижных» из них — 14—17 тыс. дол., в государственных вузах — от 2 тыс. до 5 тыс. дол. в год, а в так называемых младших колледжах — около 800 дол. в год. Высокая стоимость высшего образования частично компенсируется за счет государственных и частных программ помощи студентам и аспирантам. Приход к власти администрации Рейгана был отмечен резким сокращением федеральных программ финансовой помощи. Следствием этого стало увеличение расходов учащихся на образование.

В конце 70 — начале 80-х годов отмечается более высокий темп роста числа лиц, получающих степени магистров и докторов, по сравнению с численностью студентов, получающих степень бакалавра. В некоторых ведущих университетах США (Стэнфордском, Калифорнийском и др.) выпуск этих специалистов превышает выпуск специалистов со степенью бакалавра. Наиболее квалифицированные научные кадры готовит ряд ведущих, в большинстве частных, вузов США, среди которых Гарвардский, Стэнфордский, Принстонский, Колумбийский, Йельский университеты, Калифорнийский университет (Беркли), Массачусетский технологический институт.

Ведущие 20 вузов США по объему научно-исследовательской деятельности (местонахождение и год основания)

Калифорнийский университет (Беркли, штат Калифорния, 1868)

Массачусетский технологический институт (Кембридж, штат Массачусетс, 1861)

Стэнфордский университет (Стэнфорд, штат Калифорния, 1891)

Висконсинский университет (Мадисон, штат Висконсин, 1848)

Мичиганский университет (Анн-Арбор, штат Мичиган, 1817)

Иллинойский университет (Эрбана, штат Иллинойс, 1867)

Гарвардский университет (Кембридж, штат Массачусетс, 1636)

Корнельский университет (Итака, штат Нью-Йорк, 1865)

Вашингтонский университет (Сиэтл, штат Вашингтон, 1861)

Калифорнийский университет (Лос-Анджелес, штат Калифорния, 1919)

Колумбийский университет (Нью-Йорк, штат Нью-Йорк, 1754)

Йельский университет (Нью-Хейвен, штат Коннектикут, 1701)

Чикагский университет (Чикаго, штат Иллинойс, 1890)

Пенсильванский университет (Филадельфия, штат Пенсильвания, 1740)

Принстонский университет (Принстон, штат Нью-Джерси, 1746)

Нью-Йоркский университет (Нью-Йорк, штат Нью-Йорк, 1831)

Университет Джонса Гопкинса (Балтимор, штат Мэриленд, 1876)

Северо-Западный университет (Эванстон, штат Иллинойс, 1851)

Техасский университет (Остин, штат Техас, 1881)

Университет Северной Каролины (Чепел-Хилл, штат Северная Каролина, 1789)

СИСТЕМА ЗДРАВООХРАНЕНИЯ

Соединенным Штатам Америки принадлежит ведущее место в капиталистическом мире по масштабам ресурсов, сосредоточенных в здравоохранении. Хотя преимущественное развитие получила здесь коммерческая (частная) медицина, государство играет существенную роль в организации мер по охране здоровья населения.

Общие расходы на медицинские услуги в США в 1986 г. составили 458 млрд дол., или около 10% ВНП (в 1960 г.— 27 млрд дол., или 5% ВНП). Из них на долю государственных расходов приходится свыше 189,7 млрд дол., или 41%. Государству принадлежит ведущая роль в проведении научных исследований и разработок в области медицины. В 1986 г. на эти цели было затрачено более 8,2 млрд дол., из которых 7,8 млрд дол. приходилось на государство и 387 млн дол. на частный сектор.

Затраты на медицинские услуги в 1986 г. составляли 1772 дол. на душу населения (на 100% больше, чем в Японии, на 52% больше, чем в ФРГ, на 28% больше, чем в Канаде).

Успехи американской медицины велики. Развитие диагностики, широкое использование медицинского оборудования на уровне самой передовой технической мысли способствовали сокращению смертности от сердечно-сосудистых заболеваний, травм, туберкулеза и т. д. В результате средняя продолжительность жизни в США увеличилась с 69,7 года в 1960 г. до 74,9 года в 1986 г. Однако в условиях беспрецедентного роста стоимости медицинских услуг многие блага медицины недоступны миллионам американцев. В стране не обеспечена забота о материнстве. США — единственная среди индустриально развитых стран, где беременным женщинам не предоставляется государственное медицинское обслуживание. В 1985 г. уровень смертности среди новорожденных составил в США 10,6 на 1000 (в Японии и Швеции соответственно 6,6 и 6,8 на 1000). По этому показателю США занимают 17-е место в мире. Растущую опасность для населения страны представляет распространение заболевания, получившего название синдрома приобретенного иммунодефицита (СПИД). С 1977 по 1987 г. жертвами СПИДа стали более 20 тыс. чел., а число больных составляет более 40 тыс. Носителями вируса СПИД предположительно являются от 1 до 1,5 млн американцев.

В системе здравоохранения США существует шесть видов медицинского обслуживания: профилактика заболеваний, первичная, вторичная (в стационарных лечебных учреждениях общего типа), третичная (в специализированных центрах) помощь, медицинская реабилитация и послебольничное обслуживание. Все виды медицинского обслуживания ориентируются на самообеспечение населения.

Медицинская помощь платная для подавляющей части населения. Официальные тарифы отсутствуют. В середине 80-х годов некоторые виды медицинских услуг обходились американцам в следующие суммы:

Родовспоможение — от 2 до 3 тыс. дол.

Посещение врача во время беременности — от 600 до 800 дол.

Пребывание матери с семимесячным ребенком в больнице в течение двух месяцев — 60 тыс. дол.

Операция по удалению аденоидов с установкой дренажных труб — от 2,5 до 3 тыс. дол.

Операция на сердце в связи с обширным инфарктом миокарда и пребывание в больнице в течение 45 дней — 120 475 дол.

Пересадка кожи и пребывание в больнице в течение 19 дней — 22 189 дол.

Лечение в стационаре от алкоголизма — 20 тыс. дол.

Обследование в стационаре в течение двух дней — 1226 дол.

Посещение пункта первой медицинской помощи — от 40 до 50 дол.

Анализ крови — 50 дол.

Визит медицинской сестры на дом — 30 дол.

Посещение врача по поводу артрита — 99 дол.

Установка коронки зуба — от 300 до 1 тыс. дол.

В целях облегчения бремени единовременных расходов на лечение американцы покупают полисы страховых компаний, дающие право на полную или частичную оплату лечения в зависимости от его стоимости и суммы взносов. Для получения права на оплату лечения через страховые компании население регулярно выплачивает взносы. Медицинское страхование — одно из звеньев медико-промышленного комплекса — превратилось в прибыльный бизнес.

Медицинский полис служит гарантией получения медицинской помощи, объем, характер и пределы которой предопределены условиями медицинской страховки. Важнейшей чертой американского медицинского страхования является сосуществование двух систем — частной и государственной. В 1986 г. 65% американцев были охвачены частным групповым страхованием (финансируется совместно предпринимателями и рабочими и служащими), 12,3% — индивидуальным страхованием и 12,7% — государственным страхованием. Основной и преобладающей формой гарантии медицинского обслуживания является частное (групповое и индивидуальное) страхование. Государственное медицинское страхование распространяется лишь на ограниченные категории населения: на беднейшие социальные слои, на немощных, пожилых, а также на государственных служащих. В 1987 г. около 40 млн американцев не имели страхового полиса, по сравнению с 1980 г. их число увеличилось на 40%.

Наемная рабочая сила промышленных предприятий охвачена групповым страхованием более полно по сравнению с рабочими в отраслях сельского хозяйства. Так, в 1983 г. в промышленности свыше 90% рабочих и служащих участвовало в групповом частном медицинском страховании, а в сельском хозяйстве — только 31%. Полнота охвата групповым страхованием зависит от мощи профсоюза данной отрасли и степени концентрации рабочей силы на данном предприятии. На предприятиях, где профсоюзами заключены коллективные договоры с предпринимателями, 91% рабочих и служащих имеют групповую медицинскую страховку, а там, где такие договоры отсутствуют,— 67%. Чем крупнее фирма, тем шире «планы» группового страхования: на предприятиях, где число рабочих мест не превышает 100, ими охвачено 62% наемной рабочей силы, а на предприятиях, где занято свыше 500 человек,— 94%.

Предприниматели, рассматривая расходы на частные «планы» медицинского страхования как необходимые издержки сохранения и воспроизводства рабочей силы, закрепления квалифицированных кадров, выделяют специальные фонды, идущие на оплату лечения рабочих и служащих через посредничество страховых компаний. Средства, выделяемые на медицинское страхование рабочей силы, освобождаются от подоходного налога и налога на социальное страхование. В результате таких скидок федеральная казна недополучила в 1983 фин. г. около 26 млрд дол.

Включение в коллективные договоры требований о «планах» группового медицинского страхования, предусматривающих осуществление социальной ответственности бизнеса, было значительным завоеванием трудящихся. Если в 1963 г. предприниматели оплачивали лечение по групповому страхованию только 27% своих рабочих и служащих, участвующих в групповом страховании, то в 1980 г.— уже 35%, а в 1982 г.— 67%. Предприниматели выражают недовольство растущей долей своих расходов на «планы» группового страхования. С начала 80-х годов наблюдается тенденция к ужесточению условий «планов» группового страхования. Предприниматели стремятся переложить значительную часть стоимости лечения на рабочих и служащих. Повышаются суммы первого и ежемесячного взносов, которые вносятся наемными рабочими и служащими в счет групповой страховки.

Действующая система группового страхования не гарантирует, однако, защиты пациентов от растущей стоимости медицинских услуг, 20% застрахованных испытывают финансовые затруднения в случае серьезного заболевания одного из членов семьи. В первой половине 80-х годов ежегодный рост расходов на медицинскую помощь (9,7%) обгонял общие темпы инфляции. Кроме того, с потерей рабочего места автоматически теряется право наемного рабочего на льготы по групповому медицинскому страхованию.

В середине 60-х годов под воздействием массового демократического движения в стране были учреждены государственные программы в области здравоохранения, крупнейшие из них — «Медикэр» и «Медикейд». Они обошлись федеральному бюджету в 1986 г. соответственно в 74,3 млрд и 42 млрд дол. Всего программами «Медикэр» и «Медикейд» охвачено свыше 50 млн американцев.

Программа «Медикэр» входит в Общую федеральную программу социального страхования. Она предусматривает медицинское страхование двух видов: основное страхование на случай стационарного лечения и дополнительное страхование, включающее компенсацию за амбулаторное лечение и визиты к врачу. Основное страхование финансируется за счет налога на социальное страхование, дополнительное — за счет регулярных взносов участников и частично за счет правительственных субсидий. Программа «Медикэр» охватывает лиц в возрасте 65 лет и старше и инвалидов, застрахованных по Общей федеральной программе.

Больной — получатель страховки по программе «Медикэр» обязан заплатить первоначальный взнос за первый день пребывания в больнице, который рассчитывается как средняя стоимость одного дня стационарного лечения (в 1984 г. эта сумма равнялась 356 дол., ежегодно она растет). Пациент не оплачивает свое пребывание в больнице со 2-го по 60-й день, эти дни оплачиваются за счет программы «Медикэр». С 61-го по 90-й день больной обязан ежедневно платить 25% суммы первого взноса. По истечении трехмесячного срока пребывания в больнице наступает так называемый «резервный период» продолжительностью 60 дней, которым можно воспользоваться лишь раз в жизни. В течение этого периода пациент должен платить ежедневно 50% суммы первоначального взноса.

Трехмесячное пребывание в больнице в 1983 г. обходилось пациенту «Медикэр» в 2625 дол. Таким образом, программа «Медикэр» помогает лишь частично сократить стоимость медицинских услуг. В среднем 20% дохода пожилого американца 65 лет и старше идет на медицинское обслуживание.

«Медикейд» — программа государственного вспомоществования, целью которой является оказание медицинской помощи беднейшим слоям населения США с доходом ниже официальной «черты бедности». Этой программой охвачены категории населения, получающие денежные пособия по двум основным программам государственного вспомоществования — программе обеспечения гарантированного дохода и программе помощи семьям с детьми.

Если «Медикэр» является программой страхования, на выплаты по которой получатель имеет «право собственности», поскольку всю трудовую жизнь платит специальный налог на социальное страхование, то получатель по программе «Медикейд» такого налога не платит; помощь по этой программе носит благотворительный характер. «Медикейд» финансируется совместно федеральным правительством и властями штатов, однако основная роль в реализации этой программы принадлежит штатам. Штаты определяют круг лиц, которым предоставляется медицинская помощь в рамках этой программы. В некоторых штатах помощь получают лишь бедняки, чей доход составляет 50% от официального уровня бедности.

Важнейшими элементами медицинской «индустрии» являются больницы. В США существует три типа больниц: государственные, частные прибыльные (коммерческие) и частные «бесприбыльные». Коммерческие больницы формируют свой капитал на индивидуальной, групповой и акционерной основе, государственные финансируются федеральным правительством и штатами. «Бесприбыльные» частные больницы создаются местными муниципальными органами с привлечением разнообразных фондов: государственных, различных организаций и частных лиц, благотворительных обществ. Эти больницы представляют собой частные корпорации. Как и коммерческие, они оказывают медицинские услуги за плату. Статус «бесприбыльных» широко используется в США различными фондами, организациями, учреждениями и фирмами, поскольку он дает им возможность уклониться от уплаты налогов. Всего в США около 7 тыс. больниц, свыше 50% из которых — частные «некоммерческие», 15% — частные коммерческие. Кроме того, существуют так называемые дома сестринского ухода (в 1982 г. их было 25 849), где пациент после интенсивного лечения в больнице проходит более длительный курс лечения.

Ведущая роль в медицинском бизнесе принадлежит 40 коммерческим корпорациям, владеющим и управляющим почти 15% городских и сельских больниц и 50% психиатрических лечебниц. Доходы частных больниц достигают 65 млрд дол. в год. В здравоохранении занято примерно 5 млн чел., из них 3 млн — в частных больницах.

В год в стране продается на 22 млрд дол. лекарственных препаратов, производимых американскими фармацевтическими фирмами. Потребление лекарств увеличивается в США быстрыми темпами. С 1950 по 1975 г. число назначений лекарственных препаратов на душу населения только амбулаторно увеличилось в 3 раза. В среднем фармацевтические фирмы тратят на рекламу от 10 до 25% сумм продаж. Погоня за прибылью в этой сфере наносит непоправимый ущерб не только здоровью отдельного человека, но и обществу в целом. Неправильное потребление лекарств служит причиной заболеваний, которые обходятся обществу в более чем 1 млрд дол., оно приводит к 130 тыс. смертных случаев ежегодно.

Центральная фигура системы медицинского обслуживания в США — частнопрактикующий врач. В 1984 г. в стране насчитывалось 542 тыс. врачей и 153 тыс. стоматологов (т. е. 228 врачей и 57 стоматологов на 100 тыс. населения), 1486 тыс. работников среднего медицинского звена (т. е. 629 на 100 тыс. населения). Различные районы страны по-разному насыщены медицинскими кадрами. Нехватка медицинской помощи особенно ощутима в сельских районах, где проживает свыше 54 млн чел. Три четверти (от 35 до 40 млн) населения сельских районов практически лишено доступной медицинской помощи.

Многие врачи являются держателями акций коммерческих больниц, санаториев, диагностических лабораторий, владеют акциями медицинских корпораций. Около 80% всех расходов населения на медицинское обслуживание так или иначе контролируется частнопрактикующими врачами.

Американская медицинская ассоциация, объединяющая 250 тыс. членов, половину всех частнопрактикующих врачей в США, контролирует их деятельность и руководит ею. Она — верный страж «кастовых» интересов врачей, мощная лоббистская организация, без ведома которой не могут быть одобрены сколько-нибудь значительные законодательные инициативы, касающиеся здравоохранения и медицинского обслуживания.

Формально вопросами организации здравоохранения в стране занимается министерство здравоохранения и социальных служб. Кроме того, определенные функции (например, профилактика болезней) выполняют медицинские учреждения, действующие в составе министерства труда, Агентства по охране окружающей среды и др. государственных ведомств. Крупнейшие из них — Управление по вопросам техники безопасности и охраны здоровья, Национальный центр контроля за инфекционными заболеваниями. Министерство здравоохранения и социальных служб занимается вопросами разработки финансовых условий программ развития государственного здравоохранения, организации помощи определенным категориям нуждающихся в лечении, осуществляет контроль за качеством лекарств, ведет борьбу против злоупотреблений медицинских работников, ведет организацией подготовки кадров, развитием научных исследований и разработок и проведением профилактики инфекционных и психических заболеваний.

Однако функции министерства здравоохранения и социальных служб ограничены, поскольку оно не имеет, по существу, серьезных рычагов контроля, не занимается ни распределением ресурсов, ни ценообразованием в частном секторе.

В состав министерства здравоохранения и социальных служб входит разветвленная цепь учреждений Национальных институтов здравоохранения (НИЗ). Эта организация состоит из таких научно-исследовательских институтов, как Национальный институт изучения влияния окружающей среды на здоровье человека, Национальный институт геронтологии, Национальный институт педиатрии и развития человека, Национальный институт проблем старения, Национальный институт неврологических и коммуникативных нарушений, Национальный институт раковых заболеваний, Национальный институт сердца, легких и крови, Национальный институт глазных болезней, Национальный институт аллергических и инфекционных заболеваний, Институт артрита, нарушений обмена веществ и заболеваний пищеварительного тракта и др. Она также включает Клинический центр, Национальную медицинскую библиотеку и Международный центр медицинских исследований им. Джона Фогарти. НИЗ на договорных началах сотрудничает с учеными университетов, колледжей, медицинских институтов и исследовательских лабораторий всей страны.

Ведущими периодическими изданиями, освещающими проблемы здравоохранения США, являются «Хэлс кэр файненсинг ревью», «Вайтл энд хэлс статистикс рипорт», «Американ джорнал оф паблик хэлс».

Администрация Рейгана добилась сокращения и замораживания выплат врачам, оказывающим медицинские услуги получателям программы «Медикэр» и «Медикейд» амбулаторно. Она осуществила также реформу крупнейшей национальной программы медицинского страхования «Медикэр». Суть этой реформы состоит во введении «потолка» на выплаты больницам за каждого пациента, застрахованного по этой программе. Счета за оказанные медицинские услуги оплачиваются по заранее установленной тарифной сетке, в основу которой положено 467 диагностических групп. Однако реформа не сняла с повестки дня проблему безудержного роста стоимости медицинских услуг, она лишь несколько ограничила темпы инфляции в здравоохранении США. В стране наблюдается тенденция к дальнейшему обострению проблемы доступности медицинской помощи для населения, что способствует углублению социального неравенства в обеспечении медицинским обслуживанием.

СРЕДСТВА МАССОВОЙ ИНФОРМАЦИИ

ПЕРИОДИЧЕСКАЯ ПЕЧАТЬ

Несмотря на бурное развитие и рост влияния аудиовизуальных средств информации, в частности телевидения, периодическая печать продолжает играть важную роль в информационно-пропагандистском комплексе США, являясь мощным средством политического и идеологического воздействия в интересах правящего класса.

В США существует широко разветвленная система периодической печати. По количеству выпускаемых периодических изданий страна занимает ведущее место в капиталистическом мире: в 1987 г. в США выходило 20 624 издания, в т. ч. 9031 газета и 11 593 журнала и издания журнального типа.

В 1987 г. издавалось 1646 ежедневных газет на английском языке тиражом свыше 62,5 млн экз.; выпускалось также 16 ежедневных газет на иностранных языках. 776 воскресных изданий ежедневных газет выходило тиражом свыше 58 млн экз.; насчитывалось 6750 еженедельных газет (тираж 48 млн экз.).

Американская буржуазная пресса находится в частном владении. Издание газет и журналов монополизировано, и уровень концентрации и монополизации печатной индустрии достаточно высок: более половины периодических изданий страны принадлежит крупным газетно-журнальным концернам. В США насчитывается 149 компаний, владеющих двумя и более газетами и контролирующих почти 71% всех ежедневных газет и 77% их тиража. 20 крупнейших монополий прессы контролируют 52% тиража ежедневных газет.

Ускорение темпов, повышение уровня концентрации и монополизации печатной индустрии — главная тенденция ее развития в 70—80-х годах. Одно из последствий процесса концентрации и монополизации печатной индустрии — неуклонное сокращение числа городов, в которых издаются конкурирующие газеты. Так, в 1979 г. конкурирующие газеты издавались в 45 городах, в 1985 г.— в 23 (ежедневные газеты выходят в 1533 городах). Увеличивается число городов, где газеты, принадлежащие разным владельцам, имеют соглашения о совместных операциях по выпуску изданий. Почти в 100 городах издаются две газеты (утренняя и вечерняя), принадлежащие одной и той же компании. Только в 18 городах страны газеты, принадлежащие монополиям прессы, конкурируют с так называемыми независимыми изданиями, в т. ч. в восьми городах между ними имеются соглашения о совместных операциях, и лишь в четырех городах издаются конкурирующие газеты, не принадлежащие монополиям.

Еще одно последствие процесса концентрации и монополизации печати — сокращение числа ежедневных газет. Если в 1900 г. в стране издавалось 2042 ежедневные газеты, в 1955 г.— 1963, то в 1980 г. их было уже 1730, а в 1987 г. осталось 1646.

Принадлежность органов информации монополиям прессы свидетельствует о несостоятельности декларируемого и широко рекламируемого в стране тезиса о «свободе печати».

Концентрация и монополизация средств массовой информации, и в частности прессы,— один из факторов контроля крупного капитала над индустрией пропаганды, и углубление этого процесса ужесточает такой контроль.

Контроль над прессой финансово-промышленный капитал осуществляет в различных формах: через банковские кредиты, владение акциями газетно-журнальных компаний, систему переплетающихся директоратов и т. д. Газетно-журнальные компании тесно связаны с ведущими промышленными монополиями и банками страны, транснациональными корпорациями.

Повседневный контроль над печатной индустрией крупный капитал осуществляет посредством коммерческой рекламы. Реклама обеспечивает само финансовое существование газет и журналов. 70—80% доходов печатные издания получают от публикации рекламных объявлений, остальное дает реализация тиража. Реклама занимает в среднем 60—70% объема газетных полос, журнальной площади. Газетная пресса является крупнейшим получателем доходов от рекламы. В 1986 г. они составили 27,5 млрд дол. (для сравнения: доходы телевидения от рекламы составили в 1986 г. 21,5 млрд, радио — 7 млрд, журналов — 6,3 млрд дол.).

Для процесса концентрации и монополизации печатной индустрии характерна тенденция поглощения крупными монополиями не только отдельных изданий, но и целых издательских компаний. Среди ведущих монополий печати фактически не осталось объединений, выпускающих однотипную продукцию, в частности издающих только газеты. Как правило, эти монополии диверсифицированы, т. е. заняты выпуском различного рода информационной продукции: издают газеты, журналы, книги, владеют радио- и телестанциями, системами кабельного телевидения и т. д., а также имеют капиталовложения в различных отраслях промышленности. Основные монополии прессы страны — это мощные конгломераты коммуникационного бизнеса, и в их владении находятся практически все ведущие органы американской печати.

Крупнейшими информационно-пропагандистскими монополиями США, газетными в своей основе, являются следующие. Монополия «Ганнет компани» лидирует по общему тиражу ежедневных газет (свыше 5,7 млн экз.) и по их количеству — 90. Большинство газет компании, издающихся в 33 штатах страны, выходят сравнительно небольшим тиражом, однако с 1982 г. она выпускает общенациональную массовую газету «Ю-Эс-Эй тудей» тиражом 1,4 млн экз. Монополия выпускает также 42 еженедельные газеты, ей принадлежат 16 радио- и 9 телестанций, рекламная фирма, служба опросов общественного мнения и т. д. Эта компания в последние годы наиболее агрессивно действует на газетном рынке. За 10 лет число принадлежащих ей ежедневных газет почти удвоилось. В 1985 г. она приобрела «Фэмили уикли», воскресное приложение к 267 газетам (свыше 14 млн экз.), переименованное в «Ю-Эс-Эй уикенд», купила компанию «Ивнинг ньюс ассошиэйшн» с 5 ежедневными газетами (в частности, с крупной «Детройт ньюс»), 4 еженедельными, 2 радио- и 5 телестанциями).

На втором месте по общему тиражу ежедневных газет стоит монополия «Найт — Риддер ньюспейперс», владеющая 32 ежедневными газетами, издающимися тиражом свыше 3,6 млн экз., и 6 еженедельными. Наиболее крупные газеты компании — «Детройт фри пресс» (свыше 639 тыс. экз.), «Филадельфия инкуайрер» (494 тыс. экз.) и «Майами геральд» (свыше 437 тыс. экз.). Она также издает ежедневную газету «Джорнал оф коммерс энд коммершл» (22 тыс. экз.) — орган деловых кругов, имеет 4 телестанции, бумажную фабрику.

Далее идет монополия «Ньюхаус ньюспейперс» с 26 ежедневными газетами, общий тираж которых — около 3 млн экз. Самая крупная газета компании — «Кливленд плейн дилер» (454 тыс. экз.). «Ньюхаус ньюспейперс» принадлежит также еженедельный журнал «Пэрейд», имеющий самый большой в стране тираж — свыше 32,5 млн экз. и распространяемый в качестве воскресного приложения к 313 газетам, и еженедельник «Нью-Йоркер» (свыше 500 тыс. экз.). Монополия владеет компанией «Конде Наст мэгэзинс», издающей женские журналы, в т. ч. «Вог», «Мадемуазель», «Глэмор», ей принадлежит крупное издательство «Рэндом хаус», радио- и телестанции.

В десятку крупнейших газетных монополий также входят: «Трибюн компани» (7 ежедневных газет общим тиражом свыше 2,6 млн экз., из них ведущие «Нью-Йорк дейли ньюс» — 1278 тыс. экз. и «Чикаго трибюн» — 758 тыс. экз.); «Таймс-Миррор» (6 ежедневных газет тиражом свыше 2,6 млн экз., в т. ч. «Лос-Анджелес таймс» — свыше 1,1 млн экз., «Ньюсдей» — 624 тыс. экз., 5 журналов); «Доу Джонс энд компани» (23 ежедневных газеты тиражом свыше 2,5 млн экз., в т. ч. самая крупная по тиражу газета страны, орган деловых кругов «Уолл-стрит джорнал» — около 2 млн экз.); «Нью-Йорк таймс компани» (25 ежедневных газет тиражом свыше 1,8 млн экз. во главе с «Нью-Йорк таймс» — свыше 1 млн

экз., 7 еженедельных, а также журнал «Фэмили серкл» — 6,2 млн экз.); «Томсон ньюспейперс» (84 ежедневных газеты тиражом свыше 1,4 млн экз., 4 еженедельника, 23 специализированных журнала); «Херст корпорейшн» (15 ежедневных газет, в т. ч. «Сан-Франциско кроникл» — 557 тыс. экз., «Лос-Анджелес геральд-икзэминер» — 285 тыс. экз., 40 еженедельных газет, 13 журналов, в т. ч. «Гуд хаускипинг» — 5 млн экз., «Редбук» — 4 млн экз., «Космополитэн» — 2,9 млн экз.).

В число ведущих газетных монополий входят также «Кэпитал ситиз коммюникейшнз» (приобретшая в 1985 г. телевизионную компанию Эй-Би-Си), «Вашингтон пост компани», компании Мэрдока, Скриппса — Говарда, Харте — Хэнкса, Кокса, Копли, «Медиа дженерал» и др.

Среди журнальных в своей основе монополий ведущее место занимает «Тайм инкорпорейтед» — издатель шести журналов («Тайм», «Лайф», «Форчун», «Спортс иллюстрейтед», «Пипл», «Мани»), общий тираж которых превышает 13 млн экз. «Тайм инкорпорейтед» владеет книжным издательством, системами кабельного телевидения, бумажными фабриками и т. д. Концерн «Макгроу — Хилл» — крупнейший в мире издатель деловых журналов (свыше 60). Ведущий журнал монополии — еженедельник «Бизнес уик» (свыше 875 тыс. экз.), она выпускает также учебники, справочники и др. литературу.

«Ридерс дайджест ассошиэйшн» выпускает два журнала, в частности ежемесячник «Ридерс дайджест», выходящий в США тиражом 16,6 млн экз. и имеющий 39 зарубежных изданий на 15 языках; общий тираж его свыше 28 млн экз. Крупными издателями журналов являются монополии «Трайангл пабликейшнз» (2 издания, в т. ч. еженедельник телепрограмм «ТВ гайд» — 16,8 млн), «Маккол корпорейшн» (4 журнала, в т. ч. журнал для женщин «Макколс» — 5,2 млн экз.), компания «Мередит» («Беттер хоумс энд гарденс» — свыше 8 млн экз.), компания «Макфадден». (женские журналы, в т. ч. «Тру стори» — свыше 1,5 млн экз.) и т. д.

Печатная индустрия обеспечивает высокую норму прибыли, и крупнейшие газетно-журнальные монополии занимают прочное место в ряду ведущих промышленных корпораций страны. Такие монополии, как «Таймс — Миррор», «Ганнет компани», «Трибюн компани», «Найт — Риддер ньюспейперс», «Тайм инкорпорейтед», «Макгроу — Хилл», «Нью-Йорк таймс компани», «Вашингтон пост компани», «Доу Джонс энд компани», «Кэпитал ситиз коммюникейшнз», «Меридит», входят в так называемый «Клуб 500» — список ведущих корпораций страны, который ежегодно публикует журнал «Форчун». Операции крупных газетно-журнальных концернов, в частности Томсона, Мэрдока, Херста, Ганнета, «Доу Джонс», «Тайм инкорпорейтед», «Ридерс дайджест ассошиэйшн», «Макгроу — Хилл», «Нью-Йорк таймс компани», «Вашингтон пост компани», носят международный, транснациональный характер.

Ведущую роль в системе газетной печати страны играют ежедневные газеты. Большинство американских ежедневных газет (72%) — вечерние, однако в последнее время их количество уменьшается, наблюдается кризис вечерней печати, обусловленный конкуренцией телевидения, газет, издающихся в пригородах крупных городов, и др. факторами. Он проявляется в закрытии вечерних газет, слиянии их с утренними, переводе на утренний выпуск. Во второй половине 70 — начале 80-х годов прекратили существование такие крупные вечерние газеты, как «Чикаго тудей», «Вашингтон стар», «Филадельфия буллетин», «Кливленд пресс».

Специфика американской газетной прессы заключается в том, что она носит по преимуществу региональный, местный характер. Большинство газет распространяется в пределах того города, штата, где они издаются. Это обусловлено историческими традициями развития газетной печати в стране, дороговизной доставки газет на большие расстояния, а главное — зависимостью их от местной рекламы. Тиражи американских газет невелики. Подавляющее большинство выходящих в стране ежедневных газет (1417) имеет тираж менее 50 тыс. экз. Тиражом 250 тыс. экз. и более расходится всего 35 газет. Средний тираж американской ежедневной газеты — 34,8 тыс. экз. По числу экземпляров газет на 1000 жителей (282 экз.) США далеко отстают от ведущих капиталистических стран. Самым большим в стране тиражом выходит «Уолл-стрит джорнал» — около 2 млн экз.

До конца 70 — начала 80-х годов в стране фактически не было общенациональных газет. Некоторые газеты — «Нью-Йорк таймс», «Вашингтон пост», «Крисчен сайенс монитор», финансово-экономическая «Уолл-стрит джорнал» — распространяли незначительную часть своего тиража за пределами тех штатов, где издавались. В последние годы с внедрением спутниковой связи развивается тенденция создания общенациональной газетной прессы. Таковой стала издающаяся в Нью-Йорке «Уолл-стрит джорнал» (через спутник в 18 типографиях печатаются четыре ее региональных издания). С 1982 г. в Вашингтоне выходит общенациональная газета «Ю-Эс-Эй тудей» (1,4 млн экз.) С 1984 г. стало выходить еженедельное общенациональное издание газеты «Вашингтон пост». Печатающиеся через спутники связи в Европе и Азии «Уолл-стрит джорнал» и «Ю-Эс-Эй тудей» превращаются наряду с издающейся в Париже американской газетой «Интернэшнл геральд трибюн» в транснациональные, «глобальные» газеты.

Понятие «большая пресса» включает газеты крупных городов — Нью-Йорка, Чикаго, Лос-Анджелеса, Детройта, Сан-Франциско, Филадельфии, Бостона и др. Самыми крупными по тиражу на 1987 г. газетами помимо упомянутых общенациональных являются «Нью-Йорк дейли ньюс» (1278 тыс. экз.), «Лос-Анджелес таймс» (свыше 1,1 млн экз.), «Нью-Йорк таймс» (свыше 1 млн экз.), «Вашингтон пост» (796 тыс. экз.), «Чикаго трибюн» (758 тыс. экз.), «Детройт ньюс» (678 тыс. экз.), «Детройт фри пресс» (639 тыс. экз.), «Сан-Франциско кроникл» (557 тыс. экз.), «Бостон глоб» (500 тыс. экз.) и др.

Серьезную конкуренцию газетам больших городов составляют пригородные. В стране выходит свыше 1000 пригородных газет общим тиражом 13 млн экз. Самая крупная пригородная газета США — лонг-айлендская «Ньюсдей» (624 тыс. экз.) успешно конкурирует с газетами Нью-Йорка.

В последние годы получили широкое развитие бесплатные газеты, которые целиком содержатся за счет рекламы и рассылаются по почте бесплатно как рекламные материалы. Часть их вообще не публикует ничего, кроме рекламы, другая — лишь очень незначительное число собственно информационных материалов. В стране насчитывается свыше 3 тыс. бесплатных газет, выпускающихся общим тиражом 34 млн экз.

Обсуждая будущее газетной индустрии, специалисты сходятся на том, что оно за электронной газетой. Утверждается, что к концу XX в. 40% американских семей будут читать газету на видеотерминале. Однако проводившиеся эксперименты по электронной доставке газетной информации показали, что электронная газета не прибыльна, рынок не готов для видеотекста, аудитория слишком мала.

Буржуазная газетная печать неоднородна, она ведет пропаганду дифференцированно, выпускаются газеты, рассчитанные на различную аудиторию. Разделение газет на так называемые качественные и массовые обусловлено классовыми задачами буржуазной печати, необходимостью, с одной стороны, давать более точную и объективную информацию для тех, кто стоит у власти, с другой — формировать общественное мнение в интересах господствующего класса.

В отличие от массовых, бульварных газет, насыщенных развлекательной информацией, сенсациями, скандальной уголовной хроникой с броскими иллюстрациями и заголовками, качественные издания дают обширную информацию по экономическим вопросам, проблемам внутренней и международной политики.

К качественным газетам страны принадлежат «Нью-Йорк таймс», «Вашингтон пост», «Уолл-стрит джорнал», «Крисчен сайенс монитор», «Бостон глоб», «Лос-Анджелес таймс». Ведущими массовыми газетами являются «Ю-Эс-Эй тудей», «Нью-Йорк дейли ньюс», «Нью-Йорк пост», «Сан-Франциско кроникл».

По своей политической направленности бо́льшая часть газет консервативна, и лишь незначительное их число может быть отнесено к буржуазно-либеральным изданиям. Крупнейшие газеты отражают интересы тех или иных монополистических группировок. Так, «Нью-Йорк таймс», «Вашингтон пост» — органы «восточного истэблишмента», банковско-промышленного капитала Северо-Востока страны, «Лос-Анджелес таймс» — рупор калифорнийской группы монополий.

Большинство американских газет формально не связаны с политическими партиями, считают себя «независимыми» органами печати, однако их партийно-политическая ориентация достаточно отчетливо проявляется в годы президентских выборов. При росте числа газет, не отдающих предпочтения никому из претендентов на пост президента, устойчивой является тенденция поддержки большинством американских газет кандидатов от Республиканской партии. Из крупных газет республиканских кандидатов на выборах стабильно поддерживают «Нью-Йорк дейли ньюс», «Чикаго трибюн», «Нью-Йорк пост» (с 1976 г., когда стала собственностью Р. Мэрдока), «Сан-Франциско икзэминер»; представителей Демократической партии — «Нью-Йорк таймс», «Вашингтон пост», «Бостон глоб».

Такие газеты, как «Уолл-стрит джорнал», «Лос-Анджелес таймс», «Ю-Эс-Эй тудей», на выборах 1984 г. не отдали предпочтения никому из кандидатов, тем не менее поддерживали и поддерживают политический курс республиканской администрации.

Буржуазная партийность и про-республиканских, и продемократических, и так называемых «независимых» газет проявляется в их общей буржуазной платформе, в антикоммунистической позиции, и в этом смысле газетная пресса страны однопартийна.

В последние годы с ростом влияния на политический процесс правых сил активизировалась и их пропагандистская деятельность. Это нашло отражение в поправении политического курса ряда газет, в издании новых консервативных газет в Нью-Йорке и Вашингтоне. Так, секта «Церковь унификации» Муна, стоящая на крайне правых политических позициях, выпускает две реакционные газеты — «Нью-Йорк сити трибюн» и «Вашингтон таймс». Тиражи их сравнительно невелики, они убыточны, но издающая газеты компания пренебрегает коммерческими интересами ради достижения политических целей.

В сфере поставляемых газетам новостей информационная индустрия страны достигла высокой степени концентрации. Два информационных агентства, входящих в число мировых,— Ассошиэйтед Пресс (АП) и Юнайтед Пресс Интернэшнл (ЮПИ) монополизировали сбор и распространение информации. Практически они создают ту информационную картину мира, в рамках которой действует буржуазная журналистика.

Ведущие позиции занимает АП. По своему статусу это кооперативное агентство, члены-пайщики которого представляют 82% американских газет — 1365 и свыше 6 тыс. вещательных станций. ЮПИ—коммерческое агентство, на его информацию подписываются 800 газет и 3300 вещательных станций. В последние годы агентство терпело убытки, несколько раз меняло владельцев. Принадлежавшее монополиям Скриппса (95%) и Херста (5%), оно в 1982 г. было продано компании «Медиа ньюс корпорейшн», в 1986 г. было куплено корпорацией «Нью ЮПИ», а в 1988 г. продано компании «Уорлд ньюс уайр». Поставляя продукцию в развивающиеся страны, под прикрытием концепции о «свободном потоке информации» Ассошиэйтед Пресс и Юнайтед Пресс Интернэшнл выступают как проводники «информационного империализма».

Существенное влияние на деятельность газет, в особенности местных, оказывают пресс-синдикаты — частные агентства, специализирующиеся на поставке газетам различного рода готовой продукции — статей, очерков, комментариев, фельетонов, карикатур, комиксов, целых полос, например, женских страничек и т. д. В стране насчитывается свыше 350 пресс-синдикатов. Крупнейшие из них распространяют свыше 100 видов журналистской продукции; синдицированные материалы печатаются одновременно в сотнях газет США и Канады. Так, колонки политического обозревателя Дж. Андерсона публикуют около 800 газет, колонки советов на «все случаи жизни» Энн Лэндерс и Эбби (Эбигейл Ван Бюрен) печатают около 1000 газет, серии комиксов «Пинатс», «Блонди» — около 2 тыс. газет США и Канады.

Многие пресс-синдикаты принадлежат крупнейшим информационно-пропагандистским монополиям, газетам. Ведущими пресс-синдикатами страны являются: «Кинг фичерс синдикейт», принадлежащий монополии Херста, услугами синдиката пользуются около 2 тыс. газет США и Канады (ведущий обозреватель — Дж. Кингсберри-Смит); «Юнайтед фичер синдикейт», принадлежит издательской компании Скриппса — Говарда (ведущие обозреватели — Дж. Андерсон, У. Рашер); «Норт Америка синдикейт», с 1987 г. принадлежит Херсту (Р. Эванс и Р. Новак, Э. Лэндерс, Н. Подгорец); «Юниверсал пресс синдикейт» (У. Бакли, М. Макгрори); «Лос-Анджелес таймс синдикейт» (А. Бухвальд, Дж. Киркпатрик); «Вашингтон пост райтерс груп» (Дж. Уилл, Д. Броудер); «Нью-Йорк таймс синдикейшн сейлс корпорейшн» (Дж. Рестон, Д. Миддлтон, Т. Уикер, У. Сефайр, Р. Бейкер).

Многие крупные синдикаты, в частности «Кинг фичерс синдикейт», «Норт Америка синдикейт», являются оплотами консерватизма. Данные проведенного в стране исследования свидетельствуют, что в 80-е годы американские газеты чаще печатают колонки синдицированных обозревателей правого толка. Публикация американскими изданиями продукции пресс-синдикатов ведет ко все большей унификации, стандартизации буржуазной прессы.

В стране сложилась мощная, разветвленная система журнальной печати. Журналы являются действенным средством идеологического воздействия в силу особой нацеленности этой продукции. Читательская аудитория журналов отличается большей дифференцированностью, нежели газетная. Это связано с тем, что газеты в большинстве своем — общеполитические органы печати, журналы же, за исключением некоторых типов изданий общего характера, рассчитанных на широкие круги читателей, очень разнообразны по типологии и предназначены для определенной аудитории.

Общий тираж 11,5 тыс. американских журналов и изданий журнального типа превышает 350 млн экз. В системе журнальной прессы страны по периодичности выпуска преобладают ежемесячники (их в 1987 г. выпускалось 4031), далее идут ежеквартальники (1984), 1400 изданий выходят раз в неделю, 1402 — раз в два месяца и т. д.

Специфика журналов заключается в том, что они в отличие от газетной печати, по преимуществу местной, региональной, в большинстве своем имеют национальный по распространению характер. Это наряду с др. факторами обусловливает и огромные по сравнению с газетами тиражи массовых изданий: свыше 50 журналов издаются тиражом, превышающим 1 млн экз.; тираж шести журналов превышает 10 млн экз.

В 60—70-е годы журналы в большей степени, чем газеты, «пострадали» от широкого распространения телевидения, перераспределения в его пользу рекламы. Это нашло отражение в закрытии нескольких ведущих журналов с массовым тиражом. По доходам от рекламы (свыше 6 млрд дол. в 1986 г.) журналы стоят на четвертом месте после газет, телевидения и радио. Борьба за рекламодателей и читателей обусловила специализацию журнальных изданий. Тенденция к специализации является одной из ведущих в отрасли.

Американский журнальный рынок характеризуется наличием огромного числа различных типов изданий. Социальная дифференциация в обществе обусловливает существование изданий для масс и для элиты. Наряду с органами массовой печати выпускаются респектабельные издания, предназначенные для правящего класса, буржуазной интеллигенции.

Среди массовых наиболее влиятельными являются общеполитические еженедельники, так называемые «журналы новостей» — «Тайм» (4,8 млн экз., с четырьмя основными зарубежными изданиями — около 6 млн экз.), «Ньюсуик» (свыше 3 млн экз., с тремя зарубежными изданиями — 3,5 млн экз.) и «Ю. С. ньюс энд уорлд рипорт» (2,2 млн экз.). Назначение еженедельников — суммировать и интерпретировать информацию о событиях прошедшей недели в расчете на занятого, «делового» человека. В этом «объяснении» новостей проявляется тенденциозная позиция «информационных» журналов, в действительности занимающихся пропагандистским комментарием новостей, подачей их в препарированном виде в соответствии со своей редакционной политикой.

Среди журналов-дайджестов выделяется «Ридерс дайджест», ежемесячник карманного формата, перепечатывающий статьи из др. изданий, а также публикующий собственные статьи. Это гигант информационно-пропагандистской индустрии, тираж внутреннего издания — 16,6 млн экз., с 39 зарубежными изданиями — свыше 28 млн экз. Он искусно ведет свою пропагандистскую политику, разбавляя политические, зачастую антисоветские статьи информационно-развлекательными материалами.

Большими тиражами издаются журналы — воскресные приложения к газетам, содержащие в основном развлекательные материалы («Пэрейд» — 32,5 млн экз., «Ю-Эс-Эй уикенд» — свыше 14 млн экз.), журналы для женщин и по домоводству («Вуманс дей», «Фэмили серкл», «Беттер хоумс энд гарденс», «Гуд хаускипинг», «Лейдис хоум джорнал»), журналы для мужчин, в которых наряду с материалами, подаваемыми с позиций буржуазной «массовой культуры», натуралистически смакующими секс, публикуются серьезные статьи на политические темы, литературные произведения («Плейбой», «Пентхаус»). Большими тиражами издаются также бульварно-развлекательные журналы и комиксы.

Среди немассовых изданий наиболее влиятельны категории журналов экономико-политических («Бизнес уик», «Форчун», «Форбс»), литературно-политических («Атлантик», «Харперс», «Нью-Йоркер»), по вопросам внешней политики («Форин афферс», «Форин полиси»).

Журналы представляют более широкий, нежели в газетах, спектр политических ориентаций, естественно в рамках буржуазной идеологии, от леволиберальных до ультраправых. Взгляды различных политических группировок отражают журналы «мнений». Их тиражи, как правило, невелики, однако влияние на политический процесс весомо. Среди либеральных изданий выделяется небольшая группа журналов — «Нейшн», «Прогрессив», «Нью рипаблик», «Мазер Джоунс». Более обширна группа журналов правого толка, включающая, в частности, издания «традиционных» консерваторов («Нэшнл ревью», «Хьюман ивентс»), неоконсерваторов («Комментари», «Паблик интерест»), «новых правых» («Консерватив дайджест»), ультраправых («Нью америкэн», бывший «Америкэн опинион»).

Важным компонентом информационно-пропагандистского комплекса США является специализированная периодика. Наиболее крупные ее отряды — деловая (отраслевая), церковная пресса, печать этнических групп, военная, профсоюзная печать. Ассоциация деловой прессы США, в частности, объединяет свыше 2800 изданий, выходящих общим тиражом 65 млн экз. Пентагон издает более 1000 газет, около 400 журналов, различные бюллетени общим тиражом свыше 12 млн экз. Католическая церковь выпускает свыше 400 изданий, различные протестантские церкви — более 1500. 43 этнические группы издают около 900 журналов общим тиражом свыше 8 млн экз. Издания всех видов специализированной периодики вписываются в систему буржуазной журналистики.

Частный характер буржуазной прессы не отменяет воздействия на нее со стороны государства. Правительство, обладая монополией на информацию о своей деятельности, пользуется этой монополией с помощью официальных пресс-конференций, брифингов, выпуска различного рода пропагандистской литературы. Оно заинтересовано в поддержке прессой своего политического курса, и критика ею администрации приводит к усилению давления правительства на органы информации. Критические выступления прессы обусловлены тактическими и политическими соображениями соперничающих группировок правящего класса и ведутся с позиций защиты его интересов. Буржуазная пресса в целом идет в фарватере политики официального Вашингтона, создает пропагандистское обеспечение курса правящих кругов страны.

Альтернативой монополистической прессе являются прогрессивные издания, особенно печать Компартии США. К прогрессивной печати также относятся некоторые профсоюзные издания, в частности газеты независимых профсоюзов, не входящих в АФТ — КПП, отражающие борьбу профсоюзов за права трудящихся. Это такие газеты, как «Диспэтчер», издающаяся в Сан-Франциско независимым профсоюзом портовых грузчиков и складских рабочих, «Эй-Си-Эй ньюс», выпускающаяся в Нью-Йорке независимым профсоюзом работников связи, «Ю. Э. ньюс» — орган независимого профсоюза рабочих электротехнической, машиностроительной и радиопромышленности. С прогрессивных позиций, за укрепление отношений с СССР и др. социалистическими странами выступает ряд изданий этнических групп. Двухмесячник «Апдейт Ю-Эс-Эс-Ар» (до июля 1985 г. «Нью уорлд ревью»), орган Национального совета американо-советской дружбы и ряда организаций, борющихся за мир, правдиво освещает жизнь и политику СССР и др. социалистических государств, популяризирует мирные инициативы Советского Союза.

Компартия США имеет следующие издания. С 3 июня 1986 г. в Нью-Йорке регулярно выходит ежедневная общенациональная газета «Пиплз дейли уорлд», заменившая ежедневную «Дейли уорлд» и еженедельник «Пиплз уорлд», издававшийся на Западном побережье США. Газета выпускается тиражом 100 тыс. экз. на 12 полосах; по четвергам выходит с приложением «Уорлд мэгэзин» и четырьмя страницами на испанском языке — «Нуэстро мундо». Теоретическим органом компартии является ежемесячник «Политикл афферс». Компартия издает также ежеквартальник «Блэк либерейшн», журнал «Джуиш афферс», выходящий 2 раза в месяц, партийные бюллетени «Парти афферс» и «Янг коммьюнист». Молодежная коммунистическая лига издает ежемесячный журнал «Дайнэмик». Компартия имеет свою местную печать, многотиражки на предприятиях.

РАДИОВЕЩАНИЕ

Начало регулярного радиовещания в **США** датируется 1920 г.; к концу 20-х годов сформировались общенациональные радиопрограммы (сети) «Коламбиа бродкастинг систем» (Си-Би-Эс) и «Нэшнл бродкастинг компани» (Эн-Би-Си), несколько позднее «Мючуэл» и «Американ бродкастинг компани» (Эй-Би-Си).

Беспорядочный захват волн частными станциями вынудил конгресс принять в 1927 г. закон о радио, а в 1934 г. действующий и поныне закон о связи, в соответствии с которым осуществляется распределение частот, общий надзор за порядком в эфире и разработка технических стандартов всех форм электронной коммуникации. Контроль за выполнением положений закона возложен на Федеральную комиссию по связи (ФКС).

В начале 80-х годов **ФКС** провела ряд мер по «дерегулированию» вещания: упростила процедуру отчетности станций, увеличила сроки выдаваемых им лицензий с трех до семи лет, сняла лимит на объем выпускаемой коммерческой рекламы, разрешила одной и той же компании выступать в качестве владельца не более 12 телестанций, 12 радиостанций амплитудной модуляции (т. е. работающих на средних и длинных волнах) и 12 радиостанций частотной модуляции (УКВ) вместо прежнего правила «7—7—7». Было отменено запрещение перепродавать только что купленную станцию в течение трех лет. Последние меры усилили концентрацию капитала в области вещания и вызвали волну спекуляций. Ежегодно владельцев меняет каждая десятая радио- и телестанция, причем средняя цена на радиостанцию составляет сейчас около 1 млн дол., а на телестанцию — 25 млн дол. В 1985 г. радиотелесеть Эй-Би-Си была продана за 3,5 млрд дол. конгломерату «Кэпитал ситиз коммюникейшнз», а «Дженерал электрик» купила за 6,3 млрд дол. «Рэйдио корпорейшн оф Америка» вместе с ее дочерней «Нэшнл бродкастинг компани».

Финансовой основой американского радиобизнеса является реклама. В 1987 г. в расходах на рекламу на долю радио приходилось 8 млрд дол., причем местная реклама (универмаги, супермаркеты) приносила радио вдвое больше доходов, чем общенациональная. Главный рекламодатель американского радио компания «Буш-Анхойзер» ежегодно расходует на рекламу пива «Бадвайзер» и прохладительных напитков свыше 50 млн дол.; второе место принадлежит «Дженерал моторс» — 40 млн дол.

Базой для расчета заказчиков рекламы со станциями служат размеры собираемой аудитории. Компания «Арбитрон» и др. регулярно, по меньшей мере раз в квартал, измеряют радиорынок методом анкетирования или телефонных опросов. Служба «Аудискэн» с помощью радиолокационной аппаратуры определяет, на какую волну настроены приемники автомобилистов,— обстоятельство весьма важное, поскольку при средней норме 3,5 часа в сутки треть передач американец слушает в пути. Из 505 млн радиоприемников, имевшихся в Соединенных Штатах Америки в 1987 г., каждый четвертый был рассчитан на работу «вне дома».

Портативный транзистор ускорил размежевание функций между радио и телевидением. Современное радиовещание приспособилось к ритму жизни, привычкам своей аудитории и сконцентрировало усилия на тех видах программ, где его преимущество бесспорно,— на музыке и новостях. 10 тыс. радиостанций США, за исключением самых мелких, расположенных в мало-

413

населенной местности и работающих в полуавтоматическом режиме, строго придерживаются своего профиля. Среди «специальностей» коммерческих радиостанций можно назвать музыку в стиле кантри, «мягкую» современную музыку, современные шлягеры, религиозную музыку, легкую и эстрадную музыку, рок-н-ролл, новости и (или) беседы, негритянскую музыку, передачи на испанском языке, классическую музыку и т. д. «Специальность» станций может меняться, убыточные станции меняют свой профиль порой несколько раз в год, приспосабливаясь к конкуренции, пока, наконец, их программа не становится рентабельной.

Центральная фигура музыкальных радиостанций США — диск-жокей (в 1985 г. их насчитывалось 37,5 тыс.). Находясь на студии, диск-жокей часами проигрывает пластинки, магнитофонные записи, комментирует их, иногда берет интервью у певцов и музыкантов, а на мелких станциях читает также новости и рекламу. Существует множество прокатных организаций, распространяющих в кассетах подборки музыкальных записей с готовыми комментариями или текстом комментария для местных диск-жокеев.

Среднестатистическая американская радиостанция со штатом в 12—13 сотрудников 2 часа в сутки отводит новостям. Вместе с рекламой один выпуск информации занимает 4—6 минут. Новости музыкальных станций органически дополняют основную часть программы; их содержание, темп, стиль подачи подстраиваются под аудиторию, которой они адресованы. В новостях «молодежных» станций, например, фигурирует много сообщений из мира спорта, кино и зрелищ, зарубежные события освещаются крайне скупо. В сущности, большинство радиостанций дает не столько новости, сколько заголовки новостей, информацию в урезанном, сжатом виде.

Свыше 50% американцев считают радио основным источником информации в утреннее время. Радио остается наиболее оперативным каналом информации круглые сутки, но за более полной информацией американцы обращаются к общенациональному телевидению и уж затем к газетам.

В крупных городах функционируют станции, специализирующиеся на «сплошных новостях» и (или) «телефонных беседах». Ведущие «разговорных шоу» обычно ищут темы, интересные для всех. Чаще всего это личные и семейные отношения, семейный бюджет и т. п. Лишь самые крупные информационные радиостанции содержат штат для самостоятельного сбора и обработки новостей. Мелкие же информационные и все музыкальные станции ретранслируют сообщения, поставляемые радиосетями, дополняя их материалами местных газет, а также информационных агентств ЮПИ и АП.

В 1983 г. завершился переход радио с трансляции по кабелю АТТ на цифровую спутниковую, что позволило улучшить качество сигнала. Эй-Би-Си и Эн-Би-Си модернизировали оборудование и открыли новые радиоцентры. Возникли новые сети временного и постоянного характера. Так, информационная кабельная телеслужба Т. Тернера Си-Эн-Эн (г. Атланта) в апреле 1982 г. создала свою радиосеть «Си-Эн-Эн рэйдио» и стала обрабатывать телесообщения с расчетом на их восприятие на слух. В роли радиосетей фактически выступают агентства АП и ЮПИ.

Информационные и образовательные радиостанции в последнее десятилетие все чаще выпускают обзоры, комментарии, подборки, подготовленные крупнейшими национальными газетами и журналами «Бизнес уик», «Уолл-стрит джорнал»,

«Тайм», «Ю. С. ньюс энд уорлд рипорт», «Крисчен сайенс монитор» и др.

Характерной чертой современного состояния американского радио является развитие стереофонического вещания на ультракоротких волнах. Занимавшие в послевоенном эфире совсем незначительное место частотные (УКВ) станции благодаря четкому стереозвуку обогнали по размерам аудитории средне- и длинноволновые станции амплитудной модуляции, хотя численно они отстают от амплитудных. ФКС разрешила вести передачи в стереозвучании на длинных и средних волнах, но из десятка предложенных электротехническими компаниями систем не отдала предпочтение ни одной, предоставив самому рынку определить наиболее жизнеспособную систему. Стереозвук — лишь одно из средств, которыми амплитудное радио пытается вернуть себе аудиторию. В 1985 г. ФКС предложила план создания 700 новых частотных станций, пообещав выдавать лицензии на них в первую очередь владельцам убыточных амплитудных. Амплитудное радио вынуждено сейчас специализироваться на информации, где качество звука имеет меньшее значение, чем в музыке. Несколько десятков станций стали выпускать утренние и дневные радиоигры-кроссворды с музыкальными подсказками. Ряд станций пытается создать круглосуточное «погодное радио», «комедийную сеть». 35 станций создали утренне-дневную «детскую сеть». Спорадические попытки возродить радиопьесу неизбежно оканчиваются провалом прежде всего из-за отсутствия оригинальной драматургии: по соображениям экономии радио использует старые сценарии довоенного периода, адаптирует популярные кинофильмы и старые телесериалы.

Начиная с 1980 г. ФКС выдает лицензии так называемым «международным частным станциям», которые на дотации религиозных фондов ведут передачи на коротких волнах для зарубежной аудитории. Среди 12 частных станций этой категории выделяется «Всемирная служба» при «Крисчен сайенс монитор», наряду с проповедями и религиозной музыкой значительное место отводящая обзорам мировых событий.

В отношении собственной аудитории США проводят протекционистскую политику: почти все выпускаемые здесь приемники не имеют коротковолнового диапазона. Регулярно зарубежные станции в США слушает не более 5% населения.

Особенностью американской системы массовой информации является отсутствие в ней сильной общенациональной некоммерческой радиосети, создающей баланс передачам ориентированных на прибыль частных станций. В 1987 г. в США насчитывалось 1300 станций некоммерческого, культурно-просветительного характера, но это прежде всего маломощные студии при высших учебных заведениях. Созданное в 1970 г. «Нэшнл паблик рэйдио» (310 филиалов) выпускает передачи довольно высокого качества, но в перегруженном эфире его голос едва слышен, и треть американцев даже не подозревает о его существовании. Государственные ассигнования на некоммерческое радиовещание малы. Оно зависит от пожертвований большого бизнеса.

Фрагментация аудитории по интересам позволила радио США восстановить популярность. Утратив свою былую роль общенационального рупора, децентрализовавшись, оно превратилось преимущественно в местное средство информации, развлечения и рекламы, заплатив за выживание в «век телевидения» оскудением репертуара.

ТЕЛЕВИДЕНИЕ

Телевидение в США развивается по двум направлениям. Первое, эфирное, осуществляет передачу сигнала через эфир. Структурно оно подразделяется на коммерческое, играющее основную роль в жизни страны и за ее пределами, и некоммерческое, общественное телевидение. В середине 80-х годов в США насчитывалось примерно 1200 телестанций, в т. ч. более 860 коммерческих.

Экспериментирование в области телевидения началось в США в 20-е годы. 30-е годы связываются с появлением первых телевизионных станций. В 1940 г. Федеральная комиссия по связи США (ФКС) утвердила план коммерческого развития телевидения и установила для американского телевидения стандарт развертки в 525 строк. В июле 1941 г. первые телестанции начали регулярные передачи по нескольку часов в день.

Вторая мировая война затормозила развитие телевидения. В первые послевоенные годы, когда шло становление американского телевидения, оно было убыточным, но уже с 1951 г. начинает приносить прибыль, превращаясь в гигантское коммерческое предприятие.

Телевидение при своем создании опиралось на коммерческие возможности американского радио, основные компании которого стали финансовой и производственной базой для телевидения, ускорив темпы его развития. Ведущая роль в становлении телевидения США принадлежала трем радиовещательным корпорациям — «Нэшнл бродкастинг компани» (Эн-Би-Си), «Коламбиа бродкастинг систем» (Си-Би-Эс) и возникшей несколько позже «Америкэн бродкастинг компани» (Эй-Би-Си), которая в 1985 г. слилась с компанией «Кэпитал ситиз коммюникейшнз». Эти же корпорации образовали три главные телевизионные сети страны, чья продукция заполняет основную часть эфирного времени большинства телестанций США.

Американское телевидение развивалось и развивается в условиях жесточайшей конкуренции между различными средствами массовой информации, а также внутри самого телевидения, в основе которой лежит борьба за прибыли, возрастающие год от года. Так, если в начале 70-х годов все американское телевидение имело годовой доход в размере 3,5 млрд дол., то в середине 80-х одна лишь Си-Би-Эс получила за год около 5 млрд дол. Главной статьей дохода для телекорпораций являются поступления от рекламы, цены на которую стремительно растут. В наиболее популярных передачах стоимость одной минуты рекламного времени достигает 500 тыс. дол. Наиболее распространенным видом рекламного объявления стал 30-секундный «ролик». Широкое распространение приобрела так называемая коллективная реклама, т. е. реклама, состоящая из нескольких объявлений, принадлежащих различным рекламодателям. Насыщенность телепередач коммерческой рекламой вызывает широкие протесты общественности и телезрителей.

Наряду с доходами от рекламы телекорпорации получают большую прибыль и от других видов предпринимательской деятельности, которой они занимаются, а именно от производства фильмов и видеокассет, издания книг и журналов, содержания спортивных команд, а также от участия в военном производстве США, в частности в области ракетостроения.

Каждая из ведущих корпораций владеет собственными станциями — главным образом в таких городах, как Нью-Йорк, Лос-Анджелес, Чикаго, Сан-Франциско, Филадельфия, Сент-Луис и Детройт. В настоящее время им разрешено иметь по 12 станций. Кроме того, каждая из корпораций имеет около 200 филиалов.

Финансовым интересам трех ведущих телесетей угрожает существование и усиление так называемых «независимых» (т. е. не принадлежащих ни одной из этих телесетей) станций. Их количество постоянно растет и к середине 80-х годов превысило 200. Они охватывают своим вещанием более 80 % территории страны, получая доход свыше 2 млрд дол. ежегодно.

В 1987 г. в США была открыта четвертая телевизионная сеть — «Фокс бродкастинг компани» (Эф-Би-Си), принадлежащая магнату прессы Р. Мэрдоку. Однако она находится пока в стадии эксперимента и вещает всего несколько часов в неделю. Ее полная загруженность предполагается в начале 90-х годов.

Американское телевидение чрезвычайно чувствительно к вниманию аудитории: оно постоянно изучает ее вкусы, следит за успехом каждой передачи. Для этого существуют специальные службы, наиболее известные из которых служба Нильсена и компания «Трендекс». У каждой из них свой метод изучения и подсчета аудитории. Служба Нильсена использует специальный прибор — аудиометр, компания «Трендекс» ведет опрос населения по телефону. Наиболее оперативно работает служба Нильсена: каждое утро она оповещает телесети о том, какое число телезрителей смотрело накануне ту или иную передачу. Передача считается успешной, если ее смотрит не менее одной трети аудитории, в противном случае она снимается с экрана, поскольку ни один рекламодатель не станет ее финансировать (так как слишком мала аудитория).

Американское телевидение отличается самой мощной технической базой среди телеорганизаций капиталистического мира, в частности, оно имеет наибольшее число телеканалов — в крупных городах их количество доходит до 28. Однако вся территория страны в целом принимает обычно не более четырех-пяти программ одновременно. В больших городах вещание ведется практически круглосуточно. Почти все передачи идут в цветном изображении (по американской системе Эн-Ти-Эс-Си). В 1987 г. 87,4 млн американских домохозяйств имели телевизоры, из них 82,7 млн — цветные. По данным службы Нильсена, на начало 1988 г. 59 % домохозяйств принимали 15 и более программ, а 31 % — более 30 эфирных и кабельных программ.

Наряду с коммерческим телевидением в США существует и некоммерческое, общественное телевидение. В 1952 г. Федеральная комиссия по связи США предоставила 242 канала образовательным станциям, принадлежащим университетам, колледжам и общественным организациям крупных городов. Финансовое положение их было тяжелым, так как существовали они на пожертвования и средства благотворительных фондов. В 1967 г. решением конгресса все эти станции были объединены в одну организацию под названием «Паблик бродкастинг сервис» (Пи-Би-Эс), которая стала получать определенную дотацию от государства (сумма дотации постоянно меняется). Однако финансовая база некоммерческого телевидения по-прежнему остается слабой по сравнению с коммерческим.

Главный упор в своих программах Пи-Би-Эс делает на фильмы культурно-просветительного содержания и художественную классику, в первую очередь фильмы английского производства.

В середине 80-х годов Пи-Би-Эс насчитывала около 300 станций.

Второе направление развития американского телевидения — кабельное (КАТВ). Принцип его действия основан на передаче изображения посредством коллективной антенны и кабельной сети (коаксиального кабеля).

Первые кабельные системы появились в США в 1949 г. в штатах Пенсильвания и Орегон как технические усовершенствования для приема телепередач в горной местности. Развитие кабельного телевидения пошло более быстрыми темпами в 60-е годы, а в 70-е годы началось наступление кабельного телевидения на большие города. Среди кабельных систем, ответственных за техническую сторону дела, ведущее место заняли «Телепромптер» (основана в 1967 г.) и «Американ телевижн энд коммюникейшнз» (Эй-Ти-Ви, основана в 1968 г.). У каждой из них более миллиона абонентов. Еще четыре системы — «Дженерал электрик кейбл», «Телекоммюникейшнз», «Уорнер амекс» и «Таймс — Миррор» заняли соответственно третье, четвертое, пятое и шестое места.

В сфере производства программ лидируют две самые крупные компании — «Хоум бокс оффис» (Эйч-Би-Оу, основана в 1972 г.) и «Шоутайм» (основана в 1978 г.). Первая имеет свыше 9 млн абонентов, вторая — около 4 млн.

В начальной стадии основным источником доходов кабельного телевидения была абонентная плата (передачи демонстрировались без рекламы, что очень привлекало зрителей), но в процессе развития кабельное телевидение перешло на коммерческие рельсы — была введена реклама. Зрители, желавшие смотреть передачи без нее, могли получить таковые, но за отдельную плату. Так родилось платное телевидение. По своей природе оно кабельное, но для отличия именуется «платным». Первые платные станции появились в 1971 г. Первоначально принцип их функционирования сводился к следующему: ежемесячно абонент вносил 8—10 дол. сверх обычной платы, и за эту сумму ему показывали несколько кинофильмов, спортивных матчей и т. п.

Но постепенно родилась новая форма, при которой плата производилась не «оптом», а непосредственно за каждую просмотренную передачу. С этой целью к телевизору каждого абонента прикреплялся небольшой счетчик, который и вел учет просмотренных передач, за которые присылался счет. При этом программа включала в себя передачи, составленные по заявкам зрителей.

Успех платного телевидения обеспокоил коммерческие сети, которые начали против него ожесточенную борьбу. Эта борьба обусловлена тем, что КАТВ может дать зрителю то, что не может дать ему коммерческое телевидение. Высокое качество изображения и широкий выбор программ — не единственное преимущество кабельного телевидения. Остро встал вопрос о новых кинофильмах, театральных спектаклях и репортажах с крупных спортивных состязаний и матчей. Театральный, спортивный и кинобизнес не предоставляют коммерческому телевидению, адресующемуся к массовой аудитории, права на показ фильмов, постановок и т. д., пользующихся общественным успехом и способных привлекать зрителей в театры, на стадионы. Ограниченная телеаудитория КАТВ серьезной опасности для них не представляет, и поэтому между кабельным телевидением и дельцами шоу-бизнеса установился тесный контакт.

Еще одно преимущество КАТВ заключается в том, что оно имеет возможность создавать передачи, рассчитанные на узкую, специализированную аудиторию. Появились специальные каналы: спортивный, музыкальный, службы погоды, здоровья и т. д.

Большой сдвиг произошел и в сфере информации: 1 июня 1980 г. начал работу кабельный информационный канал «Кейбл ньюс нетуорк» (Си-Эн-Эн) в Атланте, а 31 декабря 1981 г. вошел в строй канал Си-Эн-Эн II, получивший позднее название «Хедлайн ньюс». Оба они принадлежат миллионеру и бизнесмену Т. Тернеру и призваны поставлять телеинформацию всех видов 24 часа в сутки.

Не последнее место в специализации КАТВ занимает порнография. Так называемые «взрослые» фильмы демонстрируются КАТВ под рубриками «Голубая полночь» и др. В 80-х годах возникли специализированные службы — «Интимный просмотр» и «Плейбой» — детище одноименного журнала.

Особенностью КАТВ является и установление двусторонней связи между зрителем и передающей студией. Это обстоятельство вызывает у многих американцев обоснованную тревогу в связи с опасностью того, что кабельное телевидение может стать средством «электронной слежки» со стороны ФБР и ЦРУ.

В настоящее время кабельное телевидение предлагает зрителю более 30 каналов. В стадии разработки находится аппаратура, способная принимать до 100 каналов. На начало 1988 г. кабельным телевидением было охвачено 52% домохозяйств.

Активное развитие кабельного телевидения стало возможным благодаря использованию им спутников связи. Программы, передаваемые в эфир через спутники кабельными службами и коммерческими сетями, могут приниматься на индивидуальные телевизоры при наличии специальной антенны.

Телевидение США является наиболее мощным в капиталистическом мире. Оно производит телепродукции во много раз больше любой другой страны мира, заполняя ею не только телеэкраны американцев, но и наводняя своими программами страны Западной Европы, Азии, Африки и Латинской Америки.

Главная особенность программ американского телевидения заключается в предпочтении, отдаваемом развлекательным программам, занимающим примерно 70—80% общего объема передач. На долю общественно-политического вещания приходится 10—20% времени.

Ежедневную телепрограмму можно условно разбить на три временных блока: утренне-дневной (с 6.00 до 19.30), вечерний (с 19.30 до 23.30) и ночной (с 23.30 до 6.00). Такое разделение основано на характере передач. Утренне-дневной блок заполнен передачами для женской и детской аудитории — многосерийными мелодрамами, играми и викторинами, мультфильмами. Вечерний блок заполняется в основном многосерийными фильмами в жанрах вестерна, детектива и бытовых комедий. Кроме серийных передач, которые занимают постоянное место в программной сетке месяца и дня недели, в вечернем блоке идут эстрадные представления, шоу и кинофильмы. В целом программа вечернего блока строится в расчете на семейную аудиторию. Ночной блок состоит в основном из эстрадных шоу и кинофильмов прежних лет. Его программы рассчитаны на смешанную аудиторию. В субботу и воскресенье увеличивается число передач для детей, спортивных программ, учебно-образовательных и научно-познавательных передач. Необходимым компонентом воскресной программы являются религиозные передачи.

Информационные выпуски новостей на телевидении имеют, как правило, получасовую продолжительность. Вечерние, главные выпуски именуются по названию сети — «Новости Си-Би-Эс», «Новости Эн-Би-Си» и т. д. Ведут их квалифицированные политические комментаторы, мнение которых уважает широкая аудитория. Кроме вечерних выпусков новостей каждая сеть имеет и свой утренний выпуск, появляющийся на экране в 7 часов утра. Существует ряд других информационных передач и бюллетеней новостей, которые на протяжении дня и поздно вечером знакомят зрителей с внутренними и международными событиями, отдавая предпочтение материалам сенсационного характера.

Зависимость телевидения США от крупного капитала неизбежно сказывается на содержании передач, которое определяется позицией правящих кругов США. В них пропагандируется «американский образ жизни», стереотипы «массовой культуры».

ИЗУЧЕНИЕ ОБЩЕСТВЕННОГО МНЕНИЯ

Одним из важнейших средств изучения общественного мнения США (чему с давних пор уделяется большое внимание) является институт опросов, существующий в его нынешнем виде с 30-х годов. Становление этого института связано с развитием капитализма, с попытками правящих кругов приспособиться к изменяющемуся соотношению сил, с ростом самосознания масс, что, в свою очередь, обусловлено целым рядом объективных факторов и процессов как внутри США, так и на международной арене. Опросы, превратившиеся в наши дни в настоящую «индустрию», охватывают все стороны общественно-политической жизни США — от изучения реакции отдельных групп населения на те или иные программы в рамках небольших административных единиц до выяснения отношения всего населения к различным правительственным акциям внутриполитического или внешнеполитического характера. Отдельным опросом общественного мнения, который может быть проведен как среди представителей всех групп населения, так и среди лиц, принадлежащих к какой-то определенной его группе (старше или моложе конкретного возраста, домохозяек, учащейся молодежи, владельцев телефонов и т. п.), охватывается, как правило, около полутора тысяч человек. Допускаемым пределом отклонения результата опроса этого оптимального числа лиц от истинного отношения общественности признается ± 3—4%.

Правящие силы США используют институт опросов прежде всего для поиска путей совершенствования системы социального контроля: опросы призваны помочь обнаружению сфер и масштабов недовольства, способствовать корректировке направления и способов воздействия на американское массовое сознание. Этому служат все виды опросов, особенно закрытые, т. е. результаты которых известны только заказчикам.

Политика целенаправленного воздействия на общественное мнение предполагает знание настроений широких масс, знание реального положения вещей. Отсюда, с одной стороны, развернутое идеологическое наступление по всем возможным каналам и направлениям, а с другой — тщательное изучение общественного мнения.

Опросы являются важным источником для изучения долговременных тенденций в американском общественном мнении. Аккумулированные за многие годы результаты опросов дают обширный эмпирический · материал, к которому обращаются исследователи различных аспектов общественно-политической жизни страны.

Организации, осуществляющие исследования общественного мнения США по внутренним и международным проблемам, в подавляющем большинстве частные предприятия. При всем многообразии таких организаций лишь незначительная их часть (как правило, всемирно известные организации), занимаясь опросами на регулярной и постоянной основе, публикует их результаты. Основная масса фирм проводит по заказу различных клиентов опросы закрытого характера.

Самая известная фирма по проведению общенациональных опросов — Американский институт общественного мнения, или Институт Гэллапа. Основанный в 1935 г., в то время, когда было положено начало практическому изучению общественного мнения с применением более строгих методов анализа, этот институт в течение более чем 50 лет еженедельно фиксирует общественное мнение в стране по разнообразным политическим, социальным и экономическим проблемам.

В 1947 г. была создана Американская ассоциация исследователей общественного мнения. В ассоциацию входят представители академической среды, социологи, психологи, исследователи в сфере рыночных и финансовых операций, специалисты по проведению опросов — все те, кто в той или иной степени интересуется проблемами общественного мнения. Члены ассоциации проводят исследования для частных компаний, федеральных и местных властей, университетов, рекламных агентств, научно-исследовательских учреждений, средств массовой информации и т. д. Ассоциация проводит ежегодные конференции совместно с Всемирной ассоциацией исследователей общественного мнения. Под ее эгидой выходит журнал «Паблик опинион куортерли». Результаты исследований ассоциации используются правительством, представителями бизнеса, различными учреждениями при выработке и принятии решений.

В 1957 г. был создан Роуперовский научно-исследовательский центр общественного мнения, где собраны данные опросов, проведенных как американскими, так и иностранными исследователями. В том же году был основан Национальный совет по публикуемым опросам, поставивший своей задачей разработку требований, которым должны отвечать публикуемые опросы. Согласно выработанным входящими в этот совет организациями требованиям, каждый отчет о проведенном опросе должен содержать следующую информацию: характеристику опрашиваемой группы; метод опроса лиц, составляющих выборку; размер выборки; точную формулировку заданного вопроса (или вопросов); время проведения интервью, когда это представляется возможным; заказчика (или заказчиков) опроса. Организации, входящие в совет, в основном соблюдают эти правила. Их придерживаются и многие из тех, кто не входит в совет, за исключением мелких частных фирм, которые их попросту игнорируют.

Важной вехой в истории опросов явилось создание в 1963 г. службы Луиса Харриса по проведению общенациональных опросов, результаты которых публикуются дважды в неделю более чем 250 американскими газетами. В течение многих лет эта служба была единственным серьезным конкурентом Института Гэллапа.

В последние годы большую известность среди исследователей общественного мнения приобрел Д. Янкелович, основавший фирму, первоначально носившую его имя. Осенью 1975 г. Д. Янкелович (совместно с С. Вэнсом) создал некоммерческую организацию «Паблик эдженда фаундейшн» как для привлечения внимания общественности к наиболее важным проблемам, так и для выработки альтернативных программ в сфере внутренней и внешней политики на основе изучения общественного мнения, которые могут быть использованы различными политическими деятелями.

В конце 70 — начале 80-х годов наблюдается заметный приток в «опросный бизнес» ведущих американских газет и телевизионных компаний. Если раньше газеты публиковали лишь данные опросных фирм, то теперь они и телекомпании проводят опросы либо своими силами, либо совместно с известными фирмами. Это, в частности, связано с тем, что опросы стали, по сути, неотъемлемой частью общественно-политической жизни США. Во многом этому также способствовала и активизация общественных сил, массовые антивоенные выступления.

Инструментом опросов в настоящее время пользуются представители законодательной и исполнительной власти. С помощью опросов проверяются действенность и эффективность различных внутри- и внешнеполитических акций и программ. Значение института опросов в современном американском обществе подтверждается и тем постоянным вниманием, которое он получает со стороны различных фондов, ассигнующих значительные суммы на разработку теоретических исследований в области общественного мнения, проводящих опросы среди населения, совершенствующих методы и формы этих опросов.

Институт опросов общественного мнения активно используется и прогрессивными силами США в борьбе за подлинную демократизацию внутриполитической жизни, за разработку и проведение реалистического курса во внешней политике.

ЛИТЕРАТУРА

Первые литературные произведения создавались в английских колониях в Северной Америке с начала XVII в. Черты национального своеобразия складывающейся американской литературы выступили в творчестве просветителей эпохи Войны за независимость 1775—1783 гг. (Б. Франклин, Т. Пейн). Процесс формирования национальной литературы завершается в первой половине XIX в. Важнейшую роль в нем сыграли писатели-романтики.

Выступая против буржуазных отношений, установившихся в США после Войны за независимость, романтики трагически воспринимали разлад между идеалами американской революции и практикой собственнического мира. Они стремились понять смысл противоречий американской истории, отстаивали идеи духовной самобытности американцев. Наследуя социально-критический пафос просветителей, они противопоставили их рационализму чувство непредсказуемой и драматической динамики жизни, в которой видели подспудную борьбу доброго и злого начал, получавшую в их произведениях нравственное, религиозное, порой мистическое истолкование.

История американского романтизма распадается на два этапа. Ранний этап (1810—1830-е годы) характерен преобладанием исторического романа (Дж. Ф. Купер) и новеллистики, примечательной стремлением передать специфику психологического склада американца с его практицизмом и энергией, донести чувство стремительного темпа происходящих в США перемен (В. Ирвинг).

В 1836 г. сложилась группа «Молодая Америка», провозгласившая программу художественной самостоятельности национальной культуры. Этой же задачей направлялась деятельность трансценденталистов во главе с Р. У. Эмерсоном, в своих эссе обосновавшим доктрину «доверия к себе», которая стала фундаментом индивидуалистических концепций морали и жизненного поведения. Высшим литературным достижением близких к трансцендентализму писателей стал лирико-публицистический дневник Г. Д. Торо «Уолден, или Жизнь в лесу» (1854), проникнутый мыслью о нравственном долге личности и содержащий резкую критику буржуазных отношений, рисующий поэтичные картины американской природы.

Второй этап развития романтизма (1840—1850-е годы) отмечен углубленными философскими и этическими исканиями. Обостренное ощущение драматизма действительности, внимание к полуосознанным побуждениям личности и к глубинным духовным коллизиям характерны для поэзии и новеллистики Э. А. По. Аналитическое исследование форм и проявлений общественного зла, насилия над свободой духовной жизни составляет пафос романов «Алая буква» (1850), «Дом о семи шпилях» (1851) Н. Хоторна.

В творчестве Г. Мелвилла отразилось разочарование в духовных ценностях и практической морали буржуазной Америки; роман «Моби Дик, или Белый Кит» (1851) отмечен сложной символикой, раскрывающей тему обреченного на поражение бунта человека против своего трагического земного удела. Поэтизация патриархальной жизни, интерес к индейскому фольклору, подсказавшему мотивы «Песни о Гайавате» (1855), свойственны поэзии Г. У. Лонгфелло. Широкий размах движения за отмену рабовладения способствовал росту гражданственных направлений в литературе. Событием общественной жизни стал роман «Хижина дяди Тома» (1852) Г. Бичер-Стоу.

Подъем демократических настроений накануне и в период Гражданской войны 1861—1865 гг. способствовал укреплению реалистических тенденций в литературе США. В 1855 г. вышло первое издание «Листьев травы» У. Уитмена. Уитмен обратился к изображению повседневности, добившись при этом сочетания интенсивности лирических переживаний и достоверности созданного им панорамного образа Америки. Поэтика свободного стиха и принципы поэтического реализма, которые Уитмен разработал в «Листьях травы» и обосновал в книге «Демократические дали» (1871), оказали воздействие на мировую поэзию XX в.

Вершиной реализма XIX в. явилось творчество Марка Твена (настоящее имя С. Клеменс), отразившего действительность своего времени во всем ее многообразии. Трилогия Твена «Старые времена на Миссисипи» (1875), «Приключения Тома Сойера» (1876), «Приключения Гекльберри Финна» (1885), как и его сатирические и притчевые произведения, стала истоком реалистической американской прозы XX в. Существенное влияние оказало на нее и творчество Г. Джеймса, в чьих книгах («Бостонцы», 1886, «Крылья голубки», 1902, «Послы», 1903) глубоко исследован конфликт творческой личности с равнодушным к искусству миром, столкновение жизненной ориентации типичного американца с духовными нормами, характерными для европейского общества.

В 90-е годы XIX в. заявил о себе американский натурализм. Разделяя свойственные этому течению идеи биологической предопределенности социальных процессов, такие его американские представители, как Х. Гарленд и Ф. Норрис, основное внимание уделили классовым конфликтам эпохи развитого капитализма. Правдивую и жестокую картину Гражданской войны создал в повести «Алый знак доблести» (1895) С. Крейн. Без романтических прикрас писал о Гражданской войне и новеллист А. Бирс, известный также своими сатирическими произведениями. Натуралистическими по духу были документальные произведения Дж. Л. Стеффенса и близких ему писателей, названных «разгребателями грязи». В этих произведениях изображались контрасты общественной жизни, разоблачалась коррупция.

Реализм утвердился в США позднее, чем в Европе, и обладал рядом национальных особенностей. Они обусловлены неравномерностью темпов социального развития отдельных регионов страны, сказавшейся на неравномерности эстетического развития: архаичность художественного мышления отличает, например, литературу южных штатов, особая важность фактографического бытописания (так называемая «школа местного колорита») присуща писателям Среднего Запада и т. п. Особенности обусловлены и специфичностью синтеза европейских и национальных традиций в американской литературе, той ролью, которую в ней играет индейское и негритянское фольклорное наследие. Становление негритянской художественной культуры, задержанное историческими обстоятельствами, происходит лишь на исходе XIX в., когда заявили о себе поэт П. Л. Данбар и др. литераторы.

В литературе XX в. национальные особенности художественного процесса, предопределенные спецификой исторической жизни американского общества, сказываются еще ощутимее. Для реалистической литературы с самого начала нового столетия характерно нарастающее разочарование в идеалах буржуазной демократии и критическое исследование их сущности. Неизбежность политического столкновения буржуазии и пролетариата предсказал в утопии «Железная пята» (1907) Дж. Лондон, начинавший романтическими новеллами об освоении Аляски. Его роман «Мартин Иден» (1909) раскрыл трагедию художника из народа, сломленного системой буржуазного предпринимательства в искусстве. Дж. Лондон пережил недолгое, но сильное увлечение идеями социализма, к которым был близок и молодой Э. Синклер, создавший картину бесчеловечной эксплуатации пролетариата в романе «Джунгли» (1906).

В 1910-е годы вокруг журнала «Мэссиз» сплотились революционные писатели, среди которых выделялись критик Р. Борн и публицист Дж. Рид, создавший выдающееся документальное произведение о Великой Октябрьской социалистической революции «10 дней, которые потрясли мир» (1919). Под воздействием Октября к социалистическим идеалам приходит Т. Драйзер, который многое перенял из художественного опыта натуралистов, однако постепенно преодолел свойственный им биологизм, еще чувствующийся в таких его романах, как «Сестра Керри» (1900), «Финансист» (1912), «Титан» (1914). Роман Драйзера «Американская трагедия» (1925), развенчивающий миф о «равных возможностях для всех», стал одним из крупнейших завоеваний критического реализма XX в. в литературе США.

Развитие поэзии, после Уитмена многие годы переживавшей застой, хотя она и выдвинула крупное дарование не печатавшейся при жизни Э. Дикинсон, происходит с необычайной интенсивностью во времена так называемого «поэтического возрождения», которое выпало на 10-е годы XX в. Поэты этого поколения стремились создать широкую картину американской действительности, наполнив ее большим социальным и философским содержанием. Синтез романтических традиций, продолженных и обогащенных Э. А. Робинсоном, и принципов уитменовской поэтики способствовал реальному художественному обновлению, свидетельствами которого стали такие сборники, как «К северу от Бостона» (1915) и «Нью-Гэмпшир» (1923) Р. Фроста, «Стихи о Чикаго» (1916), «Дым и сталь» (1920) К. Сэндберга, впоследствии создавшего поэтический эпос «Народ, да» (1936), а также поэзия В. Линдсея и Э. Л. Мастерса.

В 1910-е годы происходит и зарождение модернизма в литературе США. Поэты Э. Паунд, Т. С. Элиот, прозаик Г. Стайн провозгласили разрыв с Америкой, считая ее страной, где торжествует буржуазный утилитаризм и нет почвы для истинной культуры. Их творческие искания оказали заметное воздействие на искусство Запада XX в. Паунд в своей борьбе за точное слово существенно расширил диапазон эстетических средств поэзии, осваивая формы и принципы художественного мышления поэтов европейского средневековья, Древнего Китая, Японии. Элиот, начинавший гротескно-сатирическими стихами, в поэме «Бесплодная земля» (1922) выразил предчувствие краха буржуазной цивилизации; его позднее творчество отмечено высокой гармонией и философской глубиной обобщений. Большую роль в прозе

XX в. сыграла поэтика «потока сознания» и ассоциативного монтажа, разработанная в таком произведении Стайн, как роман «Становление американцев» (1925). Однако поиски модернистов чаще всего оставались формалистическими, а их взгляды со временем принимали консервативный и даже откровенно реакционный оттенок. Покинув США, лидеры американского модернизма избрали судьбу экспатриантов, наложившую отпечаток на все их творчество.

Авангардистские и модернистские веяния широко затронули и американскую драматургию начала XX в., в частности творчество Ю. О'Нила, который сыграл выдающуюся роль в становлении театра как полноценного явления художественной жизни США. Постепенно преодолев крайности экспериментального периода творчества, отмеченного сильным воздействием экспрессионизма, О'Нил в лучших своих пьесах («Траур — участь Электры», 1931, «Долгий день уходит в ночь», 1940) возродил искусство высокой трагедии, наполненной масштабными этическими конфликтами. В драматургии 20—30-х годов широко отразилась бурная социальная хроника этого времени, стимулировавшая творческие поиски мастера поэтической драмы М. Андерсона, тяготевших к остро актуальной проблематике Э. Райса, К. Одетса и др. авторов.

Под влиянием Октября и массовых демократических движений межвоенных лет усиливается идейно-эстетическое размежевание в литературе США. Писатели, начинавшие после первой мировой войны («потерянное поколение»), выразили неверие своих сверстников в разумность миропорядка, взорванного событиями огромной исторической важности. Их книги полны боли за тех, кто погубил юность в окопах, проникнуты мыслью о крушении рационального и некогда устойчивого бытия. Чувство обреченности, трагичности человеческого удела доносит раннее творчество Ф. С. Фицджеральда, Э. Хемингуэя, Дж. Дос Пассоса, поэзия Э. Э. Каммингса, известного и своим страстным антивоенным романом «Огромная камера» (1922).

«Потерянное поколение» заявило о себе новаторскими художественными исканиями. Обостренное восприятие красоты мира, соединившееся с сознанием безвременной духовной и эмоциональной опустошенности человека, предопределило своеобразие картин действительности, созданных в «Великом Гэтсби» (1925) Фицджеральда, «Трех солдатах» (1921) и «Манхеттене» (1925) Дос Пассоса, «Прощай, оружие!» (1929) Хемингуэя и др. ярких романах той поры.

С течением времени в произведениях всех этих писателей углубляется конфликт, связанный как с историческими судьбами Америки, так и с драмами, переживаемыми всем людским сообществом. Дос Пассос, не отказываясь от новаторских приемов построения картины мира при помощи средств кинематографического монтажа, работает над трехтомным эпосом об Америке XX в. «США» (1930—1936). Активно участвовавший в антифашистском движении и отправившийся корреспондентом в Испанию во время национально-революционной войны 1936—1939 гг., Хемингуэй пишет роман «По ком звонит колокол» (1940), где подняты острейшие проблемы, связанные с мучительными переломами истории и революционным обновлением мира. Наиболее наглядно эволюция американской литературы межвоенных лет проявилась в творчестве У. Фолкнера, начинавшего как прозаик «потерянного поколения» (роман «Солдатская награда», 1926) и увлеченного сложными повествовательными экспериментами в «Шуме и ярости» (1929), где показаны распадающиеся связи между людьми, не способными освободиться от расистских предрассудков и психологии собственничества. Глубоко связанное с действительностью южных штатов США, творчество Фолкнера затрагивает самые значительные явления общественной и духовной жизни XX в., оно проникнуто верой в человека, способного преодолеть жестокие испытания, выпавшие на его долю в наше время (романы «Свет в августе», 1932, «Авессалом, Авессалом!», 1936, трилогия «Деревушка», 1940, «Город», 1957, «Особняк», 1959).

Большую роль в обогащении поэтики реализма сыграло творчество новеллиста Ш. Андерсона, который ввел в литературу США гротескный и психологически точный образ провинции, населенной статистически благополучными, но несчастливыми, духовно подавленными «средними американцами» (сборник рассказов «Уайнсбург, Огайо», 1919). Сатирическое обличение этого мира и сострадание к его жертвам переплетаются в книгах С. Льюиса «Главная улица» (1920) и «Бэббит» (1922). Впоследствии Льюис создал антифашистский роман-антиутопию «У нас это невозможно» (1935). Провинция занимает большое место и в романах Т. Вулфа, где показано столкновение творчески одаренной личности с косностью и убожеством окружающего мира («Взгляни на дом свой, Ангел», 1929, «О Времени и о Реке», 1935). Эпический размах повествования Вулфа органично соединяется с подчеркнуто злободневной проблематикой, носящей антифашистский характер в последнем его романе «Домой возврата нет» (опубликован в 1940 г.).

Мировой экономический кризис 1929—1933 гг., обострение классовых антагонизмов активизировали гражданственное начало, доминирующее в литературе США 30-х годов — так называемого «красного десятилетия». Это время углубления социальной проблематики и гуманистического пафоса, отличающего лучшие произведения демократической направленности. Заметным явлением стали романы о рабочем классе, созданные писателями — выходцами из пролетариата. Глубокие обобщения социальных конфликтов достигнуты в творчестве Э. Колдуэлла, автора «Табачной дороги» (1932), Дж. Т. Фаррелла и особенно Дж. Стейнбека, создавшего подлинно эпический роман об охваченной кризисом Америке «Гроздья гнева» (1939). Яркие страницы в литературу этих лет вписали новеллист и драматург У. Сароян, драматург Л. Хелман, поэт А. Мак-Лиш.

Некоторые художники, начинавшие как сторонники модернистских теорий, в эти годы переживают перелом, посвятив свое творчество постижению реальных противоречий эпохи. Так произошло с поэтом У. К. Уильямсом, сумевшим достичь синтеза уитменовской традиции и творческих находок поэтического авангарда (сборник «Адам, Ева и город», 1936; эпическая поэма «Патерсон» в пяти частях, 1946—1958). Освобождается от формалистических увлечений У. Стивенс, в сборниках «Начертания порядка» (1935) и «Человек с голубой гитарой» (1937) создавший образцы философской лирики, насыщенной отголосками времени.

Большой подъем переживает негритянская литература, окончательно оформившаяся как самостоятельное художественное явление. Л. Хьюз определял задачи поэта в прямой связи с борьбой угнетенных. Р. Райт в романе «Сын Америки» (1940) создал картину расового неравноправия, ведущего к обесчеловечиванию личности.

Вторая мировая война и последовавшая за нею полоса реакции во многом ослабили гражданский пафос литературы «красного десятилетия». Некоторые писатели в условиях маккартизма отступились от передовых идеалов (Дос Пассос, Фаррелл, Синклер). Распространилось увлечение экзистенциализмом, заметное и в созданных вчерашними фронтовиками произведениях о войне, таких, как роман Н. Мейлера «Нагие и мертвые» (1948) и роман Дж. Джонса «Отныне и во веки веков» (1951). Идеи затерянности человека в абсурдном и жестоком социальном космосе свойственны раннему творчеству С. Беллоу — романам «Жертва» (1947), «Приключения Оги Марча» (1953). В последующих романах Беллоу, отмеченных вниманием к кризисным явлениям духовной жизни США («Герзаг», 1964, «Планета мистера Самлера», 1969), нарастает пессимистическое ощущение будущего, уготованного в XX в. истинной культуре.

Экзистенциализм затронул и творчество У. Стайрона, впоследствии создавшего такие романы, как «И поджег этот дом» (1960), содержащий анализ феномена бездуховности, и «Выбор Софи» (1979), исследующий природу нацизма. Опасность роста фашистских тенденций в самом американском обществе передана романом Р. П. Уоррена «Вся королевская рать» (1946). И как поэт, и как прозаик, Уоррен сохранил верность идеям гуманистического назначения личности, показывая в своих романах («Пещера», 1959, «Потоп», 1964, «Пристанище», 1977) трудные пути духовного самоосуществления личности, оберегающей истинную этику среди окружающей моральной апатии. Эта тема по-своему решена К. Э. Портер в антифашистском романе «Корабль дураков» (1962).

В негритянской литературе послевоенных лет нарастали трагические настроения, вызываемые крахом попыток героя преодолеть в себе воспитанный с детства комплекс расовой неполноценности и психологическую отчужденность от мира. Такова проблематика романа Р. Эллисона «Невидимка» (1952), последних произведений Р. Райта и раннего творчества Дж. Болдуина, рома-

ниста и публициста, сыгравшего видную роль в подъеме негритянского движения 60-х годов. Широкий размах этого движения привел к радикальным переменам в негритянской художественной культуре, проникшейся идеями борьбы за расовое равноправие, а подчас испытывавшей воздействие леворадикальных доктрин (романы Дж. О. Килленса, поэзия и драматургия Л. Джонса).

В послевоенной драматургии США происходила конфронтация реалистических и модернистских тенденций, проявившихся в попытках привить на американской сцене «театр абсурда» и др. веяния сходного характера. Крупнейшие достижения драмы 40—50-х годов связаны с именем А. Миллера, в пьесах которого («Смерть коммивояжера», 1949, «Вид с моста», 1955, «Цена», 1967) отстаивается мысль об ответственности человека за судьбы общества и за нравственные итоги собственной жизни. Т. Уильямс в своих сложно построенных драмах «Трамвай «Желание» (1947), «Орфей спускается в ад» (1957), «Ночь игуаны» (1961) доносит ощущение жестокости как нормы будничного существования американского общества, в котором задыхаются герои этих пьес. Растущие барьеры между людьми, деградация моральных ценностей — тема многих пьес Э. Олби и др. современных драматургов.

Новейшая поэзия проникнута протестом против механизации чувств человека, превращаемого в «единицу статистики». Этические коллизии, возникающие на почве противоборства гуманности и бездуховности, заняли основное место в лирике Р. Уилбера, философской поэзии Т. Рётке и Дж. Беррримена, создателя большого цикла «Песни-фантазии» (1969), запечатлевшего основные вехи духовной жизни Америки XX в. Масштабность исторического мышления отличает творчество Р. Лоуэлла, автора сборников «Страницы жизни» (1959), «История» (1973), «День за днем» (1977), ознаменовавших в поэзии «прорыв к реальному» после долгих лет герметизма и академичности. В годы войны во Вьетнаме активно заявила о себе поэзия протеста (творчество Д. Левертов, отчасти Р. Блая). У негритянских поэтов Г. Брукс и Р. Хейдена фольклорная образность сложно сочетается с интеллектуальной проблематикой и темой причастности к движению за равноправие.

Особую роль в развитии поэзии и оздоровлении всей литературной атмосферы США сыграли выступившие в середине 50-х годов поэты-битники А. Гинзберг, Л. Ферлингетти, поэт и прозаик Дж. Керуак. Они возвестили о яростном бунте против маккартизма и насаждавшейся им конформистской этики «молчаливого большинства», обличая уродства «процветания», оплаченного духовной дегенерацией. Поэма Гинзберга «Вопль» (1955) прозвучала как манифест «разбитого поколения», которое не находило реальных духовных ценностей в окружающей жизни. Эти настроения широко привились в поэзии 50—60-х годов, выразившись в лирике С. Плат, Дж. Райта и др. поэтов, сумевших избежать анархистских крайностей, свойственных Гинзбергу.

Как манифест неприятия стандартов бездуховности прозвучали книги Дж. Д. Сэлинджера — повесть «Над пропастью во ржи» (1951) и сборник новелл «Девять рассказов» (1953), а также первые произведения Дж. Апдайка, создателя философского романа «Кентавр» (1963) и трилогии «Кролик, беги» (1960), «Кролик исцелился» (1971), «Кролик разбогател» (1981), где дается хроника американской повседневности, показанной в лирико-гротеском ключе. Летописью времени стали рассказы Дж. Чивера и его роман «Буллет-Парк» (1969). Ответственность героя за свой этический выбор и степень зависимости личности от преобладающего в обществе духовного климата создают основной конфликт в романах Т. Уайлдера «День восьмой» (1967) и «Теофил Норт» (1973), Ю. Уэлти «Проигранные битвы» (1970), Дж. Р. Херси «Заговор» (1972).

Явлениям нравственного разложения пытались противопоставить христианские ценности Ф. О'Коннор и У. Перси. Интеллектуальный роман, излюбленный такими авторами, как Б. Маламуд, который широко использовал сюжеты, связанные с судьбами представителей еврейской общины в США («Новая жизнь», 1961, «Разные жизни Дьюбина», 1979), Апдайк, Беллоу, строился как повествование в форме мифа, иносказания, притчи, однако чаще всего был впрямую связан с актуальными конфликтами американской жизни, например у Дж. Гарднера в таких книгах, как «Никелевая гора» (1973) и «Октябрьский свет» (1976, в переводе на русский язык опубликована под названием «Осенний свет»). Быстро развивается жанр политического романа, нередко представляющего собой историческую стилизацию, как в пенталогии Г. Видала «Вашингтон, округ Колумбия» (1967), «Бэрр» (1974), «1876» (1976), «Линкольн» (1984), «Империя» (1987).

В прозе 70—80-х годов преобладает тема духовной пустоты и засилья псевдокультуры, побуждающих героя к бунту, нередко разрушительного характера. Парадоксы НТР в условиях капиталистического общества, сам феномен прагматического сознания и создаваемые им опасности для будущего находятся в центре внимания сатирика К. Воннегута, пишущего в аллегорической форме (романы «Бойня номер пять», 1969, «Прямое попадание», 1982), а также крупнейших представителей популярнейшего в США жанра научной фантастики (Р. Брэдбери,

Р. Шекли). Тот же мотив утилитарной морали, деформирующей личность, постоянно возникает в сатирических романах Дж. Хеллера «Пункт-22» (1961, в переводе на русский язык опубликован под названием «Уловка-22»), «Что-то случилось» (1974).

Собственными способами интерпретирует эту проблематику модернистская литература, после войны испытавшая сильное влияние обосновавшегося с 1940 г. в США В. В. Набокова. Заявившая о себе в середине 50-х годов школа «черного юмора» (Дж. С. Барт, Д. Бартельм) провозгласила тотальную абсурдность американской будничности, исповедуя идею хаоса и бессодержательности бытия, руководствующегося нормами рационализма. В книгах У. Берроуза преобладают нигилистические настроения, затронувшие и творчество Дж. Ирвинга, автора трагифарсового романа «Мир глазами Гарпа» (1977).

Бурно развивается литература факта, эстетика которой определилась в небеллетристических произведениях Н. Мейлера («Армии ночи», 1968, «Песнь палача», 1979) и Т. Капоте, чей документальный роман «Не дрогнув» (1965, в переводе на русский язык опубликован под названием «Обыкновенное убийство») обозначил специфические черты жанра, в котором синтезированы приемы традиционной литературы вымысла и строго фактологического повествования. К числу мастеров этого жанра относятся М. Маккарти, Дж. Дидион, С. Теркел.

В США существует огромная по количеству названий и тиражам охранительная, конформистская и антикоммунистическая литература, возникшая еще в конце XIX в. Развитие индустрии досуга способствовало быстрому росту «массовой культуры», стремящейся, хотя и безуспешно, монополизировать целые жанры — вестерн, детектив и др. Существенной чертой «массовой культуры» является отказ от самостоятельного художественного познания и доминирование стандартных схем изображения, призванного создать конформистскую картину действительности. В поле притяжения «массовой культуры» находились и находятся даже такие писатели, как И. Шоу, Дж. К. Оутс, С. Кинг, чье творчество в целом стоит выше ее ограниченных эстетических и социальных рамок.

МУЗЫКАЛЬНАЯ КУЛЬТУРА

Музыкальная культура США отличается богатством традиций, жанров и стилей, развитой сетью специальных институтов, организующих и направляющих музыкальную жизнь страны.

Можно выделить — главным образом по признакам социокультурного характера — четыре основные сферы американской музыкальной культуры: музыкальная жизнь профессионально-академического типа — специальное музыкальное образование, концертная практика и музыкальный театр; традиционные формы музицирования, включающие музыкальный фольклор различных этнических, социальных и профессиональных групп, а также культовое пение как белых, так и черных американцев; коммерческая музыка (т. е. музыка, специально ориентированная на коммерческий успех) и коммерциализированные формы музыки (т. е. вовлечение в коммерческую орбиту, как правило, непрофессиональных музыкантов — исполнителей популярной и традиционной музыки) — музыкальный театр развлекательного типа, эстрада, специальные музыкальные программы для радиовещания и телевидения, а также бóльшая часть музыки в кинофильмах; любительское музицирование, отличающееся разнообразными формами организации и составом участников (студенческие оркестры, армейские рок-группы и т. д.). Выделение этих сфер в известной мере условно: первая из них, например, может включать как музыкальные произведения традиционного характера, так и экспериментальные опусы, джаз может относиться и к сфере академической музыки и к коммерческим формам, для негритянского населения он может быть традиционной формой музицирования, а для студентов университета — любительской. К трем последним из названных сфер допустимо отнести и музыку кантри. Все это говорит о многообразии видов и типов музыки, что в целом обусловлено сложностью этнического и религиозного состава населения США, его социальной организации.

В сфере музыкальной жизни профессионально-академического типа особое значение имеет концертная деятельность, отличающаяся многообразием и развитостью форм. Широкая сеть концертных залов, в т. ч. и в системе построенных в 70—80-х годах комплексных культурных центров, раскинута практически по всей территории Соединенных Штатов. Годовые программы симфонических оркестров США, включающие турне по стране и за рубежом, весьма насыщены. Среди нескольких десятков симфонических оркестров высшей категории своим классом и международной известностью выделяются Чикагский, Филадельфийский, Бостонский и Нью-Йоркский. Репертуар этих оркестров, которые возглавляют такие известные дирижеры, как Дж. Солти, З. Мета, С. Озава, Р. Мути и др., обширен и разнообразен. К этой сфере относятся также хоровые коллективы («Певцы Грегга Смита», «Табернакл» и др.), камерные оркестры (Бостонский, Миннесотский и др.), струнные квартеты (Джульярдский, Будапештский и др.), духовые оркестры. Среди ведущих исполнителей — представители разных поколений: пианисты В. Горовиц, Дж. Браунинг, Б. Джейнис, скрипачи И. Менухин, Дж. Силверстайн, Р. Зуковский, виолончелисты Л. Роуз, Л. Парнас, органисты Э. Пауэр-Биггс, М. Мэйзон и др.

Среди современных американских композиторов-симфонистов наиболее известны имена А. Копленда, У. Шумена, В. Персикетти, А. Хованесса, Э. Картера, Л. Бернстайна, П. Меннина, Дж. Крэма и др. Несмотря на индивидуальное своеобразие, творчество большей части американских композиторов нескольких поколений остается в рамках традиционных техники и музыкального мышления.

Активная гастрольная деятельность во многом связана с проведением регулярных музыкальных фестивалей (в городах Чикаго, Филадельфия, Саратога-Спрингс, Аспен и др.) и конкурсов (пианистов, дирижеров и др.). Большое значение для поддержания музыкальной жизни некоммерческого плана продолжают иметь государственные и частные фонды (Национальный фонд искусств, Фонды Форда, Рокфеллера и др.), субсидирующие деятельность симфонических оркестров и оперных театров, делающие заказы композиторам и поощряющие их творчество различными премиями (Пулитцера, Гуггенхайма и др.).

Если ведущие оперные театры США — Метрополитен-опера, Чикагская лирическая опера, Сан-Францисский театр и др.— все еще не очень охотно ставят на своих сценах оперные спектакли американских композиторов (за исключением Дж. Менотти), предпочитая им апробированную европейскую классику, то многие др. театры, в т. ч.

экспериментальные, активно обращаются к творчеству современных авторов — Л. Бернстайна, Л. Фосса, К. Флойда, а также более молодых Т. Пасатьери, Ф. Гласса.

После второй мировой войны в музыкальной жизни США заметно возросло значение университетов, ставших важнейшим фактором в развитии музыкальной культуры США. Университеты сделались своеобразными ячейками музыкальной жизни страны. Здесь сосредоточены многие формы концертной деятельности, в частности, проходят значительные музыкальные фестивали (особенно в летнее время), ведется исследовательская работа в области музыкознания. В университетах можно получить специальное музыкальное образование, они готовят музыковедов, композиторов, исполнителей. Университеты регулярно приглашают ведущих композиторов, музыковедов и исполнителей как американских, так и зарубежных. Такие крупные и щедро финансируемые университеты, как Принстонский, Гарвардский и Колумбийский, а также Северо-Западный университет в Эванстоне, Индианский — в Блумингтоне, Северного Техаса — в Дентоне, Калифорнийский — в Лос-Анджелесе, включающие музыкальные колледжи, располагают квалифицированными исполнительскими коллективами (духовые оркестры, хоровые ансамбли, симфонические оркестры, оперные студии, а также джазовые ансамбли и рок-группы), студиями электронной музыки (с синтезаторами звука, нередко с компьютерной техникой). Деятельность большинства композиторов США в той или иной мере связана с университетами. Во многих университетах композиторы на постоянной основе ведут преподавательскую работу, возглавляют центры электронной музыки и т. д. Наряду с этим в университетах сложилась практика приглашения на несколько лет известных композиторов, а иногда и исполнителей в качестве консультантов по организации музыкальной жизни университета в целом. В 1966 г. было создано Американское общество университетских композиторов. Развитие электронной техники в 60—70-х годах способствовало экспериментальному творчеству американских композиторов, связанных с университетами (М. Бэббит, Ч. Вуоринен, М. Суботник и многие др.), а также созданию импровизационных ансамблей, среди которых выделялись «ONCE» (г. Анн-Арбор), «Дименшнз оф нью мюзик» (г. Сиэтл), группы Р. Шейпи, Х. Солбергера и др.

Университеты США наряду с такими признанными центрами, как Джульярдская школа музыки в Нью-Йорке, Институт Кертис в Филадельфии, Консерватория Новой Англии в Бостоне, Консерватория Пибоди в Балтиморе и Школа музыки Истмэна в Рочестере, несут большую нагрузку по подготовке музыкантов-профессионалов. Вопросами музыкального образования в Соединенных Штатах занимается целый ряд организаций: Национальная ассоциация учителей музыки, Национальная конференция музыкальных просветителей, Национальная ассоциация музыкальных школ, Общество музыки в колледжах.

Поскольку с университетами связано в основном и музыкознание, то руководящие органы таких объединений, как Американское музыковедческое общество, Общество этномузыкологии и др., располагаются обычно в университетских центрах. Структурно американское музыкознание подразделяется на множество узкоспециализированных областей, занимающихся, например, музыкой древности, музыкой барокко, экспериментальной музыкой и т. д. Издаются десятки специальных журналов, относящихся к той или иной отрасли музыкознания. Наиболее влиятельные журналы «Мюзикал куортерли», «Джорнал оф АМС», «Мюзикал Америка», «Перспективс оф нью мюзик», «Блэк перспективс ин мюзик». В 70—80-е годы американских исследователей особенно привлекала область традиционного творчества, музыкальная жизнь городов, популярная музыка, джаз и рок, а также музыкальные традиции Азии, Африки, Океании и Латинской Америки, причем этой областью занимаются преимущественно представители этномузыкологии — Б. Нетл, М. Хууд, А. Ломэкс и др.

В университетах также собраны богатые фонды изданий по музыке, музыкальных записей (Индианский университет в Блумингтоне, Колумбийский университет). Обширны музыкальные фонды Библиотеки конгресса и Смитсоновского института в Вашингтоне.

Еще одна сфера музыкальной культуры США — традиционное музицирование. Сюда входят все локальные диалекты вокальной и инструментальной музыки белых и черных американцев, а также виды и стили традиционной музыки различных этнических групп (греков, китайцев, поляков, мексиканцев и др.), населяющих страну. К этому пласту относятся как более архаичные виды музыки старого американского Юга (музыка стиля хилбилли белых американцев, сельский блюз черного населения), так и более новые виды традиционного творчества западных штатов. Особенное значение для традиционной музыки белых американцев англосаксонского происхождения имел район Аппалачских гор (штаты Северная Каролина, Виргиния, Теннесси), где наряду с пением практиковали игру на скрипках, цитрах, губных гармониках (сольную и ансамблевую). Здесь складывался стиль блюграсс. Параллельно формировались стили хонки-тонк и вестерн (главным образом в Техасе). Все эти стили и жанры в недавнем прошлом назывались музыкой кантри-энд-вестерн, сейчас они чаще именуются просто музыкой кантри, значительно коммерциализировавшейся за последнее десятилетие. Центр музыки кантри находится в Нашвилле, где в зале «Грэнд-оул-опри» проводятся наиболее значительные концерты и фестивали. Создана Академия музыки кантри-энд-вестерн, присуждающая премии лучшим исполнителям, среди которых Б. Монро, Т. Э. Форд, Дж. Отри, Л. Линн и др.

Традиционная музыка развивалась вне городской среды, как правило в небольших общинах. В различных частях страны традиционные вокальные и инструментальные формы музыки американцев англосаксонского происхождения заметно отличаются своей спецификой; еще более своеобразными являются виды музыки, где сочетаются черты разных культурных традиций (креольские, испано-американские и пр.). С начала второй половины XX в. характерной тенденцией стало формирование традиционного творчества в типично урбанистической среде. В городских условиях создавалась традиционная музыка индейцев и черных американцев. Но в наибольшей степени это относится к испаноязычным американцам (в первую очередь к выходцам из Мексики и Пуэрто-Рико), конгломерат музыкальных диалектов которых привел к появлению стиля традиционно-популярной музыки сальса.

Особо следует выделить область культовой музыки. Хоровое пение религиозных гимнов — одна из ранних музыкальных традиций американцев. Музыка, не связанная с культом, с трудом пробивала себе дорогу в Америке в конце XVIII—начале XIX в. Много позднее удельный вес культовой музыки, а также кантатно-ораториальных сочинений, связанных с библейскими сюжетами, оставался также достаточно высоким. Пение в церкви и внецерковное культовое пение и сегодня занимают весьма существенное место в культурной жизни американцев англосаксонского происхождения. Важное значение продолжает сохранять культовая музыка и в негритянской общине США. Она породила в свое время спиричуэл, позднее госпел, отчасти соул, ритм-энд-блюз и т. д.

В США проводятся Национальный фольклорный фестиваль, Фестиваль американской народной песни в Ашленде (Кентукки), множество региональных фестивалей, связанных с различными типами традиционной музыки.

Любительское музицирование, массовое по своему характеру, включает в себя практически все виды музыки, относящиеся к остальным сферам. В США немало любительских симфонических оркестров (студенческих, муниципальных, армейских), многие тысячи хоровых ансамблей. Любительское музицирование охватывает музыкальный театр, традиционную и популярную музыку, джаз, рок и т. д. Активное музицирование занимает значительное место в досуге американцев, и они охотно участвуют в различных музыкальных коллективах, тем более что зачастую это подогревается стремлением поддержать престиж, завоевать право называться лучшими в графстве, штате и т. п. Многочисленные конкурсы, проводимые между любительскими коллективами, отличаются острой конкуренцией и близким к спортивному азартом.

Сфера коммерческой и коммерциализированной музыки США исключительно обширна. Шоу-бизнес в своем стремлении извлекать прибыль не ограничивается привычной областью коммерческой музыки (развлекательный театр, эстрада), способствует коммерциализации джаза, традиционных видов музыки.

Наиболее значительная часть рассматриваемой сферы относится к области популярной музыки, представленной в основном вокалом в стилях крунинг (Ф. Синатра, Т. Беннет, С. Дэвис-младший, П. Ли, Б. Стрейзанд и др.), соул (Р. Чарлз, Дж. Браун, А. Франклин и др.), выступлениями больших танцевальных и концертных оркестров (руководители и аранжировщики Б. Мэй, П. Фейт, Г. Мансини и др.), а также мюзиклом (среди наиболее известных современных авторов — С. Сондхайм, Ч. Строс, Дж. Кендер, М. Хемлиш и др.). Наряду с мюзиклом в конце 60-х и в 70-х годах получили развитие рок-опера и рок-мюзикл.

Многообразно развивается джазовое искусство: наряду с выступлениями старых мастеров и стремлением к возрождению архаичных форм джаза (главным образом новоорлеанского, чикагского) получили развитие так называемый новый джаз, свободный джаз, фьюжн и джаз-рок (Ч. Кория, Х. Хэнкок, Дж. Завинул и др.). Так называемое «третье течение», возглавленное Г. Шулером, построено на взаимодействии элементов джаза и академической музыки. Оно представлено в творчестве таких композиторов и исполнителей, как Д. Брубек, Л. Остин, О. Коулмен. Открыты джазовые школы, студии при университетах, отделения в консерваториях. Проводятся джазовые фестивали. Джаз стал объектом серьезного научного изучения.

Неоднозначно и противоречиво место в системе музыкальной культуры США поп-музыки, возникшей на основе таких стилей, как ритм-энд-блюз, рок-н-ролл, отчасти соул. С одной стороны, поп-музыка стала одной из форм функциональной досуговой музыки (вплоть до музыки диско), с другой — в виде многочисленных ответвлений рок-музыки сделалась основной формой коммуникации среди значительной части молодежи и важнейшим средством ее самовыражения. Многочисленные солисты и рок-группы прошли в своей эволюции несколько стадий развития, впитав в себя элементы джаза, академической и авангардистской музыки, а также др. музыкальных культур. С конца 60-х до начала 80-х годов существовали параллельно и сменяя друг друга такие направления, как калифорнийский рок, связанный с психоделическими ощущениями (погружение в трансовое состояние, употребление наркотических средств); фолк-рок, характеризующийся острой социальной тематикой; хард-рок — тяжелый рок; хэви металл. Проводятся фестивали рок-музыки. Поп-музыка захватывает радиовещание и телевидение, фирмы грамзаписи и видеозаписи.

Рок-музыка, возникшая во многом как альтернатива популярной музыке, развивалась поначалу под девизом доступности, жизненности отражаемых проблем, адресованности молодежной аудитории. Молодые исполнители пели и играли для своих ровесников. Однако шоу-бизнес сумел поставить эту сферу музыкальной культуры под контроль и определять условия рынка (необходимость дорогостоящей аппаратуры и организация концертов, использование средств массовой информации, а главное — ориентация на многообразие вкусовых предпочтений). Несмотря на многочисленные декларации лидеров и апологетов рок-культуры, она целиком манипулируется шоу-бизнесом и находится во власти действия его механизмов. Так, с конца 70-х годов в связи с расширением деятельности видеоиндустрии рок-музыка претерпевает процесс визуализации (видеоклипы), изображение начинает играть практически равную роль со звуковой стороной. Продолжительность популярности определенного стиля и особенно группы во многом обусловливается периодом активного восприятия того или иного поколения, для представителей которого какая-то из групп становится своеобразным духовным символом.

В целом музыкальная культура США опирается на мощную материальную основу, во многом определяющую развитие творческого потенциала всех ее сфер. Мировое признание получило производство музыкальных инструментов (фирмы по производству клавишных инструментов «Стейнвей», «Болдуин» и др., по выпуску духовых — «Уэрлитцер», «Конн» и т. д.). Существует сеть многочисленных музыкальных издательств и фирм грамзаписи, действуют организации по защите авторских прав (наиболее влиятельные — Американское общество композиторов, авторов и издателей и «Бродкастинг мюзик инкорпорейтед»).

Немалое значение имеет и активное проникновение в музыкальную культуру США технических нововведений, что относится в первую очередь к развитию средств звукозаписи и звуковоспроизведения и связано также с развитием электроники (музыкальные инструменты, синтезаторы звука, компьютеры с музыкальными программами и т. д.).

Среди важнейших тенденций, характеризующих музыкальную культуру США наших дней,— усиление признаков региональной самобытности наряду с умножающимся числом общенациональных явлений. Сегодня можно говорить о специфике музыкальной культуры ряда регионов страны, среди которых особенно выделяется Запад, прежде всего Калифорния. Уникальность положения этого штата в системе музыкальной культуры США определяется целым рядом факторов: во-первых, в течение многих лет в этом штате активно развивались связи с Китаем, Японией, странами Юго-Восточной Азии, Австралией, островами Океании и т. д. (развитие этих контактов, а также появление в Калифорнии многочисленных этнических групп — китайцев, японцев, филиппинцев и др.— способствовали и обмену культурными, в т. ч. музыкальными, традициями); во-вторых, этот штат сделался центром музыкально-коммерческой индустрии (производство фильмов, студии грам- и видеозаписи и т. д.); в-третьих, развитие наукоемких отраслей промышленности способствовало появлению целой сети центров электронной музыки. В Калифорнии складывались не только регионально специфические формы музыкальной жизни, но и своеобразные традиции джаза, рок-музыки и т. д. Оригинальностью отличалось и композиторское мышление: под влиянием традиций музыки Дальнего Востока и Юго-Восточной Азии формировалось творчество Х. Кауэлла, позднее Дж. Кейджа, Л. Харрисона, Х. Парча. Американский авангардизм, воздействие которого на европейскую музыку было гораздо более значительным, чем влияние музыки композиторов более традиционного плана, в основных чертах сформировался именно на Западе США. Живая музыкальная практика многочисленных этнических групп обогащала звуковой опыт американских композиторов. В Лос-Анджелесе был создан первый в США гамелан (яванский оркестр), открыли свои школы по обучению классической индийской музыке Рави Шанкар и Али Акбар Хан. Взаимодействие культурных традиций сопровождалось «реакциями синтезов» и породило особую среду, в которой развивалось творчество многих современных композиторов. Так, в 70-е годы стал пользоваться популярностью (причем не только на Западе США) минимализм, характеризующий опусы таких композиторов, как С. Райк, Т. Райли, Ламонт Янг и др.

При отсутствии у широкой американской публики интереса к музыкальным традициям др. стран и народов в США существует немалое число небольших обществ, специализирующихся на изучении и популяризации отдельных музыкальных традиций некоторых стран (например, игра на японской флейте сякухати, классическое иранское пение и т. д.). Вместе с тем музыкальная культура США характеризуется внушительными экспансионистскими тенденциями: помимо широкой гастрольной деятельности Соединенные Штаты наводняют мировой рынок звукозаписями и музыкальными видеозаписями, доминируют в эфире, передавая значительное количество музыкальной информации. Подобная экспансия зачастую ведет к подавлению местных традиций во многих странах и американизации их музыкальных культур.

В целом в музыкальной культуре США происходит обострение противоречий: увеличение «валового продукта» музыкальной индустрии приводит к перенасыщению рынка, некоторой вкусовой инфляции и общей неуправляемости ситуации. Повышенный динамизм, искусственно стимулируемый средствами массовой информации и нередко диктуемый потребностями рынка, порождает неустойчивость ценностных критериев. Сенсационизм, требующий новизны любой ценой, стал одним из важнейших двигателей американской музыкальной культуры. В этих нелегких условиях передовые музыканты Америки отстаивают идеалы гуманистического искусства, голоса многих из них (П. Сигер, Г. Белафонте и др.) призывают к борьбе за мир, за дружбу между народами и социальный прогресс.

ИЗОБРАЗИТЕЛЬНОЕ ИСКУССТВО

Искусство США сравнительно молодое, оно сформировалось вместе с американским государством, наследуя культуру бывших колоний европейских стран. Но на территории Соединенных Штатов искусство развивалось с древнейших времен, в течение многих тысячелетий. Богатейшее искусство индейцев включало росписи святилищ, необычайно выразительные каменные, глиняные и деревянные фигуры людей и животных, тончайшие рисунки на керамических сосудах, украшения из раковин и птичьих перьев. В период колонизации индейцы сохранили ряд художественных ремесел, а некоторые из них донесли до наших дней — ярко раскрашенную резьбу по дереву с мифологическими фигурами (Северо-Запад США), орнаментированные ткани и керамику (Юго-Запад), роспись палаток «типи» и бизоньих шкур мифологическими и военными сценами (индейцы прерий). Сохранились и такие оригинальные виды искусства, как рисунки из цветного песка или изготовление головных уборов из перьев. Точностью наблюдения животного мира, обобщенностью форм замечательно искусство эскимосов и алеутов Аляски и прилегающих островов — резьба и гравировка на кости и роге, мелкая каменная и костяная скульптура. Древние индейские цивилизации были жестоко уничтожены, но их традиции вошли в народное искусство США вместе с ремеслами колонистов — испан-

цев, французов, голландцев, англичан и др., с XVI в. прибывавших на новые земли, а позже и с ремеслами рабов-негров. В XVII—XVIII вв. в Новой Англии расцвело искусство строгого и точного портрета, а потом и живописной композиции, посвященной местным памятным событиям. Крупнейшими американскими художниками XVIII в. были Дж. С. Копли и Б. Уэст.

Победа в Войне за независимость 1775—1783 гг. открыла важный этап в искусстве. Мощными факторами в формировании искусства США были становление нации, общий подъем национального самосознания и широкое распространение демократических идей. Г. Стюарт, Ч. У. Пил создавали портреты героев американской революции; ее битвы и победы изображал Дж. Трамбалл. В условиях быстрого развития капитализма в первой половине XIX в. направления искусства в США поляризуются: одновременно с парадными портретами новоявленных богачей (художники С. Морзе, Дж. Нигл) создаются тонкие реалистические портреты кисти Т. Салли, поэтичные картины У. С. Маунта, Дж. К. Бингема, И. Джонсона, рисующие жизнь простых людей. Реакцией на буржуазный рационализм и практицизм стало раннее развитие романтических настроений (картины У. Олстона, панорамные пейзажи «школы реки Гудзон», к которой принадлежали Т. Коул, А. Дьюранд, Дж. Ф. Кенсетт, воспевающие нетронутую природу Америки). Во второй половине XIX в. помпезному и льстивому салонному искусству, показному богатству статуй и росписей противостояли полная мрачной фантастики романтическая символика полотен А. П. Райдера, одухотворенная лирика и романтика картин У. Хомера, воспевающих будничный героизм фермеров, охотников, моряков, живущих лицом к лицу со стихиями природы, мужественная правда и прямота портретов и сцен городской жизни Т. Эйкинса, гуманизм и психологичность скульптур О. Сент-Годенса. Самобытные черты демократического направления в искусстве США дополнялись стремлением художников усвоить достижения европейских мастеров в реалистическом пейзаже (Дж. Иннесс) и портрете (Дж. С. Сарджент). Оригинально истолкованы принципы импрессионизма в живописи Дж. Уистлера, М. Прендергаста.

С начала XX в. резкое обострение противоречий капитализма усиливает как социально-критические тенденции американского реализма, так и поиски новых, более впечатляющих художественных средств. Вокруг инициатора обновления, автора ярких, смело написанных портретов Р. Хенри объединились Дж. Слоун, Дж. Лакс, У. Глаккенс и др. живописцы и графики (реакционная критика позднее прозвала их «школой мусорного ящика»), впервые широко показавшие жизнь капиталистического города, ее интенсивный ритм и ее темные стороны. С особой остротой и живописной силой раскрывал противоречия города, интимный мир его жителей Дж. У. Беллоуз. С рабочей прессой была связана политическая графика (А. Янг, Р. Майнор, У. Гроппер, Ф. Эллис), сочетавшая язвительную сатиру и мощные народные образы. Традиции американского реализма продолжили Р. Кент, создавший в живописи и графике обобщенные, четкие образы суровой природы и сильных людей Севера, и Э. Хоппер,

в картинах которого сопоставлены холодное бездушие городов, больших и малых, и одиночество, затерянность в них простых, неприметных людей. В скульптуре гуманистическую традицию Сент-Годенса по-новому интерпретировали Дж. Эпстайн, У. Зорах, П. Мэншип.

Желая приобщить публику к новым художественным течениям, Хенри и его окружение (группа «Восьмерка») приняли участие в организации «Арсенальной выставки» 1913 г., которая получила, однако, одностороннее направление и стала началом развития американского модернистского искусства. Кроме европейских образцов и подражаний им на выставке были показаны и местные варианты модернизма. Дж. Марин в своих акварелях превращал в красочные видения облик больших городов; С. Дэвис ввел в живопись геометрический узор из сплетающихся в стремительном ритме надписей и обрывков рекламы. Позже пытавшиеся примирить абстракцию и реализм прецизионисты использовали в фантастических композициях индустриальные мотивы, обобщенные формы, чистые, светлые краски. Экономический кризис 1929—1933 гг., распространившиеся пессимизм и неверие в прогресс способствовали укоренению на американской почве сюрреализма — причудливых фантастических видений (Дж. О'Кифф), кошмарных вымыслов (О. Пиккенс), а также экспрессионизма с его настроениями безнадежности, образами смерти и распада (Х. Блум). Вместе с тем демократическое антифашистское движение 30-х годов побуждало художников, связанных с экспрессионизмом (Б. Шан, Дж. Левин), обращаться к сатирическому обличению правящего класса, к критике буржуазного строя, выраженной в драматических, часто гротескных образах. Активизировалась и реалистическая жанровая живопись, с грустным сочувствием изображавшая жизнь простых и скромных людей, подавленных бедностью и сутолокой городских улиц, такова «Группа 14-й улицы» в Нью-Йорке (Р. Марш, Р. Сойер). В 30-х годах искусство США как бы заново открывало американскую провинцию. В пейзажах Ч. Бёрчфилда предстала «одноэтажная Америка» с ее тихими улочками. Сложилось целое направление — регионализм (риджионализм), в центре внимания которого оказался упрямый, самоуверенный и набожный фермер Среднего Запада, воспринятый как наиболее типичная фигура американца. Картины и стенные росписи регионалистов (Г. Вуд, Т. Х. Бентон, Дж. С. Карри), несмотря на ноты злой иронии, не чуждые им, в годы роста изоляционистских настроений были подняты на щит националистическими кругами США. Близко к регионализму по тематике бесхитростное, искреннее и подчас подлинно поэтичное искусство живописцев-самоучек (А. М. Мозес, Х. Пиппин).

В годы второй мировой войны происходит перелом в художественной культуре США. Одно за другим возникают все новые модернистские течения. В 40-х годах группа живописцев Тихоокеанского побережья (Дж. Поллок, М. Тоби, А. Горки, В. де Кунинг) выдвинула принцип «абстрактного экспрессионизма», распространившийся в США, а затем и далеко за их пределами. Приверженцы нового направления, избегая контактов с действительностью, превратили творческий процесс создания картины в живописную регистрацию индивидуальных психических импульсов, поступающих из глубин подсознания. Краска наносилась на холст дробными цветными пятнами или обрывистыми мазками, которые образовывали замысловатый узор или подобие знака. Большое значение приобретает и американская абстрактная скульптура — конструкции из железа, алюминия, пластиков,

подвижные (мобили) или устойчивые (стабили), имеющие парадоксальную причудливую композицию. Изобретательно и точно сконструированные мобили А. Колдера, меняющие конфигурацию от движения воздуха, стали символами безграничных пространств. Сварные конструкции стабилей С. Липтона и Т. Рошака приобрели характер знаков с таинственным, непостижимым смыслом. Обновленный модернизм, который невозможно измерить какими-либо отчетливыми критериями, смешивающий реальные откровения с прямой мистификацией, и особенно его программа бессознательности и автоматизма творчества, исключающая отражение действительности, реальное содержание, контроль разума, быстро стали предметом рекламы и спекуляции, а затем были использованы в идеологических и политических целях. Абстрактный экспрессионизм занял привилегированное положение и стал претендовать на абсолютное мировое господство. Буржуазная пропаганда противопоставляла его в глобальных масштабах демократическому искусству, реализму и сделала его своего рода рычагом для внедрения «американских ценностей» в мировую культуру.

Эта идеологическая роль позже была передана поп-арту — направлению, появившемуся в США во второй половине 50-х годов и пережившему свой высший подъем в 60-х годах. Используя методы неожиданного и противоестественного сочетания предметов или изображений, выдвинутые европейским дадаизмом еще в годы первой мировой войны, поп-арт перетолковывал их в чисто американском духе. Его лидеры (Р. Раушенберг, Дж. Джонс, Э. Уорхол, Р. Лихтенстайн) провозгласили своей целью «возвращение к реальности», сделали объектом искусства обыденные реальные предметы (или их имитацию) и обыденные зрительные впечатления рядового американца. Композиции из банальных бытовых вещей и обрывков зрительной информации (рекламные афиши, упаковка товаров, журнальные обложки, комиксы, печатные изображения популярных личностей или событий, репродукции), вырванных из их обычного контекста, лишенных логической связи, как бы непроизвольно, по первому импульсу сопоставленных, представляют собой некий демонстративный апофеоз «массовой культуры», разноголосицы средств массовой информации, стандартизованного сознания толпы. Приверженность факту, предмету, конкретности, свойственная традициям американской культуры, объясняет успех поп-арта, средствами которого могли пользоваться как художники различных убеждений, так и просто любители. Алогизм, принижение человека, пристрастие к заведомо неэстетичному жизненному материалу, погоня за сенсацией направляли поп-арт в привычное русло модернизма, что обеспечивало ему финансовую поддержку и рекламу. Но методы поп-арта были подхвачены и левыми молодежными движениями, идеологией хиппи; с движениями протеста в основном связаны культивировавшиеся поп-артом бесцельные «совместные действия», своего рода фантастические игрища (хэппенинг).

В 60-х и 70-х годах в США, а затем и в др. странах распространилось множество течений, вышедших в основном из поп-арта и объединенных нигилистическим отношением к традициям мировой культуры: «минимальное искусство» (мини-арт), разновидность абстракционизма, ограничившая себя простейшими геометрическими формами; «телесное искусство» (боди-арт), избравшее человеческое тело полем своих упражнений; «земельное искусство», манипулирующее мешками с землей, канавами, насыпями, заведомо не имеющими практичес-

кой ценности. «Концептуальное искусство» заменило изображение загадочными словами или знаками, возбуждая фантазию зрителей непонятными намеками. «Оптическое искусство» (оп-арт), у которого уже была известная традиция в виртуозном создании сложных зрительных эффектов, иллюзий, имело и практическое значение, поскольку дало новые декоративные мотивы печатной графике, рекламе, текстилю. В начале 70-х годов возник гиперреализм, распространившийся в Европе под названием фотореализма. Техника точного увеличенного воспроизведения фотографических изображений (независимо от того, существовала ли такая фотография на самом деле или только имитировалась) позволила дать как бы фрагмент реальности, увиденный с недоступной человеческому глазу зоркостью. Картины лидеров гиперреализма (Ч. Клоуз, Р. Эстес, Д. Эдди) остаются в пределах модернистской эстетики, поскольку в них отвергаются всякие возможности эстетической и нравственной оценки, всякие закономерности, подчеркнута абсолютная случайность точки зрения и кадра. Приемы поп-арта и гиперреализма использовали молодые художники, стремящиеся сделать искусство политически действенным. Это нашло отражение в композициях, изображающих студенческие волнения в США или события войны во Вьетнаме, в настенных агитационных росписях с фрагментами фотографий и в др. опытах, отражающих актуальные политические события. Крупным течением в искусстве США стал трансавангард (постмодерн) 70-х и 80-х годов, провозгласивший возвращение к традиции и традиционной изобразительности, настаивающий на своей близости к массовому сознанию и рутинным вкусам толпы. Это крайне разношерстное течение обратилось ко многим давно ушедшим в прошлое явлениям искусства, стремясь вернуть современникам утраченные иллюзии душевного комфорта, связи поколений, исторических корней культуры. Трансавангард не смог, однако, ни выдвинуть перспективные программы и крупные имена, ни оторваться от предрассудков «массовой культуры».

Традиции американского реализма во второй половине века преданно поддерживали Р. Кент, Р. Сойер, А. Рефрежье, создавшие полные гражданского пафоса композиции, призывающие к борьбе за мир и социальную справедливость. К ним присоединялись молодые художники, стремившиеся к реалистической выразительности и социальной активности искусства. На картинах крупнейшего современного живописца-реалиста Э. Уайета изображены простые, чистые сердцем люди Америки, живущие в согласии с миром природы. Творчество Уайета отмечено гуманизмом и глубиной сдержанного чувства.

Ведущими периодическими изданиями США в области изобразительного искусства являются «Арт ин Америка», «Арт буллетин», «Арт куортерли».

АРХИТЕКТУРА

Развитие профессиональной архитектуры в американских колониях началось с середины XVIII в. под влиянием английского неоклассицизма. Крупнейшим архитектором конца XVIII — начала XIX в. был Т. Джефферсон, третий президент США (важнейшие постройки — собственное поместье Монтиселло, 1770—1808, и университет в Шарлоттсвилле, Виргиния, 1817—1826). На рубеже XVIII и XIX вв. происходит смена культурной ориентации, которая привела к растущему влиянию французского классицизма и прямому обращению к античным образцам. С 40-х годов XIX в. в США установилась мода на романтическую живописность построек, также исходившая из Европы.

Американская архитектура сложилась как особое явление по отношению к архитектуре Старого Света. В ее основе лежали рациональные приемы строительства, характерные для периода активного освоения необжитых территорий. Деревянный каркас построек новых поселенцев был превращен Д. Тэйлором в практичную легкую дощатую систему так называемого «воздушного каркаса» (1833), стандартные элементы которой производила промышленность. Подобный принцип использовал для каркасной конструкции из чугуна Дж. Богардус в 1848 г. Совершенствование металлического каркаса вместе с изобретением пассажирского лифта (Э. Г. Отис, 1857) в условиях бурной урбанизации привело к появлению в деловых центрах американских городов высотных конторских зданий — небоскребов. Первый небоскреб, Эквитебл билдинг, был построен в Нью-Йорке в 1868—1870 гг. (фирма «Джиллмен энд Кендол» и Дж. Б. Пост). Родившиеся под давлением высокой стоимости земельных участков, небоскребы приобрели и престижно-символическое значение.

Стремление художественно осмыслить новый тип здания, его каркасную структуру, основанную на едином модуле, и вертикальность очертаний породило в начале 80-х годов XIX в. «чикагскую школу» американской архитектуры. Ее идеолог Л. Г. Салливен, обобщая идеи рационалистического направления в эстетике американского романтизма (Р. Эмерсон, Г. Торо, Х. Гриноу), провозгласил принцип «форма в архитектуре следует функции». Архитекторы «чикагской школы» создавали здания, соединяющие ясность композиции целого с выразительной пластикой деталей, отражающей логику конструкции (в Чикаго — Д. Бернем, У. Рут, Монаднок билдинг, 1891; Д. Бернем и Ч. Этвуд, Рилайенс билдинг, 1895; Л. Салливен, универмаг «Карсон, Пири, Скотт», 1899—1904; в Нью-Йорке — Л. Салливен, Бейард билдинг, 1898; в Сент-Луисе — Д. Адлер и Л. Салливен, Уэнрайт билдинг, 1891).

Альтернативу архитектуре эклектического стиля, во второй половине XIX в. преобладавшей в США, как и в Европе, предложил ученик Салливена — Ф. Л. Райт. Работая над типом буржуазного особняка, он в конце 90-х годов XIX в. выработал концепцию «органичной архитектуры», конкретные формы которой — неповторимый результат условий, определяемых индивидуальностью обитателей и природным ландшафтом. Райт создал прием «открытого плана» здания, части которого как бы «переливаются» одна в другую и раскрыты к окружающему пространству.

Салливен и Райт заложили основы так называемой «новой архитектуры», сложившейся в начале XX в. в Европе и в 20—50-е годы получившей повсеместное распространение. В США, однако, их идеи не были признаны. «Чикагская школа» распалась к середине 90-х годов XIX в. Райт оставался бунтарем-одиночкой. Американскую архитектуру определяло соединение смелых, технически передовых конструктивных решений и консервативных художественных вкусов, тяготевших к украшательству. Лишь в 30-е годы XX в. американские по своему происхождению идеи рационалистической архитектуры функционализма проникли в США как импортированные из Европы. Их закреплению способствовал переезд в Америку крупных европейских архитекторов — в конце 20-х годов австрийца Р. Нейтра, а в конце 30-х германских лидеров функционализма В. Гропиуса и Л. Мис ван дер Роэ. В 30-е годы развернулся новый период творчества Ф. Л. Райта, в котором он развивал романтические тенденции «органичной архитектуры», противопоставляя их нараставшему техницизму («Вилла над водопадом», Коннелсвил, Пенсильвания, 1936).

Специфический характер американских городов сформировался в 30-е годы XX в.— сверхплотная застройка внутренней зоны, над которой господствуют «кусты» небоскребов делового центра, сочетается с низкой плотностью пригородов, застроенных домами в один-два этажа. Умножение числа индивидуальных автомашин способствовало расползанию пригородных зон, лишенных своих систем общественного обслуживания и зависящих от социальной инфраструктуры и мест приложения труда внутреннего городского ядра. Следствием оттока средних слоев населения в пригороды стал кризис коммуникаций, не справлявшихся с нараставшими транспортными потоками. Чтобы смягчить его, строились мощные скоростные автомагистрали с эстакадами и развязками в нескольких уровнях, превратившиеся в характерную особенность городских ландшафтов США. Вокруг городских центров складываются деградирующие зоны с беднейшим населением.

Для крупнейших капиталистических корпораций вопросом престижа стало строительство небоскребов, образующих главные ориентиры городского центра; возникло стремление к их рекордной высоте. Супернебоскреб Эмпайр стейт билдинг в Нью-Йорке достиг 381 м при 102 этажах (Р. Х. Шрив, У. Ф. Лэмб, А. Л. Хэрмон, 1931); следующим рекордом стали 411 м и 110 этажей двух одинаковых башен Всемирного торгового центра в Нью-Йорке (М. Ямасаки, Э. Рот, 1973), в 1974 г. их превзошло здание «Сирс, Робэк» в Чикаго (проектная фирма «СОМ») — 442 м. Несмотря на опыт, свидетельствующий об экономической нецелесообразности построек выше 60 этажей, в середине 80-х годов проектировались здания в 200 и более этажей.

После второй мировой войны изготовлением элементов зданий занялась часть предприятий военной промышленности. Строительство начало использовать технологию, обеспечивающую точность формы изделий, доступную ранее только машиностроению. Совершенная геометрия форм была основой эстетики здания с внешней оболочкой из металла и стекла. Первым экспериментом стало строительство комплекса ООН в Нью-Йорке (эскиз — Ле Корбюзье, окончательный проект — У. К. Харрисон, 1947—1952). К завершенности стиля привел металлостеклянные сооружения Л. Мис ван дер Роэ, развивавший два типа построек: первый — вертикальная призма, в стеклянную оболочку которой как бы упакована многоэтажная каркасная структура (дома на Лейк Шор-драйв в Чикаго, 1951; Сигрэм билдинг в Нью-Йорке, 1958), второй — распластанный параллелепипед с цельным внутренним пространством, «здание-ларец» (здание архитектурного факультета Иллинойского технологического института в Чикаго, 1956). Форма этих зданий не зависела от их назначения; предполагалось, что ее ясность должна дисциплинировать любую функцию. Абсолютная простота формы предлагалась как эстетический идеал. В абстрактной «универсальности» стеклянных призм американские политики увидели символ культурной интеграции Запада, используя их как средство пропаганды идей атлантизма.

Пропагандистские возможности «стиля Миса» были исчерпаны к началу 60-х годов. Официальная архитектура США обратилась к упрощенной версии неоклассицизма. Наиболее известные постройки в этом стиле создал Э. Д. Стоун — посольство США в Дели (1958), Центр исполнительских искусств им. Дж. Ф. Кеннеди в Вашингтоне (1972). Вариант неоклассицизма 60-х годов, ориентированный на ценности «потребительского общества», предложил М. Ямасаки (здание «Рейнолдс металл» в Детройте, 1959).

Абстракциям «стиля Миса» и чопорности официального неоклассицизма были противопоставлены попытки гуманизировать функциона-лизм, придать его формам полновесную материальность. П. Рудолф увлекался преувеличенной пластичностью и нарочитыми усложнениями объемов зданий (Центр администрации штата Массачусетс в Бостоне, 1971). Э. Сааринен стремился вернуть архитектурной форме символическое значение — зданию аэровокзала в аэропорту им. Дж. Ф. Кеннеди в Нью-Йорке (1956—1962) он придал сходство с взлетающей птицей. К. Рош, ученик Сааринена, во входящем углу Г-образного корпуса здания Фонда Форда в Нью-Йорке (1968) создал гигантский холл, поднимающийся на высоту всех 12 этажей. Две внешних стороны этого холла образованы стеклянными стенами. Подобный прием Дж. Портмен использовал для крупных отелей и торговых центров, помещения которых сгруппированы вокруг своеобразных внутренних площадей, пронизывающих здания (отели «Риджденси Хайэтт» в Атланте, 1967, Сан-Франциско, 1973, Лос-Анджелесе, 1978; «Ренессанс сентр» в Детройте, 1977).

Самым крупным явлением в архитектуре США 60 — начала 70-х годов было творчество Л. Кана, стремившегося восстановить преемственную связь с ценностями культуры прошлого и вернуть соразмерность архитектуры человеку (корпус медицинских лабораторий Пенсильванского университета, 1961; институт Дж. Б. Солка в Сан-Диего, 1965; Центр английского искусства в Бостоне, 1976).

На рубеже 70-х годов усилилась критика современной архитектуры. Инженер-конструктор Р. Б. Фуллер, создатель эффективной системы «геодезических» куполов, сферические поверхности которых образованы из стандартных элементов с прямолинейными очертаниями (павильон США на ЭКСПО-67 в Монреале), выступил с отрицанием всех традиционных ценностей архитектуры, кроме чисто утилитарных. Его эстетический нигилизм, как и его идеи легких купольных конструкций, оказал влияние на молодежную субкультуру хиппи и постройки их коммун, создававшихся в конце 60 — начале 70-х годов.

Ученик Л. Кана Р. Вентури выступил с отрицанием претензий современной архитектуры на утверждение рациональной упорядоченности среды. Его эстетические принципы идут от поп-арта. Призывая принимать жизнь такой, какова она есть, он предлагал архитектуру, как бы вырастающую из хаоса и вульгарности стихийно сложившейся среды. В то же время Вентури не исключал и обращения к архитектуре прошлого, однако не «всерьез», а в форме «иронических намеков».

В 70 — начале 80-х годов идеи Вентури имели широкий отклик и стали основой архитектуры постмодернизма, главными принципами которой были провозглашены подчинение здания сложившейся среде (контекстуализм), включение намеков на архитектуру прошлого, возвращение орнамента. Постмодернисты отказывались от социальной ответственности профессии, считая ее утопической претензией.

Практические результаты постмодернизма пока незначительны. Его идеолог Р. Вентури свои парадоксальные идеи осуществлял главным образом в особняках и загородных жилищах интеллектуальной элиты (лыжная хижина в Аспене, Колорадо, 1975). Ч. Мур создал ряд построек, отталкиваясь от местных традиций и добиваясь сложности, как бы отражающей длительную жизнь сооружения. Созданный им ансамбль площади Италии в Новом Орлеане (1979) иронически соединил архитектурные символы «итальянского», имеющие хождение в «массовой культуре». Антирационалистические тенденции направления довел до абсурда в постройках загородных вилл П. Эйзенман. Крупное здание общественных служб Портленда (1982) М. Грейвз проектировал как гротескное соединение традиционных форм, привычные соотношения величин которых как бы перевернуты. Изощренные парадоксы замысла были утрачены при реализации. Создавались и прямые воспроизведения архитектуры прошлого, как, например, музей Поля Гетти в Малибу-Бич, Калифорния (1977), повторивший античную виллу в Геркулануме.

Рекламный ажиотаж вокруг постмодернизма привлек к нему самого модного представителя архитектурного истэблишмента Ф. Джонсона, начинавшего как последователь Мис ван дер Роэ, а в 60-е годы примкнувшего к неоклассицизму. В 1983 г. он построил небоскреб АТТ в Нью-Йорке, завершенный разорванным фронтоном в стиле барокко, а небоскребу «Плейт гласс» в Питтсбурге (1985) придал очертания псевдоготической башни, выполнив ее из светоотражающего поляризованного стекла. Р. Мейер приводит к эстетической утонченности приемы функционализма 20-х годов, используя возможности современной строительной техники (культурный центр «Атенеум» в Нью-Хармони, Индиана, 1979).

В 70—80-е годы распространилось направление «хай-тек», для которого характерно зрелищное, демонстративное использование технических форм — ярко окрашенных открытых труб, воздуховодов, элементов инженерного оборудования, металлических конструкций, складывающихся в декорации «века техники». Целесообразность технических устройств при этом приносится в жертву формальной выразительности. Среди последователей «хай-тек» выделяется проектная фирма «Харди, Хольцман, Пфайфер» (Центр по борьбе с профессиональными заболеваниями в Колумбусе, Индиана, 1973; Детский музей в Бруклине, Нью-Йорк, 1977). Стали популярны металлостеклянные многоярусные галереи, связывающие торговые предприятия и развлекательные учреждения, характер интерьера которых определяют «драматизированные» элементы инженерного оборудования («Рейнбоу сентр» в Ниагара-Фоллс, С. Пелли и В. Груэн, 1978). «Хайтек» использовался и в интерьерах жилищ, куда элементы технического оборудования (промышленные и медицинские светильники, открытые металлические каркасы и контейнеры) вносили острую необычность. Модой 70 — 80-х годов были «зеркальные» здания с ограждениями из поляризованного светоотражающего стекла, скрывающими конструкции. Огромные постройки как бы растворяются отражениями окружающей среды в зеркалах фасадов («Пасифик дизайн сентр» в Лос-Анджелесе, 1976, С. Пелли).

Нигилистические крайности американской культуры отразились в работах группы архитекторов «Сайт», заказчик которой — торговая фирма «Бест», стремящаяся к необычной рекламе; здания универмагов фирмы в Хьюстоне (1972) и Сакраменто (1977) имитируют руины разрушенных кирпичных построек.

Модные крайности, однако, занимают количественно незначительное место в общем объеме строительства. Постройки массовых типов создаются как механическая комбинация стандартных изделий индустриального производства, чаще всего без участия архитектора. Крупные престижные здания строятся обычно по проектам больших архитектурных фирм («СОМ» имеет более 2 тыс. сотрудников), не склонных к экспериментам. Эти фирмы настойчиво развивают принципы функционализма, постепенно совершенствуя привычные приемы; в 80-е годы они стремятся связать их с «человеческим» масштабом, тактично вписывая постройки в сложившееся окружение (фирма «ХОК», торговый центр «Галлерай» в Хьюстоне, 1985).

Празднование 200-летия независимости США (1976) дало стимул к обширным работам по реставрации исторических памятников. Дефицит их восполнялся реконструкцией и обновлением обветшалых рядовых построек, которым придавались новые функции (старая консервная фабрика «Кеннери» в Сан-Франциско и рынок в Бостоне превращены в торговые центры в 1968 и 1974 гг. и пр.). Выразительность перестроенных сооружений создается тактичным сочетанием старых форм и новых дополнений. Такая деятельность оказалась экономически выгодной и развивалась в 80-е годы.

Колебания экономической ситуации немедленно отражались на объемах строительства жилищ массовых типов и зданий, связанных с осуществлением социальных программ. Они, напротив, почти не затрагивали строительство престижных зданий государственной администрации, крупнейших фирм и монополий, равно как и жилищ социальных групп с высокими доходами. В сторону элитарной сферы заметно сместился «центр тяжести» архитектурной деятельности в США за последние десятилетия, что в большой степени отразилось на развитии ее творческих направлений.

ТЕАТР

Американский театр вступил в XX столетие, имея сравнительно небогатую историю собственной сценической культуры. Его окончательное становление произошло лишь в нынешнем веке. Развитию национального театра во многом препятствовала существовавшая в стране сильная пуританская традиция. Драматургия США резко отставала не только от европейской драмы, но и от американской литературы.

На рубеже веков определилась организационная структура американского театра, функционирующего преимущественно на основе акционерной системы. Новые театральные здания строились главным образом на Бродвее и прилегающих к нему улицах Нью-Йорка. Возникло понятие «бродвейский театр», как большое коммерческое предприятие, где для каждой постановки арендовалось помещение, набиралась новая труппа, с непременным участием актеров-«звезд», и в случае успеха идущий ежедневно спектакль не сходил со сцены в течение нескольких лет. Дорогостоящие музыкальные представления (водевили, ревю, комедии, а позднее мюзиклы), рассчитанные на кассовый успех, заполнили театры Бродвея. Так постепенно сложился существующий и поныне тип бродвейского коммерческого спектакля.

Уже в начале XX в. предпринимались попытки противопоставить «бродвейским театрам» репертуарные труппы, обращавшиеся к более серьезной драматургии, в т. ч. и классической. Наиболее действенной и прогрессивной формой протеста против бродвейского коммерческого искусства было движение так называемых «малых театров», возникшее в первое десятилетие XX в. в Бостоне, Чикаго, Нью-Йорке и др. городах. Эти полулюбительские коллективы стремились к созданию общедоступного репертуарного театра, развитию и утверждению национальной драматургии, режиссуры, популяризации классики, ансамблевости актерской игры, новаторству в выборе художественных средств, синтезу различных искусств. Решающее значение в процессе становления американского сценического искусства имело возникновение в 1915 г. на гребне движения «малых театров» двух коллективов — «Вашингтон-сквер плейерс» (преобразован в 1919 г. в «Гилд-тиэтр») и «Провинстаун плейерс». Оба эти театра способствовали активизации театральной жизни в Америке, появлению новых актеров, режиссеров, драматургов, сценографов. С коллективом «Провинстаун плейерс», которым руководил Дж. К. Кук, связано начало творческой деятельности и фактическое рождение как драматурга Ю. О'Нила. С появлением этого выдающегося драматурга XX столетия американский театр обрел свой голос.

Вплоть до 30-х годов наибольший интерес в художественном отношении представлял «Гилд-тиэтр». В его репертуаре были произведения западноевропейских и русских авторов: Л. Толстого, Л. Андреева, А. Стриндберга, П. Клоделя, Э. Толлера, Б. Шоу, К. Чапека, а также американских драматургов Ю. О'Нила, Р. Шервуда, С. Бермана, Ф. Барри, М. Андерсона, С. Хоуарда и др. Развлекательности «бродвейских театров» и системе «звезд» «Гилд-тиэтр» попытался противопоставить крепкий актерский ансамбль и значительный репертуар.

Большое влияние на развитие американского театра оказал приезд в США в 1923—1924 гг. МХАТа. Творческие принципы МХАТа, система Станиславского имели огромное значение для многих деятелей американской сцены. И поныне в США возникает множество версий и толкований системы Станиславского, называемой здесь «Методом» (с большой буквы). В 1926 г. актриса «Гилд-тиэтр» Е. Ле Гальенн предприняла попытку создания труппы, исповедующей художественные принципы МХАТа. Организованный ею «Гражданский репертуарный театр» просуществовал недолго, до 1932 г., но стал заметной вехой в истории американского театра.

В 1931 г. от «Гилд-тиэтр» откололось небольшое ядро прогрессивно настроенной молодежи во главе с Г. Клерменом, Ч. Кроуфорд и Л. Страсбергом. Они организовали «Груп-тиэтр» с постоянной сплоченной труппой, с репертуаром, состоявшим в основном из пьес, вскрывающих острую социальную проблематику, авторами которых были передовые драматурги Америки 30-х годов Дж. Г. Лоусон, П. Грин, С. Кингсли, У. Сароян. Если «Провинстаун плейерс» ассоциируется с именем Ю. О'Нила, то для «Груп-тиэтр» «своим» драматургом стал К. Одетс. Наибольший успех театра связан с постановками пьес именно этого автора, имевшими значительный общественный резонанс. Многие из тех, кто начинал в «Груп-тиэтр», стали затем ведущими актерами, режиссерами, педагогами, продюсерами, определявшими лицо американского театра. Его создатели осваивали и широко пропагандировали идеи Станиславского. В труппе работали такие знаменитые актеры, как С. Адлер, Л. Адлер, Р. Льюис, Э. Казан, М. Карновски, Л. Кобб и др. Деятельность театра впрямую была связана с возросшей в 30-е годы, именуемые «красным десятилетием», социальной активностью в стране. При «Груп-тиэтр» была создана школа, готовившая режиссеров и актеров для рабочих любительских и полупрофессиональных коллективов. В 1941 г. «Груп-тиэтр» прекратил свое существование, однако несомненно, что его воздействие на американский театр было всепроникающим. Во всех передовых начинаниях американского театра той эпохи ощущалось влияние этого театрального коллектива.

После первой мировой войны и особенно в период экономического кризиса 1929—1933 гг. в США возникло принципиально новое для этой страны явление — пролетарский театр. Во время забастовок, митингов актеры агитационных театральных групп показывали небольшие пьесы, так называемые «летучки», «живые газеты», которые строились на злободневном политическом материале. Существовали и стационарные рабочие театры, такие, как «Юнион», «Артеф» и др., ставившие на своей сцене пьесы А. Мальца, М. Голда, Ф. Вольфа, Э. Райса, М. Горького.

Экономический кризис 1929—1933 гг. сказался и на жизни профессиональных театров, многие из которых по финансовым причинам закрывались. Среди актеров возникло огромное число безработных. Бедственное состояние театра вынудило правительство начать его субсидирование. Это мероприятие проводилось в рамках политики «нового курса» Ф. Д. Рузвельта и получило название Федерального театрального проекта (1935—1939 гг.). В результате возникло 158 федеральных театров. Это был наиболее значительный, но непродолжительный опыт оказания финансовой помощи театрам со стороны федерального правительства.

В силу многих международных и внутриполитических причин 40-е — начало 50-х годов были отмечены кризисом в театральной жизни США. Конформизм захлестнул американскую сцену. На Бродвее, ставшем центром театральной жизни всей страны, царило бездумное, развлекательное искусство. Положение не спасали разрозненно звучавшие в то время голоса Л. Хелман, А. Миллера, Т. Уильямса — драматургов, ставших классиками американского и мирового театра. Их творчество шло вразрез с общим направлением, отличаясь пристальным вниманием к человеку со всем комплексом его социальных и психологических проблем.

Однако постепенно за пределами Бродвея стало возрождаться и вновь набирать силу движение «малых театров». Появилось множество театральных групп, студий, мастерских различных направлений, которые создавались в самых неподходящих помещениях: в маленьких залах, подвалах, на чердаках. Их объединяло стремление противопоставить свое искусство царившей на Бродвее бессодержательности и рутине, провозгласить прежде всего художественные, а не коммерческие цели. За ними закрепилось название «офф-Бродвей» — «внебродвейский театр» (реально возникновение этого движения относится к первому десятилетию века, однако подлинное рождение «офф-Бродвея» связывают с постановкой Х. Кинтеро в 1952 г. пьесы Т. Уильямса «Лето и дым» в театре «Серкл ин зе сквер»). Это понятие до сих пор в ходу, хотя и утратило свое первоначальное содержание. На

первых порах внебродвейские коллективы формировались как принципиальная альтернатива Бродвею. Их отличало несогласие с его эстетическими законами, тяготение к серьезной драматургии. На сценах этих театров ставились как классические, так и современные пьесы (в т. ч. А. Миллера, Т. Уильямса, а позднее Э. Олби). Однако со временем происходит своеобразное сращивание «внебродвейских театров» с Бродвеем; появляются спектакли, явно рассчитанные на то, что в случае успеха они перекочуют на «основную» театральную магистраль. С одной стороны, это способствовало притоку свежих сил в бродвейские театры, но с другой — ограничивало тех, кто стремился к поиску новых сценических форм, тормозило начавшийся было процесс обретения некоторой идейной и художественной независимости. Наиболее известные внебродвейские коллективы — «Финикс», «Шеридан сквер плейхауз», «Серкл ин зе сквер».

В 60-е годы в структуре американского театра появилось новое понятие — «вневнебродвейский театр», которое и поныне прочно ассоциируется с наиболее спорными и рискованными сценическими экспериментами. В театрах типа «Экспериментальный театральный клуб Ла Мама», созданном Э. Стюарт, «Джадсон поэтс тиэтр», которым руководил Э. Карминс, «Кафе Чино», организованном Дж. Чино, и др. шло становление американского авангарда, пробовали свои силы молодые драматурги и режиссеры, имена которых в 80-е годы заполнили афиши страны.

В этот же период заметно усилился процесс децентрализации театральной жизни США. Если раньше она была сосредоточена в основном в Нью-Йорке, то с конца 50-х годов появились так называемые «региональные театры» — созданные во многих крупных городах постоянные профессиональные театры, которые стали играть заметную роль в культурной жизни Америки. Деятельность этих театров связана, как правило, с именами известных лидеров-режиссеров. Вашингтонским театром «Арена стейдж» многие годы руководит З. Фичандлер, «Гатри-тиэтр» в Миннеаполисе был создан крупным английским режиссером Т. Гатри, «Эллей-тиэтр» в Хьюстоне возглавляла Н. Вэнс, ее сменила на этом посту П. Браун. Большую известность имеют также «Американ консерватори тиэтр» в Сан-Франциско, которым на протяжении ряда лет руководил У. Болл, «Тринити сквер репертори тиэтр» в Провиденсе во главе с А. Холлом, «Сентер тиэтр груп», обосновавшийся вместе со своим руководителем Г. Дэвидсоном в помещении «Марк Тейпер форум» при лос-анджелесском музыкальном центре, и др. В отличие от Бродвея, где пьесы идут ежедневно, пока они дают сборы, эти театры составляют свой репертуар на 9—10 месяцев сезона, причем в него входит как классика, так и произведения молодых современных авторов. Постоянной труппы они не имеют. Основным источником финансирования этих театров являются добровольные пожертвования горожан, а также система абонементов.

Американский театр 80-х годов продолжает испытывать некоторое инерционное влияние художественных идей, рожденных два десятилетия назад, во время небывалого дотоле в стране театрального бума. И хотя общественно-политическая атмосфера в США коренным образом изменилась, отголоски исканий тех лет сказываются в сценических созданиях и ныне. В 60-е годы, отмеченные подъемом общедемократического движения, волной молодёжных выступлений, протестом против войны во Вьетнаме, борьбой за гражданские права черных американцев, большую роль играли так называемые «театры

протеста», обратившиеся к насущным вопросам социальной и политической жизни. «Театры протеста», или, как их еще называют, «радикальные театры», включали в себя разные по своим эстетическим и общественным устремлениям коллективы. К ним относятся и вневнебродвейские экспериментальные труппы вроде «Ливинг-тиэтр» (руководители Дж. Бек и Дж. Малина), «Опен-тиэтр» (руководитель Дж. Чайкин), «Перформанс-груп» (руководитель Р. Шехнер), противоречивая деятельность которых вызывала немало споров, но способствовала зарождению новых театральных идей; и такие коллективы, как «Брэд энд паппет», «Сан-Франциско майм трупп», «Эль театро кампесино», которые впоследствии стали именовать себя народными; и полулюбительские уличные «партизанские» группы, ориентированные в первую очередь на работу агитаторскую. В 60-е годы отмечалось появление и большого количества негритянских театров, что, безусловно, связано с ростом национального самосознания черных американцев. Наиболее известные коллективы, существующие уже не одно десятилетие, — «Негритянский ансамбль» и «Нью Лафайетт тиэтр», в которых идут пьесы Л. Хэнсберри, Лероя Джонса, Э. Буллинза и др. В одном ряду с именами прославленных театральных деятелей страны можно назвать таких актеров, как Дж. Э. Джонс, О. Дэвис, Р. Ди, С. Пуатье, режиссеров Д. Т. Уорд, Д. Макбет, Д. О'Нил.

Многие из театров, возникших на волне общественного движения 60-х годов, с его спадом в 70-е годы прекращают свое существование. Однако их деятельность не прошла бесследно, обогатив творческую палитру современного сценического искусства, привнеся новые темы и образы, активизировав действенное начало спектакля. Это влияние проявляется порой не впрямую, а опосредованно и сказывается в различных аспектах современной театральной жизни. Изменения претерпел и выразительный язык американской драматургии последних лет. В произведениях драматургов, пьесы которых ставятся в 70—80-е годы, С. Шепарда, Д. Мэмета, Д. Рэйба, А. Коупита, Дж. Гуаре, П. Джонса, Л. Уилсона, А. Иннаурато анализируются сугубо американские явления, под влиянием которых формировалось данное поколение. В манере драматургического письма этих авторов, несмотря на все различия, проглядывает нечто общее: многое остается нарочито не высказанным словами, читается помимо фабулы и диалога. Подобная тенденция нашла свое крайнее выражение в режиссерских опытах представителей американского поставангарда. В своих спектаклях Р. Формен и Р. Уилсон, каждый из которых выполняет одновременно функции автора текста, режиссера и художника постановки, используют синтез различных искусств, отказываясь от традиционного повествования и диалога на сцене, предпочитая им создание причудливо зашифрованных картин и движущихся образов.

Актеры и режиссеры в Америке работают попеременно как в театрах Бродвея, так и в «некоммерческих» театрах, собираясь вместе на одну постановку. Лицо американского театра последних десятилетий определяют такие режиссеры, как М. Николс, Дж. Папп, А. Шнайдер, Э. Рэбб, Г. Принс, Г. Дэвидсон, А. Шербан, П. Селларс. Современная сцена богата актерскими индивидуальностями, среди которых особенно выделяются Дж. Скотт, Х. Кронин, Э. Пачино, Д. Хоффман, М. Патинкин, Дж. Малкович, Э. Бэнкрофт, Дж. Пейдж, Дж. Тенди, К. Дьюхерст и др. Бродвей в 80-е годы по-прежнему играет важную роль в сценическом искусстве страны, хотя и утратил то доминирующее положение, которое занимал

раньше. Наиболее популярны здесь комедии Н. Саймона — мастера так называемой «хорошо сделанной» пьесы. Гибкий и мобильный по своей сути «бродвейский театр» приспособил и коммерциализировал многие идеи, приемы театра экспериментального. На его подмостках время от времени стали появляться спектакли, посвященные общественно значимой проблематике.

Перемены коснулись и такого специфически бродвейского жанра, как мюзикл. За редким исключением традиционный мюзикл представлял собой грандиозное пышное зрелище с легко запоминающейся музыкой, виртуозно поставленными танцами, простым, если не сказать примитивным, сюжетом. Мюзикл является исконно американским театральным жанром. К его лучшим образцам относятся: «Оклахома» (1943), «Моя прекрасная леди» (1956), «Вестсайдская история» (1957), «Хелло, Долли» (1964), «Скрипач на крыше» (1964). За последние два десятилетия весьма характерным стало привнесение в этот «легкий» жанр ранее не свойственных ему тем. В конце 60-х годов на Бродвее был показан мюзикл «Волосы» (1968, режиссер Т. О'Хорган), представлявший собой ярчайший пример усвоения коммерческим искусством молодежной субкультуры. О трагической судьбе негритянских женщин рассказывал поэтический спектакль «Для цветных девушек, помышлявших о самоубийстве, когда радуге пришел конец» (1977, режиссер О. Скотт). Характерным было появление политического мюзикла «Эвита» (1979, режиссер Г. Принс). Все рекорды длительности проката и кассового успеха побивает идущий с 1975 г. «Кордебалет» (режиссер М. Беннет), где на примере нелегкого актерского труда впервые после «Вестсайдской истории» были так остро поставлены проблемы социальные. 80-е годы в большой мере отличаются засильем английских салонных пьес и многочисленными возобновлениями старых спектаклей — «ретро-мюзиклами». Однако некоторые надежды на обновление и возрождение жанра связывают с появлением мюзикла «Большая река» (1985, режиссер Д. Мак-Энуфф), созданного по произведениям Марка Твена. В целом же это десятилетие не принесло принципиально новых художественных идей в театры США.

Средства на развитие театрального дела в США поступают в основном от благотворительных организаций, в частности от Фонда Форда, Фонда Рокфеллера, Национального фонда искусств, а также от различных корпораций. Однако американские театры продолжают испытывать постоянные финансовые затруднения. Существует негласная финансовая цензура, позволяющая регулировать театральный процесс.

Сценическое образование в США можно получить на специальных факультетах университетов, а также в частных студиях. В театральной педагогике США особое место занимает Актерская студия, созданная в 1947 г. последователями системы Станиславского Э. Казаном, Р. Льюисом и Л. Страсбергом. За годы работы Актерская студия под руководством Л. Страсберга получила репутацию самой влиятельной профессиональной школы, воспитавшей многих «звезд» американского театра и кино.

Среди критиков и исследователей разных поколений выделяются имена таких знатоков театра, как Б. Аткинсон, К. Барнс, Э. Бентли, Р. Гилман, М. Готтфрид, С. Кауффманн, Г. Клерман, Э. Мунк, Дж. Новик, М. Фейнгольд.

Наиболее популярные театральные журналы: «Американ тиэтр», «Драма ревью», «Перформинг артс джорнал».

КИНО

Американский кинематограф 70—80-х годов — явление сложное, неоднозначное, противоречивое. Из 511 фильмов, выпущенных в США в 1987 г., только 173 были сделаны крупными кинофирмами, старыми и новыми: «Уорнер бразерс», «Буэна виста», «XX век — Фокс», «Де Лаурентис груп», «Коламбиа», «Кэннон», «Метро — Голдвин — Мейер», «Орион», «Парамаунт», «Три стар», «Юнайтед артистс», «Юниверсал». Остальные 338 — более чем ста независимыми продюсерами и мелкими компаниями. Объединяет их все центральная организация американской кинопромышленности — Американская киноассоциация. Основная ее функция — защита интересов входящих в нее кинофирм, экспорт и импорт фильмов, участие в международных кинофестивалях. Ежегодно только в США проводится 10 киносмотров. Наиболее крупные из них — в Нью-Йорке, Сан-Франциско, Лос-Анджелесе, Чикаго.

Проблемами повышения образовательного, профессионального и технического уровня американской кинематографии ведает общественная организация — Американская академия кинематографических искусств и наук, объединяющая свыше 4 тыс. кинематографистов. Тайным голосованием она ежегодно присуждает почетные премии «Оскар» американским фильмам за достижения в 26 отдельных областях кинопроизводства. «Оскаром» награждается также лучший иностранный фильм года, как правило, из числа демонстрировавшихся на экранах США. Академия ведет лекционную работу, помогает молодым кинематографистам, издает различные справочные пособия.

Статьи и рецензии, посвященные кино, публикуют такие периодические издания, как «Американ филм» — журнал Американского института кино, являющегося одновременно и научно-исследовательским и учебным центром; «Филм куортерли» — ежеквартальник, издающийся Калифорнийским университетом (Беркли); «Филм коммент» — журнал киноцентра им. Линкольна (Нью-Йорк); «Американ синематографер» — журнал Гильдии операторов; еженедельник «Варайети» (Нью-Йорк). Кроме того, статьи по киноискусству, а также посвященные отдельным фильмам регулярно печатаются в журналах «Ньюсуик», «Нью-Йоркер», «Тайм», «Нью рипаблик», в газетах «Нью-Йорк таймс», «Вашингтон пост», «Пиплз дейли уорлд» и др.

Кадры кинокритиков и кинематографистов готовят свыше 600 учебных заведений США, где читаются курсы по кино и телевидению. Наиболее крупные из них: Колумбийский университет в Нью-Йорке, Нью-Йоркский университет, Калифорнийский университет (Беркли), университет Темпл в Филадельфии, художественная школа в Чикаго.

Большую работу по пропаганде достижений американского и мирового кинематографа ведут киноархивы: им. Дж. Вашингтона в Вашингтоне, Музея современного искусства в Нью-Йорке, Тихоокеанский архив в Беркли, киноархив Калифорнийского университета в Лос-Анджелесе, киноархив «Антология кино» в Нью-Йорке и др.

Коммерческий прокат сосредоточен в руках крупных фирм. Поступления от проката составили в 1987 г. 4,25 млрд дол., в 1979 г. они равнялись 2,8 млрд дол. Это резкое увеличение доходов связано как с повышением цен на билеты почти в 2 раза, так и с ростом числа коммерческих боевиков, привлекающих молодых зрителей (80% проданных билетов покупает лишь 20% населения — молодежь в возрасте от 12 до 24 лет).

К середине 80-х годов в США насчитывалось свыше 20 тыс. кинотеатров. В основном это кинотеатры обычного типа, кроме того, существуют кинотеатры на открытом воздухе, в которых фильмы можно смотреть, не выходя из автомашины, и кинозалы в крупных торговых центрах, где пришедшие за покупками люди могут отдохнуть и посмотреть новый фильм.

В конце 70-х — в 80-е годы резко увеличился просмотр фильмов на видеокассетах, которые выдают 20 прокатных видеокассетных фирм. Наиболее ходовые кассеты можно купить в крупных продовольственных магазинах, в аптеках, газетных киосках. Репертуар видеокассетных записей достиг к середине 80-х годов 14 тыс. названий, к которым ежегодно добавляется не менее 400 новинок. В середине 80-х годов в США в личном пользовании насчитывалось около 24 млн видеомагнитофонов.

Стремясь не проиграть в конкурентной борьбе, кино противопоставляет видеокассетам картины, обеспечивающие наибольший кассовый успех при демонстрации на экранах кинотеатров. В фильмах, особенно приключенческих и фантастических, используются дорогостоящие комбинированные и компьютерные съемки, операторские трюки, электронное впечатывание, необычные способы обработки пленки. Более частым и откровенным стало на экране изображение жестокости, насилия и секса, чему во многом способствовал пересмотр «Кодекса Хейса» — свода цензурных правил. В новом варианте эти правила позволяют показывать различные половые извращения, самые изощренные убийства и т. п. Однако следует различать показ жестокости, необходимой для выявления авторского замысла, и использование ее в качестве «кассовой приманки» — аттракционов, щекочущих нервы зрителей и вызывающих у них острые ощущения.

В 70—80-е годы, как и в предыдущие периоды развития кино США, появлялось достаточное число фильмов — значительных произведений искусства. «Пять легких пьес» Б. Рафелсона, «Маленький большой человек» А. Пенна, «Злые улицы» М. Скорсезе, «Разговор» Ф. Копполы, «Возвращение домой» Х. Эшби, «Свадьба» Р. Олтмена и многие др. фильмы 70-х годов привлекали зрителей не только правдивостью, но и своей стилистикой. Именно они представляли реалистический авторский кинематограф того периода, во многом повлиявший на изменение привычных канонов голливудской эстетики. В этих фильмах отчетливо ощущалось стремление показать подлинную жизнь, использовать сложную метафорическую образность киноязыка. Главным для их героев — и здесь отчетливо ощущалось влияние лучших картин молодежного протеста 60-х годов — было не достижение материального благополучия, забота о карьере или демонстрация собственных достоинств, а недовольство существующим порядком вещей. Иные персонажи потребовали иных исполнителей, привычные улыбчивые лица с волевыми подбородками и медальными профилями отвергались, и в кино пришла целая плеяда не очень эффектных внешне, но великолепных актеров и актрис: Дж. Николсон, Д. Хоффман, Э. Пачино, Дж. Скотт, Дж. Хэкман, Б. Стрейзанд, Дж. Фонда и др.

На киноэкранах США начали появляться люди, старающиеся не только разобраться в том, что происходит вокруг них, но и понявшие важность сплочения общественных усилий в деле решения стоящих перед США проблем. Это отражено в таких фильмах, как «Норма Рей» режиссера М. Ритта (1979), «Китайский синдром» Дж. Бриджеса (1979), «Силквуд» М. Николса (1983), «Река» М. Райдела (1984). Отличными актерскими работами являются главные женские роли в этих картинах, сыгранные М. Стрип, С. Филд, Дж. Фонда, С. Спасек.

Ведущие режиссеры Р. Олтмен, А. Пенн, Ф. Коппола, М. Скорсезе, Х. Эшби, Б. Рафелсон, Дж. Шацберг создают фильмы, защищающие общечеловеческие, гуманистические ценности. Эти и многие др. мастера кино США все чаще прибегают к рассказу о «маленьких людях», их заботах и радостях, горестях и тревогах («Пегги Сью вышла замуж» Ф. Копполы, «После работы» М. Скорсезе, «Гарри и сын» П. Ньюмена, «Сердечные страсти» Б. Бересфорда и др.). Появляются в 80-е годы и значительные социально-критические картины, некоторые из которых знакомы и советскому зрителю («Владыка города» и «Вердикт» С. Люмета, «Тутси» и «Без злого умысла» С. Поллака, «Плывущие в потоке» Р. Олтмена, «Зелиг» В. Аллена, «Френсис» Г. Клиффорда и др.).

Однако количественно в американском кино, как и всегда, преобладают традиционные «развлекательные» жанры: фильмы ужасов, гангстерские ленты, вестерны, мюзиклы, экранизации комиксов, фантастические картины о захвате США космическими и земными врагами, различные виды насилия в экзотической упаковке.

В первой половине 70-х годов экраны заполнили фильмы катастроф. «Приключение «Посейдона» Р. Нима (1972), «Ад в поднебесье» Дж. Гиллермина (1974), «Челюсти» С. Спилберга (1975) и др. поражали зрителей яркими зрелищными эффектами морских и авиационных бедствий, пожарами, наводнениями, акулами-людоедами. В этот же период возникло увлечение «черным кичем» — упрощенными вариантами нашумевших боевиков, поставленных режиссерами-неграми с чернокожими актерами. Так после знаменитого «Крестного отца» Ф. Копполы (1972—1974) появился «Черный крестный». Вызвавший множество возмущенных откликов фильм «Изгоняющий дьявола» У. Фридкина (1973) породил «Абби». Сюда же можно отнести и такие ленты, как «Блэкула» (вариант «Дракулы»), «Черная шестерка», «Дом на горе Череп» и др. Хотя и в этот период появлялись правдивые фильмы о черных американцах, такие, как «Саундер» М. Ритта (1972) и его же «Конрак» (1974), однако подлинный подъем в освещении этой темы начался лишь в 80-е годы. Здесь можно назвать такие значительные фильмы, как «Рэгтайм» М. Формана (1981), «Армейская история» Н. Джюисона (1984), «Цвет кожи» С. Майнера (1986).

Во второй половине 70-х годов в центре внимания коммерческого кинематографа оказались космические боевики: «Звездные войны» режиссера Дж. Лукаса (1977), «Чужак» Р. Скотта (1979), «Империя наносит ответный удар» И. Кершнера (1980), «Возвращение Джидая» Р. Марканда (1983), «Дюна» Д. Линча (1984) и др. В 80-е годы вновь возник интерес к гангстерским лентам: «Лицо со шрамом» Б. де

Пальмы (1983), «Коттон-клаб» Ф. Копполы (1984), «Честь семьи Прицци» Дж. Хьюстона (1985).

Пришедшие в Голливуд на рубеже 80-х годов Дж. Карпентер, Д. Кроненберг, Д. Линч специализируются на фильмах ужасов, приключенческих и фантастических лентах. В последних двух жанрах часто работают и талантливые Дж. Лукас и С. Спилберг.

Заметные изменения произошли в зрительской популярности ведущих киноактеров США. В конце 1984 г. в десятку наиболее популярных «звезд» из 250 мастеров социально-реалистического кинематографа 70-х годов вошел лишь Д. Хоффман. Ни П. Ньюмен, ни Дж. Леммон, ни Дж. Николсон в их число не попали. Зато первые места заняли Э. Мерфи, сыгравший в чемпионе кассовых сборов — комедии «Полицейский в Беверли-Хилс», Г. Форд, прославившийся исполнением ролей в коммерческих боевиках Дж. Лукаса и С. Спилберга, а также К. Иствуд.

Именно К. Иствуд был режиссером и исполнителем главной роли в «Огненном лисе» (1982) — картине, повторившей многие пропагандистские антисоветские постулаты. В начале 80-х годов обрели новую жизнь затасканные мифы времен «холодной войны». Они нашли свое отражение в таких фильмах, как «Парк Горького» М. Эптида (1984), «Роки IV» С. Сталлоне (1985), «Белые ночи» Т. Хэкфорда (1985), «Рожденный американцем» Р. Харлана (1986) и др. Однако и в этот период появляются такие картины, как «Красные» режиссера У. Битти (1981), где достаточно правдиво и тактично были показаны события Великой Октябрьской социалистической революции.

Неоднозначен показ американским кинематографом агрессии США во Вьетнаме. Если во второй половине 70-х годов шло критическое осмысление этого «позора Америки», то после того, как в начале 80-х годов эта война была официально объявлена «благородным предприятием», курс резко изменился. К 20-летию вторжения США в Юго-Восточную Азию появилась целая серия оправдывающих его фильмов: «Необычная доблесть» Т. Кочефа (1984), «Рэмбо. Первая кровь II» Дж. Косматоса (1985), «Пропавшие в бою» 1—2-я серия Д. Цито (1984—1985) и др. Именно поэтому столь большое значение и в художественном, и в политическом плане имеют завоевавший премию «Оскар» фильм О. Стоуна «Взвод» (1986) и «Пуленепробиваемый жилет» С. Кубрика (1987), которые наглядно показали страшные будни этой «грязной войны».

В 80-е годы был снят ряд фильмов, выступающих против политики США в Центральной Америке. «Пропавший без вести» Коста-Гавраса (1981) вскрыл реальную подоплеку фашистского путча в Чили. «Под огнем» Р. Споттисвуда (1983) показал, как американцы помогали никарагуанскому диктатору Сомосе удержаться у власти любой ценой. «Латиноамериканец» Х. Уэкслера (1985) был посвящен героической борьбе народа Никарагуа против «контрас» и их покровителей. Кровавые преступления «эскадронов смерти», организованных под эгидой ЦРУ, вскрыл «Сальвадор» режиссера О. Стоуна (1986).

Волнует кинематограф США проблема войны и мира, хотя одновременно с фильмами «Военные игры» Дж. Бэдхема (1982), «Завет» Л. Литмен (1983), показывающими угрозу ядерной войны и страшные картины гибели в ней людей, требующими не допустить этого ужаса, на экранах идут такие откровенно милитаристские ленты, как «Красный рассвет» Дж. Милиуса (1984) или «Вторжение в США» Д. Цито (1985).

Во второй половине 80-х годов в США начали появляться фильмы, отражающие новое политическое мышление, учитывающее реальности ядерного века,— «Русские» Р. Розенталя (1987), «Эмейзинг Грейс и Чак» М. Ньюэла (1986), «Цветок в пустыне» Ю. Корра (1986) и др.

Документальный кинематограф США 70—80-х годов в основном развивался в русле отражения важнейших общественно-политических тенденций. В 70-х годах особенно много было картин, направленных против агрессии США во Вьетнаме: «В год свиньи» Э. де Антонио (1970), «Интервью с ветеранами Сонгми» X. Уэкслера (1971), «Сердца и умы» П. Дэвиса, получивший в 1975 г. «Оскара» как лучший документальный фильм. В 80-е годы центр внимания прогрессивного документального кино переместился в Центральную Америку («Цель — Никарагуа», «Сальвадор — еще один Вьетнам», «Америка на перепутье» и др.).

Ряд лент был посвящен проблемам классовой и профсоюзной борьбы. Картина «Округ Харлан, США» Б. Коппл, рассказывавшая о 13-месячной забастовке шахтеров в Кентукки, получила в 1977 г. «Оскара» как лучший документальный фильм. О сидячей забастовке 1937 г. на заводе компании «Дженерал моторс» и деятельности созданной там Чрезвычайной женской бригады

повествовал фильм «С детьми и знаменами» Л. Грей (1978). В картине «Уоббли» С. Берда и Д. Шеффер (1979) шла речь о профсоюзной организации «Индустриальные рабочие мира», действовавшей в США в начале XX в.

Протест против гонки вооружений в стране отчетливо ощущается в документальных фильмах Д. Девяткина «Сильное ядерное оружие» (1983) и «Люди говорят» (1984), в призере XIII Московского кинофестиваля картине «Америка: от Гитлера до ракет МХ» Джоан Харви (1983). На этом же фестивале демонстрировался и полнометражный документальный фильм Г. Реджио «Суматошный мир» (1982), с огромной художественной силой ратующий за «экологический образ жизни». Возможности проката подобных фильмов в США крайне ограниченны: они показываются в основном в киноклубах, библиотеках, университетах. Им трудно конкурировать с игровым американским кинематографом, который чувствует себя сегодня достаточно уверенно: ему удалось найти способы сосуществования с мощными конкурентами — кабельным телевидением, видеокассетами, трансляцией кино и телепрограмм через космические спутники.

СПОРТ

США — ведущая спортивная держава капиталистического мира. Зарождение американского спорта произошло во второй половине XIX в. Одинаково широкое распространение в стране получили в дальнейшем и любительский и профессиональный спорт.

Принятие в 1862 г. закона Моррилла о введении военных инструкторов в учебных заведениях активизировало занятия физической культурой в школах, колледжах и университетах. В 1879 г. была создана первая спортивная организация — Национальная ассоциация любительского спорта.

Основу *любительского спорта* составляет спорт в школе и в высших учебных заведениях. В середине 80-х годов около 18 млн школьников и 3 млн студентов ежегодно принимали участие в спортивных программах и соревнованиях.

В США нет официального учета общего количества занимающихся спортом. По оценкам социологов, около 10% американцев регулярно занимаются спортом. Что касается интереса американцев к тому или иному виду спорта в повседневной жизни, то, согласно данным опросов службы Нильсена, в начале 80-х годов плаванием увлекалось 102,3 млн чел., велоспортом — 72,2 млн, рыболовством — 63,7 млн, туризмом — 62,6 млн, бегом — 34,3 млн, теннисом — 25,5 млн, баскетболом — 25,3 млн, американским футболом — 14 млн, бейсболом — 13,6 млн, соккером (европейским футболом) — 8 млн чел.

В стране существует целый ряд «привилегированных» видов спорта — боулинг, гольф, теннис, фехтование, фигурное катание, конный, парусный, автоспорт и др., занятия которыми требуют определенного социального положения, уровня доходов и доступа на спортивные сооружения и в клубы. В США существует более 13 тыс. частных спортивных клубов, располагающих первоклассными спортивными сооружениями (бассейнами, площадками для гольфа, теннисными кортами и пр.).

В 50-е годы остро встал вопрос о необходимости государственного участия в развитии физической культуры и спорта. При введении в 1951 г. всеобщей воинской повинности во время войны в Корее выяснилось, что физическая подготовка призываемой в армию молодежи находится на низком уровне, что подтвердилось исследованиями социологов, проведенными в 1950—1953 гг. Федеральное правительство, обеспокоенное этим фактом, начало уделять вопросам физической подготовки молодежи серьезное внимание. В 1956 г. Д. Эйзенхауэром был создан президентский совет по делам физической подготовки молодежи для разработки мероприятий по улучшению физического состояния подрастающего поколения. В 1963 г. его функции были расширены, а в 1968 г. совет был преобразован в президентский совет по делам физической подготовки и спорта, действующий и поныне и играющий роль регулирующего органа в развитии массового спорта в стране.

Непосредственным руководством любительским спортом занимается в США множество организаций.

Среди них основные: Олимпийский комитет США (создан в 1896 г.), Любительский спортивный союз (создан в 1879 г., до 1888 г. носил название Национальной ассоциации любительского спорта), Американский союз здоровья, физического воспитания, отдыха и танцев (1885), Национальная ассоциация студенческого спорта (1905), Национальная спортивная ассоциация младших колледжей (1937), Национальная федерация спортивных ассоциаций средних школ (1920), Национальный совет ассоциации молодых христиан (1923). Существует также более 30 национальных федераций по видам спорта.

До середины 70-х годов деятельность этих организаций носила децентрализованный характер. Рассредоточенность руководства любительским спортом приводила к соперничеству между различными организациями и отрицательно сказывалась на развитии физкультуры и спорта. В 1975 г. для анализа положения дел в любительском спорте была создана президентская комиссия по олимпийским видам спорта, указавшая на необходимость централизовать руководство спортом в стране. В 1978 г. конгресс принял закон о любительском спорте США, который предоставил Олимпийскому комитету США права единственного координирующего органа в любительском спорте.

Основные источники финансирования любительского спорта: взносы членов спортивных клубов или команд, доходы от продажи билетов и прав на телетрансляцию соревнований, пожертвования частных лиц и корпораций, ассигнования федерального правительства и правительств штатов. Любительские спортивные организации законодательным путем были освобождены от уплаты подоходных налогов. Во второй половине 80-х годов любительские спортивные организации расходовали более 3 млрд дол. в год. Бюджет Олимпийского комитета США на четырехлетний период 1985—1988 гг. составил около 136 млн дол. по сравнению с 6 млн дол. в период 1965—1968 гг. Созданы два олимпийских учебно-тренировочных центра: по летним видам спорта в Колорадо-Спрингсе, по зимним видам — в Лейк-Плэсиде. Начиная с 1977 г. ежегодно проводится Олимпийский фестиваль США по 35 видам спорта.

До 1952 г. спортсмены США доминировали на Олимпийских играх. На играх в 1956, 1960, 1964 и 1972 гг. они уступили первенство спортсменам СССР, а в 1976 г. и спортсменам ГДР. За время участия в летних Олимпиадах (спортсмены США участвовали во всех Олимпиадах, кроме 1980 г.) ими завоевано 1656 медалей, в т. ч. 692 золотых, 526 серебряных и 438 бронзовых. На зимних Олимпийских играх американские спортсмены завоевали 127 медалей, из них 44 золотых, 47 серебряных и 36 бронзовых. Среди неоднократных олимпийских чемпионов легкоатлеты А. Кренцлейн (1900), Р. К. Юри (1900—1908), М. Дидриксон (1932), Дж. Оуэнс (1936), Р. Матиас (1948, 1952), А. Ортэр (1956—1968), В. Рудолф (1960), К. Льюис (1984), В. Бриско-Хукс (1984); пловцы Дж. Вайсмюллер (1924, 1928), Д. Шоллэндер (1964, 1968), Ш. Бэйбешофф (1972, 1976), М. Спитц (1968, 1972), Дж. Нейбер (1976); прыгуны в воду П. Маккормик (1952, 1956) и Г. Луганис (1984); стрелки К. Осберн (1912, 1920), А. Лейн (1912, 1920), М. Фишер (1920, 1924); гребец Дж. Келли (1920, 1924); фигурист Р. Баттон (1948, 1952); конькобежец Э. Хайден (1980) и др. Помимо Олимпийских игр спортсмены США принимают участие в чемпионатах мира, Панамериканских играх и др. международных соревнованиях.

Профессиональный спорт в США возник параллельно с любительским спортом. Первыми как профессиональные виды спорта стали культивироваться конные скачки и бокс, затем бейсбол, американский футбол, баскетбол, хоккей, гольф, теннис, борьба, боулинг, автогонки, волейбол, соккер, горнолыжный спорт, фигурное катание. Организационная структура профессионального спорта неодинакова для командных и индивидуальных видов спорта. Команды входят в лиги по определенным видам спорта, а в индивидуальных видах спортсмены объединяются в соответствующие их профессии ассоциации. Наиболее доходными видами профессионального спорта являются американский футбол, бейсбол, баскетбол и хоккей. На начало 1988 г. Национальная футбольная лига объединяла 28 команд и еще 12 играли в Футбольной лиге США. В Главной бейсбольной лиге — 26 команд, в Национальной баскетбольной ассоциации — 25 и в Национальной хоккейной лиге — 21. В бейсболе и хоккее имеются еще команды в низших лигах.

За последние 25 лет профессиональный спорт в США развивался беспрецедентно высокими темпами и превратился в одну из самых процветающих отраслей шоу-бизнеса. Основные доходы профессиональный спорт получает от продажи билетов и прав на телетрансляцию соревнований. Общий доход профессионального спорта составил в 1987 г. более 3 млрд дол., в т. ч. Национальной футбольной лиги — 750 млн дол., Главной бейсбольной лиги — 630 млн дол., Национальной баскетбольной ассоциации — 250 млн дол., Национальной хоккейной лиги — 210 млн дол. Средняя сумма денежных выплат спортсменам по контрактам в этих четырех лигах колебалась от 160 тыс. до 450 тыс. дол. в год. Доходы более 100 спортсменов-профессионалов достигали свыше 1 млн дол. в год. Среди известных профессиональных спортсменов можно назвать таких, как боксеры Дж. Джонсон, Дж. Демпси, Дж. Луис, Р. Марчиано, Ш. Р. Робинсон, Мухаммед Али, Л. Холмс, Ш. Р. Леонард, М. Хаглер, М. Тайсон; баскетболисты Дж. Майкен, У. Расселл, У. Чемберлен, К. Абдул-Джабар; бейсболисты Дж. Г. Рут (Бейб), Дж. Робинсон, Г. Аарон, Р. Джэксон, П. Роуз; футболисты Дж. Браун, Р. Штаубах, Дж. Намат, Х. Уолкер; автогонщики Р. Петти, Б. Ансер и др.

Наибольшее число зрителей собирают ежегодно следующие виды спорта (учитывается и любительский и профессиональный спорт): бейсбол — 78 млн зрителей, конные скачки — 76 млн, автогонки — 55 млн, американский футбол — 54 млн, баскетбол — 42 млн, хоккей — 20 млн, соккер — 8 млн, бокс — 7 млн и теннис — 4 млн зрителей. Только на приобретение билетов американцы расходуют свыше 3 млрд дол. в год. По данным Ассошиэйтед Пресс, в 1986 г. расходы на физическую культуру и спорт по стране в целом составили около 48 млрд дол., включая расходы населения на приобретение спортивных товаров и услуг.

Согласно опросам общественного мнения, в первой половине 80-х годов 54% американцев ежедневно слушали спортивные новости по радио и телевидению, 39% — читали их в газетах, 17% — смотрели спортивные телепередачи. Национальные телекомпании Эй-Би-Си, Эн-Би-Си и Си-Би-Эс отводят спортивным передачам более 500 часов в год каждая, а с учетом круглосуточной спортивной телестанции «Энтертейнмент энд спортс программинг нетуорк» и др. телестанций объем спортивных трансляций превышает 16 тыс. часов в год.

В США не издается общенациональной спортивной газеты. Однако почти во всех ежедневных газетах имеются спортивные разделы (секции). В стране издается ежегодно более 1000 книг и свыше 300 журналов по спорту, среди которых ведущими являются «Спортс иллюстрейтед», «Спорт», «Спортинг ньюс», «Инсайд спортс» и др.

ВАЖНЕЙШИЕ ДАТЫ В ИСТОРИИ США

Около 30—20 тыс. лет до н. э.	— начало заселения Северной Америки первобытными людьми, выходцами из Северо-Восточной Азии
около 1000 г.	— посещение норманнами восточного побережья Северной Америки
1492 г.	— открытие Америки X. Колумбом
1565 г.	— начало испанской колонизации Северной Америки, основание поселения Сент-Огастин
1604 г.	— начало французской колонизации Северной Америки, основание поселения Пор-Руаяль
1607 г.	— основание поселения Джеймстаун, положившего начало первой английской колонии — Виргинии
1620 г.	— основание поселения Новый Плимут, положившего начало колониям Новой Англии
1624 г.	— основание голландской колонии Новые Нидерланды
1643 г.	— образование конфедерации «Соединенные колонии Новой Англии»
1676 г.	— восстание под руководством Н. Бэкона в Виргинии против английского колониального гнета
1689—1691 гг.	— Массачусетское восстание против английского колониального гнета
1689—1691 гг.	— восстание под руководством Дж. Лейслера в Нью-Йорке против политики метрополии и господства торговой аристократии
1754 г.	— съезд представителей колоний в Олбани
1763 г. 10 февраля	— подписание Парижского мирного договора, завершившего Семилетнюю войну 1756—1763 гг.
1763 г.	— издание королевского указа, запрещавшего колонистам занимать земли за Аллеганами
1765 г. 22 марта	— принятие закона о гербовом сборе, по которому облагались налогами печатные издания и юридические документы в североамериканских колониях
1765 г.	— образование тайных революционных организаций «Сыны свободы»
1765—1766 гг.	— фермерское восстание в колонии Нью-Йорк, направленное против крупного феодального землевладения
1765—1771 гг.	— фермерское движение «регуляторов» в Северной Каролине
1767 г.	— законы Тауншенда, устанавливавшие новые пошлины на ввозимые в колонии товары
1770 г. 5 марта	— «Бостонская расправа» (вооруженное столкновение жителей Бостона с английскими войсками)
1772 г.	— создание революционных органов — Комитетов связи

1773 г. 16 декабря	— «Бостонское чаепитие» (событие в ходе развития освободительного движения в колониях)
1774 г.	— издание репрессивных законов английским правительством, Квебекский акт, включивший в колонию Квебек территорию между реками Огайо и Миссисипи
1774 г. 5 сентября — *26 октября*	— I Континентальный конгресс
1775—1783 гг.	— Война за независимость
1775 г. 19 апреля	— битвы при Лексингтоне и Конкорде, начало войны
1775 г. 10 мая	— открытие II Континентального конгресса
1775 г. 17 июня	— сражение при Банкер-Хилле
1776 г. 4 июля	— принятие конгрессом Декларации независимости
1777 г. 17 октября	— победа американской армии при Саратоге
1777 г. 15 ноября	— принятие конгрессом «Статей конфедерации и вечного союза» (вступили в силу после ратификации 1 марта 1781 г.)
1778 г. 6 февраля	— заключение американо-французских договоров о союзе и торговле
1781 г. октябрь	— сдача английских войск при Йорктауне
1783 г. 3 сентября	— подписание Версальского мирного договора, завершившего Войну за независимость
1784 г.	— основание первого русского поселения на о. Кадьяк (Аляска)
1785 г. 20 мая	— принятие ордонанса о земле, регулировавшего продажу и заселение новых земель на Западе
1786—1787 гг.	— фермерское восстание под руководством Д. Шейса в Массачусетсе
1787 г. 25 мая	— открытие Конституционного конвента в Филадельфии
1787 г. 13 июля	— принятие ордонанса о Северо-Западе, регулировавшего управление новыми территориями
1787 г. 17 сентября	— принятие конституции США (вступила в силу 4 марта 1789 г.)
1789—1797 гг.	— президентство Дж. Вашингтона
1789 г. 24 сентября	— принятие судебного акта, заложившего основы судебной системы США
1791 г. февраль	— учреждение первого национального банка США
1791 г. 15 декабря	— вступление в силу Билля о правах (первых 10 поправок к конституции), провозгласившего буржуазно-демократические свободы слова, печати, религиозных исповеданий, собраний
1794 г. июль — ноябрь	— «восстание из-за виски» в Пенсильвании, направленное против налоговой политики правительства
1794 г. 19 ноября	— заключение договора о дружбе, торговле и навигации между США и Англией (договор Джея)
1795 г. 7 февраля	— ратификация XI поправки к конституции об ограждении судебных прав штатов
1797—1801 гг.	— президентство Дж. Адамса
1798 г. июнь — июль	— принятие антидемократических законов об иностранцах и подстрекательстве к мятежу
1799 г.	— восстание под руководством Дж. Фриза в Пенсильвании против введения прямого налога на землю и жилые дома
1799 г. июль	— учреждение Российско-американской компании
1801—1809 гг.	— президентство Т. Джефферсона

1803 г. май	— покупка Луизианы у Франции
1804 г. 25 сентября	— вступление в силу XII поправки к конституции о раздельном избрании президента и вице-президента
1807 г. 2 марта	— принятие закона о запрещении ввоза негров-рабов с 1 января 1808 г.
1808—1809 гг.	— установление дипломатических отношений между США и Россией
1809—1817 гг.	— президентство Дж. Мэдисона
1812—1814 гг.	— англо-американская война
1812 г.	— основание русского поселения Форт-Росс в Калифорнии
1814 г. декабрь — 1815 г. январь	— Хартфордский съезд федералистов
1814 г. 24 декабря	— подписание Гентского мирного договора, положившего конец англо-американской войне
1817—1825 гг.	— президентство Дж. Монро
1818—1821 гг.	— присоединение Флориды
1820 г.	— Миссурийский компромисс, устанавливавший пределы распространения рабства параллелью 36° 30′ северной широты
1823 г. 2 декабря	— провозглашение доктрины Монро, внешнеполитической программы США, декларировавшей принцип взаимного невмешательства стран Американского и Европейского континентов в дела друг друга
1824 г. 5(17) апреля	— первая русско-американская конвенция, устанавливавшая границы русских владений в Северной Америке
1825—1829 гг.	— президентство Дж. К. Адамса
1825 г.	— основание Р. Оуэном общины американских социалистов-утопистов «Новая гармония» (существовала до 1828 г.)
1828 г. май	— принятие «тарифа абсурдов», устанавливавшего высокие протекционистские тарифы
1828—1829 гг.	— образование первых рабочих партий в Филадельфии и Нью-Йорке
1828 г.	— образование Демократической партии
1829—1837 гг.	— президентство Э. Джэксона
1831 г. август	— восстание рабов под предводительством Н. Тернера в Виргинии
1832 г. апрель — август	— восстание индейцев на территории Иллинойса и Висконсина («война Черного Сокола»)
1832 г. 6(18) декабря	— подписание договора с Россией о торговле и навигации
1833 г.	— создание Американского общества борьбы с рабством
1834 г.	— образование партии вигов
1837—1841 гг.	— президентство М. Ван-Бюрена
1840 г.	— установление 10-часового рабочего дня в правительственных учреждениях
1841 г. 4 марта — 4 апреля	— президентство У. Г. Гаррисона
1841—1845 гг.	— президентство Дж. Тайлера
1841 г. 4 сентября	— принятие закона о праве «первой заимки», дававшего скваттерам (лицам, самовольно захватывавшим земли) преимущественное право на покупку по минимальной цене обрабатываемых ими участков
1841 г.	— создание колонии американских социалистов-утопистов Брук-Фарм (существовала по 1846 г.)

1842 г.	— восстание под руководством Т. Дорра в Род-Айленде
1842 г. 9 августа	— подписание договора Уэбстера — Ашбертона с Англией об установлении границы между США и Канадой на Северо-Востоке
1844 г. 3 июля	— подписание первого договора США с Китаем, предусматривавшего право США торговать в открытых портах
1845—1849 гг.	— президентство Дж. Н. Полка
1845 г.	— присоединение Техаса к США
1846—1848 гг.	— война США с Мексикой
1846 г. 15 июня	— подписание Орегонского договора между Англией и США о границе между владениями обеих держав к западу от Скалистых гор по 49-й параллели
1848 г. январь	— открытие золота в Калифорнии
1848 г. 2 февраля	— подписание мирного договора в Гуадалупе-Идальго между Мексикой и США, завершившего войну 1846—1848 гг.
1848 г. август	— образование партии фрисойлеров
1849—1850 гг.	— президентство З. Тейлора
1850 г. 19 апреля	— подписание договора Клейтона — Булвера между США и Англией, регулировавшего вопрос о будущем межокеанском канале
1850—1853 гг.	— президентство М. Филмора
1850 г. сентябрь	— компромисс 1850 г., предусматривавший расширение влияния рабовладельцев в масштабах страны
1852 г.	— создание Пролетарской лиги
1853—1857 гг.	— президентство Ф. Пирса
1853 г. 30 декабря	— подписание договора Гадсдена, завершившего процесс формирования южной границы Соединенных Штатов
1854 г. 31 марта	— подписание первого американо-японского договора, открывшего порты Японии для торговли с Америкой
1854 г. 30 мая	— принятие билля Канзас — Небраска, предоставившего право населению Канзаса и Небраски самим решать вопрос о рабстве
1854 г. июль	— основание Республиканской партии
1857—1861 гг.	— президентство Дж. Бьюкенена
1857 г. 6 марта	— решение Верховного суда по делу негра Дреда Скотта, гласившее, что раб представляет собой собственность хозяина даже на территории нерабовладельческих штатов
1857 г. октябрь	— создание Коммунистического клуба Нью-Йорка
1859 г. 16—18 октября	— восстание под руководством Дж. Брауна
1861 г. 4 февраля	— провозглашение Конфедерации рабовладельческих штатов
1861—1865 гг.	— президентство А. Линкольна
1861—1865 гг.	— Гражданская война
1861 г. 12 апреля	— начало военных действий, нападение южан на форт Самтер
1861 г. 21 июля	— поражение федеральной армии при Манассасе
1861 г. ноябрь	— инцидент с «Трентом», связанный с захватом английского парохода американским военным кораблем
1862 г. 20 мая	— принятие закона о гомстедах, дававшего право любому гражданину США на получение 160-акрового участка
1862 г. 22 сентября	— издание предварительной Прокламации об освобождении рабов

1863 г. 3 июля	— победа федеральной армии при Геттисберге
1863—1864 гг.	— пребывание двух русских эскадр в Нью-Йорке и Сан-Франциско
1865 г. 9 апреля	— капитуляция южан при Аппоматтоксе
1865 г. 14 апреля	— покушение на А. Линкольна (умер 15 апреля)
1865—1869 гг.	— президентство Э. Джонсона
1865—1877 гг.	— период Реконструкции Юга
1865—1866 гг.	— введение на Юге так называемых «черных кодексов», законодательных актов, регламентировавших положение негров
1865 г. 18 декабря	— вступление в силу XIII поправки к конституции об уничтожении рабства
1865 г. декабрь	— создание Ку-клукс-клана
1866 г.	— образование Национального рабочего союза
1867 г. 2 марта	— принятие первого закона о Реконструкции Юга
1867 г. 18(30) марта	— подписание договора о продаже Россией Аляски и Алеутских островов Соединенным Штатам Америки
1867 г.	— создание первой секции I Интернационала в США
1867 г. декабрь	— образование фермерской организации «Нэшнл грейндж»
1868 г. июнь	— введение 8-часового рабочего дня для правительственных служащих
1868 г. 28 июля	— вступление в силу XIV поправки к конституции о гражданских правах негров
1869—1877 гг.	— президентство У. С. Гранта
1869 г. декабрь	— создание «Ордена рыцарей труда»
1870 г. 30 марта	— вступление в силу XV поправки к конституции, запрещавшей ограничивать или лишать негров избирательных прав
1874 г. декабрь — 1875 г. июль	— «долгая стачка» шахтеров Пенсильвании
1875 г. март	— образование гринбекерской партии
1876 г. июль	— основание Социалистической рабочей партии (до 1877 г. имела название Рабочая партия)
1877—1881 гг.	— президентство Р. Б. Хейса
1877 г. июль — август	— первая общенациональная забастовка железнодорожников
1878 г.	— основание гринбекеро-рабочей партии
1881 г. 4 марта — 19 сентября	— президентство Дж. А. Гарфилда
1881—1885 гг.	— президентство Ч. А. Артура
1881 г. ноябрь	— образование Федерации тред-юнионов и рабочих союзов США и Канады (в декабре 1886 г. преобразована в Американскую федерацию труда (АФТ)
1885—1889 гг.	— президентство Г. Кливленда
1886 г. 1 мая	— всеобщая стачка за 8-часовой рабочий день
1886 г. 4 мая	— расстрел рабочих на митинге в Чикаго на площади Хеймаркет
1889—1893 гг.	— президентство Б. Гаррисона
1889 г. октябрь — 1890 г. апрель	— первая Межамериканская конференция в Вашингтоне
1890 г. 2 июля	— принятие антитрестовского закона Шермана
1891 г. май	— создание Народной (популистской) партии
1892 г. июнь — ноябрь	— стачка сталелитейщиков (Гомстедская стачка)

1893—1897 гг.	— президентство Г. Кливленда
1894 г. май — июль	— стачка железнодорожников (Пульмановская стачка)
1895 г.	— основание Национальной ассоциации промышленников
1895 г. 20 июля	— провозглашение доктрины Олни, «развившей» доктрину Монро и объявившей «суверенитет США» в Западном полушарии
1897—1901 гг.	— президентство У. Мак-Кинли
1898 г.	— испано-американская война
1898 г. 1 мая	— сражение в бухте Манилы (Филиппины)
1898 г. июнь	— основание Социал-демократической партии Америки
1898 г. 1—3 июля	— сражение у Сантьяго (Куба)
1898 г. 10 декабря	— подписание Парижского мирного договора между США и Испанией, завершившего испано-американскую войну
1899—1901 гг.	— американо-филиппинская война
1899 г. февраль	— создание Американской антиимпериалистической лиги
1899 г. 6 сентября	— провозглашение политики «открытых дверей» в Китае (доктрина Хэя)
1901 г. 2 марта	— принятие «поправки Платта», оформлявшей зависимость Кубы от США
1901 г. июль	— создание Социалистической партии Америки (СПА)
1901—1909 гг.	— президентство Т. Рузвельта
1901 г. 18 ноября	— подписание договора Хэя — Паунсфота между США и Англией о Панамском канале
1902 г. май — октябрь	— Пенсильванская стачка горняков
1903 г. 22 мая	— заключение американо-кубинского договора, дававшего США право вмешательства во внутренние дела Кубы
1903 г. 18 ноября	— заключение договора Хэя — Бюно — Варилья о зоне Панамского канала
1904 г. 6 декабря	— провозглашение «дополнения (поправки) Т. Рузвельта» о США как «международной полицейской силе» в Западном полушарии
1905 г. июнь	— образование профсоюзной организации «Индустриальные рабочие мира»
1909—1913 гг.	— президентство У. Х. Тафта
1909 г. май	— образование Национальной ассоциации содействия прогрессу цветного населения
1912 г. январь — март	— стачка текстильщиков в Лоренсе
1913 г. 25 февраля	— вступление в силу XVI поправки к конституции о подоходном налоге
1913—1921 гг.	— президентство В. Вильсона
1913 г. 31 мая	— вступление в силу XVII поправки к конституции о прямом избрании сенаторов
1913 г. сентябрь — 1914 г. апрель	— стачка горняков в Колорадо
1913 г. 23 декабря	— учреждение Федеральной резервной системы
1914 г. апрель	— «Ладлоуская бойня» (кровавая расправа над бастующими горняками и их семьями)
1914 г. 4 августа	— заявление США о нейтралитете в первой мировой войне
1914 г. 15 октября	— принятие антитрестовского закона Клейтона
1915 г. июль — 1934 г. август	— оккупация США Гаити
1915 г. ноябрь	— образование Лиги социалистической пропаганды
1916 г. март — 1917 г. февраль	— интервенция США в Мексике

1916 г. 4 августа	— американо-датский договор о покупке Соединенными Штатами Виргинских островов
1916—1924 гг.	— оккупация США Доминиканской Республики
1917 г. 6 апреля	— объявление США войны Германии
1917 г. 2 ноября	— заключение соглашения Лансинга — Исии между США и Японией о Китае
1918 г. 8 января	— провозглашение «14 пунктов» Вильсона (послевоенной программы США, изложенной президентом в послании конгрессу)
1918 г. март — 1920 г. апрель	— участие США в вооруженной интервенции против Советской России
1919 г. 29 января	— вступление в силу XVIII поправки к конституции, так называемого «сухого закона» (отменена XXI поправкой)
1919 г. февраль	— всеобщая забастовка в Сиэтле
1919 г. 28 июня	— подписание Версальского мирного договора, завершившего первую мировую войну
1919 г. 1 сентября	— создание Коммунистической партии Америки (КПА)
1919 г. 1 сентября	— создание Коммунистической рабочей партии Америки (КРПА)
1919 г. сентябрь — 1920 г. январь	— всеобщая забастовка сталелитейщиков
1919 г. 19 ноября	— отказ сената США ратифицировать Версальский мирный договор
1920 г. 26 августа	— вступление в силу XIX поправки к конституции США об отмене избирательных ограничений для женщин
1920 г. ноябрь	— создание Лиги профсоюзной пропаганды (с 1929 г. Лига профсоюзного единства)
1921—1923 гг.	— президентство У. Г. Гардинга
1921 г. 15 мая	— создание объединенной Коммунистической партии Америки
1921 г. август	— подписание США сепаратных мирных договоров с Австрией, Германией и Венгрией
1921 г. 12 ноября — 1922 г. 6 февраля	— участие США в Вашингтонской конференции
1921 г. декабрь	— I съезд Рабочей партии Америки (легальной коммунистической организации)
1922 г. февраль	— образование Конференции прогрессивного политического действия
1922 г. апрель — август	— всеобщая забастовка шахтеров
1922 г. июль — сентябрь	— забастовка железнодорожников
1922 г. декабрь	— II съезд Рабочей партии Америки
1923—1929 гг.	— президентство К. Кулиджа
1923 г. декабрь — 1924 г. январь	— III съезд Рабочей партии Америки, которая приняла название Рабочей (коммунистической) партии Америки
1924 г. 13 января	— выход в свет первого номера газеты американских коммунистов «Дейли уоркер»
1924 г. 16 июля — 16 августа	— Лондонская конференция держав-победительниц и принятие «плана Дауэса», предусматривавшего получение репараций с Германии
1925 г. июль	— «обезьяний процесс» в Дейтоне над учителем Дж. Скопсом, преподававшим эволюционную теорию Ч. Дарвина
1925 г. август	— IV съезд Рабочей (коммунистической) партии Америки

1927 г. апрель — *1928 г. сентябрь*	— забастовка шахтеров
1927 г. 23 августа	— казнь Н. Сакко и Б. Ванцетти
1927 г. август — *сентябрь*	— V съезд Рабочей (коммунистической) партии Америки
1928 г. 27 августа	— подписание пакта Бриана — Келлога об отказе от войны как орудия национальной политики
1929 г. март	— VI съезд Рабочей (коммунистической) партии Америки
1929—1933 гг.	— президентство Г. К. Гувера
1929 г. октябрь — *1933 г.*	— мировой экономический кризис
1930 г. июнь	— VII съезд Рабочей (коммунистической) партии Америки, на котором партия была переименована в Коммунистическую партию США
1930 г. июль	— созыв общенационального съезда безработных
1931 г. март	— осуждение девяти негритянских юношей в г. Скотсборо (Алабама) на основе ложных обвинений
1931 г. 7 декабря	— первый национальный поход безработных на Вашингтон
1932 г. 7 января	— выдвижение доктрины Стимсона о непризнании японских захватов в Китае
1932 г. 22 января	— создание Реконструктивной финансовой корпорации
1932 г. 23 марта	— принятие закона Норриса—Лагардиа об изменениях в правовом регулировании трудовых отношений
1932 г. май — июль	— поход ветеранов первой мировой войны на Вашингтон
1932 г. август — *октябрь*	— фермерская забастовка в штатах Среднего Запада
1932 г. декабрь	— созыв национальной фермерской конференции
1933 г. 23 января	— ратификация XX поправки к конституции о вступлении президента в должность 20 января, членов конгресса 3 января следующего после выборов года
1933—1945 гг.	— президентство Ф. Д. Рузвельта
1933—1938 гг.	— «новый курс» — система социально-экономических мероприятий правительства США в целях смягчения последствий экономического кризиса 1929—1933 гг.
1933 г. 4 марта	— провозглашение Ф. Рузвельтом политики «доброго соседа» в отношении стран Латинской Америки
1933 г. 9 марта	— издание чрезвычайного банковского закона о помощи
1933 г. 12 мая	— принятие закона о регулировании сельского хозяйства
1933 г. 16 июня	— принятие закона о восстановлении промышленности
1933 г. сентябрь	— созыв первого антивоенного конгресса, начало деятельности Американской лиги борьбы против войны и фашизма
1933 г. 5 декабря	— вступление в силу XXI поправки к конституции, отменившей «сухой закон»
1934 г. февраль	— создание Экспортно-импортного банка
1934 г. апрель	— VIII съезд Компартии США
1934 г. май — июль	— забастовка докеров и моряков в Сан-Франциско
1934 г. 29 мая	— подписание договора с Кубой, отменявшего «поправку Платта»
1934 г. сентябрь	— всеобщая стачка текстильщиков
1935 г. 5 июля	— принятие закона Вагнера (национальный закон о трудовых отношениях)
1935 г. 14 августа	— принятие закона о социальном страховании

1935 г. 31 августа	— принятие закона о нейтралитете
1935 г. 9 ноября	— создание Конгресса производственных профсоюзов (до 1938 г. назывался Комитет производственных профсоюзов)
1936 г. июнь	— IX съезд Компартии США
1938 г. май	— создание комиссии по расследованию антиамериканской деятельности (с 1946 г. приобрела статус постоянного комитета палаты представителей конгресса)
1938 г. май	— X съезд Компартии США
1938 г. 25 июня	— принятие закона о справедливых условиях труда
1938 г. 24 декабря	— принятие Лимской декларации о принципах межамериканской солидарности
1939 г. 2 августа	— принятие закона Хэтча, запрещавшего государственным служащим состоять в Компартии США
1939 г. 4 ноября	— принятие закона о нейтралитете
1940 г. май — июнь	— XI съезд Компартии США
1940 г. 28 июня	— принятие закона Смита (закон о регистрации иностранцев)
1940 г. 16 сентября	— принятие закона об обязательной военной службе
1940 г. 17 октября	— принятие закона Вурхиса (закон о регистрации находящихся «под контролем иностранных государств» организаций, осуществляющих политическую деятельность в Соединенных Штатах)
1941 г. 11 марта	— принятие закона о ленд-лизе
1941 г. 7 июля	— начало высадки американских войск в Исландии
1941 г. 14 августа	— принятие совместной англо-американской Атлантической хартии о целях борьбы против фашизма, о послевоенном устройстве мира
1941 г. 29 сентября — 1 октября	— Московская конференция представителей СССР, США и Великобритании
1941 г. 7 декабря	— нападение Японии на Перл-Харбор
1941 г. 8 декабря	— объявление США войны Японии
1941 г. 11 декабря	— объявление США войны Германии и Италии
1942 г. 1 января	— подписание в Вашингтоне Декларации 26 государств об общей борьбе против фашистских агрессоров
1942 г. 8 ноября	— высадка англо-американских войск в Северной Африке
1943 г. 14—24 января	— Касабланкская конференция глав правительств США и Великобритании
1943 г. 12—25 мая	— Вашингтонская конференция глав правительств США и Великобритании
1943 г. 25 июня	— принятие антистачечного закона Смита — Коннэлли об урегулировании трудовых конфликтов в военной промышленности
1943 г. 10 июля	— начало высадки англо-американских войск в Сицилии
1943 г. 14—24 августа	— первая Квебекская конференция руководителей США и Великобритании
1943 г. 9 сентября	— высадка американских войск в Южной Италии
1943 г. 22—26 ноября	— первая Каирская (англо-американо-китайская) конференция
1943 г. 28 ноября — 1 декабря	— Тегеранская конференция глав правительств СССР, США и Великобритании
1943 г. 2—7 декабря	— вторая Каирская (англо-американо-турецкая) конференция

1944 г. май	— XII съезд Компартии США
1944 г. 6 июня	— высадка англо-американских войск в Нормандии, открытие второго фронта
1944 г. 1—23 июля	— Бреттон-Вудская конференция представителей 44 государств
1944 г. 21 августа — 7 октября	— конференция в Думбартон-Оксе (21 августа — 28 сентября переговоры вели представители СССР, США и Великобритании, 29 сентября — 7 октября переговоры вели представители США, Великобритании и Китая)
1944 г. 11—16 сентября	— вторая Квебекская конференция глав правительств США и Великобритании
1945 г. 4—11 февраля	— Крымская (Ялтинская) конференция руководителей СССР, США и Великобритании
1945 г. 12 апреля	— смерть Ф. Д. Рузвельта
1945—1953 гг.	— президентство Г. С. Трумэна
1945 г. 25 апреля — 26 июня	— Сан-Францисская конференция Объединенных Наций
1945 г. 16 июля	— испытание первой атомной бомбы в Аламогордо (Нью-Мексико)
1945 г. 17 июля — 2 августа	— Берлинская (Потсдамская) конференция руководителей СССР, США и Великобритании
1945 г. июль	— XIII съезд Компартии США
1945 г. 6 августа	— США сбросили атомную бомбу на Хиросиму
1945 г. 9 августа	— США сбросили атомную бомбу на Нагасаки
1946 г. январь — февраль	— всеобщая стачка в сталелитейной промышленности
1947 г. 5 июня	— провозглашение «плана Маршалла», предусматривавшего восстановление и развитие Европы после второй мировой войны путем предоставления ей экономической помощи
1947 г. 23 июня	— принятие закона Тафта — Хартли (закон о регулировании трудовых отношений)
1947 г. 26 июля	— принятие закона о национальной безопасности
1947 г. 2 сентября	— участие США в подписании Межамериканского договора о взаимной помощи (так называемый пакт Рио-де-Жанейро)
1948 г. 30 апреля	— создание Организации американских государств (ОАГ)
1948 г. июль	— учреждение Прогрессивной партии
1948 г. август	— XIV съезд Компартии США
1949 г. январь — октябрь	— суд над руководителями Компартии США
1949 г. 4 апреля	— создание Организации Североатлантического договора (НАТО)
1949 г. октябрь — ноябрь	— общенациональная забастовка сталелитейщиков
1950—1953 гг.	— агрессия США в Корее
1950 г. 23 сентября	— принятие закона Маккарэна — Вуда (закон о внутренней безопасности)
1950 г. декабрь	— XV съезд Компартии США
1951 г. 27 февраля	— ратификация XXII поправки к конституции об избрании президента не более чем на два срока
1951 г. 1 сентября	— создание военного пакта АНЗЮС
1951 г. 8 сентября	— подписание мирного договора с Японией и заключение американо-японского «договора безопасности»

1951 г. 10 октября	— принятие закона о взаимном обеспечении безопасности
1951 г. 26 октября	— принятие закона Бэттла (закон о контроле над помощью в целях взаимной обороны)
1952 г. июнь — июль	— забастовка сталелитейщиков
1952 г. 27 июня	— принятие закона Маккарэна — Уолтера (закон об иммиграции и гражданстве)
1952 г. 1 ноября	— первое испытание водородной бомбы
1953—1961 гг.	— президентство Д. Д. Эйзенхауэра
1953—1954 гг.	— разгул маккартистской реакции
1953 г. 19 июня	— казнь супругов Розенберг
1954 г. июнь	— организация США вооруженной интервенции наемников против Гватемалы
1954 г. 24 августа	— принятие закона Браунелла — Батлера, или Хэмфри — Батлера (закон о контроле над коммунистической деятельностью)
1954 г. 8 сентября	— создание военного пакта СЕАТО
1955 г. 18—23 июля	— Женевское совещание глав правительств СССР, США, Англии и Франции
1955 г. 5 декабря	— создание профсоюзного объединения АФТ — КПП
1957 г. февраль	— XVI съезд Компартии США
1957 г. 9 сентября	— принятие закона о гражданских правах
1957 г. сентябрь	— выступление расистов в Литл-Роке (Арканзас) против посещения неграми школ для белых
1958 г. 31 января	— запуск первого американского искусственного спутника Земли
1959 г. 14 сентября	— закон Лэндрама — Гриффина (закон об отчетности и раскрытии фактов в трудовых отношениях)
1959 г. декабрь	— XVII съезд Компартии США
1960 г. 19 января	— подписание американо-японского договора о взаимном сотрудничестве и безопасности
1961 г. 3 января	— разрыв США дипломатических отношений с Кубой
1961—1963 гг.	— президентство Дж. Ф. Кеннеди
1961 г. 1 марта	— заявление президента Кеннеди о создании «Корпуса мира»
1961 г. 13 марта	— провозглашение экономической программы для Латинской Америки «Союз ради прогресса»
1961 г. 29 марта	— ратификация XXIII поправки к конституции о предоставлении права голоса на выборах президента жителям округа Колумбия
1961 г. 17 апреля	— вторжение в залив Кочинос (Куба) подготовленных в США отрядов кубинских контрреволюционеров
1961 г. 5 мая	— полет первого американского космонавта А. Шепарда
1962 г. октябрь	— Карибский кризис
1963 г. апрель — май	— массовые демонстрации негритянского населения в Бирмингеме (Алабама)
1963 г. 28 августа	— массовый поход трудящихся на Вашингтон с требованием расового равенства в трудоустройстве и ликвидации безработицы
1963 г. 22 ноября	— убийство Дж. Ф. Кеннеди
1963—1969 гг.	— президентство Л. Б. Джонсона
1964 г. 23 января	— ратификация XXIV поправки к конституции об отмене избирательного налога на федеральных выборах
1964 г. 2 июля	— принятие закона о гражданских правах

1964 г. 7 августа	— принятие конгрессом США «тонкинской резолюции», положившей начало открытой агрессии США против Вьетнама
1964 г. сентябрь — октябрь	— забастовка на заводах компании «Дженерал моторс»
1965 г. март	— высадка первых американских боевых частей в Южном Вьетнаме для участия в операциях на суше
1965 г. апрель — 1966 г. сентябрь	— американская вооруженная интервенция в Доминиканской Республике
1965 г. 6 августа	— принятие закона об избирательных правах
1965 г. 3 октября	— принятие закона об иммиграции
1966 г. 2 июня	— прилунение первого американского космического корабля
1966 г. июнь	— XVIII съезд Компартии США
1967 г. 10 февраля	— ратификация XXV поправки к конституции о порядке преемственности в замещении должностей президента и вице-президента
1967 г. июнь — сентябрь	— бурный подъем негритянского движения
1967 г. 21 октября	— антивоенный «поход на Пентагон»
1968 г. 16 марта	— резня, учиненная американской военщиной во вьетнамской общине Сонгми
1968 г. 31 марта	— заявление президента Джонсона о прекращении бомбардировок части территории ДРВ с 1 апреля (с 1 ноября были прекращены бомбардировки всей территории ДРВ)
1968 г. 4 апреля	— убийство М. Л. Кинга
1968 г. апрель	— вооруженные выступления в негритянских гетто
1968 г. 11 апреля	— принятие закона о гражданских правах
1968 г. май — июнь	— поход бедняков на Вашингтон
1968 г. 5 июня	— покушение на сенатора Р. Кеннеди (умер 6 июня)
1968 г. 16 июля	— выход в свет первого номера газеты американских коммунистов «Дейли уорлд»
1968 г. декабрь — 1969 г. март	— забастовка докеров Восточного побережья
1969—1974 гг.	— президентство Р. М. Никсона
1969 г. апрель — май	— XIX съезд Компартии США, принявший программу партии
1969 г. 20 июля	— высадка первого американского космонавта на Луне
1969 г. 15 октября	— общенациональный день протеста против войны во Вьетнаме
1969 г. октябрь — 1970 г. февраль	— забастовка на заводах компании «Дженерал электрик»
1969 г. 13—15 ноября	— общенациональная манифестация против войны во Вьетнаме
1970 г. 30 апреля	— начало вторжения вооруженных сил США и сайгонских войск на территорию Камбоджи
1970 г. 4 мая	— расстрел студентов Кентского университета
1970 г. сентябрь — ноябрь	— забастовка на заводах компании «Дженерал моторс»
1971 г. февраль	— вторжение сайгонских и американских вооруженных сил в Лаос
1971 г. 1 июля	— ратификация XXVI поправки к конституции о снижении возрастного избирательного ценза до 18 лет
1971 г. июль	— общенациональная забастовка связистов
1972 г. февраль	— XX съезд Компартии США

1972 г. февраль	— визит Р. Никсона в КНР
1972 г. 22—30 мая	— визит Р. Никсона в СССР
1972 г. 17 июня	— тайное проникновение агентуры Белого дома и ФБР в штаб-квартиру Демократической партии в отеле «Уотергейт»
1973 г. 27 января	— подписание в Париже Соглашения о прекращении войны и восстановлении мира во Вьетнаме
1973 г. 18—25 июня	— визит Генерального секретаря ЦК КПСС Л. И. Брежнева в США
1974 г. 27 июня — 3 июля	— визит Р. Никсона в СССР
1974 г. 9 августа	— отставка Р. Никсона с поста президента
1974—1977 гг.	— президентство Дж. Р. Форда
1974 г. 23—24 ноября	— рабочая встреча в районе Владивостока Л. И. Брежнева и Дж. Форда
1974 г. ноябрь — декабрь	— общенациональная забастовка шахтеров
1975 г. июнь	— XXI съезд Компартии США
1975 г. июль	— совместный полет космических кораблей «Союз» и «Аполлон»
1975 г. 1 августа	— подписание Заключительного акта Совещания по безопасности и сотрудничеству в Европе (Хельсинки)
1976 г. сентябрь — октябрь	— забастовка рабочих компании «Форд моторс»
1977—1981 гг.	— президентство Дж. Э. Картера
1977 г. 7 сентября	— подписание новых договоров между США и Панамой о статусе и нейтралитете канала
1977 г. декабрь — 1978 г. март	— общенациональная забастовка горняков
1978 г. сентябрь	— американо-египетско-израильская встреча в Кэмп-Дэвиде
1979 г. 15—18 июня	— встреча в Вене Л. И. Брежнева с президентом Дж. Картером
1979 г. август	— XXII съезд Компартии США, принятие программы партии
1981—1989 гг.	— президентство Р. У. Рейгана
1981 г. 2 октября	— объявление Р. Рейганом о «программе модернизации стратегических вооружений»
1982 г. 4 июля	— директива Р. Рейгана о национальной космической политике (о разработке потенциала противоспутниковых систем)
1983 г. 23 марта	— провозглашение Р. Рейганом «стратегической оборонной инициативы» (СОИ)
1983 г. октябрь	— вооруженная интервенция США против Гренады
1983 г. ноябрь	— XXIII съезд Компартии США
1985 г. 19—21 ноября	— встреча в Женеве Генерального секретаря ЦК КПСС М. С. Горбачева с президентом Р. Рейганом
1986 г. 28 января	— гибель пилотируемого космического корабля «Чэлленджер»
1986 г. 15 апреля	— бомбардировка американской авиацией ливийских городов
1986 г. 11—12 октября	— встреча в Рейкьявике М. С. Горбачева с Р. Рейганом
1987 г. август	— XXIV съезд Компартии США
1987 г. 7—10 декабря	— визит в США М. С. Горбачева
1988 г. 29 мая — 2 июня	— визит в СССР Р. Рейгана

ХРОНИКА СОВЕТСКО-АМЕРИКАНСКИХ ОТНОШЕНИЙ (1917—1988)

1917 г. 7—9 ноября (25—27 октября)	— II Всероссийский съезд Советов рабочих и солдатских депутатов провозгласил власть Советов, принял первые декреты, в т. ч. Декрет о мире, в котором декларировался принцип мирного сосуществования в отношении государств с иным общественным строем.
1917 г. 24 ноября	— Государственный секретарь США Р. Лансинг заверил посла Временного правительства Б. А. Бахметьева в том, что правительство США будет продолжать признавать его в качестве официального представителя России.
1917 г. 28 ноября	— Опубликовано сообщение о решении правительства США прекратить поставки товаров в Россию.
1918 г. 8 января	— Президент США В. Вильсон выступил с посланием конгрессу, получившим название «14 пунктов». В пункте шестом провозглашалась политика «невмешательства» в русские дела, однако в официальном комментарии, разосланном правительствам стран Антанты, фактически речь шла о расчленении России, с тем чтобы не допустить «распространения большевизма».
1918 г. март	— В составе интервенционистского корпуса Антанты американские войска участвовали в оккупации Мурманска, в августе — в оккупации Архангельска.
1918 г. 14 мая	— Руководителю американской миссии Красного Креста в России Р. Робинсу вручены личное письмо В. И. Ленина и план развития экономических отношений между двумя странами, разработанный Комиссией по внешней торговле при ВСНХ.
1918 г. 15—16 августа	— Начало американской военной интервенции на Дальнем Востоке. Две дивизии США высадились во Владивостоке. Оккупация продолжалась до весны 1920 г.
1919 г. январь	— Открыто коммерческое бюро неофициального представительства РСФСР в США во главе с Л. К. Мартенсом.
1919 г. март	— Советское правительство провело переговоры с сотрудником американской делегации на Парижской мирной конференции У. Буллитом, посланным президентом США В. Вильсоном и премьер-министром Великобритании Д. Ллойд Джорджем с предложениями относительно условий прекращения военных действий в России. Согласованный при участии В. И. Ленина проект таких предложений не был официально направлен Советскому правительству, а миссия Буллита дезавуирована в связи с начавшимся наступлением Колчака.
1919 г. 23 сентября	— В. И. Ленин написал письмо «Американским рабочим», в котором, в частности, выразил стремление установить нормальные отношения с США, с теми кругами буржуазии, которые желали возобновления торговли, получения концессий.

1919 г. 5 октября	— В. И. Ленин дал ответы на вопросы корреспондента газеты «Чикаго дейли ньюс», в которых было подчеркнуто: «Мы решительно за экономическую договоренность с Америкой,— со всеми странами, но *особенно* с Америкой».
1920 г. 8 июля	— Опубликовано заявление государственного департамента США о разрешении вывоза американских товаров в Россию при условии, что торговля с РСФСР будет осуществляться на собственный риск частных торговых групп без помощи правительства.
1920 г. осень	— Представитель деловых кругов США В. Вандерлип прибыл в Москву для переговоров о концессии на эксплуатацию рыбных промыслов, разведку и добычу нефти и угля на Камчатке и в остальной части Восточной Сибири, лежащей к востоку от 160-го меридиана. В конце октября был выработан проект договора, по которому синдикат во главе с Вандерлипом получал концессию сроком на 60 лет. Однако В. Вандерлип не получил поддержки ни со стороны правительства США, ни со стороны влиятельных американских финансовых группировок, и проект договора не был подписан.
1920 г. 23 декабря	— НКИД РСФСР направил представителю РСФСР в США Л. К. Мартенсу телеграмму об аннулировании всех заказов, переданных американским фирмам, в связи с решением американского правительства выслать Л. К. Мартенса из США.
1921 г. 20 марта	— ВЦИК направил конгрессу и президенту США У. Гардингу обращение с предложением установить нормальные деловые и торговые отношения между двумя странами. Отвечая на это обращение, государственный секретарь США Ч. Юз в заявлении от 25 марта выдвинул в качестве условия развития советско-американской торговли требование гарантий частной собственности в Советской России.
1921 г. 28 июля	— А. М. Горький направил радиограмму председателю Американской администрации помощи (АРА) Г. Гуверу с просьбой об оказании помощи России. 20 августа в Риге было подписано соглашение между правительством РСФСР и АРА о помощи голодающим Поволжья и других районов России. 30 декабря в Лондоне подписано соглашение о закупке Американской администрацией помощи продовольствия и семян в США для РСФСР.
1924 г. май	— В США организовано акционерное общество «Амторг»— корпорация для торговли с СССР.
1929 г. 9 февраля	— По инициативе Советского правительства в Москве подписан протокол о досрочном введении в действие пакта Бриана — Келлога — договора, заключенного 15 государствами в Париже 27 августа 1928 г. и предусматривавшего отказ от войны в качестве орудия национальной политики.
1929 г. август	— Подписано соглашение между акционерным обществом «Амдерутра» и американскими пароходствами о регулярном сообщении между СССР и Северной Америкой.
1933 г. 16 ноября	— В форме обмена нотами между правительством СССР и правительством США достигнуто соглашение об установлении дипломатических отношений между двумя странами.
1935 г. 13 июля	— Подписание первого торгового соглашения между СССР и США.

1937 г. 6 августа	— Вступило в силу соглашение о торговых отношениях между СССР и США, заключенное 4 августа 1937 г.
1941 г. 22 июня	— Начало Великой Отечественной войны советского народа против фашистской Германии. 23 июня президент США Ф. Рузвельт выступил с заявлением о готовности американского правительства предоставить помощь Советскому Союзу в его борьбе с фашизмом.
1941 г. 24 сентября	— Советский Союз на межсоюзной конференции в Лондоне присоединился к англо-американской Атлантической хартии, декларировавшей принципы сотрудничества между США и Великобританией во время и после войны, включая отказ от захвата чужих территорий, право всех народов избирать свою форму правления, уничтожение нацизма.
1941 г. 29 сентября— 1 октября	— В Москве состоялась конференция представителей СССР, США и Великобритании, рассмотревшая вопросы военно-экономической помощи в войне с Германией.
1941 г. 30 октября	— Советскому правительству передано заявление президента США о готовности США производить поставки Советскому Союзу вооружения и сырьевых материалов на сумму до 1 млрд дол. на основании закона США о ленд-лизе (передаче взаймы или в аренду). Этот кредит перестал действовать после заключения соглашения от 11 июня 1942 г.
1942 г. 1 января	— В Вашингтоне представителями четырех великих держав — СССР, США, Великобритании и Китая — и 22 других государств подписана декларация Объединенных Наций о борьбе против стран фашистского блока.
1942 г. 11 июня	— В Вашингтоне заключено соглашение между СССР и США «О принципах, применимых к взаимной помощи в ведении войны против агрессии», ставшее вместе с аналогичным советско-английским соглашением юридическим оформлением Антигитлеровской коалиции.
1942 г. 12 июня	— Опубликованы советско-американское и советско-британское коммюнике о договоренности открыть второй фронт в Европе в 1942 г.
1942 г. 12—18 августа	— В Москве состоялись советско-английские переговоры с участием представителя президента США. 12 августа У. Черчилль официально поставил Советское правительство в известность об отказе Великобритании и США открыть второй фронт в Европе в 1942 г., что являлось грубым нарушением союзнических обязательств.
1943 г. 19—30 октября	— В Москве состоялась конференция министров иностранных дел СССР, США и Великобритании, которая приняла Декларацию по вопросу о всеобщей безопасности после войны. Провозглашалась задача создания международной организации для поддержания мира и безопасности.
1943 г. 28 ноября — 1 декабря	— В Тегеране состоялась конференция глав правительств СССР, США и Великобритании. Ф. Рузвельт и У. Черчилль согласились открыть второй фронт в Северной Франции в мае 1944 г. (открыт 6 июня). На конференции была подчеркнута необходимость единства действий участников Антигитлеровской коалиции как во время войны, так и в мирное время.

1944 г. *21 августа — 28 сентября*	— В Думбартон-Оксе (пригород Вашингтона) состоялась конференция представителей СССР, США и Великобритании, а затем США, Великобритании и Китая, рассмотревшая вопрос о создании международной организации безопасности, в дальнейшем получившей название Организации Объединенных Наций.
1945 г. 4—11 февраля	— Состоялась Крымская (Ялтинская) конференция глав правительств СССР, США и Великобритании, на которой главы делегаций рассмотрели положение на фронтах и определили перспективы военных операций против Германии. Они договорились об общей политике в условиях безоговорочной капитуляции Германии. Была принята Декларация об освобожденной Европе, устанавливавшая определенные принципы политики трех держав в отношении народов, освобожденных от фашизма. Соглашение по Дальнему Востоку предусматривало вступление СССР в войну против Японии через два-три месяца после окончания войны в Европе.
1945 г. 25 апреля	— На Эльбе произошла встреча советских и американских войск.
1945 г. 25 апреля — 26 июня	— В Сан-Франциско проходила конференция Объединенных Наций, принявшая Устав ООН.
1945 г. 8 мая	— В Берлине подписан Акт о безоговорочной капитуляции Германии. 5 июня в Берлине была подписана Декларация о поражении Германии, которая устанавливала, что СССР, США, Великобритания и Франция «берут на себя верховную власть» в этой стране.
1945 г. 17 июля — 2 августа	— В Потсдаме проходила конференция глав правительств СССР, США и Великобритании, обсудившая проблемы послевоенного устройства и политики в отношении Германии. По решению конференции был учрежден Совет министров иностранных дел (СМИД) в составе министров иностранных дел СССР, США, Великобритании, Франции и Китая.
1945 г. 11 сентября — 2 октября	— В Лондоне проходила первая сессия СМИД. В результате неконструктивной позиции западных держав советской делегации не удалось на состоявшихся до июня 1949 г. шести сессиях СМИД предотвратить окончательный раскол Германии.
1946 г. 19 июня	— На заседании Комиссии по атомной энергии (КАЭ), созданной решением Генеральной Ассамблеи ООН от 24 января 1946 г., СССР предложил заключить международную конвенцию о запрещении производства и применения атомного оружия. США внесли в комиссию так называемый «план Баруха», нацеленный на закрепление их атомной монополии, который и был одобрен комиссией. В мае 1948 г. КАЭ прекратила свою работу.
1947 г. 2 июля	— Советский Союз отказался от участия в осуществлении «плана Маршалла» (программа предоставления американской помощи европейским государствам), как несовместимого с национальными интересами и суверенитетом европейских стран.
1947 г. 16 декабря	— Конгресс США принял закон, в силу которого СССР был исключен из числа стран, куда были разрешены американские поставки в рамках незаконченных операций под ленд-лизу.

1949 г. 23 сентября	— Советское правительство внесло на рассмотрение IV сессии Генеральной Ассамблеи ООН предложение о заключении пакта по укреплению мира между СССР, США, Великобританией, Францией и Китаем. Голосами зависимых от США стран это предложение было отклонено.
1951 г. 7 июля	— Президент США Г. Трумэн направил Председателю Президиума Верховного Совета СССР Н. М. Швернику послание и резолюцию конгресса США, в которых выражалось сожаление о наличии «искусственных барьеров», разделяющих народы двух стран. В ответном послании Н. М. Шверника от 6 августа и приложенной к нему резолюции Президиума Верховного Совета СССР подчеркивалось стремление советского народа жить в дружбе со всеми народами, в том числе с американским, высказывалось пожелание относительно устранения дискриминационных мер, установленных США, обращалось внимание на факты осуществления Соединенными Штатами агрессивной политики в отношении стран социализма.
1953 г. 8 декабря	— Выступая на VIII сессии Генеральной Ассамблеи ООН, президент США Д. Эйзенхауэр высказался за то, чтобы «особенно заинтересованные государства» обсудили вопрос о создании международной организации по атомной энергии под эгидой ООН. СССР выразил согласие на ведение переговоров. Обмен мнениями по этой проблеме закончился согласованием проекта Устава Международного агентства по атомной энергии (МАГАТЭ), которое было учреждено осенью 1956 г.
1954 г. *26 апреля — 21 июля*	— В Женеве проходило совещание министров иностранных дел СССР, США, КНР, Великобритании и Франции, а также других заинтересованных государств по мирному урегулированию в Корее и Индокитае. Приняты решения, положившие конец военным действиям в Лаосе, Камбодже и Вьетнаме.
1955 г. *18—23 июля*	— В Женеве состоялось совещание глав правительств СССР, США, Великобритании и Франции по вопросам германского мирного урегулирования, европейской безопасности, разоружения и развития контактов между Востоком и Западом. Совещание закончилось принятием совместных директив министрам иностранных дел о дальнейшем обсуждении этих вопросов.
1956 г. 25 января	— Советское правительство обратилось к правительству США с предложением заключить между СССР и США договор о дружбе и сотрудничестве сроком на 20 лет. Предложение было отклонено.
1958 г. 27 января	— Подписано советско-американское Соглашение в области культуры, техники и образования на 1958—1959 гг.
1958 г. *31 октября*	— В Женеве начались переговоры представителей СССР, США и Великобритании по вопросу о прекращении испытаний ядерного оружия.
1959 г. *июнь — июль*	— Открытие советской выставки в Нью-Йорке и американской в Москве. На открытие выставки в Москву прибыл вице-президент США Р. Никсон.
1959 г. *15—28 сентября*	— Состоялся визит Председателя Совета Министров СССР Н. С. Хрущева в США. По результатам переговоров с президентом США Д. Эйзенхауэром и другими американскими руководителями 28 сентября опубликовано совместное советско-американское коммюнике, в котором

обе стороны заявили о необходимости решать неурегулированные, спорные вопросы мирными средствами.

1959 г. 13 октября	— Генеральная Ассамблея ООН одобрила совместный советско-американский проект резолюции об использовании космического пространства в мирных целях.
1960 г. 1 мая	— Американский самолет-разведчик У-2 вторгся в пределы Советского Союза и был сбит в районе Свердловска. 7 мая государственный департамент США признал, что самолет собирал шпионскую информацию об СССР. Провокация США привела к срыву совещания глав правительств четырех держав в Париже.
1961 г. 3—4 июня	— В Вене состоялась встреча Председателя Совета Министров СССР Н. С. Хрущева и президента США Дж. Кеннеди, которые обменялись мнениями по вопросам двусторонних отношений и международным проблемам. Президенту были переданы советские предложения о прекращении испытаний ядерного оружия, германском мирном урегулировании и всеобщем и полном разоружении.
1961 г. 20 декабря	— Генеральная Ассамблея ООН утвердила совместный проект резолюции СССР и США о согласованных принципах для переговоров по разоружению.
1962 г. октябрь	— Учитывая угрозу агрессии США против Кубы, СССР по просьбе кубинского правительства принял меры по укреплению ее обороноспособности. 22 октября президент США Дж. Кеннеди отдал приказ ВМФ США перехватывать все суда, следующие на Кубу, и фактически установил морскую блокаду этой страны. В условиях резкого возрастания угрозы прямого столкновения между СССР и США обе стороны при посредничестве ООН приняли срочные меры, приведшие к ликвидации конфликта. Непосредственная угроза вооруженного нападения на Кубу была устранена.
1963 г. 20 июня	— Подписан меморандум о договоренности между СССР и США об установлении линии прямой связи между Москвой и Вашингтоном.
1963 г. 5 августа	— В Москве состоялось подписание Договора о запрещении испытаний ядерного оружия в атмосфере, в космическом пространстве и под водой.
1964 г. 1 июня	— Подписана Консульская конвенция между СССР и США.
1966 г. 4 ноября	— Подписано соглашение об установлении прямого воздушного сообщения между СССР и США.
1967 г. 23 и 25 июня	— В Гласборо (США) состоялись встречи Председателя Совета Министров СССР А. Н. Косыгина и президента США Л. Джонсона.
1968 г. 1 июля	— В Москве, Вашингтоне и Лондоне состоялось подписание Договора о нераспространении ядерного оружия.
1969 г. 17 ноября	— В Хельсинки начались переговоры между СССР и США об ограничении стратегических вооружений.
1971 г. 3 сентября	— В Западном Берлине состоялось подписание четырехстороннего соглашения между правительствами СССР, США, Великобритании и Франции по вопросам, относящимся к Западному Берлину.
1971 г. 30 сентября	— В Вашингтоне подписаны соглашения между СССР и США о мерах по уменьшению опасности возникновения ядерной войны и о мерах по усовершенствованию линии прямой связи СССР — США.

1972 г. 22—30 мая	— В Советском Союзе с официальным визитом находился президент США Р. Никсон. В ходе визита были подписаны соглашения между СССР и США о сотрудничестве в области медицинской науки и здравоохранения, в области охраны окружающей среды, в области науки и техники, в исследовании и использовании космического пространства в мирных целях, о предотвращении инцидентов в открытом море и в воздушном пространстве над ним, Совместное коммюнике о создании советско-американской комиссии по вопросам торговли, Договор об ограничении систем противоракетной обороны, Временное соглашение о некоторых мерах в области ограничения стратегических наступательных вооружений, документ «Основы взаимоотношений между СССР и США».
1972 г. 18 октября	— В Вашингтоне состоялось подписание соглашений между СССР и США о торговле, об урегулировании расчетов по ленд-лизу, о взаимном предоставлении кредитов.
1973 г. 18—25 июня	— В Соединенных Штатах с официальным визитом находился Генеральный секретарь ЦК КПСС Л. И. Брежнев. В ходе визита были подписаны соглашения между СССР и США о сотрудничестве в области сельского хозяйства, в области транспорта, в области исследования Мирового океана, в области мирного использования атомной энергии, Протокол по вопросам расширения сотрудничества в области воздушных сообщений, Общее соглашение о контактах, обменах и сотрудничестве, Конвенция по вопросам налогообложения, документ «Основные принципы переговоров о дальнейшем ограничении стратегических наступательных вооружений», Соглашение между СССР и США о предотвращении ядерной войны.
1973 г. 23 июня	— В Сан-Франциско состоялось открытие Генерального консульства СССР. 6 июля в Ленинграде было открыто консульство США.
1973 г. 30 октября	— В Вене начались переговоры о взаимном сокращении вооруженных сил и вооружений в Центральной Европе.
1974 г. 27 июня — 3 июля	— В Советском Союзе с официальным визитом находился президент США Р. Никсон. В ходе визита были подписаны соглашения между СССР и США о сотрудничестве в области энергетики, в области жилищного и других видов строительства, в области научных исследований и разработки искусственного сердца, Долгосрочное соглашение о содействии экономическому, промышленному и техническому сотрудничеству, Договор об ограничении подземных испытаний ядерного оружия, Совместное заявление о мерах, направленных на устранение опасностей использования средств воздействия на природную среду в военных целях.
1974 г. 23—24 ноября	— В районе Владивостока состоялась рабочая встреча Генерального секретаря ЦК КПСС Л. И. Брежнева и президента США Дж. Форда. 24 ноября было подписано Совместное советско-американское заявление, в котором стороны подтвердили намерение заключить новое соглашение об ОСВ на срок до конца 1985 г.
1974 г. 20 декабря	— Конгресс США одобрил законопроект о торговой реформе с поправками Джэксона — Вэника и Стивенсона, в соответствии с которыми предоставление Советскому Союзу режима наибольшего благоприятствования в торговле и кредитов обусловливалось требованиями об изменении его эмиграционной политики.

1975 г. 10 января	— Правительство СССР уведомило правительство США о том, что оно не считает возможным ввести в действие соглашение между СССР и США о торговле от 18 октября 1972 г. в связи с дискриминационными ограничениями в новом американском торговом законодательстве.
1975 г. 17 июля	— Произошла стыковка в космосе кораблей «Союз» и «Аполлон». Советско-американский эксперимент проводился в рамках соглашения о сотрудничестве в исследовании и использовании космического пространства от 24 мая 1972 г.
1975 г. 1 августа	— В Хельсинки состоялась церемония подписания Заключительного акта Совещания по безопасности и сотрудничеству в Европе. 30 июля и 2 августа состоялись встречи и беседы Л. И. Брежнева с президентом США Дж. Фордом.
1976 г. 28 мая	— В Москве и Вашингтоне состоялись церемонии подписания Договора между СССР и США о подземных ядерных взрывах в мирных целях.
1977 г. 1—2 октября	— Опубликовано совместное советско-американское заявление по Ближнему Востоку, в котором указывалось, что единственно правильным и эффективным путем для обеспечения кардинального решения всех аспектов ближневосточной проблемы в комплексе являются переговоры в рамках Женевской мирной конференции при участии в ее работе представителей всех вовлеченных в конфликт сторон.
1978 г. 8—16 июня	— В Хельсинки состоялись советско-американские консультации по вопросам ограничения некоторых видов деятельности, направленной против космических объектов и несовместимой с мирными отношениями между государствами.
1979 г. 15—18 июня	— В Вене состоялась встреча Генерального секретаря ЦК КПСС, Председателя Президиума Верховного Совета СССР Л. И. Брежнева с президентом США Дж. Картером. 18 июня был подписан Договор между СССР и США об ограничении стратегических наступательных вооружений (ОСВ-2) и ряд других документов.
1980 г. 4 января	— В связи с решением СССР удовлетворить просьбу правительства Афганистана об оказании ему срочной политической, моральной, экономической помощи, включая военную помощь, президент США Дж. Картер объявил о решении американской администрации отложить на неопределенное время рассмотрение и ратификацию Договора ОСВ-2 в сенате, открытие новых американских и советских консульств, прекратить или сократить экспорт в СССР ряда товаров, а также сельскохозяйственной продукции, на поставки которой 8 января было наложено эмбарго.
1980 г. 12 апреля	— Под давлением официальных кругов США Олимпийский комитет США принял решение о бойкоте Олимпийских игр в Москве.
1981 г. 24 апреля	— Под давлением фермерских организаций и выражавших их интересы группировок в конгрессе администрация Р. Рейгана приняла решение об отмене ограничений на экспорт сельскохозяйственной продукции в СССР.
1981 г. 30 ноября	— В Женеве делегации СССР и США приступили к переговорам об ограничении ядерных вооружений в Европе.

1981 г. 28 декабря	— Безосновательно приписав **СССР** ответственность за введение военного положения в Польше, президент **США** Р. Рейган объявил о решении администрации приостановить полеты самолетов Аэрофлота в США, отложить проведение переговоров по ряду вопросов, ужесточить порядок выдачи разрешений на продажу в СССР некоторых видов оборудования, отказаться от продления всех двусторонних соглашений, срок действия которых истекал в 1981 г.
1982 г. 29 июня	— В Женеве начались советско-американские переговоры об ограничении и сокращении стратегических вооружений (ОССВ).
1982 г. 19 июля	— Президент США Р. Рейган принял решение не возобновлять переговоры с СССР и Великобританией о всеобщем и полном запрещении испытаний ядерного оружия под предлогом необходимости усиления мер проверки соблюдения существующих договоров о ядерных испытаниях.
1982 г. 13 ноября	— Под давлением союзников и торгово-промышленных кругов США президент США Р. Рейган объявил об отмене санкций в отношении СССР, которые выражались в запрете на поставки нефтегазового оборудования американскими компаниями, их филиалами за рубежом и иностранными компаниями, производящими такое оборудование по американским лицензиям.
1983 г. 8 сентября	— Президент США Р. Рейган принял решение о санкциях в отношении СССР в связи с инцидентом с южнокорейским авиалайнером, грубо нарушившим советскую границу и сбитым в район Сахалина в ночь с 31 августа на 1 сентября. Согласно этому решению, с 15 сентября были закрыты представительства Аэрофлота в Вашингтоне и Нью-Йорке, запрещены коммерческие и иные контакты американских авиакомпаний с Аэрофлотом.
1983 г. 25 ноября	— В связи с началом размещения в Европе американских ядерных ракет средней дальности «Першинг-2» и крылатых ракет опубликовано Заявление Генерального секретаря ЦК КПСС, Председателя Президиума Верховного Совета СССР Ю. В. Андропова, в котором говорится, что, поскольку США своими действиями сорвали возможность достижения договоренности на переговорах об ограничении ядерных вооружений в Европе, СССР считает невозможным свое дальнейшее в них участие. В Заявлении объявлено об отмене моратория на развертывание советских ядерных средств средней дальности в европейской части СССР и о принятии контрмер, нацеленных на обеспечение безопасности СССР и его союзников.
1984 г. 8 мая	— Национальный олимпийский комитет СССР принял заявление о невозможности участия советских спортсменов в Олимпийских играх в Лос-Анджелесе в связи с попытками американской администрации использовать Игры в своих политических целях и отказом правительства США обеспечить безопасность спортсменов.
1985 г. 9 января	— Опубликовано совместное советско-американское заявление о том, что предметом новых переговоров между двумя странами, об открытии которых стороны договорились в ноябре 1984 г., будет комплекс вопросов, касающихся космических и ядерных вооружений — стратегических и средней дальности, причем все эти вопросы будут рассматриваться и решаться во взаимосвязи. Целью

переговоров будет выработка эффективных договоренностей, направленных на предотвращение гонки вооружений в космосе и ее прекращение на Земле. Переговоры
начались в Женеве 12 марта 1985 г.

1985 г. 19—21 ноября— В Женеве состоялась встреча Генерального секретаря
ЦК КПСС М. С. Горбачева с президентом США Р. Рей-
ганом. В ходе встречи было подписано Общее соглашение об обменах и контактах в области науки, образования и культуры между СССР и США. По резуль-
татам встречи опубликовано Совместное советско-американское заявление, в котором стороны высказались
за скорейшее достижение прогресса на переговорах по
ядерным и космическим вооружениям, в деле улучшения
отношений между СССР и США.

1986 г. 15 января — Генеральный секретарь ЦК КПСС М. С. Горбачев выступил с заявлением, в котором выдвинул программу
поэтапной ликвидации ядерного оружия до 2000 г.

1986 г. 29 апреля — В соответствии с ранее достигнутой договоренностью
возобновлено регулярное воздушное сообщение между
СССР и США.

1986 г.
11—12 октября — В столице Исландии Рейкьявике состоялась встреча
Генерального секретаря ЦК КПСС М. С. Горбачева
с президентом США Р. Рейганом. В ходе переговоров
советская сторона внесла на рассмотрение пакет конструктивных предложений, направленных на резкое сокращение стратегических вооружений и ликвидацию ракет
средней дальности СССР и США в Европе.

1987 г. 15 апреля — В ходе визита государственного секретаря США
Дж. Шульца в СССР подписано соглашение между СССР
и США о сотрудничестве в исследовании и использовании космического пространства в мирных целях.

1987 г. 15 сентября — В ходе визита министра иностранных дел СССР Э. А. Ше-
варднадзе в США состоялось подписание соглашения
между СССР и США о создании центров по уменьшению
ядерной опасности.

1987 г.
7—10 декабря — В Вашингтоне состоялась встреча Генерального секретаря
ЦК КПСС М. С. Горбачева и президента США Р. Рейгана.
В ходе встречи был подписан Договор между СССР и
США о ликвидации их ракет средней дальности и меньшей дальности. На встрече достигнута договоренность
об увеличении объема прямых воздушных перевозок,
а также о продлении действия советско-американского
соглашения о сотрудничестве в области исследования
Мирового океана. По итогам встречи опубликовано Совместное советско-американское заявление на высшем
уровне.

1988 г.
29 мая — 2 июня — В Москве состоялась встреча Генерального секретаря
ЦК КПСС М. С. Горбачева и президента США Р. Рей-
гана. В ходе встречи состоялся обмен ратификационными грамотами о введении в действие Договора между
СССР и США о ликвидации их ракет средней дальности и меньшей дальности. По итогам встречи опубликовано Совместное советско-американское заявление на
высшем уровне.

БИОГРАФИЧЕСКИЕ СПРАВКИ

АЗИМОВ, Айзек (р. 1920) — писатель и ученый. Окончил Колумбийский университет (1939) по специальности биохимия, читал лекции в ряде американских университетов. Автор научных трудов в области химии, а также многочисленных книг научно-популярного жанра, в которых нашла отражение широкая и разнообразная тематика: Солнечная система и теория чисел, химические элементы в природе и космос, генетика и физика, история биологии и происхождение Вселенной, ядерная физика и алгебра. Перу А. принадлежат труды и в гуманитарных областях — древней истории, античной мифологии, шекспироведении. В области научной фантастики А. активно работает с начала 50-х годов. Советскому читателю известны его сборник рассказов «Я — робот» (1950), философский роман «Конец вечности» (1955), сборник «Путь марсиан» (1964). Рассказывая о достижениях науки, А. делает прогнозы на будущее — «Источники жизни» (1960), «Царство солнца» (1960) и др. Выступает как публицист, социолог, футуролог. В 1979 г. опубликовал автобиографическую книгу «Память все еще свежа», за ней последовало продолжение «Неутраченная радость» (1980). Книги А. переведены на многие языки.

АПДАЙК, Джон (р. 1932) — писатель. Окончил Гарвардский университет (1954), дебютировал сборником стихов «Деревянная курица» (1958). Как прозаик заявил о себе романом «Ярмарка в богадельне» (1959), в котором показана жизнь обитателей приюта для престарелых. В 60-е годы выдвинулся в первые ряды современных американских писателей, привлек внимание критики. Широкое признание пришло к А. с выходом романа «Кролик, беги» (1960), первой части трилогии, центральным персонажем которой является Гарри Энгстром, посредственный молодой человек, бунтующий против семейных уз. Его дальнейшая судьба прослеживается в романах «Кролик исцеляется» (1971) и «Кролик разбогател» (1981, Пулитцеровская премия), одном из лучших произведений писателя. Большой успех выпал на долю романа «Кентавр» (1963). В нем реалистическое изображение маленького городка в Пенсильвании и горестной судьбы учителя Колдуэлла сочетается с мифологическим планом — историей легендарного кентавра Хирона. Семейно-психологические коллизии составляют содержание романа «Ферма» (1965). Иногда А. отдает дань штампам «массовой культуры» (в романах «Супружеские пары», 1968; «Месяц безделья», 1975). Значительно целомудреннее раскрывается любовная тема в романе «Давай поженимся» (1976). Перу А. принадлежат сборники рассказов «Та же самая дверь» (1959), «Голубиные перья» (1962), «Музеи и женщины» (1972) и др., а также стихи обычно шутливо-иронического звучания. А.— своеобразный бытописатель нравов среднего класса, «потребительского общества», тонкий психолог, владеющий богатой стилевой палитрой, тяготеющий порой к легкой иронии, юмору, иногда к сатирическому сгущению красок.

АПТЕКЕР, Герберт (р. 1915) — историк-марксист, общественный деятель, публицист. Окончил Колумбийский университет (1936). С 1946 г. ведет интенсивную научную и преподавательскую деятельность. В 1971—1972 гг. читал лекции в Массачусетском университете, в 1976 г.— в Йельском, в 1978 г.— в Калифорнийском университете в Беркли, в 1982—1983 гг.— в Калифорнийском университете в Санта-Кларе. С 1984 г. ведет курс лекций в Калифорнийском университете в Беркли. Член Национального комитета Коммунистической партии США. Является директором Американского института марксистских исследований (АИМС) с момента его основания. Видный специалист по истории США и освободительного движения черных американцев. Был редактором журналов «Мэссиз энд мэйнстрим», «Политикл афферс». Почетный доктор МГУ и университета им. Мартина Лютера в Галле (ГДР). В 1976 г. баллотировался в конгресс от Компартии США. Член Американского совета познавательных обществ и Американской исторической ассоциации.

Автор многих книг и брошюр, в т. ч. «Восстания черных рабов в Соединенных Штатах» (1939), «Быть свободным: исследования по истории черных американцев» (1948), «Эра маккартизма» (1954), «История американского народа» в двух томах (1959—1960), «Гражданская война в США» (1961), «Американская внешняя политика и «холодная война» (1962), «Миссия в Ханое» (1966), «Восстание черных рабов под руководством Ната Тернера» (1966), «Нераскрытая драма: исследования истории США» (1979). Являлся редактором коллективных трудов «Разоружение и американская экономика» (1960), «Марксизм и демократия» (1964), «Документальная история негритянского народа в Соединенных Штатах» в трех томах (1951—1974).

АРМСТРОНГ, Нил Олден (р. 1930) — астронавт, бизнесмен. Первый человек, совершивший 20 июля 1969 г. высадку на поверхность Луны.

В 1962 г. был отобран во вторую группу астронавтов НАСА. В 1955 г. получил степень бакалавра по авиационной технике в университете Пердью, служил в авиации ВМФ США, в 1970 г. получил степень магистра по авиационно-космической технике в университете Южной Калифорнии. До прихода в НАСА участвовал в программе высотных полетов на экспериментальном сверхзвуковом самолете X-15. Дважды участвовал в космических полетах, был командиром экипажей «Джемини-8» и «Аполлон-11»; трижды был дублером. Общее время пребывания в космосе — 206 часов. В 1970—1971 гг. был помощником заместителя директора НАСА по авиации. В августе 1971 г. вышел в отставку и получил пост профессора авиакосмической техники в университете Цинциннати.

С 1980 г.— председатель совета фирмы «Кардуэлл интернэшнл». В настоящее время — председатель совета корпорации «Компьютер текнолоджи авиейшн инкорпорейтед». В 1985—1986 гг.— член президентской комиссии, представившей летом 1986 г. доклад «Открывая космическую границу», в котором изложены главные цели гражданской космонавтики США на ближайшие 50 лет.

Награжден медалью НАСА «За исключительные заслуги», почетной медалью конгресса США, орденами многих стран. Член ряда научных и профессиональных обществ. Его именем назван кратер на Луне.

БЕЛАФОНТЕ, Гарри (р. 1927) — певец и киноактер. Начал артистическую деятельность в конце 40-х годов, получив подготовку в театре-студии «Драма Уоркшоп». Репертуар Б. 50—60-х годов составляли лирические баллады, а также песни, в которых использовались элементы традиционной и популярной музыки карибского региона (Кубы, Ямайки, Тринидада). Эти песни, часть которых была сочинена самим Б., принесли ему широкую известность в США и др. странах. Б. снялся в нескольких фильмах, в т. ч. в «Кармен Джонс» (1954), экранизации мюзикла, основанного на сюжете новеллы П. Мериме и музыке оперы Ж. Бизе «Кармен». Записаны десятки пластинок, где Б. представлен как певец, автор песен, аранжировщик. В 60-е годы выступает как активный борец за гражданские права. С 70-х годов участвует в движении сторонников мира, гастролирует по США и др. странам, участвует в международных фестивалях, выступает совместно с др. прогрессивными музыкантами.

БЕЛЛ, Дэниел (р. 1919) — социолог. В 1938 г. окончил Нью-Йоркский городской колледж. В конце 30-х годов активно участвовал в леворадикальном движении, работал сотрудником журнала «Нью лидер» (1939—1944). С 1945 г. ведет интенсивную научную и преподавательскую деятельность. В 1958—1969 гг.—профессор Колумбийского университета, с 1969 г.— профессор Гарвардского университета. Специализируется в области истории общественной мысли, политических течений и социального прогнозирования. Автор концепции «постиндустриального общества». Один из основателей и член редколлегии журналов «Дедалус» и «Паблик интерест».

Вице-президент Американской академии искусств и наук. Член Совета по международным отношениям.

Автор многих книг, в т. ч. «История марксистского социализма в США» (1952), «Конец идеологии» (1960), «Правый радикализм» (1963), «Грядущее постиндустриальное общество» (1973), «Культурные противоречия капитализма» (1976), «Общественные науки после второй мировой войны» (1981) и др.

БЕРНСТАЙН, Леонард (р. 1918) — композитор, дирижер, пианист. Учился в Гарвардском университете у У. Пистона (композиция), в Институте Кертис у И. А. Венгеровой (фортепьяно) и Ф. Рейнера (дирижирование). В 1942 г. совершенствовался как дирижер у С. А. Кусевицкого, став затем его ассистентом в Беркширском музыкальном центре. С 1943 г.— дирижер-ассистент, с 1957 г.— дирижер, а с1958 по 1969 г.— главный дирижер Нью-Йоркского филармонического оркестра. Выступал как дирижер и пианист во многих странах мира, в т. ч. в СССР в 1959 и в 1988 гг.

Творчество Б. отличается разнообразием. Он автор симфоний (№ 1 — «Иеремия», № 2 — «Тревожный век», № 3 — «Кадиш»), Серенады для скрипки, струнных и ударных, оперы «Волнение на Таити», нескольких балетов («Факсимиле», «Диббук»), «Мессы», в которой сочетаются элементы академической музыки, джаза и рока, а также мюзиклов, наибольшую известность среди которых завоевала «Вестсайдская история».

Творческая деятельность Б. характеризуется большой активностью: он сочиняет музыку, выступает как исполнитель и лектор — популяризатор музыки, преподает, записывает пластинки. Им написан ряд книг, в т. ч. «Бесконечное разнообразие музыки» (1966).

БЖЕЗИНСКИЙ, Збигнев (р. 1928) — государственный деятель, политолог. Родился в Варшаве в семье дипломата, получившего в 1938 г. назначение в Канаду и отказавшегося возвращаться в Польшу после окончания второй мировой войны. В 1949 г. Б. окончил Макгилский университет (Канада), в 1950 г.— Гарвардский университет, в 1953 г. защитил диссертацию в области «советологии» и получил степень доктора философии. В 1953 г. Б. переехал в США, в 1958 г. получил американское граждан-

ство. В 1953—1960 гг. занимался научно-исследовательской работой в Русском исследовательском центре и Центре международных отношений Гарвардского университета. С 1960 по 1977 г. работал в Колумбийском университете. В 1962—1977 гг.— профессор, директор научно-исследовательского Института проблем коммунизма при Колумбийском университете. С 1962 г.— консультант госдепартамента, в 1966—1968 гг.— член Совета по планированию политики госдепартамента. Б. был одним из создателей Трехсторонней комиссии, а в 1973—1976 гг.— ее директором. В 1977—1981 гг.— помощник президента по вопросам национальной безопасности. С 1981 г.— консультант по международным проблемам компании «Дин, Уиттер, Рейнольдс, инкорпорейтед», старший советник Центра стратегических и международных исследований Джорджтаунского университета, профессор Колумбийского университета. По многим вопросам выступает с антикоммунистических и антисоветских позиций. Выдвинул теорию вступления капитализма в так называемую технотронную эру.

БРАНДО, Марлон (р. 1924) — актер. Окончил Шаттакскую военную академию. В 1943 г. поступил в школу драматического искусства в Нью-Йорке. С 1944 г. играл на Бродвее. Выступая в театре, учился в нью-йоркской Актерской студии. В 1950 г. дебютировал в кино в фильме «Мужчины». В 1951 г. сыграл в экранизации пьесы Т. Уильямса «Трамвай «Желание». Созданный в эти годы образ волевого, грубоватого, чувственного мужчины Б. впоследствии развивал во многих картинах. Снялся в роли вождя Мексиканской революции 1910—1917 гг. Э. Сапаты в фильме «Да здравствует Сапата!» (1952). За исполнение главной роли в фильме «В порту» (1954), обличавшем гангстеризм в американских профсоюзах, получил премию «Оскар». Сыграв Марка Антония в экранизации «Юлия Цезаря» (1953) и современного молодого американца-бунтаря в фильме «Дикарь» (1953), Б. оказался в числе самых популярных актеров США. В 60—70-е годы сочетал работу в кино с активной общественной деятельностью в защиту прав американских индейцев. Прогрессивные убеждения Б. не могли не сказаться на выборе ролей в таких фильмах, как «Погоня» (1965) и «Кеймада!» (1969). За роль стареющего главы клана мафии в фильме «Крестный отец» (1972) получил вторую премию «Оскар». Снялся в фильме «Апокалипсис сегодня» (1979) об американской агрессии во Вьетнаме. В фильме «Формула» (1980) создал образ беспринципного бизнесмена, ради корыстных целей утаившего важные научные открытия.

БРЭДБЕРИ, Рэй Дуглас (р. 1920) — писатель. В 1938 г. опубликовал первый рассказ «Дилемма Холлербохена». С 1943 г. стал печататься систематически, заявив о себе рассказами, в которых тонко передавал «детское отношение» к миру. Первый сборник рассказов «Мрачный карнавал» вышел в 1947 г., за ним последовал второй — «Марсианские хроники» (1950), принесший ему широкую известность и переведенный на многие языки. Еще в 50-е годы Б. проявил себя как один из самых одаренных мастеров научной фантастики в США. Основные черты метода писателя, контуры его художественного мира видны в таких произведениях, как сборники рассказов «Золотые яблоки солнца» (1953), «Осенняя страна» (1955), «Лекарство от меланхолии» (1959), повесть «Вино из одуванчиков» (1957), роман «Чувствую, что зло грядет» (1962). Его интересуют не столько технические, сколько нравственно-этические проблемы, он строит сказочные образы и картины из элементов реальной действительности. Фантастические сюжетные «ходы» позволяют Б. в заостренном виде осветить земные проблемы. Писатель занимает активно гуманистическую позицию, он верит в силу творческого гения, в способность людей к подвигу, дерзанию во имя освоения космических просторов, побед над силами природы, полезных технических открытий. Он осуждает науку, несущую человечеству гибель. Всемирно известен его роман-предупреждение «451° по Фаренгейту» (1953). Б. автор многочисленных книг для детей и юношества, сказок, рассказов, стихов.

БУШ, Джордж Герберт Уолкер (р. 1924) — государственный деятель. В 1942—1945 гг. служил в ВМС США. Окончил Йельский университет (1948). В 50—60-е годы занимался предпринимательской деятельностью в Техасе. Стал основателем и президентом нефтебуровой компании «Сапата оффшор», которая к середине 60-х годов превратилась в корпорацию с многомиллионными активами и обширными заграничными операциями.

Политической деятельностью занимается с начала 60-х годов. Принадлежит к Республиканской партии. Укреплял союз старого руководства Республиканской партии с ее правым крылом. Являлся членом Трехсторонней комиссии, но в 1980 г. вышел из нее, так как ее деятельность подвергалась резкой критике со стороны правых. В 1967—1970 гг.— член палаты представителей конгресса США, в 1971—1972 гг.— представитель США в ООН. В 1973—1974 гг. являлся председателем Национального комитета Республиканской партии, активно старался сохранить партийное единство во время так называемого «уотергейтского дела». В 1974—1975 гг.— руководитель миссии связи США в Пекине. В 1976—1977 гг.— директор ЦРУ. С 1981 г.— вице-президент США. Обладает широкими политическими связями как в Техасе и др. южных штатах, так и в штатах Новой Англии.

ВИДАЛ, Гор (р. 1925) — писатель, публицист, драматург. Дебютировал романом «Уилливо» (1946) о моряках военного судна, застигнутого штормом на Алеутах. В романе «В желтом лесу» (1948) рассказывается история ветерана войны, человека независимых взглядов. Эротические мотивы в романе В. «Город и колонна» (1948) вызвали общественный скандал. Некоторые романы В. («Майра Брекенридж», 1968; «Майрон», 1972; «Дулут», 1983) являются пародированием модной в литературе сексуальной темы. В. остро реагирует на волнующие Америку общественно-политические проблемы, о чем свидетельствуют его пьесы «Визит на малую планету» (1956), в которой высмеиваются милитаризм и шпиономания, «Лучший человек» (1960), «Уик-энд» (1968), «Вечер с Ричардом Никсоном» (1972). Активно работает в области исторической тематики. Его роман «Юлиан Отступник» (1964) посвящен римскому императору Юлиану, преследовавшему христианство. Картины упадка империи в романе недвусмысленно соотносятся с современной Америкой. Истории древней Персии посвящен роман «Сотворение» (1981). Особенно значителен цикл романов, освещающих узловые моменты в истории США, связанных с ее демифологизацией, с пересмотром некоторых официальных доктрин. События прошлого при этом нередко служат писателю для «выходов» в современность. Роман «Вашингтон, округ Колумбия» (1967) содержит острую критику маккартизма. В романе «Бэрр» (1974) В., обращаясь к событиям конца XVIII — начала XIX в., заметно принижает историческую значимость фигур «отцов-основателей» — Дж. Вашингтона, Т. Джефферсона, А. Гамильтона, равно как и основного персонажа — вице-президента А. Бэрра. Роман «1876» (1976), приуроченный к 200-летию США, рассказывает о периоде Реконструкции, отмеченном коррупцией, спекуляциями, падением общественной морали. В романе «Линкольн» (1984), привлекая новые материалы, В. существенно корректирует привычные представления о президенте, снимая с него хрестоматийный глянец. Роман «Империя» (1987) описывает процесс формирования имперских амбиций США на рубеже XIX и XX вв. В. активно выступает как эссеист, отзываясь на явления политической, общественной, культурной жизни США (сборники «Раскачивая лодку», 1962; «Размышления о тонущем корабле», 1963; «Дань Даниэлю Шейсу. Избранные эссе: 1952—1972», 1973; «Проблема фактов и вымысла», 1978; «Вторая американская революция», 1982).

ВОННЕГУТ, Курт (р. 1922) — писатель. Учился в Корнельском университете, где специализировался в области биохимии. Участвовал во второй мировой войне, во время Арденнского сражения в декабре 1944 г. попал в плен. После войны продолжил образование в Чикагском университете (1945—1947), где изучал антропологию. В первом романе «Механическое пианино» (1951; на русском языке вышел под названием «Утопия 14»), выдержанном в духе фантастики и гротеска, иронизирует над некоторыми аспектами технического прогресса. В этом и последующих романах сложился метод, который критики называют «воннегутовским»: он отмечен фрагментарностью повествования, острой занимательностью сюжета, причудливым сочетанием сатиры, гротеска, фантастических мотивов с эксцентриадой, порой карикатурой. В романе «Колыбель для кошки» (1963) осмеиваются многие стороны современного американского общества. Абсурдность и антигуманность мира, основанного на алчности,— объект критики в романе «Да благословит вас господь, мистер Розуотер, или О метании

бисера перед свиньями» (1965). Тревога за судьбу духовных ценностей в мире звучит в романе «Сирены Титана» (1959).

Широкий резонанс вызвал антивоенный роман «Бойня номер пять» (1969), в котором воссоздана трагедия Дрездена, разрушенного английской и американской авиацией в феврале 1945 г. В романе «Завтрак для чемпионов» (1973) содержится критика расизма, милитаризма, культа насилия, загрязнения окружающей среды. Мозаичностью отличается роман «Балаган, или Больше я не одинок» (1976), в котором воссоздан фантасмагорический мир, населенный роботообразными и машиноподобными людьми. В романе «Тюремная птаха» (1979) наряду с обычными для писателя «выходами» в мир фантастики примечательна данная в реалистическом ключе линия главного персонажа — деятеля никсоновской администрации, замешанного в «уотергейтском деле», для которого началом падения стало отступничество в годы маккартизма. В романе «Прямое попадание» (1982) В. вновь возвращается к антивоенной теме, предупреждая об опасности гибели цивилизации в результате безудержной гонки вооружений. Своеобразной творческой автобиографией писателя стала книга его выступлений и эссе «Вербное воскресенье. Автобиографический коллаж» (1981).

ВЭНС, Сайрус Робертс (р. 1917) — государственный деятель, дипломат, юрист. Окончил Йельский университет (1939) по специальности право. Принадлежит к Демократической партии. В 1947—1961 и в 1967—1977 гг. занимался юридической практикой, с 1980 г. вернулся к ней вновь. В 1961—1981 гг. занимался также преподавательской работой (Маршаллский университет, колледж Тринити, университеты Западной Виргинии, Уэсли, Гарвардский, Колгэйтский). В 1961—1981 гг.— на государственной службе. В 1961—1962 гг.— главный юридический советник министерства обороны; в 1962—1963 гг.— министр армии; в 1964—1967 гг.— заместитель министра обороны; в 1967 г.— специальный посланник президента в связи с положением на Кипре, в 1968 г.— в Корее. В 1968—1969 гг.— заместитель главы делегации США на Парижских переговорах об урегулировании во Вьетнаме (1968—1973). В 1977—1980 гг. занимал пост государственного секретаря в администрации Дж. Картера. Участвовал в советско-американских переговорах об ограничении стратегических вооружений, содействовал заключению Договора ОСВ-2, выступал за его ратификацию. В 1968—1980 гг.— председатель совета директоров корпораций ИБМ, «Юнайтед Стейтс стил», банковской корпорации «Мэньюфекчурерс гановер траст», издательского концерна «Нью-Йорк таймс», Фонда Рокфеллера, председатель совета попечителей Фонда Майо и Аспенского института гуманитарных исследований. Член Американской ассоциации адвокатов, Американской ассоциации содействия ООН. Председатель совета директоров нью-йоркского Совета по международным отношениям. С 1980 г.— член Независимой комиссии по вопросам разоружения и безопасности («Комиссия Пальме»). Выступает за укрепление разрядки в советско-американских отношениях. Автор мемуаров о своей деятельности на посту государственного секретаря «Трудные решения. Критические годы американской внешней политики» (1983).

ГЛЕНН, Джон Хершел (р. 1921) — астронавт, политический деятель. Первый американец, совершивший 20 февраля 1962 г. орбитальный полет по проекту «Меркурий» в одноместной капсуле «Френдшип-7» продолжительностью 4 часа 55 минут. Был дублером в полетах А. Шепарда и В. Гриссома по баллистической траектории, предшествовавших первому орбитальному полету. В 1959 г. был отобран в первую группу астронавтов НАСА. В 1943 г. после окончания летной школы ВМС США был зачислен в авиацию корпуса морской пехоты. В 1954 г. закончил школу летчиков-испытателей в штате Мэриленд. В 1957 г. выполнил беспосадочный трансконтинентальный полет на сверхзвуковом самолете, установив рекорд скоростного перелета. В 1964 г. вышел в отставку в чине полковника. Был членом совета управляющих корпорации «Ройал краун кола компани». С 1974 г.— сенатор-демократ от штата Огайо. В 1984 г. выдвигал свою кандидатуру на пост президента США. Награжден почетной медалью конгресса США. Почетный член Международной федерации астронавтики.

ГРЭХЭМ, Билли (полное имя Уильям Франклин, р. 1918) — религиозный деятель. Получил известность в конце 40 — начале 50-х годов как баптистский проповедник. В 50— начале 60-х годов занимал антикоммунистические и антисоветские позиции. Затем его взгляды претерпели заметную эволюцию. В 60 — 70-е годы Г. организует проповеднические «походы» в различные страны мира. Свидетельством новой умеренной политической позиции Г. являются его поездки в социалистические страны, в т. ч. две (в 1982 г. и в 1984 г.) поездки в СССР, вызвавшие негативную реакцию в правых политических кругах США.

ГЭЙЛ, Роберт Питер (р. 1945) — врач и общественный деятель. Окончил Хобартский колледж в Джиниве, штат Нью-Йорк, а затем получил медицинское образование. В качестве председателя консультативного комитета Международного регистра по пересадке костного мозга принял активное участие по приглашению американского промышленника А. Хаммера в организации медицинского наблюдения и лечения советских граждан, пострадавших от радиоактивного излучения в результате аварии на Чернобыльской АЭС (1986). Г. является руководителем лаборатории по пересадке костного мозга при Калифорнийском университете в Лос-Анджелесе.

ГЭЛБРАЙТ, Джон Кеннет (р. 1908) — экономист, дипломат. Окончил Торонтский университет (1931) по специальности экономика. Получил степень доктора философии в Калифорнийском университете (1934). В 1940—1941 гг. являлся экономическим советником Консультативной комиссии по вопросам национальной обороны. В 1945 г.— директор Службы стратегической бомбардировочной авиации. В 1946 г.— директор Управления политики экономической безопасности в государственном департаменте. В 1939—1942 гг.— профессор экономики в Принстонском университете. В 1943—1948 гг.— член редакционного совета журнала деловых кругов «Форчун». В 1948—1975 гг.— профессор экономики Гарвардского университета. Преподавал в крупнейших университетах США и Канады, а также в Парижском университете. Почетный профессор университета Женевы (Швейцария). В 1956—1960 гг.— председатель Консультативного совета Демократической партии по экономическим вопросам. В 1961—1963 гг.— посол США в Индии. Принадлежит к либеральному крылу Демократической партии.

Автор получившей широкое распространение на Западе теории «нового индустриального общества». Перу Г. принадлежит большое число книг, в т. ч. «Американский капитализм» (1952), «Общество изобилия» (1958), «Экономическое развитие» (1963), «Новое индустриальное государство» (1967), «Дневник посла» (1969), «Век неопределенности» (1977), «Экономика и общественные задачи» (1973), «Истоки массовой бедности» (1979), «Жизнь в наше время» (1981), «Анатомия власти» (1983).

ДЕ НИРО, Роберт (р. 1943) — киноактер. Актерскую карьеру начал в театре. Дебют в кино — фильм «Свадьба» (1964). Среди его героев — обитатель нью-йоркского «дна» («Злые улицы», 1973); вернувшийся из Вьетнама, ожесточенный на весь мир нью-йоркский таксист («Таксист», 1976); пробивающий себе дорогу в жизни боксер («Бешеный бык», 1980, премия «Оскар»); преуспевающий голливудский продюсер («Последний магнат», 1976). Особую известность принесло ему исполнение главных ролей в фильмах о мафии — «Крестный отец II» (1974, премия «Оскар») и «Однажды в Америке» (1984). В этих фильмах он создал образы волевых, бескомпромиссных людей, стремящихся поставить преступность в один ряд с доходным бизнесом. Снялся в фильмах «Охотник на оленей» (1978), «Король комедии» (1982). На XV Московском международном кинофестивале в 1987 г. был председателем жюри.

ДЖЭКСОН, Джесси Луис (р. 1941) — политический и общественный деятель, проповедник. Окончил университет штата Северная Каролина (1964) и Чикагскую духовную семинарию, получив в 1968 г. духовный сан. В начале 60-х годов был активным участником движения за гражданские права негров, одним из ближайших соратников М. Л. Кинга. В 1971 г. основал организацию «Операция ПУШ», цель которой — содействовать улучшению экономического положения черного населения США; занимал пост президента этой организации в 1971—1983 гг. Считается одним из признанных лидеров движения черных американцев. По широкому кругу внутриполитических и внешнеполитических вопросов выступает с позиции левее «центра». Выдвигал свою кандидатуру на пост президента США от Демократической партии в 1984 г. и 1988 г. Полученная им поддержка в ходе предвыборной борьбы со стороны рядовых избирателей, в т. ч. и белых, привлекала внимание широкой американской общественности к поднимаемым Д. проблемам (необходимость сокращения военных ассигнований, увеличения бюджетных ассигнований на социальные нужды, образование, здравоохранение, прекращение помощи «контрас» и др.), но была недостаточной для обеспечения его официального выдвижения Демократической партией на пост президента США.

ДИЛАН, Боб (настоящие имя и фамилия Роберт Циммерман, р. 1941) — певец, поэт и автор песен. С конца 50-х годов пел сочиненные им песни под собственный аккомпанемент. С 60-х годов начинается активная артистическая деятельность Д., выступавшего в различных городах США. К середине 60-х годов известность Д. выходит за пределы страны. Синтезировав в своем творчестве элементы блюза, рок-н-ролла и музыки кантри, Д. сформировал не только манеру исполнения, но и собственный песенный стиль, оказавший, в свою очередь, влияние на многих американских и западноевропейских исполнителей. Отличительная черта многих песен Д.— острая социальная направленность, особенно характерная для конца 60-х годов. Д. выступает как в больших концертных залах, так и перед студенческой аудиторией в США и за рубежом, соло и в сопровождении рок-групп, иногда с др. известными артистами. Им выпущен ряд поэтических сборников, записаны десятки пластинок.

ДУКАКИС, Майкл Стэнли (р. 1933) — политический деятель. В 1955 г. окончил Свартмортский колледж. В 1955—1957 гг.— на военной службе. В 1960 г. окончил Гарвардский университет. В 1960—1974 гг. занимался частной адвокатской практикой в Бостоне (Массачусетс), будучи одновременно (1962—1970) членом палаты представителей легислатуры штата. В 1974, 1982 и 1986 гг. избирался губернатором штата Массачусетс. В 1988 г. был официально выдвинут национальным съездом Демократической партии кандидатом на пост президента США.

ДЭВИС, Анджела Ивонн (р. 1944) — общественная деятельница. Получила филологическое образование в университете Брандейса (Массачусетс) и в Сорбонне во Франции. Изучала философию в университете во Франкфурте-на-Майне (ФРГ) и в Калифорнийском университете в Сан-Диего. Принимала участие в студенческом демократическом движении, в выступлениях против агрессии США во Вьетнаме. В 1967 г. стала одним из активистов борьбы за права черных американцев в Калифорнии. В 1968 г. вступила в Коммунистическую партию США. В 1969 г. начала преподавательскую деятельность на философском факультете Калифорнийского университета в Лос-Анджелесе; подверглась травле со стороны совета попечителей университета за принадлежность к Компартии США. В 1970 г. была арестована по сфабрикованному обвинению. Находилась в тюрьме до 1972 г. Под давлением широкой кампании американской и международной общественности была освобождена и оправдана судом. С 1972 г. является членом НК Компартии США. С 1973 г.— сопредседатель Национального союза борьбы против расистских и политических преследований. В 1978 г. удостоена международной Ленинской премии «За укрепление мира между народами». На выборах 1980 и 1984 гг. выдвигалась кандидатом Компартии США на пост вице-президента США. Автор «Автобиографии» (1974) и ряда книг и статей по проблемам женского движения, философии и искусства.

КАРЛУЧЧИ, Фрэнк Чарлз (р. 1930) — государственный деятель. Окончил в 1952 г. Принстонский университет. В 1952—1954 гг. служил в резерве ВМС США. В 1956 г. окончил аспирантуру Школы управления бизнесом Гарвардского университета. С 1956 г. служил в госдепартаменте США. В 1957—1959 гг.— на дипломатической работе в Южно-Африканском Союзе (ныне Южно-Африканская Республика), в 1960—1962 гг.— в Республике Конго (ныне Республика Заир), в 1964—1965 гг.— в Занзибаре, в 1965—1969 гг.— в Бразилии. В 1969 г. назначается заместителем директора Управления экономических возможностей, а в 1970 г. становится его директором. В 1971—1972 гг.— помощник, а затем заместитель директора Административно-бюджетного управления. В 1972—1974 гг.— заместитель министра здравоохранения, образования и социального обеспечения. В 1975—1978 гг.— посол США в Португалии. В 1978—1981 гг.—

заместитель директора ЦРУ, в 1981—1982 гг.— заместитель министра обороны США. С 1983 г. был президентом корпорации «Сирс уорлд трейд», с октября 1984 г.— председателем и исполнительным директором этой корпорации. В 1986 г. был назначен помощником президента по вопросам национальной безопасности, в 1987 г.— министром обороны США. Принимал активное участие в подготовке и проведении встреч на высшем уровне между М. С. Горбачевым и Р. Рейганом в 1987—1988 гг.

КАРТЕР, Джеймс (Джимми) Эрл, младший (р. 1924) — государственный деятель, 39-й президент США. В 1941—1943 гг. обучался в Технологическом институте штата Джорджия, в 1946 г. закончил Военно-морскую академию США в Аннаполисе. В годы второй мировой войны в военных действиях не участвовал, но был награжден боевой медалью. В 1953 г. по семейным обстоятельствам уволился из флота в звании лейтенанта. В 1953—1977 гг. занимался фермерской деятельностью в Джорджии, одновременно активно участвуя в политической жизни штата. В 1962—1966 гг.— сенатор в законодательном собрании штата Джорджия, в 1971—1975 гг.— губернатор штата. В 1975 г. К. начал активную подготовку к выдвижению своей кандидатуры на пост президента США от Демократической партии. На выборах 1976 г. одержал победу. В годы пребывания на президентском посту (1977—1981) проводил крайне непоследовательный внешнеполитический курс, приведший к отказу от сотрудничества с СССР в решении важных международных проблем. Подписанные К. кэмп-дэвидские соглашения по Ближнему Востоку (1978) привели к еще большему обострению обстановки в регионе. Серьезный удар по престижу К. был нанесен задержанием Ираном в качестве заложников сотрудников американского посольства в Тегеране (1979) и последующей неудачной попыткой их освобождения, предпринятой по указанию К. армейским подразделением США. В июне 1979 г. в ходе встречи на высшем уровне с Л. И. Брежневым подписал Договор между СССР и США об ограничении стратегических наступательных вооружений (ОСВ-2), который однако не был ратифицирован сенатом США. В области внутренней политики администрация К. оказалась неспособной решить серьезные экономические проблемы, стоявшие перед страной, что привело к снижению уровня жизни американских трудящихся, росту инфляции и безработицы. На выборах 1980 г. К. потерпел поражение от кандидата Республиканской партии Р. Рейгана. После ухода из Белого дома активной политической деятельностью не занимается.

КЕННАН, Джордж Фрост (р. 1904) — политический деятель, дипломат. Окончил Принстонский университет (1925). С 1926 г.— на дипломатической службе, работал в госдепартаменте и дипломатических представительствах США в Европе, в т. ч. в 30-е годы в СССР. В 1945—1946 гг.— советник-посланник посольства США в СССР, в 1946—1947 гг.— заместитель начальника Национального военного колледжа США, в 1947—1949 гг.— руководитель Группы планирования политики госдепартамента США, в 1949—1950 гг.— советник госдепартамента, главный советник по проблемам долгосрочного планирования при госсекретаре США. В 1952 г.— посол США в СССР (объявлен персона нон грата). В 1961—1963 гг. был послом США в Югославии. С 1956 г.— профессор, с 1974 г.— почетный профессор Принстонского университета. Считается автором доктрины «сдерживания» (1947). С 60-х годов выступает с критикой внешнеполитического курса США, против гонки вооружений и ядерной войны, призывает к проведению политики мирного сосуществования и разрядки отношений между США и СССР. Сторонник теории «политического реализма». Член Комитета за согласие между Востоком и Западом. Автор мемуаров и большого числа исследований по истории дипломатии, внешней политики США и американо-советских отношений, в т. ч. «Американская дипломатия 1900—1950» (1951), «Демократия и студенческое левое движение» (1968), «Ядерное заблуждение. Советско-американские отношения в атомный век» (1982).

КЕННЕДИ, Эдвард Мур (р. 1932) — политический деятель, сенатор США. Окончил Гарвардский университет (1954) и университет штата Виргиния (1959), учился в Школе международного права в Гааге (1958). С 1959 г. занимался юридической практикой. В 1961—1962 гг.— помощник окружного атторнея графства Саффолк, штат Масса-

чусетс. С 1963 г.— сенатор США от штата Массачусетс. В 1980 г. добивался выдвижения своей кандидатуры на пост президента США от Демократической партии. С 1987 г.— председатель сенатского комитета по труду и людским ресурсам.

Выступал против агрессии США во Вьетнаме, внутренней и внешней политики администраций Никсона, Форда, Картера и Рейгана. Один из лидеров либерального крыла Демократической партии, сторонник разрядки международной напряженности, выступает за соблюдение договоров ОСВ и ПРО, один из инициаторов кампании за замораживание ядерных арсеналов. Автор книги «Замораживание — как можно помочь предотвращению ядерной войны» (совместно с М. Хэтфилдом, 1982).

КЕРКЛЭНД, Джозеф Лэйн (р. 1922) — профсоюзный деятель. Окончил Академию морского торгового флота США (1942), Джорджтаунский университет (1948). В 1941—1946 гг. служил в морском торговом флоте США. В 1947—1948 гг.— сотрудник министерства военно-морского флота США. В 1948—1953 гг.— сотрудник исследовательской службы Американской федерации труда (АФТ). С 1953 г.— на различных административных должностях в АФТ—КПП, в т. ч. помощник президента АФТ—КПП (1961—1969), секретарь-казначей АФТ—КПП (1969—1979). С 1979 г.— президент АФТ—КПП. На посту президента АФТ—КПП придерживается политики классового сотрудничества, отказа профсоюзов от забастовочной борьбы. Активно участвует в политической жизни США, входит в Совет по международным отношениям, был членом Комиссии Рокфеллера, занимавшейся расследованием деятельности ЦРУ. В 70-е годы входил в число руководителей АФТ—КПП, активно выступавших против улучшения советско-американских взаимоотношений, сокращения гонки вооружений. В последующем внешнеполитические взгляды К. претерпели некоторую эволюцию, что нашло отражение в поддержке АФТ—КПП Договора ОСВ-2 в первой половине 80-х годов, в отказе от безусловного одобрения военных расходов администрации Рейгана. Вместе с тем К. является сопредседателем Комитета по существующей опасности, объединяющего противников разрядки международной напряженности.

КИССИНДЖЕР, Генри Альфред (р. 1923) — государственный деятель, политолог. Родился в Германии, в 1938 г. эмигрировал с родителями в США, в 1943 г. получил американское гражданство. В 1943—1946 гг. служил в армии США. В 1950 г. окончил Гарвардский университет, в 1954 г. защитил диссертацию по международным отношениям, с 1962 г.— профессор. В 1951—1969 гг. вел преподавательскую и исследовательскую работу в Гарвардском университете. С начала 50-х годов регулярно привлекался госдепартаментом, министерством обороны, Советом национальной безопасности и др. ведомствами в качестве консультанта. В 1969—1975 гг.— помощник президента по вопросам национальной безопасности. В 1973 г. был одновременно назначен государственным секретарем США, пробыл на этом посту до 1977 г. С 1977 г.— консультант по внешнеполитическим вопросам ряда корпораций и научно-исследовательских центров США; преподает в Джорджтаунском университете, научный сотрудник Аспенского института. При администрации Рейгана стал привлекаться в качестве консультанта по внешнеполитическим проблемам. В 1984 г. назначен в президентский консультативный совет по вопросам разведывательной деятельности. Автор книг по вопросам внешней политики и военно-политической стратегии, мемуаров: «Ядерное оружие и внешняя политика» (1957), «Необходимость выбора: перспективы американской внешней политики» (1961), «Потревоженное партнерство: переоценка Атлантического союза» (1965), «Годы в Белом доме» (1979), «Годы сдвигов» (1982).

КЛАЙБЕРН, Харви Лаван (уменьшительно — Вэн, р. 1934) — пианист. Учился в Джульярдской музыкальной школе у Р. Левиной. Начал концертировать с середины 50-х годов, выступал с ведущими американскими оркестрами. Получение 1-й премии на первом Международном конкурсе им. П. И. Чайковского в 1958 г. стало шагом к завоеванию международной известности. Романтически приподнятый стиль К., лиричность позволили ему стать прекрасным интерпретатором музыки П. И. Чайковского, С. В. Рахманинова, Э. Грига. К его исполнительским достижениям следует отнести также фортепьянные концерты и сонаты С. С. Прокофьева и С. Барбера. К. записаны десятки пластинок. В 60—70-х годах К. выступал и как дирижер. С 1959 г. в Форт-Уэрте (Техас) проводится Международный конкурс пианистов им. В. Клайберна.

КОПЛЕНД, Аарон (р. 1900) — композитор. Учился у Р. Голдмарка в Нью-Йорке, у Н. Буланже в Париже (1921—1924). С середины 20-х годов ведет активную творческую, исполнительскую, педагогическую и популяризаторскую деятельность. К. совместно с Р. Сешнсом организовал концерты новой американской музыки «Копленд — Сешнс концертс» (1928—1931). В течение многих лет вел класс композиции в Беркширском музыкальном центре. Выступал как исполнитель — пианист и дирижер — собственной музыки и сочинений др. композиторов США, гастролировал в странах Латинской Америки и Западной Европы. В 1960 г. посетил СССР. В 30-е годы активно сотрудничал с организацией «Индустриальные рабочие мира», сочинял музыку для рабочих хоровых коллективов.

Среди сочинений К. выделяются балеты «Парень Билли» и «Родео», Симфония № 3, Симфоническая ода, Вариации для оркестра, «Музыка в честь великого города», Концерт для фортепьяно с оркестром № 1, Концерт для кларнета с оркестром, а также хоровые сочинения и песни. К.— автор нескольких книг о музыке: «Наша новая музыка» (1941; 2-е изд. 1968), «Музыка и воображение» (1952) и др.

КОППОЛА, Фрэнсис Форд (р. 1939) — режиссер, продюсер, сценарист. Окончил Калифорнийский университет. В 1962 г. стал ассистентом режиссера, а в 1963 г. поставил свой первый фильм «Безумие 13». В 1966 г. на волне молодежного движения снял комедию «Ты теперь большой мальчик». В 1968 г. экранизирует мюзикл «Радуга Файниана»; в следующем году снимает по собственному сценарию драму «Люди дождя». Успех и широкое признание К. получает после выхода его фильма «Крестный отец» (по роману М. Пьюзо, 1972, премия «Оскар»), в котором прослеживается история одной из «семей» нью-йоркской мафии. В 1974 г. выходит «Крестный отец II» (премия «Оскар»). С большой обличительной силой в этих фильмах рисуется мир организованной преступности, ставший неотъемлемой частью современной Америки. В 1974 г. К. поставил фильм «Разговор», где главный персонаж — специалист по подслушиванию конфиденциальных разговоров — не выдерживает аморальности своей профессии и сходит с ума. В течение трех лет (1976—1979) К. снимал фильм «Апокалипсис сегодня» об агрессии США во Вьетнаме. Сцены насилия, чинимого американскими солдатами, исполненные ненавистью к войне, во всей полноте раскрывают режиссерский талант К., однако их разоблачительный пафос несколько ослабляется псевдофилософской концовкой фильма. В 80-е годы К. поставил фильмы «От всего сердца» (1982), «Аутсайдеры» (1983), «Бойцовые рыбки» (1983), «Коттонклаб» (1984), «Сад камней» (1986). К. был сценаристом большинства своих картин, а также фильмов «Эта собственность конфискована» (1966), «Паттон» (1970, премия «Оскар»), «Великий Гэтсби» (по Ф. С. Фицджеральду, 1974) и др.

КРЭЙМЕР (Крамер), Стэнли (р. 1913) — режиссер кино, продюсер. В 1933 г. окончил Нью-Йоркский университет. Работал в Голливуде монтажером, затем редактором. Во время второй мировой войны служил в армии США. В 1947 г. основал собственную фирму. Участвовал как продюсер в постановке ряда фильмов: «Очаг храбрых» (1949), проникнутого духом протеста против расизма; «Чемпион» (1949), показывающего нравы американского спорта; «Смерть коммивояжера» (по пьесе А. Миллера, 1951). Режиссерский дебют состоялся в фильме «Не как чужой» (1955). Первый успех — фильм «Не склонившие головы» (1958, в советском прокате «Скованные одной цепью»), где К. показал эволюцию взаимоотношений белого и негра, преодолевающих расовые предубеждения и приходящих к выводу о необходимости человеческой взаимопомощи. В 1959 г. создал яркий антивоенный фильм-предостережение «На последнем берегу», в котором нарисовал картину гибели цивилизации в результате ядерной войны. Публицистичность характерна и для двух следующих фильмов К.: «Пожнешь бурю» (1960), основанного на материале так называемого «обезьяньего» судебного процесса 1925 г., когда учитель к колледжа был осужден за преподавание теории Ч. Дарвина, и «Нюрнбергский процесс» (1961), являющегося обвинительным приговором фашизму и реакционным кругам, которые пытаются возродить нацизм в ФРГ. Комедия «Безумный, безум-

ный, безумный мир» (1963) — злая ирония, высмеивающая страсть к обогащению. В 1965 г. экранизировал роман К. Портер «Корабль дураков», попытавшись в образе заполненного пассажирами корабля смоделировать определенные слои западного общества накануне прихода к власти фашистов в Германии. Проблеме расовых взаимоотношений был посвящен фильм «Угадай, кто придет к обеду» (1967), темам честности, товарищества и мужества — фильм «Тайна Санта-Виттории» (1968). О молодежном движении рассказывает фильм «R. P. M.» (1970), о взаимоотношениях крупной компании и частного предпринимателя — фильм «Оклахома как она есть» (1973). В картине «Принцип «домино» (1977) К. раскрывает технику политических заговоров, организуемых секретными службами, жертвой или орудием которых против своей воли может стать любой гражданин США. В 1979 г. поставил фильм «И спотыкается бегущий...». По праву считается одним из ярких представителей прогрессивной кинематографии США.

КРИСТОЛ, Ирвинг (р. 1915) — политолог, публицист. В 1940 г. окончил Нью-Йоркский городской колледж. С 50-х годов ведет активную издательскую деятельность. Основатель и редактор журнала «Энкаунтер» (1953—1958), ответственный соредактор журнала «Паблик интерест» (с 1965 г.). С 1969 г.— профессор Нью-Йоркского университета. В 70-е годы становится одним из лидеров неоконсервативного движения. С 1979 г.— старший научный сотрудник Американского предпринимательского института.

Автор многочисленных статей в ведущих органах неоконсерватизма «Паблик опинион», «Комментари» и др., а также книг «О демократической идее в Америке» (1972), «Размышления неоконсерватора» (1983).

КУБРИК, Стэнли (р. 1928) — режиссер, сценарист, продюсер. Был фоторепортером в журнале «Лук». В кино с 1951 г. После серии малоизвестных картин К. в 1957 г. снимает антимилитаристский фильм «Тропы славы». В 1960 г. поставил исторический фильм «Спартак», который при всей своей монументальности был лишен социальной остроты. В 1962 г. экранизировал роман В. Набокова «Лолита». В антивоенном фильме «Доктор Стрейнджлав, или Как я научился не волноваться и полюбил бомбу» (1963) К., используя приемы гиперболы и гротеска, осмеял политическую и военную машину США. В 1968 г. поставил фильм «2001 год: Космическая одиссея», в котором использовал последние технические достижения кинематографа в области монтажа, обработки пленки, техники съемок. Фильм получил премию «Оскар» за спецэффекты. В снятом в 1971 г. (с этого года режиссер работает в Великобритании) фильме «Механический апельсин» К. попытался исследовать проблему эскалации насилия в западном мире, но фактически пришел к оправданию социальной пассивности. В 1975 г. К. поставил фильм «Барри Линдон» по роману У. Теккерея, основой фильма стало утверждение неминуемой победы смерти над жизнью. С идеей этой картины перекликается и фильм «Сияние» (1980). В 1987 г. поставил военную драму «Пуленепробиваемый жилет». К.— автор или соавтор сценариев почти всех своих картин.

ЛАРОК, Джин Роберт (р. 1918) — военный и общественный деятель. Окончил Иллинойский университет. С 1941 по 1972 г. служил в ВМС США. В 1965 г. получил звание контр-адмирала. В 1969—1972 гг. был директором Межамериканского военного колледжа в Вашингтоне. В 1972 г. вышел в отставку и возглавил Центр информации по оборонным проблемам в Вашингтоне. Л. является одним из активных организаторов совместных встреч советских генералов и адмиралов в отставке, выступающих за мир и разоружение, и американских генералов и адмиралов в отставке.

ЛАУН, Бернард (р. 1921) — врач-кардиолог, ученый, общественный деятель. Общее и медицинское образование получил в университете штата Мэн и университете Джонса Гопкинса. В 1946—1947 гг. проходил службу в вооруженных силах. В 60-е годы начал активно заниматься медицинскими исследованиями в области внезапной смерти, предупреждения и лечения инфаркта миокарда. Разработал собственную конструкцию (ныне широко применяемую в США) дефибриллятора — аппарата, используемого для ликвидации тяжелого нарушения сердечной деятельности электрическим импульсом. Является профессором Гарвардского университета, руководит лабораторией в одной из клиник Бостона. Один из основателей американской общественной организации «Врачи за социальную ответственность» (1961). Совместно с советским академиком М. И. Кузиным (с 1987 г.) — сопредседатель международного движения «Врачи мира за предотвращение ядерной войны», первая конференция которого состоялась в 1981 г. Движение ставит своей задачей исследование возможных медико-биологических последствий ядерной войны и информирование общественности о полученных данных. Оно выступает за замораживание, сокращение и ликвидацию ядерных вооружений, запрещение их испытаний, отказ от их применения первыми, нераспространение гонки вооружений в космос, широкое международное мирное сотрудничество. Объединяет более 145 тыс. врачей и медицинских работников из 50 государств. Движению присуждена Нобелевская премия мира, которая в декабре 1985 г. была вручена Л. и Е. И. Чазову, первому советскому сопредседателю движения.

ЛЕММОН, Джэк (р. 1925) — актер, режиссер. Окончил Гарвардский университет. Участник второй мировой войны. Работал в театре и на телевидении. Получил известность с первых ролей в кино (фильмы «Это должно было случиться с вами», 1954; «Мистер Робертс», 1955, премия «Оскар»; «От этого не убежишь», 1956; «Ковбой», 1959 и др.). После успеха комедии «Некоторые любят погорячее» (1959, в советском прокате — «В джазе только девушки») стал одним из популярных актеров США. Фильмы «Квартира» (1960), «Нежная Ирма» (1963), «Аванти!» (1972) и др. показали, что в его творчестве удачно сочетаются комедийные и драматические элементы. В 1979 г. снялся в главной роли в фильме «Китайский синдром», где его герой противостоит бизнесменам, готовым скрыть от человечества опасность катастрофы на одной из атомных электростанций. В 1981 г. сыграл в фильме «Пропавший без вести» о фашистском путче в Чили. Среди др. фильмов Л.— «Дни вина и роз» (1963), «Спасите тигра» (1973, премия «Оскар»), «Чествование» (1980), «Макароны» (1986).

ЛЕОНТЬЕВ, Василий (р. 1906) — экономист. Родился в Петербурге. В 1925 г. окончил Ленинградский университет, в 1925—1928 гг. учился в Берлине.

В 1931 г. эмигрировал в США. В 1932— 1975 гг. работал в Гарвардском университете, совмещая преподавательскую и исследовательскую деятельность с консультированием в различных государственных учреждениях. С 1975 г.— профессор экономики Нью-Йоркского университета. Имеет почетные ученые степени и звания многих американских и зарубежных научных учреждений. Л.— автор метода экономико-математического анализа «затраты — выпуск» для составления межотраслевого баланса при исследовании структурных сдвигов в экономике. При разработке этого метода Л. использовал опыт советских экономистов 20-х годов. Метод Л. широко применяется в практике программирования и прогнозирования капиталистической экономики. Лауреат Нобелевской премии 1973 г.

ЛИПСЕТ, Сеймур Мартин (р. 1922) — социолог, политолог. В 1943 г. окончил Нью-Йоркский городской колледж. С 1946 г. ведет интенсивную научную и преподавательскую деятельность. В 1956—1966 гг.— профессор Калифорнийского университета, с 1966 г.— профессор Гарвардского университета. С 1975 г.— профессор политических наук и социологии Стэнфордского университета, старший научный сотрудник Гуверовского института. Член исполкома Американской ассоциации социологических исследований, вице-президент Американской ассоциации политических наук. Член исполкома Международного общества политической психологии (в 1979—1980 гг.— президент), член исполкома Мировой ассоциации по изучению общественного мнения (в 1984— 1986 гг.— президент). Автор многих книг, в т. ч. «Социальная мобильность в индустриальном обществе» (1959, совместно с Р. Бендиксом), «Человек политический» (1960), «Первая новая нация» (1963), «Революция и контрреволюция» (1968, совместно с Э. Раабом), «Бунт в университете» (1972, совместно с Э. Лэддом), «Разделенная академия» (1975, совместно с Д. Рисменом), «Диалоги об американской политике» (1978, совместно с У. Шнейдером), «Кризис доверия» (1983) и др.

МАКЛЕЙН, Ширли (р. 1934) — киноактриса. С 1950 г. выступала как танцовщица в театре и на телевидении. В 1955 г. дебютировала в кино в фильме «Неприятности с Гарри». Образы ее героинь 50-х годов были наделены банальными чертами, но актриса вкладывала в их создание свою непосредственность, естественность. С фильма «Квартира» (1960, приз Международного фестиваля в Венеции) начался новый этап творчества М. Создание М. психологически сложных, драматичных, но в то же время обаятельных и человечных образов героинь выявило ее в ряд незаурядных исполнительниц. Это подтвердили такие фильмы с ее участием, как «Детский час» (1962), «Двое на качелях» (1962), «Милая Чарити» (1968). Другие наиболее известные работы актрисы в фильмах: «Моя гейша» (1962), «Нежная Ирма» (1963), «Будучи там» (1979), «Слова нежности» (1984, премия «Оскар»).

МАКНАМАРА, Роберт Стрейндж (р. 1916) — государственный деятель, финансист. Закончил Калифорнийский (1937) и Гарвардский (1939) университеты. В 1940—1943 гг. преподавал в Гарвардском университете. В 1943— 1946 гг. служил в ВВС США, участвовал в военных действиях на Тихом океане, вышел в отставку в звании подполковника. С 1946 г.— в компании «Форд», в 1957 г. стал вице-президентом компании и членом ее правления, в 1960 г.— президентом. В 1961—1968 гг.— министр обороны США. Провел реорганизацию военного ведомства в направлении рационализации и упорядочения его деятельности; пытался положить в основу оснащения вооруженных сил США принцип «стоимость — эффективность» (максимум отдачи на каждый расходуемый доллар), чем вызвал недовольство военных подрядчиков Пентагона; выступал за эскалацию войны во Вьетнаме, но с 1967 г. начал выражать несогласие с политикой бомбардировок ДРВ. В 1968 г. ушел в отставку. В 1968—1981 гг.— президент Международного банка реконструкции и развития. С начала 80-х годов, исходя из своего понимания национальных интересов США и принципов стратегической стабильности, выступает с критикой концепций «ограниченной» ядерной войны, за отказ США от применения первыми ядерного оружия, против планов СОИ. В 1986 г. в США вышла книга М. с оценкой ядерной политики администрации Рейгана «Курсом ошибок к катастрофе». М.— член Трехсторонней комиссии, Комитета по советско-американским отношениям, нью-йоркского Совета по международным отношениям.

МЕЙЛЕР, Норман (р. 1923) — писатель и публицист. Начал писать, еще будучи студентом Гарвардского университета, который окончил в 1943 г., после чего воевал в составе американских войск на Тихом океане. Военные впечатления легли в основу его первого, имевшего сенсационный успех романа «Нагие и мертвые» (1948), который по праву считается этапным произведением американской послевоенной прозы. В центре романа — жизненные судьбы 13 главных героев — воюющих на одном из островов в Тихом океане офицеров и солдат, представляющих разные слои общества. В таких произведениях М., как «Варварский берег» (1951), «Олений парк» (1955), реалистические тенденции сосуществуют с модернистскими, с данью экзистенциалистским мотивам, акцентировкой эротической темы. Влияние стилистики авангарда сказывается в романе «Американская мечта» (1965). Склонность к эксцентриаде в этом и др. произведениях М. побудила некоторых критиков окрестить его «ужасным ребенком» американской словесности. Роман «Песнь палача» (1979) построен как монтаж записанных на магнитофон признаний, воспоминаний, писем, принадлежащих реальному лицу Гэри Гилмору, совершившему два жестоких и бессмысленных убийства и приговоренному к смертной казни. Главный герой показан как продукт общества, для которого насилие стало нормой. М. является видным общественным деятелем, живо отзывающимся на волнующие общество проблемы. В книге «Рекламирую себя» (1959), сборнике рассказов, очерков и эссе, выделяется очерк «Белый негр», представляющий собой анализ психологии антиконформиста, человека, бросившего вызов обществу. Книга «Армия ночи» (1968, Пулитцеровская премия) посвящена бунтующей молодежи 60-х, «Каннибалы и христиане» (1966) — больным проблемам американских городов, «Майами, или Осада Чикаго» (1968) — механике выдвижения кандидатов в президенты. В 1973 г. вышла в свет написанная М. биография кинозвезды Мэрилин Монро — «Мэрилин».

МЕНОТТИ, Джан Карло (р. 1911) — композитор. Учился в Миланской консерватории. Переехав в 1928 г. из Италии в США, совершенствовался в Институте Кертис у Р. Скалеро, где позднее и преподавал. Уже первая опера М. «Амелия на балу» (1936) имела большой успех. В дальнейшем М. написал свыше 10 опер, которые ставились театрами США, Европы и Латинской Америки. К некоторым из них он сам написал либретто, многие оперы и поставлены им самим. Черты итальянской оперы у М. сочетаются с традициями американского музыкального театра. Мастерство композитора особенно проявилось в операх «Святая с Бликер-стрит», «Медиум», «Консул», где сюжет и музыка отличаются высоким драматическим накалом. Некоторые его оперы, например «Телефон», рассчитаны и на постановку силами любителей. Композитор разрабатывал в своем творчестве и жанры радио- и телеопер — «Амал и ночные гости», «Лабиринт». М.— автор ряда балетов, симфонических и камерно-инструментальных сочинений. Является одним из организаторов «Фестиваля двух миров», проводящегося с 1958 г. в Сполето (Италия).

МИЛЛЕР, Артур (р. 1915) — драматург. Окончил Мичиганский университет (1938). М.— создатель пьес глубокого социального звучания, в которых отразились многие проблемы послевоенной американской действительности. Художник-реалист, последовательно отстаивающий принципы прогрессивного искусства, М. приобрел общественное признание и как борец с маккартизмом в конце 40-х годов. Среди его лучших произведений пьесы «Все мои сыновья» (1947), «Смерть коммивояжера» (1949), «Вид с моста» (1955), «Случай в Виши» (1964), «После грехопадения» (1964), «Цена» (1967), «Сотворение мира и другие дела» (1972), «Американские часы» (1980), автобиография «Время не останавливается» (1987).

МИННЕЛЛИ, Лайза (р. 1946) — актриса. Дочь режиссера Винсенте Миннелли и актрисы Джуди Гарланд. С детского возраста выступала с матерью в концертах в Нью-Йорке. С 1964 г. гастролировала по Европе и Соединенным Штатам, пела в ночных клубах, участвовала в бродвейских постановках. В 1966 г. дебютировала в кино, сыграв эпизодическую роль в фильме «Чарли Бабблз». Международную известность и премию «Оскар» принес ей фильм «Кабаре»

(1972). Исполняя роль певицы из берлинского кабаре 30-х годов, она продемонстрировала превосходное вокальное и танцевальное мастерство. Разносторонний талант М. проявился также в комедиях «Лаки Леди» (1975) и «Артур» (1981), драме «Нью-Йорк, Нью-Йорк» (1977), телешоу «Принцесса и горошина» (1983) и др. фильмах. Записала несколько пользующихся популярностью дисков.

МЭРДОК, Кейт Руперт (р. 1931) — владелец крупнейшей транснациональной информационно-пропагандистской монополии «Ньюс корпорейшн». Родился в Австралии, гражданин США с 1985 г. За сравнительно короткий срок создал «империю» средств массовой информации на трех континентах (в Австралии, Европе, Америке), которой принадлежит более 80 изданий.

В США М. принадлежат ежедневные газеты «Бостон геральд», «Сан-Антонио экспресс-ньюс», бульварный еженедельник «Стар», ежемесячный журнал «Нью-Йорк», несколько отраслевых журналов. Скупленные М. газеты в большинстве случаев превращаются в бульварные, со скандальной хроникой издания, их политическая ориентация характеризуется антикоммунизмом, антисоветизмом, милитаристской направленностью. М. занимается также телевизионным бизнесом. В 1985 г. он приобрел киноконцерн «XX век — Фокс», выпускающий также телевизионные программы, купил семь телестанций, создав телесеть «Фокс телевижн», и стал одним из наиболее могущественных в капиталистическом мире магнатов средств массовой информации.

НИКСОН, Ричард Милхаус (р. 1913) — государственный деятель, 37-й президент США. После окончания колледжа в Уиттиере, штат Калифорния (1934), учился на юридическом факультете университета Дьюка (1934—1937). Потерпев неудачу в устройстве на работу в ФБР, занимался юридической практикой (1937—1942), будучи одновременно президентом компании по производству замороженного апельсинового сока. В 1942 г. работал в правительственном ведомстве по ценам. С августа 1942 г.— в ВМС США. В боевых действиях не участвовал, находясь на интендантской службе. После окончания второй мировой войны занялся политикой. В 1946 и 1948 гг. избирался членом палаты представителей конгресса США. В 1950 г. был избран сенатором США от штата Калифорния, а спустя два года был выдвинут кандидатом на пост вице-президента США от Республиканской партии. В ходе предвыборной кампании 1952 г. был обвинен политической оппозицией в финансовых махинациях и нарушении законов США, но остался кандидатом на вице-президентский пост. В 1953—1961 гг.— вице-президент США в администрации Эйзенхауэра. В качестве личного представителя президента посетил десятки стран, в т. ч. СССР (1959). В 1960 г. был выдвинут кандидатом на пост президента США от Республиканской партии, но потерпел поражение на выборах. В 1962 г. потерпел поражение на выборах губернатора штата Калифорния, после чего вернулся к юридической практике, став совладельцем одной из крупных нью-йоркских юридических фирм (1963). В 60-е годы не прекращал деятельного участия в политической жизни страны. В 1968 г. был вновь выдвинут кандидатом на пост президента США от Республиканской партии и победил на выборах. В 1969—1974 гг.— президент США. Годы пребывания Н. на президентском посту совпали с годами крупных международных событий. В результате состоявшихся трех встреч на высшем уровне (1972—1974) между СССР и США было заключено несколько десятков договоров и соглашений, наметивших пути сотрудничества двух государств в области контроля над вооружениями и разоружения, ограничения стратегических вооружений, предотвращения ядерной войны, а также соглашений, касающихся советско-американского сотрудничества в различных областях науки, техники и культуры. В результате провала агрессии США во Вьетнаме и под давлением американского и международного общественного мнения правительство Н. было вынуждено подписать соглашение о прекращении военных действий и восстановлении мира во Вьетнаме (1973). Пребывание Н. на посту президента США было отмечено обострением экономических и социальных проблем. В 1972 г. Н. был переизбран на пост президента США на второй срок. Последние полтора года его пребывания на этом посту характеризовались развитием событий, связанных с так называемым «уотергейтским делом» — нарушением законов США членами администрации и самим президентом. Под угрозой раскрытия всех обстоятельств личного участия в допущенных злоупотреблениях Н. был вынужден подать в отставку (август 1974 г.). Отойдя от активной политической деятельности, Н. периодически неофициально выполняет конкретные поручения президента Р. Рейгана, связанные с международными делами.

НЬЮМЕН, Пол (р. 1925) — актер, режиссер, продюсер. Окончил Кенвонский колледж, затем учился в Йельской драматической школе и в нью-йоркской Актерской студии. С начала 50-х годов выступал на сценах Бродвея и на телевидении. Дебют в кино — фильм «Серебряная чаша» (1954). Получил признание публики после фильмов «Кто-то наверху любит меня» (1956), «Долгое жаркое лето» (1958), где исполнял роли молодых героев, умеющих постоять за себя. Играл в фильмах самых разных жанров: психологических драмах — «Кошка на раскаленной крыше» (1958), «Сладкоголосая птица юности» (1961), комедиях — «Собирайтесь вокруг флага, ребята!» (1959), вестернах — «Хад» (1963), «Омбре» (1967), «Буффало Билл и индейцы» (1976), фильмах катастроф — «Ад в поднебесье» (1974), научно-фантастических фильмах — «Когда время истекло» (1980) и др. К лучшим актерским работам Н. относятся главные роли в фильмах «Буч Кэссиди и Санденс Кид» (1969) и «Афера» (1973). Игра Н. отличается сдержанностью, он стремится к созданию сложных образов и раскрытию их духовной эволюции. В 1968 г. поставил фильм «Рейчел, Рейчел» с участием своей жены, актрисы Дж. Вудворд. Исследование психологии женщины средних лет режиссер и актриса продолжили в социальной драме «Влияние гамма-лучей на лунные маргаритки» (1973), выдержанной в традициях неореалистического гуманизма. В 1983 г. поставил фильм «Гарри и сын», где исполнил главную роль. В 1986 г. снялся в фильме «Цвет денег». Вместе с Б. Стрейзанд и С. Пуатье основал компанию «Ферст артистс» (1969).

НЭЙДЕР, Ральф (р. 1934) — общественный деятель, публицист. По образованию юрист. Окончил Принстонский (1955) и Гарвардский (1958) университеты. Занимался юридической практикой, читал лекции в различных колледжах и университетах. Автор и соавтор ряда книг, первая из которых «Небезопасен на любой скорости» (о неудовлетворительном качестве автомобилей корпорации «Дженерал моторс») вышла в 1965 г. и, по существу, ознаменовала начало общественной деятельности Нэйдера как «защитника потребителей», а затем и основателя так называемого «нового» консьюмеризма — современного политического направления в движении потребителей. В конце 60 — начале 70-х годов создал сеть специализированных по тематике и функциям, но взаимосвязанных по целям организаций, составивших основу материальной структуры «нового» консьюмеризма. Основные из них: «Наблюдатель за деятельностью конгресса», «Гражданин-общественник», Центр по изучению ответственного применения закона, «Проект по вопросам ответственности корпораций», Группа исследования общественных интересов и несколько др. групп, занимающихся проблемами налогообложения, здравоохранения, безопасности автомобилей, энергетики, окружающей среды и др.

О'КОННОР, Сандра Дэй (р. 1930) — член Верховного суда США. Окончила юридический факультет Стэнфордского университета (1952), допущена в адвокатуру штата Калифорния в 1952 г. и штата Аризона — в 1957 г. Занималась частной адвокатской практикой в Мэривэйле, штат Аризона (1959—1960). В 1965 г. назначена помощником генерального атторнея штата Аризона, в 1969 г. избрана членом сената Аризоны (1973—1974 гг.— лидер республиканского большинства). С 1974 г.— член высшего суда графства Марикопа, с 1979 г.— член апелляционного суда Аризоны. Назначена в Верховный суд США президентом Р. Рейганом в 1981 г. Первая в истории США женщина, занявшая пост члена высшего судебного органа страны, юрист умеренно консервативной ориентации.

ОЛБИ, Эдвард (р. 1928) — драматург. Окончил колледж Тринити в Хартфорде, штат Коннектикут. Автор пьес: «Случай в зверинце» (1959), «Смерть Бесси Смит» (1960), «Американская мечта» (1961), «Крошка Алиса» (1964), «Неустойчивое равновесие» (1966), «Все кончено» (1970), «Морской пейзаж» (1975), «Перебирая пути» (1976), «Слушая» (1977), «Леди из Дубьюка» (1980). Произведения Э. Олби представляют собой американский вариант «театра абсурда». С одной стороны, его пьесы отражают специфический американский опыт, несут в себе проблемы и приметы американской действительности. С другой стороны, им свойственны мотивы, характерные для всех произведений абсурдистского театра: размытость конфликта, расплывчатость индивидуальных черт персонажей, восприятие мира как непознаваемого, но неизменно враждебного человеку источника постоянной угрозы, анонимного зла. «Кто боится Вирджинии Вульф?» (1962) — наиболее популярная пьеса драматурга.

ПАПП (настоящая фамилия Папировски), Джозеф (р. 1921) — продюсер и режиссер. Учился в Актерской лаборатории в Голливуде. Сценическую деятельность начал в качестве помощника режиссера на Бродвее, затем ставил свои спектакли во «внебродвейских театрах» и на телевидении. В 1953 г. организовал «Шекспировскую мастерскую», ставшую в дальнейшем основой для создания Нью-Йоркского шекспировского фестиваля. В 1962 г. по инициативе П. в Центральном парке Нью-Йорка был выстроен постоянный театр «Делакорт», где с тех пор играются бесплатные спектакли, ставшие неотъемлемой частью культурной жизни города. За годы существования театра силами ведущих американских актеров здесь был сыгран почти весь классический шекспировский репертуар. Основные заслуги П. относятся к сфере организационной, продюсерской деятельности. В 1967 г. он создал уникальное театральное предприятие — «Паблик-тиэтр» с шестью залами, где могут одновременно играться различные спектакли. Наиболее известны такие спектакли, созданные в «Паблик-тиэтр», как «Волосы» (1967), «Два веронца» (1971), «Палки и кости» (1971), «Сезон чемпионов» (1972), «Кордебалет» (1975), «Гамлет» (1975). В 1984 г. П. осуществил постановку пьесы В. Розова «Гнездо глухаря». С 1973 по 1977 г. руководил также театром «Вивьен Бомонт» в Линкольновском центре исполнительских искусств в Нью-Йорке. Свою основную задачу П. видит в создании Национального театра США. Неоднократно удостаивался высших театральных наград страны (в т. ч. премий «Тони» и «Оби»).

ПЕРЛО, Виктор (р. 1912) — экономист, публицист. Окончил Колумбийский университет (1931). Начиная с 1933 г. сочетает исследовательскую работу с консультативной деятельностью экономиста в различных правительственных ведомствах. П.— член Национального комитета Компартии США, председатель экономической комиссии НК. Основная проблематика его работ — циклическое развитие экономики США в послевоенный период, экономика разоружения, анализ финансового капитала США, внешнеэкономическая экспансия американских монополий, условия труда и занятости в США и т. п. В русском переводе изданы его работы: «Американский империализм». М., 1951; «Негры в сельском хозяйстве Юга США». М., 1954; «Империя финансовых магнатов». М., 1958; «Экономическое соревнование СССР и США». М., 1960; «Доллары и проблема разоружения» (совместно с К. Марзани). М., 1961; «Милитаризм и промышленность». М., 1963; «Неустойчивая экономика».М., 1975. Статьи П. по проблемам экономики США неоднократно публиковались в «Правде», «Международной жизни» и др. советских изданиях.

ПОЛИНГ, Лайнус Карл (р. 1901) — ученый-химик и общественный деятель. Окончил колледж штата Орегон. В 20—70-х годах вел исследовательскую работу и был профессором Калифорнийского технологического института, Стэнфордского университета и Калифорнийского университета в Сан-Диего. С 1973 г. возглавляет научно-исследовательский институт в Пало-Алто, штат Калифорния, носящий его имя. Автор первых фундаментальных исследований по применению квантовой механики к изучению химической связи. Труды по структуре белков, иммунохимии, молекулярной генетике. В СССР изданы: «Природа химической связи». М.— Л., 1947; «Витамин С и здоровье». М., 1974; «Общая химия». М., 1974 и др. В 1954 г. стал лауреатом Нобелевской премии в области химии. Почетный член многих американских и иностранных научных учреждений. Иностранный член Академии наук СССР (1958). Награжден высшей наградой АН СССР в области естественных наук — золотой медалью им. М. В. Ломоносова за выдающиеся достижения в области химии и биохимии (1977). Является активным сторонником мира. В 1954 г. стал одним из основателей Пагуошского международного движения ученых, принимал участие в работе ряда Пагуошских конференций. В 1958 г. издал книгу «Не бывать войне!». В 1962 г. получил Нобелевскую премию мира. Подвергался нападкам со стороны реакционных сил в США. В 1970 г. был удостоен международной Ленинской премии «За укрепление мира между народами». В настоящее время продолжает участвовать в движении за мир. В 80-х годах выступает против милитаризации космоса, за полное запрещение испытаний ядерного оружия и ядерное разоружение.

ПОЛЛАК, Сидни (р. 1934) — режиссер. Окончив театральное училище, с 1955 г. выступает в театрах Бродвея и на телевидении. В 1965 г. фильмом «Тонкая нить» дебютировал в кино как режиссер. Широкую известность принес ему фильм «Загнанных лошадей пристреливают, не правда ли?» (1969). Он выдвинул П. в ряды ведущих американских режиссеров критического реализма. В фильме «Такими мы были» (1973) П. убедительно показал моральное падение писателя в период маккартизма и стойкость тех, кто боролся с реакцией. Фильм «Три дня Кондора» (1975) разоблачал зловещую технику политических заговоров, организуемых секретными разведывательными организациями. В фильме «Электрический всадник» (1979) крупный рекламный бизнес показан как антигуманная, враждебная обществу сила. В 1981 г. снял фильм «Без злого умысла», в 1982 г. поставил комедию «Тутси» с успехом демонстрировавшуюся во многих странах. В 1985 г. поставил фильм «Из Африки», получивший премию «Оскар».

ПУАТЬЕ, Сидни (р. 1924) — актер, режиссер. С 1945 г. выступал в негритянских театрах. Дебют в кино — фильм «Без выхода» (1950). Получил известность после картины «Школьные джунгли» (1955). Затем сыграл в нескольких музыкальных фильмах и кинокомедиях — «Порги и Бесс» (1959), «Изюминка на солнце» (1960), «Парижский блюз» (1961), утвердивших его положение в американском кино. П. стал первым чернокожим актером, которому удалось на гребне движения за гражданские права выдвинуться в ряды ведущих голливудских исполнителей. В антирасистских фильмах «На окраине города» (1956), «Не склонившие головы» (1958, в советском прокате — «Скованные одной цепью»), «Полевые лилии» (1963, премия «Оскар») и др. создал галерею образов черных американцев. Подлинной удачей стал фильм «В разгар ночи» (1967), где главным героем выступает обаятельный и исполненный чувства собственного достоинства негр-полицейский. В дальнейшем снимался в фильмах «Угадай, кто придет к обеду» (1967), «Брат Джон» (1970), «Организация» (1971). В 1969 г. вместе с Б. Стрейзанд и П. Ньюменом основал компанию «Ферст артистс», для которой поставил фильмы «Бак и проповедник» (1970), «Теплый декабрь» (1972), «В верхнюю часть города субботним вечером» (1974), «Давайте еще раз» (1975), «Часть действия» (1977), в которых сыграл главные роли. В 1981 г. поставил комедию «Буйнопомешанные», в 1982 г.— фильм «Мошенничество». 1987 г. снялся в главной роли агента ФБР Уоррена Стэнтина в фильме режиссера Р. Споттисвуда «Стрелять, чтобы убить».

РАЙД, Салли Кристен (р. 1951) — первая американская женщина-астронавт, ученый. В июне 1983 г. совершила полет на космическом корабле «Чэлленджер» в составе экипажа из пяти человек. Время пребывания в космосе — 146 часов 24 минуты. В 1978 г. была отобрана в восьмую группу астронавтов НАСА. В 1973 г. получила степени бакалавра по физике и английской литературе в Стэнфордском университете, а затем — в 1975 г. и 1978 г.— соответственно магистра наук и доктора физики в том же университете.

РЕДФОРД, Роберт (р. 1937) — актер, режиссер, продюсер. Окончил Колорадский университет. Учился в Американской академии драматического искусства. Выступал в театре. Дебют в кино — фильм «Военная охота» (1962). Первого значительного актерского успеха достиг в фильме «Погоня» (1965). В 1969 г. выдвинулся в число ведущих американских актеров, сыграв в вестерне «Буч Кэссиди и Сандес Кид». В дальнейшем актер предпочитал сниматься в фильмах, несущих характер ярко выраженной социальной критики. В фильме «Кандидат» (1972), где Р. сыграл главную роль будущего сенатора США, звучит критика в адрес американской избирательной системы. В фильме «Три дня Кондора» (1975) обнажаются преступные методы ЦРУ по подготовке и проведению политических заговоров. О скандале в Белом доме повествует фильм «Вся президентская рать» (1976), созданный на материалах «уотергейтского дела». Большим успехом пользовались также фильмы с его участием «Такими мы были» (1973), «Афера» (1973), «Великий Гэтсби» (1974), «Электрический всадник» (1979). В 1980 г. поставил семейно-психологическую драму «Обыкновенные люди» (премия «Оскар»). В 1984 г. снялся в картине «Естественный человек». В 1987 г. поставил фильм «Война на бобовом поле в Милагро».

РЕЙГАН, Рональд Уилсон (р. 1911) — государственный деятель, 40-й президент США. Окончил колледж в Юрике, штат Иллинойс (1932). В 1932—1937 гг. работал спортивным радиокомментатором в Давенпорте, а затем в Де-Мойне. В 1937 г. переезжает в Голливуд, где заключает контракт с кинокомпанией «Уорнер бразерс». На протяжении нескольких десятков лет Р. снялся в 54 художественных фильмах, добившись определенной известности в стране. В годы второй мировой войны, будучи признан ограниченно годным к несению военной службы, занимался озвучиванием военно-учебных фильмов. В 1947 г. был избран президентом Гильдии киноактеров и переизбирался на этот пост в 1948—1951 и в 1959 гг., способствовал преследованию прогрессивных кинодеятелей США. В 1954 г. по контракту с компанией «Дженерал электрик» становится ведущим телепрограммы «Театр «Дженерал электрик». С 1962 г.— ведущий еженедельной телевизионной передачи, финансируемой компанией «Бораекс». В 1964 г. принимает активное участие в предвыборной кампании представителя крайне правого фланга Республиканской партии Б. Голдуотера за избрание его президентом США. В 1966 г. Р. баллотируется на пост губернатора штата Калифорния от Республиканской партии и побеждает на выборах. В 1970 г. переизбирается на второй срок. В годы пребывания на посту губернатора (1967—1975) придерживался консервативной точки зрения на внутреннюю и внешнюю политику США. В 1972 г. и в 1976 г. предпринял неудачные попытки баллотироваться на пост президента США от Республиканской партии. В 1980 г. национальный съезд Республиканской партии выдвигает кандидатуру Р. на пост президента США. В январе 1981 г. Р. заступает на пост президента США. Первые годы пребывания Р. на этом посту отмечены резким обострением международной напряженности. Позднее, в

1985—1988 гг., состоялись встречи на высшем уровне между руководителями СССР и США, прямым результатом которых было подписание в декабре 1987 г. Договора между СССР и США о ликвидации их ракет средней дальности и меньшей дальности (ратифицирован в мае 1988 г.) и достижение ряда др. договоренностей. В области внутренней политики годы пребывания Р. на посту президента характеризовались осложнением экономических и социальных проблем американского общества, нашедшим выражение в росте государственного долга США и дефицита бюджета, в увеличении числа американцев, живущих ниже «черты бедности», снижении уровня государственных субсидий на социальные нужды в пользу увеличения военных расходов.

РЕНКВИСТ, Уильям Хаббз (р. 1924) — председатель Верховного суда США. В 1948 г. окончил колледж Стэнфордского университета, в 1950 г. получил диплом магистра политических наук в Гарвардском университете, в 1952 г. окончил юридический факультет Стэнфордского университета. В 1953 г. начал заниматься частной адвокатской практикой в Финиксе, штат Аризона, и включился в политическую деятельность, отражая позицию консервативного крыла Республиканской партии. В президентской избирательной кампании 1964 г. активно выступал в поддержку Б. Голдуотера. В 1969 г. назначен помощником генерального атторнея США. В этом качестве поддерживал и юридически обосновывал антидемократические акции администрации Р. Никсона в сфере правоприменительной деятельности. Назначен членом Верховного суда США президентом Р. Никсоном в 1971 г. Назначен на пост председателя Верховного суда США президентом Р. Рейганом в 1986 г.

СПИЛБЕРГ, Стивен (р. 1947) — режиссер, продюсер. Учился в Калифорнийском университете. В 1971 г. поставил на телевидении свой первый полнометражный фильм «Дуэль» об огромном дизельном грузовике с невидимым водителем, преследующем на шоссе легковую автомашину. Для этого фильма характерна лаконичность выразительных средств и минимальные финансовые затраты. Вышедший на экраны в 1975 г. фильм «Челюсти» знаменовал собой новый этап творчества С. Сюжет борьбы с гигантской акулой-людоедом был воплощен по канонам фильмов ужасов со сложными трюковыми съемками и дорогими макетами. Картина имела огромный кассовый успех. В последующие годы С. создает целую серию фильмов, имевших большой коммерческий успех: научно-фантастический фильм «Близкие контакты третьего вида» (1977—1979), комедию «1941» (1979), две ленты приключенческого жанра, связанные одним героем — молодым археологом 30-х годов, «Искатели потерянного ковчега» (1981) и «Индиана Джонс и замок проклятых» (1984). В 1982 г. С. поставил фантастический фильм «Инопланетянин», с гуманистических позиций отобразив первый контакт с внеземной цивилизацией. В 1985 г. снял картину «Цвет пурпура» о тяжелом прошлом американских негров, в 1987 г.— фильм «Империя солнца» об ужасах японской оккупации Шанхая во время второй мировой войны.

СПОК, Бенджамин (р. 1903) — врач-педиатр, педагог и общественный деятель. Получил образование в Йельском и Колумбийском университетах. В 1929—1967 гг. вел врачебную практику и преподавательскую деятельность в медицинских учреждениях штатов Нью-Йорк, Миннесота, Пенсильвания и др. В 1946 г. издал книгу «Ребенок и уход за ним», которая выдержала около 200 изданий и принесла ему всемирную известность и авторитет в области педиатрии. Является также видным специалистом по воспитанию детей, автором книг «Доктор Спок разговаривает с матерями» (1961), «Проблемы родителей» (1962), «Путеводитель для подростков по жизни и любви» (1970), «Воспитание детей в трудное время» (1974) и др. В начале 60-х годов включился в движение американских сторонников мира. Выступил за запрещение испытаний ядерного оружия, стал сопредседателем общественной организации Национальный комитет за разумную ядерную политику (СЕЙН). Был активным противником агрессии США во Вьетнаме, участвовал в антивоенных демонстрациях и митингах, выпустил книгу «Доктор Спок о Вьетнаме» (1968, на русском языке вышла под названием «Покончить с войной во Вьетнаме!»). В 1968 г. был предан суду за призывы к американской молодежи уклоняться от службы в армии и участия в войне во Вьетнаме. На выборах 1972 г. был кандидатом в президенты США от так на-

зываемой Народной партии. В настоящее время активно участвует в антиядерном движении в составе общественной организации «Мобилизация за сохранение жизни». Выступает за замораживание ядерных арсеналов, полное запрещение испытаний ядерного оружия и ядерное разоружение. Несколько раз арестовывался за участие в антивоенных акциях протеста против милитаристского курса США.

СТАЙРОН, Уильям (р. 1925) — писатель. Окончил университет Дьюка (1947). Дебютировал романом «Сникни во мраке» (1947). Повесть «Долгий марш» (1952), исполненная антимилитаристского пафоса, показывает бесчеловечие американской военной машины. Неустроенность и опустошенность людей в Америке — тема романа «И поджег этот дом» (1960). К проблемам современности обращен историко-документальный роман «Признание Ната Тернера» (1967, Пулитцеровская премия), герой которого — вождь восстания рабов в штате Виргиния в 1831 г. Актуален лучший роман писателя «Выбор Софи» (1979), в котором С. исследует природу нацизма. С образом Софи, дочери польского профессора, прошедшей через ад Освенцима, связаны острые, нелегкие нравственно-этические проблемы, поставленные в романе. В 1982 г. С. публикует книгу эссеистики «Безмолвный прах», в которой раскрывает замыслы и творческую историю ряда своих произведений. С.— писатель «южной школы», продолжающий традиции У. Фолкнера. Тематика его произведений, нередко окрашенных пессимизмом и экзистенциалистским мироощущением, связана с крахом патриархальных устоев Юга. Ему свойственны склонность к сгущению красок, к риторике, яркости стиля, а также изображение персонажей в психологически острых, экстремальных обстоятельствах.

СТАФФОРД, Томас Паттен (р. 1930) — астронавт, бизнесмен. Участник четырех космических полетов: в декабре 1965 г.— на двухместном корабле «Джемини-6»; в июне 1966 г.— на корабле «Джемини-9»; в мае 1969 г. был командиром экипажа «Аполлон-10», совершившего облет Луны; в июле 1975 г. был командиром американского экипажа, участвовавшего в экспериментальном полете «Аполлон» — «Союз». Общее время пребывания в космосе — 507 часов 43 минуты. В 1952 г. окончил Военно-морскую академию США, получив степень бакалавра. В 1959 г. окончил школу летчиков-испытателей на авиабазе Эдвардс, штат Калифорния. В 1962 г. был включен во вторую группу астронавтов НАСА. В 1969—1971 гг. возглавлял отдел летных кадров НАСА, в 1971—1974 гг. был помощником директора НАСА по космическим операциям. В 1975 г. назначен начальником Центра летных испытаний на авиабазе Эдвардс. С 1978 г.— заместитель начальника штаба ВВС США по научным исследованиям и разработкам. В 1979 г. вышел в отставку в чине генерал-лейтенанта. С 1979 г. является вице-президентом двух частных фирм в Оклахоме. Награжден медалью НАСА «За выдающиеся заслуги» и двумя медалями НАСА «За исключительные заслуги». Член ряда научных и профессиональных обществ.

СЭМЮЕЛСОН, Пол Энтони (р. 1915) — экономист. Окончил Чикагский университет (1935) и Гарвардский университет (1936). С 1941 г. преподает в Массачусетском технологическом институте, с 1966 г.— профессор экономики этого института. В 1961—1968 гг. выполнял функции советника по экономике при президентах Кеннеди и Джонсоне, активно участвовал в разработке экономической программы правительства демократов. В 1961 г. был избран председателем Американской экономической ассоциации, а в 1968 г.— председателем Международной экономической ассоциации. Лауреат Нобелевской премии по экономике (1970). Один из основателей буржуазной теории государственного регулирования капиталистической экономики с помощью налоговых и кредитно-денежных мероприятий, сторонник широкого применения математических методов в экономике. Автор самого популярного в капиталистических странах учебника по экономике, в котором систематизированы современные буржуазные теории. В 1964 г. учебник «Экономика. Вводный курс» был издан в СССР.

ТЕЛЛЕР, Эдвард (р. 1908) — физик. Образование получил в Лейпцигском университете (1930). После прихода к власти в Германии Гитлера эмигрировал из страны. В течение некоторого времени преподавал в Лондонском университете, в 1935—1941 гг.— в университете Джорджа Вашингтона (США). В 1941—1945 гг. принимал активное участие в научной и практической деятельности, связанной с созданием атомной бомбы. С 1945 г. преподавал в Чикагском университете. В 1949 г. возвращается в Лос-Аламосскую лабораторию, где принимает активное участие в создании водородной бомбы. В 1952 г. Т. возглавляет Ливерморскую лабораторию. С 1953 г.— профессор Калифорнийского университета. В 1954 г. выступает в качестве основного свидетеля обвинения в слушаниях по делу своего коллеги Р. Оппенгеймера, заподозренного в политической неблагонадежности. На протяжении десятилетий Т. является сторонником продолжения ядерных испытаний, дальнейшего совершенствования ядерного оружия. Поддерживает идею «ограниченной» ядерной войны, «стратегическую оборонную инициативу» (СОИ). Автор и соавтор ряда трудов в области ядерной физики.

ТОФФЛЕР, Элвин (р. 1928) — социолог, публицист. Окончил Нью-Йоркский университет (1949). Работал корреспондентом ряда газет. С 1961 г. занимается самостоятельной научно-публицистической деятельностью. Периодически выступает с циклами лекций в ведущих университетах страны. Имеет докторские звания по литературе, социологии и праву. Один из создателей концепции «постиндустриального общества» (в его терминологии, «супериндустриальной цивилизации»). Автор книг «Потребители культуры» (1964), «Футурошок» (1970), «Доклад об экоспазме» (1975), «Третья волна» (1980).

УАЙЕТ, Эндрю (р. 1917) — живописец. Учился преимущественно у отца, художника-иллюстратора. В 1937 г. в Нью-Йорке состоялась первая персональная выставка художника, принесшая ему известность. Реалистические картины У., написанные с глубоким гуманизмом, поэтической тонкостью и лиризмом, посвящены обыденной жизни простых людей, окружающей их природе. Основная тема полотен У.— сельская жизнь во всей ее простоте и естественности, диалог человека и природы. Наиболее известные картины: «Мир Кристины» (1948), «Молодая Америка» (1950), «Песчаная коса» (1953), «Дочь Маги» (1966). В 50—60-е годы У. получил дипломы ряда колледжей и университетов США, в т. ч. Гарвардского и Тафтского университетов. Выставки работ художника постоянно устраиваются в США и за рубежом. У.— обладатель многочисленных медалей и призов, член Американской академии искусств и наук (1945) и многих др. научных обществ и организаций. С 1978 г.— почетный член Академии художеств СССР.

УАЙНБЕРГЕР, Каспар Уиллард (р. 1917) — государственный деятель, юрист. Окончил школу права Гарвардского университета (1941). Во время второй мировой войны служил в армии, участвовал в военных действиях на Тихом океане. Политической деятельностью в рядах республиканцев начал заниматься в 50-е годы. В 1953—1958 гг.— член законодательного собрания штата Калифорния. В 1960—1962 гг.— вице-председатель, а в 1962—1964 гг.— председатель комитета Республиканской партии в Калифорнии. В 1967—1968 гг. занимал руководящие посты в администрации губернатора Калифорнии Р. Рейгана. В 1969 г. был назначен президентом Р. Никсоном на пост председателя Федеральной торговой комиссии. В 1970—1972 гг.— заместитель директора, в 1972—1973 гг.— директор Административно-бюджетного управления. В 1973—1975 гг.— министр здравоохранения, образования и социального обеспечения. Ушел с государственной службы в 1975 г., войдя в руководство крупной строительной корпорации «Бектел». В 1975—1980 гг.— член Трехсторонней комиссии. В 1980 г. активно включился в избирательную кампанию Р. Рейгана в качестве советника по экономическим вопросам. В 1981—1987 гг.— министр обороны. Сторонник наращивания военной мощи США, гонки вооружений, реализации СОИ.

УОРНКЕ, Пол (р. 1920) — юрист и политический деятель. Получил юридическое образование в Йельском и Колумбийском университетах. В годы второй мировой войны принимал участие в военных действиях на Атлантическом и Тихом океанах. С 1948 г. занимается юридической практикой в Вашингтоне. Видный представитель либерального крыла Демократической партии. В 1966—1969 гг. занимал руководящие посты в министерстве обороны, с 1967 г. являлся помощником министра обороны.

Призывал к прекращению американских бомбардировок ДРВ и свертыванию военного присутствия США в Южном Вьетнаме. На президентских выборах 1972 г. был советником по военным вопросам кандидата демократов Дж. Макговерна, выступал за значительное сокращение военных расходов. В 1977—1978 гг. при президенте Дж. Картере был директором Агентства по контролю над вооружениями и разоружению и руководителем делегации США на советско-американских переговорах по ограничению стратегических вооружений. Содействовал подготовке Договора ОСВ-2. С конца 70-х годов снова занимается юридической практикой и общественной деятельностью. Является авторитетным экспертом Демократической партии по вопросам контроля над вооружениями и разоружения. Выступает за достижение соглашений между США и СССР об ограничении и сокращении ядерных вооружений. Входит в руководство Ассоциации сторонников контроля над вооружениями, член Совета по международным отношениям.

УОРРЕН, Роберт Пенн (р. 1905) — романист, поэт, критик. Окончил несколько университетов, долгие годы занимался преподавательской деятельностью. Составитель (совместно с К. Бруксом) антологий «Понимание поэзии» (1938), «Понимание прозы» (1943), «Понимание литературы» (1959). В последней анализируется творчество американских писателей от М. Твена до А. Миллера. К 100-летию со дня рождения Т. Драйзера опубликовал монографию «Венок Драйзеру» (1971). Темой его первого романа «Ночной всадник» (1939) стала «табачная война» 1904 г. между бедняками-фермерами и предпринимателями в Кентукки. В центре романа «У небесных врат» (1943) — образ финансиста-стяжателя, держащего под контролем целый штат. В одном из лучших и наиболее известных романов У. «Вся королевская рать» (1946, Пулитцеровская премия) выведен образ политикана и демагога Вилли Старка (прототипом для которого послужил фашиствующий сенатор X. Лонг от штата Луизиана). Этот роман привлек в СССР внимание читателей и критики, был экранизирован. У. проявляет особый интерес к исторической проблематике (романы «Сборища ангелов», 1955 и «Дебри», 1961, действие в которых происходит до и в период Гражданской войны). В романе «Пещера» (1959) раскрывается история беспринципного и безжалостного стяжателя. В центре романа «Потоп» (1964) — судьбы обитателей маленького городка в Теннесси. Нравственные коллизии главного персонажа, ученого Джека Тьюксбери, раскрываются в романе «Пристанище» (1977). С первых шагов в литературе У. выступает как поэт. Он автор сборников «Избранные стихотворения» (1943), «Обещания» (1956), «Вы, императоры и другие» (1960), «Сказка времени» (1966) и др. У.— поэт яркий, склонный к броской метафоричности стиля. Свидетельством гуманистической позиции и критических воззрений Уоррена является его очерк «Вестник бедствий: писатели и американская мечта» (1974). Ставший уже при жизни классиком, У. близок к У. Фолкнеру и по-своему продолжает его традиции.

ФОНДА, Джейн (р. 1937) — актриса. Училась в нью-йоркской Актерской студии. Работала манекенщицей, играла в театре. Дебют в кино — фильм «Невероятная история» (1960). Сыграв в первой половине 60-х годов в целом ряде малоудачных картин, Ф. получает широкую известность, исполнив главные роли в фильмах «Погоня» (1965), «Загнанных лошадей пристреливают, не правда ли?» (1969) и «Клют» (1971, премия «Оскар»). Принимала активное участие в движении против агрессии США во Вьетнаме, в борьбе за права индейцев. В 1967 г. снялась в антирасистском фильме «Поторопись, закат». Сотрудничала с создателями документальных фильмов «F. T. A.» (1972) и «Знакомство с врагом» (1974). В 1977 г. снялась в антифашистской драме «Джулия», основанной на мемуарах американской писательницы Л. Хелман. Большой удачей актрисы, принесшей ей премию «Оскар», явилась роль в фильме «Возвращение домой» (1978). Каждая новая актерская работа Ф. характеризовала ее как обладательницу яркого гражданского темперамента. К лучшим работам Ф. в кино можно отнести также главные роли в фильмах «Китайский синдром» (1979) и «Электрический всадник» (1979). В 1982 г. снялась в феминистской комедии-буфф «С 9 до 5».

ФОРД, Джералд Рудолф (р. 1913) — государственный деятель, 38-й президент США. В 1935 г. окончил Мичиганский университет, а в 1941 г.— юридический факультет Йельского университета. В годы учебы активно занимался спортом (футбол) и тренерской работой. В 1941 г. занялся юридической практикой в Гранд-Рапидсе. С апреля 1942 г.— в резерве ВМФ США в звании мичмана. В 1946 г. вышел в отставку в звании капитан-лейтенанта. В боевых действиях во время второй мировой войны не участвовал. В 1946 г. возобновил юридическую практику в Гранд-Рапидсе, став совладельцем юридической фирмы «Бьюкен энд Форд». В 1948 г. одержал победу на выборах в палату представителей конгресса США от Республиканской партии. В 1949—1973 гг.— член палаты представителей конгресса США. С 1965 г.— лидер республиканского меньшинства в палате представителей. В декабре 1973 г. утвержден конгрессом на пост вице-президента США в администрации Р. Никсона в связи с отставкой С. Агню. С августа 1974 г. в связи с отставкой Р. Никсона вступил в должность президента США в соответствии с конституцией страны. В годы пребывания на посту президента США (1974—1977) принял ряд решений во внутриполитической и внешнеполитической областях, нанесших серьезный ущерб его популярности в стране (амнистия Р. Никсона, непоследовательность в вопросах разрядки международной напряженности). В ноябре 1974 г. состоялась рабочая встреча Ф. с Генеральным секретарем ЦК КПСС Л. И. Брежневым в районе Владивостока. Однако уже в конце 1974 — начале 1975 гг. Ф. предпринял ряд шагов, свидетельствовавших об отходе его администрации от политики разрядки. В условиях ухудшения основных экономических показателей, снижения уровня жизни американских трудящихся и резкого падения личной популярности Ф. потерпел поражение на президентских выборах 1976 г. от кандидата Демократической партии Дж. Картера. После ухода из Белого дома активной политической деятельностью не занимался.

ФРИДМЕН, Милтон (р. 1912) — экономист. В 1932 г. окончил университет Ратгерс, в 1933 г. получил диплом Чикагского университета. На протяжении 40—60-х годов занимался преподавательской и исследовательской деятельностью. Член редколлегий многих специальных изданий по экономике. Неоднократно участвовал в разработке экономической программы Республиканской партии. В 1971—1974 гг.— советник президента Р. Никсона по экономическим вопросам. Лауреат Нобелевской премии (1976), Ф. считается лидером монетаристского направления в буржуазной политэкономии. В своих трудах развивает концепцию решающей роли денег для функционирования капиталистической экономики, при этом исходит из способности рыночной экономики к саморегулированию и призывает ограничить государственное вмешательство в экономическую сферу, сосредоточив все внимание на контроле за ростом денежной массы. Теории Ф. приняты на вооружение наиболее консервативными кругами монополистической буржуазии США.

ХАММЕР, Арманд (р. 1898) — предприниматель и общественный деятель. Родился в семье владельца фармацевтической фирмы — выходца из России. Получил медицинское образование в Колумбийском университете, стал компаньоном в семейной фирме. В 1921—1930 гг. вел предпринимательскую деятельность в Советской России. Осуществлял поставки зерна на Урал в обмен на закупки ряда товаров. Получил в 1921 г. от Советского правительства концессию по разработке асбестовых рудников на Урале. Был принят В. И. Лениным. В 1925—1930 гг. имел в СССР концессию по производству и сбыту канцелярских товаров. В 30-е годы создал в Нью-Йорке торговую фирму, которая занималась распродажей художественных коллекций. В 40 — первой половине 50-х годов владел сетью заводов по производству виски. В 1957 г. возглавил небольшую калифорнийскую нефтяную компанию «Оксидентал петролеум», которая затем выросла в транснациональную корпорацию с диверсифицированным производством. Х. выступает за мир и политику разрядки между капиталистическими и социалистическими странами, развитие взаимовыгодного торгово-экономического сотрудничества США и СССР, расширение связей между американским и советским народами. Известен как видный филантроп. Финансирует ряд научно-исследовательских центров в США по борьбе с раковыми заболеваниями. Является также крупным коллекционером произведений искусства. Неоднократно экспонировал в СССР картины из своих собраний, организовывал в США выставки произведений из советских музеев. Передал в дар советскому народу ряд ценных произведений искусства. В 1986 г. активно участвовал в оказании международного содействия Советскому Союзу в ликвидации последствий аварии на Чернобыльской АЭС. Награжден советским орденом Дружбы народов (1978). Им написаны автобиография «Хаммер. Свидетель истории» (1987) и воспоминания «Мой век — двадцатый. Пути и встречи» (М., 1988).

ХЕЛЛЕР, Джозеф (р. 1923) — писатель. В годы второй мировой войны служил в американских ВВС. Окончил Нью-Йоркский университет (1948). В 50-е годы занимался преподаванием и журналистикой. Известность ему принес антимилитаристский роман «Пункт-22» (1961, на русском языке опубликован под названием «Уловка-22»). В романе в гротесково-иронической манере воссозданы будни американской авиаэскадрильи в Италии в 1943—1944 гг. Прибегая к символике и иносказанию, Х. изображает войну как стихию слепого разрушения, а армейскую машину как рассадник коррупции и жестокости. Антивоенный пафос присущ его пьесе «Мы бомбили Нью-Хейвен» (1967), представляющей собой переработку романа, которая с успехом шла в ряде театров мира. Роман «Что-то случилось» (1974), окрашенный сатирико-иронической интонацией, построен как саморазоблачительная исповедь главного персонажа Боба Слокума, служащего некой фирмы, недовольного собой, своим окружением, семьей, работой. Едкий сарказм и критика в адрес политических кругов США присутствуют в романе «Золото, а не человек» (1979).

ХОЛЛ, Гэс (настоящие имя и фамилия Арво Гас Халберг, р. 1910) — деятель американского и международного коммунистического и рабочего движения. Происходит из семьи рабочего-горняка. Один из основателей профсоюза рабочих сталелитейной промышленности. В 1927—1937 гг.— организатор забастовочного движения в штатах Миннесота, Огайо, Пенсильвания. Член Коммунистической партии США с 1927 г. В 1942—1946 гг. служил в частях ВМС США на Тихом океане. С 1944 г.— член Национального комитета, с 1947 г.— член Национального исполнительного бюро Национального комитета Компартии США. В 1949 г. избран секретарем Национального комитета Компартии США. В годы «холодной войны» был среди жертв маккартизма — осужден на основании закона Смита. В 1951—1957 гг. находился в тюремном заключении, а затем до 1959 г. под домашним арестом. В апреле 1959 г. был избран секретарем Исполкома Национального комитета и секретарем комитета Компартии США на Среднем Западе. С декабря 1959 г.— Генеральный секретарь Компартии США; с апреля 1988 г.— Национальный председатель Компартии США. Неоднократно выдвигался кандидатом на пост президента США от коммунистической партии. Автор книг и многих публикаций по политической истории США, социально-экономическому развитию и идеологии американского общества, национальным отношениям в США. Награжден орденами Ленина и Дружбы народов.

ШЛЕЗИНГЕР, Артур Мейер, младший (р. 1917) — историк, общественный деятель. Окончил Гарвардский университет (1938). В 1942—1945 гг.— офицер военной разведки США, в 1946—1954 гг.— ассистент профессора, в 1954—1961 гг.— профессор Гарвардского университета. Книга о президенте-реформаторе Э. Джэксоне «Век Джэксона» (1945) и написанная в 1951—1958 гг. трилогия о Ф. Д. Рузвельте, в которой была дана трактовка происхождения и характера политики «нового курса», сделали имя Ш. известным. В 1952, 1956 гг. входил в группу помощников Э. Стивенсона, кандидата на пост президента США от Демократической партии. В 1960 г.— активный участник предвыборной кампании Дж. Ф. Кеннеди. В 1961—1964 гг.— специальный помощник президента США. В 1964 г. возвращается к академической деятельности. С 1966 г.— профессор Нью-Йоркского университета. Воспоминаниям о работе с президентом Дж. Ф. Кеннеди посвящена его книга «1000 дней. Джон Ф. Кеннеди в Белом доме» (1965). Ш. принадлежит также фундаментальное исследование «Роберт Кеннеди и его время» (1978). Один из руководителей организации «Американцы — сторонники демократических действий». Идеолог либерального крыла Демократической партии. Им также написаны книги «Горькое наследие — Вьетнам и американская демократия» (1967), «Кризис до-верия — идеи, власть и насилие в Америке» (1969), «Имперское президентство» (1973).

ШУЛЬЦ, Джордж Пратт (р. 1920) — государственный деятель. Окончил Принстонский университет (1942). В 1946—1957 гг. преподавал в Массачусетском технологическом институте. В 1957—1968 гг.— профессор, декан Школы бизнеса Чикагского университета. С 1969 г. (с перерывами) — на государственной службе. Принадлежит к Республиканской партии. С января по июнь 1970 г.— министр труда в администрации Р. Никсона; в 1970—1972 гг.— директор Административно-бюджетного управления; в 1972—1974 гг.— министр финансов. В 1974—1975 гг., уйдя с государственной службы, являлся исполнительным вице-президентом корпорации «Бектел». В 1975—1980 гг.— президент корпорации «Бектел», в 1981—1982 гг.— президент «Бектел груп инкорпорейтед». В 1974—1982 гг.— профессор Стэнфордского университета. С 1982 г. вновь на государственной службе — государственный секретарь в администрации Р. Рейгана. Принимал участие в советско-американских встречах на высшем уровне в 1985—1988 гг. Автор ряда книг по экономике, проблемам управления: «Организация управления и компьютер» (1960), «Рабочие и заработная плата на городском рынке труда» (1970), «Экономическая политика без сенсаций» (1978) и др.

ШУМЕН, Уильям Хоуард (р. 1910) — американский композитор. Член Национальной академии искусств и литературы. Брал частные уроки, совершенствовался в Академии «Моцартеум» в Зальцбурге (Австрия). Творческую деятельность Ш. успешно совмещал с административной, являясь президентом Джульярдской музыкальной школы (1945—1962), а затем Линкольновского центра исполнительских искусств в Нью-Йорке (1962—1969). Входил в руководство крупнейших издательств, фирм грамм- и видеозаписи. Получил известность в США на рубеже 30—40-х годов после исполнения «Американской праздничной увертюры» и 3-й симфонии, Ш. завоевывает международное признание к концу 40-х годов после создания 4-й, 5-й и 6-й симфоний, балета «Подводное течение», кантаты «Это наше время», концерта для скрипки и ряда др. сочинений. Произведения Ш. отличаются цельностью замысла и высокой организованностью формы. Сочетание драматического развития, ярких, динамичных эпизодов с лирическими характерно и для произведений Ш. 50—80-х годов — «бейсбольной» оперы «Мощный Кейси», балета «Прорицательница из Эндора», 7-й — 10-й симфоний, симфонических пьес «Новоанглийский триптих», «Кредендум», «О вечном» (посвящена памяти М. Л. Кинга и Р. Кеннеди), «В честь Шаана», а также камерно-инструментальных, хоровых пьес, фортепианных сочинений.

ПРЕДМЕТНЫЙ УКАЗАТЕЛЬ

СОДЕРЖАНИЕ

C56

Современные Соединенные Штаты Америки: Энцикл. справочник.— М.: Политиздат, 1988.— 542 с.: карт.

ISBN 5—250—00124—6

Энциклопедический справочник «Современные Соединенные Штаты Америки» состоит из крупных тематических разделов, содержащих сведения об административно-территориальном делении этой страны, ее населении и городах, экономике, социальных проблемах и социальной политике, политической системе, внешней политике, вооруженных силах, науке и образовании, здравоохранении, культуре и искусстве, спорте. Он снабжен картами и подробным указателем.

Рассчитан на широкий круг читателей.

C $\dfrac{0804000000—197}{079(02)—88}$ 183—88

ББК 66.3 (7США)

**СОВРЕМЕННЫЕ
СОЕДИНЕННЫЕ ШТАТЫ АМЕРИКИ**

Энциклопедический справочник

Заведующий редакцией *А. В. Никольский*
Редакторы *К. О. Меликян, Л. В. Сидашенко*
Младшие редакторы *Г. С. Пружинин, О. В. Петрова*
Художник *А. Брантман*
Художественный редактор *Е. А. Андрусенко*
Технический редактор *Ю. А. Мухин*

ИБ № 7417

Сдано в набор 28.04.88. Подписано в печать 23.09.88. А 00134. Формат $60 \times 90^1/_{16}$. Бумага офсетная. Гарнитура типа «Таймс». Печать офсетная. Усл. печ. л. 34,5. Усл. кр.-отт. 38,13. Уч.-изд. л. 46,58. Тираж 250 000 (125 001—250 000) экз. Заказ № 4769. Цена 2 р. 40 к.

Политиздат. 125811, ГСП, Москва, А-47, Миусская пл., 7.

Типография издательства «Горьковская правда», 603006, г. Горький, ГСП-123, ул. Фигнер, 32.